TERCEIRO REICH
EM GUERRA

3ª edição
1ª reimpressão

RICHARD J. EVANS

TERCEIRO REICH
EM GUERRA

Tradução
Lúcia Brito
Solange Pinheiro

CRÍTICA

Copyright © Richard Evans, 2008
Copyright © Editora Planeta do Brasil, 2012, 2014, 2017
Todos os direitos reservados.
Título original: *The Third Reich at War*

Preparação: Túlio Kawata
Revisão: Dida Bessana e Cássia Land dos Anjos
Diagramação: Thiago Sousa | all4type.com.br
Mapas: Andras Bereznay
Capa: Compañía
Imagem da capa: Print Collector / Contributor

CIP-BRASIL. CATALOGAÇÃO NA PUBLICAÇÃO
SINDICATO NACIONAL DOS EDITORES DE LIVROS, RJ

E93t

Evans, Richard J.
O Terceiro Reich em guerra / Richard J. Evans ; [tradução Lúcia Brito , Solange Pinheiro]. - [3. ed.] - São Paulo : Planeta, 2016.

Tradução de: The Third Reich at war
ISBN 978-85-422-0871-9

1. Guerra Mundial, 1939-1945 - Alemanha. 2. Alemanha - Forças armadas - História. 3. Alemanha - História - 1933-1945. I. Brito, Lúcia. II. Pinheiro, Solange. III. Título.

16-37742 CDD: 940.53
CDU: 94(100)'1939-1945'

2017
Todos os direitos desta edição reservados à
EDITORA PLANETA DO BRASIL LTDA.
Rua Padre João Manuel, 100 – 21º andar
Ed. Horsa II – Cerqueira César
01411-000 – São Paulo-SP
www.planetadelivros.com.br
atendimento@editoraplaneta.com.br

Para Matthew e Nicholas

Sumário

Lista de imagens   9
Lista de mapas   13
Prefácio   15

1   "BESTAS EM FORMA HUMANA"   21
    Vitória-relâmpago   22
    A nova ordem racial   50
    "Uma ralé pavorosa"   72
    "Vida indigna de ser vivida"   102

2   OS DESTINOS DA GUERRA   137
    "Obra da Providência"   138
    "Ambição patológica"   178
    Operação Barba Ruiva   201
    Nas pegadas de Napoleão   227

3   "A SOLUÇÃO FINAL"   255
    "Sem nenhuma pena"   256
    Deflagrando o genocídio   283
    A Conferência de Wannsee   303
    "Como ovelhas para o abate"   328

4 A NOVA ORDEM   369
    Os nervos da guerra   370
    "Não estamos melhor que porcos"   398
    Sob o tacão nazista   428
    Guerra total   461

5 "O COMEÇO DO FIM"   495
    Alemanha em chamas   496
    A longa retirada   534
    "O inferno se desencadeou"   553
    Um novo "tempo de luta"   580

6 MORAL ALEMÃ   619
    Medo e culpa   620
    Culturas da destruição   647
    Ciência mortífera   681
    Resistência   704

7 A QUEDA   741
    "Uma última centelha de esperança"   742
    "Vamos arrastar o mundo conosco"   777
    A derrota final   818
    Consequências   845

Notas   877
Bibliografia   963
Índice onomástico   1011

Lista de imagens

1. Tropas alemãs entram em Lódź, setembro de 1939 (foto: © Curadores do Museu Imperial da Guerra, Londres).
2. Alemães étnicos da Lituânia cruzam a fronteira alemã, fevereiro de 1941 (foto: © SV-Bilderdienst/Scherl).
3. Trabalho forçado judaico, Polônia, setembro de 1939 (foto: akg-images).
4. Recolhimento de judeus em Szczebrzeszyn, por volta de 1939-41 (foto: Museu Memorial do Holocausto dos Estados Unidos, cortesia do Instituto Pamieci Narodowej).
5. Cena do filme *Eu acuso*, 1941 (foto: © SV-Bilderdienst/Tobis).
6. Interior do Bürgerbräukeller depois do atentado à vida de Hitler, 8 de novembro de 1939 (foto: akg-images/ullstein bild).
7. Hess em visita à fábrica da Krupp-AG, Essen, maio de 1940 (foto: akg-images).
8. Tanques alemães em Ardenas, maio de 1940 (foto: akg-images/ullstein bild).
9. Hitler com Speer e Breker no Trocadéro, Paris, junho de 1940 (foto: akg-images/Heinrich Hoffmann).
10. Fedor von Bock com o general Fritz Lindemann na Crimeia, maio de 1942 (foto: Bayerische Staatsbibliotek, Munique).
11. Granadeiros perto de Smolensk, setembro de 1941 (foto: akg-images/ullstein bild).
12. Incêndio em uma fazenda ucraniana, setembro de 1941 (foto: bpk/Hähle).

13. Soldados alemães tirando fotografias da execução de guerrilheiros russos, janeiro de 1942 (foto: akg-images).
14. Prisioneiros do Exército Vermelho transportados em vagões de trem, setembro de 1941 (foto: Bundesarchiv, Koblenz).
15. Carro empurrado na lama, *front* oriental, 1941 (foto: akg-images/ ullstein bild).
16. "Juden Komplott Gegen Europa" ("Conspiração Judaica Contra a Europa"), pôster produzido pelo Ministério da Propaganda e Esclarecimento Público do Reich, verão de 1941 (foto: © Curadores do Museu Imperial da Guerra, Londres).
17. Heinrich Himmler, Reinhard Heydrich e Heinrich Müller, novembro de 1939 (foto: Bayerische Staatsbibliotek, Munique/Heinrich Hoffmann).
18. Auschwitz depois de ser liberado (foto: akg-images).
19. Richard Baer, dr. Josef Mengele e Rudolf Höss, 1944 (foto: USHMM, cortesia de doador anônimo).
20. Albert Speer, 1943 (foto: bpk/Hanns Hubmann).
21. Tanques Tiger em produção, verão de 1943 (foto: Bundesarchiv, Koblenz).
22. Combate de rua em Stalingrado, 1942 (foto: akg-images).
23. Soldado alemão capturado, Stalingrado, 1943 (foto: Bundesarchiv, Koblenz).
24. Soldados alemães capturados nas ruínas de Stalingrado, janeiro de 1943 (foto: AP/PA Photos).
25. Civis alemães nas ruas de Hamburgo, dezembro de 1943 (foto: AP/PA Photos).
26. Principal estação férrea de Hamburgo em ruínas, 1943 (foto: Museum für Hamburgische Geschichte, Hamburgo).
27. Hans Günther von Kluge e Gotthard Heinrici, 1943 (foto: Bundesarchiv, Koblenz).
28. Infantaria soviética no encalço de soldados alemães cujo tanque foi atingido, agosto de 1944 (foto: akg-images).
29. Panfleto alemão com ameaça de ataques de V-1 (foto: cortesia www.psy-warrior.com).

30. Entrada da fábrica subterrânea de V-2 em Mittelbau-Dora, 1944 (foto: bpk/Hanns Hubmann).
31. Hitler no *front* do Oder, março de 1945 (foto: bpk/Walter Frentz).
32. A "Tempestade do povo", Hamburgo, outubro de 1944 (foto: Hugo Schmidt-Luchs/Ullstein/akg-images).
33. Goebbels encontra-se com soldados adolescentes em Lauban, Baixa Silésia, março de 1945 (foto: Bundesarchiv, Koblenz).
34. Hermann Göring, novembro de 1945 (foto: akg-images).
35. Joachim von Ribbentrop, por volta de 1945-46 (foto: akg-images).
36. Mulheres alemãs limpando os escombros na Tauentzienstrasse, Berlim, 1945 (foto: AP Photo).

Nota: As visões ou opiniões expressas neste livro e o contexto em que as imagens são usadas não refletem necessariamente as visões ou a política do Museu Memorial do Holocausto dos Estados Unidos, tampouco implicam aprovação ou endosso da instituição.

Fez-se todo o esforço para se encontrar os detentores dos direitos autorais, mas isso não foi possível em todos os casos. Se notificada, a editora de bom grado retificará quaisquer omissões na primeira oportunidade.

Lista de mapas

1. Polônia e Europa centro-oriental sob o Pacto Alemão-Soviético, 1939-41 — 30
2. Transferências de populações de alemães étnicos, 1939-43 — 62
3. Guetos judaicos na Polônia sob ocupação alemã, 1939-44 — 84
4. Centros de matança da Ação T-4, 1939-45 — 112
5. Ganhos territoriais soviéticos, 1939-40 — 146
6. A conquista alemã da Europa ocidental, 1940 — 158
7. A divisão da França, 1940 — 166
8. A guerra no Mediterrâneo, 1940-42 — 188
9. Operação Barba Ruiva no *front* oriental, 1941 — 216
10. Operações de chacina das forças-tarefa da SS, 1941-43 — 268
11. Campos de extermínio, 1941-45 — 330
12. A Nova Ordem na Europa, 1942 — 388
13. Campos de concentração e satélites, 1939-45 — 420
14. O extermínio dos judeus europeus — 442
15. O *front* oriental, 1942 — 474
16. Bombardeios aliados das cidades alemãs, 1941-45 — 530
17. Prisões e penitenciárias alemãs — 594
18. O extermínio dos ciganos — 610
19. A longa retirada, 1942-44 — 710
20. O fim da guerra — 784
21. As marchas da morte — 794
22. Refugiados e expatriados alemães, 1944-50 — 816
23. Acordos pós-guerra na Europa central — 848

Prefácio

Este livro conta a história do Terceiro Reich – o regime criado na Alemanha por Hitler e seus nacional-socialistas – desde a eclosão da Segunda Guerra Mundial em 1º de setembro de 1939 até seu fim na Europa em 8 de maio de 1945. Pode ser lido de modo avulso, como uma história da Alemanha durante a guerra. Mas é também o volume final de uma trilogia, iniciada com *A chegada do Terceiro Reich*, que aborda as origens do nazismo, o desenvolvimento de suas ideias e sua ascensão ao poder em 1933. O segundo volume da série, *O Terceiro Reich no poder*, cobre os anos de paz de 1933 a 1939, quando Hitler e os nazistas promoveram o poder militar na Alemanha e a prepararam para a guerra. A abordagem geral dos três volumes está exposta no Prefácio de *A chegada do Terceiro Reich* e não precisa ser repetida em detalhes aqui. Juntos, os volumes almejam proporcionar um relato abrangente da Alemanha sob os nazistas.

Tratar da história do Terceiro Reich durante a guerra leva a dois problemas especiais. O primeiro é relativamente pequeno. Depois de 1939, Hitler e os nazistas ficaram cada vez mais relutantes a se referir ao regime como "O Terceiro Reich", preferindo chamá-lo de "O Grande Reich Alemão" (*Grossdeutsches Reich*), a fim de atrair a atenção para a tremenda expansão de suas fronteiras, ocorrida em 1939-40. Entretanto, em favor da unidade e da consistência, optei, como outros historiadores, por continuar a chamá-lo de "O Terceiro Reich"; afinal de contas, os nazistas decidiram abandonar esse termo discretamente, em vez de repudiá-lo abertamente. O segundo problema é mais grave. O foco central deste livro é a Alemanha e os alemães; não se trata de uma história da Segunda Guerra Mundial, nem mesmo da Segunda Guerra Mundial na Europa. Todavia, é claro que é necessário narrar o progresso da guerra e abordar a administração dos alemães nas regiões da Europa que conquistaram. Mesmo no âmbito de um livro extenso como este, não é possível prestar atenção igual a todas as fases e a cada aspecto da guerra. Optei, portanto, por focar os momentos decisivos – a conquista da Polônia e da França e a Batalha da Grã-Bretanha no primeiro ano da guerra, a Batalha de Moscou no inverno de 1941-42, a Batalha de Stalingrado no inverno de 1942-43 e o início do bombardeio estratégico contínuo das cidades alemãs em 1943. Ao fazer isso, tentei transmitir um pouco de como foi para os alemães participar nesses vastos conflitos, usando os diários e as cartas tanto de soldados como de civis. Os motivos para a escolha desses momentos decisivos específicos irão, espero eu, ficar claros para os leitores ao longo do livro.

No coração da história alemã durante a guerra está o assassinato em massa de milhões de judeus naquilo que os nazistas chamaram de "solução final da questão judaica na Europa". Este livro oferece uma narrativa completa do desenvolvimento e da implementação dessa política de genocídio, ao mesmo tempo que também a coloca no contexto mais amplo das políticas raciais nazistas em relação aos eslavos e a minorias como ciganos, homossexuais, delinquentes e "antissociais". Tentei combinar o testemunho de alguns dos que foram afetados – tanto os que sobreviveram como os que não – com o de alguns dos homens que a colocaram em prática, inclusive os comandantes dos maiores campos de morte. A deportação e o assassinato de judeus de países da Europa ocidental são tratados no capítulo que aborda o império nazista, ao passo que a reação dos alemães comuns que ficaram na Alemanha e até que ponto sabiam do genocídio são cobertas em um capítulo posterior sobre o *front* doméstico. O fato de o assassinato em massa dos judeus ser discutido em quase todas as partes deste livro, desde a narrativa sobre a fundação dos guetos na Polônia, no capítulo de abertura, até a cobertura sobre as "marchas da morte" de 1945, no último capítulo, reflete sua centralidade em muitíssimos aspectos da história do Terceiro Reich na guerra. Para onde quer que se olhe, até mesmo, por exemplo, na história da música e da literatura, tratada no capítulo 6, essa é uma parte inescapável da história. Contudo, é importante reiterar que este livro é uma história da Alemanha nazista em todos os seus aspectos; não é em primeiro lugar uma história do extermínio dos judeus, assim como não é uma história da Segunda Guerra Mundial, embora ambas desempenhem um papel essencial.

O livro se inicia onde *O Terceiro Reich no poder* acaba: na invasão da Polônia em 1º de setembro de 1939. O capítulo 1 discute a ocupação alemã da Polônia e em particular os maus-tratos, a exploração e o assassinato de milhares de poloneses e judeus poloneses dali em diante até as vésperas da invasão da União Soviética em junho de 1941. Para os nazistas, e de fato para muitos alemães, os poloneses e os "judeus orientais" eram menos que humanos, e essa atitude aplicava-se também, ainda que com diferenças significativas, aos doentes mentais e deficientes da própria Alemanha, cujo assassinato em massa ao longo da ação de "eutanásia" ordenada da Chancelaria de Hitler em Berlim compõe o tema da última parte do capítulo. O segundo capítulo é amplamente dedicado ao progresso da guerra, desde a conquista da Europa ocidental em 1940 até a campanha russa de 1941. Essa campanha compõe o pano de fundo essencial dos eventos narrados no capítulo 3, que trata da deflagração e da implementação do que os nazistas chamaram de "solução final da questão judaica na Europa". O capítulo 4 volta-se para a economia de guerra e analisa como o Terceiro Reich governou os países que ocupou na Europa, recrutando milhões de trabalhadores forçados para suas fábricas de armamentos e prosseguindo com a detenção, deportação e assassinato de judeus que viviam nas fronteiras do império nazista. Império esse que começou a desmoronar com a importante derrota alemã na Batalha de Stalingrado no início de 1943, que é narrada na última parte do capítulo. No mesmo ano, a derrota foi seguida de reveses em muitas esferas da guerra, desde a devastação de municípios e cidades alemãs pela ofensiva aliada de bombardeio estratégico até a derrota dos exércitos de Rommel na África do Norte e o colapso do principal aliado europeu do Terceiro Reich, o Estado fascista da Itália de Mussolini. Esses eventos compõem o foco principal do capítulo 5, que prossegue examinando o modo como eles afetaram as Forças Armadas e o impacto que tiveram sobre a condução da guerra em casa. O capítulo 6 é amplamente dedicado ao *front* doméstico e observa como a vida religiosa, social, cultural e científica interagiu com a guerra. No fim dele, um relato sobre o surgimento da resistência ao nazismo, em especial dentro do próprio Terceiro Reich. O capítulo 7 começa com um relato sobre as "armas maravilhosas" que Hitler prometeu para reverter o colapso militar da Alemanha e, em seguida, conta a história de como o Reich foi enfim derrotado e examina brevemente o que aconteceu depois. Cada capítulo entrelaça aspectos temáticos com uma narrativa contínua dos acontecimentos militares, de modo que o capítulo 1 trata da ação militar de 1939, o capítulo 2 cobre 1940 e 1941, o capítulo 3 discute acontecimentos militares pós 1941, o capítulo 4 avança com a história através de 1942, o capítulo 5 narra a guerra na terra, no ar e no mar em 1943, o capítulo 6 leva a narrativa para 1944 e o capítulo final oferece um relato dos últimos meses da guerra, de janeiro a maio de 1945.

Este livro foi escrito para ser lido do início ao fim, como uma narrativa única, ainda que complexa, intercalada com descrições e análises; à medida que a narrativa avançar, espero que fiquem claras para os leitores as formas como as diferentes partes da história interagem umas com as outras. Os títulos dos capítulos e os intertítulos pretendem provocar reflexão sobre o conteúdo, mais do que fornecer descrições precisas sobre o que cada capítulo contém; em alguns casos, são intencionalmente ambíguos ou irônicos. A bibliografia lista obras citadas nas notas; não pretende ser um guia abrangente da vasta literatura sobre os tópicos tratados no livro.

Boa parte deste livro lida com países da Europa central e oriental cujos municípios e cidades têm uma variedade de nomes e grafias em diferentes idiomas. A cidade polonesa de Lvov, por exemplo, é grafada L'vov em russo e L'viv em ucraniano, ao passo que os alemães chamam-na de algo completamente diferente, isto é, Lemberg; há variações semelhantes na grafia de Kaunas em lituano e Kovno em polonês, Theresienstadt em alemão e Terezín em tcheco, ou Reval em alemão e Tallinn em estoniano. As autoridades nazistas também renomearam Lódź como Litzmannstadt, em uma tentativa de obliterar todos os aspectos de sua identidade polonesa de uma vez por todas, e usaram nomes alemães para uma série de outras cidades, como Kulmhof para Chelmno, ou Auschwitz para Oswiecim. Nessa situação, é impossível ser consistente, e optei por usar o nome corrente na época sobre a qual escrevi, ou em certas ocasiões simplesmente o nome com que os leitores estão mais familiarizados, alertando-os, todavia, para a existência de alternativas. Também simplifiquei o uso de acentos e diacríticos em nomes de locais e nomes próprios – abandonando o caractere polonês Ł, por exemplo – para remover o que, na minha opinião, são distrações para o leitor.

Na preparação desta obra, desfrutei do enorme benefício do acesso às soberbas coleções da Biblioteca da Universidade de Cambridge, bem como da Biblioteca Wiener e do Instituto Histórico Alemão de Londres. A Universidade de Melbourne gentilmente designou-me para uma bolsa de estudos Miegunyah de visitante ilustre em 2007, e tive oportunidade de usar a excelente coleção de pesquisa sobre história moderna alemã comprada para a biblioteca da universidade com a doação testamentária do finado e muito saudoso John Foster. O Staatsarchiv der Freien und Hansestadt Hamburg e o Forschungsstelle für Zeitgeschichte de Hamburgo gentilmente permitiram a consulta dos diários não publicados de Luise Solmitz. O encorajamento de muitos leitores, em especial dos Estados Unidos, foi crucial para me incitar a completar o livro, embora tenha demorado mais do que eu originalmente pretendia. O conselho e o apoio de muitos amigos e colegas foram imprescindíveis. Meu agente, Andrew Wylie, e meu editor na Penguin, Simon Winder, e suas equipes foram imensamente prestativos. Chris Clark, Christian Goeschel, Victoria Harris, Sir Ian Kershaw, Richard Overy, Kristin Semmens, Astrid Swenson, Hester Vaizey e Nikolaus Wachsmann leram os primeiros rascunhos e deram muitas sugestões proveitosas. Victoria Harris, Stefan Ihrig, Alois Maderspacher, David Motadel, Tom Neuhaus e Hester Vaizey conferiram as notas e me salvaram de muitos erros. András Bereznáy forneceu mapas que são um modelo de clareza e precisão; trabalhar neles foi extremamente instrutivo. A perícia de David Watson em edição de texto foi inestimável, e foi um prazer trabalhar com Cecilia Mackay nas imagens. Christine L. Corton aplicou seu olhar treinado nas provas e concedeu apoio essencial em formas demais para que se mencionem todas. Também agradeço muito à Dra. Isabel DiVianna por sua gentil leitura da tradução e pela sugestão das inúmeras melhorias. Nossos filhos, Matthew e Nicholas, a quem este volume final, como os dois anteriores, é dedicado, animaram-me em inúmeras ocasiões durante a redação de um livro cujo tema às vezes era chocante e deprimente para quase além do concebível. Sou profundamente grato a todos.

Richard J. Evans
Cambridge, maio de 2008

"Bestas em forma humana"

Vitória-relâmpago

I

Em 1º de setembro de 1939, a primeira de um total de sessenta divisões de tropas alemãs cruzou a fronteira do Terceiro Reich com a Polônia. Somando quase 1,5 milhão de homens, as tropas detiveram-se apenas para que o câmera do cinejornal do Ministério da Propaganda de Joseph Goebbels filmasse o levantamento cerimonial das barreiras alfandegárias por soldados de vanguarda com sorrisos escancarados. O avanço teve como ponta de lança os tanques das cinco divisões de blindados do Exército alemão, com cerca de trezentos tanques cada uma, acompanhados por quatro divisões de infantaria totalmente motorizadas. Atrás deles marchou o grosso da infantaria, com a artilharia e os equipamentos puxados basicamente por cavalos – em torno de 5 mil para cada divisão, somando ao todo pelo menos 300 mil animais. Embora isso fosse impressionante, a tecnologia decisiva disposta pelos alemães não estava em terra, mas no ar. A proibição de aviões militares alemães imposta pelo Tratado de Versalhes fez que a construção de aeronaves fosse forçada a começar quase do zero quando Hitler repudiou as cláusulas relevantes do tratado, apenas quatro anos antes da eclosão da guerra. Os aviões alemães não eram modernos apenas na construção, mas também haviam sido testados na Guerra Civil Espanhola pela Legião Condor alemã, da qual vinham muitos dos veteranos que agora pilotavam os 897 bombardeiros, 426 caças e vários aviões de reconhecimento e transporte que se alçavam nos céus da Polônia.[1]

Essa força maciça confrontou os poloneses com vantagem avassaladora. Esperando que a invasão fosse detida pela intervenção anglo-francesa, e ansioso para não ofender a opinião pública ao parecer provocar os alemães, o governo polonês retardou a mobilização de suas Forças Armadas até o último minuto, de modo que elas não estavam preparadas para resistir à súbita e maciça invasão das tropas alemãs. Os poloneses conseguiram reunir 1,3 milhão de homens, mas possuíam poucos tanques e escasso equipamento moderno. As divisões blindadas e motorizadas alemãs superavam as polonesas pelo fator de 15 para 1 no conflito. A Força Aérea polonesa dispunha de apenas 154 bombardeiros e 159 caças contra os invasores alemães. A maior parte das aeronaves, especialmente os caças, era obsoleta, e as brigadas de cavalaria polonesa mal haviam começado a abandonar os cavalos em favor de máquinas. As histórias de esquadrões da cavalaria polonesa investindo de maneira quixotesca contra unidades alemãs de tanques muito provavelmente não são verdadeiras; contudo, a disparidade em recursos e equipamentos era inegável. Os alemães cercaram a Polônia por três lados, na sequência do desmembramento da Tchecoslováquia ocorrido naquele ano. Ao sul, o Estado-cliente da Eslováquia propiciou a porta de entrada mais importante da invasão e, de fato, o governo eslovaco enviou algumas unidades para combater na Polônia ao lado das tropas alemãs, seduzido pela promessa de um pequeno território extra depois que a Polônia fosse derrotada. Outras divisões alemãs entraram na Polônia através da fronteira norte, a partir da Prússia Oriental, enquanto outras marcharam do oeste, atravessando o Corredor Polonês criado pelo Acordo de Paz para dar à Polônia acesso ao Báltico. As forças polonesas estenderam-se e ficaram tênues demais para defender todas essas fronteiras de forma eficaz. Enquanto caças de mergulho atacavam do alto as tropas polonesas enfileiradas ao longo da fronteira, tanques e artilharia alemãs moviam-se por suas defesas, separavam-nas e interrompiam a comunicação. Em poucos dias, a Força Aérea polonesa foi desalojada dos ares e bombardeiros alemães destruíram fábricas polonesas de armamentos, investindo de rijo sobre as tropas em retirada e aterrorizando o povo de Varsóvia, Lódź e outras cidades.[2]

Só no dia 16 de setembro de 1939, 820 aeronaves alemãs jogaram um total de 328 mil quilos de bombas sobre os poloneses indefesos, que possuíam um total de apenas cem armas antiaéreas para o país inteiro. Os ataques aéreos foram tão desmoralizantes que, em algumas regiões, as tropas polonesas baixaram as armas e os comandantes alemães em terra pediram o cessar do bombardeio. Uma ação típica foi testemunhada pelo correspondente americano William L. Shirer, que conseguiu permissão para acompanhar forças alemãs no ataque ao porto báltico polonês de Gdynia:

> Os alemães usavam todos os tipos de armamento: armas grandes, armas pequenas, tanques e aviões. Os poloneses não tinham nada além de metralhadoras, rifles e duas peças antiaéreas que tentavam desesperadamente usar como artilharia contra postos de metralhadora e tanques alemães. Os poloneses [...] haviam transformado dois prédios grandes, o de uma escola de oficiais e o da estação de rádio de Gdynia, em fortalezas e disparavam com metralhadoras de várias janelas. Depois de meia hora, uma bomba alemã atingiu o telhado da escola e a pôs em chamas. Então a infantaria alemã, apoiada – ou, vendo de binóculos, parecendo ser *guiada* – por tanques, arremeteu colina acima e cercou o prédio [...] Um hidroavião alemão pairou sobre o cume, localizando a artilharia. Mais tarde, um avião bombardeiro juntou-se a ele, e voaram rasante, metralhando as linhas polonesas. Por fim, chegou um esquadrão de bombardeiros nazistas. Era uma posição sem chances para os poloneses.[3]

Ações semelhantes repetiram-se por todo o país enquanto as forças alemãs avançavam. Após uma semana, as forças polonesas estavam em completo desalinho, e sua estrutura de comando estava espatifada. Em 17 de setembro, o governo polonês fugiu para a Romênia, onde seus desafortunados ministros foram imediatamente confinados pelas autoridades. O país agora estava completamente destituído de liderança. Um governo no exílio, instituído em 30 de setembro de 1939 por iniciativa de diplomatas poloneses em Paris e Londres, não foi capaz de fazer nada. Um único e feroz contra-ataque polonês, na Batalha de Kutno, em 9 de setembro, conseguiu apenas retardar o cerco de Varsóvia por uns poucos dias.[4]

Em Varsóvia, as condições deterioraram-se depressa. Chaim Kaplan, um mestre-escola judeu, anotou em 28 de setembro de 1939:

> Há um sem-fim de corpos de cavalos. Ficam caídos no meio da rua e não há ninguém para removê-los e limpar as vias. Estão apodrecendo há três dias e nauseando os transeuntes. Entretanto, devido à fome que grassa na cidade, há muita gente que come a carne dos cavalos. Cortam nacos e os comem para aplacar a fome.[5]

Um dos retratos mais vívidos das cenas caóticas que se seguiram à invasão alemã foi pintado por um médico polonês, Zygmunt Klukowski. Nascido em 1885, por ocasião da eclosão da guerra ele era superintendente do hospital do condado de Zamość, no município de Szczebrzeszyn. Klukowski manteve um diário, que escondeu em recantos improváveis do hospital, como um ato de desafio e recordação. No fim da segunda semana de setembro, ele reparou nas levas de refugiados escapulindo das tropas invasoras alemãs no meio da noite, uma cena que se repetiria muitas vezes, em muitas partes da Europa, nos anos seguintes:

> A estrada inteira ficou apinhada de comboios militares, todos os tipos de veículos motorizados, carroças puxadas por cavalos e milhares de pessoas a pé. Todo mundo se deslocava em uma só direção: leste. Ao raiar do dia, uma massa de pessoas a pé e de bicicleta somou-se à confusão. Era muito esquisito. Toda essa massa de gente, tomada de pânico, seguia em frente, sem saber para onde ou por quê, e sem nenhum conhecimento sobre onde o êxodo acabaria. Grande quantidade de carros de passageiro, várias limusines oficiais, todos imundos e cobertos de lama, tentavam ultrapassar os comboios de caminhões e carroças. A maioria dos veículos tinha placa de Varsóvia. Era triste ver tantos oficiais de alta patente, como coronéis e generais, fugindo com sua família. Muita gente ia agarrada nas capotas e para-lamas de carros e caminhões. Muitos veículos tinham para-brisas e janelas quebradas, capotas ou portas estragadas. De deslocamento muito mais vagaroso eram os ônibus de todos os tipos, ônibus metropolitanos novos de Varsóvia, Cracóvia e Lódź, todos cheios de passageiros. Depois vinham carroças de todas as

espécies puxadas por cavalos, carregadas de mulheres e crianças, todas muito cansadas, famintas e sujas. Andando de bicicleta havia basicamente rapazes; apenas ocasionalmente podia se ver uma moça. Andando a pé havia muitos tipos de pessoas. Algumas haviam deixado suas casas a pé; outras eram forçadas a abandonar seus veículos.[6]

Ele calculou que mais de 30 mil pessoas estivessem fugindo da ofensiva alemã daquela forma.[7]

O pior estava por vir. Em 17 de setembro de 1939, Klukowski ouviu um alto-falante alemão na praça do mercado de Zamość anunciar que o Exército Vermelho, com a concordância alemã, havia cruzado a fronteira oriental polonesa.[8] Pouco antes da invasão, Hitler havia garantido a não intervenção do ditador russo Josef Stálin, assinando cláusulas secretas de um Pacto Alemão-Soviético em 24 de agosto de 1939 que acertou a repartição da Polônia entre os dois Estados ao longo de uma linha de demarcação combinada.[9] Nas primeiras duas semanas após a invasão alemã, Stálin se contivera enquanto desembaraçava suas forças de um bem-sucedido conflito com o Japão na Manchúria, concluído apenas no fim de agosto. Mas, quando ficou claro que a resistência polonesa fora rompida, a liderança soviética autorizou o Exército Vermelho a se deslocar para dentro do país a partir do leste. Stálin estava ávido para agarrar a oportunidade de reaver o território que pertencera à Rússia antes da Revolução de 1917. Aquilo havia sido objeto de uma guerra violenta entre a Rússia e o recém-criado Estado polonês imediatamente após a Primeira Guerra Mundial. Agora Stálin podia reconquistá-lo. Encarando uma guerra em duas frentes, as Forças Armadas polonesas, que não haviam feito planos para uma eventualidade dessas, travaram uma encarniçada mas totalmente inútil ação de retaguarda para tentar adiar o inevitável. Que não tardou a chegar. Espremidos entre dois exércitos imensamente superiores, os poloneses não tiveram chance. Em 28 de setembro de 1939, um novo tratado delineou a fronteira final. A essa altura, a investida alemã sobre Varsóvia estava encerrada. Enormes quantidades de bombas incendiárias e outras haviam sido jogadas por 1,2 mil aviões sobre a capital polonesa, levantando uma enorme nuvem de fumaça que impossibilitava a exatidão dos ataques; em consequência disso, muitos civis foram mortos. Em vista da situação irremediável, os comandantes poloneses na cidade negociaram um cessar-fogo em 27 de setembro de 1939. Os 120 mil soldados poloneses da guarnição da cidade renderam-se, depois de receberem a garantia de que poderiam ir para casa após um breve cativeiro formal como prisioneiros de guerra. As últimas unidades militares polonesas renderam-se em 6 de outubro de 1939.[10]

Esse foi o primeiro exemplo da ainda longe de perfeita "guerra-relâmpago" de Hitler, a *Blitzkrieg*, uma guerra de movimentação rápida, liderada por tanques e divisões motorizadas com bombardeiros que aterrorizavam as tropas inimigas e imobilizavam sua força aérea, sobrepujando um oponente de mentalidade mais convencional com a velocidade e a força absolutas de um golpe nocauteador através das linhas adversárias. Pode-se notar o sucesso da guerra-relâmpago por meio das estatísticas comparativas sobre as perdas dos dois lados. No total, cerca de 70 mil soldados poloneses foram mortos em ação contra os invasores alemães e outros 50 mil contra os russos, com no mínimo 133 mil feridos no conflito com os alemães e um número desconhecido de vítimas na ação contra o Exército Vermelho. Os alemães fizeram quase 700 mil prisioneiros poloneses, e os russos, outros 300 mil; 150 mil soldados e aviadores poloneses fugiram para o exterior, especialmente para a Grã-Bretanha, onde muitos juntaram-se às forças aliadas. Já entre os alemães, foram 11 mil soldados mortos e 30 mil feridos, com mais 3,4 mil desaparecidos em ação; os russos perderam meros setecentos homens, com outros 1,9 mil feridos. Esses números ilustram vividamente a natureza desigual do conflito; ao mesmo tempo, entretanto, as perdas alemãs ficaram longe de ser ínfimas, não só em termos de soldados, mas também, mais espantosamente, de equipamento. Nada menos que trezentos veículos blindados, 370 armas e outros 5 mil veículos foram destruídos, junto com um número considerável de aeronaves, e essas perdas foram compensadas apenas em parte pela captura ou rendição de equivalentes poloneses (no geral, muito inferiores). Esses foram presságios modestos, mas ainda assim ameaçadores.[11]

Naquele momento, tais preocupações não perturbaram Hitler. Ele havia acompanhado a campanha de seu quartel-general móvel em um trem blindado estacionado primeiro na Pomerânia, depois na Alta Silésia, fazendo incursões ocasionais de carro para ver a ação de uma distância segura. Em 19 de setembro, ele entrou em Danzig, cidade anteriormente alemã colocada sob administração da Liga das Nações pelo Acordo de Paz, para ser saudado por multidões extasiadas de alemães étnicos rejubilantes com o que viam como sua libertação de um controle estrangeiro. Depois de dois voos rápidos para inspecionar as cenas de destruição produzidas por seus exércitos e aviões em Varsóvia, Hitler voltou para Berlim.[12] Não houve desfiles nem discursos de celebração na capital, mas a vitória foi recebida com satisfação geral. "Ainda estou para encontrar um alemão, mesmo entre os que não gostam do regime, que veja algo de errado na destruição da Polônia pela Alemanha", escreveu Shirer em seu diário.[13] Agentes social-democratas relataram que a grande massa do povo apoiou a guerra sobretudo porque pensou que o fracasso das potências ocidentais em ajudar os poloneses significava que a Grã-Bretanha e a França logo estariam apelando para a paz, uma impressão reforçada pela muito alardeada "oferta de paz" de Hitler a franceses e britânicos no início de outubro. Embora esta tenha sido rapidamente rejeitada, a inércia contínua de britânicos e franceses manteve vivas as esperanças de que eles pudessem ser persuadidos a sair da guerra.[14] Rumores de um tratado de paz com as potências ocidentais grassavam nessa época, e levaram até mesmo a manifestações comemorativas espontâneas nas ruas de Berlim.[15]

Enquanto isso, a máquina de propaganda de Goebbels havia entrado em ação para persuadir os alemães de que a invasão fora inevitável em razão da ameaça polonesa de genocídio contra os alemães étnicos que viviam na Polônia. O regime militar nacionalista daquele país de fato havia discriminado intensamente a minoria alemã étnica nos anos entreguerras. No princípio da invasão alemã em setembro de 1939, tomado por temores de sabotagem por trás das linhas, o governo polonês havia detido entre 10 mil e 15 mil alemães étnicos e fez que marchassem para a região leste do país, espancando os retardatários e atirando em muitos dos que desistiam por exaustão. Também houve ataques disseminados a membros da minoria alemã étnica, cuja maior parte não disfarçou o desejo de voltar para o Reich alemão desde sua incorporação forçada à Polônia no fim da Primeira Guerra Mundial.[16] No total, cerca de 2 mil alemães étnicos foram mortos em fuzilamentos em massa ou morreram por exaustão nas marchas. Uns trezentos foram mortos em Bromberg (Bydgoszcz), onde alemães étnicos locais protagonizaram um levante armado contra a guarnição da cidade na crença de que a guerra estava praticamente encerrada e foram liquidados por poloneses enraivecidos. Tais acontecimentos foram cinicamente explorados pelo Ministério da Propaganda de Goebbels para conquistar na Alemanha o máximo de apoio à invasão. Muitos alemães ficaram convencidos. Melita Maschmann, uma jovem ativista da Liga das Moças Alemãs, a ala feminina da Juventude Hitlerista, foi persuadida de que a guerra era moralmente justificável não só à luz das injustiças de Versalhes, que havia concedido regiões de idioma alemão para o novo Estado polonês, mas também por reportagens na imprensa e nos cinejornais sobre a violência polonesa contra a minoria de língua alemã. Ela acreditava que 60 mil alemães étnicos haviam sido brutalmente assassinados pelos poloneses no "Domingo Sangrento" de Bromberg. "Como a Alemanha poderia ser culpada por agir para fazer cessar esse ódio, essas atrocidades?", ela se perguntava.[17] De início, Goebbels havia estimado o número total de alemães étnicos mortos em 5,8 mil. Só em fevereiro de 1940, provavelmente por instruções pessoais de Hitler, a estimativa foi aumentada de forma arbitrária para 58 mil, mais adiante relembrada em um número arredondado por Melita Maschmann.[18] O número não só convenceu a maioria dos alemães de que a invasão fora justificada, como também alimentou o ódio e o ressentimento sentidos pela minoria alemã étnica na Polônia contra seus antigos senhores.[19] Sob ordens de Hitler, esse rancor logo foi colocado a serviço de uma campanha de limpeza étnica e assassinato em massa que superou de longe qualquer coisa ocorrida depois da ocupação alemã da Áustria e da Tchecoslováquia em 1938.[20]

II

A invasão da Polônia foi de fato a terceira anexação bem-sucedida de território estrangeiro pelo Terceiro Reich. Em 1938, a Alemanha havia anexado a república independente da Áustria. Em seguida, naquele mesmo ano, marchou sem oposição para dentro das regiões fronteiriças de língua alemã da Tchecoslováquia. Ambos os movimentos foram sancionados por acordos internacionais e, no geral, bem recebidos pelos habitantes das áreas envolvidas. Poderiam ser retratados como revisões justificáveis do Tratado de Versalhes, que havia pro-

Mapa 1. Polônia e Europa centro-oriental sob o Pacto Alemão-Soviético, 1939-41

clamado a autodeterminação como um princípio geral, mas a havia negado a grupos de língua alemã que viviam nessas partes da Europa do centro-leste. Em março de 1939, porém, Hitler violou claramente os acordos internacionais do ano anterior ao marchar para o Estado remanescente da Tchecoslováquia, desmembrando-o e criando o Protetorado do Reich da Boêmia e Morávia a partir da parte tcheca. Pela primeira vez o Terceiro Reich havia tomado conta de uma área substancial da Europa centro-oriental que não era habitada basicamente por povo de idioma alemão. Esse foi, na verdade, o primeiro passo para a realização de um programa nazista há muito cultivado: estabelecer um novo "espaço vital" (Lebensraum) para os alemães na Europa centro-oriental e oriental, onde os habitantes eslavos seriam reduzidos à condição de trabalhadores escravos e provedores de alimento para seus senhores alemães. Os tchecos eram tratados como cidadãos de segunda classe no novo protetorado, e aqueles recrutados para os campos e as fábricas alemães para fornecer a muito necessária mão de obra eram colocados sob um regime legal e policial especialmente severo, mais draconiano até do que o que os alemães estavam experimentando com Hitler.[21]

Ao mesmo tempo, os tchecos, junto com os recém (nominalmente) independentes eslovacos, tinham direito a sua própria administração civil, tribunais e outras instituições. Alguns alemães, ao menos, tinham certo grau de respeito pela cultura tcheca, e a economia tcheca era inegavelmente avançada. Os alemães viam a Polônia e os poloneses de modo bem mais negativo. A Polônia independente fora repartida entre Áustria, Prússia e Rússia no século XVIII e só voltara a existir de novo como Estado soberano no fim da Primeira Guerra Mundial. Ao longo de todo aquele período, a maioria dos nacionalistas alemães acreditou que os poloneses eram por temperamento incapazes de se governar. "Trapalhada polonesa" (Polenwirtschaft) era uma expressão corriqueira para caos e ineficiência, e os livros escolares em geral retratavam a Polônia como atrasada em termos econômicos e atolada em superstição católica. A invasão da Polônia teve pouco a ver com a situação da minoria de idioma alemão de lá, que somava apenas 3% da população, em contraste com a República Tchecoslovaca, onde os alemães étnicos constituíam quase 25% dos habitantes. Ajudados por uma longa tradição de escrever e ensinar sobre o assunto, os alemães ficaram convencidos de que haviam assumido o fardo de uma "missão civilizatória" na Polônia ao longo dos séculos e que estava na hora de fazê-lo de novo.[22]

Hitler teve pouco a dizer sobre a Polônia e os poloneses antes da guerra, e sua atitude pessoal em relação a eles pareceu de certa forma pouco clara, em contraste com o desagrado de longa data quanto aos tchecos, alimentado já na Viena pré-1914. O que dominava sua mente e a fez se voltar agudamente contra os poloneses foi a recusa do governo militar de Varsóvia em fazer quaisquer concessões a suas exigências territoriais, em contraste com os tchecos, que haviam se submetido obsequiosamente sob a pressão internacional em 1938, demonstrando disposição em cooperar com o Terceiro Reich no desmembramento e eventual supressão de seu Estado. A coisa piorou com a recusa da Grã-Bretanha e da França em forçar a Polônia a aceitar exigências como a volta de Danzig para a Alemanha. Em 1934, quando Hitler concluiu um pacto de dez anos de não agressão com os poloneses, pareceu possível que a Polônia se tornaria um Estado-satélite numa futura ordem europeia dominada pela Alemanha. Mas, em 1939, a Polônia tornara-se um sério obstáculo à expansão do Terceiro Reich para o leste. Portanto, devia ser varrida do mapa e implacavelmente explorada para financiar os preparativos para a guerra vindoura a oeste.[23]

A decisão sobre o que se deveria fazer ainda não fora tomada quando, em 22 de agosto de 1939, à medida que se faziam os preparativos finais para a invasão, Hitler disse a seus generais da liderança como imaginava a guerra futura com a Polônia:

> Nossa força reside em nossa rapidez e brutalidade. Gêngis Khan conscientemente caçou milhões de mulheres e crianças até a morte com um coração jubiloso. A história vê nele apenas o fundador de um grande Estado [...] Dei uma ordem – e mandarei fuzilar qualquer um que exprima uma única palavra de crítica – de que a meta de nossa guerra resida não em alcançar linhas particulares, mas na aniquilação física do inimigo. Assim, por enquanto apenas no leste, coloquei minhas formações de Caveira de prontidão com a ordem de mandar para a morte homens, mulheres e crianças de descendência e linguagem polonesas, sem piedade e sem remorso [...] A Polônia será despovoada e colonizada por alemães.[24]

Os poloneses, disse ele a Goebbels, eram "mais animais do que homens, totalmente obtusos e amorfos [...] A sujeira dos poloneses é inimaginável".²⁵ A Polônia tinha de ser subjugada de modo completamente implacável. "Os poloneses", disse ele ao ideólogo do Partido Alfred Rosenberg em 27 de setembro de 1939, consistiam de "uma fina camada germânica; por baixo, um material horroroso [...] As cidades grossas de sujeira [...] Se a Polônia continuasse governando as velhas zonas alemãs por mais algumas décadas, ficaria tudo tomado de piolhos e arruinado. O que se fazia necessário agora era uma mão decidida e autoritária para governar".²⁶ A autoconfiança de Hitler cresceu à medida que dias, depois semanas, passaram-se em setembro de 1939 sem nenhum sinal de intervenção efetiva de britânicos e franceses para ajudar os poloneses. O sucesso dos exércitos alemães só aumentou sua sensação de invulnerabilidade. Na criação do Protetorado do Reich da Boêmia e Morávia, considerações estratégicas e econômicas haviam desempenhado o papel principal. Com a tomada da Polônia, entretanto, Hitler e os nazistas, pela primeira vez, estavam prontos para deslanchar sua ideologia racial com força plena. A Polônia ocupada viria a se tornar o campo de prova para a criação da nova ordem racial na Europa centro-oriental, um modelo do que Hitler pretendia que acontecesse no resto da região – Bielorrússia, Rússia, Estados bálticos e Ucrânia. Mostraria o que o conceito nazista de um novo "espaço vital" para os alemães a leste realmente significaria na prática.²⁷

No início de outubro de 1939, Hitler havia abandonado a ideia inicial de permitir que os poloneses se governassem em um Estado remanescente. Grandes áreas do território polonês foram anexadas ao Reich para formar os novos distritos de Danzig-Prússia Ocidental, sob Albert Forster, líder regional do Partido Nazista de Danzig, e Posen (logo renomeado de Wartheland), sob Arthur Greiser, ex-presidente do Senado de Danzig. Outras partes da Polônia foram somadas aos distritos existentes da Prússia Oriental e da Silésia. Essas medidas estenderam as fronteiras do Terceiro Reich em cerca de 150 a duzentos quilômetros a leste. No total, 90 mil quilômetros quadrados de território foram incorporados ao Reich, junto com cerca de 10 milhões de pessoas, 80% delas polonesas. O resto da Polônia, conhecido como Governo Geral, foi colocado sob o domínio autocrático de Hans Frank, o especialista em direito do Partido Nazista, que fez nome defendendo nazistas em casos criminais na década de 1920 e dali progrediu para se tornar comissário de Justiça do Reich e chefe da Liga dos Advogados Nazistas. A despeito da lealdade incondicional a Hitler, Frank havia colidido repetidas vezes com Heinrich Himmler e a SS, que ligavam bem menos que ele para formalidades legais, e removê-lo para a Polônia foi um jeito conveniente de deixá-lo de lado. Além disso, sua experiência jurídica parecia ajustá-lo bem à tarefa de criar uma nova estrutura administrativa do zero. Mais de 11 milhões de pessoas viviam no Governo Geral, que incluía o distrito de Lublin e partes das províncias de Varsóvia e Cracóvia. Não era um "protetorado" como Boêmia e Morávia, mas uma colônia, fora do Reich e além de sua lei, com os habitantes poloneses efetivamente sem Estado e sem direitos. Na posição de poder quase ilimitado de que desfrutaria como governador-geral, o pendor de Frank para a retórica brutal e violenta depressa se traduziria na realidade da ação brutal e violenta. Com Forster, Greiser e Frank ocupando as posições administrativas de liderança, o conjunto da área ocupada da Polônia estava agora nas mãos de empedernidos "velhos combatentes" do movimento nazista, pressagiando a imposição desenfreada da ideologia nazista extrema que viria a ser o princípio orientador da ocupação.[28]

Hitler anunciou suas intenções em 17 de outubro de 1939 para um pequeno grupo de oficiais seniores. O Governo Geral, Hitler disse a eles, seria autônomo do Reich. Era para ser local de uma "dura luta racial que não permitirá nenhuma restrição legal. Os métodos não serão compatíveis com nossos princípios normais". Não deveria haver uma tentativa de governo eficiente ou ordeiro. "Deve-se permitir que a 'trapalhada polonesa' floresça." Transportes e comunicações tinham de ser mantidos porque a Polônia seria "um posto avançado" para a invasão da União Soviética em algum momento futuro. Quanto ao resto, "qualquer tendência para estabilizar a situação na Polônia deve ser suprimida". Não era tarefa da administração "colocar o país em uma base econômica e financeira sólida". Não deveria haver oportunidade para os poloneses se reafirmarem. "Os intelectuais poloneses devem ser impedidos de se organizar como uma classe governante. O padrão de vida no país deve permanecer baixo; sua utilidade para nós é apenas de reservatório de mão de obra."[29]

Essas políticas drásticas foram implementadas por uma mistura de grupos paramilitares locais e forças-tarefa da SS. No começo da guerra, Hitler determinou o estabelecimento de uma milícia de autoproteção alemã étnica na Polônia, que pouco depois ficou sob a égide da SS. A milícia foi organizada e depois liderada na Prússia Ocidental por Ludolf von Alvensleben, assistente de Heinrich Himmler. Ele disse a seus homens, em 16 de outubro de 1939: "Vocês agora são a raça que manda aqui [...] Não sejam moles, sejam inclementes e limpem tudo o que não seja alemão e possa nos atrapalhar no trabalho de construção".[30] A milícia deu início a fuzilamentos organizados de civis poloneses em massa, sem nenhuma autorização das autoridades militares ou civis, em atos disseminados de vingança por supostas atrocidades polonesas contra os alemães étnicos. Já em 7 de outubro de 1939, Alvensleben relatou que 4.247 poloneses haviam sido submetidos às "mais pungentes medidas". Somente no período entre 12 de outubro e 11 de novembro de 1939, cerca de 2 mil homens, mulheres e crianças foram fuzilados pela milícia em Klammer (distrito de Kulm). Nada menos que 10 mil poloneses e judeus foram levados por milicianos para Mniszek, na paróquia de Dragass, trazidos das áreas vizinhas, alinhados na beira de minas de cascalho e fuzilados. As milícias, auxiliadas por soldados alemães, haviam fuzilado outros 8 mil em um bosque perto de Karlshof, no distrito de Zempelburg, até 15 de novembro de 1939. Quando essas atividades cessaram, no início de 1940, muitos milhares mais de poloneses haviam caído vítimas da fúria dos milicianos. Na cidade de Konitz, na Prússia Ocidental, por exemplo, a milícia protestante local, inflamada pelo ódio e desprezo por poloneses, católicos, judeus e qualquer um que não se enquadrasse nos ideais raciais nazistas, começou fuzilando quarenta poloneses e judeus em 26 de setembro sem nem sequer um simulacro de julgamento. Sua contagem de vítimas judias e polonesas chegou a novecentas no janeiro seguinte. Dos 65 mil poloneses e judeus assassinados no último trimestre de 1939, cerca de metade foi morta pelas milícias, às vezes em circunstâncias bestiais; esses foram os primeiros fuzilamentos de civis em massa da guerra.[31]

III

No decorrer de 1939, Himmler, Heydrich e outras lideranças da SS estiveram envolvidos em um quente debate sobre a melhor forma de organizar os vários organismos que haviam passado a seu controle desde o começo do

Terceiro Reich, incluindo o Serviço de Segurança, a Gestapo, a polícia criminal e um grande número de gabinetes especializados. As discussões adquiriram urgência com a perspectiva da invasão da Polônia em futuro próximo, e ficou claro que as linhas de responsabilidade e a demarcação entre a polícia e o Serviço de Segurança precisariam ser retraçadas caso quisessem afirmar-se de modo efetivo contra o poderio do Exército alemão. Em 27 de setembro de 1939, Himmler e Heydrich criaram o Escritório Central de Segurança do Reich (*Reichssicherheitshauptamt*) para juntar todas as várias partes da polícia e da SS sob uma diretoria única e centralizada. Aprimorado ao longo dos meses seguintes, o escritório veio a consistir de sete departamentos. Dois deles (I e II) gerenciavam a administração em suas várias atividades, das condições de contratação aos arquivos de pessoal. O diretor inicial, Werner Best, foi por fim posto de lado pelo rival Heydrich em junho de 1940, e suas responsabilidades foram divididas entre figuras menos ambiciosas. O Serviço de Segurança de Heydrich em si ocupou os departamentos III e VI, cobrindo assuntos domésticos e externos, respectivamente. O Departamento IV consistia da Gestapo, com seções dedicadas a tratar de oponentes políticos (IVA), igrejas e judeus (IVB), "custódia preventiva" (IVC), territórios ocupados (IVD) e contraespionagem (IVE). A polícia criminal foi colocada no Departamento V, e o Departamento VII foi criado para investigar ideologias de oposição. Toda a vasta estrutura estava em um estado de fluxo constante, fendida por rivalidades internas e minada por mudanças periódicas de pessoal. Entretanto, um grupo de indivíduos-chave garantiu um grau de coerência e continuidade – notadamente Reinhard Heydrich, o chefe-geral; Heinrich Müller, o chefe da Gestapo; Otto Ohlendorf, que dirigia o Departamento III; Franz Six (Departamento VII); e Arthur Nebe (Departamento V). Tratava-se, para todos os efeitos, de um organismo independente, com legitimidade derivada da prerrogativa pessoal de Hitler, provido não de funcionários públicos tradicionais, legalmente treinados, mas de nazistas ideologicamente comprometidos. Uma parte essencial de seus fundamentos era politizar a polícia, cujos oficiais graduados, inclusive Müller, eram policiais de carreira e não nazistas fanáticos. Desagregado das estruturas administrativas tradicionais, o Escritório Central da Segurança do Reich intervinha em todo setor em que Heydrich sentisse ser necessária uma presença ativa e radical, antes de mais nada na reordenação racial da Polônia ocupada.[32]

Isso agora avançava em passo acelerado. Já em 8 de setembro de 1939, Heydrich teria dito: "Queremos proteger a gente comum, mas os aristocratas, os poloneses e os judeus devem ser mortos", e expressou impaciência, assim como o próprio Hitler, com a baixa taxa de execuções ordenadas pelas cortes militares formais – meras duzentas por dia naquela época.[33] Franz Halder, chefe do Estado-Maior Geral do Exército, acreditava que "a meta do Líder e de Göring é aniquilar e exterminar o povo polonês".[34] Em 19 de setembro de 1939, Halder registrou que, segundo informara Heydrich, haveria uma "faxina: judeus, intelectuais, clero, aristocracia". Os nomes de 60 mil profissionais e intelectuais poloneses tinham sido compilados antes da guerra; todos eles deveriam ser mortos. Um encontro entre Brauchitsch e Hitler em 18 de outubro confirmou que a polícia deveria "impedir os intelectuais poloneses de se firmar como uma nova classe de liderança. O baixo padrão de vida será mantido. Escravos baratos. Toda a ralé deve ser varrida do território alemão. Criação de uma desorganização completa".[35] Heydrich disse a seus comandantes subordinados que Hitler havia ordenado a deportação dos judeus poloneses para o Governo Geral, junto com os poloneses cultos e profissionais de carreira, exceto os líderes políticos, que deveriam ser colocados em campos de concentração.[36]

Baseando-se na experiência da ocupação da Áustria e da Tchecoslováquia e agindo sob ordens explícitas de Hitler, Heydrich organizou cinco forças-tarefa (*Einsatzgruppen*), mais tarde aumentadas para sete, para seguir o Exército na Polônia e executar as políticas ideológicas do Terceiro Reich.[37] Seus líderes foram nomeados por uma unidade administrativa especial criada por Heydrich e postos sob o comando de Werner Best.[38] Os homens que ele designou para liderar as forças-tarefa e suas várias subunidades (*Einsatzkommandos*) eram oficiais graduados do Serviço de Segurança e da Polícia de Segurança, na maioria homens bem-educados de classe média na faixa de 35-40 anos, que tinham se voltado para a extrema direita durante a República de Weimar. Muitos dos comandantes mais velhos e decanos haviam servido nas violentas unidades paramilitares das Brigadas Livres no começo da década de 1920; seus subordinados mais jovens com frequência tinham entrado para a política da extrema direita ultranacionalista e antissemita nos tempos de universidade, no começo da década de 1930. Um bom número deles, ainda que não todos, imbuiu-se de violentos sentimentos antipoloneses como membros das unidades paramilitares nos conflitos de 1919-1921 na Alta Silésia, como nativos de regiões cedidas à força para a Polônia no Acordo de Paz ou como oficiais de polícia ao longo da fronteira germano-polonesa. Best esperava que seus oficiais fossem não apenas administradores seniores, experientes e eficientes, como também tivessem algum tipo de prática militar.[39]

Um desses homens, típico na maioria dos aspectos, era Bruno Streckenbach, um líder de brigada da SS nascido em Hamburgo em 1902, filho de um funcionário da alfândega. Jovem demais para lutar na Primeira Guerra Mundial, Streckenbach juntou-se a uma unidade das Brigadas Livres em 1919 e envolveu-se no combate a revolucionários de esquerda em Hamburgo antes de tomar parte no golpe de Kapp em março de 1920. Depois de trabalhar em vários empregos administrativos na década de 1920, Streckenbach entrou para o Partido Nazista em 1930 e para a SS em 1931; em novembro de 1933, tornou-se oficial do Serviço de Segurança da SS, ascendendo firmemente por seus escalões e se tornando chefe da Polícia Estatal de Hamburgo em 1936, conquistando uma reputação pela impiedade ao longo desse processo. Isso serviu-lhe de recomendação para Best, que o nomeou chefe da Força-Tarefa I na Polônia em 1939. Streckenbach era incomum sobretudo pela relativa falta de realizações no campo da educação; vários de seus oficiais subordinados tinham doutorado. Como eles, entretanto, tinha uma história de forte comprometimento com a extrema direita.[40]

Streckenbach e as forças-tarefa, somando cerca de 2,7 mil homens no total, foram encarregados de estabelecer a segurança política e econômica da ocupação alemã no rastro na invasão. Isso incluía não apenas matar "a camada de liderança da população da Polônia", mas também "combater na retaguarda das tropas todos os elementos em território inimigo que sejam hostis ao Reich e aos alemães".[41] Na prática isso garantia considerável margem de manobra às forças-tarefa. As forças-tarefa foram colocadas sob o comando formal do Exército, que recebeu ordem para ajudá-las tanto quanto a situação tática permitisse. Isso fazia sentido, uma vez que as forças-tarefa deveriam lidar com espionagem, resistência, grupos guerrilheiros e coisa parecida, mas na prática elas ficaram muito por conta própria, enquanto a SS deslanchava sua campanha maciça de detenções, deportações e assassinatos.[42] As forças-tarefa foram munidas com listas de poloneses que haviam lutado de algum jeito contra o domínio alemão na Silésia durante os distúrbios que acompanharam os plebiscitos da Liga das Nações depois do término da Primeira Guerra Mundial. Políticos poloneses, lideranças católicas e defensores da identidade nacional polonesa foram selecionados para detenção. Em 9 de setembro de 1939, o jurista nazista Roland Freisler, secretário de Estado no Ministério de Justiça do Reich, chegou em Bromberg para montar uma série de julgamentos espetaculosos diante de um tribunal especial que condenou cem homens à morte no fim do ano.[43]

O doutor Zygmunt Klukowski, diretor de hospital, começou a registrar em seu diário execuções em massa de poloneses pelos alemães em seu distrito, realizadas sob os mais ínfimos pretextos – dezessete pessoas no início de janeiro de 1940, por exemplo.[44] Como intelectual e profissional liberal, o perigo para ele era particularmente intenso. Klukowski vivia com o medo constante de ser detido e de fato, em junho de 1940, ele foi levado pela polícia alemã de seu hospital para um campo de internamento, onde os poloneses eram submetidos a exercícios físicos punitivos, surrados "com porretes, chicotes ou punhos" e mantidos em condições imundas e sem saneamento. No interrogatório, ele disse aos alemães que havia tifo no hospital e que precisava voltar para impedir que se espalhasse pela cidade e possivelmente os infectasse. ("Em minha cabeça eu dizia: 'louvado seja o piolho'", escreveu ele depois no diário.) Klukowski foi imediatamente solto para voltar ao que ele retratou como um hospital completamente infestado. O médico refletiu que teve muita sorte; escapara de ser espancado ou de ter de correr em volta do campo de treinamento da prisão, e saíra de lá depressa. A experiência, ele escreveu, "ultrapassou todos os boatos. Antes eu não tinha condições de entender o desprezo metódico pela dignidade pessoal, como seres humanos podiam ser tratados muito pior que animais, enquanto os abusos físicos eram cometidos com um prazer sádico claramente exposto nos rostos da Gestapo alemã. Mas", ele prosseguiu, "o comportamento dos prisioneiros era magnífico. Ninguém suplicava misericórdia; ninguém mostrava sequer um traço de covardia [...] Todos os insultos, maus-tratos e abusos eram recebidos calmamente com o conhecimento de que trazem vergonha e desgraça ao povo alemão".[45]

As represálias até mesmo para as ofensas mais triviais eram selvagens. Em um incidente na aldeia de Wawer, um médico de Varsóvia registrou:

Um camponês polonês bêbado meteu-se num bate-boca com um soldado alemão e na briga resultante feriu-o com uma faca. Os alemães aproveitaram a oportunidade para levar a cabo uma verdadeira orgia de assassinato indiscriminado, alegando represália pelo ultraje. No total, 122 pessoas foram mortas. Entretanto, como os habitantes da aldeia, por um motivo ou outro, aparentemente não estavam à altura da cota predeterminada de vítimas, os alemães pararam um trem para Varsóvia na estação férrea local (normalmente o trem não fazia escala ali), arrastaram para fora vários passageiros, os quais ignoravam completamente o que havia acontecido, e os executaram na hora, sem nenhuma formalidade. Três deles foram deixados pendurados de cabeça para baixo por quatro dias na estação ferroviária. Um enorme cartaz colocado próximo à cena hedionda contava a história das vítimas e lançava a ameaça de que um destino semelhante estava reservado a toda localidade onde um alemão fosse morto ou ferido.[46]

Quando um líder camisa-parda de trinta anos de idade e um funcionário local chegaram bêbados na prisão de Hohensalza, arrancaram os prisioneiros poloneses de suas celas e fizeram 55 deles ser fuzilados na mesma hora, matando alguns pessoalmente; o único efeito dos protestos de outros funcionários locais foi persuadir o líder regional Greiser a extrair do camisa-parda uma promessa de não tocar em álcool pelos dez anos seguintes.[47] Em outro incidente, em Obluze, perto de Gdynia, o fato de a vidraça da delegacia de polícia local ter sido quebrada resultou na detenção de cinquenta ginasianos poloneses. Quando eles se recusaram a revelar o culpado, seus pais receberam ordem para surrá-los defronte à igreja local. Os pais recusaram-se, e então os homens da SS bateram nos meninos com a coronha dos rifles e fuzilaram dez deles, deixando os corpos tombados diante da igreja um dia inteiro.[48]

Tais incidentes ocorreram quase diariamente ao longo do inverno de 1939-40 e envolveram uma mistura de tropas alemãs regulares, milícias alemãs étnicas e unidades das forças-tarefa e da Polícia da Ordem. Embora o Exército não tivesse recebido ordens para matar a intelectualidade polonesa, a visão que a maioria dos soldados e oficiais de baixa patente tinha dos poloneses como sub-humanos perigosos e traiçoeiros bastou para que incluíssem um grande número de intelectuais e profissionais poloneses como parte do que consideravam medidas preventivas ou de represália.[49] Dada a feroz, ainda que ineficaz, resistência dos poloneses, os comandantes do Exército alemão ficaram extremamente preocupados diante da perspectiva de uma guerrilha contra suas tropas e tomaram medidas de retaliação das mais draconianas onde suspeitaram que isso estivesse surgindo.[50] "Se houver um tiroteio em uma aldeia atrás da linha de frente", ordenou o coronel-general Von Bock em 10 de setembro de 1939, "e caso se revele impossível identificar a casa de onde vieram os disparos, toda a aldeia deve ser reduzida a cinzas".[51] Até a administração militar da Polônia ocupada chegar ao fim em 26 de outubro, 531 cidades e vilas haviam sido reduzidas a cinzas e 16.376 poloneses haviam sido executados.[52] Soldados alemães de baixa patente eram inflamados por medo, desprezo e fúria ao deparar com resistência polonesa. Em muitas unidades, os oficiais fizeram palestras de incentivo antes da invasão, enfatizando o barbarismo, a bestialidade e a sub-humanidade dos poloneses. Em um relatório, o cabo Franz Ortner, um fuzileiro, vituperou contra o que chamou de poloneses "brutalizados", que, pensava ele, passavam a baioneta em alemães feridos no campo de batalha. Um soldado raso, em carta para casa, descreveu as ações polonesas contra alemães étnicos como "animalescas". Os poloneses eram "insidiosos", "traiçoeiros", "vis"; eram mentalmente anormais, covardes, fanáticos; viviam em "buracos fedorentos" em vez de casas; e estavam sob a "maléfica influência da judiaria". Os soldados indignavam-se com as condições em que os poloneses viviam: "Palha, umidade, panelas e flanelas fétidas por toda parte", escreveu um deles a respeito da casa polonesa em que entrou, confirmando tudo o que ele tinha ouvido sobre o atraso dos poloneses.[53]

Exemplos típicos do comportamento dos soldados podem ser encontrados no diário de Gerhard M., um camisa-parda nascido em Flensburg em 1914 e convocado pelo Exército pouco antes da guerra. Em 7 de setembro de 1939, sua unidade encontrou resistência de "atiradores covardes" em uma aldeia polonesa. Gerhard M. fora bombeiro antes da guerra. Mas, na ocasião, ele e os homens de sua unidade queimaram a aldeia até as cinzas.

> Casas em chamas, mulheres chorando, crianças gritando. O quadro da desgraça. Mas o povo polonês não queria nada melhor. Em uma das

casas camponesas primitivas até surpreendemos uma mulher operando uma metralhadora. A casa foi revirada e incendiada. Pouco depois, a mulher foi cercada pelas chamas e tentou sair. Mas a impedimos, por mais difícil que fosse. Soldados não podem ser tratados de modo diferente só porque usam saias. Os gritos dela continuavam soando em meus ouvidos muito tempo depois. A vila inteira ardeu. Tivemos de caminhar exatamente pelo meio da rua, porque o calor das casas que ardiam dos dois lados era forte demais.[54]

Tais cenas repetiram-se enquanto as tropas alemãs avançavam. Poucos dias depois, em 10 de setembro de 1939, a unidade de Gerhard M. foi alvejada de outra aldeia polonesa e ateou fogo às casas.

Em breve as casas incendiadas alinhavam-se em nosso trajeto, e vindos das chamas soavam os gritos das pessoas que haviam se escondido dentro delas e não tinham mais como se salvar. Os animais urravam no pavor da morte, um cão uivou até ser consumido pelo fogo, mas o pior de tudo eram os gritos das pessoas. Foi medonho. Eles ainda hoje soam em meus ouvidos. Mas atiraram em nós e por isso mereceram morrer.[55]

Desse modo, as forças-tarefa da SS, as unidades da polícia, os paramilitares alemães étnicos e os soldados regulares alemães mataram civis por toda a Polônia ocupada pela Alemanha, de setembro de 1939 em diante. Assim como observava ações desse tipo, o doutor Klukowsky começou a reparar também em um número cada vez maior de rapazes poloneses indo trabalhar na Alemanha nos primeiros meses de 1940. De fato, no começo do ano, o Ministério da Alimentação do Reich, junto com o Ministério do Trabalho e o Gabinete do Plano de Quatro Anos, exigira um milhão de trabalhadores poloneses para a economia do Reich. Desses, 75% iriam trabalhar na agricultura, onde havia uma grave escassez de mão de obra. Conforme Göring decretou em 25 de janeiro de 1940, eles deveriam vir do Governo Geral. Se não fossem voluntários, deveriam ser convocados. Dadas as condições miseráveis na Polônia ocupada, a perspectiva de viver na Alemanha não era desprovida de atrativos, e mais de 80 mil operários poloneses, um terço deles mulheres, foram voluntariamente transportados para a Alemanha em 154 trens especiais em fevereiro, sobretudo do Governo Geral. Uma vez na Alemanha, porém, foram submetidos a severas leis discriminatórias e medidas repressivas.[56] As notícias sobre o tratamento na Alemanha levaram rapidamente a uma queda aguda no número de voluntários, de modo que, em abril de 1940, Frank introduziu a obrigatoriedade na tentativa de preencher a cota. Cada vez mais jovens poloneses fugiam para as florestas a fim de evitar o alistamento para trabalhar na Alemanha; os primórdios do movimento de resistência clandestina polonesa datam dessa época.[57] Em janeiro, a resistência tentou assassinar o chefe de polícia do Governo Geral, e nas semanas seguintes houve levantes e assassinatos de alemães étnicos em várias aldeias. Em 30 de maio de 1940, Frank deu início a uma "ação de pacificação" na qual 4 mil combatentes da resistência e intelectuais, metade dos quais já estavam sob custódia, foram mortos, junto com 3 mil poloneses condenados por delitos criminais.[58] Isso causou pouco efeito. Em fevereiro de 1940, ainda havia apenas 295 mil poloneses, a maioria prisioneiros de guerra, trabalhando como operários no Terceiro Reich. Isso não melhorou em nada a escassez de mão de obra ocasionada pelo recrutamento em massa de homens alemães para as Forças Armadas. No verão de 1940, havia 700 mil poloneses trabalhando como voluntários ou à força no Velho Reich; outros 300 mil foram para o Reich no ano seguinte. A essa altura, Frank estava distribuindo cotas para as administrações locais preencherem. Com frequência, a polícia cercava aldeias e detia todos os rapazes. Os que tentavam fugir eram fuzilados. Nas cidades, jovens poloneses simplesmente eram arrebanhados pela polícia e pela SS nos cinemas ou em outros lugares públicos, ou na rua, e embarcados para a Alemanha sem maior cerimônia. Como resultado desses métodos, em setembro de 1941, havia mais de um milhão de operários poloneses no Velho Reich. De acordo com uma estimativa, apenas 15% deles tinham ido para lá por vontade própria.[59]

A deportação em massa de jovens poloneses para o Reich como trabalhadores forçados ocorreu paralelamente a uma campanha de pilhagem indiscriminada deflagrada pelas forças de ocupação alemãs. Quando soldados alemães tentaram roubar seu hospital, Klukowski conseguiu livrar-se deles dizendo mais uma vez que vários pacientes tinham tifo.[60] Outros não eram tão espertos ou bem situados. A exigência de que as tropas vivessem da terra não foi acompanhada de nenhum tipo de regra detalhada de requisição. Da apreensão de galinhas para a requisição de material de cozinha e dali para o furto de dinheiro e joias foi um pequeno passo.[61] A experiência de Gerhard M., cuja unidade chegou a uma cidade polonesa e ficou na rua aguardando ordens, foi típica:

> Um camarada astuto descobriu uma loja de chocolates com as vitrines cobertas com tábuas. Infelizmente, o proprietário não estava lá. Então limpamos a loja a crédito. Nossos veículos ficaram abarrotados de chocolate até não haver mais espaço. Todos os soldados andavam por lá de boca cheia, ruminando. Ficamos muito satisfeitos com o preço baixo da compra. Descobri uma loja com maçãs realmente lindas. Todas para dentro do veículo. Uma lata de limões e biscoitos de chocolate na traseira de minha bicicleta, e lá fomos nós embora de novo.[62]

Liderando o caminho da espoliação da Polônia ocupada estava o governador-geral em pessoa. Frank não se esforçou para esconder a ganância. Chegou até a referir-se a si mesmo como um barão ladrão. Confiscou a casa de campo da família Potocki para usar como retiro rural e passeava por seu feudo com uma limusine tão grande que atraiu comentários negativos até de colegas como o governador da Galícia. Macaqueando Hitler, construiu uma imitação do Berghof nas colinas perto de Zakopane. Os banquetes suntuosos que organizou fizeram sua cintura alargar-se tão depressa que consultou um dietista, pois já mal conseguia caber dentro do uniforme.[63]

Pilhagem e requisição em breve situavam-se em uma base formal, quase legal, nos territórios incorporados ao Reich. Em 27 de setembro de 1939, o governo militar alemão na Polônia declarou um confisco coletivo da propriedade polonesa, confirmando a ordem de novo em 5 de outubro de 1939. Em 19 de outubro de 1939, Göring anunciou que o Gabinete do Plano de Quatro Anos estava apoderando-se de toda propriedade polonesa e judaica nos territórios incorporados. A prática foi formalizada por um decreto de 17 de setembro de 1940, que estabeleceu uma agência, o Escritório Central de Curadores do Leste (*Haupttreuhanstelle Ost*), para administrar os empreendimentos confiscados. Em fevereiro de 1941, estes já incluíam mais de

205 mil negócios, variando em tamanho, de pequenas oficinas a grandes empreendimentos industriais. Em junho de 1941, 50% das empresas e um terço das maiores propriedades agrárias dos territórios anexados haviam sido tomadas sem compensação pelos curadores. Além disso, o Exército requisitou um número substancial de fazendas para garantir o abastecimento de comida para as tropas.[64] O confisco incluiu até a retirada de equipamento científico de laboratórios universitários para uso na Alemanha. Mesmo a coleção de animais empalhados do zoológico de Varsóvia foi levada embora.[65] Os metais eram o artigo mais valorizado. Ao longo das margens do rio Vístula, contou um paraquedista alemão não muito depois da invasão, havia grandes caixotes "cheios de lingotes de cobre, chumbo, zinco, em enormes quantidades. Tudo, absolutamente tudo, foi carregado e levado para o Reich".[66] Como acontecera no próprio Reich durante um tempo, objetos de ferro e metal, como cercas de parques e portões de jardins, e até mesmo candelabros e caçarolas, foram recolhidos para ser derretidos e usados na produção de armamentos e veículos na Alemanha.[67] Quando o rigor do inverno realmente começou a se fazer sentir, em janeiro de 1940, o doutor Klukowitz anotou: "A polícia alemã pegou todos os casacos de pele de ovelha dos aldeões que passavam e deixou-os apenas de paletó".[68] Não muito depois, as forças de ocupação começaram a atacar as aldeias e confiscar todas as notas bancárias que encontravam.[69]

IV

Nem todos os comandantes do Exército alemão – particularmente nas altas patentes, em que a influência do nazismo era bem menor do que mais abaixo na hierarquia – aceitaram essa situação com imparcialidade. Alguns, de fato, logo reclamavam de fuzilamentos não autorizados de civis poloneses por ordem de oficiais subalternos e da pilhagem e extorsão feita por tropas alemãs, e alegavam que "alguns prisioneiros eram brutalmente espancados". "Perto de Pultusk", relatou um oficial do Estado-Maior Geral, "oitenta judeus foram trucidados de forma bestial. Foi estabelecida uma corte marcial, também contra duas pessoas que vinham saqueando, assassinando e estuprando em Bromberg". Tais ações começaram a despertar preocupação na liderança do Exército. Já em 10 de setembro de 1939, o chefe do Estado-Maior Geral do Exército, Franz Halder, notava "atos sórdidos por trás da linha de frente".[70] Em meados de outubro, as queixas de comandantes do Exército levaram à concordância de que as "milícias de autoproteção" tinham de ser dissolvidas, embora em algumas regiões levasse vários meses para isso ser efetivado.[71] Porém, essa medida não deu fim às preocupações dos oficiais. Em 25 de outubro de 1939, Walther von Brauchitsch, comandante-chefe do Exército, repreendeu seus oficiais com rispidez por causa da conduta na Polônia:

> Um número perturbador de casos de, por exemplo, expulsão ilegal, confisco proibido, autoenriquecimento, apropriação indébita e furto, maus-tratos ou ameaça de subordinados em parte por excitação excessiva e em parte por insensatez de bebedeira, desobediência com as mais sérias consequências para a unidade da tropa sob comando, estupro de mulheres casadas etc. produz uma imagem de soldados com hábitos de mercenários piratas (*Landsknechtsmanieren*) que não se pode condenar com veemência suficiente.[72]

Vários outros oficiais de alta patente, inclusive aqueles que acreditavam em Hitler e no nacional-socialismo, compartilhavam dessa opinião.[73]

Em muitos casos, os líderes do Exército, preocupados com que pudessem arcar com a responsabilidade pelos crimes em massa em andamento, ficavam muito satisfeitos apenas em transferi-la para os líderes da força-tarefa do Serviço de Segurança da SS, concedendo-lhes autoridade irrestrita.[74] Contudo, começaram a se multiplicar os casos de oficiais seniores do Exército que tomavam atitude contra unidades da SS que eles consideravam estar quebrando as leis e as convenções de guerra e causando distúrbios na linha de frente que eram uma ameaça geral à ordem. O general Von Küchler, comandante do III Exército Alemão, ordenou a detenção e o desarmamento de uma unidade de polícia da Força-Tarefa V após esta ter fuzilado alguns judeus e ateado fogo à casa deles em Mlawa. Ele levou à corte marcial membros de um regimento de artilharia da SS que conduziram cinquenta judeus para uma sinagoga perto de Rozan depois de trabalharem no reforço de uma ponte e então os fuzilaram "sem motivo". Outros oficiais tomaram medidas semelhantes, e acabaram detendo até mesmo um membro da SS da escolta de Hitler. Brauchitsch havia se reunido com Hitler em 20 de setembro e com Heydrich em 21 de setembro para tentar ajeitar a situação. O único resultado foi uma anistia emitida pessoalmente por Hitler em 4 de outubro para crimes praticados "devido ao rancor contra as atrocidades cometidas pelos poloneses". Todavia, a disciplina militar estava sendo ameaçada, e vários oficiais seniores ficaram muito preocupados. Os rumores espalharam-se rapidamente entre o corpo de oficiais. Em sua base em Colônia, no começo de dezembro de 1939, o capitão Hans Meier-Welcker, um ponderado oficial do Estado-Maior em seus trinta e poucos anos, ouviu falar das atrocidades e indagou-se: "Como uma coisa dessas será vingada?".[75]

A crítica mais franca à política de ocupação veio no fim de outubro de 1939 do coronel-general Johannes Blaskowitz, que desempenhou papel importante na invasão e foi nomeado comandante-chefe do leste, encarregado da administração militar dos territórios conquistados. O governo militar chegou ao fim formalmente em 26 de outubro de 1939, e a autoridade passou à administração civil. Todavia, ele continuou responsável pela defesa militar. Poucas semanas depois de sua nomeação, Blaskowitz mandou um longo memorando para Hitler detalhando os crimes e as atrocidades cometidos por unidades da SS e da polícia na região sob seu comando. Ele repetiu as alegações com mais minúcias em um memorando preparado para uma visita oficial do comandante-chefe do Exército a seu quartel-general em 15 de fevereiro de 1940. Blaskowitz condenou a matança de dezenas de milhares de judeus e poloneses, considerando-a contraprodutiva. Escreveu que aquilo causaria dano à reputação da Alemanha no exterior. Os assassinatos apenas fortaleceriam o sentimento nacional polonês e impeliriam mais poloneses e judeus para a resistência. Aquilo era danoso à reputação do Exército entre a população. Ele advertiu para "a brutalização sem limites e a depravação moral que se espalharão através do valioso material humano alemão como uma epidemia no mais curto período" caso se permitisse a continuidade da situação. Blaskowitz exemplificou uma série de casos de assassinato e pilhagem por unidades da SS e da polícia. "Todo soldado", escreveu ele, "sente nojo e repulsa por esses crimes que estão sendo cometidos na Polônia por membros do Reich e representantes de sua autoridade".[76]

O ódio e o rancor que essas ações incitavam na população estavam unindo poloneses e judeus em uma causa comum contra o invasor e pondo em risco desnecessário a segurança militar e a vida econômica, disse ele ao líder nazista.[77] Hitler menosprezou tais escrúpulos como "infantis". Não dava para se travar uma guerra com os métodos do Exército da Salvação. De qualquer modo, ele nunca havia gostado de Blaskowitz ou confiado nele, disse Hitler a seu ajudante Gerhard Engel. Ele devia ser exonerado. O chefe do Exército, Walther von Brauchitsch, colocou de lado os incidentes detalhados pelo subordinado e considerou-os "erros de julgamento lamentáveis" ou "boatos" infundados. Em todo caso, ele apoiava plenamente o que chamou de "medidas duras, incomuns, tomadas contra a população polonesa no território ocupado", medidas essas que, em sua opinião, eram necessárias para "assegurar o espaço vital alemão" ordenado por Hitler. Sem contar com o apoio de seu superior, Blaskowitz foi substituído do comando em maio de 1940. Embora tenha servido subsequentemente em outros teatros de guerra, Blaskowitz jamais obteve o bastão de marechal de campo, ao contrário de outros generais de seu nível.[78]

Os generais, agora mais preocupados com os acontecimentos no oeste, cederam.[79] O general Georg von Küchler emitiu uma ordem em 22 de julho de 1940 proibindo seus oficiais de se entregar a "qualquer crítica a respeito da luta travada com a população no Governo Geral, no que diz respeito ao tratamento das minorias polonesas, dos judeus e assuntos da Igreja. A obtenção de uma solução final para essa luta étnica", ele acrescentou, "que grassa há séculos ao longo de nossa fronteira oriental requer medidas particularmente duras".[80] Muitos oficiais de alta patente do Exército concordavam com essa opinião. Sua preocupação principal era a indisciplina. Dada a atitude predominante das tropas e dos oficiais de baixo e médio escalão em relação aos poloneses, não era de surpreender que os incidentes nos quais os oficiais intervinham para evitar atrocidades fossem relativamente poucos. A hierarquia do Exército não pretendia, por exemplo, quebrar a Convenção de Genebra de 1929 em relação aos quase 700 mil prisioneiros de guerra feitos na campanha polonesa, mas houve numerosos casos de guardas militares que abateram prisioneiros poloneses que não conseguiram aguentar uma marcha forçada, que mataram prisioneiros fracos ou doentes demais para ficar em pé e que enjaularam prisioneiros em acampamentos ao ar livre com comida e mantimentos inadequados. Em 9 de setembro de 1939, quando um regimento de infantaria motorizada alemão fez trezentos prisioneiros poloneses após meia hora de troca de tiros perto de Ciepielów, o coronel no comando, irado pela perda de catorze homens no confronto, alinhou todos os prisioneiros e os metralhou em uma vala na beira da estrada. Uma investigação polonesa posterior identificou mais 63 incidentes desse tipo, e muitos outros devem ter ficado sem registro.[81] Apenas nas execuções militares formais, pelo menos 16 mil poloneses foram fuzilados; uma estimativa faz esse número chegar a 27 mil.[82]

A nova ordem racial

I

Hitler havia anunciado antes da guerra que pretendia varrer os poloneses da Polônia e levar colonos alemães para o lugar deles. Com efeito, a Polônia teria a mesma utilidade para a Alemanha que a Austrália teve para a Grã-Bretanha ou o Oeste americano para os Estados Unidos: seria uma colônia de povoamento, na qual os habitantes nativos, considerados racialmente inferiores, seriam removidos de um jeito ou de outro para dar espaço à raça dominante invasora. A ideia de mudar o mapa étnico da Europa por meio do deslocamento à força de grupos étnicos de uma região para outra tampouco era nova: um precedente já fora estabelecido imediatamente após a Primeira Guerra Mundial com uma troca em larga escala de populações minoritárias entre Turquia e Grécia. Em 1938, Hitler também havia brincado com a ideia de incluir no acordo de Munique uma cláusula estabelecendo a "repatriação" de alemães étnicos do que restara da Tchecoslováquia para os Sudetos. E na primavera seguinte, com a anexação do Estado remanescente, ele considerou brevemente uma ideia ainda mais drástica de deportar 6 milhões de tchecos para o leste. Mas essas ideias não deram em nada. Contudo a Polônia era um assunto diferente. À medida que se avizinhava a perspectiva de invasão, o Escritório Central de Raça e Povoamento do Partido Nazista, originalmente montado por Richard Walther Darré para encorajar o deslocamento de cidadãos urbanos para novas fazendas dentro da própria Alemanha, começou a voltar sua atenção para a Europa oriental. Sob o lema "Um Povo, Um Reich, Um Líder", ideólogos nazistas começaram a pensar em trazer alemães étnicos de seus povoamentos distantes da Europa oriental de volta para o Reich, estendido a partir do outono de 1939 com a inclusão de grandes áreas habitadas por poloneses.[83]

Em 7 de outubro de 1939, Hitler nomeou Heinrich Himmler como comissário do Reich para o Fortalecimento da Raça Alemã. No dia anterior, em um longo discurso proferido no Reichstag para celebrar a vitória sobre a Polônia, Hitler havia declarado que era chegada a hora de "uma nova ordenação das relações etnográficas, o que significa um reassentamento das nacionalidades, de modo que, após a conclusão desse feito, se tenham linhas de demarcação melhores que as de hoje em dia".[84] No decreto de 7 de outubro de 1939, Hitler ordenou ao chefe da SS:

(1) trazer de volta os cidadãos alemães e alemães étnicos do exterior que estejam qualificados para o retorno permanente ao Reich; (2) eliminar a influência nociva de partes alienígenas da população que constituem um perigo para o Reich e para a comunidade alemã; (3) criar novas colônias alemãs por reassentamento e especialmente assentamento de cidadãos alemães e alemães étnicos vindos do exterior.[85]

Ao longo dos meses do inverno de 1939-40, Himmler montou uma elaborada burocracia para gerenciar esse processo, recorrendo ao trabalho preparatório do Escritório Político-Racial do Partido Nazista e do Escritório Central de Raça e Povoamento da SS. Duas enormes transferências forçadas de população começaram quase de imediato: a remoção de poloneses dos territórios incorporados e a identificação e "repatriação" de alemães étnicos de outras partes da Europa oriental para substituí-los.[86]

A germanização dos territórios incorporados começou quando 88 mil poloneses e judeus foram detidos em Posen na primeira metade de dezembro de 1939, levados de trem para o Governo Geral e lá despejados ao chegar. Homens aptos e robustos foram separados e levados para a Alemanha como trabalhadores forçados. Nenhum deles recebeu compensação pela perda de sua casa, propriedades, empresas e bens. As condições de deportação, no meio do inverno, com roupas e mantimentos inadequados, em vagões de carga sem aquecimento, eram mortíferas. Quando um comboio chegou à Cracóvia em meados de dezembro de 1939, os funcionários da recepção retiraram o corpo de quarenta crianças que haviam morrido congeladas na jornada.[87] O doutor Klukowski tratou alguns evacuados de Posen em seu hospital em Szczebrzeszyn na segunda semana de dezembro de 1939: 160 deles, "operários, fazendeiros, professores, escrivãos, bancários e comerciantes", tinham sido avisados com vinte minutos de antecedência e em seguida "foram forçados a embarcar em vagões ferroviários sem aquecimento [...] Os soldados alemães foram extremamente brutos. Um dos doentes que recebi no hospital, um guarda-livros, foi espancado com tamanha severidade que vai precisar de uma longa internação".[88] Outro grupo de 1.070 deportados que chegou em 28 de maio de 1940 estava, ele registrou, em uma "condição terrível, resignados com sua sina, completamente arrasados, em especial aqueles cujos filhos haviam sido levados para os campos de trabalho".[89] As deportações continuaram, com Klukowski e outros como ele tentando desesperadamente organizar a alimentação, o atendimento médico e a acomodação para as vítimas em sua chegada. Quando o processo chegou ao fim, no início de 1941, um total de 365 mil pessoas haviam sido deportadas de Posen. A mesma ação ocorreu em outras partes da antiga República Polonesa. No total, mais de um milhão de pessoas foram envolvidas, um terço delas judeus. Todos perderam suas propriedades, bens e posses. "Centenas de fazendeiros", escreveu Klukowski, "tornaram-se mendigos de uma hora para a outra".[90]

Um dos que observaram a chegada de deportados poloneses no Governo Geral foi Wilm Hosenfeld, um oficial do Exército cuja saúde relativamente precária impediu-o de uma participação direta no combate. Nascido em 1895, em Hesse, Hosenfeld passara a maior parte da vida até ali não como militar, mas como mestre-escola. Seu envolvimento com o movimento jovem alemão levara-o a entrar para os camisas-pardas em 1933, e ele também tornou-se membro da Liga de Professores Nacional-Socialistas e, em 1935, do Partido Nazista. Mas, já em meados da década de 1930, a firme crença católica de Hosenfeld estava começando a superar seu comprometimento com o nazismo. Sua franca oposição aos ataques de Alfred Rosenberg ao cristianismo causaram-lhe problemas no Partido e, após ser convocado em 26 de agosto de 1939 e mandado para a Polônia um mês depois para construir um campo para prisioneiros de guerra, a profunda fé religiosa dos reclusos poloneses começou a despertar sua simpatia. Quando Hosenfeld deparou com um comboio de poloneses deportados em meados de dezembro, deu um jeito de falar com alguns deles e ficou chocado com a história que tinham para contar. Às escondidas, deu comida aos deportados e entregou um saco de balas para algumas crianças. Em 14 de dezembro de 1939, anotou em seu diário o efeito perturbador que aquele encontro teve sobre ele:

> Quero confortar todas essas pessoas infelizes e pedir perdão pelo fato de os alemães tratarem-nas do jeito que tratam, de forma tão terrivelmente impiedosa, tão cruelmente desumana. Por que essas pessoas estão sendo arrancadas de sua residência quando não se sabe onde mais elas poderão ser acomodadas? Elas ficam um dia inteiro paradas no frio, sentadas sobre suas trouxas, seus parcos pertences, não recebem nada para comer. Existe um sistema nisso, a intenção é deixar essas pessoas doentes, pobres, impotentes, é para que elas pereçam.[91]

Poucos alemães pensavam assim. Hosenfeld registrou inúmeras detenções de poloneses e atrocidades contra eles. Um colega oficial contou-lhe que fizera uma pergunta retórica a um funcionário da Gestapo: "Você acha que pode atrair esses homens para a reconstrução com esses métodos? Quando voltarem do campo de concentração eles serão os piores inimigos dos alemães!!". "Sim", respondeu o policial, "mas você acha que algum deles vai voltar? Todos serão abatidos ao tentar fugir".[92]

Apesar das objeções de Göring, que temia que o programa de reassentamento atrapalhasse a economia de guerra, Himmler também deportou mais de 260 mil poloneses de Wartheland ao longo de 1940, bem como milhares mais de outras regiões, em particular da Alta Silésia e de Danzig-Prússia Ocidental. Deixando de lado a visão burocrática do Ministério do Interior, de que só era preciso arrolar os poloneses restantes em uma categoria inferior de nacionalidade germânica, a liderança da SS em Wartheland persuadiu o líder regional Greiser a elaborar uma Lista Alemã Étnica. Poloneses considerados adequados para a germanização seriam classificados sob uma variedade de tópicos, como alemães étnicos pró-nazismo, alemães que haviam ficado sob influência polonesa, e assim por diante, recebecendo diferentes níveis de privilégio conforme essa divisão; em 4 de março de 1941, esse sistema foi estendido para todos os territórios ocupados.[93]

Logo brotou toda uma burocracia a fim de avaliar essas pessoas para a germanização em termos étnicos, linguísticos, religiosos e outros. A SS viu um problema no fato de que, segundo seu julgamento, poloneses que lideravam a resistência provavelmente tivessem "uma proporção significativa de sangue nórdico, o que, em contraste com as estirpes eslavas fatalistas, os havia capacitado a tomar a iniciativa". A solução que se apresentou foi remover as crianças dessas famílias para ajudá-las a escapar da má influência de seus pais poloneses nacionalistas. Além disso, todos os orfanatos poloneses dos territórios incorporados foram fechados na primavera de 1941, e as crianças, levadas para o Velho Reich. Conforme Himmler observou em um memorando escrito em 15 de maio de 1940 e aprovado por Hitler, isso removeria "o perigo de que esse povo sub-humano do leste tenha um líder de classe oriundo dessas pessoas de sangue bom, o que seria perigoso para nós, pois seria igual a nós".[94] Milhares de crianças polonesas consideradas adequadas para a germanização foram enviadas para campos especiais no Reich. Lá receberam nome e documentos de identidade alemães (inclusive certidões de nascimento forjadas) e foram colocadas em um curso de seis meses de ensino da língua alemã e de infusão dos rudimentos da ideologia nazista. Muitas das crianças eram efetivamente órfãs cujos pais haviam sido fuzilados ou deportados como trabalhadores forçados; várias simplesmente foram encontradas nas ruas por patrulhas da polícia alemã ou da SS ou por mulheres voluntárias da organização de Previdência do Povo Nazista, que lidava com a minoria dessas crianças, entre seis e doze anos de idade (a maioria, com menos de seis anos de idade, caía sob a égide dos lares "Fonte da Vida" da SS). Por fim elas eram designadas para famílias adotivas alemãs ideologicamente aprovadas. Tudo isso levou a uma espécie de mercado negro de bebês e criancinhas, oficialmente sancionado, no qual casais alemães sem filhos adquiriam os pequenos poloneses e os criavam como alemães. Oitenta por cento das crianças deportadas jamais retornaram para sua família na Polônia.[95]

Ciente de que tanto Hitler como Himmler queriam germanizar os territórios incorporados o mais rapidamente possível, o líder regional Forster, de

Danzig-Prússia Ocidental, arrolou aldeias e cidades inteiras de forma indiscriminada na Lista Alemã Étnica oficial. Um funcionário do reassentamento recordou depois da guerra que, quando um prefeito local ou um líder do diretório do Partido Nazista rejeitavam uma ordem de Forster para arrolar 80% das pessoas de seus distritos como alemães, com base em que 80% deles na verdade eram poloneses, o próprio Forster ia ao local para aplicar a classificação pessoalmente. Ao receber seus documentos, a maioria daqueles listados dessa forma enviava rejeições por escrito ao prefeito. Eles eram arrolados assim mesmo. No fim de 1942, como resultado dessas ações, haviam sido recebidos 600 mil novos pedidos de germanização em Danzig-Prússia Ocidental.[96] Arthur Greiser, líder regional de Wartheland, desaprovou tais manobras de seu vizinho e rival, dizendo a Himmler: "Minha política étnica está [...] sendo posta em perigo por aquela que é executada no Distrito do Reich de Danzig-Prússia Ocidental".[97] Mas a germanização arbitrária prosseguiu, não só nos territórios incorporados, mas cada vez mais também no Governo Geral. No início de 1943, confrontado, como muitos outros poloneses de sua cidade, com a exigência de preencher um formulário intitulado *Petição para a Emissão de uma Carteira de Identidade para Pessoas de Descendência Alemã*, Zygmunt Klukowski riscou o cabeçalho com tinta vermelha e grafou "nacionalidade polonesa".[98]

O governador-geral Frank ficou cada vez mais irritado pelo fato de sua província estar sendo usada como campo de despejo de poloneses indesejados. Já no fim de outubro de 1939, projetava-se que, em fevereiro seguinte, a população do Governo Geral teria aumentado de 10 milhões para 13 milhões.[99] A partir de maio de 1940, em acerto com Hitler, Frank abandonou a política inicial de considerar o Governo Geral a base para um Estado polonês remanescente e começou os preparativos para sua incorporação ao Reich a médio e longo prazo. De acordo com a nova proposta, Frank começou a pensar em sua província como uma colônia alemã governada por povoadores com mão de obra barata e sacrificável proporcionada por poloneses incultos. "Estamos pensando aqui no maior estilo imperial de todos os tempos", declarou ele em novembro de 1940.[100] A despeito de todo o seu ressentimento contra o poder independente da SS, Frank certificou-se de que os poloneses fossem explicitamente excluídos da proteção da lei. "O polonês", disse ele em dezembro de 1940, "deve sentir que não estamos construindo um Estado legal para ele, já que para ele existe apenas um dever, ou seja, trabalhar e se comportar". Dispositivos legais especiais foram introduzidos de forma gradativa para os poloneses também nos territórios incorporados, embora sem nunca substituir por completo o terror arbitrário dos primeiros meses de ocupação alemã. Os poloneses ficaram submetidos a uma ordem legal draconiana que prescrevia punições mais severas (campo de trabalho, castigo físico ou pena de morte) para delitos que ocasionariam apenas a prisão de cidadãos alemães. A apelação foi abolida, e ofensas como fazer comentários hostis sobre alemães tornaram-se puníveis com a morte em alguns casos. Introduzidas em dezembro de 1941, essas medidas codificaram o que de fato fora executado na prática de maneira muito mais arbitrária e igualaram-se às severas medidas legais já introduzidas no Reich para lidar com poloneses e com outros trabalhadores estrangeiros. Os poloneses eram cidadãos de segunda classe, cuja posição inferior era sublinhada por uma variedade de regulamentações policiais locais, que lhes mandavam afastar-se e tirar o chapéu quando alemães passassem por eles na rua, ou atender alemães primeiro em lojas e mercados.[101]

O programa de germanização teve início em Wartheland, sob o argumento de que a região fora parte da Prússia antes de 1918, embora apenas 7% da população consistisse de alemães étnicos em 1939. Já sob Bismarck no século XIX, fizera-se um esforço vigoroso para fomentar a cultura alemã na Polônia prussiana e suprimir os sentimentos de identidade nacional dos poloneses. Mas aquilo não chegou nem perto das políticas implementadas de 1939 em diante. Escolas, teatros, museus, bibliotecas, livrarias, jornais e todas as demais instituições culturais e linguísticas polonesas foram fechados e o uso do idioma polonês foi proibido. Os poloneses foram proibidos de ter gramofones e câmeras, e qualquer polonês encontrado tentando frequentar um teatro alemão estava sujeito a detenção e prisão. O nome dos distritos administrativos, cidades e aldeias foi germanizado, às vezes traduzido diretamente do polonês, às vezes com o uso de nomes de alemães locais proeminentes, mas, sempre que possível, nas áreas outrora governadas pela Prússia, voltando-se aos velhos nomes alemães usados antes de 1919. Nomes de ruas e editais foram germanizados de modo similar. O líder regional Greiser deflagrou um ataque radical à Igreja Católica – instituição que, mais do que qualquer outra, sustentara a identidade nacional polonesa ao longo dos séculos – confiscando suas propriedades e fundos e fechando suas organizações leigas. Inúmeros clérigos, monges, administradores diocesanos e funcionários da Igreja foram detidos, deportados para o Governo Geral, levados para um campo de concentração do Reich ou simplesmente fuzilados. No total, cerca de 1,7 mil padres poloneses acabaram em Dachau: metade deles não sobreviveu ao aprisionamento. Greiser foi encorajado nessas políticas não só por Heydrich e Bormann, mas também pelo chefe de sua equipe administrativa, August Jäger, que fizera seu nome em 1934 como funcionário encarregado de nazificar a Igreja Evangélica da Prússia. No fim de 1941, a Igreja Católica polonesa estava efetivamente proscrita em Wartheland. Ela foi mais ou menos germanizada em outros territórios ocupados, a despeito de uma encíclica emitida pelo papa já em 27 de outubro de 1939 protestando contra a perseguição.[102]

A cultura polonesa também foi atacada no Governo Geral. Em 27 de outubro de 1939, o prefeito de Varsóvia foi detido (mais tarde, fuzilado), e, em 6 de novembro, 182 membros do corpo acadêmico da universidade e de outras instituições de ensino superior na Cracóvia foram detidos e levados para o campo de concentração de Sachsenhausen.[103] Universidades, escolas, bibliotecas, editoras, arquivos, museus e outros centros de cultura polonesa foram fechados.[104] "Os poloneses", disse Frank, "não precisam de universidades ou escolas secundárias: a terra polonesa deve virar um deserto intelectual". "Para os poloneses", ele declarou em 31 de outubro de 1939, "as únicas oportunidades educacionais disponíveis devem ser aquelas que demonstrem a desesperança de seu destino étnico".[105] Frank só permitia entretenimentos baratos e despretensiosos aos poloneses, como shows de sexo, ópera ligeira e bebida.[106] A música de compositores poloneses (inclusive Chopin) foi banida, e monumentos nacionais poloneses foram explodidos ou derrubados.[107] O ataque alemão aos sistemas educacionais poloneses teve início ao mesmo tempo que a tentativa de suprimir a cultura polonesa. Em Szczebrzeszyn, seguindo um padrão mais amplo, as autoridades militares alemãs fecharam as duas escolas secundárias locais em 20 de novembro de 1939. Elas não reabriram. Pouco depois, a administração alemã começou a atacar o sistema de educação nas escolas elementares locais. Em 25 de janeiro de 1940, o doutor Klukowski anotou: "Hoje os alemães mandaram todos os diretores de escola retirar dos alunos os manuais de língua polonesa, bem como textos de geografia e história. Em cada escola de Szczebrzeszyn, em cada sala de aula, as crianças devolveram os livros [...] Estou chocado e profundamente deprimido".[108] O pior estava por vir, pois, em 17 de abril de 1941, ele relatou: "Os alemães retiraram do sótão dos prédios das escolas ginasiais todos os livros e materiais de ensino. Amontoaram-nos no pátio e os queimaram". Intelectuais e professores poloneses fizeram o máximo para organizar aulas avançadas de modo informal e em segredo, mas, dado o assassinato em massa de tantos deles pelos ocupadores alemães, tais esforços obtiveram sucesso apenas limitado, ainda que a importância simbólica fosse considerável.[109] Dia após dia, Zygmunt Klukowski registrou em seu diário o assassinato de escritores, cientistas, artistas, músicos e intelectuais poloneses, muitos deles seus amigos. "Muitos foram mortos", ele anotou em 23 de novembro de 1940, "muitos ainda estão morrendo nos campos alemães".[110]

II

Não só poloneses supostamente adequados foram reclassificados como alemães, mas também um grande número de alemães étnicos começou a ser rapidamente deslocado para assumir as fazendas e os negócios dos quais os poloneses haviam sido brutalmente expulsos. Já no fim de setembro de 1939, Hitler solicitara especificamente a "repatriação" de alemães étnicos da Letônia e da Estônia, bem como da parte oriental da Polônia controlada pelos soviéticos. Ao longo dos meses seguintes, Himmler tomou medidas para cumprir seus desejos. Vários milhares de alemães étnicos foram deslocados para as regiões incorporadas do Governo Geral, mas a maioria foi transportada para lá de áreas controladas pela União Soviética sob uma série de acordos internacionais negociados por Himmler. Chegaram tantos povoadores alemães ao Governo Geral e aos territórios incorporados no começo da década de 1940 que, a fim de fornecer acomodação para esses colonos, outros 400 mil poloneses foram despejados de casa de março de 1941 em diante, sem na verdade serem deportados. Ao longo dos meses e anos seguintes, 136 mil alemães étnicos vieram do leste da Polônia, 150 mil dos estados bálticos,

30 mil do Governo Geral e 200 mil da Romênia. Foram persuadidos mediante a promessa de melhores condições e de uma vida mais próspera e pela ameaça de repressão do comunismo soviético ou do nacionalismo romeno. Em maio de 1943, 408 mil haviam sido reassentados em Wartheland e nas outras partes incorporadas da Polônia, e outros 74 mil no Velho Reich.[111]

A fim de se qualificar para o reassentamento, todo o meio milhão de imigrantes, com exceção de 50 mil felizardos, foi colocado em campos de trânsito, dos quais havia mais de 1,5 mil no auge da transferência, e submetido a um crivo racial e político, um processo aprovado por Hitler em pessoa em 28 de maio de 1940. As condições nos campos, que com frequência eram fábricas, mosteiros ou prédios públicos tomados dos poloneses e convertidos, eram menos que ideais, embora se fizesse um esforço para manter as famílias unidas e fosse paga uma indenização em bônus ou em propriedades pelos bens que elas haviam sido forçadas a deixar para trás. Assessores do Escritório Central de Raça e Assentamento, cuja base era o centro da polícia de imigração em Łódź, invadiram os campos e começaram seu trabalho. Com apenas quatro semanas de treinamento nos princípios básicos da verificação racial-biológica, esses funcionários foram munidos de um conjunto de diretrizes, incluindo 21 critérios físicos (quinze deles fisionômicos) que não podiam ser nada além de extremamente toscos. Os imigrantes passavam por raio X, exame médico, eram fotografados e questionados sobre opiniões políticas, família, emprego e interesses. A classificação resultante variava de "muito adequado" na ponta de cima, em que os imigrantes eram "nórdicos puros, *phalians* puros ou *phalian*-nórdicos", sem "defeitos perceptíveis de intelecto, de caráter ou de natureza hereditária", até "étnica ou biologicamente inadequados" na ponta de baixo, em que eram considerados de sangue não europeu, ou dotados de psique malformada, ou provenientes de "famílias socialmente fracas ou incompetentes".[112] Isso fez, inevitavelmente, que o programa de reassentamento avançasse apenas de forma muito lenta. No total, em dezembro de 1942, 20% dos negócios dos territórios anexados haviam passado ao controle dos colonos, 8% para alemães do Reich, 51% para alemães locais e outros 21% de curadores atuando em nome dos veteranos militares que chegariam no futuro. Das 928 mil fazendas nesses distritos, 47 mil foram assumidas por colonos; 1,9 milhão de um total de 9,2 milhões de hectares de terra foi tirado de poloneses e dado para alemães. Todavia, do contigente de 1,25 milhão de colonos, apenas 500 mil haviam sido reassentados até ali; a maioria estava em campos de um tipo ou de outro, e milhares deles estavam lá havia bem mais de um ano. Três milhões de pessoas registraram-se como alemãs nos territórios incorporados, mas ainda havia 10 milhões de habitantes poloneses no Grande Reich Alemão. Claro que o programa de germanização estava longe do término ao entrar em seu quarto ano.[113]

O programa continuou ao longo de 1943, à medida que mais aldeias polonesas eram evacuadas à força. Himmler começou a usar o esquema como meio de lidar com grupos supostamente não confiáveis nas fronteiras do Velho Reich, como em Luxemburgo. Famílias nas quais o homem havia desertado do Exército foram arrebanhadas em Lorena e embarcadas para a Polônia como colonos. Em 1941, 54 mil eslovenos foram levados das regiões fronteiriças da Áustria para campos na Polônia, onde 38 mil deles foram considerados racialmente valiosos e tratados como colonos.[114] Viajando pelas aldeias evacuadas de Wieloncza e Zawada em maio de 1943, Zygmunt Klukowki notou: "Os colonos alemães estão se mudando para lá. Por toda parte dá para ver garotos alemães em uniformes da Juventude Hitlerista".[115] Ele continuou a listar aldeias de sua região evacuadas à força, com os habitantes poloneses levados para um campo nas proximidades até julho de 1943. Ao visitar o campo em agosto de 1943, Klukowki notou que os reclusos atrás da cerca de arame farpado estavam desnutridos e doentes, "mal se mexendo, com uma aparência terrível". No hospital do campo havia 40 crianças com menos de 5 anos de idade sofrendo de disenteria e sarampo, deitadas em duplas nas camas, parecendo "esqueletos". Sua proposta de levar algumas delas para seu hospital foi rejeitada com rispidez pelos oficiais alemães. Em Szczebrzeszyn, sua cidade, os poloneses também eram cada vez mais arrancados de casa para dar lugar aos colonos alemães que chegavam.[116]

A germanização da região de Zamość, levada a cabo por Himmler a despeito da oposição de Frank, de fato foi pensada como a primeira parte de um programa abrangente que, no devido tempo, afetaria todo o Governo Geral, embora nunca tenha chegado tão longe. Mesmo assim, cerca de 110 mil poloneses foram expropriados à força e expulsos da região de Lublin no processo, somando 31% da população, e, entre novembro de 1942 e março de 1943,

47 aldeias da zona de Zamość foram esvaziadas para dar lugar aos alemães que chegavam. Muitos dos habitantes poloneses fugiram para as florestas, levando tudo o que podiam com eles, para se juntar à resistência clandestina.[117] Em meados de julho de 1943, Szczebrzeszyn, cidade natal de Klukowski, fora oficialmente declarada um povoado alemão e rebaixada à condição de aldeia.[118] "Nas ruas da cidade", anotou Klukowski, que se recusou a aceitar o insulto à terra natal, "podem-se ver muitos alemães em trajes civis, na maioria mulheres e crianças, todos novos moradores". Foram inauguradas novas instalações para eles, inclusive um jardim de infância. Klukowski logo estava anotando: "As lojas são administradas por alemães; temos barbeiros, alfaiates, sapateiros, padeiros, açougueiros e mecânicos alemães. Foi inaugurado um novo restaurante com o nome de Neue Heimat (Novo Lar)". Os poloneses que não haviam assinado o registro de alemães étnicos eram cidadãos de segunda classe, usados para trabalhos forçados e tratados como se sua vida não valesse nada. Em 27 de agosto de 1943, Klukowski registrou o caso de um menino polonês de 8 anos de idade encontrado "caído em um pomar com ferimentos à bala. Foi levado para o hospital, onde morreu. Ficamos sabendo que o garoto fora lá em busca de maçãs. O novo proprietário, um serralheiro alemão, atirou nele e o deixou para morrer, sem falar para ninguém".[119]

Os alemães que se mudaram para Wartheland tinham poucas reservas quanto à expulsão dos poloneses da região para dar lugar a eles. "Realmente gosto da cidade de Posen", escreveu Hermann Voss, anatomista indicado para uma cadeira na Faculdade de Medicina na nova Universidade do Reich de Posen – uma fundação situada no ápice do sistema educacional alemão nos territórios ocupados –, em abril de 1941, "isso aqui seria realmente adorável se não houvesse absolutamente nenhum polonês". Em maio de 1941, ele anotou em seu diário que o crematório de seu departamento na universidade fora assumido pela SS. Não fez objeções, ao contrário: "Há um crematório para a queima de corpos no porão do prédio do instituto. É de uso exclusivo da Gestapo. Os poloneses que eles fuzilam são trazidos para cá à noite e cremados. Se ao menos alguém pudesse transformar toda a sociedade polonesa em cinzas!".[120] Somados aos imigrantes do leste, cerca de 200 mil alemães mudaram-se para os territórios incorporados vindos do Velho Reich. Muitos deles eram crianças e adolescentes evacuados das

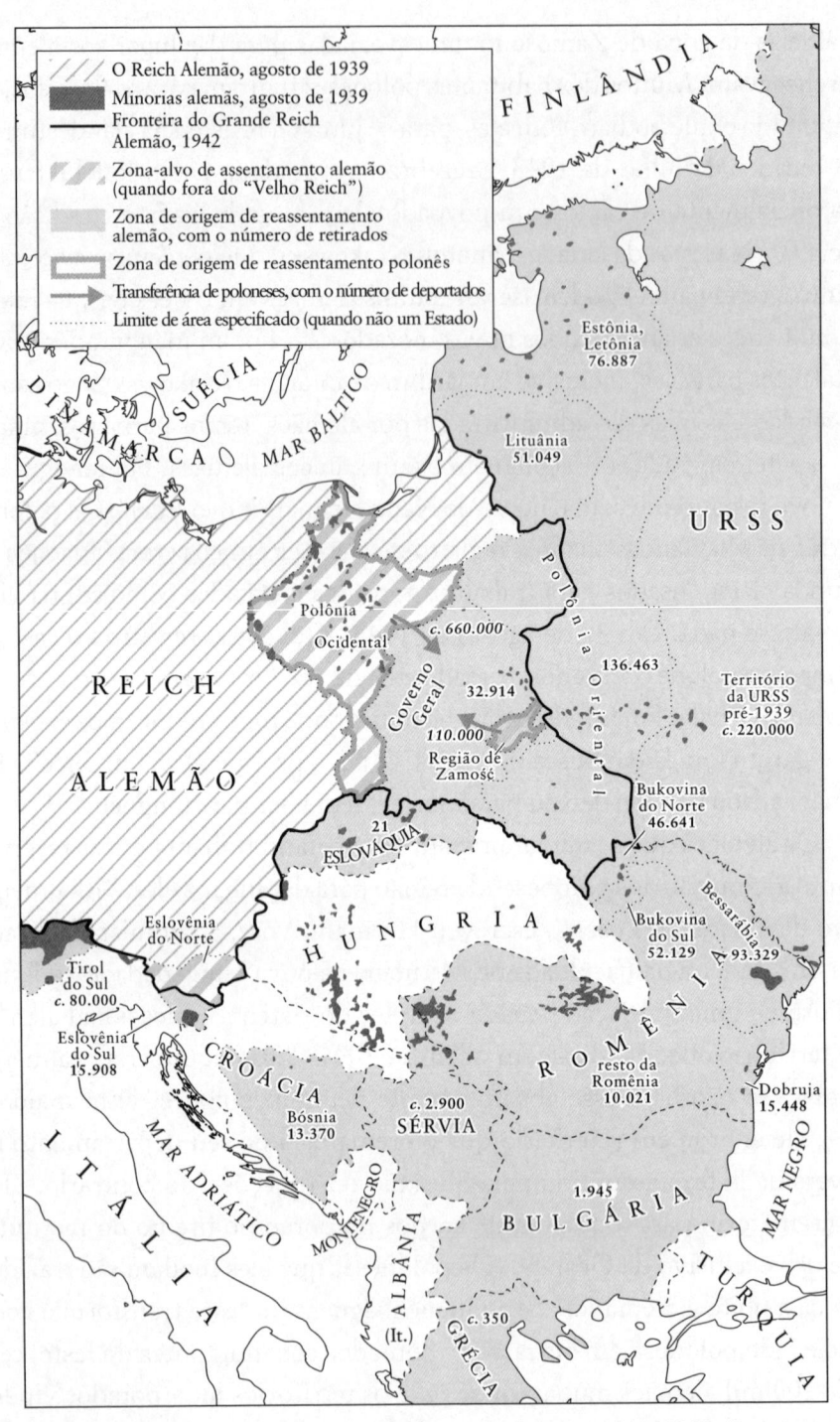

Mapa 2. Transferências de populações de alemães étnicos, 1939-43

cidades da Alemanha para evitar os perigos do bombardeio aéreo: milhares foram colocados em campos de modelo militar, onde eram submetidos a disciplina rígida, intimidação e um estilo tosco, decididamente não acadêmico, de educação.[121]

Mas muitos adultos foram voluntariamente para os territórios incorporados, vendo-os como um lugar ideal para povoamento colonial. Com frequência consideravam-se pioneiros. Um desses foi Melita Maschmann, enviada como adida de imprensa da Juventude Hitlerista para Wartheland em novembro de 1939. Notando a ausência de pessoas educadas entre a população polonesa, ela concluiu que os poloneses eram um povo miserável, subdesenvolvido e afligido pela pobreza, incapaz de formar um Estado viável por conta própria. Sua alta taxa de natalidade tornava-o uma séria ameaça ao futuro alemão, conforme ela havia aprendido nas aulas de "ciência racial" na escola. Solidarizou-se com a pobreza e com a desgraça de muitas crianças polonesas que viu esmolando nas ruas ou roubando carvão dos depósitos, mas, sob a influência da propaganda nazista, mais tarde escreveu:

> Eu disse a mim mesma que, se os poloneses estavam usando todos os meios na luta para não perder aquela disputada província a leste que a nação alemã exigia como *Lebensraum*, então permaneciam nossos inimigos, e considerei meu dever reprimir meus sentimentos pessoais caso fossem conflitantes com a necessidade política [...] Um grupo que se acredita chamado e escolhido para liderar, como nós, não tem inibições na hora de tomar território de "elementos inferiores".

Embora se distanciasse dos alemães que não tinham dúvida de que eles próprios eram uma "raça dominante" e de que os poloneses destinavam-se a ser escravos, ainda assim, mais adiante, ela escreveu: "Meus colegas e eu sentimos que era uma honra ter permissão para ajudar a 'conquistar' essa região para nossa nação e para a cultura alemã. Tínhamos o entusiasmo arrogante do 'missionário cultural'".

Maschmann e seus colegas foram encarregados de esvaziar e limpar fazendas polonesas nos preparativos para receber os novos habitantes alemães e tomaram parte nas expulsões lideradas pela SS sem perguntar para onde iriam os poloneses expulsos.[122] Ela participou descaradamente do saque extensivo de propriedades polonesas nesse processo, quando os poloneses que partiam foram obrigados a deixar mobília e equipamento para trás para os colonos alemães. Armada com uma requisição forjada e uma pistola (que não sabia como usar), Maschmann roubou até camas, objetos de cutelaria e outros artigos de fazendeiros poloneses, em áreas onde o reassentamento não havia começado, para dá-los aos alemães étnicos que chegavam. Ela considerou tudo isso plenamente justificável; a experiência de todo o trabalho foi inteiramente positiva.[123] Esses sentimentos foram compartilhados por muitas outras alemãs que se dirigiram aos territórios incorporados como voluntárias ou lá foram colocadas como professoras recém-qualificadas, funcionárias subalternas em organizações de mulheres nazistas ou aspirantes ao serviço público. Todas elas, na época e, em muitos casos, décadas depois, quando entrevistadas sobre o trabalho, viam a atividade na Polônia ocupada como parte de uma missão civilizadora e registraram horror diante da pobreza e da sujeira encontradas entre a população polonesa. Ao mesmo tempo, desfrutaram a beleza da zona rural e a sensação de estar em uma missão excitante longe de casa. Como mulheres de classe média, obtiveram evidente satisfação por limpar fazendas deixadas pelos poloneses deportados, decorando-as e criando um clima doméstico para receber os colonos. Para quase todas elas, o sofrimento dos poloneses e dos judeus era ou invisível, ou aceitável, ou até mesmo justificável.[124]

III

A visão cor-de-rosa de Melita Maschmann, de uma nova civilização de domínio alemão surgindo na Europa oriental, era desmentida pela realidade local. Assassinato, roubo, pilhagem e deportação eram apenas uma parte da paisagem. Propina e corrupção também grassaram sob a administração alemã do Governo Geral. Na Varsóvia de 1940, dizia-se que o suborno de um oficial para se obter isenção do trabalho compulsório custava a um judeu 125 *zlotys*, ao passo que quinhentos *zlotys* compravam a dispensa do uso da estrela amarela, 1,2 mil pagavam um certificado de descendência ariana, 10 mil liberavam da prisão e 150 mil compravam uma emigração totalmente organizada para a Itália (esse último arranjo teve um fim abrupto quando a Itália entrou na guerra ao lado da Alemanha em junho de 1940).[125] Essa corrupção tornou-se possível em parte devido ao caos institucional em que o Governo Geral descambou rapidamente após sua criação em 1939. O governador-geral Hans Frank emitia proclamações grandiloquentes de seu suntuosamente mobiliado quartel-general no antigo palácio real da Cracóvia, mas sua autoridade era constantemente minada pelo rival Friedrich Willhelm Krüger, chefe da SS e da polícia no leste. Krüger era ativamente encorajado não só por Himmler e Heydrich, mas também pelo próprio Hitler, que nisso, como em tudo o mais, preferia que seus subordinados lutassem uns contra os outros pela supremacia em vez de criar uma hierarquia de comando vertical eficiente e uniforme.

A área de competência de Krüger incluía não só o policiamento, mas também a implementação do programa de transferência de população de Himmler. A aterrorização da população polonesa do Governo Geral por Krüger foi levada a cabo mais ou menos ignorando Frank, que ficou preocupado com o ódio e a agitação que aquilo estava despertando nos poloneses. Em 1942, o ambicioso Krüger pareceu até a ponto de remover Frank de vez. Quando o ex-governador civil de Radom foi detido sob acusações de corrupção depois que um veículo oficial dirigido por seu pai foi encontrado transportando tapetes, sedas, bebidas e outras mercadorias do Governo Geral para o Reich, uma investigação colocada em andamento por Himmler rapidamente revelou que aquilo era a ponta de um iceberg. Muitos oficiais, senão a maioria deles, envolveram-se em práticas do tipo. O tom era dado pelo governador--geral. A investigação de Himmler confirmou que Frank vinha enriquecendo membros de sua família com fundos estatais e propriedades saqueadas. Foram descobertos dois grandes armazéns cheios de mercadorias, como peles, chocolate, café e bebidas, tudo para uso de Frank e sua família. Só em novembro de 1940, Frank havia enviado para suas casas no Velho Reich 72 quilos de carne de vaca, vinte gansos, cinquenta galinhas, doze quilos de queijo e muito mais. O governador-geral foi convocado a Berlim para uma descompostura de Hans-Heinrich Lammers, ministro do Reich na Chancelaria do Reich e, portanto, o chefe efetivo da administração civil da Alemanha. Enquanto a polícia revelava mais casos de corrupção, Frank tentou revidar com uma série de discursos em universidades alemãs condenando o crescente poder da polícia (chefiada, é claro, por seu inimigo e maior crítico, Himmler), mas em seguida foi proibido de falar em público e destituído de todos os cargos no Partido por um Hitler furioso. Todavia, Frank sobreviveu e, em maio de 1943, com o apoio do gabinete do Plano de Quatro Anos de Göring, persuadiu Hitler, um pouco tarde demais, de que a violência implacável da polícia no Governo Geral estava causando tanto ressentimento entre os poloneses que eles recusavam-se a trabalhar de modo adequado, deixando de entregar as cotas de artigos alimentícios e atrapalhando a economia por meio de sabotagem. Em 9 de novembro de 1943, Krüger foi substituído por um chefe de polícia mais brando. A corrupção continuou.[126]

Mais abaixo na escala social, um enorme mercado negro havia surgido como resultado das circunstâncias cada vez mais medonhas em que os poloneses viviam. De acordo com uma estimativa, mais de 80% das necessidades cotidianas da população polonesa eram supridas pelo mercado negro. Empregadores poloneses burlavam as regulamentações salariais impostas pelos alemães pagando os trabalhadores em espécie ou tolerando ausências em massa, estimadas no total em 30% em 1943. Em todo caso, os trabalhadores não podiam dar-se ao luxo de comparecer ao serviço mais que duas ou três vezes por semana, porque o mercado negro exigia-lhes o restante do tempo. Uma piada polonesa popular na época retratava o encontro de dois amigos depois de muito tempo: "O que você está fazendo?". "Estou trabalhando na prefeitura." "E sua esposa, como vai?" "Trabalhando em uma papelaria." "E sua filha?" "Trabalhando em uma fábrica." "Como diabos vocês vivem?" "Graças a Deus, meu filho está desempregado!"[127] Os comerciantes do mercado negro não estavam no negócio apenas para sobreviver. Uns poucos conseguiam ter lucros enormes em poucas semanas. Os perigos de ser pego eram grandes. Mas a maioria arriscava-se porque não tinha alternativa. Além disso, não estavam fazendo muito mais do que seguir o exemplo de seus senhores alemães, para quem propina, corrupção e enriquecimento ilícito eram aspectos normais da vida cotidiana.[128]

O mercado negro foi especialmente exuberante no setor de gêneros alimentícios. A escassez de alimentos começou a ocorrer quase imediatamente após a invasão, exacerbada pela queima de lavouras pelas unidades do Exército polonês em retirada. As condições eram particularmente severas no Governo

Geral, que continha as áreas agrícolas mais pobres da Polônia. Em 1940, as tropas alemãs de ocupação do distrito de Klukowski começaram a registrar porcos e outras criações de animais das fazendas locais e ordenaram que só poderiam ser abatidos para o Exército alemão, não para os habitantes locais.[129] As filas do lado de fora dos armazéns tornaram-se corriqueiras.[130] Os alemães começaram a impor aos fazendeiros cotas de produção de gêneros alimentícios para eles, punindo quem fracassasse em cumpri-las.[131] No total, de 1940 a 1944, 60% da produção polonesa de carne, 10% da produção de grãos e muito mais foram levados para alimentar os alemães do Reich.[132] A situação do abastecimento de comida era tão ruim que até Frank ficou alarmado. Ele conseguiu assegurar o fornecimento de grãos vindos do Reich nos primeiros meses de 1940, mas também nesse caso o grosso do suprimento foi para alimentar os ocupadores alemães, em seguida, em ordem de importância para poloneses que trabalhavam em setores essenciais, como as ferrovias, depois, para ucranianos e poloneses comuns, e para judeus no fim da lista. A ração distribuída aos poloneses em Varsóvia ficava abaixo de 669 calorias por dia em 1941, em comparação às 2.613 dos alemães (e meras 184 dos judeus).[133] Ninguém conseguia sobreviver com essa quantidade. A saúde deteriorou-se rapidamente, doenças associadas à desnutrição espalharam-se, a taxa de mortalidade disparou. A maioria dos poloneses fazia de tudo para garantir a maior parte de sua ingestão de alimentos por outros meios, e isso significava de novo o mercado negro.[134]

O doutor Klukowski notou em desespero a rápida desintegração da sociedade polonesa sob o impacto de horrorosos níveis de violência, destruição e privação. Bandos de ladrões vagavam pelo interior, invadindo casas, aterrorizando os habitantes, saqueando seus pertences e estuprando as mulheres. Os poloneses denunciavam-se uns aos outros, sobretudo por posse de armas escondidas. Muitos apresentavam-se como voluntários para trabalhar na Alemanha, e o colaboracionismo abundava. Moças polonesas associavam-se a soldados alemães, e a prostituição disseminava-se; em novembro de 1940, Klukowski estava tratando 32 mulheres com doenças venéreas em seu hospital, e anotou que "algumas também eram mocinhas, jovens de até 16 anos, que primeiro foram estupradas e depois começaram na prostituição como único jeito de se sustentar". "A bebedeira está aumentando", ele registrou em janeiro de 1941, "e naturalmente há mais brigas de bêbados, mas parece que os alemães ficam bastante satisfeitos com isso". Os poloneses juntavam-se aos saques de lojas judaicas, e oficiais da polícia polonesa do pré-guerra agora trabalhavam para os alemães. "Jamais esperei que o moral da população polonesa afundasse tanto", ele escreveu em 19 de fevereiro de 1941, "com uma tão completa falta de orgulho nacional".[135] "Falta-nos uma atitude uniforme contra os alemães", reclamou ele dois meses depois: "Todos os rumores, intrigas e denúncias estão aumentando".[136]

IV

Os infortúnios da Polônia não foram menos medonhos na área ocupada a partir de 17 de setembro de 1939 pelo Exército Vermelho em consequência do Pacto Nazi-Soviético.[137] Os soviéticos ocuparam 201 mil quilômetros quadrados de território polonês, com uma população de 13 milhões. Uma parcela dos 200 mil prisioneiros de guerra poloneses nas mãos do Exército Vermelho foi liberada para voltar para casa, em especial se vivia na parte alemã do país, ou transferida para campos de trabalho no sudeste da Polônia para trabalhar em projetos de construção. Os oficiais, entretanto, foram deportados para campos na União Soviética, onde juntaram-se a funcionários alfandegários, policiais, guardas de presídio e policiais militares poloneses até somarem um total de 15 mil. Durante abril e início de maio de 1940, por ordem de Moscou, 4.443 desses homens foram levados em lotes pela polícia secreta soviética, a NKVD, para a Floresta Katyń, perto de Smolensk, onde foram abatidos individualmente com um tiro na nuca e enterrados em covas coletivas. O resto dos oficiais poloneses também foi morto. Apenas uns 450 dos 15 mil, que eram comunistas ou se considerou que poderiam ser convertidos ao comunismo, foram poupados. Os outros foram fuzilados em locais variados ou mortos nos campos, junto com cerca de 11 mil supostos contrarrevolucionários. Algumas estimativas calculam o total de mortos em cerca de 20 mil; o número exato talvez jamais seja conhecido. A maioria desses homens eram oficiais da reserva, profissionais liberais, médicos, donos de terra, funcionários públicos ou algo assim.[138]

Esse extermínio fez parte de uma campanha muito mais ampla dos soviéticos para erradicar a cultura nacional polonesa. Foi acompanhado de uma violência maciça dentro das comunidades, na qual muitos milhares de poloneses foram chacinados por paramilitares das minorias nacionais ucranianas e bielorrussas no leste polonês, encorajados pelos ocupantes soviéticos. Após um plebiscito fraudulento, os territórios ocupados foram anexados pela União Soviética e o sistema econômico e social foi ajustado ao modelo soviético, com negócios e propriedades expropriados e assumidos pelo Estado, e ucranianos e bielorrussos trazidos para administrá-los. Monumentos e sinais de trânsito poloneses foram destruídos, livrarias e instituições culturais foram fechadas. Meio milhão de poloneses foi aprisionado na Polônia ocupada pelos soviéticos. Muitos deles foram submetidos a tortura, surras, chacina e execução. Teve início uma campanha de deportação em massa. Os escolhidos incluíam membros de partidos políticos, exilados russos e de outras nacionalidades, agentes de polícia e guardas de presídio, oficiais e voluntários do Exército polonês, membros leigos ativos da Igreja Católica, aristocratas, donos de terra, banqueiros, industriais, donos de hotéis e restaurantes, refugiados, "pessoas que haviam viajado para o exterior" e até mesmo "pessoas que fossem esperantistas ou filatelistas". Quase todos os profissionais liberais poloneses da região ocupada também foram detidos e deportados. Em muitos casos, as famílias foram junto. Estima-se o número total de deportados em 1,5 milhão de pessoas. Na primeira metade de 1940, eles foram apinhados em vagões de gado, com espaço apenas para ficar em pé, e levados em imensos comboios de trem para fazendas coletivas no Cazaquistão e outros locais distantes. Dezenas de milhares de poloneses que serviram no governo anterior ou se mostraram relutantes em se ajustar à ideologia marxista-leninista dos ocupantes foram detidos, julgados por acusações fabricadas e mandados para campos de trabalho na Sibéria. Talvez um terço dos deportados tenha morrido antes de os sobreviventes serem soltos após o ataque alemão à União Soviética em junho de 1941. A essa altura, a política soviética na Polônia ocupada havia ficado ligeiramente mais leniente, à medida que a crescente preocupação de Moscou quanto ao perigo do apoio ucraniano à possível invasão alemã levou a um encorajamento limitado da identidade nacional polonesa, que tinha um sentimento antialemão indelével. Todavia, o resultado da ocupação soviética dificilmente foi menos desastroso para os poloneses que o da ocupação alemã.[139]

Para o 1,2 milhão de judeus que viviam na parte da Polônia controlada pelos soviéticos e para os cerca de 350 mil refugiados judeus que haviam escapado da investida alemã, a tomada soviética do território de início proporcionou algum alívio. Eles pensaram que estariam protegidos, não só do racismo exterminador alemão, mas também do antissemitismo nativo dos poloneses. Até os judeus conservadores e religiosos saudaram a tomada soviética. Um número substancial, ainda que subsequentemente controverso, de judeus assumiu cargos administrativos no aparato do governo comunista soviético; fosse qual fosse esse número, isso bastou para convencer muitos nacionalistas poloneses e ucranianos de que toda a comunidade judaica estava trabalhando para os odiados comunistas soviéticos. De fato, a detenção e a deportação de judeus ricos e outros, em particular intelectuais e profissionais liberais, que, como patriotas poloneses, recusaram-se a se candidatar à cidadania soviética, logo dispersaram as ilusões da população judaica sobre a verdadeira natureza do domínio soviético. Um em cada três cidadãos poloneses deportados para a Sibéria e outras regiões remotas da União Soviética era judeu; estima-se que 100 mil tenham morrido no processo. Ainda assim, o estrago estava feito: aqueles que ficaram pagariam caríssimo pelo entusiasmo inicial com a invasão soviética quando o Exército Vermelho enfim foi expulso pelos alemães. Nesse ínterim, as condições deterioraram-se tão depressa que os judeus que haviam escapado da Polônia ocupada pelos alemães começaram a voltar para lá.[140]

Entretanto, houve diferenças cruciais entre as duas ocupações. Ao contrário da parte ocidental da Polônia, anexada pelos nazistas, a parte oriental continha uma maioria de não poloneses. Eram ucranianos e bielorrussos – basicamente camponeses que o poder ocupador incitou a se erguer contra a classe supostamente fascista dos donos de terra poloneses –, e judeus. Em busca de uma revolução social, a administração soviética expropriou propriedade polonesa, nacionalizou bancos e dividiu grandes fazendas entre pequenos camponeses. Os direitos civis formais foram estendidos a todos, e os judeus mais jovens, em especial, saudaram sua liberação da discriminação antissemita praticada pelo regime dos coronéis poloneses. Quando esses judeus entraram para o Partido Comunista em seu entusiasmo com o novo regime, abandonaram no processo a identidade judaica. As elites polonesas foram vistas como líderes do nacionalismo polonês por ambos os poderes de ocupação, e deveriam ser esmagadas e eliminadas; mas a maior preocupação dos soviéticos foi destruí-las politicamente, e por isso elas foram deportadas não da União Soviética, mas para seu interior remoto. Do ponto de vista de Stálin, o que estava sendo executado na Polônia ocupada era uma revolução social em benefício da maioria; do ponto de vista de Hitler, o que estava sendo executado na Polônia ocupada era uma revolução étnica em benefício de uma pequena minoria, a dos alemães étnicos; capitalismo, propriedade e iniciativa privada foram deixados no lugar, mas poloneses e judeus não tomariam parte neles.[141]

"Uma ralé pavorosa"

I

Se poloneses eram cidadãos de segunda classe no Governo Geral, judeus então mal se qualificavam como seres humanos aos olhos dos ocupantes alemães, soldados e civis, nazistas e também não nazistas. Os alemães levaram consigo o medo e o desprezo em relação aos judeus que fora instilado na grande maioria deles pela incessante propaganda nazista ao longo dos seis anos e meio anteriores. Nesse período, os judeus da própria Alemanha, menos de 1% da população, haviam sido submetidos a uma crescente discriminação e desapropriação do governo e a surtos periódicos de violência dos ativistas nazistas. Metade deles havia emigrado. Os que permaneceram foram privados dos direitos civis e de seus meios de vida, impedidos de interagir socialmente com os outros alemães, recrutados para esquemas de trabalho forçado e efetivamente eliminados do resto da sociedade alemã. Em novembro de 1938, haviam sido submetidos a uma série de *pogroms* em escala nacional nos quais praticamente todas as sinagogas alemãs foram destruídas, milhares de lojas de proprietários judeus destroçadas, apartamentos e casas de judeus saqueados e 30 mil homens judeus detidos e colocados em campos de concentração, onde foram espancados e aterrorizados ao longo de várias semanas até serem soltos, depois de dar garantias de que emigrariam. Em seguida, o restante da população judaica da Alemanha foi destituída de suas últimas posses. O processo pelo qual alemães não judeus

"BESTAS EM FORMA HUMANA" 73

vieram a considerar seus compatriotas judeus uma raça à parte, a despeito de os judeus da Alemanha compartilharem de todos os aspectos centrais da cultura alemã e não se vestirem nem parecerem diferentes dos outros alemães, foi gradual e desigual, mas, em 1939, já havia percorrido um longo caminho.[142]

Entretanto, quando os alemães invadiram a Polônia, depararam com uma situação muito diferente. Em 1939, a Polônia continha a maior proporção de judeus de qualquer Estado europeu, somando quase 3,5 milhões, 10% da população, calculados por afiliação religiosa. Mais de três quartos deles viviam nas cidades e nos burgos da Polônia. Havia mais de 350 mil apenas em Varsóvia, somando quase 30% da população da capital. Mais de 200 mil viviam em Łódź, exatamente um terço de seus habitantes. Em mais de 30% das cidades do Governo Geral, os judeus compunham a maioria; 85% deles falavam iídiche ou hebraico como primeira língua, em vez de polonês. A maioria praticava o judaísmo. Muitos vestiam-se de forma diferente dos poloneses cristãos e usavam barbas ou cachos laterais por motivo religioso. Formavam uma minoria nacional distinta que o governo militar polonês antissemita havia discriminado cada vez mais na segunda metade da década de 1930. A maioria dos judeus poloneses era de pequenos comerciantes e lojistas, artesãos e mercadores ou operários assalariados; menos de 10% eram profissionais liberais ou outros membros bem-sucedidos das classes médias; muitos eram bem pobres, e, em 1934, mais de um quarto deles vivia de benefícios. Pouco mais de 2 milhões de judeus viviam nas áreas tomadas pela Alemanha em setembro de 1939, dos quais mais de 350 mil escaparam imediatamente para a parte oriental da Polônia, da Lituânia ou da Hungria. Para os alemães que chegavam, esses eram "judeus orientais", uma minoria totalmente alienígena e desprezada, considerada pela maioria deles como não europeus, a ser tratada com desdém e desconfiança ainda maiores que os judeus da Alemanha em si.[143] De fato, 18 mil judeus poloneses haviam sido expulsos à força da Alemanha através da fronteira com a Polônia em outubro de 1938, seguidos de outros 2 mil em junho do ano seguinte.[144]

Na Polônia, as políticas nazistas de supressão e extermínio racial foram aplicadas plenamente pela primeira vez, em um experimento gigantesco que mais tarde seria repetido em escala ainda maior em outras partes da Europa oriental. O domínio alemão na Polônia foi implacável e exclusivamente projetado para fomentar o que os nazistas percebiam como os interesses dos alemães, inclusive os interesses raciais da Alemanha. A redução deliberada da Polônia a um estado de natureza, a exploração sem limite de seus recursos, a degradação radical da vida cotidiana, o exercício arbitrário de poder desmedido, a expulsão violenta dos poloneses de sua casa – tudo isso abriu caminho para o terror desenfreado contra os judeus poloneses. Além disso, a situação caótica do país e a repetida insistência de Hitler na primazia da política racial na Polônia facilitaram ali desde o começo o exercício de poder autônomo pelos mais fanáticos e determinados elementos do Partido e da SS.[145] A Força-Tarefa Especial do Serviço de Segurança da SS sob Udo von Woyrsch foi particularmente ativa nos ataques aos judeus. Em Bedzin, em 8 de setembro de 1939, assassinou várias crianças judias e queimou a sinagoga local com lança-chamas, ateando fogo às casas próximas no bairro judaico da cidade; os soldados da força-tarefa atiraram indiscriminadamente nos judeus que encontraram pelas ruas. Quando foram embora, cerca de quinhentos dos habitantes judeus da cidade estavam mortos. Ao se reunir com Heydrich e Streckenbach em Cracóvia em 11 de setembro de 1939, Woyrsch foi informado de que Himmler havia ordenado a adoção das medidas mais rígidas possíveis contra os judeus, de modo que fossem forçados a fugir para o leste, para fora da zona controlada pelos alemães. A Força-Tarefa Especial redobrou os esforços para aterrorizar a população judaica em fuga, queimando um grupo de judeus vivos na sinagoga de Dyńow e realizando fuzilamentos em massa em vários locais do país.[146]

Soldados comuns e oficiais de baixa patente compartilhavam de muitos dos preconceitos contra "judeus orientais", encorajados pela propaganda nazista desde 1933.[147] As atitudes alemãs foram bem exemplificadas pelo chefe do Estado-Maior Geral do VIII Exército do general Blaskowitz, Hans Felber, que, em 20 de setembro de 1939, descreveu os judeus de Lódź como "uma ralé pavorosa, imunda e astuciosa". Tinham de ser deportados, disse ele.[148] Felber estava ecoando as impressões obtidas pelo próprio Hitler em visita ao bairro judeu de Kielce em 10 de setembro de 1939; seu chefe de imprensa, Otto Dietrich, que o acompanhou, registrou: "A aparência dessa gente é inimaginável [...] Vivem em uma imundície inconcebível, em choças onde nem mesmo um vagabundo passaria a noite na Alemanha".[149] "Isso não é mais gente", observou Goebbels após visitar Lódź no início de novembro de 1939, "são animais. De modo que a tarefa não é humanitária, mas cirúrgica. Devem-se tomar medidas aqui, e medidas realmente radicais. Do contrário a Europa perecerá da doença judaica".[150] Goebbels mandou equipes para fazer filmagens para o cinejornal semanal exibido nos cinemas alemães, e congregações judaicas e rabinos foram forçados a encenar serviços religiosos especiais para as equipes de filmagem alemãs, que também foram aos matadouros judaicos fazer imagens do abate ritual de gado. Todo o material foi coletado sob direção pessoal de Goebbels e com o envolvimento pessoal de Hitler para um documentário de longa-metragem intitulado *O judeu eterno*, lançado um ano depois, em novembro de 1940.[151]

A atmosfera geral de ódio e de desprezo racial encorajada pelas instruções de Hitler aos generais antes da eclosão da guerra deu aos soldados um claro incentivo para pegar o que quisessem dos judeus da Polônia. Quando o Exército alemão entrou em Varsóvia, as tropas imediatamente começaram a saquear lojas judaicas e a roubar judeus sob a mira das armas na rua.[152] O mestre-escola judeu Chaim Kaplan registrou em seu diário, em 6 de outubro de 1939, que soldados alemães haviam invadido seu apartamento e estuprado sua empregada cristã (ele achou que as tropas não estivessem estuprando mulheres judias por causa das Leis de Nuremberg – embora na prática isso não tenha se revelado um grande empecilho). A seguir espancaram-na para que revelasse onde ele havia escondido o dinheiro (na verdade, Kaplan havia retirado o dinheiro). Kaplan registrou que até mesmo oficiais estavam maltratando judeus nas ruas e cortando grosseiramente a barba deles. Forçavam moças judias a limpar latrinas públicas com suas blusas e cometiam inúmeros outros atos de sadismo contra os habitantes judeus de Varsóvia.[153] Zygmunt Klukowski registrou muitos exemplos de furto e pilhagem de soldados alemães, com frequência auxiliados e incitados por poloneses da localidade, particularmente no que se referia a lojas e prédios judaicos. O furto com frequência era seguido de incêndio e destruição gratuita, nos quais o povo local, com o preconceito alimentado por anos de propaganda antissemita e doutrinação dos nacionalistas poloneses, inclusive de membros importantes da Igreja Católica polonesa, participava com entusiasmo.[154]

Em 22 de outubro de 1939, soldados alemães trouxeram caminhões de carga para levar os artigos de lojas judaicas em Zamość, a maior cidade perto de onde Klukowski vivia. Oito dias depois, oficiais do Exército alemão começaram a levar dinheiro vivo e joias das casas judaicas da cidade.[155] Cada vez mais os saqueadores e os ladrões usavam de violência contra as vítimas judaicas.[156] Quando os alemães estabeleceram-se em Zamość em meados de outubro de 1939, Zygmunt Klukowski anotou em seu diário que eles mandaram os judeus "varrer as ruas, limpar todas as latrinas públicas e tapar todas as trincheiras de rua [...] Mandam os judeus fazer pelo menos meia hora de ginástica exaustiva antes de qualquer trabalho, o que pode ser fatal, em especial para gente mais idosa". "Os alemães estão tratando os judeus com muita brutalidade", ele anotou em 14 de outubro de 1939: "Cortam a barba deles; às vezes arrancam-lhes os cabelos".[157] Em 14 de novembro de 1939, a sinagoga da cidade foi queimada, bem como as casas judaicas vizinhas. Tudo isso foi uma imitação direta do *pogrom* de 9-10 de novembro de 1938 na Alemanha e de seus desdobramentos. A comunidade judaica recebeu ordens de pagar uma pesada multa como "indenização".[158] E, de 22 de dezembro de 1939 em diante, todos os judeus a partir de dez anos de idade deveriam usar uma estrela amarela na manga, e as lojas tinham de exibir placas indicando se eram judaicas ou não.[159] O tratamento médico foi vetado aos judeus, exceto por médicos judeus. Chamado para ver um homem judeu doente, o doutor Klukowski escreveu no diário em 29 de março de 1940: "fui indagando-me se alguém estava me espionando. Me senti péssimo". "Em minha receita omiti até mesmo o nome do doente. Então agora chegamos a isso: a meta de todo médico é prestar auxílio médico, mas agora tornou-se crime, passível até de prisão."[160]

Era impressionante que esses atos fossem praticados não só pela SS, mas por oficiais e soldados regulares do Exército alemão. Grupos de sorridentes soldados alemães atiravam a esmo nas casas ao passar em marcha pelos bairros judeus das cidades onde entravam, ou juntavam homens judeus na rua, forçando-os a lambuzar uns aos outros com excrementos, obrigando-os a comer carne de porco ou talhando a estrela judaica na testa deles com facas.[161] Para muitos soldados comuns, aquele foi o primeiro confronto com judeus poloneses, muitos dos quais, no aspecto geral, pareciam ostentar todos os clichês da propaganda aos quais os alemães haviam sido submetidos nos seis anos anteriores. Eram, como um cabo escreveu em agosto de 1940: "judeus genuínos, com barbas e imundos, para ser exato piores ainda do que *Der Stürmer* [O Atacante] sempre os descreveu".[162] Conforme outro cabo escreveu em dezembro de 1939, ali estavam "judeus – raras vezes vi figuras tão desmazeladas andando por aí, embrulhadas em farrapos, imundas, sebosas. Essa gente nos parece uma praga. O jeito asqueroso como olham para você, as perguntas traiçoeiras e a bajulação enganosa com frequência nos instigaram a pegar nossas pistolas para chamar esses sujeitos excessivamente curiosos e intrometidos à realidade".[163]

Tão logo a guerra eclodiu, um estudioso judeu em particular decidiu registrar tanto quanto conseguisse desse comportamento para a posteridade. Nascido em 1900, Emanuel Ringelblum se formara historiador, obtendo o doutorado em 1927. Ativo sionista de esquerda, ele decidiu registrar tudo o que estava acontecendo com os judeus de Varsóvia sob o domínio alemão e manteve um extenso diário dos acontecimentos cotidianos. As volumosas e precisas notas de Ringelblum registram os cotidianos roubos, espancamentos, fuzilamentos e humilhações de judeus por soldados alemães e homens da SS. O estupro de mulheres polonesas e judias por soldados alemães foi comum nos primeiros meses de ocupação. "Em Tlomackie, número 2", ele registrou no início de 1940, "três *amos e senhores* violentaram algumas mulheres; os gritos ecoaram pela casa. A Gestapo está preocupada com a degradação racial – arianos associando-se com não arianas –, mas tem medo de relatar".[164] Propina e corrupção espalharam-se rapidamente. "Só gente pobre vai para os campos", ele anotou.[165] Ringelblum registrou que, às vezes, cristãos poloneses saíam em defesa dos judeus atacados por jovens poloneses arruaceiros, mas eram impotentes para fazer qualquer coisa contra os alemães.[166] À medida que a situação dos judeus deteriorava-se, Ringelblum começou a registrar o humor mordaz com que eles tentavam aliviar o fardo. Uma piada contava que uma mulher acordou o marido quando ele começou a rir e a gritar alternadamente durante o sono. O marido disse a ela: "Eu estava sonhando que alguém havia rabiscado em um muro: 'Surrem os judeus! Abaixo o abate ritual!'". "Então você estava feliz com o quê?", perguntou a esposa. "Você não entende?", ele replicou: "Isso significa que os velhos bons tempos haviam voltado! Os poloneses mandavam nas coisas de novo!".[167]

Dava para se lidar com os atos familiares de perseguição dos poloneses, mas não com a desumanidade dos alemães: "Um chefe de polícia alemão foi ao apartamento de uma família judaica e quis levar algumas coisas. A mulher disse chorando que era viúva e tinha um filho para criar. O chefe disse que não levaria nada se ela conseguisse adivinhar qual dos olhos dele era artificial. Ela acertou que era o olho esquerdo. Perguntaram como ela sabia. 'Porque o esquerdo', ela respondeu, 'tem um olhar humano'".[168]

Em muitas partes da Polônia além de Varsóvia, unidades do Exército tomaram judeus como reféns, e em muitos lugares houve fuzilamentos de judeus individualmente ou em grupos. Os 50 mil prisioneiros de guerra poloneses que o Exército classificou como judeus foram recrutados para esquemas de trabalho como os outros prisioneiros, mas passaram por fome e maus-tratos em tamanha extensão que 25 mil já estavam mortos na primavera de 1940.[169] Chaim Kaplan anotou em 10 de outubro de 1939 que homens judeus estavam sendo detidos e levados para projetos de trabalho.[170] Frank, de fato, já havia ordenado a introdução do trabalho compulsório para judeus no Governo Geral e começou a montar campos de trabalho, onde homens judeus detidos nas ruas ou em batidas policiais em casa eram mantidos em condições miseráveis. Um relatório médico sobre um grupo de campos de trabalho em Belzec registrou em setembro de 1940 que a acomodação era escura, úmida e infestada de parasitas; 30% dos trabalhadores não tinham sapatos, calças ou camisas; dormiam no chão, 75% em uma peça medindo cinco metros por seis metros, tão apinhada que precisavam deitar uns por cima dos outros. Não havia sabão nem instalações sanitárias nas choças; os homens tinham de se aliviar no chão durante a noite, visto que era proibido sair. As rações eram inteiramente inadequadas para o trabalho braçal pesado que se exigia que fizessem, basicamente em obras rodoviárias e no reforço de barreiras de rios.[171]

O deterioramento da situação foi calmamente registrado pelo estudante judeu Dawid Sierakowiak em seu diário. "Os primeiros sinais da ocupação alemã", escreveu ele em 9 de setembro de 1939. "Estão pegando judeus para cavar." Embora as aulas estivessem começando, seus pais não o deixaram frequentá-la com medo de que ele fosse detido pelos alemães. Dois dias depois, ele registrava "espancamentos e roubos", anotando que a loja onde o pai trabalhava fora saqueada. "Os alemães locais fazem o que querem." "Todas as liberdades humanas básicas estão sendo destruídas", ele anotou, enquanto os alemães fechavam sinagogas e forçavam as lojas a abrir em um feriado religioso judaico. Enquanto sua mãe era obrigada a ficar duas horas na fila da padaria todos os dias às cinco da manhã para conseguir pão, Sierakowiak registrou que os alemães estavam tirando os judeus das filas de comida. Seu pai perdeu o emprego. A seguir, os alemães fecharam a escola de Sierakowiak e ele devia caminhar cinco quilômetros por dia até a outra porque a família não tinha mais dinheiro para pagar sua passagem de bonde. Em 16 de novembro de 1939, Sierakowiak foi forçado, junto com outros judeus, a usar uma braçadeira amarela quando saía à rua; no início de dezembro, ela foi substituída por uma estrela de Davi amarela, de dez centímetros, que devia ser usada no lado direito do peito e atrás no braço direito. "Nova atividade à noite", ele registrou, "arrancar as braçadeiras e costurar os novos ornamentos". Quando a primeira neve do inverno começou a cair, sua escola foi fechada, e os livros didáticos entregues aos alunos: "Recebi uma história alemã sobre os judeus, algumas cópias de poetas alemães e textos em latim, além de dois livros em inglês". Dawid Sierakowiak começou a testemunhar alemães espancando judeus nas ruas. A situação agravava-se em ritmo quase diário.[172]

No outono do ano seguinte, cenas chocantes de violência contra os judeus ocorriam nas ruas de muitas cidades da Polônia, inclusive Szczebrzeszyn. Em 9 de setembro de 1940, Klukowski anotou:

> Esta tarde eu estava na janela de minha sala quando testemunhei um acontecimento horrível. Em frente ao hospital há algumas casas judaicas queimadas. Um velho judeu e algumas judias estavam parados perto de uma das casas quando passou um grupo de três soldados alemães. De repente, um dos soldados agarrou o velho e jogou-o dentro do porão. As mulheres começaram a se lamentar. Em poucos minutos, chegaram mais judeus, mas os soldados foram embora calmamente. Fiquei intrigado com o incidente, mas minutos depois o homem foi trazido a mim para ser tratado. Disseram-me que ele se esqueceu de tirar o chapéu quando os alemães passaram. As normas alemãs exigem que judeus fiquem em posição de sentido e os homens tirem o chapéu sempre que um soldado alemão passa.[173]

O que Klukowski testemunhou não era apenas o exercício arbitrário de poder por uma força invasora sobre uma minoria desprezada; era o produto final de um processo prolongado de atividade política em Berlim, auxiliado por novas estruturas institucionais no cerne do Terceiro Reich que desempenhariam um papel cada vez mais importante nos anos seguintes.[174]

II

De início, o plano nazista para a Polônia divisou três cinturões de assentamento – alemão, polonês e judeu – em três blocos, ocidental, central e oriental, *grosso modo*. Sua implementação não foi de modo algum uma prerrogativa exclusiva da SS: já em 13 de setembro de 1939, o chefe do serviço de intendência do Comando Supremo do Exército ordenou ao Grupo de Exércitos do Sul que deportasse todos os judeus da zona leste da Alta Silésia para a área que em breve seria ocupada pelo Exército Vermelho. Mas isso logo adquiriu uma forma mais centralizada de direção. No dia seguinte, Heydrich registrou que Himmler estava prestes a submeter a Hitler uma política global para lidar com o "problema judeu na Polônia [...] que apenas o Líder pode decidir". Em 21 de setembro de 1939, Hitler havia aprovado um plano de deportação que deveria ser posto em prática nos doze meses seguintes. Os judeus, em especial os ligados à agricultura, deveriam ser arrebanhados imediatamente. Todos os judeus – mais de meio milhão – seriam deportados dos territórios incorporados junto com os restantes 30 mil ciganos e judeus de Praga e Viena e de outras partes do Reich e do Protetorado. Heydrich disse que isso era um passo na direção da "meta final", a ser mantida totalmente secreta, que era a remoção dos judeus da Alemanha e das zonas ocupadas a leste para uma reserva especialmente criada.

No comando da operação estava o chefe do Escritório Central para Emigração Judaica da SS (*Zentralstelle für Jüdische Auswanderung*) em Praga, Adolf Eichmann, que se lançou ao trabalho com vigor, assegurando que os oficiais regionais relevantes concordassem com o plano de deportação e montando um centro de trânsito em Nisko, no rio San. Um trem com mais de novecentos homens judeus deixou Ostrava, no Protetorado da Boêmia e

Morávia, em 18 de outubro de 1939, seguido por outro transporte de 912 homens judeus de Viena dois dias depois. Em Nisko, porém, não havia acomodações para eles. Enquanto uns poucos foram designados para começar a construção de alojamentos, o resto simplesmente foi levado uns poucos quilômetros adiante por um destacamento da SS e então enxotado pelos guardas, que dispararam as armas e gritaram para eles: "Vão lá para os seus irmãos vermelhos!". O acordo fechado por Himmler com a União Soviética em 28 de setembro de 1939 para a transferência de alemães étnicos para os territórios ocupados deu um basta a toda essa ação, inclusive porque os meios de transporte e pessoal seriam necessários para atender os imigrantes alemães vindos do leste. Em todo caso, conforme Hitler destacou, a criação de uma grande reserva judaica na área de Nisko minaria a futura função da região como uma cabeça de ponte militar para a invasão da União Soviética. O grandioso esquema de Eichmann deu em nada. Os judeus abandonados ficaram onde estavam, amparados pela comunidade judaica de Lublin e vivendo em abrigos improvisados até abril de 1940, quando a SS mandou que se dispersassem e encontrassem uma casa; no fim, apenas trezentos conseguiram fazer isso.[175]

Todavia, o projeto não foi considerado um fracasso. Mostrou que era possível deportar grandes números de judeus de sua casa no Reich e no Protetorado para o leste, inclusive disfarçando os laivos homicidas da ação com o uso de eufemismos como "reassentamento" em "colônias" ou "reservas" autogovernadas. Eichmann foi promovido a chefe do Departamento IVD4 do Escritório Central de Segurança do Reich, no comando geral da "evacuação" e do "reassentamento".[176] Seu fracasso em prover acomodações adequadas na reserva planejada para Nisko não foi produto de incompetência organizacional: foi intencional. Em resumo, os judeus da Alemanha e da Europa central ocupada pelos alemães simplesmente foram atirados ali e deixados ao deus-dará. Conforme Hans Frank observou: "É um prazer ter, finalmente, condições de lidar com a raça judaica em termos físicos. Quanto mais morrerem, melhor; atacar os judeus é a vitória de nosso Reich. Os judeus têm de sentir que chegamos". O relatório sobre uma visita de lideranças oficiais do Governo Geral à aldeia de Cyców em 20 de novembro de 1939 comentou: "Esse território, com sua natureza bastante pantanosa, poderia servir como uma reserva para os judeus, de acordo com o governador do distrito, Schmidt. Essa medida levaria a uma importante dizimação de judeus". Afinal de contas, conforme um membro do Instituto Alemão de Assuntos Internacionais escreveu da Polônia em dezembro de 1939: "a aniquilação desses sub-humanos seria do interesse do mundo inteiro". Era melhor, pensava ele, que isso fosse realizado por meios "naturais", como inanição e doenças.[177]

Durante os meses seguintes, vários planos alternativos para o reassentamento dos judeus da Europa central foram debatidos no Escritório Central de Segurança do Reich, no Ministério de Relações Exteriores alemão e em outros centros de poder; todos envolviam, implícita ou explicitamente, o assassinato de grandes quantidades de judeus por um meio ou outro. Em fevereiro e março de 1940, praticamente toda a comunidade judaica de Stettin, somando mais de mil pessoas, foi deportada por ordem de Heydrich sob condições tão estarrecedoras que quase um terço morreu de fome, frio e exaustão na jornada. Ao longo de 1939, 1940 e dos primeiros meses de 1941, uma série de ações não coordenadas levou à deportação de mais de 63 mil judeus para o Governo Geral, incluindo mais de 3 mil da Alsácia, acima de 6 mil de Baden e do Sarre, e até 280 de Luxemburgo. Nenhuma dessas deportações levou à adoção de nenhuma política sistemática em maior escala; a maioria foi resultado de iniciativas de nazistas locais impacientes, mais notadamente do líder regional de Wartheland, Arthur Greiser, cuja ambição era livrar seu território dos judeus o mais rápido possível. O plano de Nisko fora abortado, e o tamanho e a velocidade das transferências de população na Polônia baixaram sob o impacto das pressões e das circunstâncias dos tempos de guerra. A despeito de tudo isso, a ideia de forçar os judeus da Europa central para dentro de uma reserva em algum lugar no leste do país permaneceu em discussão. Como primeiro passo, Hitler imaginou a concentração de todos os judeus restantes no Reich, inclusive nos territórios recém-incorporados, em guetos localizados nas principais cidades polonesas, o que, de acordo com ele, Himmler e Heydrich, facilitaria sua eventual expulsão.[178] O correspondente americano William L. Shirer concluiu em novembro de 1939 que a "política nazista é simplesmente exterminar os judeus poloneses", pois qual outra poderia ser a consequência de sua transferência para guetos? Se os judeus não tivessem condições de ganhar a vida, como sobreviveriam?[179]

III

Os guetos já haviam sido discutidos na Alemanha logo depois dos *pogroms* de 9-10 de novembro de 1938.[180] Como poucos achavam que os guetos teriam uma existência de longo prazo, não foram emitidas ordens de Berlim sobre como deveriam ser administrados. Heydrich propôs que os judeus fossem confinados em certos bairros das principais cidades, mas não sugeriu como. Ciente de que sua administração estava longe de preparada para acolher e gerenciar um influxo tão grande de refugiados indigentes, Hans Frank tentou bloquear a deportação de judeus de Wartheland para o Governo Geral, de modo que Greiser partiu para a ação por conta própria, dentro dessa estrutura geral da política.[181] Ele determinou a concentração dos judeus restantes em Wartheland dentro de um "gueto fechado" na parte norte da cidade de Lódź, um bairro pobre no qual já vivia um número considerável de judeus. Em 10 de dezembro de 1939, a administração regional traçou planos para as fronteiras do gueto, o reassentamento de não judeus que ali viviam, o abastecimento de comida e outros mantimentos e artigos, e demais arranjos. Em 8 de fevereiro de 1940, chegaram guardas nas fronteiras e começaram a erguer barricadas para lacrar a área. Conforme Dawid Sierakowiak anotou, as detenções em massa de judeus começaram na cidade já em dezembro. "Todo mundo, em toda parte", ele registrou, "tem as mochilas prontas, arrumadas com roupas de baixo e vestimentas e equipamentos domésticos essenciais. Todo mundo está extremamente nervoso". Muitos judeus fugiram da cidade, levando consigo o que podiam em carrinhos de mão.[182] Quando o gueto enfim foi lacrado, em 30 de abril e 1º de maio de 1940, continha cerca de 162 mil da população judaica original da cidade, de 220 mil.[183] Essas pessoas tinham de viver em um bairro tão parcamente provido de comodidades que mais de 30 mil habitações não tinham nem água encanada, nem ligação com o sistema de esgoto.[184] Como resultado, elas logo pareceram confirmar a associação que os nazistas faziam entre judeus e sujeira e doença.

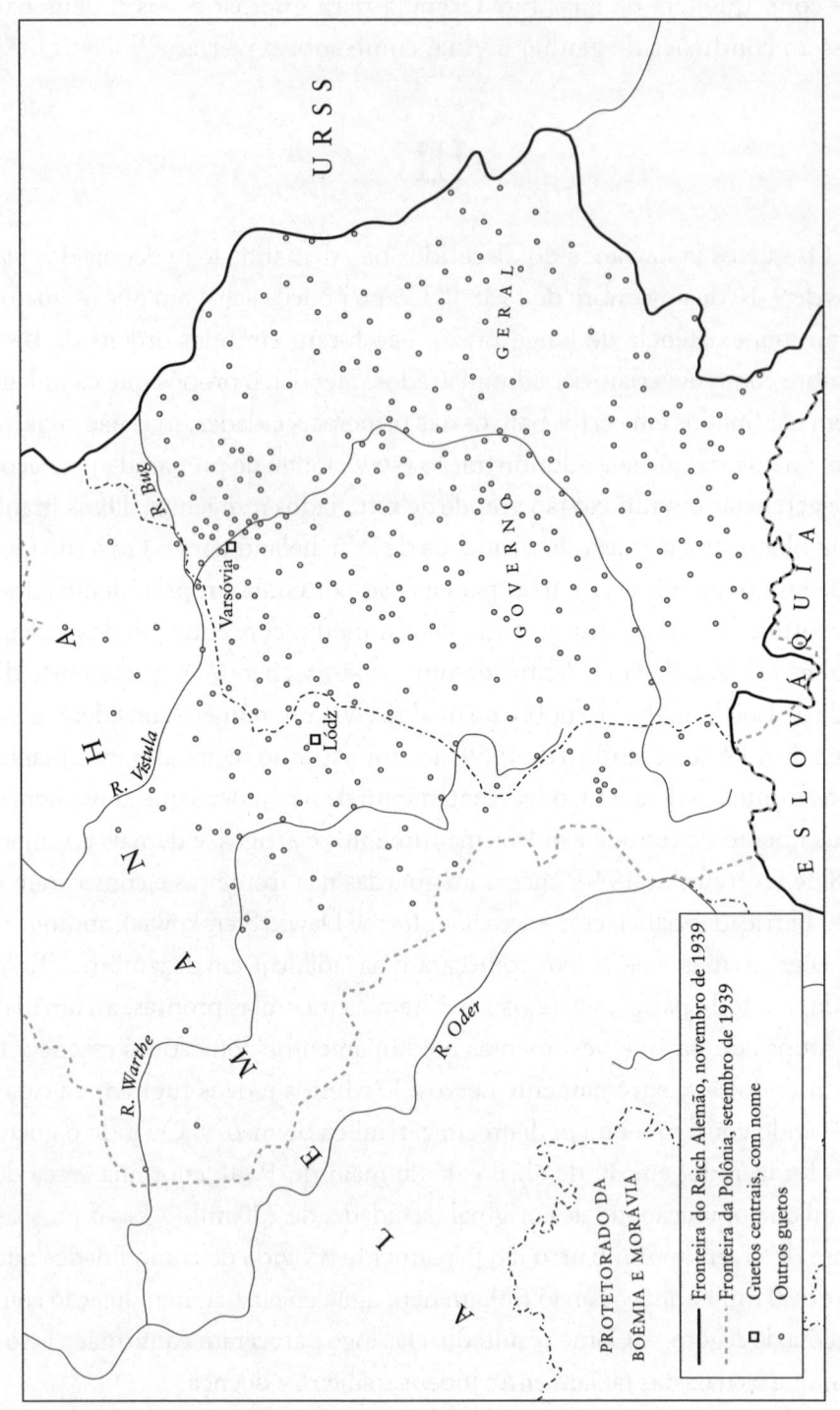

Mapa 3. Guetos judaicos na Polônia sob ocupação alemã, 1939-44

Em 21 de setembro de 1939, Heydrich estabeleceu o princípio geral de que cada gueto seria gerido por um conselho de decanos judeus, chefiados por um ancião. Esses anciãos deveriam ser tratados como reféns para garantir que impedissem qualquer tipo de agitação ou rebelião no gueto; deveriam criar uma força policial judaica para manter a ordem; seriam responsáveis pela vida da comunidade; deveriam redigir listas dos habitantes, organizar a distribuição de mantimentos e, acima de tudo, executar as ordens da administração alemã.[185] Como ancião do gueto de Lódź, os alemães escolheram Chaim Rumkowski, que, após uma série de fracassos empresariais, havia acabado como chefe da administração dos orfanatos judaicos na cidade. Agora na casa dos setenta anos, Rumkowski, com certeza, era talhado para a função: cabelos brancos, em boa forma, enérgico, com um rosto e expressão que os contemporâneos com frequência descreveram como nobre, majestoso ou mesmo real; ele assumiu o comando rapidamente, tornando-se na prática o ditador do gueto. Rumkowski imprimiu uma moeda especial para uso exclusivo no gueto, criou um sistema de cantinas, creches e serviços sociais e barganhou com a administração alemã para que permitisse trabalho produtivo no gueto. Isso envolveu a importação de matérias-primas para processamento, fornecimento de mão de obra judaica não qualificada para serviços de construção do lado de fora e obtenção de renda para a compra de provisões essenciais de comida e outras mercadorias, de modo que permitisse a sobrevivência da população do gueto. Em outubro de 1940, ele atingira grande êxito, em colaboração com o pragmático prefeito alemão de Lódź e seu gerente do gueto, um empresário de Bremen, que queria reduzir o fardo para os cofres públicos de sustentar os judeus, 70% dos quais não dispunham de outros meios para se alimentar. Superando a oposição na administração alemã, que via o gueto basicamente como uma forma de reduzir a população judaica por um processo de desgaste, Rumkowski e o prefeito tiveram sucesso na introdução de indústrias e oficinas no gueto e em sua transformação em um elemento da economia de guerra alemã.[186] Mas o poder também subiu à cabeça de Rumkowski. Ele andava pelo gueto cercado por uma comitiva de guarda-costas e, em certa ocasião, atirou balas para a multidão que assistia. Fazendo-se indispensável para os alemães enquanto o gueto durou, ele atraiu crítica generalizada, até ódio, da comunidade judaica; todavia, por outro lado, ele podia, com certa plausibilidade, apresentar-se como essencial à sobrevivência do grupo.[187]

No Governo Geral, Hans Frank, não obstante a brutalidade de sua retórica, logo foi forçado a confrontar o problema de estabelecer algum tipo de ordem à medida que milhares de poloneses e judeus expulsos e destituídos chegavam sem que houvessem sido feitos preparativos para recebê-los. Enquanto aplicava uma forte pressão – em grande parte bem--sucedida – em Berlim para deter o influxo, Frank também começou a criar guetos nos quais a população judaica fosse concentrada antes da próxima expulsão para uma reserva em alguma zona indefinida mais a leste. O primeiro gueto do Governo Geral foi criado em Radomsko em dezembro de 1939, seguido de muitos outros. Alguns eram pequenos, alguns duraram poucos meses; mas os maiores logo assumiram um ar mais permanente, à medida que, como o gueto de Lódź, tornaram-se centros importantes de exploração econômica. Esse foi o caso, especialmente depois de janeiro de 1940, quando Frank anunciou que o Governo Geral não deveria mais ser visto apenas como um objeto de pilhagem, precisando, em vez disso, dar sua contribuição à economia do Reich.[188] Em 19 de maio de 1940, Frank ordenou que os judeus de Varsóvia fossem concentrados em uma zona exclusivamente judaica da cidade, de início justificando a medida com a afirmação cínica de que os judeus espalhavam doenças como tifo e deveriam ficar de quarentena por questões de saúde pública; também acusou-os, no estilo nazista característico, de causar inflação nos preços por meio de seu mercado negro.[189] Durante o verão, o trabalho de construção dos muros do gueto foi suspenso, pois Frank começou a ter esperanças de que os judeus fossem mandados para Madagascar. Mas, em outubro, a obra recomeçou.[190] Quando o gueto foi lacrado, em 16 de novembro de 1940, a maioria dos judeus da cidade havia sido arrebanhada, junto com muitos outros de fora, para dentro da área.

A operação foi acompanhada de cenas de brutalidade aterrorizante, como registrou Emanuel Ringelblum:

> Na esquina das ruas Chlodna e Zelazne, aqueles que demoram para tirar o chapéu para os alemães são forçados a fazer ginástica usando pedras do calçamento ou telhas como pesos. Judeus idosos também são obrigados a fazer flexões. Eles [isto é, os alemães] picam papel, jogam os

pedacinhos na lama e mandam as pessoas juntá-los, espancando-as enquanto elas se abaixam. No bairro polonês, mandam os judeus deitar no chão e caminham por cima deles. Na rua Lezno, um soldado chegou de caminhonete e parou para surrar um pedestre judeu. Mandou ele deitar na lama e beijar o chão. – Uma onda de maldade passou por toda a cidade, como que em reação a um comando vindo de cima.[191]

A área do gueto fora criada, conforme relatou um administrador alemão, "com a utilização de muros existentes e muramento de ruas, janelas, portas e espaços entre prédios. Os muros", acrescentou, "têm três metros de altura e são elevados em mais um metro pelo arame farpado colocado no topo. Também são guardados por patrulhas de polícia montada e motorizada". Havia quinze postos de controle onde a polícia polonesa e alemã regulavam o tráfico para dentro e para fora do gueto, que se dividia em uma seção maior e outra menor, separadas por uma rua "ariana" atravessada por uma ponte de madeira.[192]

Dentro dos muros, o gueto era dirigido, segundo linhas já estabelecidas em Lódź, por um conselho judaico chefiado por um ancião, neste caso o engenheiro Adam Czerniaków, uma liderança da comunidade judaica local, na época na metade da casa dos sessenta anos. Trabalhando por longas horas, Czerniaków fez o máximo para obter pequenas concessões, explorando divisões entre as autoridades alemãs da ocupação e chamando a atenção constantemente para as más condições do gueto. Ele era muito crítico da atitude imperiosa e das práticas corruptas de Rumkowski, ancião do gueto de Lódź ("um homem presunçoso e ignorante. Um homem perigoso também, visto que vive dizendo às autoridades que está tudo bem em sua reserva").[193] A atitude de Czerniaków levou-o à detenção pela SS em 4 de novembro de 1940 e de novo em abril de 1941. Ele foi torturado e humilhado, mas recusou-se a modificar as tentativas obstinadas de defender os interesses dos habitantes do gueto. Apenas ocasionalmente ele conseguia registrar algum sucesso na conquista de concessões dos alemães. Muitas das promessas que faziam a ele ao final de longas rodadas de negociação permaneciam não cumpridas. "Toda essa labuta, pelo que vejo", escreveu em 1º de novembro de 1941, "não rende frutos. Minha cabeça rodopia e meu pensamento está ficando embaralhado. Nenhum único feito positivo".[194]

A criação do gueto de Varsóvia envolveu a concentração de quase um terço da população da cidade em 2,4% de seu território. Depois que mais 66 mil judeus do distrito circundante foram trazidos no primeiro trimestre de 1941, umas 445 mil pessoas foram amontoadas em uma área com cerca de quatrocentos hectares de extensão, com uma densidade média, segundo uma estimativa oficial alemã, de mais de quinze pessoas por apartamento ou de seis a sete por cômodo, o dobro da densidade da população que vivia no resto da cidade. Algumas peças com não mais de 24 metros quadrados de área tinham de proporcionar moradia para até 25 ou trinta pessoas.[195] O combustível era tão escasso que poucos apartamentos eram aquecidos, mesmo no rigor do inverno. A taxa de mortalidade entre a população judaica de Varsóvia subiu de um para mil em 1939 para 10,7 em 1941; em Lódź era ainda maior, de 43,3 em 1940 e 75,9 no ano seguinte. As crianças ficaram particularmente vulneráveis; apenas em junho de 1941, uma em cada quatro crianças nos abrigos do gueto de Varsóvia morreu, e a situação geral das crianças era tão ruim que várias famílias tentaram dar seus filhos para famílias não judias na cidade ao redor.[196] Crianças órfãs começaram a perambular pelas ruas do gueto em números crescentes. "Uma impressão apavorante, simplesmente monstruosa, é causada", confessou Emanuel Ringelblum, pela "lamúria de crianças que [...] suplicam por esmolas, ou queixam-se de que não têm onde dormir. Na esquina das ruas Leszno e Markelicka", ele registrou, "crianças choram amargamente à noite. Embora eu ouça essa choradeira toda noite, não consigo dormir até altas horas. Os tostões que dou a elas todas as noites não conseguem aliviar minha consciência".[197]

As taxas de mortalidade atingiram novo pico na primavera de 1941, quando o tifo espalhou-se entre a população excessivamente apinhada e infestada de piolhos do gueto de Varsóvia. "Passa-se por cadáveres com indiferença", confessou Emanuel Ringelblum em maio de 1941. "Os cadáveres são meros esqueletos, com uma fina cobertura de pele sobre os ossos."[198] Ao percorrer o gueto, Stanislav Royzicki viu os habitantes como "figuras de pesadelo, fantasmas de outrora seres humanos" e notou "os olhos salientes ao redor das órbitas, a cor amarela do rosto, a pele flácida e pendente, o definhamento e adoecimento alarmantes. E, somada a isso, a expressão miserável, assustada, inquieta, apática e resignada". Os pacientes jaziam em dois ou três por cama nos hospitais.¹⁹⁹ No outono de 1941, os hospitais tratavam cerca de novecentos casos de tifo por dia, com mais 6 mil doentes em casa. A tuberculose também se espalhou, e a contaminação do abastecimento de água levou a muitos casos de febre tifoide. A desnutrição debilitava a resistência das pessoas a doenças, e os serviços médicos não tinham como combatê-las. A morte tornou-se uma característica incontornável da experiência do gueto de Varsóvia; durante seu período de existência, umas 140 mil pessoas morreram dentro dele.²⁰⁰ Andando de bonde através do gueto judaico no início de setembro de 1941, Zygmunt Klukowski notou as terríveis condições de vida e a elevada taxa de mortalidade dos judeus. "É quase impossível imaginar como algo assim pode acontecer", ele escreveu.²⁰¹ Enquanto tudo isso acontecia, conforme registrou Ringelblum, uma equipe de filmagem alemã visitou o gueto, encenando tomadas para as plateias de cinema da Alemanha nas quais soldados alemães gentis apareciam para proteger os judeus da crueldade da polícia polonesa.²⁰²

A fome levou à deterioração das relações sociais, e as pessoas lutavam por migalhas, falsificavam cartões de racionamento ou arrancavam alimentos dos transeuntes, comendo enquanto fugiam correndo. As famílias começaram a se desentender por causa das cotas de ração, e os que chegavam vendiam tudo o que tinham para pagar pela comida no mercado negro. Criancinhas esgueiravam-se para fora do gueto por onde havia apenas cerca de arame farpado, arriscando-se a levar um tiro dos guardas, a fim de ir para os arredores da cidade catar comida no lixo. Operários dos grupos de trabalho fora do gueto com frequência conseguiam contrabandear comida para dentro, enquanto gangues de contrabandistas travavam uma espécie de guerrilha com os guardas alemães.²⁰³ Cerca de 28 mil judeus de todas as idades deram jeito de achar esconderijos fora do gueto de Varsóvia, na maioria com a ajuda de poloneses não judeus, usando contatos sociais, amizades e conhecimentos pessoais que existiam antes da chegada dos alemães. Os pais frequentemente tentavam mandar os filhos para fora da fronteira do gueto por medida de segurança. Às vezes escondidas em sótãos ou porões, às vezes passando-se por "arianas", as crianças viviam uma vida precária; muitas foram detidas e, se os pais não estavam mais vivos, o que com frequência era o caso, eram colocadas em orfanatos semelhantes a presídios. Alguns poloneses ajudaram a esconder judeus por ganho financeiro, outros por nada além de solidariedade humana; outros, ainda, entregavam-nos à polícia alemã se descobriam que eram judeus. Uns poucos até mesmo empregaram judeus em trabalhos que conseguiram classificar como essenciais, e contrataram mais do que realmente era necessário, defendendo esses funcionários judeus de todas as tentativas dos alemães de levá-los embora. A maioria dos 11 mil judeus que sobreviveram à guerra na capital polonesa deveu a vida a poloneses que os ajudaram. Entretanto, os poloneses que ajudaram judeus dessas e de muitas outras formas eram uma pequena minoria, sobrepujada de longe pelos antissemitas que de bom grado participaram da – e lucraram com a – criação do gueto e a remoção da população judaica da cidade no geral. Nem o "exército doméstico" nacionalista polonês clandestino, nem o governo polonês no exílio em Londres, nem, por fim, a Igreja Católica polonesa assumiram uma conduta clara contra as políticas homicidas alemãs em relação aos judeus; talvez até fosse o oposto disso, com as três instituições considerando a população judaica polonesa a favor do "bolchevismo". Conforme um relatório semioficial da Igreja polonesa para o governo exilado declarou no verão de 1941, os alemães "haviam mostrado que a libertação da sociedade polonesa da praga judaica é possível".[204]

A polícia polonesa também fez a sua parte para manter o gueto fechado para o resto da cidade tanto quanto possível. Passando a pé pelo gueto em setembro de 1941, Wilm Hosenfeld notou:

> Existem galerias de esgoto na parede do gueto, e crianças judias que vivem do lado de fora contrabandeiam batatas para dentro por ali. Vi um policial polonês bater em um garoto que tentou fazer isso. Ao vislumbrar as pernas magras por baixo do casaco da criança, e seu rosto repleto de pavor, fui tomado de uma enorme pena. Gostaria muito de ter dado minha fruta para o menino.[205]

Mas as penalidades para um gesto desse tipo, até mesmo para um oficial alemão, eram graves demais para ele se arriscar. Mesmo uma simpatia em silêncio como a de Hosenfeld era extremamente rara. Oficiais, soldados, policiais e homens da SS alemães com frequência entravam no gueto, surrando e dando cacetadas à vontade nos judeus que encontravam. Olhando pela janela em certo dia de fevereiro de 1941, Chaim Kaplan viu multidões correndo em pânico selvagem pela rua abaixo, antes de "um homicida nazista, com a cara vermelha como fogo, avançar a passos largos, com um passo singularmente pesado, em busca de uma vítima. Havia um chicote em sua mão". Quando deparou com um mendigo, começou a surrá-lo impiedosamente; depois, quando o mendigo caiu no chão, o alemão pisoteou, chutou e socou o homem "por 20 minutos", até muito depois de este estar morto. "É difícil entender o segredo desse fenômeno sádico", Kaplan escreveu em seu diário:

> Afinal de contas, a vítima era um estranho, não um velho inimigo; não falou com ele em tom grosseiro, que dirá tocá-lo. Por que então essa ira cruel? Como é possível atacar um estranho para mim, um homem de carne e sangue como eu, feri-lo e pisotear em cima dele, e cobrir seu corpo de feridas, contusões e chicotadas sem nenhum motivo? Todavia, juro que vi tudo isso com meus olhos.[206]

Para muita gente das forças alemãs de ocupação, o gueto oferecia a oportunidade de dar vazão a uma violência quase inimaginável sobre os judeus desamparados, sem a mais leve ameaça de represália.

Alguns alemães, de fato, passavam pelo gueto regularmente selecionando vítimas. Outros iam apenas assistir, fotografar ou, em certos casos, tirar fotos posadas para fins de propaganda. O governo polonês no exílio chegou a afirmar que a organização nazista de lazer Força pela Alegria planejava visitas turísticas ao gueto, onde as condições criadas pelos próprios alemães confirmavam para os visitantes a noção de superioridade sobre os judeus esfarrapados, famintos e infestados de doenças que encontravam.[207] Ao passar por um gueto judeu em Kutno, Melita Maschmann ficou chocada ao ver a pobreza letárgica das pessoas encerradas atrás da cerca alta de arame. Algumas crianças mendigavam com as mãos estendidas através do arame.

> A desgraça das crianças causou um nó em minha garganta. Mas cerrei os dentes. Aprendi gradativamente a desligar meus "sentimentos privados" de forma rápida e total nessas situações. Isso é terrível, disse a mim mesma, mas a expulsão dos judeus é uma das coisas desafortunadas com que temos de barganhar para que o "Warthegau" possa tornar-se uma terra alemã.

Ela viu alguns funcionários da ferrovia alemã irem até a cerca e observarem os judeus como se fossem animais de zoológico.[208] O que viam, embora fosse resultado da opressão alemã, confirmava seus preconceitos contra os "judeus orientais". Conforme um oficial subalterno do Exército escreveu em 30 de junho de 1941:

> Percorremos de carro o bairro dos judeus e das epidemias. Não posso descrever as condições da área e de seus habitantes [...] Muitas centenas de pessoas em fila nas mercearias, lojas de cigarro e de bebidas [...] Ao passar, vimos um homem cair sem causa aparente; deve ter sido a fome que o fez tombar, pois vários dessa gentalha morrem de fome todos os dias. Uns poucos ainda estão bem-vestidos em trajes de antes da guerra, mas a maioria está envolta em sacos e andrajos, um quadro terrível de fome e pobreza. Crianças e mulheres correm atrás de nós e gritam: "Pão, pão!".[209]

Deveras raro era um oficial alemão como Wilm Hosenfeld, que considerou as "condições terríveis" do gueto, quando o visitou em serviço no começo de 1941, "uma total acusação contra nós".[210]

Apesar dessas condições miseráveis e com frequência aterrorizantes, os moradores do gueto deram um jeito de manter algum tipo de vida cultural, religiosa e social em curso, mesmo quando as pressões impostas pelo trabalho para sobreviver dificultavam que se respeitasse o sabá, e as condições desesperadoras de higiene e saneamento impediam a maioria dos judeus de manter as normas tradicionais de asseio pessoal. Em Varsóvia, atores e músicos encenavam produções teatrais e concertos, ao passo que em Lódź, como de hábito, Rumkowski organizava toda a atividade cultural. Adam Czerniaków registrou em seu diário visitas regulares a recitais de música de câmara, e ainda, em 6 de junho de 1942, ele considerava a encenação de uma ópera – *Carmen*, ou talvez *Os contos de Hoffman*. Um dos projetos mais importantes do gueto de Varsóvia foi concebido pelo jovem historiador Emanuel Ringelblum, que reuniu pessoas de muitas facções políticas diferentes para compilar um arquivo de diários, cartas, memórias, entrevistas e documentos e para manter um registro da história do gueto para a posteridade. Conseguiu até mesmo redigir um estudo sério sobre as relações polono-judaicas durante a guerra, ao mesmo tempo que tentava sobreviver nas condições de vida cada vez mais intoleráveis do gueto.[211]

IV

Na Alemanha, as condições da população judaica remanescente continuaram a se deteriorar de modo constante nos dois primeiros anos da guerra. Somando 207 mil em setembro de 1939, de acordo com a classificação racial oficial dos nazistas, essa população era basicamente de meia-idade ou idosa. Os judeus da Alemanha haviam sido espoliados de quase todos os bens. Estavam efetivamente banidos da sociedade alemã e dependiam de suas próprias organizações para a manutenção de qualquer tipo de vida coletiva. Muitos dos rapazes judeus que ficaram na Alemanha já tinham sido recrutados para os esquemas de trabalho forçado bem antes da eclosão da guerra. O trabalho compulsório – muitas vezes em serviços braçais árduos ou sujos, como cavar valas ou limpar neve – continuou ao longo de 1940. Na primavera daquele ano, porém, o arquivamento dos planos de se criar uma reserva judaica na zona de Lublin, combinado com uma grave escassez de mão de obra na indústria bélica, levou a uma mudança na política. Homens judeus em idade militar foram proibidos de emigrar, na hipótese de que pegassem em armas contra a Alemanha, e foi ordenado que todos os judeus com idade entre quinze e 55 anos no caso dos homens e quinze e cinquenta no das mulheres se registrassem para trabalhar. Em outubro de 1940, havia 40 mil judeus em projetos de trabalho forçado, com um número crescente em indústrias relacionadas à guerra. De fato, Goebbels anotou em seu diário, em 22 de março de 1941, que 30 mil judeus de Berlim estavam trabalhando em fábricas de armas ("quem pensaria que isso fosse possível?"). Os operários judeus podiam ser conseguidos a um custo muito baixo e não requeriam o fornecimento de acomodação especial, nem a contratação de tradutores, como no caso dos trabalhadores poloneses ou tchecos.[212]

A emigração, que havia visto mais da metade dos habitantes judeus da Alemanha partir desde o início de 1933, tornou-se assim uma prioridade menor sob o impacto da demanda por mão de obra judaica. Talvez apenas mais uns 15 mil judeus tenham conseguido encontrar refúgio em um país neutro ao longo de 1940. Cerca de mil chegaram ao Brasil com o auxílio de vistos arranjados pelo Vaticano em 1939, custeados por doadores norte-americanos. De modo quiçá um tanto surpreendente, um cônsul japonês designado sucessivamente para a Lituânia, Praga e Königsberg em 1939-41, Chiune Sugihara, cuja principal função supostamente era observar os assuntos militares, começou por iniciativa própria a emitir vistos de trânsito para o Japão para todo judeu que o abordasse, embora os judeus não tivessem permissão para entrar no país; dos talvez 10 mil judeus que obtiveram tais documentos, possivelmente a metade deu jeito de ir para o Canadá, para os Estados Unidos ou para outros destinos de forma ilegal.[213] A emigração ilegal para a Palestina continuou, encorajada pela Gestapo, mas as autoridades superiores britânicas no país começaram a colocar obstáculos no caminho, temendo que aquilo aborrecesse os palestinos: em novembro de 1940, recusaram um navio de refugiados judeus que foram para lá via Danúbio e mar Negro; os refugiados foram transferidos para outro navio para serem levados de volta à Romênia; apenas depois de o navio explodir e afundar, matando 251 passageiros, as autoridades britânicas permitiram que o restante desembarcasse e se instalasse. O porto livre internacional de Xangai, em contraste, impôs poucas restrições à imigração e permaneceu aberto até dezembro de 1941, quando a guerra eclodiu no Pacífico; até o verão de 1941, mais de 25 mil refugiados judeus de vários países europeus, inclusive da Alemanha, haviam conseguido fugir para lá, viajando através da Hungria ou da Escandinávia via ferrovia transiberiana e a seguir por mar.[214]

Aqueles que permaneceram na Alemanha agora estavam maciçamente concentrados em Berlim. A despeito da situação extremamente difícil, conseguiram prosseguir com algum tipo de vida social e cultural, até em razão da existência da Liga de Cultura Judaica, que publicava livros e periódicos, produzia concertos e peças, organizava palestras e promovia sessões de cinema. Claro que tudo tinha de ser aprovado por seu chefe nazista, Hans Hinkel, que proibiu a disseminação da herança cultural "alemã" pela liga. Sob as condições restritivas dos tempos de guerra, também era mais difícil continuar essas atividades do que antes, em especial fora de Berlim.[215] O conjunto dos interesses da comunidade judaica do Reich era representado pela Associação de Judeus do Reich na Alemanha, que recebeu do regime, por ordens explícitas de Hitler, a tarefa de propiciar caridade, organizar a educação e os aprendizados, arranjar a emigração e encontrar serviço para membros da comunidade judaica onde possível. Em janeiro de 1939, a Liga de Cultura foi efetivamente integrada à associação por ordem dos nazistas, até para tornar seus recursos financeiros disponíveis a esta última para ajudar na emigração judaica. Foi instalado um novo comitê executivo, consistindo de representantes da associação e de congregações religiosas judaicas de Berlim e Viena. A despeito de seus fundos depauperados, a qualidade das atrações da liga continuou elevada, com a apresentação de peças clássicas francesas de Molière e outros, sinfonias de Mahler, Tchaikovski e grupos de música de câmara tocando em cidades provincianas para plateias judaicas. A vida religiosa também prosseguiu para os que pertenciam à fé judaica, embora, é óbvio, em escala reduzida depois da destruição das sinagogas alemãs no *pogrom* de 9-10 de novembro de 1938.[216]

Não foram implantados guetos dentro do Reich, mas, ao longo de 1940 e 1941, os judeus começaram a ser despejados de sua residência e deslocados para "casas de judeus", onde eram forçados a viver em condições de superlotação cada vez maior, em um eco do que acontecia simultaneamente e de forma bem mais brutal aos judeus da Polônia ocupada. Embasando suas ações em uma lei de 30 de abril de 1939 que permitia aos locatários despejar inquilinos judeus se houvesse acomodação alternativa disponível, as prefeituras começaram a concentrar a população judaica, usando poderes adicionais criados pela mesma lei para compelir proprietários judeus a aceitar inquilinos judeus. Em muitos casos, a acomodação alternativa era encontrada em alojamentos desativados e em prédios assemelhados: em Müngersdorf, perto de Colônia, 2 mil judeus foram colocados em um forte degradado, vinte por cômodo. Cerca de 38 "acampamentos residenciais" desse tipo foram criados após a deflagração da guerra. A guerra também trouxe o confisco de todos os aparelhos de rádio de judeus alemães, seguido dos telefones em 1940. Foram impostas novas taxas a suas agora minguadas rendas. Os cartões de racionamento para sapatos, roupas e tecidos foram retirados dos judeus. Uma leva de novos regulamentos e decretos policiais tornou a vida deles mais difícil e aumentou as chances de se envolverem em problemas com a lei. Imediatamente depois da eclosão das hostilidades, os judeus alemães foram submetidos a toque de recolher, e impuseram-se restrições severas quanto aos horários em que podiam ir às compras. Só tinham permissão para comprar mantimentos em determinadas lojas de propriedade ariana, em certos horários (não havia mais lojas de donos judeus). Recebiam rações menores para comida e vestuário que os não judeus e foram proibidos de comprar chocolate. Em outubro de 1939, Himmler anunciou que qualquer judeu que infringisse alguma norma, deixasse de obedecer qualquer instrução ou mostrasse algum tipo de resistência ao Estado e a seus ditames seria detido e colocado em um campo de concentração. Os poderes da polícia e de outras autoridades para assediar e perseguir judeus cresceu de modo análogo: por exemplo, na cidade de Krefeld, na Renânia, questões envolvendo judeus, que somavam 20% de todos os casos tratados pela Gestapo antes da guerra, subiram para 35% após o início da guerra. E, na primavera de 1941, Himmler anunciou que qualquer judeu aprisionado em um campo de concentração permaneceria lá enquanto durasse a guerra.[217]

Já em outubro de 1940, Hitler ordenara pessoalmente a deportação de dois grupos específicos de judeus alemães que viviam nos estados de Baden, Sarre e Palatinato, no sudoeste alemão. O Escritório Central de Segurança do Reich foi colocado no comando da operação. Os judeus foram arrebanhados com base em listas detalhadas compiladas pela polícia e colocados em ônibus. Foi permitida uma mala de cinquenta quilos por indivíduo, roupa de cama e gêneros alimentícios. Cada um podia levar no máximo cem reichsmarks; sua residência, mobília e bens de valor tiveram de ser deixados e foram tomados pelo Reich. A mesma sina já se abatera sobre a população judaica da Alsácia--Lorena em 16 de julho de 1940, ao ser ocupada pelos alemães após a derrota da França. O Sarre, o Palatinato e a Alsácia-Lorena deviam ser unidos para formar um novo distrito único do Partido Nazista que deveria ser inteiramente "livre de judeus". Todas essas pessoas foram levadas através da fronteira francesa e largadas em acampamentos na zona não ocupada; outras mais seriam levadas para o Governo Geral. As autoridades francesas prometeram que o resto seria deportado em breve para a colônia francesa de Madagascar. Por enquanto, esses seriam os únicos judeus deportados do território alemão, junto com os habitantes judeus de Schneidemühl e Stettin, levados à força para Lublin em fevereiro de 1940, e os judeus levados de Viena e do Reich para Nisko.[218]

Ao lado da população judaica remanescente no resto da Alemanha, havia também um grupo significativo definido como "raça mista", ou seja, metade judeu ou um quarto judeu. Esses foram submetidos às mesmas medidas discriminatórias introduzidas pelos nazistas ao longo dos seis anos anteriores, mas não a todas. Não podiam trabalhar em empregos pagos pelo Estado, inclusive magistério e administração local, mas podiam, pelo menos até 1941, servir no Exército; se fossem meio-judeus não podiam casar-se com não judeus, e se praticassem a religião judaica eram classificados como plenamente judeus. Por outro lado, um judeu casado com um não judeu podia escapar da maioria das políticas antissemitas do regime desde que os filhos do casal não fossem criados na fé judaica; mesmo que não tivessem filhos, ficavam isentos em certa medida, contanto que não praticassem a fé judaica.[219] Um casal desse tipo era Victor Klemperer, judeu e professor aposentado de literatura francesa, e sua esposa não judia Eva, uma ex-pianista, cuja vida nesse período pode ser reconstruída em grande detalhe graças à sobrevivência dos volumosos diários de Klemperer. Aparentemente, ele perdeu seu cargo não por ser judeu, mas porque a função foi declarada supérflua, de modo que tinha uma pequena aposentadoria para seu sustento. Em 1939, não podia mais frequentar as bibliotecas de Dresden, onde vivia, foi banido da maioria das instalações públicas da cidade e tinha de carregar um documento de identidade judeu com o nome "Israel" adicionado ao seu. Escrever suas memórias e diários e tomar conta da casa e do jardim em Dölzschen, subúrbio de Dresden, eram praticamente as únicas atividades restantes de que ele dispunha. Klemperer também se devotou a compilar uma lista de expressões da linguagem nazista, que chamou de *LTI – Lingua Tertii Imperii*, a linguagem do Terceiro Reich. Ele confiava seus manuscritos e diários regularmente a uma amiga não judia, Annemarie Köhler, médica que dirigia uma clínica em Pirna, fora de Dresden.[220]

De início, a guerra teve pequeno impacto sobre Klemperer. Sua casa foi revistada pela Gestapo em busca de rádios e literatura proibida, mas os agentes foram bastante educados, e o principal problema que ele encarou foi a carga exorbitante de impostos especiais que o governo arrancou dele por ser judeu. Entretanto, em 9 de dezembro de 1939, Klemperer foi informado de que ele e a esposa teriam de alugar sua casa para um quitandeiro, que abriria uma loja nela, e se mudar para dois cômodos em uma casa especial da cidade reservada a judeus, que dividiriam com outras famílias. Pelos termos do contrato de aluguel, que entrou em vigor em 26 de maio de 1940, os Klemperer não tinham permissão para chegar perto de sua velha casa, e o quitandeiro tinha direito preferencial de compra, por um valor fixado em 16,6 mil reichsmarks, que Klemperer considerou ridiculamente baixo. Não demorou muito para o novo ocupante começar a procurar um pretexto para fazer valer o direito de compra. Enquanto isso, na casa dos judeus, na Caspar David Friedrich Strasse, 15B, uma vila "abarrotada de gente, todas compartilhando da mesma sina", Klemperer irritava-se com "a constante interferência e agitação de estranhos" e com a ausência de seus livros, cuja maioria ele foi obrigado a colocar em um depósito. Nervos e ânimos ficaram em frangalhos, e ele se meteu em uma "discussão terrível" com outro habitante da casa, que o acusou de usar água em excesso.[221]

Os Klemperer saíam em longas caminhadas o máximo que podiam, embora fazer compras fosse uma humilhação constante ("para mim é sempre horrível mostrar a identidade J"). As entregas de empresas não judaicas cessaram, de modo que ele agora precisava sair para comprar tudo, inclusive leite. A vida dos Klemperer continuou desse jeito por uma boa parte do ano, até sobrevir o desastre em junho de 1941. Pedante, com uma atenção para o detalhe que é uma das qualidades que tornam seus diários tão valiosos, Klemperer tinha sobrevivido até ali em parte devido à extrema meticulosidade em observar todas as normas e regulamentações a que os judeus do Terceiro Reich estavam submetidos. "Ao longo de dezessete meses de guerra", ele anotou, "sempre fizemos o *blackout* com o maior cuidado". Mas, em certo anoitecer de fevereiro, ele voltou de uma caminhada após escurecer e percebeu que havia esquecido de colocar os tapumes do *blackout*; os vizinhos haviam reclamado para a polícia sobre a luz que vinha de seu quarto, a polícia registrou o incidente, e Klemperer foi sentenciado a oito dias de prisão. Ele jamais ouvira falar de alguém ser preso por um primeiro delito contra as regulamentações do *blackout*. "Sem dúvida, devo isso unicamente ao J em meu documento de identidade." Em 23 de junho de 1940, após seu pedido de clemência ser rejeitado, Klemperer apresentou-se na delegacia de polícia para começar a cumprir a pena. No mundo subterrâneo das celas, os livros que ele havia levado para passar o tempo foram confiscados, junto com os óculos de leitura, e os carcereiros, gritando rispidamente para que ele andasse depressa, conduziram-no para a cela 89, mobiliada com uma cama dobrável e mesa, uns talheres e louça de barro, uma pia, toalha e sabão e uma privada (cuja descarga era dada duas vezes ao dia do lado de fora). O tempo pesou infindavelmente sobre ele, "o vazio e a imobilidade medonhos de 192 horas". Consciente de que estava ali em grande parte por ser judeu, ele começou a se indagar se algum dia sairia vivo.[222]

V

Judeus e poloneses não foram os únicos objetos da radicalização da política e da prática racial nazista nos dois primeiros anos da guerra. Os cerca de 26 mil ciganos da Alemanha também foram incluídos nos planos desenvolvidos pelos nazistas para o reordenamento racial da Europa central e da centro-oriental no decorrer da invasão da Polônia. Em setembro de 1939, Himmler, persuadido pelo criminologista Robert Ritter de que mestiços ciganos em particular eram uma ameaça à sociedade, havia instruído todas as polícias criminais regionais a montar uma seção especial para tratar do "problema cigano". Ele emitiu uma ordem proibindo ciganos de casar com "arianos" e colocou cerca de 2 mil ciganos em acampamentos especiais.[223] Com a eclosão da guerra, Heydrich proibiu os ciganos de percorrer suas rotas comerciais itinerantes perto das fronteiras ocidentais da Alemanha. Antes disso, algumas autoridades legais dessas zonas haviam tomado a iniciativa e expulsado ciganos de seus distritos, expressando um temor tradicional em tempos de guerra de que os ciganos eram espiões; ciganos que tinham sido alistados no Exército agora também recebiam baixa por causa do mesmo temor.[224] Em novembro de 1939, as ciganas foram legalmente impedidas de ler a sorte, sob a alegação de que estavam espalhando falsas previsões sobre o fim da guerra (cuja data, obviamente, era uma questão de intenso interesse para muitos alemães que as consultavam). Como resultado, várias foram encarceradas em um campo de concentração feminino em Ravensbrück. Já em dezembro de 1938, Himmler havia falado sobre "a solução final da questão cigana" e, para a consecução dessa meta, Heydrich informou a seus principais lacaios, em 21 de setembro de 1939, que, a exemplo dos judeus, os ciganos também seriam deportados da Alemanha para o leste da Polônia. Os ciganos alemães receberam ordem de permanecer onde estavam sob pena de serem levados para um campo de concentração enquanto um censo era feito; em seguida, foi permitida uma certa mobilidade, essencial para os ciganos continuarem a ter como se sustentar, mas não foi lá uma grande concessão.[225]

Enquanto isso, em janeiro de 1940, Himmler começou um planejamento detalhado para a expulsão dos ciganos, que foram arrebanhados e colocados em campos de reunião. Em maio de 1940, cerca de 2,5 mil deles foram colocados em trens e levados para o Governo Geral a partir de sete centros de embarque na Renânia, em Hamburgo, em Bremen e em Hanover. Tiveram permissão para levar uma quantidade limitada de bagagem e receberam alimentação e atendimento médico, mas as propriedades e os bens que deixaram para trás foram por fim tomados e confiscados. Ao chegar ao Governo Geral, foram dispersos em cidades, aldeias e campos de trabalho; um trem chegou a parar no meio da zona rural, onde os guardas largaram os ciganos e os deixaram por sua própria conta. Muitos deles morreram de desnutrição ou doenças, em especial nas duras condições dos campos, e alguns pereceram em um massacre perto de Radom. Entretanto, na maioria dos casos, eles conseguiram deslocar-se com liberdade, e grande parte encontrou algum tipo de trabalho. Muitos aproveitaram a oportunidade para voltar à Alemanha, onde em geral foram detidos, mas não enviados de volta à Polônia. Porém, assim como as planejadas deportações de judeus, a expulsão dos ciganos foi logo sustada; Frank fez objeção a mais deportações em massa para o Governo Geral e a suposta necessidade militar de removê-los das fronteiras ocidentais do Reich desapareceu após a conquista da França. De momento, os ciganos que permaneciam na Alemanha foram deixados onde estavam. Números crescentes de aptos e capazes foram recrutados para esquemas de trabalho forçado.[226]

Como os judeus, os ciganos da Alemanha haviam vivenciado uma drástica deterioração em sua situação desde o começo da guerra. Estava claro para eles que seu futuro a longo prazo não residia na Alemanha e que, quando a deportação em massa finalmente acontecesse, seria efetuada com violência, brutalidade e assassinato. Interesses conflitantes na Polônia, combinados com a situação rapidamente cambiante da guerra, haviam provocado uma suspensão temporária nas expulsões e dado uma folga aos ciganos. Todavia, a intenção declarada de Hitler de livrar o Reich de todos os judeus e ciganos não foi abandonada de modo algum. Sua plena realização seria apenas uma questão de tempo.

"Vida indigna de ser vivida"

I

Em 22 de setembro de 1939, na Polônia ocupada, uma unidade da SS de um grupo paramilitar formado pela SS e pela polícia, fundado em Danzig por Kurt Eimann, um líder local da SS, com um efetivo de quinhentos a seiscentos homens, embarcou um grupo de doentes mentais do asilo de Conradstein (Kocborowo) em um caminhão de carga e levou-os para um bosque nas redondezas, um campo de chacina onde muitos milhares de poloneses já haviam sido fuzilados pelos alemães. A SS os pôs em fila, ainda vestidos com as roupas do asilo, alguns usando até mesmo camisas de força, na beira de uma vala, e os oficiais da Gestapo do Velho Reich atiraram neles, um a um, na nuca. Os doentes mentais caíram na vala ao ser executados, e os paramilitares cobriram os corpos com uma fina camada de terra. Ao longo das semanas seguintes, chegaram mais carregamentos do asilo para sofrer a mesma sina, até cerca de 2 mil pacientes mentais terem sido mortos. Os parentes foram informados de que as vítimas tinham sido transferidas para outros asilos, mas o que aconteceu foi o contrário, e crianças deficientes físicas e mentais de instituições em Silberhammer (Srebrzysk), Mewe (Gniew) e Riesenburg (Probuty) foram levadas para Conradstein para execução. A mesma coisa estava acontecendo em outros locais. Em Schwetz (Swiece) e Konitz (Chojnice), unidades policiais alemãs e esquadrões de "autoproteção" étnica alemães realizaram as chacinas e, em novembro de 1939, pacientes de Stralsund, Treptow an der Rege, Lauenburg eÜckermünde foram levados para Neustadt, na Prússia Ocidental (Wejherowo), e fuzilados.[227]

Em Wartheland, o líder regional Greiser esvaziou os três maiores hospitais psiquiátricos de seus reclusos e mandou matar todos os pacientes poloneses e judeus. A maior parte foi abatida por membros da Força-Tarefa VI da SS. Um destino especial, porém, estava reservado aos pacientes do hospital de Treskau (Owińska). Foram levados para Posen e apinhados em uma sala lacrada do forte que funcionava como quartel-general local da Gestapo. Ali foram envenenados com gás monóxido de carbono liberado de latas. Foi a primeira vez na história que uma câmara de gás foi usada para matança em massa. Ocorreram mais assassinatos no forte; em certa ocasião, em dezembro de 1939, Himmler em pessoa foi lá observar. No início de 1940, essa campanha de assassinatos terminou com o transporte de mais reclusos de asilo para Kosten (Kościan), em Wartheland, onde foram embarcados em câmaras de gás montadas na traseira dos caminhões, levados para a zona rural e asfixiados. No total, por ocasião do encerramento da ação inicial, em janeiro de 1940, cerca de 7,7 mil reclusos de hospitais psiquiátricos e instituições para deficientes físicos e mentais haviam sido mortos, junto com uma quantidade de prostitutas de Gdingen (Gdynia) e Bromberg (Bydgoszcz) e ciganos de Preussisch-Stargard (Starograd).[228] Esses acontecimentos dificilmente poderiam ser mantidos em segredo. O doutor Klukowski ouviu falar das chacinas em fevereiro de 1940. "É duro de acreditar em uma coisa terrível como essa", ele escreveu.[229]

Os assassinatos continuaram nos meses seguintes. Em maio e junho de 1940, 1.558 alemães e uns trezentos poloneses foram tirados de uma instituição mental de Soldau, no leste prussiano, e mortos em vagões de gás móveis em ação organizada por uma unidade especial sob o comando de Herbert Lange, que seguiu em frente matando muitas centenas mais de pacientes dos territórios incorporados da mesma maneira. Os homens de Lange recebiam um bônus especial de dez reichsmarks para cada paciente que matavam. A matança estendeu-se até mesmo aos doentes mentais do gueto de Lódź, de onde uma comissão médica alemã levou quarenta para serem fuzilados em um bosque nas proximidades em março de 1940, e outro lote em 29 de julho de 1941. As condições do gueto, àquela altura, eram tão terríveis que as famílias judaicas ainda imploravam ao hospital para receber seus parentes com doenças mentais, embora estivessem plenamente cientes do risco que isso envolvia. No total, bem mais de 12 mil pacientes foram mortos nessas várias ações por Eimann, Lange e seus homens.[230] Embora tais assassinatos ocorressem no contexto de uma guerra na qual muitos milhares mais de poloneses e judeus estavam sendo fuzilados por unidades do Exército alemão, forças-tarefa do Serviço de Segurança da SS e milícias étnicas alemãs locais, eles acabavam sobressaindo como qualitativamente diferentes em certos aspectos. Em Posen, a necessidade de criar espaço para alojar unidades militares da SS pode ter desempenhado um papel, e em alguns casos as acomodações liberadas pelos assassinatos ficaram disponíveis para colonos alemães do Báltico. Mas, na maior parte, tais considerações práticas foram de importância secundária ou de fato serviram apenas como uma forma de justificar as ações em termos aparentemente racionais. O espaço disponibilizado pelas chacinas não tem absolutamente nenhuma relação com o número de povoadores vindos do leste. Os verdadeiros motivos para as chacinas não foram práticos nem instrumentais, mas ideológicos.[231] Tampouco havia justificativa convincente para os assassinatos no que se refere à segurança. Ao contrário dos intelectuais poloneses, as vítimas não podiam ser consideradas uma ameaça à ocupação alemã ou à germanização da região a longo prazo. É significativo que os poucos reclusos dos asilos julgados aptos para trabalhar tenham sido poupados e levados para a Alemanha. O resto era "carga social", "vida indigna de ser vivida", a ser liquidada o mais rapidamente possível.[232]

II

Conforme sugere a visita de Himmler ao forte de Posen, os líderes nazistas de Berlim estavam bem cientes do que se passava e de fato deram o impulso ideológico para que aquilo tivesse início. Já a partir da metade da década de 1920 pelo menos, influenciado pelas obras de eugenistas radicais, Hitler considerava necessário eliminar "degenerados" da cadeia hereditária para a saúde racial e eficiência militar da Alemanha. "Se a Alemanha ganhar um milhão de crianças por ano", declarou ele no comício do Partido em Nuremberg em 1929, "e remover 70 mil a 80 mil das mais fracas, o resultado final talvez seja um aumento em sua força".[233] Em 14 de julho de 1933, o regime introduzira a esterilização compulsória de alemães considerados portadores de fraqueza hereditária, inclusive "inclinação moral débil", um critério vago que podia abranger muitos tipos diferentes de desvio social. Cerca de 360 mil pessoas foram esterilizadas quando a guerra eclodiu.[234] Somado a isso, em 1935, o aborto por motivos eugênicos havia sido legalizado.[235] Já bem antes disso, entretanto, Hitler começara a planejar uma ação ainda mais radical. De acordo com Hans-Heinrich Lammers, chefe da Chancelaria do Reich, Hitler cogitara a inclusão de uma cláusula para o assassinato de doentes mentais na lei de 14 de julho de 1933, mas a arquivou porque seria por demais controversa. Em 1935, porém, conforme seu médico Karl Brandt recordou, Hitler disse ao líder dos médicos do Reich, Gerhard Wagner, que implementaria tal medida em tempos de guerra, "quando o mundo inteiro está com os olhos nas ações da guerra e, de todo modo, o valor da vida humana pesa menos na balança". A partir de 1936, médicos da SS começaram a ser nomeados em número crescente como diretores de instituições psiquiátricas, ao mesmo tempo que as instituições administradas pela Igreja eram pressionadas para que transferissem os pacientes a entidades seculares. No fim de 1936 ou começo de 1937, foi estabelecido um comitê secreto para assuntos de saúde hereditária dentro da Chancelaria do Líder, de início com a ideia de esboçar a legislação para um tribunal de saúde hereditária do Reich. Também nessa época, o jornal *As Tropas Negras* da SS incitava abertamente a matança de "vida indigna de ser vivida", e há evidências de que, ao mesmo tempo, vários líderes regionais começaram os preparativos para o assassinato de pacientes institucionalizados em suas áreas. Tudo isso sugere que os preparativos sérios para a matança de deficientes começou por volta dessa época. Só foi necessária a perspectiva de guerra iminente para colocá-la em prática.[236]

Tal perspectiva, enfim, tornou-se real no verão de 1939. Já em maio, enquanto os preparativos para a guerra com a Polônia estavam em andamento, Hitler havia implantado os arranjos administrativos para a matança de crianças com doenças mentais sob a égide do Comitê para Assuntos de Saúde Hereditária do Reich, agora renomeado de forma mais exata: Comitê do Reich para o Registro Científico de Doenças Hereditárias e Congênitas Graves. Um precedente, ou desculpa, foi achado em uma petição a Hitler escrita pelo pai de um bebê nascido em fevereiro de 1939 sem uma perna e sem a parte de um braço e sofrendo de convulsões. O pai queria que a criança fosse morta, mas o médico do hospital de Leipzig recusou-se a fazer isso porque o deixaria sujeito a processo por homicídio. A Chancelaria do Líder, o secretariado pessoal de Hitler, passou-lhe um dossiê do caso, e Hitler mandou Brandt ir a Leipzig e matar ele mesmo a criança após confirmar o diagnóstico e conversar com os colegas médicos de lá. Pouco depois, Brandt relatou a Hitler que fizera os médicos locais matar a criança em 25 de julho de 1939. Hitler então pediu formalmente a Brandt para, junto com o chefe da Chancelaria do Reich, encarregar-se da preparação ativa de um grande programa para matar crianças com deficiência física ou mental. O médico pessoal de Hitler, Theo Morell, intimamente envolvido no processo de planejamento, sugeriu que os pais das crianças assassinadas prefeririam que a morte fosse registrada como resultante de causas naturais. Em uma fase final do processo de planejamento, o chefe da Chancelaria do Líder, Philipp Bouhler, de 39 anos de idade, nazista de longa data que havia consolidado o gabinete com o passar do tempo e gradativamente estendido a influência deste para muitos setores do governo relacionados aos milhares de petições dirigidas a Hitler que ele tinha como tarefa manejar, convidou de quinze a vinte médicos, muitos deles chefes de instituições psiquiátricas, para um encontro a fim de discutir o programa planejado de matança. Embora fosse para começar com crianças, Hitler, Bormann, Lammers e Leonardo Conti – chefe do Gabinete de Saúde do Partido e "líder de saúde do Reich" desde a morte de Gerhard Wagner, líder dos médicos do Reich, em 25 de março de 1939 – decidiram que Conti deveria ser incumbido de uma extensão para abranger também adultos. Agora que a decisão de matar doentes mentais e deficientes fora tomada, um decreto datado de 31 de agosto de 1939 pôs fim oficial ao programa de esterilização, exceto em uns poucos casos excepcionais.[237]

Do ponto de vista de Hitler, a Chancelaria do Líder era o local ideal para o planejamento e a implementação do programa de matança. Sendo seu gabinete pessoal, não era subordinada ao Partido, como a Chancelaria do Partido, nem fazia parte do serviço público, como a Chancelaria do Reich, de modo que ali seria mais fácil manter as deliberações sobre "eutanásia" em segredo do que se elas ocorressem no ambiente burocrático mais formal de uma das duas outras instituições. Morell submeteu a Hitler um memorando sobre a possibilidade de legalizar formalmente a matança de deficientes, e

Hitler concedeu sua aprovação pessoal à ideia. Sob instruções do escritório de Bouhler, a Comissão de Reforma da Lei Criminal do Ministério da Justiça preparou um projeto de legislação retirando as sanções penais do assassinato de pessoas portadoras de doenças mentais incuráveis e confinadas em instituições. Longas discussões dentro das burocracias legais, médicas e eugenistas continuaram por muitos meses, enquanto a minuta era emendada e aprimorada. Mas, para Hitler, essas deliberações aparentemente infindáveis eram lerdas e pedantes demais. Como todo o resto das minutas da comissão, a proposta de legislação acabou arquivada.[238] Impaciente com a demora, Hitler aderiu à pressão de Bouhler para transferir a responsabilidade da matança de Conti para a Chancelaria do Reich outra vez, e em outubro de 1939 assinou uma ordem encarregando Bouhler e Brandt de "estender os poderes de médicos a serem especificados pelo nome, de modo que pessoas doentes incuráveis segundo a estimativa humana possam, com base na mais crítica avaliação do estado de sua doença, receber uma morte misericordiosa". Embora não fosse um decreto formal, a ordem efetivamente tinha força de lei em um Estado onde os principais especialistas legais há muito vinham argumentando que até mesmo manifestações verbais de Hitler eram legalmente vinculativas. Todavia, por precaução, a medida foi mostrada ao ministro Gürtner, da Justiça do Reich, para antecipar quaisquer possíveis acusações; mas, exceto por ser revelada a uns poucos indivíduos selecionados envolvidos no programa, a ordem foi mantida em segredo. Para deixar claro que a medida estava sendo introduzida como consequência da intensificação da necessidade de purificar a raça alemã imposta pela guerra, Hitler antedatou-a para 1º de setembro de 1939, dia em que a guerra eclodiu.[239]

Quando Hitler assinou a ordem, o assassinato de pacientes adultos já estava em andamento na Polônia; mas não teria começado caso os líderes regionais da Pomerânia, de Danzing-Prússia Ocidental e da Prússia Oriental não estivessem cientes das decisões já tomadas em Berlim. Na Alemanha, o programa, de início, foi direcionado às crianças. O comitê secreto do Reich para Registro Científico de Doenças Hereditárias e Congênitas Graves, localizado na chancelaria de Bouhler, ordenou o registro compulsório de todos os recém-nascidos "malformados" em 18 de agosto de 1939.[240] Incluíam-se criancinhas que sofriam de síndrome de Down, microcefalia, ausência de um membro ou deformidades da cabeça ou da coluna, paralisia cerebral e situações similares, além de condições de definição vaga, como "idiotia". Médicos e parteiras recebiam dois reichsmarks por caso informado a seus superiores, que enviavam as listas das crianças em questão para uma caixa postal de Berlim, próxima ao gabinete de Bouhler. Três médicos da Chancelaria do Líder processavam os relatórios. Em seguida, marcavam o formulário de registro com um "+" se a criança devesse ser morta e o remetiam para a agência de saúde mais próxima, que então mandaria internar a criança em uma clínica pediátrica. Para começar, usaram-se quatro clínicas desse tipo, mas muitas outras foram estabelecidas mais adiante, chegando a mais de trinta.[241]

Esse processo global de registro, transporte e chacina, inicialmente, dirigiu-se não a bebês e crianças que já estavam em hospitais ou instituições de assistência, mas aos que viviam em casa com os pais. Os pais eram informados de que as crianças seriam bem cuidadas, ou mesmo que a remoção para uma clínica especializada oferecia uma esperança de cura, pelo menos de melhora na condição. Dado o viés hereditário dos diagnósticos, uma grande proporção das famílias era pobre e inculta, e uma boa parte delas já estava estigmatizada como "antissocial" ou "hereditariamente inferior". Aqueles que levantavam objeções à remoção dos filhos da casa da família às vezes eram ameaçados de retirada dos benefícios se não consentissem. Em todo caso, de março de 1941 em diante, os subsídios para crianças não eram mais concedidos às deficientes, e, depois de setembro de 1941, as crianças podiam ser tiradas de modo compulsório de pais que se recusassem a liberá-las. Em algumas instituições, os pais foram proibidos de visitar os filhos sob a desculpa de que isso dificultaria que se acostumassem com o novo ambiente; de qualquer forma, para muitos era difícil fazer essas visitas, uma vez que vários centros situavam-se em zonas remotas, para as quais não era nada fácil conseguir transporte público. Uma vez admitidas nas instituições sociais e médicas, as crianças eram colocadas em alas especiais, afastadas dos outros pacientes. A maioria dos centros de chacina executava a tarefa matando as crianças de fome ou administrando superdoses do sedativo Luminal na comida. Em poucos dias, as crianças desenvolviam problemas respiratórios e por fim sucumbiam à bronquite ou à pneumonia. Às vezes os médicos deixavam essas doenças sem tratamento, às vezes liquidavam as crianças com injeções letais de morfina.[242]

Um professor levado em excursão à ala de matança do asilo de Eglfing-Haar no outono de 1939 mais tarde testemunhou que o diretor, Hermann Pfannmüller, nazista de longa data e defensor da eutanásia involuntária havia muitos anos, disse a ele abertamente que preferia deixar as crianças morrer naturalmente do que matá-las com injeção, pois isso poderia suscitar comentários hostis no exterior caso um dia as notícias vazassem.

> Enquanto dizia essas palavras, [Pfannmüller] e uma enfermeira da ala puxaram uma criança do berço. Exibindo a criança como um coelho morto, ele pontificou com ar de conhecedor e um sorriso cínico algo nesta linha: "Esse aqui, por exemplo, ainda vai levar mais dois ou três dias". Ainda consigo visualizar nitidamente o espetáculo daquele gordo de sorriso afetado com o esqueleto a choramingar em sua mão roliça, cercado por outras crianças famintas. Ademais, o assassino em seguida destacou que eles não retiravam a comida de repente, mas reduziam lentamente as rações.[243]

O programa continuou por boa parte do resto da guerra numa linha semelhante, matando um total estimado em 5 mil crianças. O limite máximo de idade para remoção e assassinato foi gradativamente elevado, primeiro para oito, depois para doze e por fim para dezesseis anos. Na prática, algumas eram ainda mais velhas. Muitas dessas crianças e adolescentes sofriam de pouco mais que um tipo ou outro de dificuldade de desenvolvimento.[244]

Um grande número de agentes de saúde e médicos estava envolvido no esquema, cuja natureza e propósito tornaram-se assim amplamente conhecidos na classe médica. Poucos faziam objeção. Mesmo os que não concordavam com o programa e se recusaram a participar, não formularam nenhuma crítica baseada em princípios. Por muitos anos, e não desde 1933 apenas, a classe médica, em particular no campo da psiquiatria, esteve convencida de que era legítimo identificar uma minoria dos deficientes como tendo uma "vida indigna de ser vivida" e de que era necessário removê-los da cadeia da hereditariedade para que todas as medidas tomadas para melhorar a saúde da raça alemã sob o Terceiro Reich não fossem frustradas. Praticamente toda a classe médica estivera envolvida de modo ativo no programa de esterilização, e dali para a eutanásia involuntária foi só um pequeno passo na mente de muitos. Suas opiniões foram bem representadas por um artigo que apareceu no principal periódico dos médicos alemães em 1942, sobre "o novo médico alemão", argumentando que era tarefa da categoria médica, em particular em tempos de guerra, quando muitos dos melhores e mais valentes da Alemanha estavam morrendo no campo de batalha, "aceitar a contrasseleção em seu povo". "A mortalidade infantil", prosseguia o texto, "é um processo de seleção, e na maioria dos casos afeta os inferiores em termos de constituição". Era tarefa dos médicos restaurar o equilíbrio da natureza à sua forma original. Sem a matança dos incuráveis, a cura da maioria dos doentes e a melhora da saúde da nação seriam impossíveis. Até mesmo depois da guerra, muitos dos médicos envolvidos falavam com orgulho de seu trabalho, sustentando que haviam contribuído para o progresso humano.[245]

III

A ordem retrospectiva de Hitler para a "eutanásia" em outubro de 1939, colocando um verniz pseudolegal sobre uma decisão tomada já no fim de julho, aplicou-se não só a crianças, mas também a adultos em hospitais e instituições semelhantes. O planejamento para a extensão do programa de matança também começou antes da guerra. O programa, de codinome Ação T-4 – em alusão ao endereço da Chancelaria do Líder, Tiergartenstrasse, 4, de onde era gerenciado –, foi colocado nas mãos de um oficial sênior da chancelaria, Viktor Brack. Nascido em 1904, e portanto com idade na metade dos trinta e quarenta anos, Brack, filho de um médico, era agrônomo e havia dirigido a fazenda anexa ao sanatório do pai. Entrou para o Partido Nazista e para a SS em 1929, e beneficiou-se do fato de o pai conhecer Heinrich Himmler e ter feito o parto de um de seus filhos. No começo da década de 1930, trabalhou com frequência como motorista de Himmler, antes de ser nomeado assistente e depois chefe da equipe de Bouhler e de se mudar com ele para Berlim. Brack era outro entusiasta da eutanásia involuntária, declarando depois da guerra que ela se baseara em considerações humanas. Na época, tais considerações não eram poderosas o bastante para superar sua percepção de que o que estava fazendo poderia ser considerado equivalente a homicídio, de modo que usou o pseudônimo Jennerwein ao tratar do programa de matança, e seu vice, Werner Blankenburg, que o sucedeu em 1942, quando Brack saiu para lutar no *front*, também disfarçou sua identidade (com o pseudônimo Brenner).²⁴⁶

Brack logo criou toda uma burocracia para administrar a Ação T-4, inclusive organizações de fachada com nomes de aspecto inofensivo para gerenciar o registro, o transporte, os funcionários e os aspectos financeiros da operação. Ele colocou o doutor Werner Heyde no comando do setor médico do programa.²⁴⁷ Nascido em 1902, Heyde havia lutado em uma unidade das Brigadas Livres na Estônia antes de se dedicar aos estudos médicos, formando-se em 1926. Ele claramente desfrutava de fortes ligações com a extrema direita, e em 1933 foi a Heyde que Himmler pediu que fizesse uma avaliação psicológica do futuro comandante do campo de concentração de Dachau, Theodor Eicke, após uma violenta altercação entre este e o líder regional do Palatinado, Josef Bürckel, que o recolheu a um asilo. A avaliação positiva de Heyde agradou Himmler, de cujo respaldo o médico agora desfrutava. Seguindo-se a esse encontro, Heyde filiou-se ao Partido Nazista em maio de 1933. Tornou-se oficial da SS em 1936. Na década de 1930, Heyde atuara como especialista médico em casos de esterilização e também efetuara avaliações de reclusos em campos de concentração. Nomeado para o corpo da Universidade de Würzburg em 1932, tornara-se conselheiro da Gestapo em assuntos psiquiátricos, palestrara sobre doenças hereditárias (ou aquelas supostamente hereditárias) e chefiara a divisão local do Gabinete de Política Racial do Partido Nazista. Em 1939, tornou-se professor catedrático da universidade. Eis aqui, pois, um exemplo de profissional médico que construiu a carreira mais nas áreas ideológicas da medicina nazista do que de forma tradicional. Ele parecia ajustado de modo ideal para administrar o programa de matança.²⁴⁸

Já no encontro crucial com Bouhler no fim de julho de 1933, Heyde, Brandt, Conti e outros envolvidos no planejamento do esquema de eutanásia involuntária de adultos começaram a discutir o melhor método de levá-lo a cabo. Em vista do fato de Hitler querer que uns 70 mil pacientes fossem eliminados, os métodos usados para matar as crianças pareciam lentos demais e por demais passíveis de suscitar suspeitas públicas. Brandt consultou Hitler

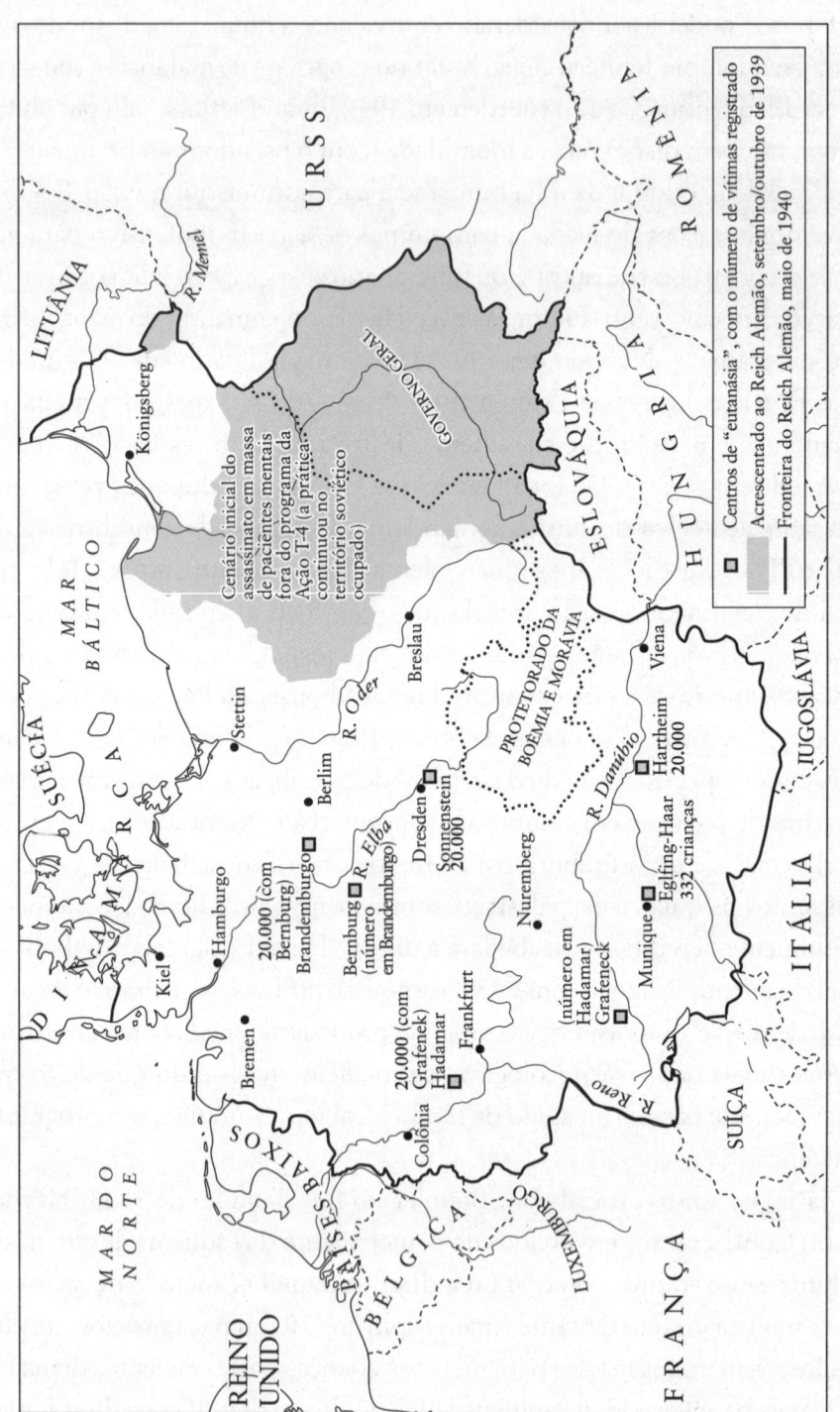

Mapa 4. Centros de matança da Ação T-4, 1939-45

sobre o assunto, e mais tarde afirmou que, quando o líder nazista perguntou-lhe qual seria a forma mais humana de matar os pacientes, ele sugeriu envenenamento por gás monóxido de carbono, um método já apresentado a ele por vários médicos e tornado familiar por meio de reportagens da imprensa sobre suicídios e acidentes domésticos. Tais casos haviam sido investigados em profundidade pela polícia, e assim o gabinete de Bouhler incumbiu Albert Widmann – nascido em 1912 e agente da SS, além de ser o principal químico do Instituto Técnico-Criminal (ou, pode-se dizer, de ciência forense) do Gabinete de Polícia Criminal do Reich – de calcular como matar com mais eficiência grandes números daquilo que lhe informaram ser "bestas em forma humana". Ele calculou que seria preciso uma câmara hermética e mandou fazer uma na velha prisão municipal de Brandemburgo, vazia desde a construção da nova penitenciária de Brandemburgo-Görden em 1932. Os operários da SS construíram uma cela de três metros por cinco metros, com três metros de altura, revestida de azulejos para dar a impressão de um chuveiro, de modo que atenuasse as apreensões de quem fosse levado para lá. Um cano de gás foi ajustado ao longo da parede com orifícios para permitir a entrada do monóxido de carbono na câmara. Como toque final, foi instalada uma porta vedada, com uma janelinha de vidro para se ver o que acontecia lá dentro.[249]

Quando a obra ficou pronta, provavelmente em dezembro de 1939, os envenenamentos por gás em Posen já haviam ocorrido e sido observados por Himmler em pessoa; sem dúvida, o método fora sugerido por Widmann ou um de seus colegas aos agentes locais da SS em Posen, dos quais pelo menos um era formado em química e mantinha contato com químicos de renome do Velho Reich.[250] Um subordinado de Himmler, Christian Wirth, oficial sênior da polícia de Stuttgart, foi um dos que assistiram à primeira demonstração do uso de gás em Brandemburgo, ao lado de Bouhler, Brandt, Conti, Brack e vários outros funcionários e médicos do quartel-general da T-4 em Berlim. Revezaram-se na janela para observar enquanto oito pacientes eram mortos na câmara de gás por monóxido de carbono administrado por Widmann, que lhes falou sobre como medir a dose correta. Todos aprovaram. Vários outros pacientes, que supostamente receberam injeções letais de Brandt e Conti, não morreram de imediato – também foram asfixiados depois –, e assim concluiu-se que o procedimento de Widmann era mais rápido e mais eficiente. Em breve, a câmara de gás de Brandemburgo, que entrou em funcionamento regular e continuou a ser usada para matar pacientes até setembro de 1940, tinha a companhia de outras câmaras de gás construídas no asilo de Grafeneck (Württemberg), que operaram de janeiro a dezembro de 1940, Hartheim, perto de Linz, ativada em maio de 1940, e Hadamar, em Hesse, que começou a funcionar em dezembro de 1940, substituindo Grafeneck. Esses eram antigos hospitais, que foram assumidos pela T-4 para uso exclusivo como centros de matança; outras câmaras de gás também entraram em uso em hospitais que mantiveram suas funções prévias em Sonnenstein, na Saxônia, inaugurada em janeiro de 1940, e Bernburg, no rio Saale, ativada em setembro do mesmo ano, substituindo a instalação original de Brandemburgo.[251]

Cada centro era responsável por matar pacientes de uma região específica. Manicômios e instituições locais para deficientes deviam enviar informações detalhadas para o escritório da T-4, junto com formulários de registro dos pacientes de longo prazo, esquizofrênicos, epiléticos, sifilíticos intratáveis, dementes senis, criminosos psicopatas, portadores de encefalite, doença de Hungtington e "todo tipo de debilidade mental" (uma categoria na verdade muito ampla e vaga). Pelo menos de início, muitos médicos dessas instituições não estavam cientes do propósito daquela tarefa, mas não deve ter demorado para que este ficasse bem claro. Os formulários eram avaliados por especialistas médicos subalternos politicamente confiáveis, aprovados pelos escritórios locais do Partido Nazista – pouquíssimos médicos recomendados ao gabinete da T-4 recusaram-se a desempenhar o papel atribuído a eles – e a seguir examinados por uma equipe de funcionários graduados. O critério essencial não era médico, mas econômico: o paciente era capaz de trabalho produtivo ou não? Essa questão viria a desempenhar um papel crucial nas futuras operações de chacinas de outros tipos, e também era central nas avaliações feitas por médicos da T-4 ao visitar instituições que deixavam de submeter os formulários de registro. Entretanto, por trás da avaliação econômica, o elemento ideológico do programa era óbvio: na visão do gabinete da T-4, aqueles eram indivíduos que deviam ser eliminados da raça alemã para o bem de seu rejuvenescimento a longo prazo; por esse motivo, as chacinas também abrangiam, por exemplo, epiléticos, surdos-mudos e cegos. Apenas veteranos de guerra condecorados foram eximidos. Na prática, entretanto, todos esses critérios eram arbitrários em um grau elevado, uma vez que os formulários continham poucos detalhes reais e eram processados a grande velocidade e em quantidades imensas. Hermann Pfannmüller, por exemplo, avaliou mais de 2 mil pacientes entre 12 de novembro e 1º de dezembro de 1940, ou uma média de 121 por dia, ao mesmo tempo que cumpria seus deveres como diretor do hospital público de Eglfing-Haar. Outro especialista, Josef Schreck, completou 15 mil formulários de abril de 1940 até o fim do ano, processando às vezes mais de quatrocentos por semana, também cumprindo, ao mesmo tempo, suas outras atividades hospitalares. Nenhum dos dois pode ter gasto mais que alguns segundos para tomar a decisão de vida ou morte em cada caso.[252]

Os formulários, cada um deles assinalado por três especialistas subalternos com um sinal positivo vermelho para morte, um sinal negativo azul para vida ou (ocasionalmente) um ponto de interrogação para análise posterior, eram enviados para um dos três médicos seniores para confirmação ou retificação. A decisão deles era final. Quando os formulários completos eram devolvidos ao gabinete da T-4, o nome dos pacientes selecionados para chacina era remetido para o escritório de transporte da T-4, que notificava as instituições onde eles eram mantidos e mandava um funcionário até lá para tratar dos arranjos necessários. Com frequência, as listas eram montadas de modo tão arbitrário que incluíam pacientes valorizados pelos diretores das instituições como bons trabalhadores, de modo que não raro outros pacientes eram colocados no lugar destes a fim de preencher a cota exigida. Também se devia relacionar os pacientes que não eram cidadãos alemães ou não eram de "sangue alemão ou relacionado". Isso significava em primeiro lugar pacientes judeus, objetos de uma ordem especial emitida em 15 de abril de 1940: alguns milhares de pacientes judeus foram levados e asfixiados ou, mais adiante, levados para a Polônia ocupada e mortos lá ao longo dos dois anos e meio seguintes, sob a alegação de que os funcionários arianos haviam se queixado deles e de que não se podia esperar que tratassem deles. Diretores de hospitais psiquiátricos, como Hermann Pfannmüller em 20 de setembro de 1940, relataram com orgulho no devido tempo que suas instituições agora estavam "livres de judeus", depois de o último recluso judeu ser morto ou levado embora.[253]

O procedimento era mais ou menos o mesmo para todas as categorias de pacientes selecionados para a chacina. No dia marcado, grandes veículos cinza, do tipo usado pelos correios para fornecer transporte público nas zonas rurais, chegavam para levar os pacientes. Embora os médicos e funcionários da T-4 garantissem repetidamente que os pacientes eram dementes e incapazes de tomar decisões por si sós ou de saber o que se passava, de forma alguma era assim no caso da grande maioria dos escolhidos para morrer, mesmo que supostamente "débeis mentais". De início, alguns pacientes saudaram a diversão proporcionada pela chegada dos veículos, acreditando nas garantias dos auxiliares de que iriam passear. Mas muitos perceberam claramente que estavam sendo levados para a morte. Os médicos e enfermeiras nem sempre tinham o cuidado de enganá-los, e os rumores logo começaram a circular pelos asilos e instituições de assistência da Alemanha. "Estou vivendo de novo em estado de pavor", escreveu uma mulher de uma instituição de Stettin para a família, "porque os carros estiveram aqui outra vez [...] Os carros estiveram aqui de novo ontem, e também há oito dias, levaram muita gente mais uma vez, não se sabe para onde. Todos nós ficamos tão transtornados que choramos". Quando uma enfermeira disse: "Até a volta!" para uma paciente de Reichenau no momento em que ela embarcou no ônibus, a paciente virou-se e respondeu que "não nos veríamos de novo, ela sabia o que a aguardava com a Lei de Hitler". "Aí vêm os assassinos!", gritou um paciente de Emmendingen quando o ônibus chegou. Os assistentes, com frequência, injetavam sedativos pesados nos pacientes ansiosos, de modo que eram embarcados nos veículos em estado semicomatoso. Mas alguns pacientes começaram a recusar as injeções, temendo que contivessem veneno. Outros ofereciam resistência física ao serem carregados para os veículos, e a violência brutal com que deparavam ao fazer isso apenas aumentava a ansiedade dos demais. Muitos choravam descontroladamente ao serem arrastados a bordo.[254]

Assim que chegavam ao destino, os pacientes eram recebidos pelos funcionários, conduzidos a uma sala de recepção e instruídos a se despir. A identidade era verificada e passavam por um exame médico superficial, cujo principal objetivo era obter indícios para uma causa de morte plausível a ser colocada nos registros; aqueles com restaurações valiosas de ouro nos dentes eram marcados com uma cruz nas costas ou no ombro. Um número de identificação era carimbado ou afixado no corpo deles, eram fotografados (para demonstrar a suposta inferioridade física e mental) e então, ainda despidos, eram levados a uma câmara de gás disfarçada de chuveiro. Pacientes ainda nervosos com a situação recebiam injeções de tranquilizantes. Quando estavam dentro da câmara, as portas eram trancadas, e os funcionários liberavam o gás. A morte dos pacientes era qualquer coisa, menos pacífica ou humana. Olhando pela vigia, um observador de Hadamar mais tarde relatou ter visto

> cerca de quarenta a cinquenta homens apinhados compactamente na sala ao lado que agora morriam lentamente. Alguns jaziam no chão, outros haviam tombado sobre si mesmos, muitos tinham a boca aberta como se não conseguissem mais absorver o ar. O jeito como morreram foi tão repleto de sofrimento que não se pode falar de morte humana, ainda mais que muitos dos que foram mortos podem muito bem ter tido momentos de lucidez sobre o que estava acontecendo. Observei o procedimento por uns 2-3 minutos e então saí, pois não pude mais aguentar e me senti nauseado.[255]

Os pacientes eram mortos em grupos de 15 a 20, embora em certas ocasiões muitos mais fossem socados nas câmaras apinhadas. Depois de cerca de 5 minutos perdiam a consciência; passados 20 minutos estavam mortos. A equipe aguardava por uma hora ou duas, em seguida arejava a câmara com ventiladores. Um médico entrava para conferir a morte; depois dele serventes, geralmente conhecidos como "foguistas" (*Brenner*), separavam os corpos e os arrastavam para a "sala da morte". Lá, corpos selecionados eram dissecados, ou por médicos subalternos que precisavam de treinamento em patologia, ou por outros que tinham ordens de retirar vários órgãos e enviá-los para estudo em institutos de pesquisa. Os foguistas pegavam os corpos marcados com uma cruz e quebravam os dentes de ouro, que eram empacotados e enviados para o escritório da T-4 em Berlim. A seguir, os corpos eram colocados em estrados de metal e levados para a sala do crematório, onde os foguistas, com frequência, trabalhavam noite adentro para reduzi-los a cinzas.[256]

As famílias e os parentes das vítimas só eram informados da transferência para um centro de matança depois que isso havia ocorrido.[257] Uma carta posterior era enviada pela instituição receptora registrando a chegada a salvo, mas avisando os parentes para não os visitar até que estivessem acomodados em segurança. Claro que, quando os parentes recebiam a carta, o paciente, de fato, já estava morto. Algum tempo depois, as famílias eram notificadas de que o paciente havia morrido de ataque cardíaco, pneumonia ou enfermidade semelhante, de uma lista fornecida pelo gabinete da T-4 e ampliada por anotações feitas no exame de chegada. Cientes de que, em certo sentido, estavam agindo de forma ilegal, os médicos usavam nome falso ao assinar o atestado de óbito, bem como, é claro, ao colocar uma data falsa para fazer parecer que a morte ocorrera dias ou semanas após a chegada, em vez de apenas algumas horas depois. Retardar o anúncio da morte também tinha o efeito colateral de enriquecer a instituição, que continuava a receber os benefícios, as pensões e as subvenções da família pagos às vítimas pelo período entre sua verdadeira morte e a data oficialmente registrada no atestado. As famílias recebiam uma urna contendo, diziam-lhes, as cinzas do parente desafortunado; os foguistas, na verdade, simplesmente enchiam as urnas com as cinzas acumuladas no crematório após um grupo de vítimas ter sido cremado. Quanto às roupas das vítimas, os parentes eram informados de que haviam sido enviadas à organização de Previdência Popular Nacional-Socialista; porém, se fossem de alguma qualidade, em geral iam parar no guarda-roupa dos auxiliares da chacina. O elaborado aparato de fraude incluía mapas nos quais os funcionários espetavam um alfinete colorido na cidade natal de cada pessoa morta, de modo que, se muitos alfinetes aparecessem em um só lugar, o local da morte seria atribuído a outra instituição; os centros de matança até trocavam listas de nomes dos mortos para tentar reduzir as suspeitas. Foi feito o máximo esforço para manter todo o processo em segredo, com a equipe proibida de confraternizar com a população local e comprometida a não revelar a ninguém o que se passava, exceto a funcionários autorizados. "Qualquer um que não ficar calado", avisou Christian Wirth a um grupo de novos foguistas de Hartheim, "irá para um campo de concentração ou será fuzilado".[258]

Nos centros de matança, a atmosfera com frequência desmentia a impressão de frio calculismo transmitida pelos numerosos formulários e documentos gerados pela atividade. Aqueles que de fato executavam os assassinatos com frequência estavam bêbados, graças às cotas especiais de bebida que recebiam. Foi relatado que esse pessoal entregava-se a numerosos casos sexuais entre si para tirar a cabeça do fedor todo-penetrante da morte. Em Hartheim, a equipe fez uma festa para celebrar suas 10 mil cremações, reunindo-se no crematório em volta do corpo nu de uma vítima recém-asfixiada, estendido em uma maca e coberto de flores. Um membro da equipe vestiu-se de clérigo e realizou uma cerimônia curta, em seguida foi distribuída cerveja a todos os presentes. No fim, nada menos que 20 mil foram asfixiados em Hartheim, o mesmo em Sonnenstein, 20 mil em Brandemburgo e Bernburg, e outros 20 mil em Grafeneck e Hadamar, somando um total de 80 mil.[259]

IV

Apesar do segredo que o cercava, a notícia sobre o programa de eutanásia involuntária não conseguiu ficar restrita à burocracia da T-4 e a seus centros de matança. As pessoas que moravam perto de Hadamar repararam nas nuvens de fumaça que se elevavam das chaminés da instituição não muito depois da chegada de cada transporte, enquanto membros da equipe que faziam as compras ou bebiam nas tavernas locais, nas raras ocasiões em que tinham permissão para sair, inevitavelmente falavam de seu trabalho. Outros notaram os ônibus chegar em sua localidade para levar doentes mentais; em uma ocasião no início de 1941, veículos embarcaram pacientes de uma instituição em Absberg não por trás dos portões, mas na praça da cidade, em plena vista do povo local, que começou a protestar, chorando e gritando insultos, quando os pacientes começaram a resistir e foram levados à força por serventes robustos.[260] Mais disseminada ainda era a suspeita entre os parentes daqueles levados para os centros de matança. Alguns realmente acolheram bem a perpectiva de seus filhos ou dependentes serem mortos; os menos perspicazes deixaram seus medos ser atenuados pelas enganadoras mensagens tranquilizadoras que vinham das instituições. Mas a maioria dos pais e parentes tinha suas redes pessoais e conhecia outros em situação semelhante, tendo-os encontrado em visitas no hospital ou, antes disso, no consultório médico. Sabiam instintivamente o que estava acontecendo ao serem informados de que seus dependentes haviam sido transferidos para algum lugar como Hartheim ou Hadamar. Às vezes, tentavam levá-los para casa antes que fossem colocados na lista de transporte. Uma mãe escreveu ao diretor da instituição do filho, ao saber que ele fora transferido: "Se meu filho já está morto, solicito então suas cinzas, pois em Munique circulam todos os tipos de rumores, e pelo menos uma vez eu quero ter clareza". Outra mulher escreveu na margem da notificação oficial da transferência de sua tia para Grafenek: "Em poucos dias receberemos a notícia da morte da pobre Ida [...] Eu temo a próxima carta [...] Não teremos como ir à sepultura de Ida, nem como saber se as cinzas enviadas serão dela". Com frequência crescente, o medo virou raiva com a chegada da notícia da morte. Por que, escreveu a irmã de um homem assassinado ao diretor da instituição de onde ele fora transportado, seu irmão afinal fora transferido se estava tão doente que morreu logo depois? A enfermidade dele não podia "ter simplesmente ocorrido ontem". "Afinal", ela escreveu furiosa, "estamos lidando com um ser humano pobre, doente e *necessitado de ajuda, e não com uma cabeça de gado!!*"[261]

Alguns funcionários da Justiça começaram a notar a frequência incomum de mortes entre os reclusos de instituições, e alguns promotores até cogitaram pedir à Gestapo para investigar as chacinas. Entretanto, ninguém foi tão longe quanto Lothar Kreyssig, juiz de Brandemburgo especializado em questões de tutela e adoção. Veterano de guerra e membro da Igreja Confessional, Kreyssig ficou desconfiado quando pacientes psiquiátricos tutelados pelo tribunal e que, portanto, se enquadravam em sua área de responsabilidade, começaram a ser transferidos de sua instituição e pouco depois dados como vítimas de morte repentina. Kreyssig escreveu ao ministro da Justiça, Gürtner, para protestar contra o que descreveu como um programa ilegal e imoral de assassinato em massa. A resposta do ministro da Justiça a essa e a outras indagações semelhantes de agente locais da lei foi tentar mais uma vez redigir uma lei garantindo imunidade efetiva aos assassinos, apenas para tê-la vetada por Hitler, com base em que a publicidade forneceria munição perigosa para a propaganda aliada. No fim de abril de 1941, o Ministério da Justiça organizou uma palestra de Brack e Heyde a juízes e promotores importantes para tentar acalmar a mente deles. Nesse ínterim, Kreyssig foi convocado para uma entrevista com o principal funcionário do Ministério, o secretário de Estado, Roland Freisler, que o informou que as mortes eram executadas por ordens de Hitler. Recusando-se a aceitar a explicação, Kreyssig escreveu aos diretores de hospitais psiquiátricos em seu distrito informando-os de que as transferências para os centros de matança eram ilegais e ameaçando-os com ação judicial caso transportassem algum paciente de sua jurisdição. Era seu dever legal, proclamou Kreyssig, proteger os interesses e a vida de seus tutelados. Uma entrevista posterior com Gürtner não conseguiu persuadi-lo de que estava errado ao fazer aquilo, e Kreyssig foi aposentado de forma compulsória em dezembro de 1941.[262]

Kreyssig foi uma figura solitária na persistência das tentativas de deter a campanha. As dúvidas de advogados e promotores preocupados foram sufocadas pelo Ministério da Justiça, e não houve uma ação legal decorrente. Talvez as preocupações dos líderes religiosos fossem mais generalizadas. A despeito da transferência de muitos pacientes para instituições estatais desde 1936, uma quantidade muito grande de deficientes mentais e físicos ainda recebia tratamento em hospitais e lares dirigidos pelas igrejas e por suas organizações leigas de assistência social, a Missão Interna, no caso da Igreja Evangélica, e a Associação Cáritas, no caso da Católica. Alguns diretores de instituições psiquiátricas geridas pela Missão Interna tentaram retardar o registro e a transferência de seus pacientes, e um deles em particular, o pastor Paul Gerhard Braune, diretor de um grupo desses hospitais em Württemberg, também arregimentou a ajuda do pastor Friedrich von Bodelschwingh, uma figura célebre do mundo das organizações assistenciais protestantes. Bodelschwingh dirigia o famoso Hospital Bethel de Bielefeld e recusou-se categoricamente a permitir que seus pacientes fossem levados para a chacina. O líder regional do Partido de sua região recusou-se a mandar detê-lo, visto que sua reputação era não só nacional, mas mundial; Bodelschwingh era lendário pela aplicação altruísta dos princípios cristãos de caridade. No meio do impasse, pouco depois da meia-noite de 19 de setembro de 1940, um avião apareceu sobre o hospital e começou a bombardeá-lo, matando onze crianças deficientes e uma enfermeira. Goebbels foi rápido em empurrar a imprensa a toda velocidade contra a barbaridade dos britânicos: "Infanticídio em Bethel – Crime revoltante", berrou a manchete do *Jornal Geral Alemão*. Como, perguntou a imprensa controlada pelo Estado, podiam os britânicos mirar um centro tão conhecido da caridade cristã? Bodelschwingh ficou bem ciente da ironia. Ele perguntou ao administrador local: "Será que devo condenar a ação britânica e logo em seguida tomar parte em um 'infanticídio' de escala bem maior no Bethel?".[263]

Dois dias depois do ataque, um funcionário alemão, que era um dos informantes do correspondente americano William L. Shirer, foi a seu quarto de hotel e, após desconectar o telefone, disse que a Gestapo estava liquidando os reclusos de instituições mentais. Ele insinuou fortemente que o Hospital Bethel fora bombardeado por um avião alemão porque Bodelschwingh recusara-se a cooperar. No fim de novembro, as investigações de Shirer deram resultados. "É uma história perversa", ele anotou no diário. O governo alemão, escreveu, estava "levando à morte de forma sistemática a população de deficientes mentais do Reich". Um informante havia mencionado o número de 100 mil, que Shirer considerou um exagero. O repórter americano descobriu que as chacinas ocorriam por ordem escrita de Hitler e eram dirigidas da Chancelaria do Líder. Seus informantes também haviam mencionado um punhado de notas de falecimento de pacientes de Grafeneck, Hartheim e Sonnenstein publicadas por parentes, às vezes em linguagem cifrada, que deixavam claro que eles sabiam o que estava acontecendo: "Recebemos a notícia inacreditável [...] Após semanas de incerteza [...] Depois de a cremação ter ocorrido recebemos a triste notícia [...]". Os leitores de jornais alemães, pensou Shirer, sabiam como ler nas entrelinhas de tais notícias, e era por isso que elas agora estavam proibidas. O programa, concluiu Shirer, era "um resultado da decisão radical nazista de levar a cabo suas ideias eugênicas e sociológicas".[264]

Bodelschwingh e Braune foram ver Brack para protestar contra os assassinatos, e logo, unidos ao famoso cirurgião Ferdinand Sauerbruch, pressionaram o ministro da Justiça do Reich, Gürtner. As reuniões não tiveram nenhum efeito, de modo que Braune compilou um detalhado dossiê sobre os homicídios e o enviou a Hitler, ao que parece na crença de que ele não sabia de nada. No fim de sua longa e detalhada exposição, Braune pedia que o programa fosse sustado. "Se a vida humana vale tão pouco, isso não põe em perigo a moralidade de todo o povo?", perguntou retoricamente. Ele foi informado de que Hitler não tinha condições de interromper o programa. Em 12 de agosto de 1940, a Gestapo aprisionou Braune, mas ele foi solto em 31 de outubro do mesmo ano, após um breve período, sob a condição de que parasse sua campanha.[265] Theophil Wurm, bispo protestante de Württemberg, escreveu ao ministro do Interior, Frick, em 19 de julho de 1940, pedindo que os assassinatos cessassem:

Se um assunto tão sério como o cuidado de centenas de milhares de companheiros de raça em sofrimento e necessitados de cuidado é tratado meramente do ponto de vista da utilidade transitória e decidido pela noção do extermínio brutal desses companheiros de raça, enveredou-se de vez por um rumo sinistro, e a cristandade foi definitivamente abandonada como um poder na vida que determina a vida individual e comunitária do povo alemão [...] Não há mais como parar nessa ladeira escorregadia.[266]

Sem receber resposta, ele escreveu de novo em 5 de setembro de 1940, perguntando: "O Líder sabe desse assunto? Ele aprovou isso?".[267]

O problema de tais ações é que no fim não passaram da intervenção de uns poucos indivíduos corajosos e por isso não tiveram consequências efetivas. Tampouco levaram a qualquer oposição disseminada ao Terceiro Reich em geral. Membros da oposição conservadora militar estavam cientes da matança e a desaprovavam fortemente, mas já eram críticos do regime por outros motivos.[268] Homens como Bodelschwingh não se opunham ao Terceiro Reich em todos os aspectos. A Igreja Confessional estava num estado lamentável nessa época, após anos de perseguição pelo regime. A maioria dos pastores e agências assistenciais protestantes ou pertencia aos cristãos alemães pró-nazismo, ou mantinha-se de crista baixa nas brigas internas que convulsionavam a Igreja Evangélica desde 1933. A exata metade dos pacientes assassinados saiu de instituições gerenciadas pela Igreja Protestante ou Católica, e foi levada para a chacina muitas vezes com a aprovação das pessoas que as administravam.[269] A liderança nacional da Missão Interna estava preparada para concordar com as chacinas, contanto que se limitassem a "pessoas doentes que não são mais capazes de estímulo mental ou convívio humano", uma concessão aceitável até mesmo para Bodelschwingh, desde que fosse explicitamente materializada em uma lei formal, embora ele aproveitasse a oportunidade para elaborar salvaguardas complexas no processo de seleção em sua instituição, planejadas para ter o efeito de causar atrasos infindáveis em todo o procedimento. Dúvida, assombro e desespero atormentavam a consciência dos pastores enquanto debatiam se estava certo ou não erguer a voz em protesto ao Estado, cuja legitimidade fundamental nenhum deles questionava. Será que isso não causaria danos à Igreja a menos que ela pudesse falar em uma só voz? Se protestassem, isso simplesmente não levaria à tomada das instituições da Missão Interna pelo Estado? Muitos temiam que um protesto público desse ao regime a desculpa ideal para intensificar ainda mais a perseguição à Igreja. Em uma das muitas reuniões e conferências sobre o assunto, o pastor Ernst Wilm, membro da Igreja Confessional que havia trabalhado no Hospital Bethel de Bodelschwingh, observou: "Somos obrigados a interceder e compartilhar a responsabilidade por nossos doentes [...] para que não possam dizer: eu estava nas mãos de assassinos e vocês não deram a mínima". Para os poucos oponentes radicais das chacinas, como Wilm, a situação pareceu ser essa no fim de 1940 e também na maior parte do ano seguinte.[270]

V

A Igreja Católica também já estava sendo atacada pelo regime desde alguns anos antes. Muitas de suas organizações leigas haviam sido fechadas, e vários clérigos, detidos e aprisionados. O acordo com o regime, selado pela Concordata com o papa Pio XI em 1933, supostamente protegendo a posição da Igreja na Alemanha em troca da garantia de abstenção do clero da atividade política, estava em frangalhos. Em 1939, a liderança dos prelados alemães decidiu baixar a crista por medo de que algo ainda pior lhes acontecesse.[271] Todavia, a Igreja Católica, sob liderança do papado, era um organismo bem mais unido que sua equivalente protestante jamais poderia ser, pois havia algumas questões de dogma em que ela não estava preparada para fazer concessões. O papado já reclamara da política do regime de esterilizar os supostamente inaptos raciais, e não era provável que deixasse passar em branco a escalada dessa política rumo ao franco homicídio. Bispos alemães também haviam condenado o programa de esterilização e emitido diretrizes regulando até que ponto médicos, enfermeiras e funcionários católicos podiam participar disso, embora não fossem aplicadas na prática. Àquela altura, havia um novo papa em Roma, Pio XII, eleito em 2 de março de 1939. Não era outro senão o cardeal Pacelli, que fora representante do Vaticano na Alemanha por boa parte da década de 1920, lia e falava alemão fluentemente e havia desempenhado o papel principal na redação do protesto papal contra as violações da Concordata antes da guerra. Em outubro de 1939, sua primeira encíclica, *Summi Pontificatus*, declarou que o Estado não devia tentar substituir Deus como árbitro da existência humana. Mas somente no verão de 1940 começaram as manifestações contra a matança de deficientes, deflagradas inicialmente pelos eventos controversos no Hospital Bethel.[272]

O Hospital Bethel situava-se na diocese do bispo Clemens August von Galen, cuja acomodação inicial ao regime em 1933-34 havia dado lugar a uma postura mais crítica na época da guerra, particularmente em vista dos ataques ideológicos à cristandade por lideranças nazistas como Alfred Rosenberg e Baldur von Schirach.[273] Já abastecido por Bodelschwingh com copiosas informações, Galen escreveu ao cardeal Adolf Bertram em 28 de julho de 1940 com detalhes sobre a campanha de assassinato e incitando a Igreja a tomar uma posição moral quanto ao caso. Outros bispos também estavam preocupados. Conrad Gröber, arcebispo de Freiburg, escreveu em 1º de agosto de 1940 a Hans-Heinrich Lammers, chefe da Chancelaria do Reich, retransmitindo as preocupações de católicos leigos cujos parentes haviam sido mortos, avisando que os assassinatos prejudicariam a imagem da Alemanha no exterior e oferecendo-se para pagar todos os custos "que o Estado venha a ter com o cuidado de doentes mentais destinados à morte".[274] Muitas das instituições de onde os reclusos eram retirados para ser mortos eram dirigidas pela Associação Cáritas alemã, a principal organização de assistência social católica, e seus diretores tinham pedido conselhos à hierarquia católica com urgência. Em 11 de agosto de 1940, a Conferência dos Bispos de Fulda protestou contra as chacinas em outra carta a Lammers e, em seguida, encarregou o bispo Heinrich Wienken, da Associação Cáritas, de fazer representações em pessoa. No Ministério do Interior, funcionários da T-4 tentavam justificar a matança, mas Wienken, citando o quinto mandamento ("Não matarás"), avisou que a Igreja iria a público se o programa de assassinatos não parasse.[275]

No encontro seguinte, entretanto, Wienken recuou, e apenas pediu que a avaliação dos pacientes fosse mais global antes de eles serem selecionados para a morte. Receou que sua posição pudesse minar os esforços para que padres detidos em Dachau fossem soltos. Foi admoestado pelo cardeal Michael Faulhaber, que disse com firmeza que os assuntos que o preocupavam eram meras "eventualidades" diante do fato central de que pessoas estavam sendo assassinadas. "Se as coisas continuarem no ritmo atual", advertiu o cardeal, "o trabalho de execução estará completo em seis meses".²⁷⁶ Quanto à sugestão, ao que parece colocada por Wienken, de que os textos de *Sir* Thomas More justificavam a matança dos inaptos, Faulhaber escreveu em tom escarninho que "realmente era difícil não escrever uma sátira. Então ingleses e Idade Média de repente tornaram-se modelos exemplares. Pode-se fazer referência também à queima de bruxas e aos *pogroms* contra judeus em Strassburg".²⁷⁷ As negociações no fim foram interrompidas porque o Ministério do Interior recusou-se a colocar qualquer coisa por escrito. Em 2 de dezembro de 1940, o Vaticano emitiu um decreto declarando sem rodeios: "O assassinato direto de uma pessoa inocente devido a defeitos mentais ou físicos não é permitido". Era "contra a lei divina natural e positiva".²⁷⁸ Apesar disso, a hierarquia da Igreja na Alemanha decidiu que ações adicionais seriam desaconselháveis. "Qualquer ação incauta ou precipitada", advertiu o conselheiro-chefe do cardeal Bertram em 2 de agosto de 1940, "poderia na prática ter as mais deletérias e extensas consequências nos assuntos pastorais e eclesiásticos".²⁷⁹ As evidências não eram suficientes para um protesto, Bertram disse a Galen em 5 de agosto de 1940. Só em 9 de março de 1941 Galen publicou o decreto em seu boletim informativo oficial. O que enfim instigou Galen a falar abertamente foi a detenção de padres pela Gestapo e a tomada de propriedade jesuíta em Münster, sua cidade natal, para fornecer acomodações a pessoas que perderam suas casas em um bombardeio aéreo. Isso convenceu-o de que a cautela aconselhada por Bertram quase um ano antes tornara-se inútil. Nos sermões proferidos em 6, 13 e 20 de julho de 1941, Galen atacou a ocupação de propriedades da Igreja em Münster e áreas adjacentes e a expulsão de monges, freiras e irmãos e irmãs leigos pela Gestapo. Somado a isso, criticou a ação de "eutanásia". A polícia tentou intimidar Galen ao silêncio dando uma batida no convento onde sua irmã Helene von Galen encontrava-se, detendo-a e confinando-a em um porão. Porém, a destemida Von Galen subiu por uma janela e escapou.²⁸⁰

Galen então inflamou-se por completo. Em um quarto sermão, em 3 de agosto de 1941, foi muito mais longe. Ele foi incitado pela visita secreta do padre Heinrich Lackmann, capelão da Instituição Marienthal, que contou que os pacientes estavam prestes a ser levados para a chacina e pediu-lhe que fizesse algo a respeito. Galen considerou aquilo um crime em potencial e agiu tendo por base que seu dever legal era expor a situação. No sermão, primeiro referiu-se mais uma vez à detenção de padres e ao confisco de propriedade da Igreja, e a seguir voltou-se a uma longa denúncia de todo o programa de eutanásia. Forneceu detalhes circunstanciais que apenas havia insinuado no sermão de 6 de julho de 1941, incluindo casos específicos, e acrescentou que o doutor Conti, líder dos médicos do Reich, "não fazia mistério do fato de que um grande número de doentes mentais da Alemanha realmente já havia sido assassinado de forma deliberada e muitos mais devem ser mortos no futuro". Tais assassinatos eram ilegais, declarou. Galen contou que, ao ficar sabendo do transporte de pacientes da Instituição Marienthal perto de Münster no fim do mês anterior, havia acusado formalmente os responsáveis em uma carta ao promotor público. E disse à congregação que pessoas não eram como cavalos ou vacas velhos, para serem abatidos quando não servissem mais. Se esses princípios fossem aplicados a seres humanos, "então *fundamentalmente* está aberto o caminho para o assassinato de todas as pessoas improdutivas, doentes incuráveis ou inválidos por motivo de trabalho ou guerra, então está aberto o caminho para o assassinato de todos nós, quando ficarmos velhos e fracos e, com isso, improdutivos". Em tais circunstâncias, perguntou ele retoricamente, "quem vai poder confiar em seu médico?". Os fatos que ele havia narrado estavam firmemente estabelecidos. Católicos, declarou Galen, tinham de evitar aqueles que blasmefavam, atacavam sua religião ou ocasionavam a morte de homens e mulheres inocentes. Do contrário, estariam envolvidos na culpa.[281]

A sensação gerada pelos sermões, não só o último deles, foi enorme. Galen imprimiu-os como mensagem pastoral e fez que fossem lidos nas igrejas paroquiais. Os britânicos apoderaram-se de uma cópia, transmitiram trechos pelo serviço da BBC alemã e jogaram cópias sobre a Alemanha no formato de panfletos, bem como traduziram-no em várias outras línguas e distribuíram na França, na Holanda, na Polônia e em outras partes da Europa. As cópias chegaram a muitos lares. Umas poucas pessoas protestaram ou falaram sobre a matança com os colegas de trabalho; algumas foram detidas e colocadas em campos de concentração, inclusive alguns padres que haviam copiado e distribuído os sermões. As ações de Galen encorajaram outros bispos, como

Antonius Hilfrich, bispo de Limburg, que escreveu uma carta de protesto ao ministro da Justiça, Gürtner (ele mesmo católico), em 13 de agosto de 1941, denunciando os assassinatos como "uma injustiça que brada aos céus".[282] O bispo de Mainz, Albert Stohr, fez sermão contra a retirada da vida.[283] Foi o mais forte, mais explícito e mais disseminado protesto contra qualquer política nazista desde o início do Terceiro Reich. Galen manteve-se calmo, resignado com o martírio. Mas nada aconteceu. A publicidade gerada foi tão grande que os líderes nazistas, por mais enraivecidos que estivessem, temeram tomar alguma atitude contra ele. O líder regional Meyer escreveu a Bormann exigindo o enforcamento do bispo, uma ideia com a qual o próprio Bormann rapidamente concordou. Mas tanto Hitler como Goebbels, ao saber dos acontecimentos por intermédio de Bormann, concluíram que fazer de Galen um mártir apenas levaria a mais agitação, o que simplesmente não era cogitável no meio de uma guerra. Tratariam dele quando a guerra acabasse, disse Hitler. Os membros comuns do Partido em Münster não compreenderam: por que, perguntavam, o bispo não era aprisionado, se ele evidentemente era um traidor?[284]

A reação do governo foi oblíqua: em agosto de 1941, lançou um filme intitulado *Eu acuso!*, no qual uma bela moça acometida de esclerose múltipla expressa o desejo de dar fim a seu sofrimento, e o marido e um amigo a ajudam a morrer, após longas discussões sobre certo e errado em uma ação desse tipo. As discussões também estendiam-se ao princípio da eutanásia involuntária, justificada em um certo trecho por uma elaborada palestra de um professor universitário. O filme foi visto por 18 milhões de pessoas, e muitas, relatou o Serviço de Segurança da SS, consideraram-no uma resposta aos sermões de Galen. As cenas-chave de fato foram inseridas pessoalmente por Viktor Brack, do gabinete da T-4. Pessoas de mais idade e em especial médicos e intelectuais rejeitaram a mensagem, mas médicos mais jovens foram mais favoráveis, desde que a eutanásia fosse executada por motivos médicos após exame apropriado, um princípio com o qual muita gente comum concordava. Os advogados ouvidos foram da opinião de que o tipo de suicídio assistido retratado no filme precisava de mais sustentação legal, ao passo que a maioria só aprovou a eutanásia no caso de ser voluntária. Se a pessoa a ser morta fosse "débil mental", uma categoria não abordada no filme de maneira alguma, a maioria das pessoas achava que isso só poderia acontecer com o consentimento dos parentes. O Serviço de Segurança da SS informou que padres haviam visitado os paroquianos para tentar persuadi-los a não ver o filme. As pessoas comuns não tiveram dúvidas sobre os propósitos da película. "O filme é realmente interessante", disse uma, "mas as coisas que acontecem nele são iguais às que estão acontecendo nos asilos de lunáticos, onde agora estão dando cabo de todos os malucos". A mensagem subliminar da T-4, de que o programa de assassinato era justificável, não funcionou.[285]

O que aconteceu, porém, foi que o programa foi suspenso. Uma ordem direta de Hitler para Brandt em 24 de agosto de 1941, passada adiante para Bouhler e Brack, suspendeu a asfixia de adultos até segunda ordem, embora Hitler também se certificasse de que a chacina de crianças, que era em escala muito menor e portanto muito menos perceptível, continuasse.[286] O sermão de Galen e a reação pública disseminada que ele suscitou dificultaram a continuidade da matança, pois isso criaria ainda mais desassossego, conforme os líderes nazistas admitiram com relutância. Enfermeiras e serventes, em especial nas instituições católicas para doentes e incapacitados, estavam começando a obstruir para valer o processo de registro. O programa de matança agora era de conhecimento público, e parentes, amigos e vizinhos das vítimas estavam fazendo sua inquietação ser publicamente sentida. Além disso, associaram-na claramente à liderança nazista e à sua ideologia; de fato, a despeito da crença ingênua de homens como o bispo Wurm, de que Hitler não sabia daquilo, o perigo de Hitler levar parte da culpa era muito grande. Em meados de 1941, até mesmo Himmler e Heydrich estavam criticando "equívocos na implementação" do programa. E a cota fixada por Hitler, de 70 mil mortes, já fora preenchida.[287]

Todavia, essas considerações, no fim das contas, não diminuem a importância das ações de Galen.[288] É impossível dizer com certeza o que aconteceria se Galen não tivesse ignorado o conselho de seus superiores na Igreja Católica e erguido a voz contra a chacina de deficientes mentais e físicos. Mas, dada a propensão do nazismo para radicalizar suas políticas quando deparava com pouca ou nenhuma resistência, é ao menos possível, de fato até mesmo provável, que aquilo tivesse continuado muito além da cota original depois de agosto de 1941; encontrar gente para operar as câmaras de gás em Hadamar e outros lugares não teria sido difícil, mesmo com algumas equipes tendo partido para a Polônia. No fim, fica claro que os nazistas não haviam de modo algum abandonado a intenção de livrar a sociedade daqueles que consideravam um fardo. Mas, de agosto de 1941 em diante, se isso fosse feito, teria de ser de forma muito vagarosa e secreta. Doentes mentais, pacientes psiquiátricos de longo prazo e outros classificados pelo regime como levando "uma vida indigna de ser vivida" estavam ligados intimamente demais às redes centrais da sociedade alemã para ser isolados e liquidados, ainda mais porque as definições de anormalidade aplicadas pelos especialistas da T-4 eram arbitrárias e incluíam muitas pessoas inteligentes e ativas o bastante para saber o que estava acontecendo com elas e contar para os outros.

O mesmo, entretanto, não pode ser dito dos outros grupos perseguidos na sociedade alemã, como os ciganos ou os judeus. Galen nada disse sobre eles, tampouco os outros representantes das igrejas, com raras exceções. A lição que Hitler tirou de todo o episódio foi que não era desaconselhável ordenar o assassinato indiscriminado de grandes grupos de pessoas, mas que, no caso de uma ação futura desse tipo contra outra minoria deparar com problema semelhante, era desaconselhável dar tal ordem por escrito. E a propaganda eufemística que havia cercado a ação da T-4, as fraudes, as garantias às vítimas e aos parentes, desde a descrição do assassinato como "tratamento especial" até o disfarce das câmaras de gás como chuveiros, precisariam ser ainda mais intensificadas quando fosse a vez de ações maiores de assassinato em massa. A campanha de eutanásia involuntária fora um segredo público, no qual o emprego de eufemismos e rodeios dera uma opção às pessoas: ignorar o que realmente estava acontecendo ao aceitar as aparências, ou penetrar no verdadeiro significado, uma iniciativa nada árdua ou problemática, e a seguir ser confrontadas com a difícil escolha de fazer ou não fazer alguma coisa a respeito. Na época em que o programa principal de matança foi encerrado, em agosto de 1941, uma grande parte dos profissionais médicos e cuidadores havia sido trazida para operar a máquina de assassinato. De um pequeno grupo inicial de médicos comprometidos, o círculo de envolvidos tinha se ampliado de forma inexorável até clínicos-gerais, psiquiatras, assistentes sociais, funcionários dos asilos, serventes, enfermeiras, administradores, motoristas e muitos outros estarem envolvidos por meio de uma mistura de rotina burocrática, pressão pura e simples, propaganda e incentivos e recompensas de um tipo ou outro. A máquina de assassinato em massa desenvolvida ao longo da Ação T-4, desde a seleção de vítimas até a exploração econômica de seus despojos, havia operado com sinistra eficiência. Tendo sido colocada à prova nesse contexto, a máquina agora estava pronta para ser aplicada em outros, em escala bem mais ampla.[289]

VI

Os assassinatos em massa nos quais o Terceiro Reich se lançou no outono de 1939, tanto na Alemanha quanto nas regiões ocupadas da Polônia, estavam longe de ser consequência da eclosão de uma guerra na qual a liderança nazista julgava que a própria existência da Alemanha estava em jogo. Muito menos ainda foram produto da "barbarização do conflito armado", ocasionada por uma luta de vida ou morte contra um inimigo implacável em condições severas. A invasão da Polônia ocorreu em circunstâncias favoráveis, com um clima bom, contra um inimigo que foi varrido com facilidade desdenhosa. As tropas invasoras não precisaram ser convencidas por doutrinamento político de que o inimigo representava uma enorme ameaça ao futuro da Alemanha; os poloneses claramente não eram. As lealdades primárias nos escalões mais baixos do Exército permaneceram intactas, não tiveram de ser substituídas por um sistema de disciplina rija e pervertida que trocasse valores militares por ideologia racial.[290] Quase tudo que viria a acontecer na invasão da União Soviética de junho de 1941 em diante já estava acontecendo em escala menor na invasão da Polônia quase dois anos antes.[291] Desde o princípio, as forças-tarefa do Serviço de Segurança da SS entraram no país arrebanhando os politicamente indesejáveis e fuzilando-os ou mandando-os para campos de concentração, massacrando judeus, detendo homens e mandando-os para a Alemanha como trabalhadores forçados e se engajando em uma política sistemática de limpeza étnica e transferência de populações locais executadas de forma brutal.

Essas ações não se limitaram à SS. Desde o princípio, funcionários do Partido Nazista, camisas-pardas, funcionários públicos e em especial oficiais subalternos e soldados do Exército também aderiram, acompanhados no devido tempo pelos colonos alemães que foram para a Polônia. Detenções, espancamentos e assassinatos de poloneses e em especial de judeus tornaram-

-se corriqueiros, mas mais impressionante ainda foi a extensão do ódio e do desprezo contra eles mostrados pelos soldados alemães comuns, que não deixaram de humilhar judeus nas ruas ritualmente, rindo e escarnecendo enquanto arrancavam a barba deles e os faziam executar ações degradantes em público. Também impressionante foi a pressuposição dos alemães invasores e colonizadores de que os bens de poloneses e judeus estavam livremente disponíveis como butim. O furto e a pilhagem de propriedade judaica foi quase universal entre as tropas alemãs. Às vezes, estas eram ajudadas e instigadas por poloneses locais. Na maioria das vezes, os próprios poloneses não judeus também foram roubados. É claro que todas essas ações refletiam a política oficial, ditada do alto por Hitler em pessoa, que havia declarado que a Polônia deveria ser totalmente destruída, suas classes profissionais e de educação acadêmica, aniquiladas e sua população, reduzida à condição de servos incultos cuja vida não valia quase nada. A expropriação da propriedade polonesa e judaica foi ordenada de forma explícita por Berlim, bem como a germanização dos territórios ocupados, as transferências de população e o confinamento dos judeus em guetos. Todavia, o zelo com que os invasores alemães, seguindo a linha dessas orientações políticas centrais, agiram por iniciativa própria, com frequência indo muito além delas na brutalidade sádica da implementação, ainda requer alguma explicação.

Ódio e desprezo em relação a poloneses, bem como a ucranianos, bielorrussos e russos, e ainda mais a "judeus orientais", estavam profundamente enraizados na Alemanha. Mesmo antes da Primeira Guerra Mundial, as doutrinas de igualdade humana e emancipação inculcadas em largas camadas da classe operária pelo movimento trabalhista social-democrata não se estenderam tanto a ponto de incluir minorias desse tipo. A grande massa dos trabalhadores comuns considerava poloneses e russos atrasados, primitivos e incultos; de fato, a ocorrência frequente de *pogroms* antissemitas na Rússia tsarista muitas vezes foi citada pelos operários como uma evidência que sustentava essa opinião. O medo de uma invasão bárbara do leste desempenhou papel de destaque em persuadir os social-democratas a votar a favor dos créditos de guerra em 1914. O advento da ditadura comunista na União Soviética havia apenas reforçado e aprofundado tais crenças. Para a maioria dos alemães, inclusive, ironicamente, para muitos judeus alemães cultos e aculturados, os "judeus orientais" da Polônia pareciam ainda mais atrasados e primitivos. No início da década de 1920, eles causaram um ressentimento totalmente desproporcional em seu número quando uns poucos encontraram refúgio da violência da guerra civil russa. A propaganda nazista, reforçando incessantemente tais estereótipos, aprofundou o preconceito contra eslavos e judeus do leste durante a década de 1930 até eles parecerem menos que humanos para muitos alemães, em particular para a geração mais jovem.[292]

Agressividade, dureza, brutalidade, uso de força, as virtudes da violência haviam sido inculcadas em toda uma geração de jovens alemães de 1933 em diante, e, mesmo que a educação e a propaganda nazistas nesses setores tenham obtido graus variados de sucesso, é evidente que não foram totalmente isentas de efeito. O nazismo ensinou que o poder era do mais forte, os vencedores levavam tudo, e gente de raça inferior era caça liberada. Não surpreende que a geração mais jovem de soldados alemães tivesse o comportamento mais brutal e violento em relação aos judeus. Conforme Wilm Hosenfeld relatou em uma carta da Polônia para seu filho em novembro de 1939: "Os judeus dizem: 'O soldado velho é bom, o soldado jovem é medonho'".[293] O que os alemães invasores e ocupadores fizeram na Polônia a partir de setembro de 1939 não foi tanto um produto da guerra, e sim de processos de doutrinamento a longo prazo que criaram uma sensação arraigada de que eslavos e judeus orientais eram sub-humanos e que os inimigos políticos não tinham direitos de nenhuma espécie. Quanto a isso, o general Gotthard Heinrici, que não era um nazista fanático, mas um soldado profissional convicto, era típico, e suas cartas revelam preconceitos arraigados pela associação casual de eslavos, judeus, sujeira e vermes. "Percevejos e piolhos grassam por toda parte aqui", ele escreveu à esposa da Polônia em 22 de abril de 1941, "e também judeus terríveis com a estrela de Davi no braço".[294] De modo revelador, ele também viu um paralelo histórico no tratamento de judeus e poloneses pelos ocupadores alemães. "Poloneses e judeus servem para ser escravos", registrou dias depois. "Ninguém aqui tem nenhuma consideração por eles. Aqui é como nos tempos antigos, quando os romanos conquistavam outros povos."[295] Descreveu o Governo Geral como "realmente o monte de lixo da Europa", cheio de casas "semidestruídas, dilapidadas, imundas, com cortinas esfarrapadas por trás das janelas, duras de sujeira".[296] Com certeza, ele jamais estivera nos bairros pobres de seu próprio país. Para Heinrici, assim como para muitos outros, a sujeira era eslava e polonesa. "Só de andar pelas ruas", relatou da Polônia em 1941, "já se tem a sensação de que se pegou piolhos e pulgas. Nos becos judaicos há tanto fedor que você tem de limpar e assoar o nariz depois de atravessá-los para se livrar da imundície inalada".[297]

Assim sendo, quando as forças alemãs adotaram o que consideraram ações de retaliação contra a resistência polonesa à invasão, fazendo reféns, fuzilando civis, queimando pessoas vivas, reduzindo fazendas a cinzas e muito mais, estavam agindo não por necessidade militar, mas a serviço de uma ideologia de ódio e desprezo racial que estaria em grande parte ausente na invasão de outros países mais a oeste.[298] A violência contra inimigos raciais e políticos, reais ou imaginários, havia se tornado corriqueira no Terceiro Reich bem antes da eclosão da guerra. A violência imposta a poloneses e em especial a judeus desde o início de setembro de 1939 continuou, intensificando a linha de ação estabelecida pelo Terceiro Reich, assim como a pilhagem e a expropriação a que eles foram submetidos. O fundamento lógico definitivo para tal política, na cabeça de Hitler e das lideranças nazistas, era aprontar a Alemanha para a guerra, removendo a suposta ameaça da presença judaica e assim impedindo a possibilidade de uma "punhalada nas costas" de elementos subversivos na frente doméstica, como a que eles acreditavam que fizera a Alemanha perder a Primeira Guerra Mundial.[299]

Considerações semelhantes ficaram evidentes, entre outras, no tratamento nazista da Polônia ocupada, desde o começo projetada para ser um trampolim para a invasão há muito imaginada da Rússia soviética. E foram óbvias também no assassinato em massa de doentes mentais e deficientes iniciado no verão de 1939. Isso também não foi um mero produto da guerra, menos ainda consequência da petição fortuita dos pais de um bebê deficiente a Hitler, conforme foi sugerido certas vezes. Ao contrário, essa matança foi planejada por longo período, prenunciada pela esterilização em massa de quase 400 mil alemães "inaptos" antes de a guerra eclodir, prefigurada por Hitler dez anos antes e em preparativos desde meados da década de 1930. A violência imposta à Polônia pelas forças alemãs também foi programada. Seguiu logicamente as políticas nazistas de tempos de paz, estendendo-as e intensificando-as em novas e terríveis maneiras.[300] Em menos de dois anos, essas políticas seriam levadas ainda mais longe e aplicadas em escala ainda maior. Nesse ínterim, por maior que fossem a obsessão com a limpeza étnica e a busca de "espaço vital" no leste, Hitler e os nazistas ainda eram confrontados pelo fato de que o que começara em setembro de 1939 não era apenas a extensão havia muito sonhada das fronteiras políticas e étnicas da Alemanha a leste, mas também, de modo menos encorajador para eles, uma guerra mundial na qual a Alemanha estava contra o poder combinado da Grã-Bretanha e da França, os dois países europeus com os maiores impérios ultramarinos, vitoriosos contra a Alemanha na guerra de 1914-18. Até o fim, Hitler tivera a esperança de que tal conflito pudesse ser evitado e que o deixariam destruir a Polônia em paz. Agora, porém, ele se via diante do problema de o que fazer com os inimigos da Alemanha a oeste.

Os destinos da guerra 2

"Obra da Providência"

I

Em 8 de novembro de 1939, por volta das oito da noite, Hitler chegou à Bürgerbräukeller, a cervejaria de Munique onde havia tentado o fracassado golpe de 1923. Seu compromisso de agenda era fazer o discurso anual para os líderes regionais e os "velhos combatentes" do movimento nazista. No encontro de 1939, ele falou por menos de uma hora. E então, para surpresa de todos, saiu abruptamente rumo à estação de trem para viajar para Berlim, onde, na Chancelaria do Reich, discutiria a planejada invasão da França, adiada há apenas dois dias por causa do mau tempo. Os "velhos combatentes" ficaram decepcionados por Hitler não seguir o costume habitual de ficar por mais meia hora para conversar. A maioria foi embora lentamente, deixando uma equipe de cerca de cem pessoas para fazer a limpeza. Às 21h20, menos de meia hora depois de Hitler ter deixado o prédio, uma enorme explosão rasgou o salão. A galeria e o teto desabaram, e o deslocamento de ar arrancou janelas e portas. Três pessoas morreram na hora, cinco morreram das lesões posteriormente e 62 ficaram feridas. Muitos dos que saíram a duras penas dos escombros, tossindo e espirrando, machucados e sangrando, presumiram que tivessem sido vítimas de um ataque aéreo britânico. Apenas gradativamente perceberam que a explosão fora causada por uma bomba escondida em um dos pilares centrais do prédio.

Hitler recebeu a notícia quando seu trem parou em Nuremberg. De início, ele pensou que fosse uma piada. Mas, ao ver que ninguém ao redor estava rindo, percebeu que escapara da morte por um triz. Hitler declarou que a Providência mais uma vez o havia preservado para as tarefas por vir. Mas restavam muitas questões. Quem, perguntavam os líderes nazistas, fora responsável por esse atentado covarde à vida de Hitler? Com pouco mais de dois meses de guerra, a resposta parecia óbvia. O serviço secreto britânico devia estar por trás daquilo. Hitler em pessoa ordenou o sequestro de dois agentes britânicos que Walter Schellenberg, chefe de inteligência do Serviço de Segurança da SS de Heydrich, mantinha sob vigilância na fronteira holandesa, em Venlo. Com certeza eles revelariam detalhes sobre as origens do complô. Schellenberg fez contato com os agentes e os persuadiu a se encontrarem com homens da SS que eles pensaram ser representantes da resistência militar alemã. Os homens da SS atiraram em um oficial holandês que tentou intervir e carregaram os agentes britânicos através da fronteira alemã antes que alguém pudesse detê-los. Mas, embora em Berlim os oficiais britânicos tenham sido persuadidos a fornecer o nome de numerosos agentes britânicos no continente, não tiveram condições de lançar alguma luz sobre a tentativa de assassinato.[1]

A máquina de propaganda de Goebbels rapidamente começou a jorrar denúncias contra o serviço secreto britânico. A verdade só começou a vir à tona quando, em uma parte remota do sul da Alemanha, a polícia da fronteira deteve um marceneiro de 38 anos de idade chamado Georg Elser, que estava tentando cruzar a divisa suíça sem os documentos adequados. Ao revistar suas roupas e pertences, encontraram um cartão-postal da cervejaria onde a explosão ocorrera, um detonador e esboços de uma bomba. Elser foi rapidamente entregue à Gestapo local. Quando as notícias da explosão chegaram ao escritório da Gestapo, os policiais somaram dois mais dois e enviaram Elser a Munique para interrogatório. De início, ninguém pôde acreditar que o marceneiro houvesse agido por conta própria. Suspeitos de todos os tipos foram detidos, em um processo alimentado por uma onda de denúncias de sujeitos vistos agindo de forma suspeita perto do cenário da tentativa de assassinato. Heinrich Himmler chegou à central de interrogatório, chutou Elser repetidas vezes com seus coturnos e fez que fosse espancado. Mas Elser continuou a insistir que agira inteiramente por conta própria. A Gestapo até o fez construir uma réplica exata da bomba, o que, para espanto dos agentes, ele fez com sucesso. No fim, foram forçados a admitir em particular que Elser agira sozinho.[2]

Georg Elser era um homem comum de passado humilde cujo pai brutal e violento instigara nele uma poderosa aversão à tirania. Membro da Liga dos Combatentes da Frente Vermelha do Partido Comunista por um tempo, teve dificuldade em conseguir trabalho sob o Terceiro Reich e culpava Hitler por seus infortúnios. Em Munique, havia feito um reconhecimento da cervejaria onde Hitler faria seu discurso anual, e então deu início ao preparo da tentativa de assassinato. Ao longo de muitos meses, surrupiou explosivos, um detonador e outros equipamentos de seus patrões, achando emprego até mesmo em uma pedreira, a fim de poder ter acesso ao tipo certo de material. Tirou as medidas da cervejaria sub-repticiamente, embora uma tentativa de conseguir emprego lá tenha dado em nada. Toda noite, ele jantava no local por volta das nove horas, depois escondia-se em um depósito até a cervejaria fechar. No começo da madrugada, Elser trabalhava meticulosamente no pilar de suporte de carga que havia selecionado como melhor local para a explosão, ajustando uma porta secreta no revestimento de madeira, retirando os tijolos, colocando os explosivos e o detonador e instalando o *timer* especialmente produzido. Depois de dois meses, em 2 de novembro de 1939, ele inseriu a bomba; três noites depois, instalou o *timer*, marcado para às 9h20 da noite do dia 8, quando, pensou ele, Hitler estaria no meio de seu discurso. Apenas o fato de Hitler ter abreviado seu pronunciamento a fim de partir para Berlim evitou que a bomba o matasse ali mesmo.[3]

O efeito sobre a opinião pública, informou o Serviço de Segurança da SS em tom bajulatório, foi provocar uma reação popular contra os britânicos. "O amor pelo Líder cresceu ainda mais, e as atitudes quanto à guerra tornaram-se ainda mais positivas em muitos setores da população como resultado da tentativa de assassinato."[4] O efeito foi tão disseminado que o repórter americano William L. Shirer pensou que os próprios nazistas tivessem encenado o ataque a fim de conquistar simpatia. Do contrário, intrigou-se ele, por que os "mandachuvas haviam [...] saído tão às pressas do prédio em vez de ficar para conversar?".[5] Mas essa teoria, aceita também por alguns historiadores posteriores, era tão pouco baseada em fatos quanto a teoria dos nazistas de uma conspiração britânica para o atentado.[6] Elser foi mandado para o campo de concentração de Sachsenhausen. Um julgamento formal teria levado a domínio público o fato de que ele agira sozinho, e Hitler e as lideranças nazistas preferiram manter a ficção de que Elser fizera parte de um complô maquinado pelo serviço secreto britânico. Elser recusou-se terminantemente a dizer qualquer coisa a não ser a verdade. Mas, para o caso de mudar de ideia, foi mantido no campo como prisioneiro especial e recebeu dois cômodos para seu uso exclusivo. Teve permissão até mesmo para usar um deles como oficina, para continuar praticando o ofício de marceneiro. Recebia um suprimento regular de cigarros e matava o tempo tocando cítara. Não tinha permissão para falar com os outros prisioneiros ou receber visitas. Mas sua morte não teria servido de nada sem o tipo de confissão que os nazistas queriam, e essa jamais aconteceu.[7]

II

A tentativa de assassinato aconteceu no momento em que Hitler voltava sua atenção para o conflito com Grã-Bretanha e França, após o formidável sucesso da conquista da Polônia. Ambos os países haviam declarado guerra à Alemanha logo após a invasão. Mas, desde o início, perceberam que haveria bem pouco que pudessem fazer para ajudar os poloneses. As duas nações já estavam bem armadas em meados da década de 1930, mas só começaram a aumentar o ritmo da produção de armas em 1936 e precisavam de mais tempo. No começo, pensaram, da parte delas, a guerra seria defensiva; só mais tarde, quando fossem páreo para os alemães em homens e equipamento, poderiam ir para o ataque. Esse foi o período da "guerra de araque", a *drôle de guerre*, a *Sitzkrieg*, durante o qual todas as nações combatentes aguardaram nervosamente o começo da ação para valer. Em 9 de outubro de 1939, Hitler disse às Forças Armadas alemãs que lançaria um ataque a oeste se os britânicos se recusassem a chegar a um acordo. A liderança do Exército alemão, entretanto, advertiu que a campanha polonesa consumira recursos em demasia e era preciso um tempo de recuperação. Além disso, franceses e britânicos com certeza seriam oponentes bem mais formidáveis que os poloneses.[8] Hitler ficou consternado com tal cautela e em 23 de novembro de 1939, em um encontro com duzentos oficiais de alta patente, recordou que os generais haviam ficado nervosos com a remilitarização da Renânia, a anexação da Áustria, a invasão da Tchecoslováquia e outras políticas audaciosas que no fim haviam se revelado triunfos. A meta última da guerra, disse ele, não pela primeira vez, era a criação de "espaço vital" no leste. Se isso não fosse conquistado, o povo alemão pereceria. "Só podemos nos opor à Rússia quando estivermos livres no oeste", ele advertiu. A Rússia estaria militarmente debilitada no mínimo pelos dois anos seguintes, de modo que agora era a hora de assegurar a retaguarda da Alemanha e evitar a guerra em duas frentes que havia sido tão mutilante em 1914-18. A Inglaterra só podia ser derrotada após a conquista da França, da Bélgica e da Holanda e da ocupação da costa do canal. Portanto, isso teria de acontecer o mais breve possível. A Alemanha estava mais forte do que nunca. Mais de uma centena de divisões estava pronta para ir ao ataque. A situação dos suprimentos era boa. Grã-Bretanha e França não haviam completado seu rearmamento. Acima de tudo, disse Hitler, a Alemanha tinha um fator que a tornava imbatível – ele mesmo. "Estou convencido dos poderes de meu intelecto e de decisão [...] O destino do Reich depende só de mim [...] Não vou recuar diante de nada e hei de destruir todos os que se oponham a mim." O destino estava com ele, proclamou Hitler, encorajado por ter escapado da bomba na cervejaria duas semanas antes. "Mesmo nos presentes acontecimentos, eu vejo a Providência."[9]

Os generais líderes ficaram consternados com esse novo acesso do que consideravam a agressividade irresponsável de Hitler. Era preciso tempo, eles pleitearam, para treinar mais recrutas e reparar e repor o equipamento danificado ou perdido na campanha polonesa. O chefe do Estado-Maior Geral do Exército, Franz von Halder, ficou tão alarmado que retomou os planos conspiratórios que estivera maquinando com seus colegas oficiais, com espíritos descontentes da contrainteligência do Exército e com funcionários públicos e políticos conservadores durante um confronto semelhante a respeito da proposta de invasão da Tchecoslováquia no verão de 1938. Durante um período, ele chegou a circular com um revólver carregado escondido, na esperança de abater Hitler quando surgisse a oportunidade. Apenas o senso arraigado de obediência ao juramento de lealdade ao Líder nazista e o conhecimento de que teria pouco apoio público ou de seus oficiais subalternos impediram Halder de usá-lo. Durante novembro de 1939, os conspiradores começaram a se preparar outra vez para prender Hitler e seus principais assessores, com a ideia de colocar Göring no poder, visto que ele era conhecido por ter sérias dúvidas a respeito de uma guerra com Grã-Bretanha e França. Em 23 de novembro de 1939, entretanto, Hitler discursou para seus generais seniores. "O Líder", anotou um deles, "adota uma postura das mais fortes contra qualquer tipo de derrotismo". Seu pronunciamento expôs "um certo ânimo mal-humorado em relação aos líderes do Exército. 'A vitória', disse ele, 'não pode ser conquistada com espera!'".[10] Halder entrou em pânico, acreditando que Hitler ouvira falar do complô, e saiu da trama de vez. O complô desmanchou-se. Em última análise, a falta de comunicação e coordenação entre os conspiradores e a ausência de planos concretos para o período após a detenção de Hitler fadaram a conspiração ao fracasso desde o início.[11]

Em todo caso, o confronto no fim mostrou-se desnecessário, pois Hitler foi forçado a adiar a data da ofensiva mais uma vez no inverno de 1939-40 devido às más condições do tempo. A chuva forte e constante transformou o solo em lama ao longo de enormes faixas da Europa ocidental, tornando impossível os tanques e impedindo os blindados pesados alemães de se moverem com a rapidez que havia desempenhado papel tão essencial na campanha polonesa. Os meses de adiamento mostraram-se benéficos aos preparativos alemães para a guerra, pois Hitler promoveu mudanças importantes no programa de armamentos. No fim da década de 1930, ele exigira a construção de uma Força Aérea em uma escala imensa. Mas a Alemanha carecia de suprimento suficiente de combustível aéreo. E, no verão de 1939, a falta de aço e de outras matérias-primas, bem como de engenheiros de construção qualificados, estava levando a uma drástica retração no programa de construção. A produção de aeronaves também tinha de competir pela prioridade com tanques e navios de guerra. Em agosto de 1939, Hitler foi persuadido pelo *lobby* intensivo do Ministério do Ar a colocar a produção de bombardeiros Junker 88 de volta no topo da agenda. Um corte no programa de construção naval também permitiu a Hitler exigir um aumento maciço na manufatura de munição, em especial de projéteis de artilharia. Dali em diante, aviões e munição sempre receberam dois terços ou mais dos recursos para a produção armamentista. Mas essas mudanças avançaram com lentidão através dos sistemas de planejamento e produção, uma vez que era preciso traçar novos projetos, adaptar máquinas, construir equipamentos, remanejar fábricas existentes e abrir novas. A escassez de mão de obra acentuava-se com a convocação de trabalhadores para as Forças Armadas, enquanto a falta de investimento no sistema ferroviário alemão fazia que não houvesse material rolante suficiente para transportar armamentos, componentes e matérias-primas pelo país, e o fornecimento de carvão para a indústria começou a sofrer atrasos graves. Todos esses fatores levaram tempo para ser superados.[12]

Só em fevereiro de 1940 a produção de munição começou a aumentar de forma significativa. Em julho de 1940, a produção alemã de armamentos havia duplicado.[13] A essa altura, porém, Hitler já havia perdido a paciência com o sistema de aquisição de armamentos gerido pelas Forças Armadas durante o comando do major-general Georg Thomas. Em 17 de março de 1940, ele instalou o novo Ministério do Reich para Munições. O homem que colocou no comando foi Fritz Todt, seu engenheiro favorito, que arquitetou um dos projetos prediletos de Hitler na década de 1930, a construção de um novo sistema de autoestradas.[14] O chefe do escritório de contratos de compra do Exército, general Karl Becker, ficou tão consternado com esse acontecimento e com os boatos contra a alegada ineficiência de sua organização, orquestrados em parte por representantes das companhias de armas como a Krupp – que viram uma oportunidade no novo arranjo –, que se suicidou com um tiro. Todt montou imediatamente um sistema de comitês para os diferentes aspectos da produção de armas, no qual os industriais desempenhavam o papel principal. O surto ocorrido na produção de armas nos meses seguintes deveu-se em grande parte ao sucesso do regime anterior de aquisições em desbloquear os gargalos de suprimento de matérias-primas vitais como cobre e aço. Mas o crédito foi todo para Todt.[15]

III

Como resultado do Pacto Nazi-Soviético e das negociações adicionais referentes à invasão da Polônia, a Alemanha cedeu à esfera de influência russa não só o leste da Polônia e os Estados bálticos, mas também a Finlândia. Em outubro de 1939, Stálin exigiu que os finlandeses cedessem à Rússia a área imediatamente ao norte de Leningrado e a parte ocidental da península de Rybachi em troca de uma ampla área da Carélia oriental. Mas as negociações foram interrompidas em 9 de novembro de 1939. Em 30 de novembro, o Exército Vermelho invadiu, instalou um governo comunista fantoche em uma cidade finlandesa da fronteira e fez que este assinasse um acordo cedendo o território que Stálin exigia. A essa altura, porém, as coisas começaram a dar muito errado para o líder soviético. Muitos dos mais antigos generais soviéticos haviam sido eliminados nos expurgos da década de 1930, e as tropas soviéticas estavam despreparadas e mal lideradas. O inverno já começara, e as tropas finlandesas, vestidas de branco, movendo-se velozmente com esquis, conseguiram uma vantagem contra os novatos recrutas soviéticos, que não haviam sido treinados para lutar em neve espessa. Na verdade, alguns oficiais soviéticos consideravam tal camuflagem um símbolo de covardia e se recusavam a empregá-la mesmo quando estava disponível. Treinadas apenas para atacar, unidades inteiras do Exército Vermelho foram ao encontro da morte ao correr direto para ninhos de metralhadora construídos nos *bunkers* defensivos da Linha Mannerheim, uma extensa série de trincheiras de concreto cujo nome era uma homenagem ao comandante finlandês.[16]

"Eles estão nos matando como moscas", queixou-se um soldado da infantaria soviética na frente finlandesa em dezembro de 1939. Quando o conflito acabou, mais de 126 mil soldados soviéticos haviam sido mortos e outros 300 mil evacuados da frente devido a ferimentos, doenças ou gangrena pelo frio. As perdas finlandesas também foram severas, de fato até maiores em termos proporcionais, com 50 mil mortos e 43 mil feridos. Todavia, não restou dúvida de que os finlandeses haviam acertado os soviéticos em cheio. Suas tropas mostraram não apenas coragem e determinação, alimentadas por forte sentimento nacionalista, mas também engenhosidade. Tomando emprestado o exemplo das forças de Franco na Guerra Civil Espanhola, os finlandeses pegavam garrafas de bebida vazias, enchiam com querosene e outros químicos, enfiavam um pavio em cada uma, acendiam e atiravam nos tanques soviéticos que se aproximavam, cobrindo-os com chamas. "Jamais pensei que um tanque pudesse queimar por tanto tempo", disse um veterano finlandês. Eles também criaram um novo nome para o projétil: em honra ao ministro de Relações Exteriores soviético, chamaram-no de "coquetel Molotov".[17] No fim, porém, os números decidiram. Após uma segunda ofensiva fracassada, Stálin convocou enormes reforços, ao mesmo tempo que desistia do governo fantoche e oferecia negociações ao regime finlandês legítimo de Helsinque. Na

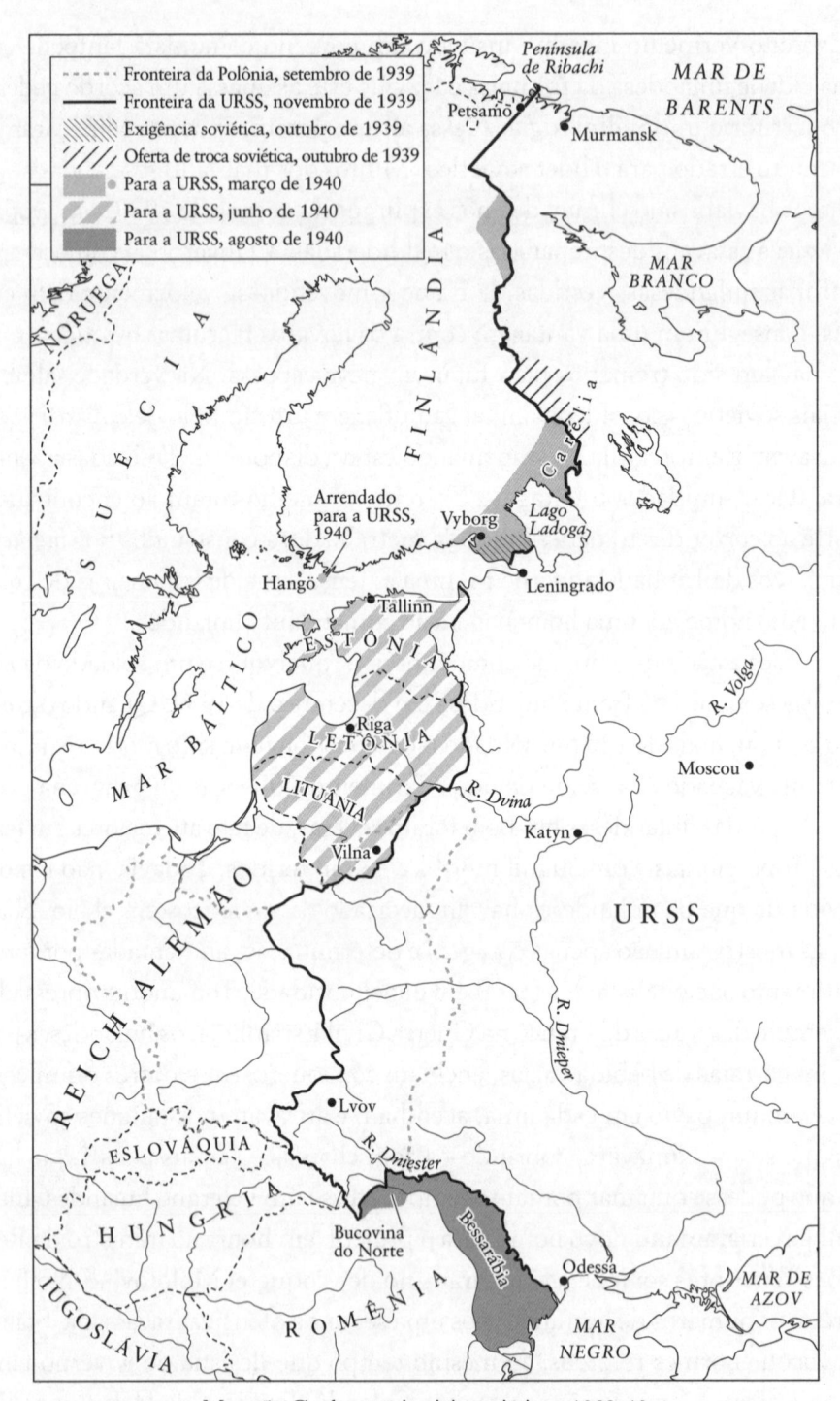

Mapa 5. Ganhos territoriais soviéticos, 1939-40

noite de 12-13 de março de 1940, reconhecendo o inevitável, os finlandeses aceitaram um acordo de paz que alocou à União Soviética uma quantidade de território ao sul substancialmente maior que a originalmente exigida. Porém, apesar da derrota final e da abertura de uma base militar soviética em seu território, os finlandeses mantiveram a independência. Sua valentia e resistência eficiente expuseram a fraqueza do Exército Vermelho e convenceram Hitler de que não havia nada a temer. Para Stálin, a Finlândia serviria agora como um Estado-tampão subserviente para isolar a Rússia de qualquer conflito que pudesse ser travado entre a Alemanha e os aliados na Escandinávia. Os muitos reveses e desastres da guerra persuadiram Stálin a reconvocar para o serviço ativo, e em cargos importantes, ex-oficiais expurgados e em desgraça. Os acontecimentos também incitaram os generais de Stálin a se lançar em reformas militares radicais que esperavam que garantissem ao Exército Vermelho um melhor desempenho quando entrasse novamente em ação.[18]

Nesse meio-tempo, porém, o conflito na Finlândia e o fracasso anglo-francês em intervir voltaram a atenção de Hitler para a Noruega. Os portos costeiros do país poderiam ser bases vitais para as operações submarinas alemãs contra os britânicos. Também poderiam fornecer um canal essencial para a exportação do muito necessário ferro da neutra Suécia para a Alemanha, em especial durante o inverno, quando Narvik permanecia livre do gelo. A falta de qualquer perspectiva imediata de invadir a França e a evidente possibilidade de uma invasão antecipada dos britânicos tornou o ataque contra a Noruega da máxima urgência aos olhos de Hitler. O chefe da Marinha alemã, grande almirante Raeder, ciente das consequências do fracasso da Alemanha em controlar a costa noroeste europeia na Primeira Guerra Mundial, já estava pressionando Hitler a esse respeito em outubro de 1939. Para preparar o terreno, Raeder fez contato com o líder do Partido Fascista norueguês, Vidkun Quisling. Nascido em 1887, Quisling, filho de um pastor, havia saído da academia militar com as maiores notas já alcançadas e entrado para o Estado-Maior Geral aos 24 anos de idade. Em 1931-33, serviu como ministro de Defesa em um governo liderado pelo Partido Agrário, grupo nacionalista formado havia pouco para representar pequenas comunidades agrícolas do país de 3 milhões de pessoas. A rápida industrialização levara ao surgimento de um movimento operário radical pró-comunista nas cidades, que gerou grande alarme entre os camponeses. Àquela altura, Quisling proclamava abertamente a superioridade da raça nórdica e advertia sobre a ameaça do comunismo. Ele apresentou-se como defensor dos interesses do campesinato. Em março de 1933, quando o governo caiu, ele fundou seu movimento de unidade nacional, adornando-o com ideias como o princípio de liderança, emprestado do recém-empossado regime nazista da Alemanha.[19]

O movimento de Quisling não conseguiu nenhum avanço na década de 1930. Foi solapado pela volta dos social-democratas noruegueses a uma posição centrista, baseada na conciliação dos interesses de trabalhadores e camponeses. Isso levou os social-democratas à maioria parlamentar de 1936 em diante. Quisling retomou os contatos com os nazistas, visitando Hitler no começo de 1940 para tentar persuadi-lo a respaldar um golpe fascista liderado por ele mesmo. Os alemães mostraram-se céticos em vista da evidente falta de apoio de Quisling entre a população norueguesa. Entretanto, Quisling convenceu Hitler de que uma invasão aliada da Noruega era provável, e, dois dias depois do encontro, Hitler ordenou o início do planejamento de uma investida alemã. Quisling viajou a Copenhague em 4 de abril de 1940 e se reuniu com um oficial do Estado-Maior alemão, a quem forneceu detalhes dos preparativos defensivos da Noruega e indicou os melhores locais para invadir o país. Por mais desastrosa que fosse, a traição de Quisling se mostraria útil à propaganda aliada sob um aspecto: talvez porque seu nome fosse fácil de pronunciar, rapidamente tornou-se um termo popular para traidores de todos os tipos, substituindo o termo "quinta-coluna", mais pesadão, usado primeiro na Guerra Civil Espanhola, que os propagandistas britânicos achavam que a maioria das pessoas provavelmente já havia esquecido.[20]

Em 1º de março de 1940, Hitler emitiu uma ordem formal para a invasão (apelidada de Exercício Weser), que, por motivos geográficos óbvios, abrangeria não só a Noruega, mas também a Dinamarca. Deixando de lado a objeção de que noruegueses e dinamarqueses eram neutros e provavelmente assim permaneceriam, Hitler observou que seria necessária apenas uma força relativamente pequena em vista da fraqueza das defesas inimigas. Em 9 de abril de 1940, as forças alemãs cruzaram a fronteira da Dinamarca por terra a partir do sul às 5h25 da manhã, ao passo que um desembarque aéreo em Ålborg garantiu a principal base da Força Aérea dinamarquesa, e uma invasão por mar ocorreu em cinco diferentes pontos, inclusive Copenhague, cujos defensores foram apanhados totalmente de surpresa. O único problema ocorreu quando o encouraçado *Schleswig-Holstein* encalhou. Às 7h20, reconhecendo o inevitável, o governo dinamarquês ordenou o cessar da resistência. A invasão fora concluída com sucesso em menos de duas horas.[21] Na Noruega, porém, as forças invasoras depararam com resistência mais séria. Os navios de transporte alemães a caminho de Trondheim e Narvik deram jeito de se safar dos britânicos à espera, mas o mau tempo dispersou a frota acompanhante de catorze contratorpedeiros, dois encouraçados (*Scharnhorst* e *Gneisenau*) e um cruzador pesado, o *Admiral Hipper*. O encouraçado britânico *Renown* encontrou os dois encouraçados alemães e os avariou com gravidade suficiente para forçar sua retirada, mas o fato crítico era que os navios britânicos estavam longe demais da costa norueguesa para impedir a força alemã principal de entrar nos fiordes noruegueses. As baterias costeiras causaram algum estrago, e um cruzador pesado recém-lançado, o *Blücher*, foi afundado, mas isso não foi suficiente para impedir as tropas alemãs de tomar todas as principais cidades norueguesas, inclusive a capital. Mesmo assim, não foi um mar de rosas, e dois ataques da frota britânica afundaram dez contratorpedeiros alemães ancorados em Narvik e imediações em 10 e 13 de abril de 1940. Os alemães também perderam quinze embarcações de transporte, o que os forçou a usar uma frota de 270 navios mercantes para levar a força de apoio de 108 mil soldados e seus suprimentos através da Dinamarca, enquanto mais 30 mil eram levados de avião. Por causa da dependência do transporte aéreo e da falta de navios-transporte de tropas, a invasão inicial não teve condições de usar a força esmagadora de que realmente precisava. Combinados com as dificuldades do terreno basicamente montanhoso da Noruega, esses fatores deram aos noruegueses a chance de oferecer combate às forças invasoras alemãs.[22]

As dificuldades da invasão somaram-se à decisão de proclamar Quisling chefe de um novo governo pró-Alemanha tão logo Oslo foi ocupada em 9 de abril. Vários de seus antigos apoiadores, que Quisling nomeou como ministros, recusaram-se publicamente a se unir a ele, e o governo legítimo condenou sua ação de forma categórica. O rei conclamou a resistência a continuar e saiu de Oslo com o gabinete. Ele foi apoiado pelo Exército e pela grande massa do povo norueguês, ultrajados pela posse de um óbvio fantoche alemão que carecia de qualquer tipo de apoio eleitoral significativo. A proclamação de uma "revolução nacional" por Quisling no 1º de maio de 1940, quando tachou o rei e o governo de traidores que haviam se vendido aos judeus que dirigiam a Grã-Bretanha e consagrou o futuro da Noruega ao que chamou de "Comunidade Germânica de Destino", deparou com nada além de escárnio.[23] As tropas norueguesas desempenharam papel significativo no combate em torno de Narvik e em outros portos ocidentais no rastro da invasão alemã. As coisas com certeza não estavam saindo conforme o planejado pelos alemães. Mas eram ainda mais desastrosas para os britânicos. Em 14 e 17 de abril, as forças britânicas desembarcaram em dois pontos intermediários ao longo da costa, apoiadas por tropas da Legião Estrangeira francesa e algumas unidades polonesas. Mas houve uma confusão a respeito de para onde deveriam ir. Muitos soldados estavam parcamente equipados para combater no inverno e não tinham sapatos para a neve. Outros estavam tão sobrecarregados pelo equipamento de inverno que mal conseguiam se mexer. O fato de não terem apoio aéreo efetivo foi crucial. Os aviões alemães bombardearam sem piedade. Depois de muitos atrasos, os aliados ocuparam Narvik em 29 de maio de 1940, mas os reforços alemães enfim começaram a chegar, e um ataque de surpresa que afundou o porta-aviões britânico *Glorious* em 4 de junho, junto com todas as aeronaves a bordo, salientou as dificuldades da posição britânica. As forças aliadas ao sul de Narvik já haviam se retirado e, depois de destruir o porto, a força ocupante de Narvik também navegou para casa em 8 de junho de 1940. No dia anterior, o rei da Noruega e seu governo tinham ido para o exílio, deixando ordens para o cessar-fogo, mas ressaltando que o estado de guerra entre seu país e o Terceiro Reich continuaria até segunda ordem.[24]

A despeito das dificuldades encontradas, os alemães haviam triunfado em um inédito ataque coordenado por ar, mar e terra. Agora detinham uma ampla parte da costa noroeste do continente, onde estabeleceram uma série de bases navais importantes, em especial para os submarinos, tão vitais à interceptação dos suprimentos britânicos vindo da América. Não só as entregas de minério de ferro suecas para a Alemanha agora estavam garantidas, como a própria Suécia, ainda nominalmente neutra, fora efetivamente reduzida à posição de Estado-cliente alemão. Mesmo durante a campanha norueguesa, as autoridades suecas haviam permitido que suprimentos alemães fossem transportados através de território sueco; em seguida, também permitiram o trânsito de centenas de milhares de soldados alemães. Os estaleiros suecos construíram navios para a Marinha alemã, e a economia sueca tornou-se fonte de abastecimento de praticamente qualquer coisa que os alemães decidissem exigir, contanto que a tivesse. Por outro lado, o conjunto da operação aliada, conforme William L. Shirer anotou em seu diário, tinha sido um "descalabro". Os planos britânicos de colocar minas do lado de fora dos principais portos noruegueses foram repetidamente adiados até ser tarde demais. A coordenação entre o Exército britânico e a Marinha Real havia sido fraca. O planejamento militar havia sido confuso e inconsistente. As forças britânicas foram obrigadas a empreender uma retirada humilhante pouco depois de desembarcar. Em Narvik, haviam vacilado de modo fatal antes de avançar, renunciando com isso ao elemento surpresa e permitindo aos alemães trazer reforços. Nada disso pareceu um bom agouro para o futuro esforço de guerra britânico.[25] De fato, já em 21 de março de 1940, o oficial do Exército Hans Meier-Welcker anotou em seu diário um otimismo geral entre os alemães comuns de que a guerra terminaria no verão.[26]

As recriminações em Londres foram imediatas. Defendendo sua condução da guerra na Câmara dos Comuns, o primeiro-ministro Neville Chamberlain soou frouxo e inconvincente. O líder de oposição do Partido Trabalhista, Clement Attlee, foi direto ao ponto: "Não é apenas a Noruega", disse ele. "A Noruega surge como a culminação de muitos outros dissabores. O povo está dizendo que os maiores responsáveis pela condução dos assuntos são homens que tiveram uma carreira quase ininterrupta de fracassos. A Noruega veio depois da Tchecoslováquia e da Polônia. Por toda parte tem-se a história do 'tarde demais'." A avaliação tipicamente rude de Attlee a respeito da situação era compartilhada por muitos. O Partido Trabalhista, de oposição, decidiu forçar uma votação sobre o assunto. Dos 615 membros, 486 votaram; estimou-se que uns oitenta conservadores abstiveram-se, mantendo-se afastados do debate, ao passo que quarenta deles que estavam presentes votaram com a oposição. Um governo majoritário de 213 foi retalhado para oitenta. No dia seguinte, curvando-se ao inevitável, Chamberlain, um homem prostrado, decidiu renunciar. Em um ano, ele estaria morto.[27] O político considerado pela maioria como seu sucessor óbvio, o secretário de Relações

Exteriores, lorde Edward Halifax, membro da Câmara Alta, declinou do cargo por acertadamente considerar que seria impossível liderar o país da Câmara dos Lordes. A escolha, portanto, recaiu sobre Winston Churchill. Como primeiro lorde do almirantado, Churchill fora formalmente responsável pelo descalabro da Noruega, mas, apesar de ter tido de defender a posição do governo durante o debate crucial, ele escapou em grande parte das críticas por causa de uma sensação generalizada de que sua ousadia havia sido estropiada pela cautela dos outros. Com 65 anos de idade ao ser nomeado, Churchill tinha visto a ação na Guerra do Sudão no fim do século XIX e em 1914-18. Ocupara muitos cargos no governo ao longo dos anos, mas, na época da deflagração da Segunda Guerra Mundial, encontrava-se em plano secundário, posição em que estivera na maior parte da década, isolado do governo por causa da reputação de insubordinado e sobretudo pela crítica estridente ao Terceiro Reich e pela incansável defesa do rearmamento. Ele imediatamente ampliou o governo para uma unidade nacional. Sua mensagem à Câmara dos Comuns no primeiro discurso após a nomeação foi intransigente. A Grã-Bretanha, ele declarou, lutaria até o fim.[28]

IV

A investida alemã sobre a Dinamarca e a Noruega foi o prenúncio do lançamento de uma operação bem maior contra a França e os países do Benelux. Discutido por muitos meses, o plano inicial das Forças Armadas, bastante convencional, de um ataque de três pontas à França, à Bélgica e à Holanda, foi reduzido a um ataque de duas pontas, depois teve de ser reformado de novo, quando o plano caiu em mãos inimigas após a captura de um oficial do Estado-Maior que fez um pouso forçado na Bélgica e não conseguiu destruir os documentos antes de ser detido. Voltando à prancheta, Hitler começou a argumentar em favor de uma investida única, concentrada e de surpresa através de Ardenas, uma região montanhosa coberta de bosques e em geral considerada imprópria para tanques e, por conseguinte, defendida fracamente pelos franceses. A vantagem disso seria evitar o ataque aos posicionamentos defensivos pesados dos franceses na bem fortificada Linha Maginot, que se estendia por muitos quilômetros ao longo da fronteira franco-alemã. As dúvidas iniciais do alto comando do Exército foram superadas quando a detalhada defesa do novo plano improvisado do general Erich von Manstein foi confirmada por jogos de guerra e simulações executadas pelo Estado-Maior Geral. Oficial cuja ambição era tão irritante ao general Halder que este o fez ser transferido para tarefas de campo em Stettin, o general Manstein, nascido em 1887, era assistente próximo do general Gerd von Rundstedt, que liderou o planejamento da invasão da Polônia. Uma das metas secundárias do novo plano era dar ao Grupo de Exércitos do Sul de Rundstedt a parte mais importante na invasão da França. Reunido com Hitler em 17 de fevereiro de 1940, Manstein demonstrou que, com um planejamento cuidadoso, seria possível deslocar uma grande força motorizada por Ardenas. Tendo atravessado a área, o corpo principal das forças alemãs deveria rumar para o canal, interceptando as forças aliadas vindas do sul. Enquanto isso, outra força invasora mais ao norte entraria na Bélgica e na Holanda, levando os aliados a pensar erroneamente que era dali que provinha a principal investida. A força expedicionária britânica e o Exército francês seriam, assim, efetivamente cercados pelo norte e pelo sul e prensados contra o mar.[29]

No começo de maio, as chuvas haviam cessado, a campanha norueguesa estava aproximando-se claramente de um final vitorioso, e era chegada a hora. As tropas alemãs invadiram a Holanda em 10 de maio de 1940, e algumas delas foram lançadas de paraquedas, mas a maioria simplesmente cruzou a fronteira por terra com a Alemanha. O Exército holandês recuou, afastando-se das forças anglo-francesas ao sul. Com apenas oito divisões, não era páreo para o Exército alemão invasor tremendamente maior. Um bombardeio aéreo alemão sobre Roterdã em 14 de maio de 1940, destruindo o centro da cidade e matando muitas centenas de habitantes civis, persuadiu os holandeses de que, para evitar mais carnificina, era aconselhável render-se. Foi o que fizeram no dia seguinte. A rainha Guilhermina e o governo escaparam para Londres para continuar na luta do outro lado do canal. Ao mesmo tempo, paraquedistas e tropas especiais de planadores alemães apoderaram-se das pontes e das posições defensivas essenciais e garantiram as principais rotas para a Bélgica, onde as tropas de defesa, fracassando em coordenar suas ações com os britânicos e os franceses que avançavam para ajudá-las, foram rapidamente rechaçadas. A violenta investida foi súbita e aterrorizante. William L. Shirer ficou pasmo com a velocidade do avanço alemão. Entrando de carro no país com um grupo de repórteres, Shirer viu "trilhos de ferrovia arrancados e retorcidos por toda parte; vagões e locomotivas descarrilados" em volta da estação ferroviária pesadamente bombardeada na cidade de Tongres. "A cidade em si estava abandonada. Dois ou três cães famintos farejavam tristonhos pelas ruínas, ao que parece à procura de água, comida e de seus donos."[30]

Mais adiante, passaram por filas de refugiados arrastando-se pelas estradas, "mulheres velhas", conforme notou Shirer, "carregando um ou dois bebês em seus braços idosos, as mães carregando os pertences da família. Os de mais sorte traziam suas coisas equilibradas em bicicletas. Os poucos realmente sortudos, em carroças. Os rostos – atordoados, horrorizados, as linhas de expressão congeladas em dor e sofrimento, mas dignos". Chegando a Louvain, verificaram que a biblioteca da universidade, incendiada na Primeira Guerra Mundial por soldados alemães em um ato deliberado de represália devido à resistência enfrentada, e mais tarde reconstruída e reabastecida com a ajuda de verbas americanas, fora destruída outra vez. "O grande prédio da biblioteca", registrou Shirer em 20 de maio de 1940, "está completamente estraçalhado. As ruínas ainda fumegam". A máquina de propaganda de Goebbels apressou-se em afirmar que a biblioteca havia sido destruída pelos britânicos, mas o comandante alemão local, dando de ombros, contou a Shirer: "Houve uma batalha nessa cidade [...] Combate pesado nas ruas. Artilharia e bombas". Todos os livros haviam sido queimados, disse ele.[31] O avanço alemão continuou em meio a combate pesado. Com 22 divisões sob seu comando, o exército belga conseguiu oferecer uma resistência mais dura que os holandeses. Mas também foi sobrepujado. Em 28 de maio de 1940, o rei belga, Leopoldo III, sem consultar britânicos ou franceses, rendeu-se. Rejeitando o conselho de seu governo de seguir para o exílio em Londres, Leopoldo ficou. E foi mantido em confinamento pelos alemães pelo resto da guerra.[32]

A decisão do rei belga de se render foi fortemente influenciada pelos acontecimentos em curso mais ao sul. Em 10 de maio de 1940, ao mesmo tempo que tropas alemãs invadiam Bélgica e Holanda, uma grande força germânica começou a avançar em segredo por Ardenas. Os franceses sentiam-se confiantes na capacidade de fazer frente a uma invasão alemã. O rearmamento havia prosseguido em ritmo acelerado, e no início de 1940 os franceses dispunham de cerca de 3 mil tanques modernos e eficientes para confrontar uma força blindada alemã de cerca de 2,5 mil tanques de qualidade no geral inferior, e cerca de 11 mil peças de artilharia contra 7,4 mil dos alemães. No total, 93 divisões francesas e dez britânicas encararam um total de 93 divisões alemãs. Os franceses tinham 647 caças, 242 bombardeiros e 489 aviões de reconhecimento a seu dispor na França na primavera de 1940, e os britânicos contavam com 261 caças, 135 bombardeiros e sessenta aviões de reconhecimento, somando um total de quase 2 mil aeronaves; a Força Aérea alemã tinha cerca de 3.578 aviões de combate operacionais na ocasião; mesmo com as forças aéreas belgas e holandesas colocadas na balança, isso não bastava para sobrepujar os oponentes. Todavia, a despeito da recente entrega de quinhentas aeronaves americanas modernas, muitos dos aviões franceses eram obsoletos, e nem britânicos nem franceses tinham aprendido a usar seus aviões como apoio tático para forças em terra da forma como os alemães haviam feito na Polônia. O resultado foi que na Holanda, na Bélgica e na França, os caças de mergulho alemães conseguiram destruir as defesas antiaéreas do inimigo, danificar as comunicações inimigas e estabelecer sua superioridade no ar antes que as forças aéreas aliadas pudessem reagir. Além disso, os aliados mantinham muitas de suas aeronaves na reserva, enquanto a Força Aérea alemã lançou quase toda sua força operacional na peleja. Foi uma aposta ousada, na qual os alemães perderam nada menos que 347 aviões, incluindo a maioria dos transportadores de paraquedistas e planadores usados na Holanda e na Bélgica; mas foi uma aposta que teve um saldo espetacular.[33]

A inteligência francesa falhou por completo em prever como a invasão alemã aconteceria. Alguns preparativos foram notados, mas ninguém reuniu todas as informações em um quadro coerente, e os generais ainda presumiram que os planos capturados, àquela altura obsoletos, eram válidos. Recorrendo à experiência da Primeira Guerra Mundial, os militares franceses fracassaram em perceber o quão rápido e quão longe as divisões blindadas alemãs conseguiam deslocar-se. Desde o impasse na guerra de trincheiras de 1914-18, a chegada do poder aéreo e dos tanques havia transferido a vantagem das operações militares da defesa para o ataque, um fato que pouca gente do lado dos aliados acompanhou até a conclusão lógica. Situando-se muitos quilômetros atrás da linha de frente para obter uma visão geral melhor, os generais franceses sofreram com a comunicação insuficiente e foram lentos para reagir ao ritmo acelerado dos acontecimentos. Em breve, 57 divisões concentravam-se no norte para rechaçar a esperada invasão alemã que viria via Holanda e Bélgica. Mas as forças alemãs ali somavam apenas 29 divisões, e, enquanto os franceses dispuseram outras 36 divisões ao longo da Linha Maginot, os alemães confrontaram-nas com apenas dezenove divisões. A força alemã mais poderosa, com 45 divisões, incluindo muitas de suas forças mais bem treinadas e bem equipadas, focou-se na arremetida através de Ardenas. Não é de surpreender que pelo menos de início a defesa francesa no norte tenha aguentado firme, rechaçando os alemães na primeira batalha de tanques da história, em Hannur. Entretanto, a questão de verdade estava sendo decidida mais ao sul, onde o general Ewald von Kleist liderava 134 mil soldados, 1.222 tanques, 545 veículos semitratores blindados e quase 40 mil caminhões de carga e carros através dos estreitos vales de bosques de Ardenas no que foi chamado de "o maior engarrafamento de trânsito conhecido até então na Europa".[34]

O empreendimento foi extremamente arriscado. Não restou praticamente nenhum blindado alemão na reserva. O fracasso teria aberto a Alemanha para contra-ataques devastadores. Conforme Fedor von Bock, o hábil, ainda que conservador, general no comando do Grupo de Exércitos B ao norte, havia observado ao ficar sabendo da invasão planejada através de Ardenas, era claro que isso "deve dar errado, a menos que os franceses fiquem loucos".[35] Mas a sorte dos alemães manteve-se. Lenta e penosamente, quatro colunas vagarosas, cada uma com quase quatrocentos quilômetros de comprimento, rastejaram ao longo de estradas estreitas na direção do rio Meuse (Maas). Com frequência empacavam. Os controladores de tráfego voavam para cima e para baixo pelas colunas em aviões leves para identificar pontos onde havia ameaça de atravancamento geral. Os tanques dependiam dos postos de combustível montados pelas unidades avançadas em pontos previamente designados da rota. Todas as companhias e os motoristas deviam se movimentar por três dias e noites sem intervalo; unidades de combate de elite eram medicadas com anfetamina (apelidada de "chocolate panzer" pelos soldados) para se manter despertas. Vulneráveis e expostas, as colunas eram alvos fáceis para ataques aéreos aliados. Contudo, conseguiram safar-se porque os aliados fracassaram em reconhecê-las como a principal força alemã. Chegando ao rio Meuse em 13 de maio de 1940, as forças alemãs ficaram sob fogo na primeira tentativa francesa real de detê-las. Kleist convocou nada menos que mil aviões para bombardear as posições francesas, o que fizeram em ondas de ataques com duração de cerca de oito horas, forçando os franceses a buscar abrigo ou recuar, e abalando severamente seu moral. Centenas de botes de borracha foram lançados no rio pelos alemães, e os soldados desembarcaram do outro lado em três lugares, destruindo posições defensivas francesas e criando na margem esquerda uma cabeça de ponte grande o bastante para os engenheiros construírem uma ponte sobre a qual os tanques alemães puderam começar a atravessar.[36]

Esse foi o avanço crucial. É verdade que até esse ponto as forças alemãs ainda estavam vulneráveis a contra-ataque, mas os franceses de novo foram lentos demais para reagir, e mais uma vez foram surpreendidos quando, em vez de se voltarem para o leste para assaltar a Linha Maginot vindos de trás, conforme se esperava, os homens de Kleist viraram para oeste, no famoso "corte de foice" de Manstein, arquitetado para prensar as forças aliadas na Bélgica contra o Exército alemão invasor ao norte e juntamente empurrá-las para o mar. Quando chegaram ao Meuse, os tanques franceses foram claramente superados por seus congêneres alemães. Muitos ficaram sem gasolina. A maioria foi destruída. A aviação aliada estava distante, no centro e no norte da Bélgica, e quando enfim chegou encontrou alvos em solo difíceis de identificar com precisão. Também foi bem avariada pelo fogo antiaéreo alemão: os britânicos perderam 30 bombardeiros de uma força de 71. Enquanto isso, os tanques alemães imprimiram velocidade através da planície aberta. Em muitos casos, os comandantes alemães, arrebatados pelo ímpeto do ataque, avançaram mais longe e mais rapidamente do que seus superiores mais cautelosos pretendiam. Tropas francesas em marcha para o *front* se espantaram ao encontrar alemães tão a oeste. A liderança do Exército francês ficou desesperada. No quartel-general do Estado-Maior, os generais explodiram em lágrimas ao saber da velocidade e do sucesso do avanço alemão. Na manhã de 15 de maio de 1940, o primeiro-ministro francês, Paul Reynaud, telefonou para Churchill. "Fomos derrotados", disse ele. Ao se comprometer excessivamente na Bélgica, os franceses haviam ficado desprovidos de reservas para lançar na batalha. Em 16 de maio de 1940, Churchill chegou a Paris para uma

Mapa 6. A conquista alemã da Europa ocidental, 1940

conferência às pressas com os líderes franceses. "Completo abatimento estampado em cada rosto", ele relatou mais tarde. O comandante-chefe francês, general Maurice Gamelin, relatou em desespero que não podia fazer um contra-ataque: "Inferioridade em números, inferioridade em equipamento, inferioridade de método", disse ele, acompanhando suas palavras, conforme Churchill notou mais tarde, "com um dar de ombros desesperançado".[37]

Em 19 de maio de 1940, Reynaud exonerou Gamelin, cuja reputação de cauteloso havia se comprovado tão fatalmente merecida, e o substituiu pelo general Maxime Weygand, um veterano muito admirado da Primeira Guerra Mundial que se aposentara em 1935. Era tarde demais. No dia seguinte, os primeiros tanques alemães chegaram ao canal. Os exércitos aliados na Bélgica agora estavam cercados de divisões alemãs por três lados, com o mar no quarto lado. Weygand concluiu que o avanço *panzer* alemão podia ser rompido por um ataque simultâneo de norte e sul, mas logo ficou claro que a situação tornara-se tão caótica que era impossível uma ofensiva coordenada. Em reunião com o rei belga, Weygand concluiu acertadamente que Leopoldo já havia desistido de lutar. As comunicações entre britânicos e franceses foram efetivamente rompidas. Todas as tentativas de localizar o comandante-chefe britânico, lorde Gort, falharam.[38] O general francês no comando geral das forças do norte morreu em um acidente de carro e não foi possível achar um substituto satisfatório. O contra-ataque planejado afundou em meio a um redemoinho de recriminações. Os britânicos começaram a achar que os franceses eram incompetentes, e os franceses que os britânicos não eram confiáveis. As coisas só pioraram com a capitulação da Bélgica em 28 de maio. Dizem que, ao saber da notícia, Reynaud ficou "lívido de raiva", enquanto o primeiro-ministro britânico na Primeira Guerra Mundial, David Lloyd George, escreveu que seria árduo "encontrar um exemplo mais negro e mais sórdido de perfídia e pusilanimidade que o perpetrado pelo rei dos belgas". Enquanto o ataque *panzer* alemão de três pontas passava de roldão pelo norte e pelo oeste para encontrar as outras forças alemãs que avançavam através da Bélgica pelo leste, britânicos e franceses começaram a retroceder para o porto de Dunquerque.[39]

No dia da demissão de Gamelin, o governo britânico, antecipando esses acontecimentos, começou a reunir uma frota, que consistia de quase quaisquer barcos e navios que pudessem ser encontrados ao longo da costa inglesa e conseguissem chegar à região a tempo, para fazer a evacuação. Bombardeados e encurralados por caças de mergulho alemães, 860 embarcações, cerca de setecentas delas britânicas, abriram caminho até as praias de Dunquerque e retiraram quase 340 mil soldados para a Inglaterra. Quase 200 mil deles eram britânicos; o restante, na maioria franceses. Muitos menos teriam escapado caso Hitler não tivesse ordenado pessoalmente a parada do avanço alemão, convencido pela bazófia de Göring de que seus aviões liquidariam as tropas aliadas e aconselhado por Rundstedt a dar uma folga às tropas cansadas antes que se voltassem para o sul, rumo a Paris. Nem Brauchitsch, o chefe do Exército, nem Fedor von Bock, comandante do Grupo de Exércitos B, na frente norte, conseguiram entender aquilo. Bock disse a Brauchitsch que o ataque devia ser retomado com urgência, "do contrário pode acontecer de os ingleses conseguirem transportar o que quer que queiram, bem debaixo de nosso nariz, a partir de Dunquerque". Mas Hitler respaldou Rundstedt, vendo aí a chance de afirmar sua autoridade sobre os altos comandantes. Quando Brauchitsch persuadiu Hitler a retomar o ataque, a evacuação estava em andamento, e a resistência feroz das tropas de defesa foi demais para os alemães extenuados. "Em Dunquerque", anotou Bock com irritação evidente em 30 de maio de 1940,

> os ingleses continuam a partir, até mesmo da costa aberta! Quando enfim chegarmos lá, eles terão ido embora! A parada das unidades de tanque pela Liderança Suprema mostrou-se um erro grave! Continuamos atacando. O combate é árduo, os ingleses são rijos como couro, e minhas divisões estão exaustas.[40]

Quando a batalha aproximava-se do fim, Bock fez uma visita ao cenário. Ficou surpreso com a quantidade de *bunkers* de concreto e defesas de arame farpado que guardavam Dunquerque, e consternado com a qualidade do equipamento inimigo:

> A linha inglesa de retirada apresenta um aspecto indescritível. Quantidades de veículos, peças de artilharia, carros blindados e equipamento militar além da estimativa estão amontoados e metidos uns dentro dos

outros no menor espaço possível. Os ingleses tentaram queimar tudo, mas na pressa só o conseguiram aqui e ali. Eis aqui o *matériel* de um exército inteiro, tão incrivelmente bem equipado que nós, pobres diabos, só podemos olhar com inveja e assombro.[41]

Dois dias depois, Dunquerque enfim rendeu-se. Quarenta mil soldados que compunham a retaguarda, na maioria franceses, foram deixados para serem feitos prisioneiros. Weygand culpou os britânicos por deixar seus homens para trás, embora a evacuação de fato tenha continuado por dois dias depois de os últimos soldados britânicos terem deixado a praia. Em todo caso, a escolha dos franceses para compor a retaguarda era natural, dada a sua chegada relativamente tardia ao cenário. Não obstante, Weygand esbravejou amargamente diante da recusa de Churchill de mandar mais aeronaves ou soldados em defesa da França. Os britânicos, por sua vez, agora decididos a não comprometer a defesa das Ilhas Britânicas sacrificando mais de suas Forças Armadas ou aviões, desdenhavam dos generais e dos líderes políticos franceses, que consideravam emotivos demais, fracos e derrotistas. Generais britânicos não explodiam em lágrimas, por mais medonha que fosse a situação em que se achassem. As relações estavam se aproximando do fundo do poço. E não iriam se recuperar por algum tempo.[42]

Depois de se reagrupar, reparar e recuperar, os alemães começaram a avançar para o sul com cinquenta divisões de infantaria e dez divisões *panzer* reconhecidamente um tanto depauperadas. Havia no caminho quarenta divisões de infantaria e o que restava de três divisões blindadas francesas. Em 6 de junho de 1940, as forças alemãs cruzaram o Somme. Três dias depois, estavam em Rouen. O governo francês se transferira para uma série de castelos salpicados pela zona rural ao sul de Paris, onde as comunicações eram difíceis, os telefones em funcionamento, raros e viajar tornara-se quase impossível pelas infindáveis colunas de refugiados que agora atravancavam as vias expressas. Em 12 de junho de 1940, na primeira reunião desde que haviam deixado Paris, os chocados ministros foram informados por Weygand que mais resistência era inútil e estava na hora de pedir um armistício. Na visão de Weygand, os britânicos não seriam capazes de resistir a uma invasão alemã do Reino Unido, de modo que não fazia sentido transferir o governo francês para Londres. Além disso, a exemplo de um número crescente de outros generais, Weygand estava começando a achar que a culpa pela derrocada era dos políticos civis. Desse modo, era dever do Exército fazer uma paz honrosa com o inimigo. Só assim seria possível evitar a eclosão da anarquia e da revolução na França, como havia acontecido antes da derrota anterior para os alemães em 1870, e abrir a brecha para a regeneração moral do país. O herói da Batalha de Verdun na Primeira Guerra Mundial, o idoso marechal Philippe Pétain, fora trazido por Reynaud como uma figura militar de destaque, e ele agora apoiava essa ideia. "Não vou abandonar o solo francês", declarou Pétain, "e aceitarei o sofrimento que será imposto à pátria e a seus filhos. O renascimento francês será fruto desse sofrimento [...] A meu ver, o armistício é a condição necessária para a durabilidade da França eterna".[43]

Em 16 de junho de 1940, após o governo ter se reunido novamente em Bordeaux, Reynaud, isolado na oposição ao armistício, renunciou como primeiro-ministro. Foi substituído pelo próprio Pétain. Em 17 de junho de 1940, o novo líder francês anunciou na rádio estatal que era hora de parar o combate e promover a paz. Cerca de 120 mil soldados franceses tinham sido mortos ou dados como desaparecidos no conflito (ao lado de 10,5 mil holandeses e belgas e 5 mil britânicos), mostrando que muitos haviam lutado e desmentindo afirmações de que o orgulho nacional francês fora destruído pelos políticos da década de 1930. Mas, depois do anúncio de Pétain, muitos desistiram. Metade do 1,5 milhão de soldados franceses feitos prisioneiros pelos alemães renderam-se depois disso. Soldados que queriam continuar lutando, com frequência, eram fisicamente atacados por civis. Conservadores como Pétain, que abominavam as instituições democráticas da Terceira República, não viam por que afinal deveriam lutar até a morte para defendê-las. Muitos deles admiravam Hitler e queriam agarrar a oportunidade da derrota para recriar a França à imagem da Alemanha. Em breve teriam a oportunidade de fazê-lo.[44]

V

Enquanto isso, a França descambava para o caos quase total. Um vasto êxodo de refugiados atravessava o país de roldão rumo ao sul. Uma escritora russa emigrada, Irène Némirovski, que fugira da Revolução Bolchevique, indo para a França aos catorze anos de idade com o pai, um empresário judeu, descreveu vividamente "a multidão caótica arrastando-se pela poeira", os mais afortunados empurrando "carrinhos de mão, um carrinho de bebê, uma carroça montada com quatro pranchas de madeira fixadas em cima de rodas feitas de modo tosco, curvando-se sob o peso de sacolas, roupas esfarrapadas, crianças adormecidas".[45] Carros tentavam andar pelas estradas atravancadas, "explodindo de tanta bagagem e mobília, carrinhos de bebê e gaiolas, caixotes de embalagem e cestas de roupas, todos com um colchão bem preso na capota", parecendo "montanhas de frágeis andaimes". "Um rio infindável e lento fluía de Paris: carros, caminhões, carroças, bicicletas, junto com carruagens puxadas por cavalos de fazendeiros que haviam abandonado suas terras."[46] A velocidade e a escala da invasão alemã implicou que não houvesse planos oficiais de evacuação. A lembrança das atrocidades alemãs em 1914 e os rumores sobre o efeito aterrorizante dos bombardeios criaram uma histeria em massa. Cidades inteiras foram abandonadas; acredita-se que a população de Lille tenha caído de 200 mil para 20 mil em poucos dias; a de Chartres, de 23 mil para oitocentos. Saqueadores invadiam lojas e outros estabelecimentos e pegavam o que queriam. No sul, locais seguros incharam explosivamente de refugiados. Bordeaux, lar habitual de 300 mil habitantes, dobrou de população em poucas semanas, enquanto 150 mil pessoas apinharam-se em Pau, que normalmente abrigava apenas 30 mil. No total, acredita-se que entre 6 e 8 milhões de pessoas fugiram de sua casa durante a invasão. As estruturas sociais vergaram e desmoronaram sob o peso dos números. Apenas gradualmente as pessoas começaram a voltar para casa. A desmoralização teve um efeito devastador sobre o sistema político francês, que, conforme vimos, desmanchou-se sob a tensão.[47]

Portanto, quando os alemães entraram em Paris em 14 de junho de 1940, encontraram grandes partes da cidade desertas. Em vez da costumeira cacofonia das buzinas de carro, tudo que se conseguia ouvir era o mugido de um rebanho abandonado no centro da cidade por refugiados de passagem rumo à zona rural mais ao norte. Por toda parte da França aonde foram, as tropas alemãs saquearam as cidades e as aldeias abandonadas. "Está tudo em oferta aqui, como em uma grande loja de departamentos, mas sem custar nada", relatou, de Elbeuf, Hans Meier-Welcker em 12 de junho de 1940:

Os soldados vasculham tudo e pegam qualquer coisa que lhes agrade, se têm condições de levá-la. Retiram sacas inteiras de café dos caminhões de carga. Camisas, meias, cobertores, botas e inúmeras outras coisas estão por aí para se escolher. Coisas que de outro modo necessitariam de poupança cuidadosa aqui podem ser apanhadas na rua e no chão. Os soldados também estão se apoderando de transporte para eles. Por toda parte dá para ouvir o ronco de motores recém-ligados por motoristas que ainda precisam familiarizar-se com eles.[48]

A humilhação francesa parecia completa. Contudo, o pior estava por vir. Sob ordens pessoais de Hitler, o vagão particular do marechal Foch, comandante francês na Primeira Guerra Mundial, no qual fora assinado o armistício de 11 de novembro de 1918, foi apanhado em um museu e, depois que as paredes do museu foram derrubadas por uma equipe alemã de demolição, o vagão foi retirado e rebocado para o local que havia ocupado na floresta de Compiègne durante a assinatura do armistício. Enquanto os alemães chegavam, William L. Shirer observou o rosto de Hitler "transbordante de vingança" misturada com o triunfo visível em seu "passo ágil". Tomando o mesmo assento ocupado por Foch em 1918, Hitler posou para fotógrafos, depois foi embora desdenhosamente, deixando o restante da delegação, incluindo Hess, Göring, Ribbentrop e os líderes militares, para ler os termos e receber as assinaturas dos desalentados franceses.[49] De acordo com esse tratado, todos os combates cessaram na manhã de 24 de junho de 1940. A França foi dividida em duas, uma zona ocupada a norte e outra a oeste, com um Estado nominalmente autônomo a sul e a leste, governado da cidade balneária de Vichy pelo governo existente do marechal Pétain, cujas leis e decretos eram válidos em todo o país.[50]

As forças alemãs haviam realizado a maior operação de envolvimento militar da história. Nenhuma vitória subsequente seria tão grande ou tão barata em vidas alemãs, das quais menos de 50 mil foram perdidas (mortos ou desaparecidos). Foram feitos mais prisioneiros – quase 1,5 milhão – que em qualquer outra ação militar única da guerra. O sucesso persuadiu Hitler e os generais líderes de que tática semelhante renderia dividendos em ações futuras, notadamente no ano seguinte, na invasão da União Soviética.[51] A inimiga hereditária da Alemanha fora humilhada. O Tratado de Versalhes fora vingado.

Hitler ficou fora de si de exultação. Antes do raiar da manhã de 28 de junho de 1940, ele voou em segredo para Paris com seu arquiteto Albert Speer e o escultor Arno Breker para uma viagem turística inteiramente pessoal. Visitaram a Ópera, especialmente iluminada para o ocasião, a Torre Eiffel, que serviu de fundo para uma foto informal dos três homens tirada ao alvorecer, os Inválidos e o bairro artístico de Montmartre. "Ver Paris era o sonho de minha vida", Hitler contou a Speer. "Não posso dizer o quanto estou feliz por ter esse sonho realizado hoje." Satisfeito com a visita, ele revelou ao arquiteto que várias vezes havia pensado em reduzir a cidade a cinzas. Entretanto, disse ele mais tarde, depois que os grandiosos planos dos dois homens para a capital alemã tivessem transformado Berlim na nova cidade mundial da Germânia, "Paris será apenas uma sombra. Assim, por que haveríamos de destruí-la?".[52]

Hitler jamais voltou à capital francesa. O desfile da vitória ocorreria em casa. Em 6 de julho de 1940, imensas multidões rejubilantes alinharam-se nas ruas de Berlim, sobre as quais as pessoas haviam lançado milhares de buquês de flores ao longo da rota a ser percorrida pelo Líder desde a estação até a Chancelaria. Ao chegar lá, ele foi chamado repetidas vezes ao balcão para receber os aplausos dos milhares de pessoas reunidas abaixo. Conforme William L. Shirer notou, houve pouco entusiasmo quando a invasão da França foi anunciada. Nada de multidões reunidas diante da Chancelaria, como em geral acontecia quando ocorriam grandes eventos. "A maioria dos alemães que vi", registrou ele em 11 de maio de 1940, "está mergulhada em profunda depressão por causa da notícia".[53] Como em crises externas anteriores, houve ansiedade generalizada quanto ao resultado, corroborada pelo temor geral da possibilidade de bombardeios aliados sobre as cidades alemãs. Mas, também como nas ocasiões anteriores, o alívio pela facilidade com que Hitler havia alcançado seu objetivo fluiu com sentimentos de orgulho nacional em uma onda de euforia. Dessa vez bem maior que qualquer outra. Lore Walb, estudante de história de classe média, nascida em 1919 na Renânia e naquela época aluna na Universidade de Munique, teve uma reação típica. "Não é tremendamente maravilhoso?", perguntou retoricamente ao registrar as vitórias em seu diário em 21 de maio de 1940. Ela atribuiu tudo a Hitler, como muita gente fez: "Só agora podemos realmente avaliar a grandeza de nosso Líder. Ele provou seu talento como estadista,

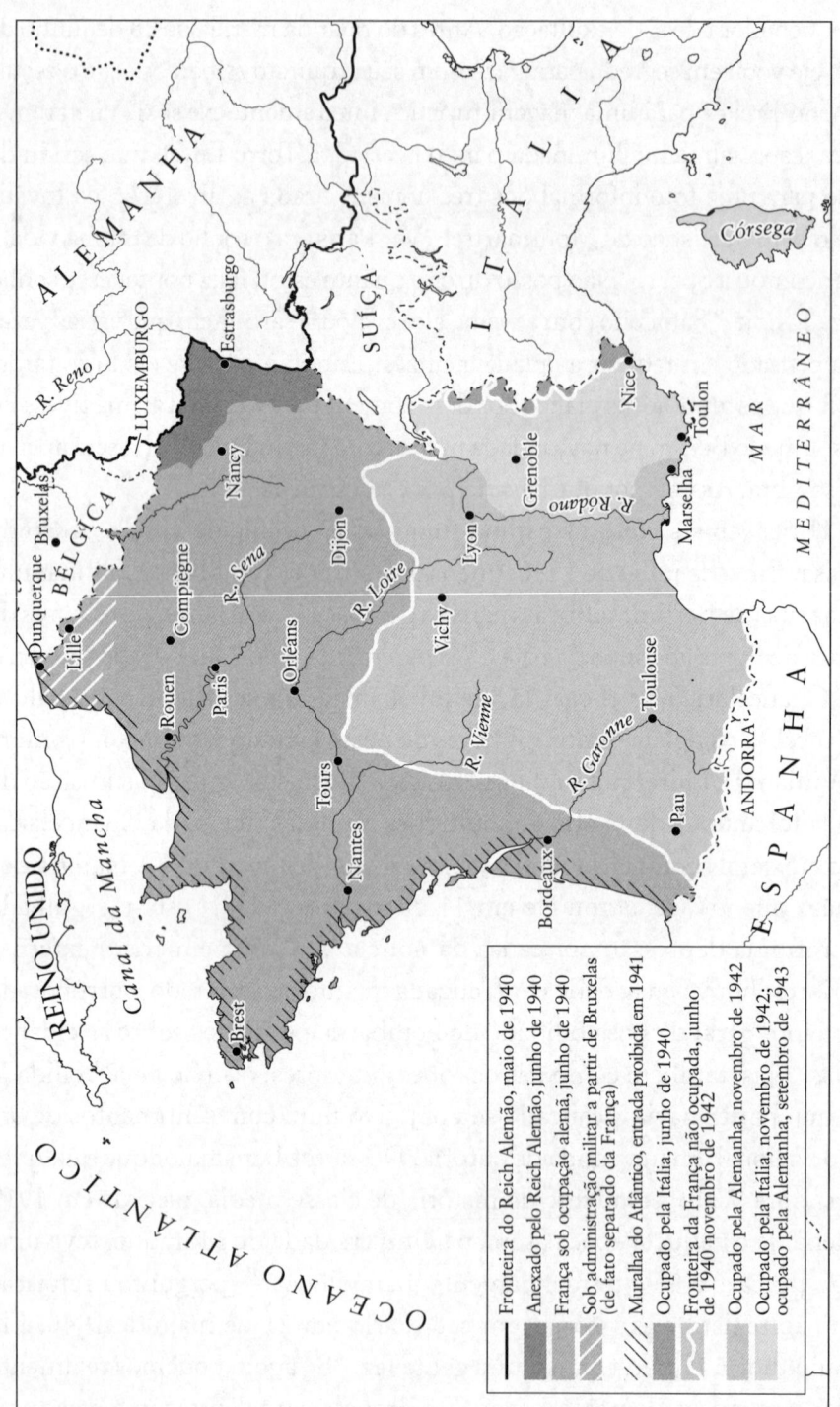

Mapa 7. A divisão da França, 1940

Legenda:
— Fronteira do Reich Alemão, maio de 1940
Anexado pelo Reich Alemão, junho de 1940
França sob ocupação alemã, junho de 1940
Sob administração militar a partir de Bruxelas (de fato separado da França)
Muralha do Atlântico, entrada proibida em 1941
Ocupado pela Itália, junho de 1940
Fronteira da França não ocupada, junho de 1940 novembro de 1942
Ocupado pela Alemanha, novembro de 1942
Ocupado pela Itália, novembro de 1942; ocupado pela Alemanha, setembro de 1943

mas seu talento como comandante militar não é menor [...] Com esse líder, a guerra não pode terminar para nós a não ser com vitória! Todo mundo está firmemente convencido disso".[54]

"A admiração pelos feitos dos soldados alemães não tem limites", relatou o Serviço de Segurança da SS em 23 de maio de 1940, "e agora é sentida até mesmo por pessoas que mantinham certa distância e ceticismo no começo da campanha".[55] A capitulação da Bélgica, prosseguiram os relatórios, "instigou o maior entusiasmo por toda parte", e a entrada das tropas alemãs em Paris "causou entusiasmo em todas as partes do Reich em um grau até então nunca visto. Houve demonstrações ruidosas de alegria e cenas emocionadas de entusiasmo em muitas praças de cidades e muitas ruas".[56] "O recente entusiasmo", registraram em 20 de junho de 1940, "propicia a cada vez a impressão de que não é possível entusiasmo maior, todavia, a cada novo acontecimento, a população concede à sua alegria uma expressão ainda mais intensa". O anúncio de Pétain de que a França estava jogando a toalha foi saudado por manifestações espontâneas nas praças de numerosas cidades alemãs. Veteranos da Primeira Guerra Mundial ficaram estupefatos com a velocidade da vitória. Mesmo aqueles contrários ao regime confessaram um sentimento de orgulho e relataram que a atmosfera geral de júbilo tornou impossível a continuação de suas atividades clandestinas de resistência.[57] O oficial católico Wilm Hosenfeld, tão crítico a respeito da política alemã na Polônia que escrevera para a esposa: "Às vezes tenho vergonha de ser um soldado alemão",[58] ficou extasiado com a notícia: "Garoto, ó garoto", escreveu ele para o filho em 11 de junho de 1940, "quem não ficaria feliz em fazer parte disso!".[59] Em Hamburgo, a professora conservadora Luise Solmitz compartilhou da euforia geral: "Um grande, grande dia para o povo alemão", escreveu em seu diário em 17 de junho de 1940 ao ouvir o anúncio de que Pétain estava pedindo paz. "Estamos todos radiantes de felicidade e entusiasmo." A vitória foi "uma virada inacreditavelmente grande da sorte nacional, a realização de sonhos nacionalistas há muito acalentados". Em comparação a isso, as inquietações diárias dos tempos de guerra, que haviam dominado seu diário até então, desvaneceram-se no plano de fundo. Apenas quando recordava as perseguições a que ela e seu marido judeu Friedrich eram submetidos, apesar de viverem no que era classificado de "casamento misto privilegiado", ela parava para pensar: "Os sucessos são tão tremendos que a sombra lançada por essa luz está se tornando cada vez mais escura e mais ameaçadora".[60]

VI

A conquista da França marcou o ponto mais alto da popularidade de Hitler na Alemanha entre 1933 e 1945. As pessoas agora esperavam confiantes que a Grã-Bretanha pedisse paz e a guerra estivesse acabada no fim do verão. Todavia, o problema sobre o que fazer a seguir não era simples. Além disso, a atitude de Hitler em relação aos britânicos era fundamentalmente ambivalente. Por um lado, ele admirava o império britânico, que nas décadas de 1930 e 1940 era o maior do mundo, ainda cobrindo uma enorme área do globo, e considerava os ingleses primos "anglo-saxões" dos alemães, que no fim seriam impelidos pela lógica do destino racial a fazer uma causa comum com eles. Por outro lado, Hitler percebeu que na política britânica havia forças poderosas que consideravam a Alemanha sob sua liderança uma grave ameaça ao império, que devia ser detida a qualquer custo. No setembro anterior, essas forças haviam incitado o primeiro-ministro Neville Chamberlain a declarar guerra à Alemanha logo após a invasão da Polônia. Hitler estava ciente de que várias figuras de liderança no Partido Conservador, notadamente o secretário de Relações Exteriores, lorde Halifax, ainda ansiavam por uma solução pacífica para o conflito, e esperava que ele, de algum modo, as persuadisse a começar a negociação de um tratado de paz. Na maior parte dos primeiros meses da guerra, a política de Hitler em relação à Grã-Bretanha vacilou entre agressão e conciliação. Mesmo depois de a nomeação de Churchill como primeiro-ministro tornar uma paz em separado muito menos provável, Hitler continuou a ter esperanças, ao mesmo tempo que preparava planos de invasão em caso de não ser bem-sucedido.[61]

Ribbentrop, o ministro de Relações Exteriores, era totalmente a favor da invasão. Após a Grã-Bretanha ser invadida e conquistada, ele imaginava a restauração do ex-rei Eduardo VIII, que fora forçado a abdicar em 1936 em favor do irmão mais moço depois de declarar a intenção de se casar com uma divorciada americana e tinha ido para o exílio com o título de duque de Windsor. O duque havia visitado a Alemanha não muito depois de renunciar ao trono e diz-se que cumprimentou os oficiais com uma versão modificada da saudação nazista. Em mais de uma ocasião, ele deixou claro que apreciava o que os nazistas estavam tentando fazer na Alemanha. Em 1940, dizia a qualquer um que quisesse ouvir que a Grã-Bretanha havia praticamente perdido a guerra e que estava na hora de fazer a paz com os nazistas. No começo do verão de 1940, o duque e sua esposa residiam em Portugal, e Ribbentrop encarregou Walter Schellenberg, o oficial de inteligência da SS que já se sobressaíra no caso Venlo, de sequestrá-los e levá-los para a Alemanha via Espanha. Em busca de suas próprias metas, Ribbentrop também achou que o sequestro do duque de Windsor dificultaria uma paz com a Grã-Bretanha. A trama nazista dependia de persuadir o casal de que eles corriam o risco de ser sequestrados e quem sabe assassinados por agentes secretos britânicos para impedir que caíssem em mãos alemãs. Fascistas espanhóis foram recrutados pelas costas do governo neutro de Franco – que teria ficado consternado com o dano causado nas relações com a Grã-Bretanha – para raptar os Windsor quando eles cruzassem a fronteira. No entanto, o complô inevitavelmente acabou enredado nas teias da política de poder interno nazista, e nem Schellenberg nem ninguém mais tentou com afinco fazer que desse certo, pois produziria um importante triunfo para o odiado Ribbentrop. Os Windsor, por fim, afundaram o complô ao aceder à sugestão de Churchill de que o duque deveria ir para as Bahamas como governador-geral das ilhas. Isso colocaria ele e sua esposa a milhares de quilômetros de intrigas daquele tipo. O superior de Schellenberg, Reinhard Heydrich, congratulou o jovem oficial da inteligência por manejar a incumbência de Ribbentrop com a exata mistura de entusiasmo aparente e incompetência prática.[62]

Nesse meio-tempo, Hitler estivera consultando seus chefes do Exército e da Marinha sobre as questões práticas da invasão. A frota alemã sofrera pesadas perdas na campanha norueguesa. Três cruzadores e dez contratorpedeiros haviam sido afundados, e dois cruzadores pesados e um encouraçado sofreram severos danos e estavam fora de combate. No verão de 1940, o almirante Raeder dispunha apenas de um cruzador pesado, dois cruzadores leves e quatro contratorpedeiros sob seu comando. Era uma força lamentavelmente inadequada para tentar conquistar o controle de um canal inglês protegido por cinco encouraçados da Marinha Real, onze cruzadores e trinta contratorpedeiros, respaldados por outra importante força naval que podia navegar de Gibraltar a qualquer momento.[63] Além disso, os alemães haviam fracassado em adicionar a frota francesa à sua força naval depois da capitulação da França. Em 3 de julho de 1940, em uma manobra audaciosa que ultrajou ainda mais a opinião francesa, navios britânicos atacaram a base naval da França em Mers-el-Kébir, perto de Oran, na Argélia, de controle francês, danificando vários navios de batalha e matando 1.250 marinheiros franceses a fim de impedir que a Marinha da França caísse em mãos alemãs. Em consequência, Raeder ficou com uma quantidade por demais escassa de navios de guerra à sua disposição. Desse modo, seria necessário no mínimo obter completa superioridade aérea sobre o canal inglês, destruindo a Real Força Aérea. Só assim o obstáculo potencial colocado pela predominância naval britânica poderia ser mais ou menos neutralizado.[64]

Depois de muita deliberação, Hitler assinou uma diretiva em 16 de julho para uma invasão, mas apenas "em caso de necessidade", e três dias depois, em uma ocasião cuidadosamente encenada no Reichstag, renovou a oferta anterior de paz aos britânicos. Entretanto, os termos em que a oferta foi formulada eram tão vagos que foi rejeitada pelo governo de Churchill uma hora depois. Ouvindo a notícia da rejeição britânica da oferta com um grupo de oficiais militares e civis, William L. Shirer ficou impressionado com a consternação que o anúncio provocou. Ele anotou que os oficiais "não podiam acreditar no que ouviam. Um deles gritou para mim: 'Dá para entender? Dá para entender esses tolos britânicos? Recusar a paz agora?'". "Os alemães com quem conversei", comentou Shirer no dia seguinte, "simplesmente não conseguem entender. Eles queriam paz. Não queriam outro inverno como o último. Eles não têm nada contra os britânicos [...] Pensam que também podem derrotar a Grã-Bretanha caso se chegue ao confronto. Mas prefeririam a paz".[65] Entre alguns alemães, a recusa britânica de buscar a paz desencadeou amargos sentimentos de ódio e vingança, nascidos da decepção com o fato de que a guerra, no fim das contas, não iria acabar. "Nunca tive sentimentos terríveis de ódio", escreveu a estudante Lore Walb em seu diário em 17 de junho de 1940, "mas uma coisa eu quero: dessa vez o Líder não deve ser tão humano, e deve dar uma lição de verdade nos ingleses – pois apenas eles são responsáveis por todo o infortúnio e desgraça em que tantos povos mergulharam".[66]

Hitler ainda esperava que Churchill fosse derrubado pelos defensores em seu próprio governo de uma paz em separado. Na realidade, porém, não havia chance de isso acontecer. Não só Churchill, mas também seu gabinete, sabia que uma paz com a Alemanha agora dominante na Europa ocidental abriria caminho para um aumento da interferência alemã nos assuntos domésticos da Grã-Bretanha, demandas crescentes para uma política mais dura em relação aos judeus, respaldo alemão ao potencial equivalente britânico de Quisling, o político fascista *Sir* Oswald Mosley, e, a longo prazo, o solapamento e a destruição da independência britânica, especialmente se nesse ínterim a Alemanha conquistasse a União Soviética. As ofertas de paz de Hitler haviam provado repetidamente não trazer "paz para o nosso tempo", mas apenas demandas adicionais, conforme mostrara a experiência da Tchecoslováquia, e em julho de 1940 poucos políticos britânicos tinham quaisquer ilusões a respeito desse fato.[67]

Portanto, com uma relutância que ficou óbvia para sua *entourage*, Hitler começou os preparativos para a invasão da Grã-Bretanha. O planejamento para a Operação Leão-Marinho tivera início no inverno anterior. Uma frota de 2 mil barcaças pluviais de fundo achatado foi reunida nos portos do canal da Mancha e do mar do Norte (a maioria delas totalmente imprópria para atravessar o mar, exceto em condições de calmaria absoluta), foram realizadas manobras de desembarque e colocados sinais ao longo da costa do canal mostrando aos soldados o caminho para os pontos de embarque.[68] Walter Schellenberg havia preparado um manual para soldados e oficiais alemães, uma espécie de guia com informações sobre as instituições britânicas que iriam encontrar.[69] Figuras seniores das Forças Armadas estavam céticas. A Marinha, avisou Raeder, não estaria pronta pelo menos até meados de setembro, mas o melhor curso de ação seria esperar até maio seguinte. O chefe do Estado-Maior Geral, Franz Halder, debateu interminavelmente com os planejadores navais sobre o melhor local para o desembarque. Enquanto o Exército queria desembarcar em uma frente ampla, de modo que maximizasse a vantagem militar, a Marinha queria desembarcar em uma frente estreita, de modo que minimizasse o perigo de ataque da Marinha Real. Mas, de qualquer forma, a fim de abrir caminho para a invasão, as defesas aéreas britânicas deveriam ser destruídas. Em 1º de agosto, portanto, Hitler assinou a ordem para o lançamento de ataques aéreos contra a Grã-Bretanha. Os acontecimentos na Noruega e na França haviam dado a Hitler a confiança de que uma invasão mista por ar e mar em princípio era viável, desde que seus aviões tivessem domínio incontestável dos céus. O controle naval britânico do canal da Mancha e do mar do Norte poderia oferecer um obstáculo de um tipo não encontrado em uma invasão por terra, mas, sem aeronaves para protegê-los, os navios da Marinha Real com certeza seriam presa fácil para os caças de mergulho alemães.[70]

Os aviões alemães já haviam bombardeado alvos britânicos em pequena escala de 5-6 de junho em diante; os ataques ficaram mais pesados a partir de 10 de julho, e intensos depois de 18 de agosto de 1940. Embora houvesse ataques aéreos esparsos sobre um grande número de cidades e vilas, a carga principal do ataque da metade de agosto em diante foi contra os campos de aviação do Comando de Caça da Real Força Aérea. Ao contrário do mito britânico sobre "os poucos", as duas forças estavam equilibradas: em meados de agosto de 1940, havia 1.379 pilotos de caça britânicos em estado de prontidão operacional contra cerca de 870 pilotos alemães, embora os pilotos britânicos estivessem estacionados por todo o país, ao passo que os alemães concentravam-se ao longo da costa do canal. Os bombardeiros alemães dependiam dos caças para a proteção e estavam mal equipados para se esquivar e abater os caças britânicos enviados para interceptá-los. Os britânicos empregaram dois dos mais velozes e mais avançados caças do mundo, o Hurricane e o Spitfire, que haviam sido e estavam sendo produzidos em massa e em velocidade vertiginosa para fortalecer as defesas britânicas. Eles foram para o ar bem antes de a força alemã de ataque chegar, graças à invenção e à utilização do radar, inicialmente desenvolvido em 1935, à interceptação de mensagens de rádio alemãs pelos britânicos e aos milhares de observadores estacionados ao longo da costa do canal. Por conseguinte, os aviões alemães jamais chegaram a tempo de pegar os caças britânicos em terra.[71]

Enquanto os céus sobre o sudeste da Inglaterra começavam a ser entrecortados pelos rastros brilhantes de vapor branco dos combates aéreos, aos poucos foi ficando claro que os alemães não atingiriam sua meta. Embora o principal avião de combate alemão, o Messerschmitt Me109, talvez fosse melhor que seus equivalentes britânicos em alturas acima de 6 mil metros, perdia sua vantagem porque tinha de proteger os bombardeiros permanecendo em altitudes menores, onde o Spitfire e o Hurricane eram mais manobráveis e podiam dar a volta e se inclinar de lado mais rapidamente. O Messerschmitt Me110, um caça pesado planejado para acompanhar os esquadrões de bombardeiros, era ainda menos capaz de escapar dos ataques dos velozes caças britânicos. A Força Aérea alemã em geral também foi construída para dar apoio de perto às forças em terra e achou difícil adaptar-se para proteger esquadrões de bombardeiros no ar. Bases aéreas tinham sido improvisadas às pressas nas áreas recém-conquistadas do norte da França; era difícil organizar os suprimentos e os consertos com frequência demoravam demais. Não havia diferença em habilidade ou padrões entre os pilotos de caça das duas forças, mas ambas estavam com relativa escassez de oferta. Entretanto, enquanto muitos pilotos britânicos cujos aviões eram abatidos conseguiam saltar a salvo de paraquedas em solo britânico e voltar à peleja mais adiante, a mesma situação, obviamente, não era verdade para seus pares alemães. O resultado da batalha pode ser lido pelo número de baixas: quase novecentos aviões alemães, inclusive pelo menos 443 caças, abatidos entre 8 e 31 de agosto de 1940, contra 444 aviões britânicos no período ligeiramente maior de 6 de agosto a 2 de setembro. Os britânicos não tiveram dificuldade para se ressarcir das perdas, com 738 Hurricanes e Spitfires operacionais em 6 de setembro de 1940, contra 672 em 23 de agosto. No início de setembro, os britânicos tinham mais que o dobro de pilotos prontos para voar que os alemães.[72] Crucialmente também, a produção alemã de aeronaves, a essa altura, estava ficando muito para trás da britânica. Logo depois da anexação alemã da Áustria, em abril de 1938, o governo britânico havia levado a cabo uma tremenda aceleração com o objetivo de construir 12 mil novas aeronaves de combate nos dois anos seguintes. Na segunda metade de 1940, os britânicos estavam produzindo duas vezes mais aviões de caça que os alemães.[73]

Contudo, os comandantes alemães da Força Aérea, em particular os dois envolvidos mais de perto, o marechal de campo Albert Kesselring e o ex-chefe da Legião Condor na Espanha, marechal de campo Hugo Sperrle, receberam informações secretas muito diferentes sobre o resultado da batalha. De acordo com as informações passadas a eles, 50% de todos os caças britânicos haviam sido perdidos, contra apenas 12% dos alemães, isto é, 791 aviões contra 169. Muitos pilotos alemães acreditaram que tinham vencido. Já em 17 de agosto de 1940, William L. Shirer, ao encontrar um piloto de caça Messerschmitt em um café belga – que, avaliou ele, não se tratava de um sujeito inerentemente fanfarrão –, ficou impressionado quando o rapaz disse calmamente: "É questão de mais umas duas semanas, sabe, até liquidarmos com a RAF. Em 15 dias, os britânicos não terão mais aviões".[74] Ulrich Steinhilfer, um jovem piloto de Me109, escreveu para a mãe com entusiasmo desenfreado a respeito de suas missões. Em 19 de agosto de 1940, ao atacar um campo de aviação em Manston, ele contou: "Mirei um tanque de combustível que estava abastecendo um Spitfire, depois outros dois Spitfires, um atrás do outro. O tanque explodiu e tudo começou a queimar ao redor. Meus outros dois Spitfires começaram a queimar sozinhos. Só agora percebo quanto poder é dado a um piloto com essas quatro armas".[75] No último dia de agosto, seu otimismo seguia irredutível. "Uma das missões de hoje", escreveu ele para a mãe, "foi um ataque ao solo em Detling, com duas sessões de intenso combate aéreo. Nosso esquadrão pegou três sem perdas, e o escore do grupo foi dez. É assim que a coisa vai prosseguir com nossa experiência e habilidade em combate aumentando. Tally-Ho!"[76]

Tal otimismo foi aceito sem questionamento em Berlim. Portanto, no início de setembro, pensou-se que chegara a hora de lançar a fase seguinte do ataque, isto é, a destruição da indústria, do transporte e do moral britânicos pelo bombardeio em massa das principais cidades britânicas. Bombardeios de surpresa desse tipo já haviam começado, embora não de forma coordenada, e um ataque ao East End de Londres em 24 de agosto de 1940 havia incitado a Real Força Aérea a lançar um contra-ataque sobre Berlim na noite seguinte. Embora não muito eficiente em poder destrutivo, o ataque causou assombro na capital alemã e ultrajou Hitler, que declarou em um encontro público realizado no Palácio de Esportes de Berlim em 4 de setembro de 1940 que, se a Real Força Aérea lançasse alguns milhares de quilos de bombas sobre as cidades alemãs, "então lançaremos [...] um milhão de quilos em uma só noite. E, caso declarem que irão aumentar imensamente seus ataques sobre nossas cidades, então iremos extinguir as cidades deles!".[77] Contudo, nem as incursões britânicas nem as alemãs nesse estágio da guerra eram o que Hitler chamou de "ataques de terror" em 1º de agosto. Ele referiu-se a essa tática apenas para insistir que não deveria ser empregada exceto sob suas ordens explícitas, que de fato ele não emitiu até 4 de abril de 1942, após o primeiro ataque aéreo britânico importante sobre um alvo não militar, a cidade de Lübeck, no norte alemão.[78]

Dissessem o que dissessem os propagandistas, as tripulações aéreas de ambos os lados tinham ordens de só soltar bombas quando pudessem ver um alvo apropriado de importância econômica ou militar – por exemplo, as docas de Londres. Na prática, é claro que tais instruções não eram muito realistas, dada a impossibilidade de exatidão com o equipamento de bombardeio da época. Além disso, o bombardeio de Londres havia começado quase quinze dias antes do discurso de Hitler em 4 de setembro. O diferente agora eram a frequência e a intensidade das incursões. Em 7 de setembro, 350 bombardeiros atacaram as docas de Londres à luz do dia, causando estragos maciços. Tanto os bombardeiros quanto os esquadrões acompanhantes de caças tinham de voar em altitude elevada para evitar o fogo antiaéreo, de modo que os britânicos recuaram seus esquadrões de caças dos campos de aviação costeiros para o oeste a fim de ganhar tempo para entrar em formação e mantiveram uma escala permanente de patrulhas aéreas em antecipação às incursões alemãs. Enquanto subiam, os pilotos britânicos forneciam estimativas falsas de sua altitude pelo rádio para induzir os pilotos de caça alemães a permanecerem relativamente baixo. Tudo isso reduziu as perdas britânicas, ao passo que os alemães logo foram forçados a executar ataques basicamente à noite para tentar minimizar as suas. Entre 7 de setembro e 5 de outubro de 1940, a Força Aérea alemã executou 35 raides de larga escala, dezoito deles sobre Londres. Apenas na semana de 7 a 15 de setembro, 298 aeronaves alemãs foram abatidas, contra 120 britânicas. Em 15 de setembro, mais de duzentos bombardeiros atacaram Londres, acompanhados por uma substancial escolta de caças; 158 bombardeiros chegaram ao alvo, alguns foram abatidos antes de alcançar a cidade, outros foram forçados a voltar por algum motivo. Trezentos Hurricanes e Spitfires travaram combate com eles sobre a cidade, derrubando 34 bombardeiros e 26 caças e danificando muitos mais.[79]

O Junkers 88, esteio da força de bombardeio alemã, era lento, pequeno demais para carregar uma carga de explosivos realmente efetiva e carecia de capacidade defensiva e de manobra para rechaçar os caças britânicos. Outros bombardeiros, como o Heinkel 111 e o Dornier 17, não apenas eram relativamente pequenos, como também antiquados sob muitos aspectos; na verdade, estavam sendo substituídos pelo Junkers 88 ao longo do tempo, a despeito dos defeitos deste. A força de bombardeio alemã era simplesmente inadequada para cumprir sua tarefa. Um quarto dos duzentos bombardeiros originais não voltou do raide de 15 de setembro. Perdas em uma escala dessas eram insustentáveis.[80] Caças e especialmente pilotos estavam cada vez mais escassos. Escoltando um "grande raide" sobre Londres em 17 de setembro, Ulrich Steinhilfer, em um novo e melhorado Me109, deparou com "uma oposição de caças espantosamente forte".[81] Em 29 de setembro de 1940, "quando chegamos a Londres e o combate começou, de repente verifiquei que havia apenas cinco aeronaves de nosso esquadrão comigo e uns trinta a cinquenta Spitfires contra nós". Ele só escapou porque os caças britânicos foram embora para atacar um alvo mais importante. Em outubro, ele dizia ao pai que em seu grupo "só restavam doze da antiga tripulação"; não podiam levar os inexperientes recém-chegados para a batalha por medo de perdê-los, e havia um novo tipo de Spitfire tão veloz que "nosso Me mal consegue acompanhá-lo [...] não se fala mais de superioridade absoluta".[82] "A liderança de nossa Força Aérea", anotou o chefe do Estado-Maior Geral do Exército, general Franz Halder, após um relatório da situação em 7 de outubro de 1940, "subestimou os caças britânicos em cerca de 100% [...] Precisamos de quatro vezes mais para derrotar os ingleses".[83] Àquela altura, Steinhilfer havia sido derrubado, ejetando-se em 27 de outubro de 1940 para passar o resto da guerra em cativeiro, com a batalha de caças efetivamente perdida.

Em 14 de setembro de 1940, véspera da data original para o lançamento da Operação Leão-Marinho, de invasão da Grã-Bretanha, Hitler convocou uma reunião dos líderes das Forças Armadas para admitir que, "no geral, a despeito de todos os nossos sucessos, as pré-condições necessárias para a Leão-Marinho ainda não existem [...] Um desembarque bem-sucedido significa vitória; mas requer domínio total do ar", e isso não havia sido obtido. A Operação Leão-Marinho foi adiada por prazo indefinido.[84] Hitler foi persuadido por Raeder a prosseguir com os raides noturnos, em especial sobre Londres, para destruir a infraestrutura militar e econômica da cidade. Os raides também eram cada vez mais justificados por seu impacto sobre o moral civil. A decisão foi saudada por muitos na Alemanha. "A guerra de aniquilação contra a Inglaterra agora começou realmente", escreveu Lore Walb com satisfação em seu diário em 10 de setembro de 1940: "Rezo a Deus para que eles fiquem de joelhos em breve!".[85] Em Londres, essa "guerra de aniquilação" era conhecida como "a Blitz". No total, uns 40 mil civis britânicos foram mortos durante a Batalha da Grã-Bretanha e a Blitz. Mas o moral não se abateu. Uma nova manobra alemã de enviar caças e caças-bombardeiros voando a elevadas altitudes – 235 desses raides foram levados a cabo apenas em outubro de 1940 – foi planejada para exaurir tanto o moral civil como o contingente de caças britânicos. Em outubro de 1940, cerca de 146 Spitfires e Hurricanes foram extraviados. Mas a Real Força Aérea adaptou sua tática montando patrulhas em voos elevados, e no mesmo mês os alemães perderam outras 365 aeronaves, na maioria bombardeiros. Em novembro, um raide com uma frota de quase 450 bombardeiros sobre a cidade de Coventry, no interior, destruiu todo o centro da cidade, inclusive a catedral medieval, matando 380 civis e ferindo 865; o serviço secreto britânico fracassou em antecipar o raide, e a cidade foi efetivamente deixada sem proteção.[86]

Mas esse foi um erro raro. Na maior parte das vezes, os bombardeiros alemães encontraram resistência pesada e bem preparada. Concluindo que tais ataques rendiam pouco, Raeder persuadiu Hitler a voltar a campanha de bombardeio para os portos da Grã-Bretanha a partir de 19 de fevereiro de 1941, mas, enquanto muitos raides eram montados, as defesas noturnas da Grã-Bretanha rapidamente tornaram-se eficientes ali também, à medida que radares e armas controladas por radar entraram em operação. Em maio de 1941, os raides estavam sendo reduzidos. O moral civil britânico, ainda que estremecido durante a fase inicial da campanha de bombardeio, não havia entrado em colapso. Churchill não ficara sob nenhuma pressão doméstica significativa para pedir paz. A produção britânica de aeronaves não foi seriamente afetada. Seiscentos bombardeiros alemães haviam sido derrubados. Os alemães comuns começaram a ficar temerosos a respeito do resultado do conflito. "Pela primeira vez desde que a guerra teve início", escreveu Lore Walb em seu diário em 3 de outubro de 1940, "meu otimismo constante começou a vacilar. Não estamos fazendo progresso contra a Inglaterra".[87] E, em dezembro de 1940, Hans Meier-Welcker foi forçado a concluir privadamente, como muitos outros já tinham feito, que não havia sinal de "um colapso do moral entre o povo inglês".[88] Pela primeira vez, Hitler perdera uma batalha importante. As consequências seriam de longo alcance.[89]

"Ambição patológica"

I

Ao ficar claro que a Força Aérea alemã não conquistaria o domínio dos céus entre a Grã-Bretanha e o continente, Hitler esquadrinhou métodos alternativos para colocar os teimosos britânicos de joelhos. Sua atenção voltou-se para o Mediterrâneo. Talvez fosse possível aliciar a Itália, a França de Vichy e a Espanha para a destruição do poder marítimo britânico e das bases navais britânicas ali. Mas uma série de reuniões ocorridas no fim de outubro nada produziu de valor concreto. O astuto líder espanhol, general Franco, embora agradecesse a Hitler pelo apoio na Guerra Civil Espanhola, não fez nenhuma promessa, dizendo apenas que entraria na guerra ao lado da Alemanha quando lhe aprouvesse. Na sua opinião, a guerra ainda não estava decidida, e ele escarneceu abertamente da crença alemã de que a Grã-Bretanha seria derrotada em breve. Mesmo que houvesse uma invasão bem-sucedida, disse ele, o governo de Churchill bateria em retirada para o Canadá e continuaria a lutar de lá com a ajuda da Marinha Real. Além disso, era bem possível que os Estados Unidos apoiassem Churchill; de fato, já em 3 de setembro de 1940, o presidente americano Franklin D. Roosevelt havia assinado um acordo arrendando cinquenta contratorpedeiros para a Marinha britânica. Dada sua relutância em forçar a França de Vichy a entregar qualquer um de seus territórios no norte da África para os espanhóis, Hitler tinha pouco ou nada de valor para oferecer a Franco em troca de sua entrada na guerra, e o ditador espanhol sabia disso. "Essa gente é intolerável", declarou Franco a seu ministro de Relações Exteriores depois do encontro. "Querem que entremos na guerra em troca de nada."[90] O encontro foi suspenso sem nenhum resultado concreto. Um Ribbentrop furioso vociferou contra Franco, um "covarde ingrato", cuja recusa em ajudar era um agradecimento parco pelo auxílio dado a ele pela Alemanha na Guerra Civil Espanhola, enquanto Hitler dizia a Mussolini, poucos dias depois, que preferiria "arrancar três ou quatro dentes" do que enfrentar outras nove horas de negociação com o ditador espanhol.[91]

Hitler saiu-se um pouco melhor com o marechal Pétain e seu primeiro-ministro, Pierre Laval, que queriam uma promessa sólida de novo território colonial para o regime de Vichy em troca do apoio francês ao ataque à Grã-Bretanha. O encontro terminou sem nenhum dos lados prometer qualquer coisa. Pior ainda era a situação na Itália. O ditador fascista Benito Mussolini havia chegado mais perto da órbita alemã no fim da década de 1930, mas permanecera fora da guerra quando esta começou, em setembro de 1939. Entretanto, sua ambição de criar um novo império romano no Mediterrâneo ganhara força desde a derrota e a anexação da Etiópia em 1936 e da participação bem-sucedida ao lado de Franco na Guerra Civil da Espanha de 1936 a 1939. A essa altura, Mussolini havia começado a emular Hitler, introduzindo legislação racial no estilo alemão no fim do outono de 1938.[92] Tendo iniciado carreira como professor de Hitler, Mussolini começava a se tornar aluno dele. Cada sucesso da política externa alemã ameaçava colocar o fascismo italiano ainda mais à sombra. Portanto, logo após a ocupação alemã do que restou da Tchecoslováquia em março de 1939, Mussolini invadiu a Albânia, já governada pela Itália dos bastidores, mas nunca anexada formalmente. Mais uma peça fora encaixada no quebra-cabeça do novo império romano. Pouco mais de um ano depois, em 10 de junho de 1940, ao ficar claro que Hitler estava obtendo domínio completo sobre a Europa ocidental, a Itália enfim entrou na guerra na esperança de adquirir colônias britânicas e francesas no norte da África, junto com a linha costeira do sul do Mediterrâneo. Visto que a França de Vichy era na prática uma aliada do Terceiro Reich, isso não seria fácil de conseguir. O ditador italiano foi excluído sem cerimônia das negociações no vagão de trem em Compiègne, e Hitler rejeitou sua reivindicação da frota francesa antes mesmo de que esta fosse destruída pelo raide britânico sobre Mers-el-Kébir.[93] Irritado e decepcionado, Mussolini olhou ao redor em busca de outra oportunidade para construir seu novo império romano. Encontrou-a nos Bálcãs. Em 28 de outubro de 1940, sem informar Hitler de antemão, Mussolini mandou um exército italiano para a Grécia cruzando a fronteira albanesa. O líder alemão ficou furioso. O terreno era difícil, o tempo estava péssimo e inevitavelmente ficaria pior com a chegada do inverno, e toda a aventura pareceu uma distração desnecessária.[94]

Hitler estava certo em se preocupar. As tropas italianas estavam pouco treinadas, desfalcadas e mal preparadas. Careciam dos trajes de inverno necessários para encarar os rigores da neve das montanhas. Não tinham o apoio naval que possibilitaria o desembarque anfíbio do tipo que se mostrara muito eficiente na Noruega e na Dinamarca. Não tinham mapas para ajudar a transpor o terreno bastante desprovido de trilhas através da fronteira albano-grega. O arsenal italiano era totalmente inadequado para sobrepujar as defesas gregas. Não havia uma linha unificada de comando. O Ministério de Relações Exteriores italiano não fora capaz de evitar que as informações sobre a invasão vazassem de antemão. Por conseguinte, os gregos tiveram tempo de tomar medidas defensivas. Em poucos dias, os italianos foram repelidos ao longo de toda a linha. Em 14 de novembro de 1940, os gregos deram início a uma contraofensiva, apoiados por cinco esquadrões de aviões britânicos que bombardearam portos e linhas de comunicação italianos essenciais. O exército de Mussolini foi empurrado bem para dentro do território albanês em poucas semanas. Os italianos perderam quase 40 mil homens de pouco mais de meio milhão; mais de 50 mil ficaram feridos e acima de 12 mil sofreram de gangrena pelo frio, enquanto mais 52 mil tiveram baixa por invalidez por uma série de outros motivos.[95] A invasão foi um fiasco. A despeito das tentativas da propaganda de disfarçar o desastre com retórica, a humilhação de Mussolini dificilmente poderia ter sido mais óbvia.

De qualquer ponto de vista, teria mais sentido atacar Malta, e possivelmente Gibraltar e Alexandria também, em vez da Grécia, a fim de privar os britânicos de suas bases navais cruciais no Mediterrâneo. Mas Mussolini estava alheio a esse imperativo estratégico. Em 11 de novembro de 1940, metade da frota de batalha italiana tornou-se efetivamente inoperante devido a um ataque britânico a Taranto a partir de porta-aviões. Poucos meses depois, em 28 de março de 1941, alertada pela decifração de uma mensagem naval italiana no centro de decodificação de Bletchley Park, a Marinha britânica na costa do cabo Matapan, no Mediterrâneo, afundou três cruzadores e dois contratorpedeiros italianos a caminho de interceptar comboios britânicos de suprimento para os gregos. As forças britânicas nada perderam além de uma aeronave.[96] Pelo resto da guerra, o que sobrou da moderna e bem equipada frota italiana ficou perto do porto por medo de mais estragos. Muito antes dessa época, uma tentativa de invadir o Egito de domínio britânico a partir da colônia italiana da Líbia também fora repelida por uma pequena mas bem treinada força anglo-indiana de 35 mil homens, que fez 130 mil prisioneiros em dezembro de 1940, junto com 380 tanques.[97] A maior humilhação talvez tenha ocorrido em abril de 1941, quando a força de ocupação italiana na capital etíope de Adis Abeba rendeu-se a uma tropa aliada mista que arrebatou a colônia com êxito de seus senhores fascistas em uma campanha bem mais curta que a guerra de conquista italiana original em 1935-36. O serviço secreto britânico teve sucesso em decifrar tantos planos de batalha italianos e obteve informações tão detalhadas sobre os movimentos e a disposição de suas tropas que os comandantes britânicos ficavam cientes de tudo que os italianos iriam fazer com bastante antecedência. Uma força de 92 mil soldados italianos e 250 mil abissínios foi inteiramente derrotada por 40 mil soldados africanos liderados por britânicos. O imperador etíope Hailé Selassié foi reinstalado em triunfo no trono, enquanto, em maio de 1941, as forças aliadas invadiam a Eritreia e a Somalilândia italiana, deixando todo o nordeste da África em mãos aliadas.[98]

A derrocada italiana foi tão geral que Hitler não teve escolha a não ser intervir. Em 19 de janeiro de 1941, Mussolini chegou ao Berghof para dois dias de conversações. Os fracassos italianos haviam transformado por completo o relacionamento entre os dois ditadores. Embora Hitler, anteriormente, houvesse mostrado alguma deferência para com seu antigo mentor, agora, ainda que fizesse o máximo para ser cortês, não havia dúvida de que ele e sua comitiva estavam começando a nutrir um certo desdém pelo ditador italiano. Em 6 de fevereiro de 1941, Hitler instruiu o general Erwin Rommel a salvar a situação no norte da África. Nascido em 1891, de família de classe média, Rommel não era um general alemão típico. Muito condecorado na Primeira Guerra Mundial, chamou a atenção com um livro sobre táticas de infantaria publicado em 1937. Distinguiu-se pela ousadia ao liderar uma divisão de tanques na invasão da França. Nomeado para chefiar o recém-formado Corpo Africano, chegou a Trípoli em 12 de fevereiro de 1941 com a instrução de evitar mais um colapso italiano na Líbia. Nominalmente sob comando italiano, Rommel, de fato, mostrou pouca consideração pelos generais italianos. Suas tropas eram bem treinadas e adaptaram-se rapidamente às condições peculiares do combate no terreno plano, monótono e arenoso. Rommel conseguiu usar decifrações alemãs de chaves de código do adido militar americano no Cairo para antecipar manobras britânicas, ao passo que os sinais que ele enviava a seus superiores com frequência diziam algo diferente do que ele na verdade decidia fazer. Baseando-se na experiência prévia de combate aéreo e blindado combinados, as tropas de Rommel entraram rapidamente em ação, forçando o recuo de uma força britânica enfraquecida pela recolocação de muitos de seus melhores soldados na defesa da Grécia contra a esperada invasão alemã.[99]

Em 1º de abril de 1941, Rommel havia obtido tanto sucesso que ignorou as ordens de Berlim e seguiu em frente por centenas de quilômetros até chegar perto da fronteira egípcia. Halder julgou que Rommel estivesse "completamente doido" e pensou que este havia esparramado suas forças em excesso, abrindo-se para um contra-ataque. Halder era um crítico contundente da "ambição patológica" de Rommel.[100] Os britânicos enviaram um novo comandante, reforçaram seu contingente e contra-atacaram. Rommel, de fato, estendera excessivamente sua linha de abastecimento e teve de recuar. Mas acabou conseguindo obter mais tanques e combustível, e no fim tomou o importante porto líbio de Tobruk em junho de 1942. A vitória incitou Hitler a promovê-lo a marechal de campo, o mais jovem do Exército alemão. Naquela guerra de movimentação rápida através de vastas distâncias de deserto na maior parte vazio, Rommel forçou os britânicos de volta para o interior do Egito. Ele ficou a pouca distância do canal de Suez, ameaçando uma importante rota de abastecimento britânica e abrindo a atraente perspectiva de obter acesso aos vastos campos petrolíferos do Oriente Médio.[101]

Rommel foi amplamente considerado um herói não só na Alemanha, mas até na Grã-Bretanha. Todavia, suas vitórias abriram novas oportunidades para os nazistas e seus aliados aplicarem suas doutrinas de superioridade racial sobre minorias indefesas. Os triunfos do Corpo Africano causaram terrível sofrimento aos judeus que viviam em comunidades nas grandes cidades do norte africano, muitas delas estabelecidas de longa data. Na Tunísia viviam 50 mil judeus e, assim que os alemães ocuparam o país, a casa deles foi atacada, sua propriedade confiscada, seus bens de valor roubados e seus rapazes – mais de 4 mil – mandados para campos de trabalho perto da linha de frente. O estupro de mulheres judias por soldados alemães estava longe de ser algo incomum. Walter Rauff, chefe da Gestapo em Túnis, transferido de campos de matança na Europa oriental, depressa instituiu um reinado de terror contra os judeus de Túnis. Muitos foram brutalmente maltratados; uns poucos foram escondidos por árabes solidários. A situação dos judeus no Marrocos e na Argélia, as colônias vizinhas da França de Vichy, não era muito melhor. Quase imediatamente após o regime ser estabelecido em 1940, cerca de 1,5 mil judeus que serviam na Legião Estrangeira francesa tiveram baixa e foram aprisionados em uma rede em franca expansão de campos de trabalho, cujo número logo passou de cem. Reunidos com prisioneiros de guerra de várias nações, incluindo Polônia, Grécia e Tchecoslováquia, eram forçados a trabalhar em projetos como a nova Ferrovia Transaara sob condições de brutalidade considerável. As severas leis discriminatórias de Vichy contra os judeus na França foram aplicadas também no norte da África francês. Ao todo, talvez uns 5 mil judeus norte-africanos tenham morrido sob a ocupação do Eixo, cerca de 1% do total. O número teria sido bem maior caso tivesse sido possível transportá-los através do Mediterrâneo para os centros de extermínio da Polônia ocupada pelos alemães.[102]

Enquanto esses dramáticos acontecimentos estavam em andamento, os alemães tentavam obter acesso aos vitais suprimentos de petróleo do Oriente Médio fomentando agitação contra o domínio britânico no Iraque. Mas os ingleses conseguiram esmagar a agitação sem muita dificuldade no verão de 1941, e ampliaram esse sucesso tomando a Síria, uma colônia francesa, do regime de Vichy. Com essas frustrações, Hitler ficou reduzido a fazer promessas que naquele momento não tinha como cumprir. O clérigo islâmico Haj Amin al-Husseini, grande mufti de Jerusalém, fugiu para Berlim com a derrota do levante no Iraque, e Hitler recebeu-o em 28 de novembro de 1941 com a promessa vazia de destruir povoamentos judaicos na Palestina.[103] De fato, em uma tentativa de evitar ofender os árabes, durante um tempo o Ministério da Propaganda recomendou a substituição do termo "antissemita" pelo mais específico "antijudaico" nos meios de comunicação – afinal de contas, os árabes também era semitas.[104] Todavia, as vitórias de Rommel asseguraram que o sonho de obter acesso aos imensos campos petrolíferos do Oriente Médio ainda não morrera.

II

A procura por petróleo não se restringiu ao norte da África e ao Oriente Médio. Em 27 de maio de 1940, no rastro de seus assombrosos sucessos no oeste, o Terceiro Reich garantiu o monopólio sobre o fornecimento de petróleo romeno. Em julho, o fornecimento de petróleo romeno para a Grã-Bretanha, que antes respondia por quase 40% da produção do campo petrolífero de Ploesti, fora completamente cortado.[105] Mas a ditadura do rei Carol da Romênia, que havia negociado esses acordos, meteu-se em uma enrascada quando o rei foi forçado por Hitler a ceder o norte da Transilvânia para a Hungria, aliada da Alemanha, e entregar mais território ao sul para a Bulgária (prometido porque as tropas alemãs tiveram de passar pela Bulgária para chegar à Grécia). Carol também foi obrigado a ceder a Bessarábia e o norte de Bucovina para a União Soviética como parte do acordo selado pelo Pacto Nazi-Soviético no ano anterior. Em 6 de setembro de 1940, Carol foi forçado a abdicar diante do ultraje popular com essas concessões, sendo removido pelo Exército sob a liderança do general Ion Antonescu em aliança com a Guarda de Ferro fascista. Antonescu tornou-se primeiro-ministro em um novo governo de coalizão pesadamente apoiado pelos militares. No início de 1941, porém, a Guarda de Ferro protagonizou um violento levante contra o novo governo, dirigindo sua fúria em especial aos 375 mil judeus do país, a quem responsabilizou, de forma absurda, pela cessão dos territórios perdidos. Sob seu líder, Horia Sima, a Guarda de Ferro lançou-se por Bucareste caçando judeus, levando-os para os bosques e fuzilando-os. Os homens de Sima também levaram duzentos homens judeus para um matadouro, despiram-nos, fizeram-nos passar por todo o processo da linha de abate normalmente usado para animais e penduraram os corpos pela garganta com os ganchos de carne, rotulando os cadáveres como "apropriados para consumo humano". Houve certas evidências de que a SS havia apoiado a revolta na esperança de obter controle mais firme sobre o turbulento Estado balcânico. Mas, depois de dois dias, a rebelião foi rapidamente esmagada por Antonescu, que então tornou-se o ditador militar do país. Horia Sima foi forçado a fugir e se refugiou na Alemanha. Um plebiscito fraudulento confirmou a nova ordem. Antonescu, soldado profissional de uma família militar, então na casa dos cinquenta anos, já havia estabelecido boas relações com Hitler, que ficou muito impressionado com ele; entre outras coisas, o líder romeno persuadiu os nazistas a parar de apoiar a Guarda de Ferro, deixando-a assim à mercê do governo. Em troca, Hitler ofereceu a perspectiva de ajudar os romenos a recuperar o substancial território que haviam perdido para a União Soviética e quem sabe até mais. Uma estreita aliança surgiu entre os dois países. Tropas alemãs entraram na Romênia, mas o país permaneceu mais do que apenas nominalmente independente. Em 1941, quase 50% do petróleo bruto da Romênia era produzido por empresas de propriedade alemã, e as exportações de petróleo quase triplicaram em comparação com o ano anterior. Foi em parte para garantir esse fornecimento que Hitler decidiu ser necessário livrar os italianos de seus problemas na vizinha Grécia.[106]

Entretanto, no reino de composição multinacional da Iugoslávia, a situação ficara mais difícil para Hitler. Em 25 de março de 1941, o governo iugoslavo havia cedido à pressão alemã (que incluiu a convocação do príncipe regente Paulo ao Berghof para uma cena característica de intimidação por Hitler) e se aliado formalmente à Alemanha, com isso colocando no lugar mais uma peça do pano de fundo diplomático para a futura invasão da Grécia. O relutante governo iugoslavo conseguiu obter garantias de que tropas alemãs não passariam pelo país a caminho da Grécia e de que não seria solicitado a proporcionar nenhum apoio militar. Como recompensa pela boa vontade, obteve o compromisso de que receberia o porto grego de Salônica uma vez concluída a conquista alemã do país. Mas uma aliança alemã era uma anátema para a parte sérvia do corpo de oficiais iugoslavos, que via nisso uma evidência de excessiva influência croata no gabinete e que de qualquer forma havia estado profundamente comprometida com a causa aliada e fora hostil à Alemanha e à Áustria desde a Primeira Guerra Mundial. Nas primeiras horas de 27 de março de 1941, oficiais sérvios protagonizaram um golpe de Estado, derrubaram o príncipe regente e proclamaram Pedro II, de apenas dezessete anos de idade, rei. O evento foi saudado por manifestações sérvias extasiadas nas ruas de Belgrado. Foi formado um governo suprapartidário, dissimulando no momento as sérias divisões entre sérvios e croatas em face da provável reação de Berlim.[107] A reação não tardou a vir. Hitler ficou furioso. Convocou os líderes do Exército e da Força Aérea alemães e declarou que, em vista da traição, a Iugoslávia seria despedaçada. O país deveria ser atacado "em uma operação relâmpago" e com "severidade inclemente". Itália, Hungria e Bulgária teriam ganhos territoriais do país derrotado. Os croatas ganhariam a independência. Os planos para a invasão da Grécia precisariam ser revistos no menor prazo possível de modo que incluíssem uma invasão paralela da Iugoslávia. Ali estava outro Estado, como a Polônia, que ousara desafiá-lo; outro Estado, portanto, que deveria ser completamente destruído.[108]

Depois de fazer os arranjos com Hungria e Itália, aliadas da Alemanha, o XII Exército alemão entrou no sul da Iugoslávia e no norte da Grécia em 6 de abril de 1941. Em 8-10 de abril de 1941, forças alemãs, húngaras e italianas invadiram o norte da Iugoslávia. Com números superiores e blindados e equipamentos mais modernos, além de apoiadas por oitocentas aeronaves, as forças alemãs subjugaram os oponentes. O Exército iugoslavo, apesar do contingente de mais de um milhão, era mal equipado, parcamente liderado e rachado por divisões étnicas. Esfacelou-se rapidamente. Enquanto ondas de bombardeiros alemães devastavam a capital iugoslava, Belgrado, divisões *panzers* e de infantaria alemãs avançavam ligeiras. Tomaram a cidade em 12 de abril de 1941, levando o governo iugoslavo a capitular cinco dias depois. Foram capturados 344 mil soldados iugoslavos. As perdas alemãs somaram 151 mortos. Enquanto isso, os gregos, respaldados por uma força expedicionária britânica, ofereceram resistência mais rija, mas ali também a combinação experimentada e testada de comando aéreo e blindados modernos subjugaram a oposição. Separadas do Exército grego, as forças britânicas em retirada decidiram evacuar, e uma força naval reunida às pressas, perseguida por aviões alemães, conseguiu tirar cerca de 50 mil soldados das praias no fim de abril, embora uma quantidade de navios fosse perdida no processo. Desesperado pelo curso que os acontecimentos tomavam, o primeiro-ministro grego matou-se com um tiro em 18 de abril de 1941. As tropas alemãs entraram em Atenas em 27 de abril de 1941.[109]

O rei e o governo já haviam partido para Creta, para onde os gregos, os britânicos e outras forças aliadas restantes haviam recuado. Mas, em 20 de maio de 1941, forças alemãs transportadas por via aérea desembarcaram na ilha e rapidamente tomaram os principais campos de aviação, onde mais tropas alemãs então aterrissaram. O comandante britânico na ilha não avaliara a importância das defesas aéreas. Sem aviões de caça, ele não tinha como interceptar as tropas que chegavam pelo ar. Em 26 de maio, concluiu que a situação era insustentável. Teve início uma evacuação caótica. Com domínio completo dos céus, aeronaves alemãs afundaram três cruzadores e seis contratorpedeiros britânicos. Forçaram os aliados a abandonar a evacuação em 30 de maio de 1941, deixando uns 5 mil homens para trás. A despeito dos avisos antecipados dessas operações a partir de trocas de sinais militares alemães decodificados em Bletchley Park, o comandante britânico simplesmente não tinha efetivos suficientes em solo ou no ar. Foi proibido de deslocar suas tropas para os pontos de ataque antecipados porque isso poderia fazer que os comandantes alemães suspeitassem de que seus sinais estavam sendo interceptados. Mais de 11 mil militares britânicos foram capturados e quase 3 mil soldados e marinheiros foram mortos. Toda a operação foi um desastre para os britânicos. Churchill e seus conselheiros foram forçados a admitir que, antes de tudo, havia sido um erro mandar tropas para a Grécia.[110]

Todavia, as vitórias alemãs, por mais espetaculares que fossem, vinham a um preço pesado. Os gregos e seus aliados haviam lutado com determinação, e os invasores alemães não escaparam sem baixas. Em Creta, foram mortos 3.352 de um total de 17,5 mil soldados alemães invasores, persuadindo as Forças Armadas alemãs a não montar uma operação aérea semelhante contra Malta ou Chipre.[111] "Nossa orgulhosa unidade de paraquedistas", escreveu um soldado após a vitória, "jamais se recuperou das enormes perdas sofridas em Creta".[112] O mais grave foi que a ocupação dos territórios conquistados logo mostrou-se longe de ser uma questão simples. Enquanto a Bulgária avançava pelo leste da Macedônia e pelo oeste da Trácia, expulsando mais de 100 mil gregos da área e trazendo colonos búlgaros em um ato brutal de "limpeza étnica", um governo fantoche foi instalado na Grécia para manter a ficção da independência. Entretanto, o verdadeiro poder jazia com o Exército alemão, que ocupou pontos

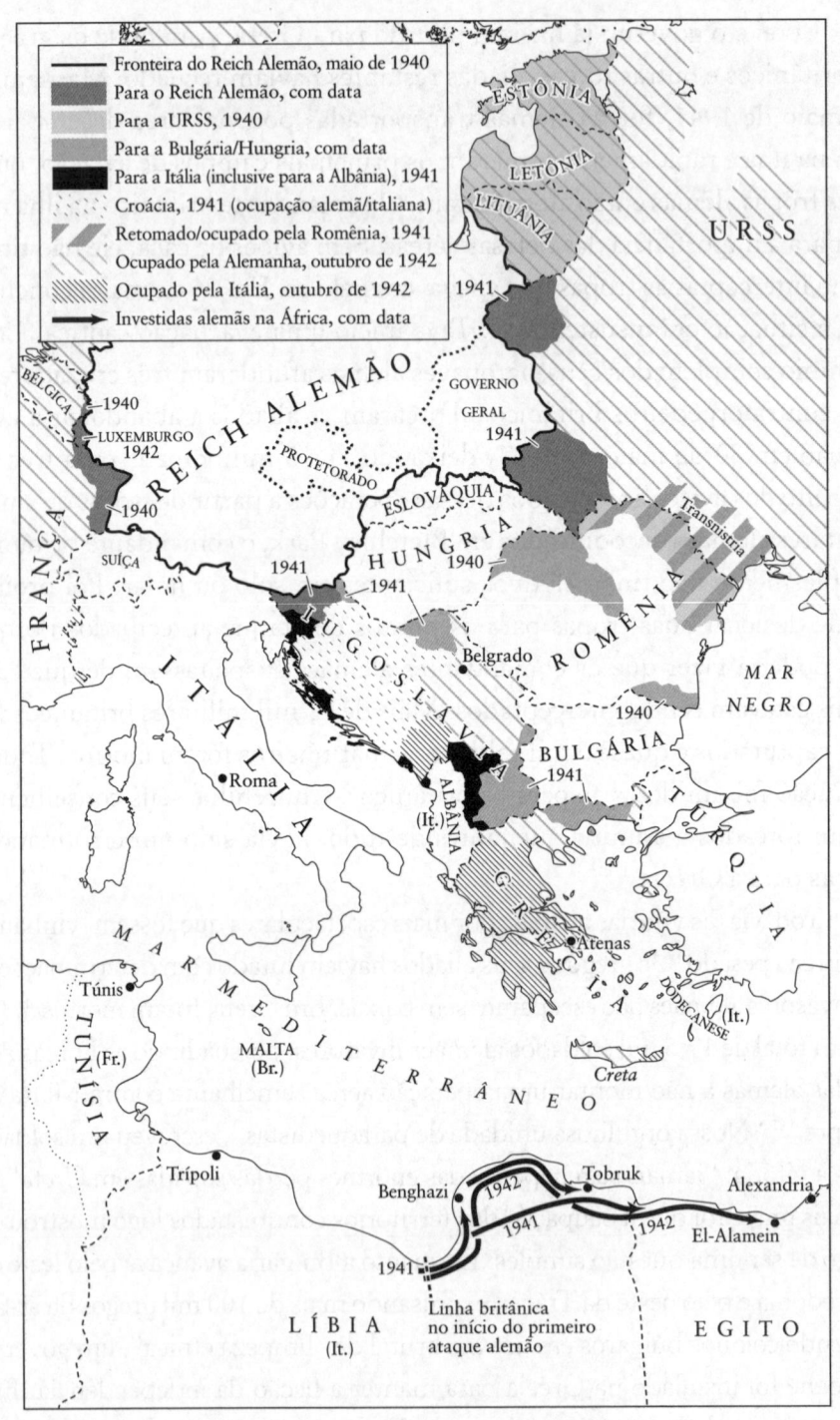

Mapa 8. A guerra no Mediterrâneo, 1940-42

estratégicos no continente e em algumas ilhas, em especial Creta, e com os italianos, que receberam controle sobre a maior parte do restante do país. Quando as tropas alemãs entraram em Atenas cansadas, famintas e sem mantimentos, começaram a exigir refeições grátis nos restaurantes, saquear casas onde eram alojadas e parar pedestres nas ruas para tirar relógios e joias. Um habitante da cidade, o musicólogo Minos Dounias, perguntou:

> Onde está o tradicional senso de honra alemão? Vivi treze anos na Alemanha e ninguém me lesou. Agora, de repente [...] tornaram-se ladrões. Levam embora das casas qualquer coisa em que botem os olhos. Na casa dos Pistolaki pegaram as fronhas e passaram a mão nos objetos cretenses da valiosa coleção que eles têm. Das casas pobres da região apoderaram-se de lençóis e cobertores. Em outros bairros pegaram pinturas a óleo e até as maçanetas de metal das portas.[113]

Enquanto os soldados comuns roubavam o que podiam, os oficiais do abastecimento estavam apoderando-se de grandes quantidades de gêneros alimentícios, algodão, couro e muito mais. Todos os estoques disponíveis de azeite de oliva e de arroz foram requisitados, 26 mil laranjas, 4,5 mil limões e 100 mil cigarros foram retirados de navio da ilha de Chios nas primeiras três semanas de ocupação. Companhias como Krupp e I. G. Farben mandaram agentes para efetuar a compra compulsória de instalações mineiras e industriais a preços baixos.[114]

Como resultado desse assalto maciço à economia do país, o desemprego na Grécia disparou, e o preço dos alimentos, já alto por causa dos estragos causados pela ação militar, foi às nuvens. O saque e as requisições levaram os fazendeiros a armazenar a produção e atacar agentes enviados das cidades para recolher a colheita. Comandantes militares locais tentavam manter a produção em sua região, prejudicando ou mesmo cortando o abastecimento das grandes cidades. Foi introduzido o racionamento, e, ainda que os italianos começassem a enviar suprimento extra para a Grécia para amenizar a situação, as autoridades de Berlim recusaram-se a seguir o exemplo, argumentando que isso arriscaria a situação do abastecimento de comida na Alemanha. Em breve, fome e desnutrição alastravam-se pelas ruas de Atenas.

O fornecimento de combustível não estava disponível, ou era caro demais, para aquecer as casas no frio inverno de 1941-42. As pessoas mendigavam comida nas ruas, vasculhavam depósitos de lixo em busca de restos e no desespero começaram a comer grama. Oficiais do Exército alemão divertiam-se jogando restos das sacadas para bandos de crianças e observando-as brigar pelos pedacinhos. As pessoas, em especial crianças, sucumbiram a doenças e começaram a morrer nas ruas. A taxa geral de mortalidade subiu cinco ou até mesmo sete vezes no inverno de 1941-42. A Cruz Vermelha calculou que 250 mil gregos morreram em resultado da fome e de doenças associadas entre 1941 e 1943.[115]

Nas zonas montanhosas do norte da Grécia, bandos armados atacaram rotas de abastecimento alemãs e houve algumas baixas germânicas; o comandante regional do Exército alemão queimou quatro aldeias e fuzilou 488 civis gregos em retaliação. Em Creta, soldados britânicos extraviados participaram de atividades de resistência, e numa delas um general alemão foi sequestrado. Não se sabe ao certo se as selvagens retaliações do Exército alemão tiveram algum efeito. O estado geral de fome e exaustão do povo grego fez que houvesse poucas tentativas de resistência armada no primeiro ano da ocupação e nenhuma liderança coordenada.[116]

III

A situação na Iugoslávia ocupada era dramaticamente diferente. Uma criação artificial que juntara em um só Estado uma variedade de grupos étnicos e religiosos desde o fim da Primeira Guerra Mundial, a Iugoslávia foi dilacerada por feudos intercomunais e rivalidades que irromperam com força total assim que os alemães a invadiram. O Reich alemão anexou a região norte da Eslovênia, ao sul da fronteira austríaca, e a Itália incorporou a costa adriática até as ilhas dálmatas (incluindo algumas delas) e assumiu a administração da maior parte de Montenegro. A Albânia, uma possessão italiana desde abril de 1939, ocupou um grande naco do sudeste, incluindo muito de Kosovo e do oeste da Macedônia, bem como abocanhou parte de Montenegro, enquanto os vorazes húngaros engoliram Backa e outras áreas que haviam governado até 1918, e os búlgaros, do mesmo modo que agarraram a maior parte da Macedônia dos gregos, marcharam para a parte iugoslava da Macedônia. O resto do país foi dividido em dois. Hitler estava decidido a recompensar seus aliados e punir os sérvios. Em 10 de abril de 1941, dia em que as forças alemãs entraram em Belgrado, o líder fascista croata Ante Pavelić, com encorajamento alemão, declarou uma Croácia independente, abrangendo todas as regiões habitadas por croatas, inclusive Bósnia e Herzegovina. O estado recém-independente da Croácia era bem maior que o pedaço da Sérvia. Pavelić aderiu imediatamente à Alemanha e declarou guerra aos aliados. Como seu equivalente Quisling, da Noruega, Pavelić era um extremista com pouco apoio popular. Advogado nacionalista, havia formado sua organização quando o rei Alexandre impôs uma ditadura de domínio sérvio em 1929 após manifestações em que a polícia sérvia matou vários nacionalistas croatas. Conhecido como Ustasha (insurgentes), o movimento de Pavelić desferiu seu golpe mais espetacular em 1934, quando seus agentes colaboraram com terroristas macedônios no assassinato do rei iugoslavo e do ministro francês de Relações Exteriores, durante uma visita de Estado à França. A subsequente repressão de sua organização fez que Pavelić fosse obrigado a dirigi-la do exílio na Itália, de onde a converteu em um rematado movimento fascista, completado com uma doutrina racial que via os croatas como "ocidentais" em vez de eslavos. Ele deu à organização a missão de salvar o Ocidente cristão católico da ameaça apresentada pelos eslavos ortodoxos, bolcheviques ateístas e judeus. Entretanto, estima-se que, no começo da década de 1940, ele havia conquistado o apoio de apenas 40 mil dos 6 milhões de croatas da Iugoslávia.[117]

De início, Hitler queria nomear o líder do moderado Partido Camponês croata, Vladko Maček, como chefe do novo Estado, mas, quando este recusou, a escolha recaiu sobre Pavelić, que voltou do exílio e proclamou um Estado croata de partido único.[118] Pavelić tratou de recrutar rapazes do subproletariado urbano para a Ustasha e quase imediatamente pôs em marcha uma onda maciça de limpeza étnica, usando terror e genocídio para expulsar do novo estado 2 milhões de sérvios, 30 mil ciganos e 45 mil judeus ou pelo menos torná-los croatas nominais convertendo-os ao catolicismo. Estudantes ultranacionalistas e muitos clérigos católicos croata-nacionalistas, em especial monges franciscanos, juntaram-se à ação com prazer. Já em 17 de abril de 1941, um decreto proclamou que qualquer culpado de ofensa à honra da nação croata – no passado, no presente ou no futuro – cometia alta traição e, por conseguinte, podia ser morto. Outro decreto definiu os croatas como arianos e proibiu o casamento com não arianos. Relações sexuais entre homens judeus e mulheres croatas foram proscritas, mas o inverso não. Todos os não croatas perderam o direito à cidadania. Enquanto nas cidades a nova lei de traição pelo menos servia de fachada, no interior a Ustasha não se dava ao trabalho sequer de aparentar legalidade. Depois de fuzilar uns trezentos sérvios, inclusive mulheres e crianças, na cidade de Glina em julho de 1941, a Ustasha ofereceu anistia aos habitantes das aldeias vizinhas que se convertessem ao catolicismo. Apareceram 250 pessoas na Igreja Ortodoxa de Glina para a cerimônia. Uma vez lá dentro, não foram recepcionadas por um padre católico, mas pela milícia da Ustasha, que as forçou a deitar-se e então rebentou a cabeça delas com clavas com espinhos. Por toda a nova Croácia ocorreram cenas semelhantes de terríveis assassinatos em massa durante o verão e o outono de 1941. Em várias ocasiões, aldeões sérvios foram reunidos na igreja local, com as janelas fechadas com tábuas, e o prédio foi reduzido a cinzas com eles dentro. Unidades croatas da Ustasha arrancavam os olhos de homens sérvios com os dedos e extirpavam os seios das mulheres com canivetes.[119]

O primeiro campo de concentração da Croácia foi inaugurado no fim de abril de 1941, e em 26 de junho foi sancionada uma lei estipulando uma rede de campos pelo país. O objetivo dos campos não era deter oponentes do regime, mas exterminar minorias étnicas e religiosas. Acredita-se que, somente no sistema de campos de Jasenovac, mais de 20 mil judeus tenham perecido. A morte devia-se acima de tudo a doença e desnutrição, mas a milícia Ustasha, instigada por alguns freis franciscanos, com frequência espancava os detentos até a morte com malhos em sessões noturnas de assassinato em massa. No campo de Loborgrad, 1,5 mil mulheres judias foram submetidas a estupros constantes pelo comandante e sua equipe. Quando o tifo atacou o campo de Stara Gradiska, o administrador-chefe mandou enfermos para o campo de Djakovo, livre da doença, de modo que os reclusos de lá também fossem infectados. Em 24 de julho de 1941, o padre de Udbina escreveu: "Até agora, meus irmãos, estivemos trabalhando para nossa religião com a cruz e o breviário, mas chegou a hora em que devemos trabalhar com um revólver e um rifle".[120] O chefe da Igreja Católica na Croácia, o arcebispo Alojzije Stepinac, oponente encarniçado dos "cismáticos" ortodoxos, declarou que a mão de Deus estava atuando na remoção do jugo ortodoxo sérvio. Foi até mesmo concedida a Pavelić uma audiência privada com o papa em 18 de maio de 1941. Stepinac, enfim, foi induzido a protestar contra as conversões forçadas, que muito obviamente eram obtidas por meio de terror, embora sua condenação dos assassinatos não tenha ocorrido até 1942, quando o padre Filipović, que liderara esquadrões da morte em Jasenovac, foi expulso da ordem franciscana. Em 1943, Stepinac passou a condenar o registro e a deportação dos croatas judeus restantes para campos de extermínio. Mas tudo isso aconteceu quando já era tarde demais. Àquela altura, provavelmente 30 mil judeus haviam sido mortos, junto com a maioria dos ciganos do país (muitos dos quais morreram trabalhando em condições desumanas no projeto de construção do dique de Sava), enquanto as melhores estimativas situam em 300 mil o número de vítimas sérvias. Tamanho foi o horror gerado, sobretudo na Itália, por esses massacres, à medida que os relatos de atrocidades eram propalados pelos milhares de refugiados sérvios e judeus que cruzavam a fronteira para a Dalmácia, que o Exército italiano começou a avançar sobre o território croata, declarando que protegeria quaisquer minorias que lá encontrasse. Mas, para a maior parte delas, era tarde demais. A longo prazo, o genocídio croata criou memórias de rancor profundo e duradouro entre os sérvios. Elas ainda não haviam sido esquecidas quando Sérvia e Croácia enfim reconquistaram sua independência após o colapso do Estado iugoslavo do pós-guerra, na década de 1990.[121]

IV

A natureza pouco empenhada dos preparativos de Hitler para a invasão por mar da Grã-Bretanha refletiu em parte o fato de que, já antes do fim de julho de 1940, sua mente estava voltando-se para um plano que lhe era mais querido: a conquista da Rússia. Isso ocupava o centro dos pensamentos de Hitler desde o início da década de 1920. Já em seu tratado político autobiográfico, *Minha luta*, ele declarara em termos inflexíveis a necessidade de se adquirir "espaço vital" para os alemães na Europa oriental. Havia repetido isso em numerosos discursos para os assessores militares, mais notadamente em 3 de fevereiro de 1933, quando prometeu de forma explícita aos chefes do Exército que lançaria uma guerra para germanizar a Europa oriental em algum momento futuro.[122] Ao se reunir com os chefes das Forças Armadas perto do fim de julho de 1940, Hitler disse que estava na hora de começar o planejamento dessa ação. Seriam necessárias de oitenta a cem divisões para esmagar o Exército Vermelho. Seria uma brincadeira de criança comparada à invasão da França.[123] De fato, o Exército já havia feito estudos de viabilidade e concluído que a invasão não era exequível antes da primavera seguinte. Foram preparados estudos adicionais com vistas ao lançamento do ataque em maio de 1941. A perspectiva de uma guerra em duas frentes não alarmava Hitler. A França havia sido eliminada, a Grã-Bretanha parecia perto do colapso. Quanto ao Exército Vermelho, fora dizimado pelos expurgos de Stálin, e havia se mostrado irremediavelmente incompetente na guerra com a Finlândia. Em todo caso, eslavos eram sub-humanos incapazes de oferecer resistência séria a uma raça superior. O bolchevismo só os deixara mais fracos. Hitler considerava o bolchevismo uma ferramenta da conspiração mundial judaica, que fora bem-sucedida em escravizar os eslavos e curvá-los à sua vontade. Havia, é claro, muitos motivos pelos quais essa ideia era pouco mais que uma fantasia, e um deles era o fato de o próprio Stálin ser antissemita e ter demitido seu ministro de Relações Exteriores, Litvinov, em 1939, entre outras razões por ele ser judeu. Todavia, pensava Hitler, se as nações racialmente superiores da Europa ocidental haviam sido esmagadas com tanta facilidade, então que chance tinham os eslavos? "Os russos são inferiores", disse Hitler a Brauchitsch e Halder em 5 de dezembro de 1940. "O Exército está sem liderança." As Forças Armadas alemãs não precisariam de mais do que quatro ou cinco meses para esmagar a União Soviética.[124]

Deixando de lado a primazia ideológica do "espaço vital", também havia motivos pragmáticos para o ataque à União Soviética. Ao longo de 1940 e da primeira metade de 1941, o Terceiro Reich havia dependido pesadamente de suprimentos da Europa oriental. O pacto de não agressão assinado entre Ribbentrop e o ministro de Relações Exteriores soviético, Molotov, em

24 de agosto de 1939, ainda estava em vigor nessa época, é claro.¹²⁵ De fato, em 12 de novembro de 1940, o próprio Molotov desembarcou em Berlim, a convite de Hitler, para discutir uma futura cooperação. Em 10 de janeiro de 1941, a União Soviética assinou um novo acordo comercial que dobrava a quantidade da exportação de grãos da Ucrânia para o Terceiro Reich, o que ironicamente convenceu Hitler, se é que ele precisava ser convencido, de que a União Soviética tinha suprimentos quase ilimitados de gêneros alimentícios, o que seria essencial para a posterior condução da guerra e para o futuro geral do Terceiro Reich. Com isso, as concessões de Stálin às demandas comerciais alemãs pouco ou nada fizeram para afetar a data da invasão alemã.¹²⁶

Fosse o que fosse que os soviéticos oferecessem, Hitler não tinha intenção de abandonar seus planos. Em 18 de dezembro de 1940, ele mandou as Forças Armadas ficarem prontas para esmagar a União Soviética em uma campanha rápida que se iniciaria na primavera seguinte. Sua pressa relativa era em parte consequência do fracasso em derrotar a Grã-Bretanha. Lá por 1942, pensou ele, pode ser que os Estados Unidos entrem na guerra do lado aliado. Derrotar os soviéticos colocaria a Alemanha em uma posição forte para lidar com os americanos. E encorajaria os japoneses a entrar na guerra contra os Estados Unidos devido à eliminação de uma grande ameaça a oeste do Japão. E isolaria os britânicos ainda mais e talvez enfim os forçasse à mesa de negociações. Esse foi de fato o motivo inicial primário para o lançamento da invasão em 1941. "Se a Rússia for despedaçada", disse Hitler a seus generais em 31 de julho de 1940, "será o fim de quaisquer esperanças que pudessem levar a Inglaterra a ainda esperar uma mudança na situação".¹²⁷ "Os cavalheiros da Inglaterra não são estúpidos, você sabe", disse ele ao marechal de campo Fedor von Bock no início de janeiro de 1941. "Vão perceber que não faz sentido para eles levar a guerra adiante quando a Rússia tiver sido derrotada e eliminada."¹²⁸ Além disso, acrescentou ele algumas semanas depois, era necessário lançar a invasão antes de a Grã-Bretanha ser derrotada; se fosse depois, o povo alemão não apoiaria. O codinome da operação, dado pelo próprio Hitler, foi Operação Barba Ruiva, em homenagem a Frederico Barba Ruiva, sacro imperador romano e cruzado alemão do século XII.¹²⁹

Enquanto os planos eram mais detalhados, o número de divisões a serem usadas na invasão oscilou, mas enfim foi estabelecido em torno de duzentos.

As forças do Exército Vermelho arranjadas contra os invasores eram de tamanho comparável, mas, na mente de Hitler e de seus líderes militares, eram bem inferiores em qualidade. É certo que, em equipamento, o Exército Vermelho na zona de combate superava seus oponentes de longe, com quase o triplo de peças de artilharia e a mesma vantagem em tanques. Mesmo no ar, as forças soviéticas tinham uma forte superioridade numérica, com quase o dobro de aeronaves de combate que os alemães e seus aliados. Mas muitas dessas máquinas eram obsoletas, novos modelos de tanque e novas peças de artilharia ainda não eram produzidos em nenhuma quantidade, e os expurgos de Stálin na década de 1930 haviam afetado gravemente os gerentes de produção e *designers* de aeronaves e munições, comandantes militares e oficiais de alta patente da Força Aérea.[130] Além disso, os preparativos alemães foram meticulosos. Exultante pelo sucesso das divisões blindadas na invasão da França, Hitler ordenou que a produção de armas se focasse nos tanques. O número de divisões *panzers* do Exército alemão dobrou entre o verão de 1940 e o verão de 1941, respaldado por aumento correspondente no número de veículos semitratores para deslocar velozmente as divisões de infantaria altamente motorizadas por trás dos tanques e reforçar a vantagem. A produção alemã de armas no ano anterior à invasão da União Soviética realmente concentrou-se em proporcionar os meios para uma guerra clássica de movimento ligeiro, o que não fora feito antes da invasão da França. Para sustentar isso, a produção deslocou-se das munições, das quais agora havia suprimentos abundantes, para metralhadoras e artilharia de campo. Apesar da contínua luta burocrática interna entre diferentes agências de contratação e gerenciamento econômico sob o controle de Fritz Todt, Georg Thomas e Hermann Göring, a indústria de armas do Terceiro Reich operou com alguma eficiência na arrancada para a Operação Barba Ruiva.[131]

Ao longo da primeira metade de 1941, as ferrovias e outras comunicações na Polônia de ocupação alemã foram melhoradas, e suprimentos foram estocados na zona de fronteira. Planos estratégicos enfim conceberam a interceptação e a destruição das forças soviéticas na fronteira e o avanço rápido por uma linha de Arcangel a Astrakhan. Ao norte, a Finlândia, amargamente ressentida pela perda de território para a União Soviética no fim da "Guerra de Inverno" de 1940, concordou em mobilizar seu Exército de dezesseis divisões, recém-organizado e munido do mais novo equipamento alemão, embora seus objetivos não fossem além da recuperação do território perdido.[132] Ao sul, a Romênia forneceu 18 divisões para as forças invasoras.[133] Às tropas romenas juntou-se uma pequena força de húngaros, mas os dois contingentes tiveram de ser mantidos separados devido às más relações entre os dois países. A maior parte do equipamento das forças húngaras era obsoleta, os rifles usados pela infantaria emperravam com frequência, havia apenas 190 tanques, que também estavam ultrapassados, e seis dos dez batalhões "alpinos" que se juntaram à invasão da Rússia estavam montados em bicicletas. Bem mais importante era o fato de que a Hungria estava se tornando rapidamente uma importante fonte de petróleo para os alemães; até o meio da guerra, foi o segundo fornecedor mais importante, atrás da Romênia.[134] A participação dos húngaros foi em parte consequência da preocupação de seu governante, almirante Miklós Hórthy, de que os romenos lhe passassem a perna e retomassem alguma coisa do território perdido para a Hungria em 1940. De modo semelhante, a participação da Eslováquia, Estado-cliente alemão, que enviou duas divisões com a meta principal de garantir a segurança detrás do *front*, pretendia conquistar a boa vontade alemã em face de mais demandas húngaras sobre seu território. Por outro lado, a contribuição de Mussolini, de 60 mil soldados italianos, não tomou parte na invasão em si e foi feita com a vaga esperança de que os alemães olhassem de forma favorável as aspirações italianas no tratado de paz pós-guerra. Quarenta e cinco mil voluntários espanhóis anticomunistas foram para a peleja no *front* de Leningrado inspirados pelo comprometimento ideológico e sancionados por Franco como um gesto de gratidão a Hitler pela ajuda na luta que o levara ao poder. Os voluntários não devem ter achado graça quando, na chegada, foram recebidos por uma banda da Força Aérea alemã tocando erroneamente o hino nacional dos republicanos, seus oponentes derrotados na Guerra Civil.[135]

A Bulgária, aliada alemã nos Bálcãs, adotou uma linha mais cautelosa que os húngaros e os romenos. O rei Bóris III, que mandava nas Forças Armadas e na política externa do país, e em muita coisa mais, era realista o bastante para reconhecer que seu exército de recrutas camponeses não era adequado para o combate moderno e não tinha interesse em lutar longe de casa. Bóris precisou executar uma delicada ação de equilíbrio. Certa vez, ele comentou: "Meu Exército é a favor dos alemães, minha esposa é italiana, meu povo é a favor dos russos. Sou o único a favor dos búlgaros neste país".¹³⁶ Ele havia aderido avidamente ao desmembramento da Grécia e da Iugoslávia e começara a bulgarização do sistema educacional e de outros aspectos da vida pública em zonas ocupadas por suas forças. Mas a anexação búlgara da Trácia desencadeou séria resistência, levando a uma grande revolta no fim de setembro de 1941. Bóris afirmou com certa justificativa que o Exército era necessário para sufocá-la, o que fez nos meses seguintes, matando entre 45 mil e 60 mil gregos e ordenando a expulsão ou o reassentamento de muitos mais. Entretanto, tão importante quanto o ponto de vista do rei era a ameaça de revolta interna dos fascistas republicanos. Em parte para se precaver, mas também cedendo à pressão alemã, o rei havia introduzido uma legislação antissemita em outubro de 1940, proibindo relações sexuais entre judeus e não judeus e expulsando judeus de várias profissões e indústrias. Mas a legislatura búlgara teve o cuidado de definir judeus em termos religiosos, e muitos judeus conseguiram escapar dos efeitos da lei convertendo-se ao cristianismo, com frequência apenas no papel. Além disso, a legislação não foi aplicada de forma muito rigorosa. A lei exigia, por exemplo, que os judeus usassem a "estrela judaica" nas roupas, mas a fábrica estatal encarregada de fazê-las produziu tão poucas que o pequeno número de judeus que começou a usá-las logo as tirou, pois mais ninguém as estava usando. O rei também foi obrigado a dissolver as lojas maçônicas do país – um dos alvos favoritos dos teóricos da conspiração nazista e fascista –, para grande irritação de seus ministros, muitos dos quais eram maçons. Mas, ciente do poder do colosso russo assomando sobre sua porta, o rei recusou-se terminantemente a fornecer quaisquer tropas para o *front* soviético e, embora a Bulgária declarasse guerra aos aliados ocidentais, de fato jamais declarou guerra à União Soviética.¹³⁷ Semiexasperado, semiadmirado, Hitler referiu-se a Bóris como um "homem muito inteligente, muito astuto", enquanto Goebbels, mais rude, chamou-o de "sujeito matreiro, ladino".¹³⁸

Portanto, a despeito de suas guarnições multinacionais, a Operação Barba Ruiva era, em essência, uma operação alemã. À medida que a neve de inverno da Europa centro-oriental derreteu e o solo descongelou-se, as Forças Armadas alemãs começaram a deslocar grandes massas de homens e equipamentos para a fronteira soviética. Ao longo de maio e começo de junho de 1941, Zygmunt Klukowski registrou incontáveis colunas de tropas e veículos alemães passando por sua região da Polônia, anotando a passagem de algo entre quinhentos e seiscentos veículos apenas em 14 de junho, por exemplo.[139] Stálin lançou às pressas uma política fútil para tentar aplacar os alemães, adiantando as entregas soviéticas de borracha asiática e outros suprimentos do tratado assinado em janeiro de 1941. Como um marxista-leninista dogmático, Stálin estava convencido de que Hitler era uma ferramenta do capitalismo monopolista alemão, de modo que, se ele disponibilizasse tudo que as empresas alemãs queriam, não haveria motivo imediato para uma invasão. Pelas cláusulas comerciais acordadas no Pacto Nazi-Soviético no ano anterior, a União Soviética já estava fornecendo quase três quartos da necessidade alemã de fosfatos, mais de dois terços do asbesto importado, pouco menos do minério de cromo, mais da metade do manganês, mais de um terço do níquel importado e, ainda mais crucial, mais de um terço do petróleo importado.[140] Stálin em pessoa vetou propostas para barrar a ofensiva militar alemã por meio de um ataque através da linha de demarcação polonesa. Relatos de agentes soviéticos e até de membros da embaixada alemã em Moscou de que a invasão era iminente apenas o convenceram de que os alemães estavam jogando duro no afã de extrair concessões econômicas dele.[141]

Ao mesmo tempo, Stálin percebeu que a "guerra com a Alemanha é inevitável", conforme disse a cadetes militares em Moscou em 5 de maio de 1941. Molotov poderia ser capaz de adiá-la por dois ou três meses, mas nesse ínterim era vital "reensinar nosso Exército e nossos comandantes. Educá-los no espírito do ataque".[142] Proferida a jovens oficiais como uma mensagem para o futuro, essa não foi uma declaração de intenções. Stálin não acreditava que o Exército Vermelho estivesse pronto para lidar com os alemães antes de 1942 ou quem sabe até de 1943. Não só o Estado-Maior Geral não havia traçado nenhum plano para atacar as forças alemãs, como tampouco dispunha de planos de defesa contra um ataque germânico.[143] Embora os alemães montassem um amplo e sofisticado plano para ocultar a verdadeira natureza de suas intenções, a inteligência soviética começou a enviar relatórios de que a invasão estava planejada para cerca de 22 de junho de 1941. Mas Stálin não deu ouvidos a eles. Relatórios anteriores de que os planos de invasão deveriam entrar em operação em 15 de maio de 1941, embora corretos na época, mostraram-se falhos quando os alemães adiaram a Operação Barba Ruiva a fim de montar a invasão da Grécia e da Iugoslávia. Mais tarde, Hitler culpou Mussolini pelas consequências, mas, de fato, o tempo na Europa centro-oriental naquelas semanas teria tornado a invasão da União Soviética desaconselhável mesmo que o líder alemão não fosse obrigado a ir salvar o aliado italiano da embrulhada no sul da Europa. O resultado foi que os agentes soviéticos que fizeram a previsão perderam toda a credibilidade.[144] Para a mente estreita e desconfiada de Stálin, as forças capitalistas da Grã-Bretanha, inclusive o governo polonês exilado, pareciam estar passando informações falsas a ele sobre as intenções alemãs a fim de atraí-lo para a batalha. Em todo caso, por certo o líder alemão não invadiria enquanto o conflito com a Grã-Bretanha não estivesse resolvido. Quando um soldado ex-comunista desertou das forças alemãs em 21 de junho de 1941 e se esgueirou por um rio para contar aos russos do outro lado que sua unidade recebera ordens de invadir na manhã seguinte, Stálin mandou fuzilá-lo por espalhar "informações falsas".[145]

Operação Barba Ruiva

I

À medida que os preparativos para a invasão intensificavam-se em Berlim, o vice-oficial de Hitler, Rudolf Hess, ficava cada vez mais preocupado com a perspectiva de uma guerra em duas frentes, uma guerra para a qual precedentes históricos agourentos, sobretudo de 1914-18, estavam sempre presentes na mente das lideranças nazistas. Submisso na devoção a Hitler, Hess estava convencido, não sem motivo, de que o principal objetivo do líder nazista no oeste desde a conquista da França havia sido trazer os britânicos para a mesa de negociação. Ao longo dos últimos anos, Hess, que nunca foi a mais sagaz das mentes nazistas, havia perdido influência em ritmo constante; seu acesso a Hitler fora seriamente reduzido desde a eclosão da guerra em setembro de 1939, e os consideráveis poderes de seu gabinete haviam sido paulatinamente assumidos por seu ambicioso vice, Martin Bormann. Hess não se envolveu no planejamento da Operação Barba Ruiva e de fato nunca desempenhou nenhum papel na política externa. Todavia, considerava-se muito qualificado para fazê-lo. O professor de Hess, o teórico geopolítico Karl Haushofer, instilara nele uma crença de que o destino da Grã-Bretanha era juntar-se à luta mundial contra o bolchevismo ao lado da Alemanha. Na mente ressentida e estonteada do vice-líder, um plano audacioso tomou forma. Ele voaria para a Grã-Bretanha para negociar a paz. Fechar um acordo o recolocaria nas boas graças de Hitler e garantiria a retaguarda da Alemanha no ataque próximo à União Soviética. A despeito das ordens explícitas de Hitler em contrário, Hess havia continuado a aprimorar suas habilidades de voo em segredo. Ele tinha um Messerschmitt Me110 especialmente preparado para seu uso e obteve mapas e cartas meteorológicas da Alemanha, do mar do Norte e do norte da Grã-Bretanha. Às seis da manhã de 10 de maio de 1941, vestiu um traje de voo com forro de pele, partiu do campo de aviação da fábrica da Messerschmitt em Augsburg e rumou para o noroeste, na direção das Ilhas Britânicas.[146]

Cinco horas depois, Hess saltou de paraquedas perto de Glasgow, deixando o avião seguir sem piloto até pegar fogo e colidir. Ele aterrissou, de modo meio desajeitado, em um campo. Abordado por um peão de fazenda local, disse que seu nome era Alfred Horn e que tinha uma mensagem para o duque de Hamilton, cuja casa ficava nas vizinhanças. O aristocrata fora membro da Sociedade Anglo-Alemã antes da guerra, e Albrecht, filho de Haushofer, dissera a Hess que ele seria um interlocutor importante para as propostas de paz. O conselho mostrou tanto a ignorância de Haushofer como a credulidade de Hess. De fato, Hamilton não era uma figura particularmente significativa na política britânica. Àquela altura um comandante de esquadrilhas da Real Força Aérea, era extremamente improvável que agisse como um canal voluntário para propostas de paz alemãs. Chamado em decorrência do pedido de Hess, Hamilton chegou à cabana da guarda local para onde Hess fora levado e logo ficou convencido de que estava frente a frente com o vice-líder do Partido Nazista. Depois do estresse do ousado voo, a confusão mental de Hess era tamanha que ele não fez nenhuma tentativa real de discutir uma paz em separado com o duque, e na verdade não conseguiu pensar em nada mais do que repetir a vaga "oferta de paz" feita por Hitler em julho passado. O diplomata Ivone Kirkpatrick, que havia servido na embaixada de Berlim de 1933 a 1938 e falava um alemão fluente, foi mandado à Escócia para interrogar Hess e conseguiu extrair um pouco mais de informações. Hess, disse ele no relatório, "veio para cá sem conhecimento de Hitler a fim de convencer as pessoas responsáveis de que, tendo em vista que a Inglaterra não pode vencer a guerra, o rumo mais sábio seria fazer a paz agora". Hess conhecia Hitler melhor que a maioria e podia garantir a Kirkpatrick que o líder alemão não tinha planos para o império britânico. Era uma conversa fraca. "Hess", concluiu Kirkpatrick, "não parece [...] fazer parte dos conselhos mais fechados do governo alemão no que tange a operações".[147] Hess foi mantido prisioneiro pelo resto da guerra em vários locais, inclusive na Torre de Londres. Sua missão "autoimposta" foi completamente inútil. Não refletiu nada além de sua própria confusão mental e falta de realismo.[148]

O próprio Hitler nada sabia do voo de Hess até que um dos assessores do vice-líder, Karl-Heinz Pintsch, chegou ao Berghof por volta do meio-dia de 11 de maio de 1941 para entregar uma carta na qual Hess contava sobre suas intenções ao líder nazista e informava que estaria na Inglaterra quando ele a lesse. Se Hitler desaprovasse sua iniciativa, escreveu Hess, podia simplesmente tachá-lo de doido. Ainda não haviam vazado informações dos britânicos. Consternado, Hitler convocou Bormann imediatamente e disse a Göring por telefone para vir já de seu castelo nas proximidades de Nuremberg. "Aconteceu uma coisa medonha", disse ele.[149] Desesperadamente preocupado com que os britânicos dessem a notícia primeiro, o que sugeriria a Mussolini e aos outros aliados da Alemanha que ele estava tentando fazer a paz em separado com a Grã-Bretanha pelas costas deles, Hitler sancionou um anúncio de rádio transmitido às oito da noite de 11 de maio de 1941 adotando a sugestão de Hess e atribuindo o voo à insanidade mental e alucinação do vice-líder. O comunicado informou ao povo alemão que Hess havia voado na direção das Ilhas Britânicas, mas provavelmente havia caído em curso. Em 13 de maio de 1941, a BBC informou a chegada de Hess à Escócia e sua subsequente captura. Nesse ínterim, a conselho de Otto Dietrich, chefe de imprensa de Hitler, foi veiculado um segundo anúncio pelas rádios alemãs sublinhando o estado delirante e a confusão mental de Hess. Goebbels, que chegou ao Berghof mais tarde naquele dia, achou que aquilo só aumentava o desastre. "No momento", escreveu ele no diário, "a coisa toda ainda está realmente confusa." "O Líder está completamente arrasado", acrescentou. "Que espetáculo para o mundo: um homem mentalmente insano no cargo de vice do Líder."[150]

Tão logo recebeu a notícia da deserção de Hess, Hitler aboliu o cargo de vice-líder e renomeou o gabinete de Hess de Chancelaria do Partido, a ser conduzido por Bormann como antes, mas agora sob a chefia formal da antiga eminência parda de Hess. Essa medida ampliou o poder de Bormann de forma considerável. Restava o problema de que rumo dar ao acontecimento. Hitler já havia convocado todos os líderes do Reich e líderes regionais do Partido ao Berghof. Em 13 de maio de 1941, Hitler repetiu a eles que Hess estava mentalmente enfermo. Em um apelo emocionado à sua lealdade, declarou que Hess o havia traído e enganado. No fim do discurso, segundo Hans Frank, que estava presente e dois dias depois contou para sua equipe no Governo Geral, "o Líder estava completamente destroçado, de uma forma que eu jamais havia visto".[151] Conforme Goebbels imaginara, a ideia de que o vice estava mentalmente enfermo havia vários anos não lançou uma luz particularmente favorável sobre Hitler ou seu regime. Muitos membros do Partido de início recusaram-se a acreditar na notícia. "Depressão e incerteza" foram os sentimentos predominantes notados por detetives da vigilância nazista.[152] "Ninguém acredita que ele estivesse doente", relatou um funcionário do distrito rural bávaro de Ebermannstadt.[153] Ninguém com quem o marechal de campo Fedor von Bock conversou sobre a "misteriosa história" tampouco acreditou na versão oficial.[154] "Por que o Líder não diz alguma coisa sobre o caso Hess?", perguntou Annemarie Köhler, amiga de Victor Klemperer. "Ele realmente tem de dizer alguma coisa. Que desculpa vai dar – Hess estava doente há anos? Mas então não deveria ser o vice de Hitler."[155] Lore Walb, na época estudando história na Universidade de Heidelberg, concordou. "Se ele realmente estava doente muito tempo antes (mentalmente enfermo de tempos em tempos?), então por que manteve seu cargo de liderança?", perguntou ela.[156] A maior parte das pessoas parece ter sentido simpatia por Hitler devido à traição de seu vice.[157] Elas aliviaram a ansiedade, o pasmo e a desorientação contando piadas. "Então você é o doido?", dizia Churchill em uma das piadas quando Hess chegava ao escritório do primeiro-ministro para uma entrevista. "Não", respondia Hess, "apenas o vice dele". "Notícia na imprensa britânica: 'Hoje ficamos sabendo que Hess está de fato demente – ele quer voltar para a Alemanha'." Foi relatado que os berlinenses diziam: "Que nosso governo é louco é algo que sabemos há bastante tempo, mas que eles admitam – isso é uma novidade!".[158]

II

O tempo que foi forçado a gastar tratando do caso Hess – cerca de uma semana – foi uma distração inoportuna para Hitler. Na metade de maio de 1941, entretanto, o líder nazista estava voltando sua mente outra vez para os planos de criação do "espaço vital" na Europa oriental. Sua visão para o futuro daquela vasta área, estendendo-se pela Polônia, Ucrânia e Bielorríssia através de amplos trechos da Rússia europeia e até o Cáucaso, era articulada de forma mais incontida nos monólogos a que ele submetia seus acompanhantes de almoço e jantar. Do início de julho de 1941 em diante, os monólogos foram anotados – a mando de Bormann e com a concordância de Hitler – por um oficial do Partido, Heinrich Heim, sentado discretamente em um canto da sala (em alguns períodos ele foi substituído por outro oficial subalterno, Henry Picker). As anotações depois eram ditadas a um estenógrafo, então entregues a Bormann, que as corrigia e arquivava para a posteridade. Quando Hitler morresse, elas seriam publicadas, e seus sucessores no Reich de mil anos teriam condições de consultá-las em busca de orientação sobre o que seu grande líder havia pensado a respeito de toda uma gama de temas políticos e ideológicos.[159] A despeito da repetitividade tediosa, as anotações são de fato valiosas como um guia para o pensamento de Hitler em temas amplos e gerais de política e ideologia. Suas opiniões nesse nível mudaram pouco ao longo dos anos, de modo que o que ele estava dizendo no verão de 1941 dá uma boa ideia a respeito do que ele já devia estar pensando na primavera.

Em julho de 1941, Hitler distraiu-se pintando "castelos nas nuvens" para seus convidados sobre o tema do futuro da Europa oriental. Uma vez que a conquista estivesse completa, disse ele, os alemães anexariam vastas porções de território para sua sobrevivência e expansão racial. "A lei da seleção justifica essa luta incessante ao permitir a sobrevivência dos mais aptos."[160] "É inconcebível que um povo superior deva existir penosamente em uma terra exígua demais para ele, enquanto massas amorfas, que com nada contribuem à civilização, ocupem trechos infinitos de uma terra que é uma das mais ricas do mundo."[161] A Crimeia e o sul da Ucrânia se tornariam "uma colônia exclusivamente alemã", disse ele. Os habitantes existentes seriam "postos para fora".[162] Quanto ao resto do leste, um punhado de ingleses haviam controlado milhões de indianos, disse ele, e assim seria com os alemães na Rússia:

> O colonizador alemão deve viver em fazendas bonitas, espaçosas. Os serviços alemães serão alojados em prédios maravilhosos, os governadores, em palácios [...] Em volta da cidade, em um raio de trinta a quarenta qui-

lômetros, deveremos ter um cinturão de lindas aldeias ligadas pelas melhores estradas. O que existir além disso será um outro mundo, no qual pretendemos deixar que os russos vivam como quiserem. É necessário apenas que mandemos neles. No caso de uma revolução, só teremos de jogar umas poucas bombas sobre suas cidades, e o caso estará liquidado.[163]

Seria construída uma densa rede de estradas, prosseguiu Hitler, "crivadas de cidades alemãs ao longo de toda a extensão", e, em volta dessas cidades, "nossos colonos se instalarão". Colonizadores de sangue alemão viriam de toda a Europa ocidental e até da América. Haveria 20 milhões deles na década de 1960, e deixariam as cidades russas "cair aos pedaços".[164]

"Em cem anos", declarou Hitler, "nossa língua será a língua da Europa". Esse foi um dos motivos para ele substituir a letra gótica pela letra romana em toda correspondência e nas publicações oficiais no outono de 1940.[165] Alguns meses depois, ele voltou às ideias para o leste alemão. Teriam de ser construídas novas ferrovias para garantir a "rápida comunicação" entre os grandes centros por todo o trajeto até Constantinopla:

> Imagino trens diretos cobrindo longas distâncias a uma velocidade média de duzentos quilômetros por hora, e nosso atual material circulante é, obviamente, inadequado para esse propósito. Serão necessários vagões maiores – provavelmente de dois andares, que darão aos passageiros do andar de cima a oportunidade de admirar a paisagem. Isso possivelmente acarretará a construção de uma via permanente de bitola bem mais larga que a usada hoje, e o número de linhas deve ser dobrado a fim de fazer frente a qualquer intensificação do tráfego [...] Isso em si nos permitirá realizar nossos planos de exploração dos territórios do leste.[166]

Ao novo sistema ferroviário se somaria uma rede igualmente ambiciosa de autoestradas de seis pistas. "De quanta importância será o trecho de mil quilômetros até a Crimeia", disse ele, "quando pudermos cobri-lo a oitenta quilômetros por hora pela autoestrada, fazendo toda a distância facilmente em dois dias!" Hitler imaginou um tempo em que seria possível ir "de Klagenfurt a Trondheim e de Hamburgo à Crimeia por uma Autoestrada do Reich".[167]

Enquanto esse cenário estivesse em construção, a sociedade russa seria deixada bem para trás. "Em comparação com a Rússia", ele declarou, "até a Polônia parecia um país civilizado".[168] Os alemães não mostrariam "nenhum remorso" pelos habitantes nativos. "Não vamos bancar as babás de crianças; não temos absolutamente nenhuma obrigação no que se refere a essa gente." Os russos não seriam supridos de instalações médicas ou educacionais; a vacinação e outras medidas preventivas não só seriam vetadas a eles, como deveriam ser persuadidos de que ela era positivamente perigosa para sua saúde.[169] Essas ideias implicavam que, no fim, a sociedade russa feneceria e desapareceria, junto com outras sociedades eslavas na Bielorrússia, na Ucrânia e na Polônia. Em um período de cem anos, a população eslava da Europa oriental teria sido substituída por "milhões de camponeses alemães" vivendo na terra.[170] O que isso significaria em termos mais concretos já estava claro no início de 1941. A meta da guerra contra a União Soviética, disse o chefe da SS, Heinrich Himmler, aos líderes da SS no Castelo de Wewelsburg em janeiro de 1941, era reduzir a população eslava em 30 milhões, um número mais tarde repetido por outros líderes nazistas, inclusive Hermann Göring, que disse ao ministro italiano de Relações Exteriores, Ciano, em 15 de novembro de 1941: "Nesse ano, 20-30 milhões de pessoas vão passar fome na Rússia".[171] Os 30 milhões, não só de russos, mas também de outros habitantes da União Soviética em áreas controladas pelos alemães, deveriam pois morrer de fome quase imediatamente, e não a longo prazo. As cidades soviéticas, muitas delas criadas pela brutal industrialização forçada de Stálin na década de 1930, deixariam de existir pela fome, ao passo que praticamente toda a produção de comida das áreas conquistadas seria usada para alimentar os exércitos alemães invasores e manter os padrões nutricionais em casa, de modo que a desnutrição e a fome que (acreditava Hitler) haviam desempenhado um papel tão maléfico no colapso da frente doméstica alemã na Primeira Guerra Mundial não se repetissem na Segunda. Esse "plano de fome" foi desenvolvido sobretudo por Herbert Backe, o secretário de Estado do Ministério da Agricultura, nazista linha-dura que havia trabalhado por muitos anos com o ministro da Agricultura do Reich, Richard Walther Darré, o principal ideólogo nazista do campesinato, e que se dava bem em termos pessoais com Heydrich. Mas também foi combinado com o general Georg Thomas, o principal nome no setor dos contratos de armas na administração central das Forças Armadas. Ao se reunir com o general Thomas em 2 de maio de 1941, os secretários de Estado dos ministérios relevantes concordaram que as Forças Armadas teriam de viver dos recursos das terras conquistadas a leste e concluíram que, "sem dúvida, vários milhões de pessoas vão passar fome se o que é necessário para nós for tirado do país".[172]

Essas ideias encontraram expressão concreta no chamado Plano Geral para o Leste, que Himmler encomendou do Gabinete do Comissário do Reich para o Fortalecimento da Raça Alemã em 21 de junho de 1941. A primeira versão do plano foi entregue a Himmler em 15 de julho de 1941 pelo professor Konrad Meyer, perito acadêmico do gabinete que se especializou em política de assentamento. Depois de bastante discussão e mais aprimoramento, o plano foi concluído em maio de 1942, aprovado por Hitler e formalmente adotado pelo Escritório Central de Segurança do Reich em julho de 1942. O Plano Geral para o Leste, agora a política oficial do Terceiro Reich, propôs remover de 80% a 85% da população polonesa, 64% da ucraniana e 75% da bielorrussa, expulsando-as mais para o leste ou deixando que perecessem de doenças e desnutrição. Assim, sem contar a população judaica dessas áreas, o plano divisava a extirpação forçada de pelo menos 31 milhões de pessoas de seu lar, no que sem dúvida seria um violento processo homicida de desapropriação; algumas estimativas, levando em conta aumentos projetados da população, situam o número em nada menos que 45 milhões. Não apenas os territórios poloneses incorporados à Alemanha, mas também o Governo Geral, Letônia e Estônia e de fato a maior parte da Europa centro-oriental seriam completamente alemães dentro de 20 anos. O espaço deixado vago pelos eslavos seria ocupado por 10 milhões de alemães. As fronteiras da Alemanha seriam estendidas em mil quilômetros a leste.[173]

Himmler e a SS apresentaram o plano como a retomada e a consumação do que viam como a missão civilizatória dos cavaleiros cruzados teutônicos da Idade Média. Mas seria uma missão atualizada e modernizada para se adequar às condições do século XX. Os novos colonos alemães, proclamou Meyer, não seriam tradicionalistas tacanhos, mas fazendeiros progressistas, equipados com o mais novo maquinário, dedicados a criar uma terra encantada da agricultura que manteria a nova e vastamente ampliada Alemanha bem alimentada e abastecida. Eles teriam fazendas bem parecidas com as dos fazendeiros hereditários do Reich na Alemanha.[174] Um terço deles seria composto de oficiais aposentados da SS, proporcionando um esteio ideológico e militar para o conjunto do empreendimento. Junto iriam trabalhadores das regiões camponesas superlotadas do sudoeste alemão, visto que a mão de obra nativa não estaria mais disponível. O plano também levou em conta a ideia de Hitler de cidades e centros industriais grandes e modernos ligados por meios de comunicação inovadores. A meta era uma população rural pouco maior que um terço do total nas novas regiões de assentamento alemão. Meyer situou o investimento total exigido para se executar o plano em nada menos que 40 bilhões de reichsmarks, soma que Himmler reajustou para 67 bilhões, equivalente a dois terços do Produto Interno Bruto da Alemanha em 1941, ou meio milhão de reichsmarks para cada quilômetro quadrado das regiões recém-povoadas. A gigantesca soma seria angariada de várias fontes: orçamento estatal, fundos da SS, autoridades locais, ferrovias e setor privado. A ambição do plano era simplesmente estonteante. Propunha uma destruição em escala nunca antes contemplada na história humana.[175]

A invasão da União Soviética transferiria para uma área imensamente maior as brutais políticas homicidas que já haviam sido implantadas na Polônia desde o começo da guerra: deportação étnica e reassentamento, transferência de população, germanização, genocídio cultural e redução da população eslava por expropriação, fome e doença. Mas deveria ser ainda mais radical que a ocupação da Polônia. Hitler, os nazistas e a maioria dos generais líderes viam os poloneses como pouco mais do que sub-humanos eslavos, mas viam a União Soviética como uma ameaça, uma vez que seus habitantes eslavos eram guiados pelo que consideravam líderes implacáveis e astutos da conspiração mundial "judaico-bolchevique" para solapar a raça e a civilização alemãs. Embora não tivesse nada além de desprezo pelos poloneses e seus líderes, Hitler repetidas vezes expressou admiração pessoal por Stálin, "uma das figuras mais extraordinárias da história mundial", conforme o descreveu em julho de 1941.[176] "Stálin também", disse Hitler a seus companheiros de jantar um ano depois, "deve inspirar nosso respeito incondicional. À sua maneira, ele é um sujeito dos diabos! Ele conhece seus modelos, Gêngis Khan e os outros, muito bem [...]"[177] "Stálin", disse Hitler em outra ocasião, "é metade besta, metade gigante [...] Se lhe dessem mais dez anos, a Europa teria sido devastada, como foi no tempo dos hunos".[178] Desse modo, Hitler disse aos chefes do Exército em 17 de março de 1941: "A classe intelectual ao lado de Stálin deve ser aniquilada".[179] Assim como a intelectualidade polonesa fora morta, a mesma sina recairia agora sobre seus pares soviéticos. Em 30 de março de 1941, Hitler detalhou essa visão em um discurso cujos pontos essenciais foram anotados pelo general Halder. A guerra vindoura não seria uma guerra ordinária: "Luta de duas visões de mundo uma contra a outra. Sentença aniquilatória contra o bolchevismo, mesma coisa que criminalidade antissocial. Comunismo, tremendo perigo para o futuro. Devemos abandonar o ponto de vista da camaradagem de soldados. O comunista não é camarada de jeito nenhum. Essa é uma guerra de aniquilação".[180] Os comissários políticos do Exército Vermelho em particular deveriam ser tratados não como soldados, mas como criminosos, e manejados de acordo. Hitler exigiu a "aniquilação dos comissários bolcheviques e da intelectualidade comunista [...] O conflito", advertiu, "será muito diferente do conflito no Ocidente".[181]

III

Em 19 de maio de 1941, diretrizes distribuídas às tropas para a invasão exigiam "ação implacável e enérgica contra agitadores bolcheviques, soldados irregulares, sabotadores, judeus e eliminação total de toda a resistência ativa e passiva".[182] A inclusão de "judeus" como uma categoria separada nessa lista tinha um enorme significado. Ali estava o Exército alemão recebendo licença, na prática, para matar judeus onde quer que os encontrasse, com base na suposição de que todos eles faziam parte da resistência bolchevique. A conquista da Polônia já demonstrara a violência homicida e com frequência sádica que as tropas regulares alemãs impunham aos "judeus orientais". A invasão da União Soviética reproduziria essa violência em escala imensamente maior. A inclusão do assassinato deliberado de prisioneiros no plano de invasão foi sublinhada em 6 de junho de 1941, quando o marechal de campo Wilhelm Keitel, chefe do Comando Supremo das Forças Armadas Combinadas, emitiu a ordem de que todos os comissários políticos do Exército Vermelho, que ele caracterizou como "criadores dos bárbaros métodos asiáticos de combate", deveriam ser fuzilados imediatamente ao ser capturados.[183]

Por ocasião da invasão, as dúvidas que assaltaram oficiais seniores como Johannes Blaskowitz na Polônia já haviam sido liquidadas há tempos. Nenhum dos generais levantou nenhuma objeção às ordens de Hitler. O tradicional antissemitismo e anticomunismo do corpo de oficiais fora aumentado por anos de incessante propaganda e doutrinação nazista. A experiência da Polônia havia enrijecido neles a ideia de que eslavos e judeus deviam ser reprimidos da maneira mais brutal possível. Apenas uns pouquíssimos, como o marechal de campo Fedor von Bock ou o tenente-coronel Henning von Tresckow, instruíram discretamente seus oficiais para ignorar a ordem de matar comissários e civis por ser incompatível com a lei internacional ou perigoso para a disciplina, ou ambos. A maioria dos generais transmitiu a ordem linha abaixo.[184] Já em 27 de março de 1941, antes do discurso de Hitler, o marechal de campo Von Brauchitsch, comandante-chefe do Exército, havia emitido uma instrução de que as tropas "devem ter claro o fato de que o conflito é travado entre uma raça e outra e proceder com o rigor necessário".[185] Os soldados foram instruídos de acordo, em um esforço de propaganda de dimensões consideráveis, que incluiu a inevitável referência à "luta contra a judiaria mundial, que está se empenhando em incitar todos os povos do mundo contra a Alemanha".[186] As regras normais foram deixadas de lado. Oficiais não eram apenas oficiais, mas também líderes em uma luta racial contra o "bolchevismo judaico". Conforme o general Erich Hoepner escreveu nas ordens de marcha para suas tropas em 2 de maio de 1941:

> A guerra contra a Rússia é uma parte fundamental da luta do povo alemão pela existência. É a velha luta dos germanos contra os eslavos, a defesa da cultura europeia contra a avalanche russa, asiática, a defesa contra o bolchevismo judaico. Essa luta deve ter por meta esmagar a Rússia de hoje a destroços, e, por consequência, deve ser travada com uma severidade sem precedente.[187]

Ordens semelhantes foram igualmente emitidas por vários outros generais, inclusive Walter von Reichenau, Erich von Manstein e Karl-Heinrich von Stülpnagel (mais tarde membro da resistência militar).[188]

As discussões entre o chefe do Serviço de Intendência do Exército, Horst Wagner, e o chefe do Serviço de Segurança da SS, Reinhard Heydrich, resultaram em uma ordem militar emitida em 28 de abril de 1941 dando à SS o poder de agir por iniciativa própria para levar a cabo a ordem dos comissários e tarefas semelhantes de "segurança" por trás das linhas. Quatro forças-tarefa do Serviço de Segurança da SS – A, B, C, D –, somando de seiscentos a mil homens cada uma, foram montadas para seguir o Exército na Rússia em quatro zonas de norte a sul. Atrás delas iriam grupos menores da SS e da polícia. Por fim, em áreas bem atrás da linha de frente colocadas sob controle civil, batalhões de soldados da SS promoveriam a "segurança". Essas unidades policiais consistiam de 23 batalhões com 420 oficiais e 11.640 homens, selecionados entre candidatos voluntários e submetidos a treinamento ideológico pela SS. A maioria estava na faixa dos trinta anos, acima da idade média dos soldados. Um número substancial dos oficiais tinham sido soldados das Brigadas Livres nos violentos anos do início da República de Weimar. Muitos eram policiais de longa data, retirados da decididamente direitista Polícia da Ordem, formada na República de Weimar para lidar com a agitação civil promovida na maioria por paramilitares de esquerda. Alguns homens eram camisas-pardas nazistas ou alemães étnicos da milícia de "autoproteção" da Polônia. Um pequeno número dos batalhões foi retirado dos reservistas da polícia. Todos eram voluntários, cuidadosamente esquadrinhados pela SS e submetidos a um processo de doutrinação que incluía uma pesada dose de antissemitismo. Foram especialmente selecionados para o serviço na União Soviética. A maioria foi recrutada da classe média baixa; presumiu-se que os membros da Polícia da Ordem tivessem pequenos negócios que a esposa deles poderia tocar em sua ausência. A partir da metade de maio de 1941, eles foram colocados em treinamento na Escola de Polícia da Fronteira em Pretzsch, perto de Leipzig, onde foram submetidos a educação ideológica que reforçaria amplamente seus preconceitos já existentes contra eslavos e judeus. Portanto, a despeito de afirmações em contrário de historiadores posteriores, esses não eram "homens comuns", tampouco "alemães comuns".[189]

Em 2 de julho de 1941, as forças-tarefa e os batalhões da polícia foram instruídos a executar todos os funcionários comunistas, comissários do povo, "judeus em cargos partidários ou estatais" e "outros elementos radicais (sabotadores, propagandistas, atiradores de tocaia, assassinos, agitadores etc.)".[190] A ordem para fuzilar apenas uma categoria específica de judeus de início pareceu um sinal para uma abordagem mais restrita do que a conduta estipulada para o Exército. A determinação dirigiu a atenção das forças-tarefa em primeiro lugar para aqueles identificados por Hitler como a intelectualidade comunista e a elite judaica, duas categorias que ele, Heydrich e a maioria das outras lideranças nazistas, bem como muitos generais do Exército consideravam mais ou menos idênticas. E visou apenas homens, assim como inicialmente foi o caso na Sérvia. Entretanto, mulheres e crianças não foram explicitamente excluídas. Além disso, a identificação de judeus com comunistas foi encorajada não só por anos de propaganda antissemita, mas também pelo fato de os judeus serem realmente o maior grupo nacional único em setores-chave da elite soviética, inclusive na polícia secreta, um fato que jamais foi escondido da opinião pública. Todos eles sem exceção, pelo menos até a invasão nazista e as atrocidades antissemitas que a acompanharam, tinham repudiado há tempos seu passado étnico e religioso judaico. Identificavam-se por completo com a ideologia secular supranacional do bolchevismo. Além disso, a inclusão de categorias mal definidas como "propagandistas" e "agitadores" era um convite aberto para se matar todos os homens judeus, visto que a ideologia nazista, por princípio, considerava *todos* os homens judeus enquadrados nesses grupos. Por fim, o tratamento da população judaica na Polônia, não só pela SS, mas também pelo Exército, sugeriu fortemente que as forças-tarefa e os batalhões policiais já de saída não seriam muito seletivos a respeito de quais ou quantos judeus fuzilar.[191]

IV

Nas primeiras horas de 22 de junho de 1941, os meses de planejamento enfim acabaram. Às 3h15 da manhã, pouco depois do amanhecer após a noite mais curta do ano, uma enorme barragem de artilharia abriu fogo ao longo de uma frente que se estendia por mais de 1,6 mil quilômetros ao sul do Báltico. Mais de 3 milhões de soldados alemães, com outro meio milhão das forças romenas e de outros países aliados, cruzaram a fronteira soviética em numerosos pontos da fronteira finlandesa ao norte e por todo o trajeto até o mar Negro ao sul. Estavam equipados com 3,6 mil tanques, 600 mil veículos motorizados e 700 mil armas de campo e outra artilharia. Cerca de 2,7 mil aeronaves, mais da metade de todo o conjunto da Força Aérea alemã, haviam sido reunidas atrás das linhas. Quando começaram os primeiros assaltos motorizados por terra, quinhentos bombardeiros, 270 caças de mergulho e 480 caças voaram ao alto e avante para lançar a destruição sobre os campos de aviação militar soviéticos. Essa foi a maior força invasora reunida em toda a história humana até o momento. A meta militar era encurralar e destruir os exércitos soviéticos em uma série maciça de movimentos envolventes, imprensando-os contra os rios Dnieper e Dvina, a uns quinhentos quilômetros do ponto da invasão.[192] Apenas no primeiro dia, as investidas aéreas alemãs contra 66 campos de aviação soviéticos destruíram mais de 1,2 mil aeronaves soviéticas, quase todas antes que tivessem chance de decolar. Na primeira semana, a Força Aérea alemã danificou mais de 4 mil aviões soviéticos para além da possibilidade de conserto. Também foram executados bombardeios de surpresa sobre as maiores cidades de Bialystok a Tallinn, de Kiev a Riga. Com o domínio dos céus garantido, os três grupos principais do Exército avançaram com os tanques, apoiados por caças de mergulho e seguidos pela infantaria ligeira, arrasando as defesas do Exército Vermelho e infligindo pesadas perdas às despreparadas tropas soviéticas. Na primeira semana da invasão, o Grupo de Exércitos do Centro rompeu de forma decisiva as defesas soviéticas, envolvendo as tropas do Exército Vermelho em uma série de batalhas. No fim da segunda semana, em julho, já fizera 600 mil prisioneiros. A essa altura, mais de 3 mil peças de artilharia e 6 mil tanques soviéticos haviam sido capturados, destruídos ou simplesmente abandonados pelas tropas; 89 das 164 divisões do Exército Vermelho tinham sido colocadas fora de ação. As forças alemãs tomaram Smolensk e avançaram na direção de Moscou. O Grupo de Exércitos do Norte apoderou-se da Letônia, da Lituânia e de boa parte da Estônia e avançou sobre Leningrado (São Petersburgo). O Grupo de Exércitos do Sul rumava para Kiev, devastando as regiões agrícolas e industriais da Ucrânia. Tropas finlandesas, auxiliadas por unidades alemãs, isolaram o porto de Murmansk e rumaram para Leningrado pelo norte, enquanto tropas alemãs e romenas entraram na Bessarábia no extremo sul.[193]

Surpresa e velocidade foram cruciais para mergulhar as forças soviéticas na desordem. As tropas alemãs marchavam até cinquenta quilômetros por dia, às vezes mais. A invasão, escreveu o general Gotthard Heinrici para a esposa em 11 de julho de 1941, "para nós significa correr, correr até ficar de língua de fora, sempre correr, correr, correr".[194] O soldado Albert Neuhaus ficou assombrado com as "colunas de veículos que rodam por aqui dia após dia, hora após hora. Posso dizer", ele escreveu à esposa em 25 de junho de 1941, "que uma coisa dessas só acontece uma vez no mundo inteiro. A gente matuta sem parar e se pergunta de onde vieram todos esses milhões de veículos".[195] No calor seco do verão, as enormes colunas de blindados alemães erguiam imensas nuvens de pó sufocante. "Mesmo depois de pouco tempo", escreveu um soldado já no primeiro dia da invasão, "a poeira que se deposita sobre meu rosto e uniforme é da espessura de um dedo".[196] O general Heinrici viu-se andando por estradas "nas quais se caminha com pó na altura do tornozelo. Cada passo, cada veículo que se desloca, ergue nuvens impenetráveis dele. As rotas de marcha são caracterizadas por nuvens amarelo-marrons que pendem no céu como véus compridos".[197] Enquanto o avanço impetuoso prosseguia, o Exército Vermelho entrava em colapso ao longo de toda a frente. Suas comunicações foram cortadas, o transporte foi interrompido, munição, equipamento, combustível, peças de reposição e muito mais esgotaram-se rapidamente. Despreparados para a invasão, os oficiais não conseguiam sequer adivinhar onde os alemães atacariam a seguir, e com frequência não havia artilharia disponível para neutralizar o impacto dos tanques alemães que chegavam. Muitos dos tanques do Exército Vermelho, do BT ao T-26 e 28, eram obsoletos: a maior parte do total de 23 mil tanques empregados pelo Exército Vermelho em 1941 foi perdida por avarias e não por ação inimiga. As comunicações por rádio não haviam sido modernizadas desde a guerra finlandesa e eram codificadas de uma forma tão básica que era facílimo para os alemães ouvi-las e decodificá-las. O pior de tudo talvez é que as instalações médicas eram completamente inadequadas para lidar com o vasto número de mortos e tratar as dezenas de milhares de feridos. Na ausência de planejamento militar apropriado, os oficiais podiam pensar em pouca coisa além de atacar os alemães de frente, com resultados previsivelmente desastrosos. Uma retirada em ordem tornou-se quase impossível pela destruição alemã prévia de estradas, ferrovias e pontes por trás das

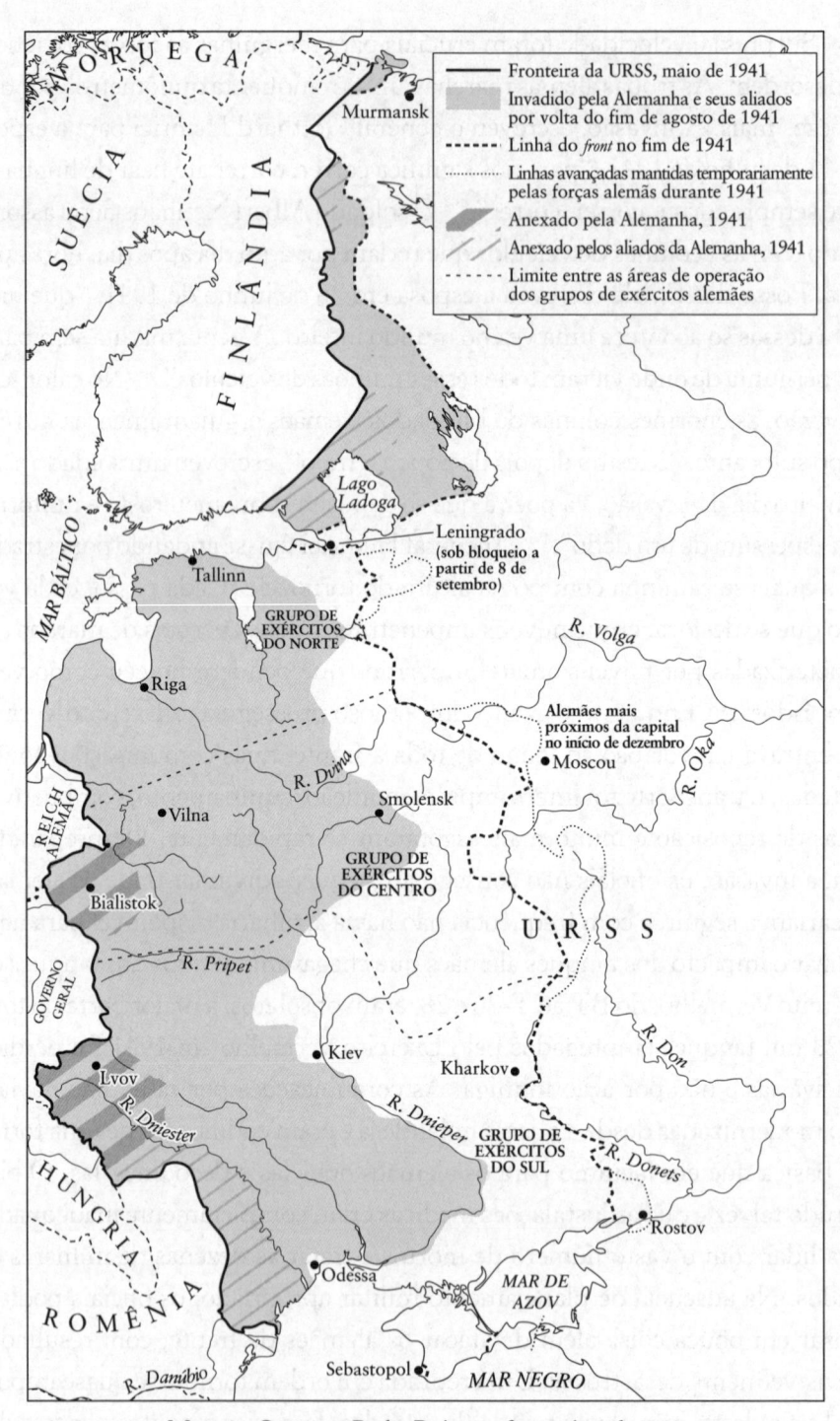

Mapa 9. Operação Barba Ruiva no *front* oriental, 1941

linhas. As taxas de deserção dispararam no Exército Vermelho, enquanto soldados desmoralizados fugiam em confusão e desespero. Em meros três dias, no fim de junho de 1941, a polícia secreta soviética pegou quase setecentos desertores fugindo da batalha na frente sudoeste. "A retirada causou um pânico cego", conforme o chefe do Partido Comunista da Bielorrússia escreveu a Stálin em 3 de setembro de 1941, e "os soldados estão mortos de cansaço, dormindo até mesmo sob fogo de artilharia [...] No primeiro bombardeio, as formações colapsam, muitos simplesmente vão embora correndo para o mato, toda a parte de florestas da zona da linha de frente está cheia desses refugiados. Muitos jogam as armas fora e vão para casa".[198]

Uma certa ideia sobre a profundidade do desastre pode ser aferida a partir do diário de Nikolai Moskvin, um comissário político soviético, que registra uma rápida transição do otimismo ("É certo que vamos ganhar", escreveu ele em 24 de junho de 1941) para o desespero poucas semanas depois ("O que vou dizer aos garotos?", perguntou-se, desalentado, em 23 de julho de 1941. "Continuamos em retirada").[199] Em 15 de julho de 1941, ele já fuzilara os primeiros desertores de sua unidade, mas os soldados continuavam a fugir e, no fim do mês, após ser ferido, admitiu: "Estou à beira de um colapso moral total".[200] Sua unidade perdeu-se porque não tinha nenhum mapa, e a maioria dos homens foi morta em um ataque alemão, enquanto Moskvin, sem condições de se deslocar, escondeu-se no mato com dois companheiros, esperando ser resgatado. Alguns camponeses encontraram-no, cuidaram dele até que ficasse bom e o recrutaram para ajudar na colheita. Ao vir a conhecê-los, Moskvin descobriu que não eram leais ao sistema stalinista. Seu objetivo principal era continuar vivos. Depois das batalhas, corriam para o campo para saquear os cadáveres. De todo modo, o que a lealdade a Stálin teria lhes proporcionado? Em agosto de 1941, Moskvin encontrou alguns soldados do Exército Vermelho que haviam escapado de um campo de prisioneiros de guerra alemão. "Disseram que não há abrigo, não há água, que as pessoas estão morrendo de fome e doença, que muitos estão sem roupas e sapatos adequados." Poucos, escreveu ele, haviam refletido sobre o que significaria o aprisionamento pelos alemães. A realidade era pior do que qualquer um poderia imaginar.[201]

À luz das ordens que recebera, o Exército alemão não tinha interesse em manter vivos centenas de milhares de prisioneiros de guerra soviéticos.

Hitler e a liderança do Exército já haviam ordenado que os comissários políticos soviéticos que acompanhavam o Exército Vermelho fossem fuzilados na hora, e os comandantes em terra executaram essas ordens, com frequência entregando-os à SS para "tratamento especial". Dezenas de milhares foram levados para campos de concentração na Alemanha e mortos por pelotões de fuzilamento.[202] Durante as primeiras semanas, muitos soldados comuns também foram fuzilados imediatamente após a captura. "Estamos fazendo pouquíssimos prisioneiros agora", escreveu Albert Neuhaus à esposa em 27 de junho de 1941, "e você pode imaginar o que isso significa".[203] Conforme muitos soldados registraram em suas cartas, não houve perdão para soldados do Exército Vermelho que se entregaram nas primeiras semanas de campanha.[204] A sina dos que eram poupados não era muito melhor. Em outubro de 1941, Zygmunt Klukowski testemunhou a passagem de uma coluna de 15 mil prisioneiros soviéticos por seu distrito. Ele ficou chocado com o que viu:

> Todos eles pareciam esqueletos, apenas sombras de seres humanos, mal se mexendo. Jamais vi algo assim em minha vida. Homens caíam na rua; os mais fortes carregavam outros, segurando-os pelos braços. Pareciam animais famintos, não gente. Lutavam por migalhas de maçã na sarjeta, sem prestar nenhuma atenção nos alemães que os espancavam com cassetetes de borracha. Alguns faziam o sinal da cruz e se ajoelhavam, implorando por comida. Os soldados do comboio batiam neles sem pena. Batiam não só nos prisioneiros, mas também nas pessoas que assistiam e tentavam entregar-lhes alguma comida. Após a passagem da unidade macabra, várias carroças puxadas por cavalos carregavam os prisioneiros que não tinham condições de caminhar. Esse tratamento inacreditável de seres humanos só é possível sob a ética alemã.[205]

No dia seguinte, quando outra coluna de prisioneiros veio arrastando-se, o povo local colocou pão, maçãs e outros itens alimentícios no chão para eles. "Muito embora os soldados do comboio começassem a atirar enquanto os prisioneiros lutavam pela comida", anotou Klukowski, "estes não deram a menor atenção aos alemães". Depois de obrigar a população local a retirar a comida, os alemães concordaram que fosse colocada em uma carroça e distribuída aos prisioneiros. Klukowski achou que os prisioneiros pareciam "mais esqueletos de animais que humanos".[206]

Muitos prisioneiros de guerra soviéticos morreram de fome e exaustão a caminho dos campos. O marechal de campo Walter von Reichenau ordenou a seus guardas "atirar em todos os prisioneiros que desmaiassem". Alguns foram transportados de trem, mas só havia vagões de carga abertos para essa finalidade. Os resultados, em especial quando o inverno chegou, foram catastróficos. Vagões fechados só foram empregados em 22 de novembro de 1941, após mil dos 5 mil prisioneiros de um trem de transporte do Grupo de Exércitos do Centro morrerem congelados na jornada. Mesmo assim, no mês seguinte, um relatório oficial alemão registrou que "entre 25% e 70% dos prisioneiros" morriam no trajeto para os campos, em parte porque ninguém se incomodava em dar alguma comida a eles. Os acampamentos erguidos atrás das linhas mal mereciam esse nome. Muitos eram apenas campos abertos cercados toscamente com arame farpado. Quase não foram feitos preparativos para lidar com números tão grandes de prisioneiros, e nada se fez para fornecer comida ou medicação a eles. Um prisioneiro que escapou e deu jeito de voltar para as linhas soviéticas contou aos interrogadores da polícia que ele fora encarcerado em um campo na Polônia que consistia de 12 blocos, com cada um abrigando entre 1,5 mil e 2 mil prisioneiros. Os guardas usavam os reclusos como tiro ao alvo e lançavam cachorros sobre eles, fazendo apostas sobre qual cão infligiria os piores ferimentos. Os prisioneiros estavam morrendo de fome. Quando um deles morria, os outros caíam sobre o corpo e o devoravam. Em certa ocasião, doze homens foram fuzilados por canibalismo. Todos estavam infestados de piolhos, e o tifo espalhou-se rapidamente. Os uniformes leves de verão eram totalmente inadequados para protegê-los do inverno gélido. Em fevereiro de 1942, apenas 3 mil dos 80 mil reclusos originais restavam vivos.[207]

A mesma experiência repetiu-se em outros campos atrás da linha. Ao visitar Minsk em 10 de julho de 1941, Xaver Dorsch, um funcionário público da Organização Todt, verificou que o Exército havia montado um campo para 100 mil prisioneiros de guerra e 40 mil civis, quase toda a população masculina da cidade, "em uma área mais ou menos do tamanho da Wilhelmplatz" em Berlim:

Os prisioneiros são amontoados tão compactamente nessa área que mal podem mover-se e têm de se aliviar onde estão parados. São guardados por uma unidade de soldados da ativa. O pequeno tamanho da unidade de guarda significa que esta só pode controlar o campo usando o nível de força mais brutal. O problema de alimentar os prisioneiros de guerra é praticamente insolúvel. Alguns deles estavam sem comida há seis ou oito dias. A fome levou-os a uma apatia mortal, na qual só lhes resta uma obsessão: conseguir algo para comer [...] A única linguagem possível para a fraca unidade de guarda, que tem de executar suas tarefas dia e noite sem substituição, é a da pistola, e fazem uso implacável dela.[208]

Mais de 300 mil prisioneiros do Exército Vermelho haviam morrido no fim de 1941. Wilm Hosenfeld ficou chocado pela maneira como os prisioneiros russos foram deixados a morrer de fome, uma política que julgou "tão repulsiva, desumana e tão ingenuamente estúpida que só se pode ficar profundamente envergonhado por uma coisa dessas poder ser feita por nós".[209] Os habitantes das áreas vizinhas ofereceram-se para ajudar a alimentar os prisioneiros, mas o Exército alemão proibiu-os de fazê-lo.[210] Franz Halder, chefe do Estado-Maior Geral do Exército, anotou em 14 de novembro de 1941 que "numerosos prisioneiros estão morrendo de fome todos os dias. Impressões medonhas, mas neste momento não parece ser possível fazer nada para ajudá-los".[211]

Foram considerações práticas e não morais que levaram à mudança da política. No fim de outubro de 1941, as autoridades alemãs tinham começado a perceber que os prisioneiros soviéticos podiam ser usados como mão de obra forçada, e foram tomadas medidas para providenciar comida, vestimenta e abrigo para eles, ainda que longe de adequados.[212] Muitos (embora não todos) foram colocados em fábricas abandonadas e prisões. Entretanto, um grande número ainda vivia em trincheiras em janeiro de 1942. As condições deterioraram-se de novo em janeiro de 1943, embora jamais tenham chegado ao ponto baixo absoluto dos primeiros meses da guerra; a essa altura havia prisioneiros alemães suficientes nas mãos dos soviéticos para a liderança das Forças Armadas alemãs preocupar-se com retaliações. Ao longo de toda a guerra, as forças alemãs fizeram cerca de 5,7 milhões de prisioneiros soviéticos. Os registros oficiais alemães mostram que 3,3 milhões deles haviam perecido quando a guerra acabou, cerca de 58% do total. O número verdadeiro provavelmente foi bem mais alto. Em comparação, 356.687 dos cerca de 2 milhões de prisioneiros alemães feitos pelo Exército Vermelho, na maior parte nos estágios finais da guerra, não sobreviveram, uma taxa de mortalidade de quase 18%. Isso excedia de longe as taxas de mortalidade de britânicos, franceses e de outros soldados em cativeiro alemão, que ficaram abaixo de 2% até os últimos meses caóticos da guerra, para não falar dos soldados alemães tomados como prisioneiros pelos aliados ocidentais. Mas as altas taxas de mortalidade dos prisioneiros alemães em campos russos refletiam as terríveis condições de vida na União Soviética e no sistema de campos do *gulag* em geral que se seguiram à maciça destruição causada pela guerra e às más colheitas do período pós-guerra imediato, e não algum espírito particular de vingança contra os alemães da parte de seus captores. De fato, não há evidência de que os prisioneiros alemães tenham sido tratados de modo diferente em relação aos outros prisioneiros em campos soviéticos, exceto na intensidade com que eram submetidos a programas de reeducação política por serem "fascistas".[213]

Por outro lado, os prisioneiros do Exército Vermelho em mãos alemãs pereceram em consequência direta das doutrinas raciais nazistas, compartilhadas pela maioria esmagadora do corpo de oficiais alemão, que desprezava os "eslavos" como sub-humanos sacrificáveis, indignos de se manter vivos enquanto houvesse alemães famintos para alimentar.[214] Esse foi, em certo sentido, o primeiro estágio da implementação do Plano Geral para o Leste. Apenas uns poucos oficiais alemães protestaram contra os maus-tratos aos prisioneiros de guerra soviéticos. Um deles foi o marechal de campo Fedor von Bock, na liderança do Grupo de Exércitos do Centro. Bock anotou em 20 de outubro de 1941: "É terrível a impressão de dezenas de milhares de prisioneiros de guerra russos que, quase sem guarda, estão em marcha para Smolensk. Essa gente desafortunada cambaleia morta de cansaço e semimorta de fome, e muitos caíram ao longo do caminho, exaustos ou mortos. Eu falo com os exércitos sobre isso", ele acrescentou, "mas a assistência quase não é possível". E mesmo Bock, o epítome do oficial prussiano tradicionalmente "correto", no fim estava mais preocupado em evitar que tais prisioneiros escapassem e se juntassem a grupos guerrilheiros formados por milhares de soldados do Exército Vermelho que haviam ficado encurralados atrás das linhas com o rápido avanço das forças alemãs. "Eles devem ser supervisionados e guardados com mais rigor", concluiu ele após ver os esfarrapados prisioneiros russos, "do contrário irão engrossar cada vez mais o movimento guerrilheiro".[215] A inquietação entre oficiais seniores como Bock foi sufocada pela insistência de Hitler em que os prisioneiros de guerra soviéticos não deviam ser tratados como soldados comuns, mas como inimigos raciais e ideológicos; os oficiais subalternos que os tinham sob sua responsabilidade no dia a dia tinham poucos escrúpulos em vê-los morrer.[216] Os prisioneiros que finalmente foram soltos e voltaram à União Soviética – mais de 1,5 milhão – tiveram de encarar uma ampla discriminação em consequência de uma ordem emitida por Stálin em agosto de 1941 igualando rendição a traição. Muitos foram despachados para campos de trabalho do *gulag* após serem investigados pela contrainteligência militar soviética. A despeito das tentativas do líder militar, marechal Georgi Jukov, de dar fim à discriminação dos ex-prisioneiros de guerra depois da morte de Stálin, eles não foram formalmente reabilitados até 1994.[217]

V

Às 3h30 da manhã de 22 de junho de 1941, o chefe do Estado-Maior Geral do Exército Vermelho, Georgi Jukov, telefonou para a *datcha* de Stálin para despertar o líder soviético. Os alemães, disse ele, haviam começado a bombardear as posições do Exército Vermelho ao longo da fronteira. Stálin recusou-se a acreditar que uma invasão em grande escala estava em andamento. Com certeza, disse ele a um pequeno grupo de líderes civis e militares em Moscou mais tarde naquela manhã, Hitler não sabia disso. Devia ser uma conspiração entre os líderes das Forças Armadas alemãs. Somente quando o embaixador alemão, conde Friedrich Werner von der Schulenburg, encontrou-se com o ministro de Relações Exteriores, Molotov, no Kremlin para entregar a declaração alemã de guerra, Stálin reconheceu que fora profundamente logrado por Hitler. De início chocado, embaraçado e desorientado, Stálin logo se recompôs. Em 23 de junho de 1941, ele trabalhou em sua mesa no Kremlin das 3h20 da manhã às 6h25 da noite, reunindo informações e fazendo os preparativos necessários para a criação de um Comando Supremo para assumir o controle das operações. Com o passar dos dias, ele ficou cada vez mais desalentado com a escala e a velocidade do avanço alemão. No fim de junho, partiu para sua *datcha* dizendo, com seu inimitável jeito grosseiro: "Está tudo perdido. Desisto. Lenin fundou nosso Estado, e nós fodemos tudo". Stálin não fez um pronunciamento ao povo soviético, não falou com seus subordinados, nem sequer atendeu ao telefone. De fato, aviões alemães lançaram panfletos sobre as linhas do Exército Vermelho afirmando que ele estava morto. Quando uma delegação do Politburo chegou à *datcha*, encontrou Stálin afundado em uma poltrona. "Por que vocês vieram?", ele perguntou. Com um arrepio de terror, dois membros da delegação, Mikoyan e Beria, perceberam que ele pensou que tinham ido prendê-lo.[218]

Convencidos de que o sistema soviético estava em tão mau estado que precisava apenas de um empurrão decisivo para cair aos pedaços, Hitler e os generais líderes haviam apostado tudo na rápida derrota do Exército Vermelho. Como seus predecessores em 1914, esperaram que a campanha se encerrasse bem antes do Natal. Não mantiveram formações importantes na reserva, nem fizeram provisões para a substituição de homens e equipamento perdidos no *front*. Muitos pilotos que lutaram na campanha esperavam ser transferidos de volta para o oeste para combater os britânicos no início de setembro. As assombrosas vitórias militares das primeiras semanas convenceram-nos de que estavam certos. Os exércitos soviéticos com certeza tinham sido completamente destruídos. Hitler compartilhou da euforia geral. Em 23 de junho de 1941, ele viajou de Berlim para seu novo quartel-general de campo atrás do *front* em Rastenburg, na Prússia Oriental. Um grande conjunto localizado bem no interior da floresta, com ramal ferroviário próprio, ao longo do qual de tempos em tempos Göring rodava em seu luxuoso trem particular, o quartel-general estivera em construção desde o outono anterior. O conjunto continha uma série de *bunkers* e cabanas ocultos na paisagem e dos aviões. Havia alojamentos para os guardas, refeitórios e salas de conferência. Uma pista de pouso permitia o transporte de passageiros em aeronaves leves quando havia pressa. Dois outros complexos cercados não muito longe eram usados pelos chefes das Forças Armadas e por equipes de planejamento. Hitler chamou o quartel-general de

Covil do Lobo, uma referência a seu apelido na década de 1920. Foi ali que recebeu relatórios dos líderes das Forças Armadas e pronunciou os alentados monólogos à hora do almoço e do jantar que Bormann mandou anotar para o benefício da posteridade. Hitler não pretendia ficar ali por mais que umas poucas semanas. "A guerra no oeste já estava ganha na maior parte", disse a Goebbels em 8 de julho de 1941.[219] Ele não estava fazendo nada além de ecoar a opinião dos militares. Em 3 de julho de 1941, o chefe do Estado-Maior Geral do Exército, Franz Halder, notando que o Exército Vermelho parecia não ter mais reservas para lançar na batalha, já havia dado vazão à euforia. "Assim, realmente não é exagero", anotou ele no diário, "se eu afirmar que a campanha contra a Rússia foi vencida em catorze dias".[220]

Em 16 de julho de 1941, portanto, Hitler realizou um encontro a fim de fazer os arranjos para o governo dos territórios conquistados. No comando geral nominal ficou o principal ideólogo do Partido Nazista, Alfred Rosenberg, nomeado ministro do Reich para os Territórios Ocupados do Leste. Suas origens alemãs bálticas faziam-no parecer o homem adequado para o cargo. O gabinete de Rosenberg vinha planejando cooptar algumas das nacionalidades vassalas da União Soviética na região, e em particular os ucranianos, como um contrapeso aos russos. Mas foram planos vãos. Hitler removeu explicitamente da área de competência de Rosenberg não só o Exército, mas também a SS de Himmler e a organização do Plano de Quatro Anos de Göring. E não apenas Himmler e Göring, mas também Hitler planejava a subjugação, a deportação e o assassinato implacáveis de milhões de habitantes das zonas ocupadas em vez de sua cooptação para uma Nova Ordem nazista. Na busca dessa meta, Hitler nomeou Erich Koch, o líder regional da Prússia Oriental, para liderar o Comissariado do Reich na Ucrânia, com a instrução de ser tão duro e brutal quanto possível. Ele a cumpriu com prazer. Seus pares no Comissariado do Reich para a Região Leste, que incluía os antigos Estados bálticos, e no Comissariado Geral da Bielorrússia, Hinrich Lohse e Wilhelm Kube, mostraram-se, respectivamente, fraco e corrupto, e no fim foram amplamente ignorados, assim como o próprio Rosenberg. Portanto, mais ainda do que na Polônia, a SS teve permissão para fazer mais ou menos o que quisesse nos territórios recém-ocupados.[221]

Hitler estava ciente de que seus planos para a subjugação e o extermínio das populações nativas das áreas ocupadas eram tão radicais que poderiam indispor a opinião mundial. A propaganda, portanto, disse ele em 16 de julho de 1941, devia enfatizar que as forças alemãs haviam ocupado a área para restaurar a ordem e a segurança e liberá-la do controle soviético.[222] A invasão foi vendida ao povo alemão não só como uma fase decisiva na guerra contra o "bolchevismo judaico", mas também como uma medida preventiva com o objetivo de deter um assalto soviético à Alemanha. De fato, em 17 de setembro de 1941, Hitler disse a seus acompanhantes de jantar que ele fora obrigado "a antever que Stálin poderia passar para o ataque ao longo de 1941", e Goebbels já registrara Hitler vituperando em 9 de julho "sobre a panelinha da liderança bolchevique que havia pretendido invadir a Alemanha". Até que ponto essas declarações refletem as crenças reais dos dois homens é um ponto discutível: ambos sabiam que suas palavras seriam registradas para a posteridade – as de Hitler pelos estenógrafos de Bormann, as de Goebbels por seus secretários, pois nessa época ele havia passado a ditar seus diários em vez de escrevê-los por si mesmo, e assinara um contrato para a publicação deles após sua morte.[223] Mas com certeza foi essa a ideia transmitida à massa de alemães comuns.

O anúncio da invasão pegou a maioria dos alemães quase totalmente de surpresa. Em muitas ocasiões anteriores, a iminência da guerra tinha ficado óbvia na escalada maciça de propaganda hostil injetada contra o futuro inimigo pela máquina de mídia de Goebbels. Mas, como Hitler quis engambelar Stálin para que pensasse que não haveria ataque, tal propaganda esteve inteiramente ausente nessa ocasião, e, na verdade, em meados de junho houve até boatos de que Stálin estava prestes a fazer uma visita formal ao Reich alemão. A atenção da maioria das pessoas estava focada no conflito com a Grã--Bretanha e na esperança de que se chegasse a um acerto. Não é de surpreender, portanto, que as reações iniciais do povo ao anúncio da deflagração da Operação Barba Ruiva tenham sido mistas. A estudante Lore Welb capturou a reação pública com perfeição em seu diário. As pessoas sentiram, escreveu ela, "grande apreensão e depressão ao mesmo tempo, mas também, de algum modo, deram um suspiro de alívio". Pelo menos, sentiu ela, o ar fora purificado com o fim da aliança taticamente necessária, mas politicamente falsa entre a Alemanha e o bolchevismo soviético.[224] As autoridades locais no distrito rural bávaro de Ebermannstadt relataram que as pessoas estavam com "o rosto ansioso" e preocupadas "porque a guerra estava mais uma vez arrastando-

-se por um longo período no futuro".²²⁵ Luise Solmitz também achou que a invasão da União Soviética prenunciava uma guerra sem fim.²²⁶ "O primeiro pensamento que todos nós temos é sobre a duração da guerra", escreveu o jornalista Jochen Klepper, que fora alistado como oficial da reserva nas unidades alemãs na Bulgária e na Romênia, "mas é seguido da convicção de que um ajuste de contas com a Rússia seria necessário mais cedo ou mais tarde".²²⁷

Alguns estavam preocupados que Hitler estivesse dando um passo maior que as pernas. Melita Maschmann passava por uma cervejaria ao ar livre no lago Constança em 22 de junho de 1941, em visita aos pais, quando ouviu Hitler no rádio anunciando a invasão da União Soviética. Mais tarde, ela lembrou que sua reação inicial fora de medo e apreensão. Uma guerra em duas frentes jamais havia sido uma boa ideia, e nem Napoleão tinha sido capaz de derrotar os russos.

> As pessoas ao meu redor tinham o semblante perturbado. Evitamos os olhos uns dos outros e olhamos através do lago. A margem mais distante estava envolta em névoa sob um céu cinzento. Havia algo de sombrio no clima daquela manhã nublada de verão. Antes de a transmissão acabar, começou a chover. Eu vinha de uma noite sem dormir e estava resfriada. Caminhei ao longo da orla em um surto de depressão. A água batia, cinza e indiferente, contra o cais. Havia uma coisa que a invasão da Rússia com certeza significaria. A guerra se prolongaria por muitos anos, e talvez houvesse sacrifícios incomensuravelmente maiores.²²⁸

As assombrosas vitórias dos exércitos alemães, alardeadas pelos meios de comunicação de 29 de junho de 1941 em diante, animaram o espírito das pessoas e convenceram muitas delas de que, no fim das contas, a guerra poderia não durar tanto; todavia, o entusiasmo continuou sendo superado pela apreensão entre a grande maioria.²²⁹ Um funcionário de Ebermannstadt resumiu as reações com notável honestidade algumas semanas depois, em 29 de agosto de 1941. O número de pessoas que "está seguindo o curso dos acontecimentos com paixão oriunda de entusiasmo fanático", escreveu ele, "é infimamente pequeno. A grande massa de pessoas espera pelo fim da guerra com o mesmo anseio que um doente aguarda sua recuperação".²³⁰

Nas pegadas de Napoleão

I

Poucos dias depois de se retirar para sua *datcha* em desespero, Stálin recuperou o sangue-frio, se é que realmente o havia perdido. Alguns pensaram que ele se afastara em isolamento temporário como Ivan, o Terrível, séculos antes, para demonstrar que era indispensável. Foi montado um Comitê de Defesa do Estado, com o próprio Stálin na presidência. O retiro lhe deu a chance de repensar seu papel. Em 3 de julho de 1941, o mesmo dia em que Franz Halder confidenciou ao diário a crença de que a vitória já fora alcançada pelas forças alemãs, Stálin falou ao povo soviético pelo rádio, pela primeira vez não como um ditador comunista, mas como um líder patriota. "Irmãos e irmãs", disse ele, "amigos!". Era um tom inteiramente novo. Ele chegou a admitir que o Exército Vermelho não estivera preparado para o ataque. Os alemães, disse ele, eram "perversos e pérfidos [...] pesadamente armados com tanques e artilharia". Mas não prevaleceriam. O povo soviético tinha de organizar a defesa civil e mobilizar cada partícula de energia para derrotar o inimigo. Era necessário formar grupos guerrilheiros atrás das linhas para causar todo estrago e perturbação possível. As pessoas sentiram que o silêncio, as mentiras e as evasivas enfim tinham sido substituídos por alguma espécie de verdade.[231] A propaganda do Partido Comunista começou a enfatizar a defesa não da revolução, mas da pátria. O jornal do partido, *Pravda* ("Verdade"), tirou o *slogan* "Trabalhadores do Mundo, Uni-vos!" de seu cabeçalho e o substituiu por "Morte aos Invasores Alemães!". Nikolai Moskvin anotou em 30 de setembro de 1941 que "o ânimo da população local mudou incrivelmente". Da ameaça constante de delação para os alemães, eles aderiram à causa patriótica depois de ficar sabendo que as autoridades de ocupação estavam mantendo as fazendas coletivas em funcionamento porque facilitava a coleta de grãos a serem transportados para a Alemanha.[232]

O apelo do discurso patriótico foi ainda mais poderoso porque o povo já estava começando a conhecer a amarga realidade da ocupação alemã. Histórias de horror dos campos de prisioneiros de guerra mesclavam-se com as narrativas de testemunhas oculares sobre o fuzilamento em massa de civis e o incêndio de aldeias por tropas alemãs, produzindo nas fileiras do Exército Vermelho ainda em retirada uma determinação de lutar contra o inimigo que estivera quase totalmente ausente nos primeiros dias caóticos da guerra. Quando a cidade de Kursk caiu, os alemães detiveram todos os habitantes saudáveis do sexo masculino, encerraram-nos em cercados de arame farpado a céu aberto, sem água nem comida, e depois puseram-nos a trabalhar, observados por alemães empunhando cassetetes de borracha. "As ruas estão vazias", observou um relatório do serviço secreto soviético. "As lojas foram saqueadas. Não há abastecimento de água nem eletricidade. Kursk entrou em colapso."[233] Minsk, registrou Fedor von Bock, era pouco mais que uma "pilha de destroços, por onde a população perambula sem comida alguma".[234] Outras cidades e aldeias foram reduzidas a condição semelhante. Foram deliberadamente privadas de mantimentos pelos conquistadores alemães, que requisitaram o grosso dos gêneros alimentícios para si mesmos, em uma situação já crítica pela remoção de grandes quantidades de suprimentos pelo Exército Vermelho em retirada. Hitler declarou que tinha a firme intenção de "reduzir Moscou e Leningrado a cinzas, de modo a impedir que o povo fique lá e nos obrigue a alimentá-lo durante o inverno. Essas cidades devem ser aniquiladas pela Força Aérea".[235] Muita gente fugiu das tropas alemãs que avançavam – a população de Kiev, por exemplo, caiu pela metade, de 600 mil para 300 mil –, mas, mesmo para aqueles que ficaram, manter-se vivo logo tornou-se a prioridade em todas as áreas ocupadas. Os militares alemães emitiram uma sequência de ordens impondo toques de recolher, recrutando rapazes para trabalhos forçados, requisitando trajes de inverno e executando centenas de cidadãos em represália para cada suposto ato de incêndio criminoso ou sabotagem.[236] A pilhagem por tropas alemãs foi tão disseminada quanto na Polônia. "Por toda parte", escreveu o general Gotthard Heinrici em tom cáustico em 23 de junho de 1941, "nossa gente procura arreios e pega os cavalos dos fazendeiros. Grande lamúria e lamentação nas aldeias. É assim que a população é 'liberada'".[237] A requisição de comida, acrescentou ele em 4 de julho de 1941, era total e geral. "Mas a terra logo estará exaurida."[238] O comportamento das tropas logo indispôs até mesmo as pessoas que de início haviam-nas acolhido como libertadoras da tirania de Stálin. "Se nossa gente fosse apenas um pouquinho mais decente e cordata!", lamentou Hans Meier-Welcker. "Estão pegando dos fazendeiros tudo que lhes apraz." Meier-Welcker viu soldados roubando galinhas, destroçando colmeias para pegar os favos de mel e se atirando sobre um bando de gansos em um pátio de fazenda. Ele tentava disciplinar os saqueadores, mas era uma causa perdida.[239]

Um oficial do Exército relatou em 31 de agosto de 1941 de outra parte do *front*:

> A população não só em Orscha, mas também em Mogilev e outras localidades, fez repetidas queixas referentes à tomada de seus pertences por soldados alemães individuais, que possivelmente nem teriam como usar tais itens. Entre outros casos, fui informado por uma mulher de Orscha, que estava em prantos e desesperada, que um soldado alemão havia tirado o casaco da criança de três anos de idade que ela carregava nos braços. Ela disse que sua residência fora inteiramente queimada e que jamais pensara que os soldados alemães pudesssem ser impiedosos a ponto de tirar as roupas de criancinhas.[240]

Ordens do Quartel-General do Exército ameaçando punir tais ações permaneceram letra morta. Em Witebsk, as tropas retiraram quase todas as duzentas cabeças do rebanho coletivo da cidade, com exceção de oito, pagando por apenas doze delas. Enormes quantidades de mantimentos foram roubadas, inclusive 1 milhão de chapas de laminado de um depósito de madeira local e quinze toneladas de sal de um armazém. Quando o tempo esfriou, as tropas começaram a roubar a mobília de madeira das casas da população para usar como combustível. No sul, foi dito que os soldados húngaros estavam "pegando tudo que não estava pregado". O povo local referia-se a eles como "hunos austríacos". Dezenas de milhares de soldados eram alojados à força na casa dos habitantes, arruinando-os de tanto comer. Em desespero, muitas mulheres aderiram à prostituição. Em certas áreas, a incidência de doenças venéreas entre soldados alemães logo atingiu a taxa de 10%. O estabelecimento de duzentos bordéis oficiais do Exército para as tropas no leste pouco fez para amenizar a situação. Estupros estavam longe de ser incomuns, embora não fossem usados como uma política deliberada pelo Exército; todavia, do 1,5 milhão de membros das Forças Armadas condenados em corte marcial por delitos de todos os tipos, apenas 5.349 foram levados a julgamento por crimes sexuais, a maioria como resultado de queixas de vítimas do sexo feminino. As cortes trataram esse tipo de crime com leniência, e as detenções por pilhagem e furto até mesmo caíram após 22 de junho de 1941. O Exército sem dúvida estava fazendo vistas grossas para o mau comportamento das tropas no leste, contanto que não afetasse o moral.[241] Furto e estupro eram acompanhados de atos de destruição intencional. Unidades do Exército alemão divertiam-se nos vários palácios que pontilhavam a zona rural em torno de São Petersburgo metralhando espelhos e arrancando sedas e brocados das paredes. Levaram as estátuas de bronze que adornavam os famosos chafarizes do Palácio de Peterhof para serem derretidas e destruíram a maquinaria que operava os chafarizes. As casas onde figuras famosas da cultura russa haviam vivido tornaram-se alvos deliberados: manuscritos da Iasnaia Poliana de Tolstói foram queimados nos fogões, ao passo que a casa do compositor Tchaikovski foi arrasada e motocicletas do Exército passaram em cima dos manuscritos musicais espalhados pelo chão.[242]

Desde o início, os militares adotaram uma política de retaliação brutal ao extremo. Como na Sérvia, unidades do Exército alemão deram batidas em aldeias ucranianas, bielorrussas e russas, queimando as casas e fuzilando os habitantes, em represália até mesmo pelo mais ínfimo ato de suposta sabotagem. Tinham pouco remorso em destruir o que de qualquer modo pareciam-lhes moradias dificilmente habitáveis. "Se não se tivesse visto com os próprios olhos as condições primitivas entre os russos", escreveu o soldado Hans-Albert Giese para a mãe em 12 de julho de 1941, "não daria para acreditar que tal coisa ainda existe [...] Nossos estábulos de vacas em casa às vezes parecem ouro se comparados com a melhor peça das casas em que os russos optam por viver. Eles são talvez uma gentalha pior que os ciganos". Poucos dias depois, ele referiu-se aos aldeões russos como "negros do mato".[243] Oficiais de alta patente do Exército também desprezavam a população civil da Rússia, que Manstein, de forma inteiramente típica, descreveu como uma terra distante da civilização ocidental. Rundstedt reclamava constantemente da sujeira nos lugares que ele tomou no setor sul do *front*. Os habitantes da União Soviética pareciam bestiais, asiáticos, obtusos e fatalistas, ou velhacos e sem honra, para oficiais e também para homens de todas as patentes.[244] Ao entrar na União Soviética, Gotthard Heinrici sentiu que havia entrado em outro universo: "Acredito que só se poderia fazer jus a ela se não tivéssemos, como fizemos aqui, entrado gradualmente, a pé, mas em vez disso tivéssemos viajado para cá como em uma jornada por mar para uma parte estranha do globo e então, ao deixar nossa costa, cortássemos todos os laços internos com as coisas a que estamos acostumados em casa".[245] Era uma espécie de turismo negativo: "Dificilmente há alguém nesta terra miserável", escreveu um soldado da área conquistada, "que não pense seguidamente e com alegria em sua Alemanha e seus entes queridos em casa. As coisas aqui realmente são ainda piores que na Polônia. Nada além de sujeira e uma tremenda pobreza imperam por aqui, e simplesmente não dá para entender como as pessoas podem viver sob tais circunstâncias".[246] Não importava, portanto, o quão rispidamente aquela gente miserável e sub-humana fosse tratada. Centenas de civis foram tomados como reféns; eram rotineiramente fuzilados quando ocorria um novo ato de resistência guerrilheira. "Agora estamos vivenciando a guerra em toda sua tragédia", relatou Alois Scheuer, um cabo nascido em 1909, que pertencia à geração mais velha das tropas, "é o maior infortúnio da humanidade, torna as pessoas rudes e brutas". Apenas o pensamento em sua esposa e filhos, e a fé católica, impediram-no de "ficar quase sem sentimentos no espírito e na alma".[247] A violência militar alemã contra os civis logo dissipou o apoio que os invasores de início haviam obtido da população local. A resistência guerrilheira incitou mais represálias, levando mais gente a se juntar aos guerrilheiros, e assim a escalada do ciclo de violência prosseguiu. "A guerra está sendo travada de modo cruel de ambos os lados", confessou Albert Neuhaus em agosto de 1941.[248]

Poucos meses depois, ele relatou um incidente corriqueiro de uma espécie que deve ter acontecido muitas vezes antes. "Em uma aldeia dos arredores pela qual passamos esta tarde, nossos soldados enforcaram uma mulher em uma árvore porque ela estava incitando o povo contra as tropas alemãs. Não estamos dando a mínima para essa gente."[249] Fotógrafo entusiástico, Neuhaus não viu nada de mais em tirar uma foto de um suposto guerrilheiro enforcado em uma árvore e mandá-la para a esposa.[250] Por toda parte, as tropas alemãs reduziram aldeias a cinzas e fuzilaram civis aos milhares.[251] A velocidade do avanço alemão fez que muitas unidades do Exército Vermelho se vissem interceptadas; elas então continuaram a lutar por detrás do *front*, juntando-se ao povo local na criação de bandos guerrilheiros para atacar o inimigo pela retaguarda. Isso enraiveceu as tropas alemãs, que, assim como haviam feito na Polônia, consideraram tal atitude um tanto injusta. "Soldados perdidos", relatou o general Gotthard Heinrici em 23 de junho de 1941, com apenas um dia de invasão, "postam-se por toda parte nas grandes florestas, em inúmeras granjas, e com bastante frequência atiram pelas costas. Os russos em geral estão travando guerra de forma insidiosa. Nossa gente liquidou com eles diversas vezes, sem perdão".[252] "Nossa gente", escreveu ele em 6 de julho de 1941, "espancou e fuzilou tudo que corria por ali em uniforme marrom".[253] Em 7 de novembro de 1941, Heinrici foi forçado a dizer a seu ajudante, tenente Beutelsbacher, o qual vinha levando a cabo a execução de guerrilheiros soviéticos reais ou imaginários, que "não é para ele enforcar guerrilheiros a menos de cem metros da minha janela. Não é uma bela vista matinal".[254]

Diante de tais horrores, soldados e civis soviéticos começaram a ouvir a nova mensagem patriótica de Stálin e a oferecer combate. Encorajados por seu líder, mais e mais rapazes foram para os bosques formar bandos de guerrilheiros, atacando instalações alemãs de surpresa e intensificando o círculo vicioso de violência e repressão. Até o fim do ano, a massa esmagadora de civis das áreas ocupadas tinha passado a apoiar o regime soviético, encorajada pela ênfase de Stálin na defesa patriótica contra um impiedoso invasor estrangeiro.[255] A escalada da resistência guerrilheira veio junto com uma recuperação drástica da eficiência de combate do Exército Vermelho. A estrutura pesadona do Exército Vermelho foi simplificada, criando unidades flexíveis que teriam condições de reagir com mais rapidez às investidas táticas alemãs.

Os comandantes soviéticos receberam ordens para concentrar sua artilharia em defesas antitanques onde parecesse provável que os *panzers* alemães fossem atacar. A reformulação soviética continuou em 1942 e 1943 adentro, mas, já antes do fim de 1941, fora assentada a base para uma reação mais efetiva à contínua invasão alemã. O Comitê de Defesa do Estado reorganizou o sistema de mobilização para fazer melhor uso dos 14 milhões de reservistas criados por uma lei de alistamento universal em 1938. Mais de 5 milhões de reservistas foram rapidamente mobilizados poucas semanas após a invasão alemã, e a eles seguiram-se outros. Essa mobilização foi tão apressada que a maioria das novas divisões e brigadas não tinha nada mais do que rifles para lutar. O motivo disso, em parte, foi que as instalações de produção bélica passavam por uma transferência de imensas proporções, à medida que fábricas das regiões industriais da Ucrânia eram desmontadas e transportadas para o leste dos montes Urais por medida de segurança. Um conselho especial de realocação foi implantado em 24 de junho, e a operação entrou em andamento no início de julho. A aviação de reconhecimento alemã informou o que para ela tratava-se de inexplicáveis multidões de vagões ferroviários na região – nada menos que 8 mil vagões de carga foram empregados na remoção de instalações metalúrgicas de uma cidade da zona de Donbas para o recém-criado centro industrial de Magnitogorsk nos Urais, por exemplo. No total, 1.360 fábricas de armas e munições foram transferidas para o leste entre julho e novembro de 1941, usando 1,5 milhão de vagões ferroviários. O homem a cargo da complexa tarefa de remoção, Andrej Kosigin, conquistou a justificada reputação de administrador incansável e eficiente que o levaria ao topo do governo da União Soviética depois da guerra. O que não podia ser levado, como minas de carvão, estações de força, oficinas de conserto de locomotivas e até mesmo uma barragem hidrelétrica no rio Dnieper, foi sabotado ou destruído. Essa política de terra arrasada privou os invasores alemães de recursos com os quais eles haviam contado. Mas, junto com a evacuação, isso também fez que o Exército Vermelho tivesse de lutar a guerra no inverno de 1941-42 em grande parte com o equipamento existente, até que os centros de produção novos ou transferidos entrassem em operação.[256]

Stálin também ordenou uma série de operações de limpeza étnica maciça para remover do teatro de guerra o que ele e a liderança soviética consideravam elementos subversivos em potencial. Mais de 390 mil alemães étnicos da Ucrânia foram deportados à força para o leste a partir de setembro de 1941. No total, havia quase 1,5 milhão deles na União Soviética. A polícia secreta soviética baixou sobre o rio Volga com 15 mil homens para dar início à expulsão dos alemães étnicos que lá viviam, removendo 50 mil deles já até a metade de agosto de 1941. Ações semelhantes ocorreram no Baixo Volga, onde vivia uma grande comunidade de ascendência alemã. Em meados de setembro de 1941, começaram as expulsões das principais cidades. No fim de 1942, mais de 1,2 milhão de alemães étnicos haviam sido deportados para a Sibéria e outras áreas remotas. Talvez uns 175 mil tenham morrido em decorrência da brutalidade policial, da fome e das doenças. Muitos não falavam alemão, e eram alemães apenas em virtude de ancestrais distantes. Não fazia diferença. Outros grupos étnicos também caíram na mira – os poloneses, como vimos, foram deportados em grande número a partir de 1939 e, mais adiante, até meio milhão de chechenos e outras minorias do Cáucaso foram igualmente removidos por supostamente ter colaborado com os alemães. Além disso, à medida que as forças alemãs avançavam, a polícia secreta soviética assassinava de forma sistemática todos os prisioneiros políticos das cadeias que ficavam no caminho. Um pelotão de fuzilamento chegou à prisão de Luck, que fora danificada por um bombardeio, alinhou os prisioneiros políticos e metralhou uns 4 mil deles. Só no oeste da Ucrânia e no oeste da Bielorrússia, cerca de 100 mil prisioneiros foram fuzilados, baionetados ou mortos por granadas de mão lançadas em suas celas.[257] Qualquer que tenha sido o impacto no esforço de guerra, tais ações armazenaram um amargo legado de ódio que dentro de um período muito curto levaria a horrorosos atos de vingança.

II

A disposição soviética para resistir, manifestada dessas várias formas, presente de alto a baixo na hierarquia, logo tornou-se visível para os líderes militares alemães, que em breve perceberam que a guerra não iria acabar em questão de semanas. O Grupo de Exércitos do Centro conseguira envolver enormes quantidades de tropas soviéticas, mas ao norte e ao sul o Exército

Vermelho havia apenas sido empurrado para trás, e o avanço alemão estava perdendo velocidade. Longe de se desmanchar, o Exército Vermelho estava começando a encontrar meios de trazer novas tropas de reservas para o *front*, e estava começando a montar contra-ataques bem-sucedidos em nível local. Muito antes do fim de julho, o marechal de campo Fedor von Bock foi forçado a lidar com repetidos contra-ataques de forças soviéticas. Os russos estavam se tornando "petulantes", anotou ele. "A vitória ainda não foi conquistada!" "Os russos são inacreditavelmente rijos!!"[258] "Dia após dia", escreveu um soldado comum em um panfleto de propaganda, as tropas tinham de enfrentar "os gritos estridentes das hordas bolcheviques, que parecem surgir da terra em massas espessas".[259] Em especial ao redor de Smolensk, no trajeto de Minsk para Moscou, a leste do rio Dnieper, os comandantes soviéticos Jukov e Timoshenko havia começado uma série de contra-ataques pesados em 10 de julho de 1941 na tentativa de brecar o avanço do grupo *panzer* do general Heinz Guderian rumo à cidade. Parcamente equipada, mal coordenada e abastecida de forma inadequada, a resistência soviética fracassou, mas diminuiu a velocidade do avanço alemão e infligiu pesadas perdas de homens e equipamento às forças de Guderian, cujas linhas de abastecimento agora estavam gravemente estendidas. Soldados comuns compartilhavam a opinião de que os russos eram inesperadamente rijos.[260] Os exércitos alemães eram submetidos a assédio constante e a ataques repetidos. "Os russos são muito fortes e lutam com desespero", escreveu o general Gotthard Heinrici à esposa em 20 de julho de 1941. "Eles aparecem de súbito por toda parte, atirando, caem sobre as colunas, carros individuais, mensageiros etc. [...] Nossas perdas são consideráveis."[261]

De fato, os alemães haviam perdido mais de 63 mil homens até o fim do mês.[262] Em 22 de julho de 1941, Heinrici confidenciou à esposa: "Não se tem a sensação de que, no geral, a disposição russa para resistir tenha sido destruída, ou de que o povo queira depor seus líderes bolcheviques. No momento, tem-se a impressão de que a guerra vai prosseguir, mesmo que Moscou seja tomada, de algum lugar nas profundezas dessa terra sem fim".[263] Em suas cartas ao longo das semanas seguintes, ele voltou a expressar repetidas vezes seu assombro com o "espantoso vigor para resistir" dos russos e sua estarrecedora "firmeza". "As unidades deles estão semidestruídas, mas simplesmente preenchem-nas com gente nova e atacam outra vez. Como os russos conseguem isso é algo além de meu entendimento."[264] O serviço secreto militar alemão havia fracassado em registrar a presença de imensas unidades de reserva soviéticas a leste do Dnieper, das quais novas tropas eram constantemente deslocadas para o *front*.[265] Pouco mais de um mês após a invasão ter se iniciado, os generais líderes alemães começavam a reconhecer que a União Soviética era o "primeiro oponente sério" do Terceiro Reich, com "inesgotáveis recursos humanos".[266] Em 2 de agosto, o general Halder já estava começando a pensar em como prover as tropas alemãs de trajes de inverno.[267] Nove dias depois, ele estava seriamente preocupado:

> Na situação como um todo está ficando cada vez mais claro que subestimamos o colosso russo, que se preparou de modo consciente para a guerra com a absoluta falta de comedimento peculiar aos Estados totalitários. Essa conclusão aplica-se a suas forças econômicas, bem como organizacionais, a seu sistema de transporte e sobretudo à sua capacidade puramente militar de funcionar. No início da guerra, calculamos umas duzentas divisões inimigas. Agora já contamos 360. Essas divisões com certeza não estão armadas e equipadas no sentido pleno dessas palavras, e com frequência são taticamente mal lideradas. Mas estão lá. E quando uma dúzia delas foi destruída, os russos repõem outra dúzia.[268]

E até mesmo a estatística soturna de Halder era de fato uma substancial subestimação do poderio de seu oponente. Além disso, as tropas alemãs estavam sofrendo pesadas perdas – 10% da força de invasão estava morta, ferida ou desaparecida no fim de julho de 1941. "Em vista da fraqueza de nossas forças e dos espaços infindáveis", concluiu ele desalentado em 15 de agosto de 1941, "podemos jamais alcançar o sucesso".[269]

Enquanto o Exército Vermelho recorria a vastas reservas para substituir os milhões de soldados perdidos ou capturados nos primeiros meses de campanha, as Forças Armadas alemãs já haviam consumido a maior parte do contingente disponível e tinham pouquíssimas tropas novas para lançar na peleja. No fim de julho, Guderian foi adiante com suas forças blindadas e assumiu o controle do trecho de terra entre os rios Dvina e Dnieper, mas as muito estendidas forças alemãs deixaram lacunas em suas defesas, e o Exército Vermelho, com novo entusiasmo pela batalha, lançou uma série de contra-ataques que começaram a dar ao marechal de campo Fedor von Bock, no comando do Grupo de Exércitos do Centro, um sério motivo de preocupação. Enquanto continuavam os implacáveis assaltos, ele foi forçado a admitir: "Nossas tropas estão cansadas e, em consequência das pesadas perdas entre os oficiais, tampouco exibem a necessária firmeza". "Quase não me sobram reservas para lançar contra a massa de contingente do inimigo e seus ataques implacáveis", confessou ele em 31 de julho de 1941. No fim da primeira semana de agosto, ele estava seriamente preocupado com "o lento declínio do valor de combate de nossas tropas sob o impacto de ataques constantes". Como, indagava-se ele, essas forças seriam capazes de continuar o avanço sob tais condições?[270]

Afora isso, deslocar-se pelo interior era bem mais difícil do que havia sido na França, na Holanda ou na Bélgica. Estradas pavimentadas eram poucas e distantes umas das outras, totalizando apenas 64 mil quilômetros em toda a vasta imensidão da União Soviética. Um soldado notou que mesmo as estradas construídas estavam tão cheias de buracos que sua unidade preferia marchar ao longo da vala que corria ao lado dela.[271] As ferrovias tinham uma bitola larga para a qual era difícil transferir material circulante europeu ocidental depois de o Exército Vermelho ter removido praticamente todas as locomotivas, vagões de carga e de passageiros e destruído ou sabotado trilhos, pontes e viadutos soviéticos. E, mesmo sem esses problemas, o país era provido muito esparsamente de linhas ferroviárias para transportar com alguma rapidez as imensas quantidades de homens e suprimentos que os alemães levaram para a luta. A produção alemã de jipes e caminhões ainda era relativamente lenta, apesar do ímpeto de motorização da década de 1930, e, em todo caso, veículos motores eram de uso restrito devido à escassez de combustível. Nessas circunstâncias, os exércitos alemães e aliados contavam pesadamente com cavalos – no mínimo 625 mil deles na frente oriental – para o transporte básico, rebocando peças de artilharia, carregando munição e puxando carroças de suprimentos. Com frequência, os cavalos eram melhores para transpor as trilhas lamacentas e traiçoeiras que faziam as vezes de estrada na Europa oriental. "Graças a Deus por nossos cavalos!", exclamou Meier-Welcker alguns meses mais tarde:

Certas vezes, eles são a última e única coisa com que podemos contar. Graças a eles atravessamos o inverno, mesmo que tenham morrido aos milhares de exaustão, falta de forragem e devido aos tremendos esforços. Os cavalos são especialmente importantes no verão úmido desse ano e no terreno de mata espessa, pantanoso e intransitável de nosso atual setor. As unidades de tropas motorizadas de nossa área reduziram-se a coisas miseráveis no último inverno e primavera.[272]

Mas os cavalos também moviam-se lentamente, incapazes de ultrapassar o ritmo de marcha na maior parte do tempo. O grosso da infantaria, como sempre, arrastava-se adiante a pé.

À medida que a invasão prosseguia, o desgaste de voar em missões quase contínuas começou a afetar a aviação alemã. No fim de julho de 1941, havia apenas pouco mais de mil aviões em operação. O domínio do ar contava pouco, pois havia pouquíssimos bombardeiros para infligir dano significativo à produção bélica soviética. A Rússia era vasta demais para a Força Aérea alemã estabelecer superioridade aérea permanente, por maior que fosse sua eficiência no papel tático. Caças de mergulho Stuka aterrorizavam a infantaria inimiga com o barulho estridente de seus motores enquanto arremessavam-se dos céus, mas eram extremamente vulneráveis a ataques de aviões de caça, ao passo que a maioria dos bombardeiros usualmente empregada, o Dornier 17 e o Junkers 88, careciam de alcance para ser efetivos contra as instalações soviéticas. A perda de soldados a essa altura, incluindo desaparecidos, feridos e mortos, estava acima de 213 mil. O resto, conforme Bock observou, começava a sofrer de exaustão depois de mais de um mês de combate ininterrupto. O suprimento de peças sobressalentes para tanques e para veículos blindados de passageiro era escasso. Em 30 de julho de 1941, o Comando Supremo do Exército ordenou que o avanço desse uma parada para reagrupamento. Passado pouco mais de um mês do início, a invasão havia começado a perder o ímpeto.[273]

Dividir as forças invasoras nos Grupos de Exércitos do Norte, do Centro e do Sul, projetados para avançar tangencialmente uns aos outros, foi uma medida em parte necessária pela presença dos vastos e impenetráveis pântanos de Pripet na área da invasão. Mas significou que as Forças Armadas alemãs não teriam condições de se concentrar para um golpe nocauteador único, irrefreável. Em agosto de 1941, já estava claro que o avanço não poderia recomeçar nas três frentes simultaneamente. Era preciso escolher entre colocar o peso da próxima fase na investida ao norte, rumo a Leningrado, ao centro, na direção de Moscou, ou ao sul, para Kiev. Os generais líderes alemães, seguindo a doutrina militar prussiana clássica de ir para o centro de gravidade do inimigo, queriam seguir em frente para Moscou. Mas Hitler, cujo desprezo pelas tropas russas era ilimitado, não pensou que isso fosse necessário; para ele, garantir os recursos econômicos das porções ocidentais da União Soviética era a meta primordial; de todo modo, o Estado soviético ficaria arruinado e se espatifaria. Depois das vitórias na França e no oeste, nem Halder nem os outros generais que pensavam como ele sentiram-se em condições de contradizer o Líder. Em 21 de agosto de 1941, depois de um bocado de debate, Hitler rejeitou o pedido do Exército para continuar avançando rumo a Moscou e ordenou aos generais que desviassem tropas do Grupo de Exércitos do Centro para fortalecer o ataque ao sul, tomar Kiev, garantir os recursos agrícolas da Ucrânia e então rumar para a Crimeia, para privar os russos de uma possível base de ataques aéreos aos campos petrolíferos romenos. Mais tropas e recursos foram destacados do centro para apoiar a investida rumo a Leningrado. Mas os aliados finlandeses da Alemanha careciam de recursos, contingente e, na verdade, de vontade política para empurrar os soviéticos para muito além da velha fronteira russo-finlandesa, e o avanço alemão foi retardado pela feroz resistência soviética. Um Hitler frustrado anunciou em 22 de setembro de 1941 que havia "decidido apagar a cidade de Petersburgo da face da terra. Não tenho interesse na existência posterior dessa grande cidade após a derrota da Rússia soviética".[274] A ameaça mostrou-se uma fanfarronada vazia.

O marechal de campo Fedor von Bock telefonou para Halder e disse que a decisão de enfocar o setor sul era equivocada,

> sobretudo porque compromete o ataque pelo leste. As Diretrizes de Guerra estão sempre dizendo que o ponto não é capturar Moscou! Eu não quero capturar Moscou! Eu quero destruir o Exército inimigo, e a massa desse Exército está parada na minha frente! A curva para o sul é um espetáculo de segunda, por maior que possa ser, e com ela coloca-se

um ponto de interrogação sobre a execução da operação principal, isto é, a destruição das Forças Armadas russas antes do inverno – isso não ajuda em nada!!²⁷⁵

Um Bock decepcionado só podia dar vazão à frustração nas páginas de seu diário: "Se a campanha oriental, depois de todos esses sucessos, agora se desvanece em uma defesa fatigante", escreveu ele, "não é culpa minha".²⁷⁶ Halder ficou igualmente irritado, criticando em seu diário o "zigue-zague nas ordens individuais do Líder" que a troca de alvo envolvia.²⁷⁷ De início, todavia, a decisão de Hitler de enfraquecer as forças do centro não pareceu provocar um problema. As divisões blindadas alemãs dos Grupos de Exércitos do Centro e do Sul sob comando de Heinz Guderian, que havia causado considerável irritação a Bock com suas exigências insistentes e imoderadas, romperam as linhas soviéticas, repeliram uma contraofensiva maciça deflagrada no fim de agosto e início de setembro e capturaram 665 mil prisioneiros, junto com 884 tanques e mais de 3 mil peças de artilharia. Kiev, Kharkov e a maior parte do centro e do leste da Ucrânia foram ocupados no fim de setembro e outubro, e em 21 de novembro de 1941 as forças alemãs tomaram Rostov-sobre-o-Don, abrindo a perspectiva de cortar o abastecimento de petróleo do Exército Vermelho proveniente do Cáucaso e aproveitar os recursos industriais da bacia do rio Donets. Essas estão entre as maiorias vitórias militares alemãs na guerra.²⁷⁸

Mesmo antes do assalto a Kiev, as perdas alemãs (mortos, desaparecidos, feridos ou inválidos) somavam quase 400 mil, e metade dos tanques alemães estava fora da ativa ou no conserto. Bock aclamou a operação como um "sucesso brilhante", mas acrescentou que "o contingente principal dos russos está parado intacto na minha frente, e – como antes – permanece em aberto a questão de se vamos ter sucesso em esmagá-lo e explorar a vitória antes de o inverno chegar, de tal forma que a Rússia não possa recuperar-se nesta guerra".²⁷⁹ Hitler achava que ainda era possível. As forças alemãs, ele disse a Goebbels em 23 de setembro de 1941, haviam alcançado a brecha que buscavam. Suas tropas em breve envolveriam Moscou. Stálin, pensava Hitler, estava fadado a pedir paz, e isso, inevitavelmente, também traria a Grã--Bretanha para a mesa de negociação. O caminho estava aberto para a vitória final. Todavia, Hitler agora não esperava que isso ocorresse imediatamente. Ele já se resignara ao fato de a guerra continuar até a primavera seguinte. Mas as enormes vitórias dos meses anteriores deixaram-no otimista de que a guerra estaria acabada no mais tardar na metade de 1942.[280] Um número substancial de tropas foi transferido de volta para o Grupo de Exércitos do Centro, agora reforçado com novos suprimentos e fortalecido por mais forças do norte, para a retomada da marcha sobre Moscou. Bock havia obtido seu desejo.[281] Dois milhões de soldados alemães e 2 mil tanques, apoiados por poder aéreo maciço, avançaram sobre a capital soviética em outubro de 1941 em uma nova campanha chamada Operação Tufão, envolvendo as forças do Exército Vermelho outra vez e capturando 673 mil prisioneiros e enormes quantidades de equipamento. Dirigindo-se à tradicional assembleia anual de líderes regionais do Partido e de "velhos combatentes" em Munique a 8 de novembro de 1941, no aniversário do fracassado golpe da cervejaria de 1923, Hitler declarou: "Nunca antes um império gigante foi esmagado e derrubado em tempo tão curto quanto a Rússia soviética".[282]

Mas essa era outra ilusão. Pois as semanas de atraso mostraram-se fatais. Em retrospecto, muitos consideraram que, se tivessem prosseguido com força rumo a Moscou em agosto e setembro, as forças alemãs poderiam muito bem ter tomado a capital soviética, a despeito dos crescentes problemas para manter suas linhas de abastecimento abertas a tamanha distância de suas bases mais a oeste. E, conforme Bock desejava, poderiam ter infligido perdas enormes, quem sabe fatalmente desmoralizantes, às forças principais do Exército Vermelho ao fazer isso. Mas, no fim das contas, essa é uma percepção tardia com uma visão grosseiramente distorcida. Generais como Bock, Halder e outros que defendiam – tanto na ocasião como mais tarde – a ideia de um golpe nocauteador contra as forças soviéticas concentradas diante de Moscou refletiam sobretudo o dogma da tradição militar prussiana na qual foram educados e que seguiram a maior parte da vida: a tradição que prescrevia o ataque como o rei das operações militares e a destruição total dos exércitos inimigos como o único fim apropriado de qualquer campanha militar. Bock sabia melhor que quase todo mundo que as tropas alemãs estavam cansadas e suas unidades depauperadas, que o abastecimento era intermitente e o equipamento inadequado para uma campanha de inverno. Mas, como muitos comandantes seniores do Exército alemão, ele era assombrado pela lembrança da Batalha do Marne, o fracasso da ofensiva a oeste em 1914. Como Hitler, ele estava decidido a que aquilo não se repetisse. E, também como Hitler, Bock subestimou fatalmente o poderio do inimigo, um inimigo de cujas imensas reservas de contingente e *matériel* ele estava ciente, mas deixou um pouco de lado, assim como, no fim das contas, não fez caso do novo espírito de luta do Exército Vermelho que havia infligido tantas baixas a suas forças.[283]

III

Em outubro, conforme temia Bock, a liderança soviética havia reformulado e reorganizado toda a sua maneira de conduzir a guerra. Após emitir leis draconianas para a punição de relapsos e desertores, e fazer Dmitri Pavlov, comandante do Exército Vermelho na frente ocidental à época da invasão, ser julgado em corte marcial sumária e fuzilado, Stálin começou a perceber, como disse a seus oficiais em outubro de 1941, que "persuasão, não violência" devia ser usada para motivar as tropas. Começou a permitir maior liberdade de ação a seus comandantes na condução das campanhas. Enquanto isso, depois de ler uma biografia do general tsarista Kutuzov, que abandonou Moscou diante da invasão de Napoleão, o líder soviético concluiu que deixar a capital provocaria pânico. Uma coisa era reduzir a cinzas uma cidadezinha do início do século XIX, outra coisa bem diferente era entregar o vasto conjunto urbano que havia se tornado a capital soviética moderna. "Nada de evacuação", disse Stálin. "Ficaremos aqui até a vitória."[284] Sob a liderança de Stálin, o novo Comitê de Defesa do Estado começou a tomar o pulso da situação. Em 10 de outubro de 1941, Stálin nomeou o general Georgi Jukov para o comando dos exércitos de defesa da capital. As forças de Jukov, somando cerca de um milhão de homens, foram forçadas para a defensiva enquanto Bock investia rumo a Moscou com velocidade. O pânico irrompeu entre a população de alguns bairros de Moscou, embora a cidade fosse poupada dos horrores do bombardeiro aéreo, visto que os aviões alemães concentraram esforços em atacar forças soviéticas em terra.[285]

A essa altura, as chuvas de outono chegaram com violência, transformando as estradas russas destruídas em um lodaçal intransitável. Em 15 de outubro de 1941, Guderian disse a Bock que tinha de ordenar uma pausa no avanço. O marechal de campo atribuiu isso não só à dura resistência inimiga, mas também ao "estado indescritível das estradas, que torna impossível quase qualquer movimento dos veículos motorizados".[286] Devido à "intransitabilidade temporária das estradas e trilhas para veículos", anotou Meier-Welcker, "não recebemos nenhum fornecimento de combustível, munições e alimentos", e as tropas mantinham-se com o que conseguiam encontrar, basicamente batatas, assando seu próprio pão e abatendo o gado local.[287] Andando por uma estrada da região em 6 de outubro de 1941, o general Heinrici encontrou "uma fila contínua de veículos motores afundando, atolados, estragados, irremediavelmente empacados no atoleiro. Uma quantidade quase igual de cavalos mortos jaz ao lado deles no lamaçal. Hoje", ele foi forçado a admitir, "simplesmente chegamos a uma parada por causa das dificuldades nas estradas".[288] No fim de outubro, os exércitos alemães já se encontravam atolados na lama havia três semanas.

Jukov agarrou a oportunidade para restaurar a ordem, declarando lei marcial em 19 de outubro de 1941 e colocando nove exércitos de reserva em posição atrás do rio Volga. Embora consistissem basicamente de recrutas novatos e de homens anteriormente rejeitados para o serviço militar, somavam 900 mil no total e, conforme esperavam Stálin e Jukov, ofereceriam um sério obstáculo a qualquer tentativa alemã de envolver a cidade. Além disso, um relatório de Richard Sorge, espião de Stálin em Tóquio, não muito antes de sua detenção em 18 de outubro de 1941, convenceu o líder soviético de que os japoneses não atacariam a Rússia (eles, de fato, tinham outros alvos em mente). Respaldado por relatórios adicionais do serviço secreto, isso levou a uma manobra decisiva: em 12 de outubro, Stálin colocou em posição, atrás de Moscou, 400 mil soldados experientes, mil tanques e mil aviões vindos da Sibéria, substituindo-os por uma quantidade suficiente de soldados recém-recrutados para deter os japoneses caso mudassem de ideia.[289] Os novos reforços trazidos por Stálin não só não foram previstos pelos alemães, como mostraram-se decisivos. O marechal de campo Bock temeu o pior: "A separação do Grupo de Exércitos", escreveu ele em 25 de outubro de 1941, "combinada com o clima terrível, causou nosso empacamento. Com isso, os russos estão ganhando tempo para preencher suas divisões destroçadas e fortalecer suas defesas, ainda mais que dominam a massa das estradas e linhas ferroviárias em torno de Moscou. Isso é muito ruim!"[290]

Em 15 de novembro de 1941, quando o inverno começou, o solo estava firme o bastante para Bock retomar a investida. Os tanques e veículos blindados rodaram em frente outra vez, alcançando posições a 30 quilômetros dos subúrbios e interceptando o canal Moscou-Volga. Mas logo começou a nevar, e na noite de 4 de dezembro a temperatura despencou para 34 graus negativos, congelando o equipamento alemão e penetrando pelos inadequados trajes de inverno das tropas. Na noite seguinte, o termômetro caiu ainda mais, atingindo 40 graus negativos em alguns locais. Em meio ao inverno da Rússia, as tropas alemãs, equipadas para uma campanha que confiantemente esperavam que durasse até o outono, estavam pouco vestidas e mal preparadas. "Todos os exércitos", anotou Bock já em 14 de novembro de 1941, "estão reclamando das consideráveis dificuldades para trazer novos suprimentos de todos os tipos – alimentos, munição, combustível e roupas de inverno".[291] Em breve, o Ministério da Propaganda do Reich de Goebbels deu início a uma campanha para arrecadar roupas de inverno para as tropas. Hitler emitiu um apelo pessoal em 20 de dezembro de 1941, e na mesma noite Goebbels transmitiu uma lista dos itens necessitados. Roupas de lã e pele foram confiscadas dos judeus-alemães no fim de dezembro de 1941 e enviadas para as tropas enregeladas da frente oriental. Mas era tarde demais, e, de todo modo, as dificuldades de transporte fizeram que muitas das roupas não chegassem ao *front*. No fim de janeiro, Meier-Welcker ficou reduzido à esperança de que a "coleção em lã" pelo menos chegasse ao *front* no inverno seguinte. Os casos de gangrena pelo frio ocorriam com crescente frequência entre as tropas alemãs. "Os pés deles estão tão inchados", anotou Meier-Welcker, "que as botas têm de ser cortadas. Isso revela que os pés ou pelo menos os dedos estão azuis ou já pretos, e começando a ser afetados pela gangrena".[292]

Os generais seniores estavam cientes do problema, mas, em seu otimismo cego, pensaram que isso seria resolvido pela ocupação das principais cidades russas, como Moscou e Leningrado, onde poderiam tomar acomodações quentes de inverno. O inverno chegara, e eles ainda estavam acampados na estepe a céu aberto. O vento, escreveu o general Heinrici, "perfura o rosto como agulhas, e entra pela proteção da cabeça e pelas luvas. Os olhos escorrem tanto que mal dá para enxergar alguma coisa".[293] Em uma divisão de infantaria, 13% do contingente ficou invalidado por gangrena pelo frio entre 20 de dezembro de 1941 e 19 de fevereiro de 1942.[294] Depois de semanas sem lavar ou trocar a roupa, os homens estavam sujos e infestados de parasitas. "Todo mundo está cheio de piolhos, e se coçando e arranhando o tempo todo", escreveu Heinrici. "Muitos têm feridas supuradas por causa do eterno coçar e arranhar. Muitos contraíram infecções de bexiga e intestino por deitar no chão gelado." As tropas estavam "extremamente exaustas".[295] Tais condições eram muito apropriadas para os exércitos soviéticos, que haviam aprendido a lição com a amarga Guerra de Inverno contra a Finlândia e agora estavam adequadamente equipados para lutar naquelas terríveis condições, empregando batalhões de esqui para se mover velozmente pelo chão coberto de neve, e cavalaria leve, que avançava ligeira sobre o terreno alagado, intransponível para tanques. As táticas defensivas do Exército alemão baseavam-se nas suposições de que os contra-ataques pudessem ser enfrentados com forças suficientes para proporcionar defesa em profundidade, de que o Exército Vermelho usaria basicamente infantaria e de que seria possível aos oficiais seniores escolher o terreno e fazer retiradas táticas quando necessário. Todas essas suposições mostraram-se erradas desde o princípio e contribuíram para o desastre que estava prestes a surpreender as forças alemãs. Em 5 de dezembro de 1941, Jukov ordenou uma contraofensiva, visando inicialmente às pinças alemãs ao norte e ao sul de Moscou, para eliminar o perigo de que a cidade fosse cercada. As tropas soviéticas, ordenou ele, não deveriam perder tempo e vidas em ataques frontais a posições fortificadas, mas simplesmente passar por elas, deixando forças de cobertura, e rumar para as linhas de retirada alemãs. Em 7 de dezembro de 1941, Bock notou que agora estava encarando mais 24 divisões do Exército Vermelho além das que estavam em seu teatro de guerra em meados de novembro. A desvantagem acumulava-se depressa contra ele. Sem suprimentos, enfraquecidas em números, carecendo de forças de reserva, abatidas e exaustas, as tropas alemãs não podiam ser dispostas com rapidez para enfrentar a investida furiosa de um inimigo "que está montando um contra-ataque com o comprometimento imprudente de suas inexauríveis massas humanas".[296]

Incapaz de decidir se prosseguia com o avanço ou o interrompia, Bock não conseguia pensar em nada melhor que enviar a Halder um fluxo contínuo de pedidos de reforços. No dia seguinte, Hitler reconheceu a gravidade da situação, determinando uma parada na investida. Enquanto isso, a vacilação de Bock começou a espalhar incerteza entre as tropas. Se não podiam avançar mais, o que fariam a seguir?[297] O moral começou a despencar. Já em 30 de novembro de 1941, o cabo Alois Scheuer escreveu à esposa de sua posição a 60 quilômetros de Moscou:

> Estou sentado em uma trincheira com meus companheiros na semiescuridão. Você não faz ideia de nosso aspecto piolhento e doido, e de como essa vida virou um tormento para mim. Já não dá mais para descrever em palavras. Só me restou um pensamento: quando vou sair desse inferno? [...] Simplesmente tem sido e é demais para mim, aquilo em que tenho de tomar parte aqui. Isso está nos destruindo lentamente.[298]

No Natal de 1941, Scheuer estimou que 90% de sua companhia original se fora – morta, ferida, desaparecida, doente ou sofrendo de gangrena pelo frio. Os dedos dos pés dele estavam começando a ficar pretos. Scheuer sobreviveu à experiência, durando até fevereiro de 1943, quando foi morto, ainda lutando na frente oriental.[299] Em meio a tempestades de neve que derrubaram as linhas telefônicas de campo alemãs e obstruíram as estradas, a confusão começou a se instaurar entre as tropas de Bock. Só uma linha ferroviária estava disponível para servir de retirada, e as estradas ficaram bloqueadas por tanques e veículos imobilizados, muitos deles abandonados quando as forças alemãs, chocadas e surpresas com o contra-ataque, começaram a recuar diante da investida violenta de Jukov. Pequenos contra-ataques no extremo norte e sul, em Tikhvin e Rostov, impediram os alemães de deslocar reforços para a frente de batalha.[300]

Tanques e veículos blindados alemães em muitos casos estavam sem combustível. O abastecimento de munição e rações era escasso. As aeronaves de combate não podiam voar na nevasca. Em 16 de dezembro de 1941, após rechaçar as tropas alemãs mais adiantadas ao norte e ao sul da cidade, Jukov ordenou um avanço total pelo oeste. Em dez dias, a situação ficou desesperadora para os alemães. "Deixamos um dia difícil para trás", escreveu Meier-Welcker em 26 de dezembro de 1941:

Tolhidos pela neve e especialmente pela neve lançada pelo vento, com frequência nos desencavando da neve metro a metro, e viajando com veículos e equipamento de forma alguma adequados ao inverno russo, o inimigo fazendo pressão atrás de nós, a preocupação de colocar as tropas em segurança a tempo, carregar os feridos, não deixar armas ou equipamento em demasia cair nas mãos inimigas, tudo isso foi dolorosamente árduo para as tropas e para a liderança.[301]

O pior de tudo eram as "tempestades de neve, que muito rapidamente deixaram intransponíveis as estradas que havíamos acabado de desobstruir".[302] O avanço russo era irrefreável. "Providos de um fabuloso equipamento de inverno, eles estão por toda parte, arremetendo pelas amplas lacunas que abrimos em nossa frente", observou Heinrici em 22 de dezembro. "Embora vejamos o desastre do envolvimento chegando, repete-se o comando vindo de cima para pararmos." Mas não havia alternativa a não ser se deslocar para que não fossem totalmente interceptados. O resultado foi uma retirada caótica, em vez de ordenada. "A retirada na neve e no gelo", escreveu Heinrici, "é absolutamente napoleônica no estilo. As perdas são semelhantes".[303]

IV

Confrontados pelo fracasso de sua ofensiva grandiosa, Bock e os comandantes seniores tinham pouca ideia de o que fazer a seguir. Num minuto ordenavam uma retirada, no outro pensavam que era melhor resistir. Guderian confessou que não sabia como tirar o Exército da situação em que agora se encontrava. Enquanto Guderian vacilava, fracassando por completo em preparar posições defensivas apropriadas para passar o inverno, Bock permanecia em um otimismo quase absurdo a respeito da possibilidade de um avanço adicional. Entretanto, ele agora achava que a questão de bater ou não em retirada era mais política que militar. O desespero dos generais começou a cobrar seu preço. A crise do Exército alemão diante de Moscou incitou a primeira sublevação importante do alto escalão das Forças Armadas alemãs durante a guerra. O primeiro a cair foi o marechal de campo Gerd von Rundstedt, comandante do Grupo de Exércitos do Sul. Hitler, por meio do comandante-chefe, o marechal de campo Walther von Brauchitsch, havia mandado Rundstedt impedir as divisões de blindados sitiadas do general Ewald von Kleist de recuar dos arredores de Rostov para além do que o líder alemão estava preparado a permitir. Mas, temendo que elas fossem envolvidas, Rundstedt recusou-se. Um Hitler irado demitiu Rundstedt em 1º de dezembro de 1941, substituindo-o pelo marechal de campo Walter von Reichenau. Só quando visitou a região em 2-3 de dezembro de 1941 Hitler admitiu que Rundstedt estava certo. Mas não o reintegrou. O comando de Reichenau foi breve, pois ele morreu de ataque cardíaco em 17 de janeiro de 1942. Sua morte foi um sinal da severa tensão mental e física sob a qual agora labutavam os oficiais seniores do comando, na maioria com idade entre 55 e 65 anos. No começo de dezembro, Rundstedt, já enfermo, também sofreu um ataque cardíaco, embora não fatal. O seguinte a sofrer um colapso na saúde foi o próprio Bock. Já em 13 de dezembro de 1941, ele disse a Brauchitsch que estava "fisicamente muito debilitado". "A 'doença russa' e um esforço excessivo inequívoco me deixaram tão debilitado", escreveu ele poucos dias depois, "que chego a temer falhar em meu comando". Em 16 de dezembro de 1941, ele pediu a Hitler para se retirar em licença de saúde. Mas não havia nenhuma diferença de opinião entre os dois homens. Antes de deixar o *front* em 19 de dezembro de 1941, passando o comando do Grupo de Exércitos do Centro para o marechal de campo Günther von Kluge, Bock distribuiu ordens a suas tropas para segurar a linha. Seu encontro com Hitler em 22 de dezembro de 1941 foi "muito amigável", anotou ele no diário. O fato de se tratar de uma doença de verdade ficou evidente pelo pedido de Bock a Hitler para ser reintegrado a um comando na linha de frente quando estivesse recuperado, como de fato logo aconteceu.[304]

Em 16 de dezembro de 1941, na mais importante das mudanças de pessoal militar no alto escalão, Hitler aceitou o pedido de demissão do marechal de campo Walther von Brauchitsch, comandante-chefe do exército. Brauchitsch, fustigado pelas exigências antagônicas do Líder e dos generais, não tivera condições de lidar com o estresse da derrota. Também havia sofrido um ataque cardíaco em meados de novembro. Depois de alguma discussão, Hitler decidiu que Brauchitsch seria substituído não por outro general, mas por ele mesmo.³⁰⁵ O anúncio de Hitler de que ele havia substituído Brauchitsch e assumido a direção das operações militares foi saudado com alívio pela maioria das tropas alemãs sitiadas. "Agora o Líder tomou nosso destino em suas mãos", relatou Albert Neuhaus à esposa em 21 de dezembro de 1941, "depois de v. Brauchitsch ter renunciado devido à enfermidade. E o Líder agora saberá como posicionar nossos soldados onde é certo fazê-lo".³⁰⁶ Os generais também deram um suspiro de alívio. A responsabilidade de tirar o Exército da encrenca diante de Moscou enfim havia saído do ombro deles. Guderian agora esperava uma "ação rápida e enérgica" da "energia costumeira" de Hitler, enquanto outro comandante de tanques, o general Hans-Georg Reinhardt, saudou o fato de que havia "finalmente uma Ordem do Líder" que traria "clareza" sobre o que fazer a seguir. Apenas uns poucos permaneceram céticos, entre eles o general Heinrici, que escreveu à esposa em 20 de dezembro de 1941 que Hitler agora assumira o comando, mas que "ele também provavelmente não estaria em posição de reverter a situação".³⁰⁷

Mas quase todos os generais consideravam que Hitler já havia provado seu talento como comandante militar em 1940 e confiavam nele para cortar o nó górdio. Entrando em cena ávido para preencher o vácuo na tomada de decisões, Hitler mandou trazer reforços do oeste e disse às tropas da frente oriental para manterem suas posições até a chegada do apoio. "A vontade fanática de defender o terreno onde se encontram", disse ele aos oficiais do Grupo de Exércitos do Centro quatro dias depois, "deve ser injetada nas tropas por todos os meios possíveis, inclusive os mais inflexíveis". "Falar da retirada de Napoleão é ameaçar torná-la realidade", ele advertiu em 20 de outubro de 1941. A retirada de Napoleão foi o começo do fim para o imperador francês. A mesma coisa não iria acontecer com ele.³⁰⁸ A ordem para ficar firme não só gerou clareza sobre o que o Exército estava fazendo, mas também serviu para melhorar um pouco o moral. Por outro lado, a rigidez com que Hitler a implementou começou a ter efeito sobre as retiradas táticas em pequena escala que a situação desesperadora com frequência exigia em várias partes do *front*. Gotthard Heinrici em particular ficou cada vez mais frustrado com as ordens repetidas para aguentar firme quando tudo que isso gerava era um perigo renovado de ser cercado. "O desastre continua", escreveu ele à esposa na noite de Natal de 1941:

E no alto em Berlim, bem no alto, ninguém quer admitir. Àqueles a quem os deuses desejam destruir primeiro ficam cegos. Todo dia vivenciamos isso de novo. Mas, por questões de prestígio, ninguém ousa dar um passo decidido para trás. Não querem admitir que seu exército já está completamente cercado diante de Moscou. Recusam-se a reconhecer que os russos podem fazer uma coisa dessas. E em completa cegueira estão se encaminhando para o abismo. E em quatro semanas acabarão perdendo seu exército diante de Moscou e mais adiante perdendo a guerra toda.[309]

Heinrici vituperou contra seus superiores, que se recusavam a recuar "por medo de ofender a alta liderança".[310]

Esse foi o início de uma lenda de longa duração, repetida depois da guerra por muitos generais de Hitler que sobreviveram, de acordo com a qual, se Hitler apenas tivesse deixado que eles agissem, a vitória teria sido alcançada. Era o generalato profissional que vencia guerras; a interferência de um amador como Hitler, por mais talentoso que pudesse ser, no fim só podia trazer ruína. A verdade, porém, é muito diferente. A insistência cega dos generais em atacar ao longo do outono e no começo do inverno de 1941, o fracasso em preparar posições defensivas para a passagem do inverno, o otimismo ingênuo em face do que eles sabiam ser um inimigo determinado e bem equipado, a recusa estudada em deduzir as consequências do cansaço crescente de suas tropas, as dificuldades cada vez maiores de abastecimento e a falha de boa parte do equipamento no auge do frio do inverno russo os levaram em dezembro a uma situação em que ficaram paralisados por desespero e indecisão. A estabilização da situação por Hitler apenas aumentou seu desprezo por eles. "Mais uma cena dramática com o Líder", registrou Halder no diário em 3 de janeiro de 1942, "na qual ele lança dúvidas sobre a capacidade dos generais de reunir coragem para tomar decisões duras".[311] Hitler agora estava determinado a não mais permitir liberdade de ação aos generais. O marechal de campo Wilhelm Ritter von Leeb, no comando do Grupo de Exércitos do Norte, viu-se sob fogo de Hitler quando o visitou em 12 de janeiro de 1942 para pedir permissão para recuar de alguns pontos que considerava indefensáveis, a fim de evitar mais perdas. Hitler, respaldado por

Halder, achou que aquilo enfraqueceria o flanco norte do Grupo dos Exércitos e dificultaria a campanha do verão seguinte. Ao fracassar em fazer do seu jeito, Leeb apresentou sua demissão, que foi aceita em 16 de janeiro de 1942. Seu substituto, o general Georg von Küchler, foi informado com firmeza por Halder que se esperava que ele obedecesse às ordens emanadas do quartel-general de Hitler.[312]

A desobediência às ordens de Hitler agora acarretava severas consequências. O general Heinz Guderian reuniu-se com Hitler em 20 de dezembro de 1941 a fim de pleitear permissão para recuar. Hitler disse-lhe que tinha de fazer as tropas se entrincheirar e lutar. Mas, objetou Guderian, o chão estava congelado e duro até uma profundidade de 1,5 metro. Então as tropas teriam de se sacrificar, contrapôs Hitler. Ele foi apoiado por Kluge e Halder, que, a exemplo de Bock, não gostavam do arrogante e voluntarioso comandante de tanques, e viram no contratempo uma oportunidade de se livrar dele. Desobedecendo o comando expresso de Kluge, Guderian levou a cabo uma grande operação de retirada, dizendo a seu comandante: "Vou liderar meu exército nessas circunstâncias incomuns de forma a poder responder à minha consciência". Kluge achava que Guderian deveria responder a seus oficiais superiores, e disse a Hitler que ou Guderian saía, ou saía ele. Em 26 de dezembro de 1941, Guderian foi exonerado. A falta de solidariedade recíproca demonstrada pelos generais líderes minou de forma fatal qualquer tentativa que pudessem ter feito de assumir uma posição contra a rígida insistência de Hitler em resistir a qualquer preço.[313] O general Erich Hoepner, comandante de tanques, notou com perspicácia: "'Vontade fanática' por si só não vai resolver. A vontade está lá. Está faltando contingente".[314] Confrontado pelo envolvimento do XX Exército, Hoepner solicitou permissão para recuar para uma linha mais defensiva. O novo comandante do Grupo de Exércitos do Centro, o marechal de campo Günther von Kluge, disse-lhe que levaria o assunto a Hitler e o mandou preparar uma retirada imediata. Pensando que isso significava que Hitler daria sua aprovação, e sem querer flertar com o desastre, Hoepner começou a recuar, deslocando suas tropas na tarde de 8 de janeiro de 1942. Consternado e aterrorizado com o que Hitler pudesse pensar, Kluge relatou a ação ao Líder imediatamente, que demitiu Hoepner do Exército sem pensão na mesma noite.[315]

Com essas mudanças, e outras mais abaixo na cadeia de comando, Hitler teve êxito em estabelecer um domínio completo sobre os altos comandantes do Exército. Dali em diante, eles fariam a sua vontade. O muito alardeado profissionalismo havia fracassado diante de Moscou. As operações militares agora seriam dirigidas pelo próprio Hitler. Com essa vitória sobre os generais, ele agora podia se dar ao luxo de relaxar a rígida insistência em manter a linha. Na metade de janeiro de 1942, o marechal de campo Kluge obteve a aprovação de Hitler para uma série de ajustes do *front*, incluindo vários recuos locais para a "posição de inverno". A luta continuou, à medida que o Exército Vermelho montava assaltos contínuos à estreita linha de comunicação alemã com a retaguarda. O general Heinrici adquiriu reputação considerável como tático defensivo, que ele manteve até os ataques russos perderem o fôlego; essa fama voltaria para assombrá-lo no fim da guerra, quando Hitler colocou-o a cargo da defesa de Berlim.[316] Não obstante, a escala do desastre diante de Moscou ficou clara para todos. Jukov empurrara os alemães de volta ao ponto de onde haviam lançado a Operação Tufão dois meses antes. Para o Exército da Alemanha, conforme afirmou o general Franz Halder, foi "a maior crise em duas guerras mundiais".[317] As perdas infligidas às Forças Armadas alemãs foram enormes. Em 1939, apenas 19 mil haviam sido mortos; e em todas as campanhas de 1940 as perdas alemãs haviam totalizado nada mais que 83 mil – bastante sérias, mas não insubstituíveis. Em 1941, entretanto, 357 mil soldados alemães foram dados como mortos ou desaparecidos em ação, mais de 300 mil deles na frente oriental. Eram perdas imensas, que não poderiam ser substituídas com facilidade. Apenas a decisão de Stálin de atacar ao longo de todo o *front*, em vez de forçar a vantagem concentrando suas forças em um ataque total contra o Grupo de Exércitos do Centro alemão, impediu que o desastre fosse ainda pior.[318]

A despeito de todos os avanços desde 22 de junho de 1941, os alemães haviam fracassado em atingir seus objetivos por toda parte. O otimismo presunçoso das primeiras semanas da Operação Barba Ruiva dera espaço a uma crescente sensação de crise, refletida nas repetidas demissões dos generais líderes por Hitler. As forças militares alemãs haviam se mostrado vulneráveis pela primeira vez. Depois de Moscou, Hitler ainda estava otimista sobre as chances de vitória. Mas agora sabia que iria demorar mais do que imaginara originalmente.[319] A invasão da União Soviética havia mudado a face da guerra de forma irrevogável. Uma série de vitórias fáceis a oeste fora seguida de uma luta cada vez mais implacável no leste. O que aconteceu na União Soviética minimizou qualquer coisa vista na França, na Dinamarca, na Noruega ou nos Países Baixos. De 22 de junho de 1941 em diante, pelo menos dois terços das Forças Armadas alemãs sempre estiveram engajadas na frente oriental. Mais gente lutou e morreu na linha oriental e por trás dela do que em todos os outros teatros da guerra em 1939-45 somados, incluindo o Extremo Oriente. A simples escala da luta foi extraordinária. Assim foram também sua virulência e fanatismo ideológico em ambos os lados. No fim, foi na frente oriental, mais do que em qualquer outra, que se decidiram os destinos da guerra.[320]

3
"A solução final"

"Sem nenhuma pena"

I

Ao entrar em Kovno (Kaunas), na Lituânia, em 27 de junho de 1941, o tenente-coronel Lothar von Bischoffshausen, oficial regular do Exército, reparou em uma turba de homens, mulheres e crianças reunida no pátio de um posto de combustíveis à beira da estrada, rindo e gritando. Curioso, ele parou para ver o que estava acontecendo. Bischoffshausen, soldado de carreira muito condecorado e ex-combatente das Brigadas Livres, nascido em 1897, não era nenhum humanista liberal, mas, ao se aproximar da turba, até ele ficou chocado com o que viu:

> No pátio de concreto do posto de gasolina, um homem loiro de altura mediana, de uns 25 anos de idade, estava recostado em uma clava de madeira, descansando. A clava era grossa como o braço dele e chegava-lhe à altura do peito. A seus pés jaziam umas quinze ou vinte pessoas mortas ou moribundas. A água que fluía continuamente de uma mangueira escoava o sangue para a vala de drenagem. Poucos passos atrás desse homem, guardados por civis armados, uns vinte homens aguardavam sua cruel execução em submissão silenciosa. Em reação a um aceno rápido, o próximo homem avançou em silêncio e a seguir foi espancado até a morte com a clava de madeira, da forma mais bestial, sendo cada golpe acompanhado de gritos entusiásticos da plateia.[1]

Ele reparou que algumas mulheres erguiam seus filhos para que pudessem ver melhor. Posteriormente, Bischoffshausen foi informado por oficiais do

Estado-Maior do Exército que os assassinatos eram uma ação espontânea do povo local "em retaliação contra colaboradores e traidores da ocupação russa recentemente encerrada". Na verdade, conforme outras testemunhas oculares relataram, todas as vítimas eram judeus. Um fotógrafo alemão conseguiu tirar fotos do acontecimento. Apresentando seu salvo-conduto do Exército, ele rechaçou a tentativa de um homem da SS de confiscar o filme, preservando assim um registro desses acontecimentos para a posteridade. Bischoffshausen relatou o massacre a seus superiores. Embora houvesse descoberto que membros do Serviço de Segurança da SS eram vistos na região desde 24 de junho de 1941, e não fosse difícil adivinhar que tinham participado na incitação do massacre, o comando geral do Exército alemão na região disse que se tratava de um assunto interno dos lituanos e se recusou a intervir.[2]

O que ele testemunhou não foi um ato de violência casual, localizado ou espontâneo. Tão logo as forças alemãs entraram na União Soviética e nos vários territórios que esta controlava, seguidas pelas quatro forças-tarefa do Serviço de Segurança da SS e unidades-tarefa subordinadas, incluindo vários batalhões da polícia, começaram a executar a ordem dada por Heydrich de que matassem membros da resistência civil, funcionários do Partido Comunista e judeus, junto com todos os prisioneiros de guerra judeus, a fim de, pensavam eles, eliminar qualquer chance de resistência ou subversão dos "bolcheviques judeus". De início, se possível, era para que as chacinas fossem feitas pela população local, a qual, segundo as expectativas dos nazistas, iria se levantar contra seus opressores comunistas e judeus, conforme eles os viam.[3] Em um relatório redigido em meados de outubro de 1941, o chefe da Força-Tarefa A, Walther Stahlecker, anotou a instrução de Heydrich de colocar em andamento o que ele chamou de "esforço de autolimpeza" pela população local, ou, em outras palavras, *pogroms* antijudaicos que deveriam parecer ações espontâneas de lituanos patrióticos. Era importante "criar de maneira sólida e comprovada para a posteridade o fato de que a população liberada tomou as mais duras medidas contra o inimigo judeu e bolchevique por iniciativa própria, sem nenhuma orientação identificável de parte dos alemães". "De início foi surpreendentemente difícil pôr em andamento um *pogrom* razoável de larga escala por aqui", ele registrou, mas no fim um líder guerrilheiro antibolchevique local conseguiu, "sem nenhuma ordem ou incitação alemã discernível", matar mais de 1,5 mil judeus na noite de 25-26 de junho e outros 2,3 mil na noite seguinte, queimando ainda sessenta casas judaicas e várias sinagogas. "As unidades das Forças Armadas", acrescentou ele, "foram informadas e demonstraram pleno entendimento da ação".[4]

Pogroms desse tipo ocorreram em muitas áreas nos primeiros dias da ocupação alemã. O antissemitismo nos países bálticos fora alimentado pela experiência da ocupação soviética desde a primavera de 1940, sob a qual as elites e os nacionalistas nativos haviam sido perseguidos, detidos, deportados ou mortos. Stálin encorajara as minorias russas e judaicas a ajudar a construir os novos Estados soviéticos da Letônia, da Lituânia e da Estônia, e dois terços do Comitê Central do Partido Comunista letão eram de origem russa ou judaica, embora, como todos os comunistas, rejeitassem sua identidade étnica e religiosa prévia em favor do internacionalismo secular bolchevique. De sua parte, os nazistas consideravam os povos bálticos não sub-humanos como os eslavos, mas potencialmente assimiláveis para a raça dominante alemã. Todavia, apenas uma minoria ínfima de nacionalistas radicais desses países despejou seu ódio ao comunismo, acumulado ao longo do período de ocupação soviética, sobre a população judaica local.[5] A Força-Tarefa A, por exemplo, teve de conseguir auxílio da polícia e não dos civis locais para matar quatrocentos judeus em Riga. É mais do que provável que, na prática, o mesmo procedimento tenha sido adotado em áreas como Mitau, onde a população judaica local de 1.550 foi, segundo relatório, "liquidada pela população sem nenhuma exceção". Por fim, na Estônia, a população judaica era tão minúscula – meras 4,5 mil pessoas – que tais ações não foram absolutamente possíveis, e a maioria dos judeus conseguiu escapar para um local seguro.[6] Em todo caso, quando as tropas alemãs chegaram à Estônia, as forças-tarefa do Serviço de Segurança da SS e de outras unidades na Letônia e na Lituânia haviam tido grande sucesso em matar judeus. Na cidade da fronteira lituana de Garsden (Gargzdai), onde as tropas alemãs encontraram resistência feroz do Exército Vermelho, a segurança foi deixada a cargo de uma unidade da polícia de fronteira alemã de Memel, que detêve cerca de seiscentos a setecentos judeus. Agindo sob ordens do chefe da Gestapo de Tilsit, Hans-Joachim Böhme, os policiais conduziram duzentos judeus e uma judia (ela era esposa de um comissário político soviético) em marcha para um campo nos arredores, onde os forçou a cavar a própria sepultura e depois, na tarde de 24 de junho de 1941, fuzilou todos. Uma das vítimas era um menino de doze anos de idade. Agora conhecida como Força-Tarefa de Tilsit, o grupo de Böhme, a seguir, deslocou-se para o leste, matando mais de 3 mil civis até 18 de julho de 1941.[7]

Em 30 de junho de 1941, o grupo recebeu a visita de Himmler e Heydrich, que deram aprovação a suas ações. Böhme e seus homens estavam sem dúvida atendendo aos desejos da dupla. As forças alemãs trataram todos os homens judeus como comunistas, guerrilheiros, sabotadores, saqueadores, membros perigosos da elite cultural ou simplesmente "elementos suspeitos", e agiram de acordo. O antissemitismo também levou tropas regulares alemãs a abater soldados judeus capturados em vez de mandá-los para o cativeiro atrás do *front*. "Aqui onde era a Lituânia", escreveu em 25 de junho de 1941 o soldado raso Albert Neuhaus, nascido em Münster em 1909 e um pouco mais velho, portanto, que o soldado médio, "as coisas estão muito judeificadas, e nesse caso não há clemência".[8] A mistura de antissemitismo ideologicamente preconcebido e racionalização militar ou de segurança, bem como o envolvimento de uma variedade de agências diferentes nos massacres, fica evidente em uma carta aos pais escrita por um soldado alemão regular em 6 de julho de 1941 de Tarnopol, no leste da Galícia. Após descrever a descoberta de corpos mutilados de soldados alemães aprisionados pelas tropas do Exército Vermelho, ele prossegue:

> Nós e a SS fomos piedosos ontem, pois todo judeu que capturamos foi fuzilado na mesma hora. Hoje foi diferente, pois encontramos o corpo mutilado de mais sessenta companheiros. Dessa vez os judeus tiveram de carregar os corpos para fora do porão, estendê-los com cuidado e depois olhar as atrocidades. Após inspecionarem as vítimas, eles foram espancados até a morte com cassetetes e pás. Até agora mandamos uns mil judeus para o outro mundo, mas é muito pouco pelo que eles fizeram.[9]

É claro que os judeus não tinham absolutamente nenhuma conexão demonstrável com as atrocidades. Não obstante, no total, cerca de 5 mil pessoas da população judaica da cidade foram massacradas, inclusive um pequeno número de mulheres e crianças.[10]

No fim de junho e nas primeiras semanas de julho, as forças-tarefa trataram de matar um número cada vez maior de homens judeus nos territórios ocupados a leste, encorajadas pelas visitas frequentes de Himmler e Heydrich às zonas de operação. Os líderes da SS começaram a estipular cotas a serem preenchidas pelas forças-tarefa. Em Vilna (Vilnius), no mínimo 5 mil e provavelmente até 10 mil judeus foram mortos até o fim de julho. Muitos foram levados para covas escavadas anteriormente pelo Exército Vermelho para uma base de tanques, obrigados a amarrar a camisa na cabeça para não ver e a seguir metralhados em grupos de doze. Três unidades do Serviço de Segurança da SS em Riga, auxiliadas pela polícia local, mataram outros 2 mil judeus em um bosque perto da cidade na metade de julho, enquanto milhares de judeus mais foram fuzilados de forma semelhante em outros centros populacionais. Enquanto a pavorosa atividade prosseguia, os arremedos de formalidade legal que com frequência acompanharam os primeiros fuzilamentos em massa, inclusive o ritual convencional do pelotão de fuzilamento, foram rapidamente abandonados.[11] Já em 27 de junho de 1941, homens de várias unidades sob o comando geral da 221ª Divisão de Segurança do Exército haviam transportado mais de quinhentos judeus para uma sinagoga de Bialystok e os queimado vivos, enquanto unidades do Exército explodiam os prédios adjacentes para impedir que o fogo se alastrasse. Outros homens judeus foram detidos nas ruas. A barba deles foi incendiada, e eles foram forçados a dançar antes de ser fuzilados. No total, pelo menos 2 mil judeus foram mortos. Pouco depois, um batalhão de polícia alemão entrou no que restava de um bairro judeu e retirou vinte caminhões de pilhagem. Himmler e Heydrich chegaram a Bialystok no início de julho de 1941 e diz-se que reclamaram que, a despeito dessas chacinas, não estava se fazendo o bastante para combater a ameaça judaica. Quase imediatamente, mais de mil homens judeus em idade militar foram detidos, levados para fora da cidade e também fuzilados.[12]

A força-tarefa relatou que almejava "liquidar" todo o "quadro de lideranças judaico-bolcheviques" da área, mas, na prática, arrebanhou e matou quase toda a população adulta masculina sem distinção de ocupação ou nível educacional.[13] A invasão alemã de 1941, de início, foi uma surpresa para os judeus, bem como para Stálin, e a maioria dos judeus não havia fugido, a menos que tivesse alguma ligação com o Partido Comunista. Muitos deles tinham lembranças relativamente positivas da ocupação alemã na Primeira Guerra Mundial e haviam se tornado hostis aos comunistas por estes terem suprimido as instituições judaicas, expropriado seus negócios e feito campanhas antirreligiosas que os forçaram a abandonar o traje tradicional e a parar de celebrar o sabá.[14] Um soldado alemão relatou que sua unidade fora bem recebida no leste da Polônia não só por aldeões que ofereceram leite, manteiga e ovos, mas também por judeus, que, observou ele, "ainda não perceberam que a hora deles chegou".[15] Mas essa situação mudou logo. As notícias dos massacres espalharam-se depressa, e a população judaica começou a fugir em massa à medida que as forças alemãs aproximavam-se. A velocidade do avanço do Exército alemão era tamanha que, com frequência, os judeus eram alcançados e assim não conseguiam escapar das forças-tarefa da SS que vinham logo atrás.[16] Não obstante, um relatório encaminhado pela Unidade-Tarefa 6 da Força-Tarefa C em 12 de setembro de 1941 registrou que 90% ou 100% da população judaica em muitas cidades ucranianas já havia fugido. "A expulsão de centenas de milhares de judeus", acrescentava, "– pelo que sabemos, na maioria dos casos através dos Urais – não custou nada e é uma considerável contribuição para a solução da questão judaica na Europa".[17]

II

Felix Landau, um marceneiro austríaco de trinta anos de idade, estava na região de Lemberg (Lvov) no começo de julho. Landau havia entrado para a SS em abril de 1934 e participado do assassinato do chanceler austríaco Dollfuss em 1934.[18] Era um nazista comprometido e por conseguinte antissemita. Havia se candidatado como voluntário para servir na Força-Tarefa C, e foi com uma unidade da força-tarefa que chegou em Lemberg na esteira dos exércitos avançados alemães em 2 de julho de 1941. Landau mantinha um diário no qual registrava o progresso de sua unidade. As tropas alemãs que entraram em Lemberg, ele relatou, descobriram o corpo mutilado de nacionalistas ucranianos mortos pela polícia secreta soviética após uma tentativa de revolta, junto com alguns supostos pilotos alemães capturados que tinham recebido o mesmo tratamento.[19] De fato, em Lemberg, bem como em outras cidades, a polícia secreta soviética havia tentado evacuar "elementos contrarrevolucionários" das prisões antes da invasão alemã e massacrou todos os que não tinham condições de ir embora marchando. Entre os assassinados incluíam-se alguns prisioneiros de guerra alemães. Muitas vítimas foram surradas até a morte e exumadas com ossos quebrados, embora os relatos costumeiros de que seus olhos haviam sido arrancados ou os genitais mutilados mais provavelmente resultassem da ação de ratos e outros animais carniceiros. Também há indícios de que nacionalistas ucranianos de Lemberg pregaram os corpos no muro da prisão, crucificaram-nos ou amputaram seios e genitais para dar a impressão de que as atrocidades soviéticas eram ainda piores.[20] A descoberta dos corpos mutilados levou a uma orgia de violência dos militares, dos ucranianos e igualmente da unidade da força-tarefa.[21] "Pouco depois de nossa chegada", registrou Landau, "fuzilamos os primeiros judeus". Ele disse que não gostou de fazer aquilo – "tenho pouca inclinação para atirar em gente indefesa – mesmo que sejam apenas judeus. Preferiria bem mais um bom e honesto combate franco" –, mas, em 3 de julho de 1941, sua unidade fuzilou mais quinhentos judeus e, em 5 de julho de 1941, outros trezentos poloneses e judeus.[22]

Pouco depois de chegar à cidade, a unidade de Landau foi informada de que ucranianos locais e soldados alemães haviam levado oitocentos judeus para a antiga cidadela da polícia secreta soviética e começado a atacá-los, responsabilizando-os pelos massacres na prisão. Ao rumar para a cidadela, Landau viu

> centenas de judeus andando pela rua com sangue escorrendo pelo rosto, buracos na cabeça, mãos quebradas e olhos pendurados para fora das órbitas. Estavam cobertos de sangue. Alguns carregavam outros que estavam em colapso. Na entrada da cidadela, havia soldados montando guarda. Seguravam porretes da espessura do pulso de um homem e atacavam e golpeavam quem quer que cruzasse seu caminho. Os judeus despejavam-se portão afora. Havia fileiras de judeus caídos uns por cima dos outros como porcos, lamuriando-se horrivelmente. Os judeus continuavam a sair da cidadela, completamente cobertos de sangue. Paramos e tentamos ver quem estava no comando da unidade. Alguém havia deixado os judeus irem embora. Eles estavam sendo golpeados apenas por raiva e ódio.[23]

Landau considerou tal violência "perfeitamente compreensível" em vista do que acontecera antes. O antissemitismo de alguns ucranianos era alimentado por preconceito religioso e ressentimento nacionalista oriundo do fato de que muitos judeus haviam trabalhado para donos de terra poloneses. Esse ódio encontrou expressão no apoio a milícias antissemitas e nacionalistas radicais que marcharam para o leste da Galícia com as tropas de avanço alemãs. Acima de tudo, porém, tanto as milícias ucranianas quanto as tropas alemãs culpavam os judeus pelos massacres de prisioneiros perpetrados pela polícia secreta soviética ao bater em retirada. Os ucranianos tiveram o que acreditaram ser sua desforra espancando os judeus até a morte – em uma localidade, Brzezany, usaram clavas cravejadas de pregos. Em Boryslaw, o general alemão no comando, ao ver os corpos de rapazes mortos na prisão pela polícia secreta soviética expostos na praça da cidade, deu à multidão enfurecida 24 horas para fazer o que quisesse com os judeus da localidade. Os judeus foram reunidos, obrigados a limpar os corpos, forçados a dançar e depois surrados até a morte com canos de chumbo, machadinhas, malhos e qualquer outra coisa que estivesse à mão.[24] No total, 7 mil judeus foram assassinados em Lemberg apenas nas primeiras semanas de invasão. A participação de nacionalistas ucranianos foi amplamente notada, e de fato os ucranianos assassinaram mais 2 mil judeus na cidade no fim do mês. Ainda assim, essas operações em geral eram desordenadas.[25] Apenas uma minoria relativamente pequena de ucranianos era composta de nacionalistas ferrenhos ávidos para se vingar dos comunistas soviéticos pelos anos de opressão e pela epidemia de fome do início da década de 1930. A Força-Tarefa C foi obrigada a concluir: "As tentativas cautelosamente empreendidas para incitar *pogroms* contra os judeus não depararam com o sucesso que esperávamos [...] O antissemitismo resoluto com base racial ou espiritual é, portanto, alheio à população".[26]

Depois de deixar Lemberg, a unidade de Landau prosseguiu para Cracóvia, onde os fuzilamentos foram retomados.[27] Ao levar 23 judeus, alguns deles refugiados de Viena, incluindo duas mulheres, para um bosque para ser fuzilados, ele indagou a si mesmo no momento em que os judeus começaram a cavar sua própria sepultura: "O que será que passa pela cabeça deles nesse momento? Acho que cada um nutre uma pequena esperança de que por algum motivo não será fuzilado. Os candidatos à morte estão organizados em três turmas porque não há muitas pás. Estranho, estou completamente impassível. Sem nenhuma pena", ele escreveu.²⁸ Depois de cavar as sepulturas, as vítimas tinham de se virar de costas. "Seis de nós tínhamos de atirar neles. A tarefa era determinada assim: três atiravam no coração, três na cabeça. Peguei o coração. Os tiros eram disparados, e os cérebros zuniam pelos ares. Dois na cabeça é demais. Quase a decepam."²⁹ Subsequentemente a essas atividades de chacina, Landau foi encarregado de recrutar judeus para o trabalho forçado. Ele mandou fuzilar vinte por se recusarem a comparecer em 22 de julho de 1941; depois disso, registrou ele no diário, tudo transcorreu tranquilamente.³⁰ À parte essas frias descrições de assassinato em massa, boa parte do diário de Landau é devotada às preocupações com a namorada, uma datilógrafa de vinte anos de idade que ele conhecera em Radom. No fim do ano, ele estava vivendo com ela em uma grande *villa*, onde encarregou o artista e escritor judeu Bruno Schulz, cujo trabalho o impressionara, a pintar um mural. Isso preservou a vida do artista temporariamente, embora Schulz fosse fuzilado pouco depois por um dos oficiais rivais de Landau na SS local.³¹ Se Landau sentiu algum remorso, não o registrou.

Esses assassinatos em massa e *pogroms* com frequência ocorriam em público e não só eram observados e registrados pelos participantes e espectadores, mas também fotografados. Soldados e homens da SS guardavam fotos das execuções e fuzilamentos na carteira e as mandavam para familiares e amigos em casa ou levavam para a Alemanha quando iam em licença. Muitas dessas fotos foram encontradas com soldados mortos ou capturados pelo Exército Vermelho. Os soldados achavam que os relatos e as fotos mostrariam como a justiça alemã era imposta ao inimigo bárbaro e sub-humano. A população judaica pareceu confirmar tudo que haviam lido no tabloide antissemita *Der Stürmer*, de Julius Streicher: em todos os lugares por onde andavam na Europa oriental, os soldados encontravam "buracos imundos" fervilhando de "vermes", "sujeira e dilapidação", habitados por "quantidades infindáveis de judeus, aqueles tipos repulsivos de *Der Stürmer*".³² No setor sul do *front*, o marechal de campo Gerd von Rundstedt viu-se confrontado com o que ele condenou sem rodeios como um "buraco judeu imundo".³³ "Tudo está em uma condição horrorosa de dilapidação", escreveu o general Gotthard Heinrici para a esposa em 11 de julho de 1941. "Estamos aprendendo a apreciar as bênçãos da cultura bolchevique. A mobília é apenas do tipo mais primitivo. Estamos vivendo em peças basicamente vazias. A estrela de Davi está pintada por todas as paredes e cobertores."[34] A equação casual de sujeira, bolchevismo e "a estrela de Davi" de Heinrici era típica. Ela moldou as ações de muitos oficiais e homens de todos os escalões ao longo da campanha no leste.

III

Em 16 de julho de 1941, falando a Göring, Lammers, Rosenberg e Keitel, Hitler declarou ser necessário "abater a tiro qualquer um que até mesmo olhe de esguelha" a fim de pacificar as áreas ocupadas:[35] "Todas as medidas necessárias – fuzilamento, deportação etc. –, faremos de qualquer jeito [...] Os russos agora divulgaram a ordem para um combate de guerrilha atrás de nosso *front*. Esse combate de guerrilha tem uma vantagem: dá-nos a possibilidade de exterminar qualquer coisa que se oponha a nós". Entre esses oponentes, os mais destacados na mente de Hitler eram os judeus, é claro, e não apenas na Rússia, mas também no resto da Europa; na verdade, no resto do mundo. No dia seguinte, ele emitiu dois novos decretos sobre a administração dos territórios recém-conquistados a leste, dando a Himmler controle total sobre as "medidas de segurança", inclusive, dizia a seguir, a remoção da ameaça "de subversão judaico-bolchevique". Himmler entendeu que isso significava claramente liquidar todos os judeus dessas regiões por uma mistura de fuzilamento e transferência para guetos. Do ponto de vista dele, isso pavimentaria o caminho para a posterior implementação de seus ambiciosos planos de reordenamento racial da Europa oriental, bem como, é claro, para um vasto aumento de seu próprio poder em relação ao de Alfred Rosenberg, o chefe administrativo responsável pela região em termos nominais. Himmler mandou duas brigadas de cavalaria da SS para a região, somando quase 13 mil homens, nos dias 19 e 22 de julho de 1941.[36]

Em 28 de julho de 1941, emitiu diretrizes para a Primeira Brigada de Cavalaria da SS para ajudá-la na tarefa de lidar com os habitantes dos vastos pântanos de Pripet:

Se a população, observada em termos racionais, é hostil, inferior em termos raciais e humanos, ou mesmo, como com frequência será o caso nas áreas pantanosas, composta de criminosos que ali se instalaram, então todos os suspeitos de apoiar os guerrilheiros devem ser fuzilados; mulheres e crianças devem ser levadas embora, gado e gêneros alimentícios devem ser confiscados e levados para local seguro. As aldeias devem ser inteiramente queimadas.[37]

Desde o início, ficou entendido que os guerrilheiros eram inspirados pelos "bolcheviques judeus" e que uma das tarefas principais das brigadas de cavalaria era, portanto, matar os judeus da área. Em 30 de julho de 1941, a Primeira Brigada de Cavalaria da SS anotou no fim de um relatório: "Além disso, até o término do período coberto por esse relatório, oitocentos homens e mulheres judeus de dezesseis a sessenta anos de idade foram fuzilados por encorajar o bolchevismo e os guerrilheiros bolcheviques".[38] A extensão da matança de homens judeus para mulheres e crianças impulsionou a taxa de assassinato para novos picos. A escala dos massacres levados a cabo pelas recém-designadas brigadas de cavalaria da SS foi particularmente inédita. Sob o comando do superior da SS e líder de polícia para a Rússia central, Erich von dem Bach-Zelewski, uma brigada fuzilou mais de 25 mil judeus em menos de um mês, após uma ordem emitida no começo de agosto por Himmler em visita à região, de que "todos os homens judeus devem ser fuzilados. Levem as mulheres judias para os pântanos". As mulheres não deviam mais ser poupadas; em outras palavras, deviam ser afogadas nos pântanos de Pripet. Todavia, conforme a cavalaria da SS relatou em 12 de agosto de 1941: "Levar as mulheres e as crianças para os pântanos não teve o sucesso que se pretendia, visto que os pântanos não são fundos o bastante para que afundem. Na maioria dos casos, encontra-se terra firme (provavelmente areia) a uma profundidade de um metro, de modo que não foi possível afundá-las".[39]

Se não era possível levar as mulheres judias para os pântanos de Pripet, então elas também tinham de ser fuziladas, concluíram os oficiais da SS. Já na primeira metade de agosto, Arthur Nebe, o comandante da Força-Tarefa B, que operou na área de Bach-Zelewski, mandou suas tropas fuzilar mulheres e crianças, assim como os homens. Mais ao sul, a outra brigada da SS de

Himmler, sob o comando de Friedrich Jeckeln, deu início ao fuzilamento sistemático de toda a população judaica, matando 23,6 mil homens, mulheres e crianças em Kamenetsk-Podolsk em três dias, no fim de agosto de 1941. Em 29 e 30 de setembro de 1941, os homens de Jeckeln, auxiliados por unidades policiais ucranianas, levaram um grande número de judeus de Kiev, onde haviam mandado que se reunissem para reassentamento, até a ravina de Babi Yar, e lá mandaram que se despissem. Conforme depois testemunhou Kurt Werner, um membro da unidade encarregado de promover a chacina:

> Os judeus tinham de ficar deitados com o rosto voltado para a terra ao lado das paredes da ravina. Havia três grupos de atiradores no fundo da ravina, cada um com cerca de doze homens. Os grupos de judeus eram mandados simultaneamente para cada um desses esquadrões. Cada grupo sucessivo de judeus tinha de deitar em cima dos corpos daqueles que já haviam sido fuzilados. Os atiradores colocavam-se atrás dos judeus e os matavam com um tiro na nuca. Recordo ainda hoje do terror completo dos judeus diante do primeiro vislumbre dos corpos ao chegar à beira da ravina. Muitos judeus gritavam aterrorizados. É quase impossível imaginar os nervos de aço necessários para executar o serviço sujo lá embaixo. Foi horrível [...] Passei a manhã inteira na parte de baixo da ravina. Por algum tempo tive de atirar continuamente.[40]

Em dois dias, conforme a Força-Tarefa C informou em 2 de outubro de 1941, a unidade matou um total de 33.771 judeus na ravina.[41]

No fim de outubro, as tropas de Jeckeln haviam fuzilado mais de 100 mil homens, mulheres e crianças judeus. Em outras partes atrás da frente oriental, as forças-tarefa e as unidades associadas também passaram a matar mulheres e crianças, além de homens, em vários momentos entre o fim de julho e o princípio de setembro.[42] Em todos esses casos, os poucos homens que se recusaram a participar nos assassinatos tiveram permissão para se ausentar sem nenhuma consequência disciplinar. Entre esses incluíram-se até mesmo oficiais graduados, como o chefe da Unidade-Tarefa 5 da Força-Tarefa C, Erwin Schulz. Ao ser informado no começo de agosto de 1941 de que Himmler havia mandado fuzilar todos os judeus não engajados no trabalho forçado, Schulz solicitou

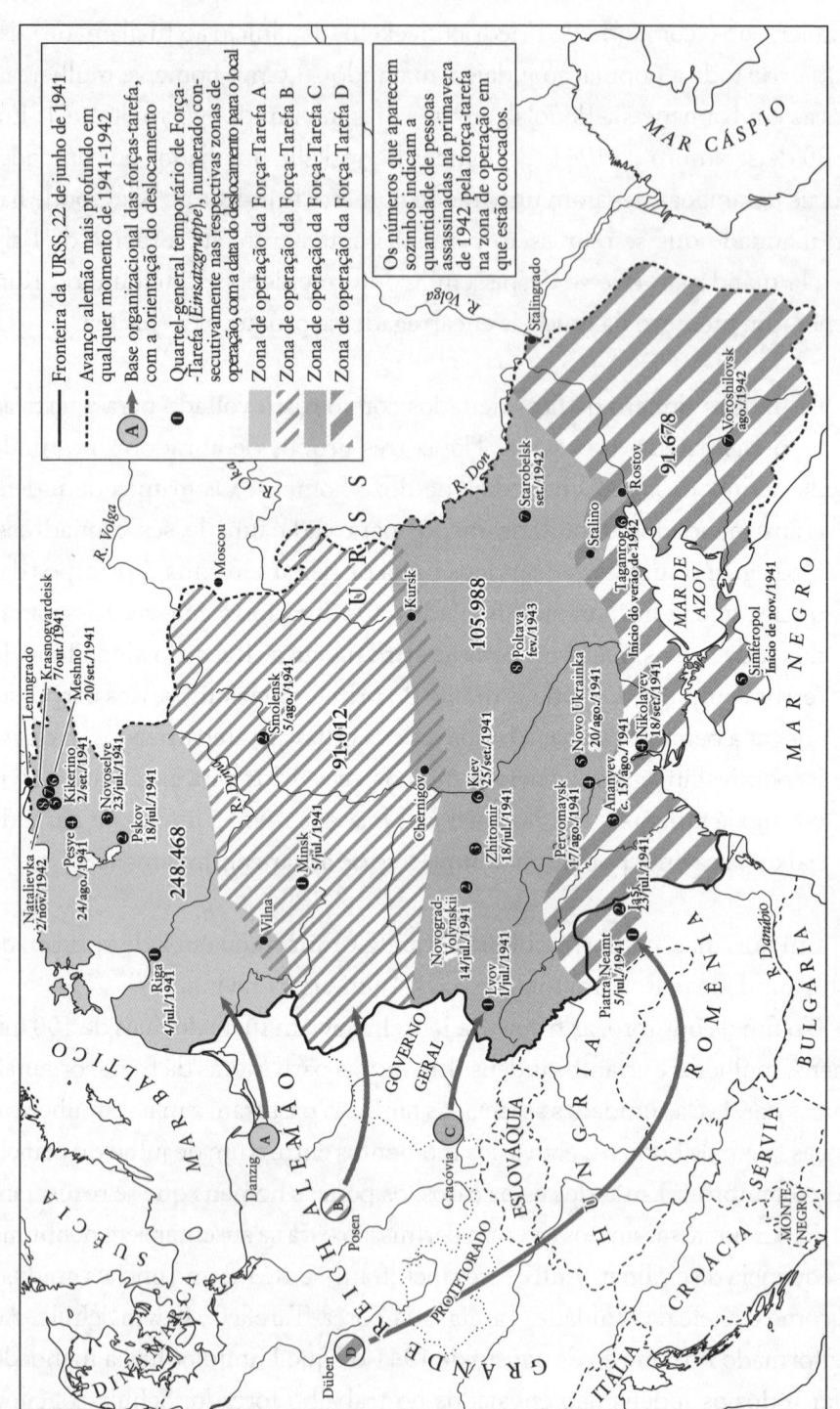

Mapa 10. Operações de chacina das forças-tarefa da SS, 1941-43

uma entrevista com o chefe de pessoal do Escritório Central de Segurança do Reich, que, após ouvir as objeções de Schulz em participar da ação, persuadiu Heydrich a liberar o oficial relutante de seus deveres e renomeá-lo para o velho posto na Academia de Polícia de Berlim sem nenhuma desvantagem na carreira. Entretanto, a grande maioria dos oficiais e soldados tomou parte de modo voluntário, e não fez objeções. O antissemitismo profundamente arraigado misturou-se ao desejo de não parecer fraco e a uma variedade de outros motivos, sendo um deles a ganância, pois, assim como em Babi Yar, as posses das vítimas de todos esses massacres foram saqueadas, as casas, pilhadas e as propriedades, confiscadas. O fruto da pilhagem, conforme um oficial de polícia admitiu mais tarde, era para ser de todos.[43]

Na cidade de Stanislawów, na Galícia, Hans Krüger, o chefe da Polícia de Segurança, foi informado pelas autoridades locais alemãs de que o gueto que estavam prestes a montar não teria condições de abrigar nada parecido com a totalidade da população judaica da cidade, que somava cerca de 30 mil, possivelmente mais. Desse modo, ele reuniu os judeus da cidade em 12 de outubro de 1941 e os alinhou em uma fila comprida que chegava à beira das covas abertas preparadas no cemitério da cidade. Ali eles foram fuzilados por policiais alemães, alemães étnicos e nacionalistas ucranianos, para quem Krüger providenciou uma mesa abarrotada de comida e bebidas alcoólicas nos intervalos entre os fuzilamentos. Enquanto Krüger supervisionava o massacre, andando a passos largos com uma garrafa de vodca em uma mão e um cachorro-quente na outra, os judeus começaram a entrar em pânico. Famílias inteiras pularam para dentro das covas, onde foram fuziladas ou soterradas por corpos que caíam por cima delas; outros foram fuzilados ao tentar escalar as paredes do cemitério. Ao cair da tarde, de 10 mil a 12 mil judeus – homens, mulheres e crianças – haviam sido mortos. Krüger então anunciou aos demais que Hitler adiara a execução deles. Mais pessoas foram pisoteadas na correria para os portões do cemitério, onde foram reunidas de novo e levadas para o gueto.[44]

Em alguns casos, como na cidade de Zloczów, os comandantes locais do Exército alemão protestaram e conseguiram fazer parar os assassinatos, pelo menos temporariamente.[45] Em contraposição, na aldeia de Bielaia Tserkow, ao sul de Kiev, o comandante de campo austríaco, coronel Riedl, ordenou que fosse feito um registro de toda a população judaica e mandou uma unidade da Força-Tarefa C fuzilar todo mundo. Com milicianos ucranianos e um pelotão de soldados da SS Armada, a equipe da força-tarefa levou várias centenas de homens e mulheres judeus para uma linha de tiro nas redondezas e deu-lhes tiros na cabeça. Vários filhos das vítimas foram levados para a linha de tiro em caminhões de carga pouco depois, em 19 de agosto de 1941, e igualmente fuzilados, mas noventa dos mais jovens, de bebezinhos a crianças de seis anos de idade, foram largados sem supervisão em um prédio nos arredores da aldeia, sem comida ou água. Soldados alemães ouviram o choro e os gemidos durante a noite e alertaram o capelão militar católico da unidade, que encontrou as crianças desesperadas por água, atiradas em meio à imundície, cobertas de moscas, com excrementos por todo o chão. Uns poucos guardas ucranianos armados postavam-se do lado de fora, mas os soldados alemães eram livres para ir e vir conforme lhes aprouvesse. O capelão arregimentou o auxílio de um oficial da equipe regimental, tenente-coronel Helmuth Groscurth, que, depois de inspecionar o prédio, postou soldados ao redor para impedir que as crianças fossem levadas. Ultrajado por ter sua autoridade contestada, Riedl protestou ao comandante regional, o marechal de campo Von Reichenau, afirmando que Groscurth e o capelão estavam se afastando da ideologia nacional-socialista adequada. "Ele explicou", relatou Groscurth, "que considerava o extermínio de mulheres e crianças judias uma necessidade que se fazia urgente". Reichenau respaldou Riedl e ordenou que o assassinato das crianças fosse adiante. Em 22 de agosto de 1941, as crianças e os bebês foram levados para um bosque e fuzilados na beira de uma grande vala cavada de antemão pelas tropas de Riedl. O oficial da SS no comando, August Häfner, mais tarde relatou que, depois de objetar que não era aceitável pedir a seus homens, muitos dos quais tinham filhos, que executassem o fuzilamento, obteve permissão para dar jeito de a milícia ucraniana cumprir a tarefa no lugar deles. A "choradeira" das crianças, ele recordou, "era indescritível. Jamais esquecerei a cena por toda minha vida. Achei muito difícil de aguentar. Lembro em particular de uma menininha loira que me deu a mão. Ela também foi fuzilada mais tarde [...] Muitas crianças foram alvejadas quatro ou cinco vezes antes de morrer".[46]

O horror de Groscurth diante desses acontecimentos reflete as dúvidas morais que o levaram a entrar em contato com a resistência conservadora militar. Ele protestou afirmando que tais atrocidades não ficavam atrás das cometidas pelos comunistas soviéticos. Relatos dos acontecimentos na aldeia por certo chegariam em casa, ele pensou, prejudicando o prestígio do Exército alemão e causando problemas no moral. Devoto protestante e nacionalista conservador, sua postura corajosa em agosto de 1941 atraiu a ira de seus superiores, e ele foi devidamente repreendido por Reichenau. Em certa medida, ele pode muito bem ter expresso suas objeções de forma a fazer que fossem levadas em conta por seus superiores. Todavia, seu relatório para Reichenau em 21 de agosto de 1941 concluiu que o ultraje não estava em fuzilar as crianças, mas no fato de que elas fossem deixadas em condições horripilantes enquanto os oficiais da SS vacilavam. Uma vez que se decidira matar os adultos, ele não via opção a não ser matar as crianças também. "Tanto os bebês quanto as crianças", ele declarou, "deveriam ter sido eliminados imediatamente, a fim de se ter evitado aquela agonia desumana".[47]

IV

Em 12 de junho de 1941, durante uma visita a Munique, o ditador e chefe do Exército romeno, Ion Antonescu, recebeu "diretrizes" de Hitler sobre como lidar com os judeus nas áreas sob controle soviético em que o Exército romeno estava agendado para marchar dali a dez dias como parte da Operação Barba Ruiva. Sob as ordens dele, os comandantes de polícia romenos começaram a transferir para guetos os judeus que viviam nas cidades e a promover o "extermínio no local" dos judeus encontrados na zona rural. Cem mil judeus escaparam dessas áreas para a União Soviética, mas não antes de os romenos começarem a matá-los em grande quantidade.[48] Já antes da invasão, Antonescu havia determinado o registro de todos os judeus romenos e seu banimento de uma ampla variedade de profissões. A propriedade judaica foi expropriada, e os judeus foram submetidos a ordens de trabalho forçado. A partir de 8 de agosto de 1941, todos os judeus tiveram de usar a estrela amarela. Essas e outras ordens refletiam não só os anseios de Hitler, mas também o violento e profundamente arraigado antissemitismo pessoal de Antonescu. Membros do alto escalão do regime romeno justificaram o tratamento aos judeus dizendo tratar-se de uma cruzada cristã ortodoxa contra os infiéis, fortalecida pela declaração do patriarca ortodoxo Nicodim de que era necessário destruir os judeus, servos de bolchevismo e assassinos de Cristo. Antonescu com frequência também expressava seu antissemitismo em linguagem matizada de fraseado religioso ("Satã é o judeu", escreveu ele em uma virulenta diatribe antissemita). Mas o ditador também falou repetidas vezes sobre o que via como a necessidade de "purificação" racial da Romênia, e as leis discriminatórias que ele introduziu eram de caráter racial e não religioso.[49] Antonescu era obcecado pela imagem dos judeus como motor primordial do mais antirreligioso dos movimentos políticos, o bolchevismo. Culpava os judeus pelas perdas militares e pela escassez de comida e suprimentos romenos, e por quaisquer outros problemas com que deparasse. Antonescu foi encorajado nessas crenças pela liderança alemã.

Em 26 de junho de 1941, teve início um *pogrom* na cidade de Iași, no nordeste romeno, organizado por oficiais do serviço secreto romeno e alemão, envolvendo a força policial local. Pelo menos 4 mil judeus da localidade foram mortos antes de o resto ser socado em dois trens de carga, dentro de vagões lacrados, e então levados em uma viagem sem destino determinado; quando os trens enfim fizeram uma parada, 2.713 judeus haviam morrido de sede ou por sufocamento. Até mesmo os observadores alemães ficaram chocados com a violência. "Está tudo saindo de acordo com o plano, inclusive a matança dos judeus", escreveu um deles de Iași em 17 de julho de 1941, mas acrescentou: "As atrocidades que estão acontecendo aqui e que podem ser observadas em andamento são indizíveis – e nós, eu e outros, toleramos e devemos tolerá-las".[50] Depois dos massacres em Iași, que mataram provavelmente até 10 mil, Antonescu ordenou a expulsão de todos os judeus da Bessarábia e de Bucovina, junto com outros elementos supostamente traiçoeiros. Ele disse que as metralhadoras deveriam ser usadas: ali não havia lei. Milhares de judeus foram fuzilados, e os sobreviventes acabaram encarcerados em campos e guetos sórdidos e parcamente abastecidos, principalmente em Kishinev, capital da Bessarábia, antes de serem expulsos para a Transnístria, no sul da Ucrânia, que foi ocupada pelo Exército romeno. Marchas forçadas, fome e doenças tiveram um custo terrível; em dezembro de 1941 e janeiro de 1942, as autoridades romenas ordenaram o fuzilamento imediato de milhares dos judeus expulsos.⁵¹ Em um campo da Transnístria, o comandante alimentou os reclusos com um tipo de ervilha normalmente dado ao gado. Depois de médicos judeus relatarem que as ervilhas causavam paralisia dos membros inferiores, seguida de morte na maioria dos casos, o comandante mandou prosseguir a alimentação dos reclusos com o vegetal. Eles não tinham nada mais para comer. Foi relatado que pelo menos quatrocentos judeus sofreram da paralisia antes de a comida enfim ser trocada.⁵²

Houve mais massacres quando as tropas romenas ocuparam Odessa. Em 22 de outubro de 1941, uma bomba-relógio previamente instalada pelo serviço secreto russo explodiu o quartel-general romeno, matando 61 oficiais e funcionários, na maioria romenos, inclusive o comandante militar da cidade. Antonescu ordenou retaliações selvagens. Para cada oficial morto na explosão deveriam ser enforcados duzentos "comunistas". As tropas romenas usaram isso como licença para lançar um *pogrom*. Nos dois dias seguintes, 417 judeus e supostos comunistas foram enforcados ou fuzilados, e cerca de 30 mil judeus foram arrebanhados e forçados a marchar de Odessa para a cidade de Dalnic. Mas a seguir, por intervenção do prefeito de Odessa, tiveram de marchar de volta para o porto da cidade. Ali, 19 mil deles foram reunidos em quatro grandes galpões e metralhados. Depois disso, os galpões foram incendiados para garantir que não houvesse sobreviventes.⁵³ Milhares dos habitantes judeus que restavam em Odessa foram então retirados da cidade nos preparativos para a deportação para a Ucrânia dominada pelos alemães. Cinquenta e dois mil judeus de Odessa e da Bessarábia foram apinhados em cerca de quarenta currais em Bodganovka, ou mantidos em cercados a céu aberto. Nas vizinhas Domanovka e Akmecetka havia mais 22 mil, muitos deles arrebanhados com sadismo deliberado dentro de chiqueiros em uma grande fazenda estatal soviética abandonada. Seu dinheiro e joias foram apreendidos e levados para o banco estatal romeno. O tifo eclodiu nas instalações sem saneamento, e os judeus começaram a morrer em grande quantidade.⁵⁴

Os romenos esperavam ter condições de transportar esses judeus para a Ucrânia de domínio alemão, mas, quando ficou claro que isso não aconteceria, os guardas de Bogdanovka, auxiliados pela polícia ucraniana local, espremeram cerca de 5 mil judeus idosos e doentes nos estábulos, espalharam feno no telhado, encharcaram-no com gasolina e queimaram-nos vivos. Os judeus que conseguiam andar, cerca de 43 mil, foram levados para uma ravina nas imediações e abatidos um a um com um tiro na nuca. Outros 18 mil foram fuzilados por policiais ucranianos sob ordens romenas em Domanovka. Os chiqueiros de Akmecetka foram usados para abrigar os doentes e esgotados, e mais de 14 mil foram deliberadamente deixados a morrer de fome por ordem do comandante regional romeno, tenente-coronel Isopescu. Outros milhares de judeus romenos foram deportados para guetos e campos improvisados, gerenciados de forma caótica e pessimamente abastecidos na Transnístria, onde as taxas de mortalidade atingiram entre um terço e 50% no inverno de 1941-42. No gueto de Varsóvia, em contrapartida, que, a despeito de toda a superlotação e privação, pelo menos tinha uma infraestrutura social e administrativa em funcionamento, as taxas de mortalidade situavam-se em cerca de 15% nessa época.[55]

Confrontado por apelos desesperados dos líderes sobreviventes da comunidade judaica na Romênia em razão desses massacres, Antonescu refugiou-se nas conhecidas alegações de que os judeus haviam torturado e assassinado soldados romenos antes, de modo que mereciam aquela sina. "Todo dia", escreveu ele para um líder comunitário judeu em 19 de outubro, em uma carta aberta publicada na imprensa romena, "os corpos horrivelmente mutilados de nossos mártires são retirados dos porões de Chisinau [...] Você perguntou quantos de nós tombaram, assassinados de forma covarde por seus correligionários? E quantos foram enterrados vivos [...] São atos de ódio", prosseguiu ele, "beirando a loucura, que os seus judeus manifestaram contra o nosso povo tolerante e hospitaleiro [...]"[56] Em um ano desde o início dessa campanha, as forças romenas, às vezes em conjunto com a SS e com as unidades policiais alemãs, com mais frequência agindo por conta própria, mataram entre 280 mil e 380 mil judeus, o maior número de judeus assassinados por qualquer país europeu independente durante a Segunda Guerra Mundial, com exceção da Alemanha.[57]

A Força-Tarefa D da SS, insatisfeita com a natureza caótica de muitas dessas chacinas, tentou canalizar o que chamou de "execuções sádicas realizadas de modo impróprio pelos romenos" em um "procedimento mais planejado".[58] Ohlendorf reclamou para Berlim que as forças romenas haviam "levado milhares de crianças e gente debilitada, nenhuma delas em condições de trabalhar, da Bessarábia e de Bucovina para a esfera de interesse alemã". Os homens de Ohlendorf levaram muitas delas de volta para o território romeno, matando um número substancial nesse processo. No fim de agosto, conforme um de seus subordinados relatou mais tarde, Ohlendorf carregava consigo "um documento com uma larga tarja vermelha, assinalado 'Atividade Secreta do Reich' [...], a partir do qual ele nos informou que dali em diante todos os judeus sem exceção deveriam ser liquidados".[59] Em meados de setembro, após essa ordem, uma subunidade da força-tarefa assassinou todos os judeus na cidade de Dubossary, forçando mães e seus filhos, mediante golpes com a coronha dos rifles, a ficar na beira de buracos especialmente cavados, onde tinham de se ajoelhar antes de levar um tiro na nuca. Cerca de 1,5 mil pessoas foram assassinadas dessa maneira em uma única execução em massa, uma de muitas ações semelhantes cometidas pela força-tarefa e suas várias subdivisões por volta dessa época. Himmler, mais uma vez, estava presente na área quando esses massacres ocorreram.[60] Para Ohlendorf e Himmler, as operações de assassinato das forças romenas não eram nem meticulosas, nem sistemáticas o bastante, e eram acompanhadas por um excesso de ineficiência, corrupção e brutalidade sádica aleatória. À medida que se deslocava para o sul, chegando enfim à Crimeia, a Força-Tarefa D vasculhou cada cidade e aldeia, matou todo homem, mulher e criança judeus que encontrou, e no devido tempo registrou com orgulho que havia deixado a área completamente "livre de judeus".[61]

V

A inclusão explícita do assassinato em massa de comissários bolcheviques, judeus, guerrilheiros e outros nas ordens produzidas em Berlim na primavera de 1941 para a invasão da União Soviética ajudou a colocar o genocídio na agenda de outras partes dos Bálcãs também. Na Iugoslávia, o clima foi ainda mais envenenado pela violência que ocorria na zona controlada pelo regime fascista da Ustasha da Croácia. Quando a Ustasha começou a massacrar sérvios em grande quantidade na primavera de 1941, milhares de refugiados escaparam pela fronteira para a Sérvia ocupada pelos alemães, onde se juntaram ao movimento de resistência que surgia, composto principalmente de ex-soldados e policiais que haviam ido para as montanhas em abril de 1941. Conhecidos em geral como Chetniks, em referência aos bandos armados antiturcos das Guerras dos Bálcãs do começo do século, esses grupos gradativamente enquadraram-se sob a liderança do coronel Dragoljub Mihailovi, nacionalista sérvio em contato com o governo exilado do jovem rei Pedro. No fim de junho de 1941, as ações díspares dos Chetniks fundiram-se em um levante geral, o primeiro em um país de ocupação alemã na Europa. Uniram-se aos rebeldes os guerrilheiros comunistas sob Josip Broz Tito, que vinha organizando suas forças há alguns meses. Enquanto os Chetniks eram insuflados tanto pelo ódio sérvio aos croatas quanto pelo desejo de resistir aos alemães, os comunistas de Tito almejavam unir todos os grupos étnicos e religiosos na luta contra as forças de ocupação. A situação era inflamada não só pela violência genocida contínua na vizinha Croácia, mas também pelas políticas draconianas adotadas desde o princípio pelo Exército alemão. O general Halder, chefe do Estado-Maior Geral do Exército, emitira ordens não muito diferentes daquelas levadas a cabo anteriormente na Polônia, mas ainda mais abrangentes e mais severas. As Forças Armadas deveriam cooperar com a polícia alemã e o Serviço de Segurança da SS que estavam chegando para a detenção de terroristas conhecidos ou suspeitos, sabotadores e emigrados alemães, aos quais Halder em pessoa adicionou outras duas categorias: comunistas e judeus.[62]

Em poucas semanas de invasão, as autoridades de ocupação militar haviam forçado o registro de judeus sérvios e imposto o uso compulsório da estrela judaica em algumas localidades. O Exército alemão ordenou a exclusão dos judeus de uma variedade de ocupações, expropriou boa parte de sua propriedade sem compensação e estendeu essas medidas aos ciganos da Sérvia. Oficiais do Exército mudaram-se para as *villas* bem mobiliadas após os donos judeus serem despejados, aprisionados ou fuzilados, enquanto os soldados do baixão escalão começaram a comprar mercadorias judaicas confiscadas a preços módicos.[63] Tão logo teve início o levante Chetnik, o comandante militar de Belgrado mandou a comunidade judaica providenciar quarenta reféns por semana, a serem fuzilados caso a resistência persistisse. Como resultado, entre as 111 pessoas executadas pelos alemães até 22 de julho de 1941 em "represálias", incluíam-se muitos judeus. A partir de 27 de julho de 1941, os sérvios também eram considerados "corresponsáveis" caso propiciassem um ambiente de apoio aos rebeldes. No que dizia respeito às tropas alemãs, todos os rebeldes eram comunistas ou judeus. Em meados de agosto, os judeus da área de Banat foram deportados para Belgrado, onde todos os homens judeus e ciganos foram internados no começo de setembro. A essa altura, de acordo com um relatório oficial alemão, apesar de "aproximadamente mil comunistas e judeus terem sido fuzilados ou enforcados em público, e as casas dos culpados incendiadas, não foi possível refrear o crescimento contínuo da revolta armada".[64]

Os 25 mil soldados alemães deixados na Iugoslávia enquanto o grosso das Forças Armadas avançava para a Grécia não tinha experiência em combate, e a média de idade era de trinta anos. Os oficiais eram todos da reserva. O pequeno número de regimentos auxiliares e policiais alemães estacionados na Sérvia também jamais estivera envolvido no combate a uma insurreição guerrilheira. Eles não faziam ideia de como lidar com um movimento de resistência bem apoiado e eficiente. O que fizeram, porém, não foi diferente do que o Exército alemão estava fazendo em outras partes da Europa oriental. "É compreensível", explicou um comandante sênior do Exército alemão na Sérvia, o general Bader, em 23 de agosto de 1941,

> que as tropas que com frequência são alvejadas pelas costas por bandos comunistas estejam clamando por vingança. Em um caso desses, com frequência qualquer pessoa encontrada nos campos é detida e fuzilada. Na maior parte dos casos, porém, não capturam os grupos culpados, que já desapareceram faz tempo; pegam gente inocente e com isso fazem que o povo, que até então havia sido leal, vá para o lado dos bandidos por medo ou amargura.[65]

Seu aviso foi ignorado. Os soldados alemães continuaram cometendo atos brutais de vingança por ataques aos quais não eram capazes de fazer frente. "Hoje foi um recorde!", escreveu um tenente em 29 de julho de 1941. "Esta manhã fuzilamos 122 comunistas e judeus em Belgrado."[66] A nomeação de um governo sérvio fantoche sob Milan Nedi, político sérvio pró-

-Alemanha e anticomunista, de pouco adiantou para melhorar a situação. O comandante geral da região, o marechal de campo Wilhelm List, um católico bávaro e soldado profissional de longa data, ficou cada vez mais frustrado. Na opinião dele, os sérvios eram naturalmente violentos e de sangue quente, e só podiam ser domados à força. Em agosto de 1941, Hitler em pessoa enfatizou a necessidade da "mais severa intervenção" na supressão militar da revolta.[67] Goebbels não estava tão convencido disso. Em 24 de setembro de 1941, ele anotou com certa preocupação que o "reinado sangrento de terror" dos croatas contra os sérvios estavam levando-os "ao desespero [...] de modo que os movimentos de revolta estão alastrando-se ainda mais".[68]

E, de fato, os Chetniks ficaram cada vez mais audaciosos, capturando 175 alemães em dois incidentes isolados no início de setembro de 1941. List afastou o comandante militar em serviço na Sérvia, um general da Força Aérea, e importou um austríaco, o general Franz Böhme, como comandante-chefe. Böhme era da confiança de Hitler, que de fato o colocara como comandante-chefe do Exército austríaco a certa altura das negociações com o ditador austríaco Schuschnigg pouco antes da invasão da Áustria em 1938. Böhme compartilhava plenamente dos preconceitos e ressentimentos antissemitas e antissérvios do corpo de oficiais austríaco. "Sua missão", disse ele às tropas em 25 de setembro de 1941,

> deve ser cumprida em um país onde, em 1914, rios de sangue alemão fluíram devido à traição dos sérvios, homens e mulheres. Vocês são os vingadores dos mortos. Deve ser criado um exemplo intimidante para toda a Sérvia, um exemplo que atinja o conjunto da população da forma mais severa. Qualquer um que demonstra misericórdia está traindo a vida de seus companheiros. Ele será chamado à responsabilidade sem respeito por sua pessoa e colocado diante de uma corte marcial.[69]

Böhme sistematizou a prática existente de retaliação violenta. Ordenou expedições punitivas a cidades e aldeias, a abertura de campos de concentração para supostos "comunistas" e judeus em Šabac e Belgrado, e o fuzilamento de todos os suspeitos bolcheviques – dos quais mais de mil já tinham sido mortos até 4 de outubro de 1941. Em 16 de setembro de 1941, o marechal de campo Wilhelm Keitel, chefe do Comando Supremo das Forças Armadas Combinadas, mandara que entre cinquenta e cem comunistas fossem fuzilados em retaliação para cada soldado alemão morto em áreas ocupadas pelos alemães em toda Europa. Böhme emitiu uma ordem ainda mais abrangente em 10 de outubro de 1941: "Comunistas ou habitantes do sexo masculino suspeitos de serem comunistas, todos os homens judeus e um número específico de habitantes de inclinação nacionalista e democrática" deveriam ser capturados como reféns e mortos na proporção de cem para cada soldado alemão morto pelos guerrilheiros e de cinquenta para cada ferido.[70]

Böhme estava excedendo as ordens de Keitel, que não mencionou judeus. Havia uma pressuposição geral de que, devido ao seu tratamento na Alemanha e na Polônia, os judeus automaticamente seriam inimigos da ocupação alemã da Sérvia. Raciocínio semelhante foi aplicado aos ciganos, embora aqueles que tivessem um emprego regular e cuja família houvesse deixado de ser nômade desde pelo menos 1850 ficassem explicitamente isentos. Sem apresentar nenhuma evidência concreta, a administração militar afirmou "que o elemento judeu participa em grau considerável da liderança dos bandos e que os ciganos são responsáveis por atrocidades específicas e por atividades de espionagem".[71] Por ordens de Böhme, 2,2 mil prisioneiros dos campos de concentração de Šabac e Belgrado foram fuzilados, sendo 2 mil judeus e duzentos ciganos. Houve testemunhas em abundância. Milorad Jelesi, um sérvio internado em outro campo das redondezas, foi levado para um campo perto de Šabac, e ele e outros receberam ordem de escavar uma vala enquanto um destacamento de soldados alemães almoçava. A seguir, testemunhou ele mais tarde,

> um grupo de cinquenta pessoas que pude ver que eram judeus veio conduzido por detrás de uma plantação de milho [...] Um oficial deu a ordem, e então os alemães apontaram para a nuca – dois soldados para cada judeu. Então tivemos de correr até a sepultura aberta e jogar os mortos dentro. Em seguida, os alemães mandaram-nos revistar todos os bolsos deles e tirar quaisquer artigos de valor [...] Se não conseguíamos tirar os anéis, os alemães davam-nos uma faquinha e tínhamos de cortar os dedos e entregar os anéis a eles assim.[72]

Outro grupo de cinquenta judeus era então conduzido, e a operação repetiu-se ao longo dos dois dias seguintes, com ciganos perfazendo uma proporção crescente das vítimas. Alguns judeus eram refugiados austríacos, que por uma soturna ironia histórica viram-se sendo mortos por tropas basicamente austríacas em retaliação por atos de resistência cometidos por guerrilheiros sérvios contra o Exército alemão.[73]

As medidas de Böhme, dirigidas a pessoas que não tinham nada a ver com o levante guerrilheiro, cruzaram a linha que separa represálias militares, por mais excessivas que fossem, de assassinato em massa gratuito. Seguiram-se mais fuzilamentos. Em muitos casos, foram filmados para fins de propaganda. Nas duas semanas após a distribuição da ordem de 10 de outubro, unidades do Exército na Sérvia fuzilaram mais de 9 mil judeus, ciganos e outros civis. Alguns soldados chegaram a participar das chacinas como se fosse uma espécie de esporte. Quando um soldado vienense voltou para seu regimento em Belgrado depois de uma licença, foi saudado pelos companheiros com a pergunta irreverente: "Vai sair com a gente para fuzilar uns judeus?".[74] Se as tropas não conseguiam o número de supostos comunistas, democratas, nacionalistas, judeus e ciganos que tinham ordens de matar em uma localidade específica, simplesmente reuniam o resto dos habitantes homens e os fuzilavam também. Dessa forma, por exemplo, unidades da 717ª Divisão de Infantaria fuzilaram trezentos homens na cidade de Kraljevo que pareciam pertencer às categorias destacadas na ordem de Böhme antes de reunir indiscriminadamente mais 1,4 mil sérvios e fuzilá-los de modo que se preenchesse a cota de cem "reféns" para cada alemão morto.[75] Como Böhme, quase todos os oficiais seniores do Exército e comandantes da SS na Iugoslávia ocupada eram austríacos; era o caso também de muitas unidades do Exército, inclusive a 717ª Divisão de Infantaria. A violência extrema que impuseram à população local, a sérvios, ciganos e judeus, refletiu em parte sua hostilidade profundamente arraigada contra os sérvios e a natureza particularmente virulenta de antissemitismo do país do qual, como o próprio Hitler, eles provinham.[76]

No fim de 1941, o número total de assassinatos, sobretudo de judeus, cometidos pelo Exército, forças-tarefa do Serviço de Segurança da SS e suas associadas atingiu centenas de milhares na Europa oriental. A Força-Tarefa A relatou que, em meados de outubro, havia chacinado mais de 118 mil judeus, número que aumentara para quase 230 mil no fim de janeiro de 1942. A Força-Tarefa B registrou exatos 45.467 judeus fuzilados até o fim de outubro, subindo para pouco mais de 91 mil ao encerrar-se o fevereiro seguinte. A Força-Tarefa C fuzilou cerca de 75 mil até 20 de outubro de 1941, e a Força-Tarefa D registrou quase 55 mil até 12 de dezembro de 1941 e um total de quase 92 mil em 8 de abril de 1942. Não se pode verificar com precisão o quão exatos são esses números; em alguns casos, podem ter sido exagerados ou duplicados. Por outro lado, não incluem todos os judeus mortos por milícias locais ou unidades do Exército alemão cujos comandantes tenham dado ordens para matar "comunistas judeus" e outros "elementos judaicos". O fato de oficiais seniores do Exército julgarem necessário proibir repetidamente as tropas de tomar parte em *pogroms*, pilhagem e fuzilamentos em massa de civis judeus indica o quanto essas ações eram corriqueiras. De fato, em certos casos, como o da 707ª Divisão de Infantaria na Bielorrússia, o extermínio de judeus, na verdade, foi organizado pelos militares em nome do combate à atividade guerrilheira.[77] Ao todo, é provável que cerca de meio milhão de judeus tenha sido fuzilado pelas forças-tarefa e grupos militares e paramilitares associados até o fim de 1941.[78]

De modo inconstante, mas inequívoco, um passo importante fora dado: a extensão das chacinas a mulheres e crianças e o abandono efetivo do pretexto ou, em muitos casos, da crença de que os judeus estavam sendo assassinados por terem organizado a resistência às forças invasoras alemãs. Na maioria das vezes, a escolha da ocasião, a maneira e a extensão dos assassinatos foi assunto dos comandantes locais da SS. Não obstante, foi essencial o papel de Himmler em ordenar essa ampliação e depois, às vezes com Heydrich, impulsioná-la por meio da inspeção das áreas onde as chacinas estavam acontecendo, e em reforçar os contingentes da SS na região para possibilitar uma matança maior.[79] Foi Himmler quem, em repetidas ordens verbais dadas aos subordinados, promoveu a transição para as chacinas indiscriminadas de judeus de ambos os sexos e de todas as idades em julho e agosto de 1941. Sem dúvida, ele acreditava, na ocasião e mais tarde, que estava cumprindo o desejo de Hitler de 16 de julho, de fuzilar "qualquer um que até mesmo olhe de esguelha". Nisso também, como em outros casos, a cadeia nazista de comando atuou de forma indireta. Não houve uma ordem específica, precisa;

Hitler estabeleceu parâmetros gerais de ação, Himmler interpretou-os, e os oficiais da SS em campo, com seu encorajamento, usaram a iniciativa pessoal para decidir quando e como colocá-los em prática, conforme mostra claramente a irregularidade no período da transição do fuzilamento de homens judeus para o fuzilamento de mulheres e crianças. Todavia, está claro que o assassinato em massa de judeus europeus-orientais que teve início nessa época foi acima de tudo um reflexo dos desejos pessoais e das crenças de Hitler, articulados repetidas vezes tanto em público quanto em particular durante esses meses.[80]

Assim, em 25 de outubro de 1941, por exemplo, Hitler jantava com Himmler e Heydrich, e com isso seus pensamentos naturalmente voltaram-se para os massacres colocados em andamento na Rússia, e em particular para a ordem de Himmler do início de agosto de "levar as mulheres judias para os pântanos":

> No Reichstag, eu profetizei à judiaria: os judeus vão desaparecer da Europa se a guerra não for evitada. Essa raça de criminosos tem os 2 milhões de mortos da [Primeira] guerra na consciência, e agora centenas de milhares outra vez. Ninguém pode me dizer: mas não podemos mandá-las para o brejo! Pois quem se importa com o nosso povo? É bom se o terror por estarmos exterminando a judiaria nos precede.[81]

Em 1º de agosto de 1941, Heinrich Müller, chefe da Gestapo, ordenou ao Escritório Central da Segurança do Reich que repassasse a Hitler os relatórios que estava recebendo das forças-tarefa. Ao todo, 40 a 45 cópias de cada relatório costumavam circular pelo Partido e pelos gabinetes do governo.[82] Por exemplo, o "Relatório de Ocorrências número 128", enviado em 3 de novembro de 1941, contendo na íntegra os seis primeiros relatórios das forças-tarefa de julho a outubro, foi distribuído em 45 cópias não só para a Chancelaria do Partido, mas também para departamentos do governo, inclusive o Ministério de Relações Exteriores, onde foi rubricado por nada menos que 22 funcionários.[83] Desse modo, não só Hitler, mas muita gente do alto escalão do Partido e da administração estatal estava plenamente informada dos massacres realizados pelas forças-tarefa da SS no leste.

Deflagrando o genocídio

I

Dada a referência de Hitler em 25 de outubro de 1941 à sua profecia sobre a aniquilação dos judeus no caso de uma guerra mundial, não é de surpreender que nessa época ele estivesse pensando em escala global. No fundo, ao longo da Operação Barba Ruiva e depois desta, ele pensava que a rápida derrota da União Soviética provocaria também a capitulação dos britânicos. A tentativa de levar os britânicos à submissão mediante bombardeio em 1940 fracassara claramente. Mas havia outras maneiras de levá-los à mesa de negociação. A principal era a interrupção do abastecimento, que necessariamente tinha de ser feito por mar, vindo em parte do vasto império da Grã-Bretanha, mas principalmente dos Estados Unidos. O presidente americano, Franklin Delano Roosevelt, até então conquistara considerável apoio doméstico por manter a América fora da guerra. Mas havia algum tempo ele em particular pensava que os Estados Unidos teriam de agir para deter a agressão alemã.[84] Portanto, Roosevelt deu início a um programa de produção de armas em larga escala, com o Congresso aprovando enormes quantias para a construção de aeronaves, navios, tanques e equipamento militar. Já em 16 de maio de 1940, Roosevelt havia apresentado ao Congresso uma proposta para a construção de nada menos que 50 mil aeronaves militares por ano, a começar imediatamente. Esse volume era muitas vezes maior do que o que qualquer um dos combatentes europeus podia produzir. Discussões técnicas secretas com os britânicos asseguraram que esses aviões seriam de benefício direto para o esforço de guerra britânico. Não muito depois, o Congresso também aprovou a Lei de Expansão Naval nos Dois Oceanos, inaugurando a construção de enormes frotas no Atlântico e no Pacífico, agrupadas em torno de porta-aviões que permitiriam à Marinha dos Estados Unidos investir sobre os inimigos da América ao redor do mundo. O recrutamento veio a seguir, começando com o alistamento e o treinamento de um Exército de 1,4 milhão de homens. Em novembro de 1940, Roosevelt foi reeleito. Animado pelo apoio bipartidário no Congresso, ele transferiu quantidades crescentes de suprimentos militares e navais, bem como gêneros alimentícios e muito mais, para a Grã-Bretanha sob arranjos de "empréstimo e arrendamento". Apenas em 1940, os britânicos conseguiram comprar mais de 2 mil aeronaves de combate dos Estados Unidos; em 1941, o número subiu para mais de 5 mil. Eram números significativos. Na metade de agosto de 1941, Roosevelt e Churchill reuniram-se para assinar a Carta do Atlântico, que incluiu a cláusula de que submarinos americanos acompanhariam comboios para a Grã-Bretanha pelo menos durante metade de sua travessia atlântica.[85]

A partir de junho de 1941, os Estados Unidos também começaram a embarcar suprimentos e equipamento para a União Soviética em quantidades cada vez maiores; se a URSS fosse derrotada, Roosevelt temia, com certa razão, que a Alemanha então voltaria a atacar a Grã-Bretanha e a seguir avançaria para desafiar a América.[86] O ritmo e a escala do rearmamento americano em 1940-41 e a invasão alemã da União Soviética, que prendeu as forças soviéticas no oeste, ajudaram a persuadir o agressivo e expansionista governo japonês de que seu ímpeto para criar um novo império japonês no sudeste da Ásia e no Pacífico exigia a eliminação das forças navais americanas na região o quanto antes. Em 7 de dezembro de 1941, seis porta-aviões japoneses enviaram suas aeronaves para bombardear a base naval americana de Pearl Harbor, no Havaí, onde afundaram, encalharam ou inutilizaram dezoito navios antes de avançar rumo à invasão da Tailândia, da Malásia e das Filipinas. O ataque uniu o povo americano no respaldo à intervenção na guerra. E também incitou Hitler a se livrar do comedimento que até então havia mostrado em relação aos Estados Unidos. Ele autorizou o afundamento de navios americanos no Atlântico, para atrapalhar e se possível cortar os fornecimentos dos Estados Unidos à Grã-Bretanha e à União Soviética. A seguir, apostando na preocupação dos Estados Unidos com o Pacífico, Hitler emitiu uma declaração formal de guerra em 11 de dezembro de 1941. Itália, Romênia, Hungria e Bulgária igualmente declararam guerra aos Estados Unidos. Hitler acreditava que o ataque japonês enfraqueceria os americanos por dividir seus esforços militares. Isso proporcionaria a chance de derrotar os Estados Unidos no Atlântico e cortar o abastecimento da Grã-Bretanha e da União Soviética. Além disso, consumiria importantes recursos britânicos no Extremo Oriente, à medida que os japoneses avançassem sobre colônias britânicas da Malásia à Birmânia e quem sabe também sobre a Índia. Acima de tudo, o gesto de Hitler foi governado pela percepção de que era vital atacar quanto antes – antes que a imensa preparação militar dos Estados Unidos atingisse sua plena e avassaladora dimensão.[87]

Esses acontecimentos tiveram um efeito direto sobre a política nazista em relação aos judeus. O auxílio americano à Grã-Bretanha e à União Soviética, em rápida expansão, aprofundou a convicção de Hitler de que os Estados Unidos estavam efetivamente participando da guerra em uma aliança secreta, de domínio judaico, com Churchill e Stálin. Em 22 de junho de 1941, dia do lançamento da Operação Barba Ruiva, Hitler anunciou que chegara a hora "em que será necessário partir para o confronto dessa conspiração de instigadores da guerra judaico-anglo-saxões e dos governantes igualmente judaicos da Central Bolchevique de Moscou".[88] Na primavera de 1941, já estava em curso a propaganda com a meta de persuadir o povo alemão de que a administração Roosevelt fazia parte de uma conspiração judaica internacional contra a Alemanha. Em 30 de maio e 6 de junho de 1941, o Ministério da Propaganda instruiu os jornais a enfatizar que "a Inglaterra [é] em última análise governada pela judiaria; o mesmo é válido para os Estados Unidos" e insistiu na "clareza sobre a meta dos judeus dos Estados Unidos de destruir e exterminar a Alemanha a qualquer preço".[89] A enxurrada de propaganda foi então drasticamente intensificada.

Desde o início, a Operação Barba Ruiva fora planejada como um ataque surpresa, de modo que não foi precedida por uma escalada da propaganda como a que pressagiou o movimento contra a Polônia em 1939. Por isso, nas semanas seguintes à invasão da União Soviética em 22 de junho de 1941, a liderança nazista julgou necessário lançar uma ofensiva de propaganda destinada a conquistar a aprovação retrospectiva do povo alemão. Quase imediatamente, Hitler focou a atenção nos judeus. A coincidência da Operação

Barba Ruiva com a escalada da ajuda americana à Grã-Bretanha e Rússia formou o foco central da *blitz* dos meios de comunicação que veio a seguir. Essa *blitz* foi dirigida por Hitler em pessoa e refletiu suas mais profundas convicções.[90] Em 8 de julho de 1941, Hitler disse a Goebbels para intensificar os ataques da mídia ao comunismo. "Por conseguinte, nossa linha de propaganda", escreveu Goebbels no dia seguinte, "é clara: devemos continuar a desmascarar a colaboração entre bolchevismo e plutocracia e agora também expor cada vez mais o caráter judaico dessa frente".[91] As instruções foram devidamente transmitidas à imprensa, e uma campanha maciça entrou em andamento, reforçada pelo posterior encorajamento dado por Hitler a seu ministro da Propaganda em 14 de julho de 1941.[92]

Essa campanha teve como ponta de lança o jornal diário do Partido Nazista, o *Observador Racial*, editado desde 1938 por Wilhelm Weiss. Com circulação de quase 1,75 milhão, tinha um *status* semioficial. Suas histórias baseavam-se muito nas diretrizes de imprensa emitidas por Otto Dietrich, o chefe de imprensa do Reich, do quartel-general de Hitler após seu encontro diário com o Líder. Ao longo de todo o ano de 1940, o *Observador Racial* não havia estampado uma única manchete de primeira página de natureza antissemita. Em fevereiro e março de 1941, houve três, mas depois não houve mais nada por três meses até um jorro concentrado ter início em julho. Em 10 e 12 de julho, o jornal estampou manchetes de primeira página sobre o "bolchevismo judaico"; em 13 e 15 de julho voltou sua atenção para a Grã-Bretanha ("judiaria inunda a Inglaterra com mentiras soviéticas"), e em 23 e 24 de julho publicou histórias sobre Roosevelt como instrumento dos judeus e dos maçons que estavam dispostos a destruir a Alemanha. Houve mais histórias de primeira página em 10 e 19 de agosto ("Meta de Roosevelt é o domínio do mundo pelos judeus"), e manchetes mais sensacionalistas atacando Roosevelt em 27 e 29 de outubro e 7 de novembro, com uma manchete geral sobre "O inimigo judeu" em 12 de novembro. Depois disso, a campanha esmoreceu, com apenas quatro manchetes antissemitas em 1942.[93] De modo semelhante, os cartazes *Palavra da Semana*, publicados desde 1937 em edições de 125 mil cópias, colados em paredes e quiosques por toda a Alemanha ou afixados em expositores de vidro especialmente projetados para isso, com um novo tópico a cada semana, só haviam mencionado temas antissemitas em três das 52 edições de 1940, mas, entre 1941 e seu término em 1943, os ataques aos judeus foram publicados em cerca de 25% deles. Em contraste com o *Observador Racial*, os cartazes de parede continuaram a campanha em 1942, com doze das 27 edições até julho dedicadas a temas antissemitas.[94] Assim, houve um pico indiscutível na propaganda antissemita de todos os tipos na segunda metade de 1941, refletindo a ordem de Hitler a Goebbels em 8 de julho para enfocar a atenção da máquina de propaganda nos judeus. A propaganda teve um efeito quase imediato. Já em 23 de junho de 1941, por exemplo, um suboficial do Exército alemão estacionado em Lyon relatou: "Agora os judeus declararam guerra a nós de fora a fora, de um extremo a outro, dos plutocratas de Nova York e Londres até os bolcheviques. Todas as coisas sob o domínio judeu estão alinhadas em uma frente contra nós".[95]

A campanha usou com grande ostentação um panfleto do americano Theodore N. Kaufman, que fora publicado naquele ano sob o título *A Alemanha deve perecer*, que exigia a esterilização de todos os homens alemães e a divisão de todo o território da Alemanha entre seus vizinhos europeus. Kaufman era um excêntrico (para não usar um termo mais forte) que já havia caído em ridículo na imprensa dos Estados Unidos ao instar que todos os homens americanos fossem esterilizados para evitar que seus filhos se tornassem assassinos e criminosos. Não obstante, Goebbels apoderou-se do novo panfleto, retratou Kaufman como consultor oficial da Casa Branca e alardeou o texto como um produto judaico que revelava as verdadeiras intenções do governo Roosevelt em relação à Alemanha: "Enorme programa judaico de extermínio", anunciou o *Observador Racial* em 24 de julho de 1941. "Roosevelt exige a esterilização do povo alemão: povo alemão deve ser exterminado em duas gerações."[96] "Alemanha deve ser aniquilada!", declarou o cartaz da *Palavra da Semana* de 10 de outubro de 1941. "A mesma meta de sempre."[97] Goebbels declarou que mandaria traduzir o livro de Kaufman para o alemão e distribuir milhões de cópias, "sobretudo no *front*". Um livreto contendo trechos traduzidos realmente foi publicado em setembro de 1941, e o editor afirmou que era a prova de que "a judiaria mundial em Nova York, Moscou e Londres está de acordo em exigir o extermínio completo do povo alemão".[98] O ministro da Propaganda somou a isso repetidas reportagens na imprensa sobre as supostas atrocidades contra soldados alemães por tropas do Exército

Vermelho. A mensagem era clara: os judeus estavam conspirando ao redor do mundo para exterminar os alemães; a autodefesa exigia que eles fossem mortos onde quer que fossem encontrados.[99] Em resposta a essa ameaça, conforme Goebbels declarou em 20 de julho de 1941 em artigo para *O Reich*, jornal semanal que ele havia criado em maio de 1940 e que àquela altura atingira uma circulação de 800 mil exemplares, a Alemanha e de fato a Europa aplicariam um golpe nos judeus "sem pena e sem misericórdia", que ocasionaria "sua ruína e derrocada".[100]

O golpe incidiu em etapas no fim do verão e princípio do outono de 1941. Do fim de junho em diante, como vimos, as forças-tarefa e suas associadas estavam matando um número crescente de homens judeus, depois, a partir de meados de agosto, mulheres e crianças judias também, no leste. Mas, àquela altura, já estava claro que os líderes nazistas não estavam pensando em uma escala apenas regional, mas europeia. Em 31 de julho de 1941, Heydrich levou a Göring, que formalmente estava a cargo da política judaica, um documento sucinto para ser assinado. Esse documento conferia a Heydrich o poder "para fazer todos os preparativos organizacionais, práticos e materiais para uma solução total da questão judaica na esfera de influência alemã na Europa". O ponto-chave dessa ordem, que também habilitava Heydrich a consultar todos os outros gabinetes do Partido e do governo caso suas áreas de competência fossem afetadas, foi estender a autoridade dele para todo o continente. Não era um comando para iniciar, menos ainda para implementar, uma "solução total da questão judaica", era um mandado para fazer os preparativos para essa ação. Mas, por outro lado, era bem mais que o encargo, visto por alguns historiadores, de apenas incumbir-se de "estudos de viabilidade" que poderiam ou não ser usados em algum momento no futuro – os subsequentes relatórios e referências ao resultado de tais estudos que seriam de esperar no registro documental simplesmente não estão lá.[101]

O assunto ficou em suspenso por algumas semanas, enquanto Hitler e os generais discutiam a respeito de avançar para Moscou ou desviar os exércitos alemães mais para norte e sul; a seguir, no começo de agosto, Hitler ficou gravemente enfermo com disenteria.[102] Em meados de agosto, porém, ele estava bem o bastante para lançar uma nova diatribe contra os judeus, registrada por Goebbels em sua anotação do diário de 19 de agosto de 1941:

O Líder está convencido de que a profecia que fez no Reichstag, de que, se a judiaria tivesse êxito em provocar uma guerra mundial outra vez, isso acabaria na aniquilação dos judeus, está se confirmando. Isso está se tornando verdade nessas semanas e meses com uma certeza que parece quase sobrenatural. Os judeus estão tendo de pagar o preço no leste; em certa medida já pagaram na Alemanha e terão de pagar ainda mais no futuro. Seu último refúgio é a América do Norte, e lá também, a curto ou longo prazo, terão de pagar um dia.[103]

É notável como Goebbels deixa escapar aqui o âmbito global das ambições geopolíticas nazistas definitivas. Em termos mais imediatos, esses comentários coincidiram, não por acaso, com uma escalada acentuada das chacinas cometidas pelas forças-tarefa na Europa oriental ocupada. Além disso, de fevereiro a abril de 1941, Hitler sancionara a deportação de cerca de 7 mil judeus de Viena para o distrito de Lublin a pedido do líder regional nazista da ex-capital da Áustria, Baldur von Schirach, que havia conquistado posição de destaque na década de 1930 como chefe da Juventude Hitlerista. O principal objetivo de Schirach era apoderar-se de casas e apartamentos para distribuir aos sem-teto não judeus. Ao mesmo tempo, sua ação manteve a continuidade das medidas de cunho ideológico antissemita que remontavam aos primeiros dias da ocupação alemã de Viena em março de 1938.[104] Por alguns meses, essa permaneceu uma ação relativamente isolada. A fim de evitar qualquer possível perturbação em casa enquanto a guerra estava em andamento, Hitler vetou por algum tempo a proposta de Heydrich de começar igualmente a evacuar os judeus alemães de Berlim.[105]

Mas, em meados de agosto, Hitler retomou a ideia que havia rejeitado no verão de 1941, de começar a deportar os judeus que restavam na Alemanha para o leste. Na metade de setembro, seus desejos haviam se tornado amplamente conhecidos na hierarquia nazista. Em 18 de setembro de 1941, Himmler disse a Arthur Greiser, líder regional de Wartheland: "O Líder quer o Velho Reich e o Protetorado [da Boêmia e Morávia] esvaziados e livres de judeus ocidentais o mais rapidamente possível".[106] Hitler pode ter pensado nas deportações, que deveriam ser efetuadas abertamente, como um aviso para a "judiaria internacional", especialmente dos Estados Unidos, não ampliar a guerra ainda mais, ou coisas piores poderiam acontecer aos judeus da Alemanha. Ele ficara sob pressão para tomar medidas de retaliação contra a Rússia "judaico-bolchevique" após a deportação à força de alemães do Volga por Stálin.[107] Líderes regionais, notadamente Karl Kaufmann em Hamburgo, estavam pressionando pelo despejo dos judeus para dar lugar a famílias alemãs sem casa devido aos bombardeios. Joseph Goebbels, na função de líder regional de Berlim, estava decidido: "Temos de evacuar os judeus de Berlim o mais rápido possível". Isso seria possível "assim que tivermos liquidado as questões militares no leste".[108] O fato de vastas extensões de território terem sido conquistadas a leste do Governo Geral já havia aberto a possibilidade de deportar judeus da Europa central para lá. Após uma reunião com Heydrich, Goebbels disse que eles seriam colocados em campos de trabalho já montados pelos comunistas. "O que é mais óbvio do que esses campos agora serem povoados por judeus?"[109] Atropelando todos os outros possíveis motivos na mente de Hitler estava o da segurança: em sua lembrança de 1918, os judeus haviam apunhalado a Alemanha pelas costas, e desde que chegara ao poder ele vinha tentando por meios cada vez mais radicais impedir que isso ocorresse de novo, expulsando-os do país. Por um lado, a ameaça aparentemente aumentara após a invasão da União Soviética e do crescente envolvimento dos Estados Unidos na guerra. Por outro, a oportunidade para a deportação em massa agora se apresentava com as novas anexações territoriais a leste. Parecia chegada a hora para a ação em escala europeia.[110]

II

Durante esse período, as condições de vida deterioraram-se rapidamente para os judeus que permaneceram na Alemanha. Um deles era Victor Klemperer, cuja situação em certa medida ainda era protegida pelo casamento com uma não judia, sua esposa Eva, e pelo registro como veterano de guerra. Aprisionado em uma cela da delegacia de Dresden em 23 de junho de 1941 por violar as regulamentações do blecaute, Klemperer viu o período na cadeia pesar fortemente em sua mente. Mas ele não foi maltratado e, a despeito da preocupação obsessiva de que tivessem esquecido dele, foi solto em 1º de julho de 1941. Acomodou-se de novo na vida na casa superlotada de judeus que era forçado a dividir com a esposa e outros casais semelhantes em Dresden.[111] Em breve, seu diário foi tomado pelas dificuldades crescentes que ele e a esposa enfrentavam no que chamou de "caça à comida". Em abril de 1942, registrou em desespero: "Agora estamos encarando a inanição completa. Hoje até mesmo os nabos eram apenas para 'clientes cadastrados'. Nossas batatas acabaram, nossos cupons para pão vão durar quem sabe umas duas semanas, não quatro".[112] Começaram a pedir e trocar.[113] Na metade de 1942, Klemperer sentia fome constantemente e estava reduzido a roubar comida de outra habitante da casa ("com a consciência limpa", ele confessou, "pois ela precisa de pouco, desperdiça muita coisa, recebe muitas coisas da mãe idosa – mas me sinto muito rebaixado").[114]

A partir de 18 de setembro de 1941, em decorrência de um decreto emitido pelo Ministério dos Transportes do Reich, não foi mais permitido aos judeus alemães frequentar os vagões-restaurante de trens, andar em veículos de excursão ou usar transportes públicos no horário de pico.[115] Enquanto sua esposa costurava a estrela judaica no lado esquerdo de seu casaco em 19 de setembro de 1941, Klemperer teve "um ataque frenético de desespero". Como muitos outros judeus, ele sentia vergonha de sair (vergonha "de quê?", perguntou-se retoricamente). A esposa passou a tratar das compras.[116] A máquina de escrever de Klemperer foi confiscada, e de 28 de outubro de 1941 em diante ele teve de escrever seu diário e o restante de sua autobiografia à mão.[117] Seguiram-se outras pequenas privações. Os judeus perderam o direito a cupons para creme de barbear ("será que querem reintroduzir a barba medieval judaica à força?", perguntou Klemperer, irônico).[118] A lista compilada por ele de todas as restrições a que os judeus estavam submetidos a essa altura já passava de trinta itens, incluindo a proibição de usar ônibus, ir a museus, comprar flores, ter casacos de pele e cobertores de lã, entrar em estações de trem, comer em restaurantes e sentar em cadeiras de convés.[119] Uma lei promulgada em 4 de dezembro de 1941 estabeleceu a pena de morte para praticamente qualquer infração cometida por um judeu.[120] Em 13 de março de 1942, o Escritório Central de Segurança do Reich mandou colar uma estrela de papel branca na entrada de toda residência habitada por judeus.[121] Um golpe adicional veio em maio de 1942, quando as autoridades anunciaram que judeus não mais podiam ter animais de estimação ou doá-los; com dor no coração, Klemperer e a esposa levaram o gato Muschel para um amigo veterinário e o sacrificaram de modo ilegal, para poupá-lo do sofrimento a que acharam que o animal seria submetido se o entregassem no recolhimento geral.[122] Todas essas medidas, conforme sua cronologia deixa claro, visavam a preparar a deportação em massa dos judeus da Alemanha para o leste.[123]

Para sublinhar a firmeza da decisão sobre a deportação, em 23 de outubro de 1941, Himmler ordenou que os judeus não tivessem mais permissão para emigrar do Reich alemão ou de qualquer outro país ocupado.[124] O fim da comunidade judaica na Alemanha também foi assinalado pela dissolução da Liga de Cultura Judaica pela Gestapo em 11 de setembro de 1941; seus bens, instrumentos musicais, patrimônio e propriedades foram distribuídos a várias instituições, incluindo a SS e o Exército.[125] Todas as escolas judaicas restantes no Reich já haviam sido fechadas.[126] O agrupamento e as deportações tiveram início em 15 de outubro de 1941; de acordo com decretos emitidos em 29 de maio e 25 de novembro de 1941, e pessoalmente aprovados por Hitler, os deportados eram destituídos da nacionalidade alemã e suas propriedades confiscadas pelo Estado. Em 5 de novembro de 1941, 24 grandes comboios de trem carregados de judeus – cerca de 10 mil do Velho Reich, 5 mil de Viena e 5 mil do Protetorado – tinham ido para Lódź, junto com 5 mil ciganos do território rural austríaco de Burgenland. Em 6 de fevereiro de 1942, mais 34 carregamentos haviam levado 33 mil judeus para Riga, Kovno e Minsk.[127] Ainda restou um número substancial de judeus que estavam desempenhando tarefas de trabalho forçado julgadas importantes para a economia de guerra. Goebbels ficou decepcionado e pressionou pelo aceleramento das deportações. Em 22 de novembro de 1941, ele pôde anotar em seu diário que Hitler havia concordado em promover as deportações em um esquema de cidade por cidade.[128]

Para preparar as deportações, a Gestapo obtinha listas de judeus locais na Associação dos Judeus do Reich na Alemanha, selecionava o nome daqueles a serem deportados, dava-lhes números em sequência e informava a data em que deveriam partir e os arranjos a serem feitos para a viagem. Cada deportado tinha permissão para levar 50 quilos de bagagem e provisões para três dias. Eles eram levados pela polícia para um centro de agrupamento de onde, depois de esperar com frequência por muitas horas, eram transportados para um trem de passageiros comum para a viagem. Essas medidas pretendiam evitar que os judeus ficassem alarmados a respeito de seu destino. Todavia, os trens começavam a jornada à noite, em pátios de manobra em vez de estações de passageiros, e não raramente os deportados eram empurrados de modo grosseiro para dentro do trem pela polícia, com xingamentos e pancadas. Um policial acompanhava cada grupo durante a jornada. Quando os deportados chegavam a seu destino, sua situação deteriorava-se rapidamente. O primeiro comboio a deixar Munique, por exemplo, partiu em 20 de novembro de 1941, e após se desviar de Riga, o destino original, onde o gueto estava cheio, chegou em Kovno três dias depois. Informada de que o gueto ali também estava lotado, a polícia levou os deportados para o Forte IX nas proximidades, onde esperaram por dois dias no fosso seco ao redor do prédio até serem todos fuzilados.[129]

Em janeiro de 1942, chegou a ordem para que todos os judeus de Dresden fossem deportados para o leste. O alívio de Victor Klemperer foi palpável, portanto, quando soube que detentores da Cruz de Ferro de Primeira Classe que viviam em "casamentos mistos", como ele, estavam isentos.[130] Para os que permaneceram, a vida ficou ainda mais dura. Em 14 de fevereiro de 1942, Klemperer, com sessenta anos de idade e uma saúde longe de perfeita, recebeu ordem de se apresentar para trabalhar limpando a neve das ruas. Ao chegar à avenida, descobriu que era o mais jovem dos doze homens judeus no local. Felizmente, ele registrou, os inspetores do departamento de limpeza pública eram decentes e educados, permitindo aos homens parar e conversar, e disseram a Klemperer: "Você não deve se exceder, o Estado não exige isso".[131] Eles receberam a mísera quantia de setenta reichsmarks por semana, descontados os impostos.[132] Quando esse serviço não era mais necessário, Klemperer foi obrigado a trabalhar em uma fábrica de embalagens.[133] A Gestapo tornou-se mais brutal e abusiva, e os judeus passaram a ter pavor da ideia de suas casas serem revistadas pelas autoridades. Quando a casa de judeus de Klemperer foi vasculhada, ele por acaso estava fora visitando um amigo. Ao voltar, encontrou-a revirada. Toda a comida e o vinho haviam sido roubados, junto com algum dinheiro e medicamentos. O conteúdo de armários, gavetas e prateleiras fora jogado no chão e pisoteado. Tudo que queriam roubar, incluindo roupa de cama, os homens da Gestapo haviam metido em quatro malas e um grande baú, que mandaram os moradores levar para a delegacia de polícia no dia seguinte. Eva Klemperer fora insultada ("Sua meretriz de judeu, por que casou com ele?") e esbofeteada várias vezes. "Que desgraça inimaginável para a Alemanha", foi a reação de Victor Klemperer.[134] "*Isso* não são mais revistas em casas", comentou a esposa, "são *pogroms*".[135] Desesperado com a preocupação de que a Gestapo encontrasse seus diários ("uma pessoa é assassinada por delitos menores"), Klemperer começou a fazer a esposa levá-los a intervalos mais frequentes para sua amiga não judia, a médica Annemarie Köhler, para mantê-los a salvo. "Mas continuarei escrevendo", ele declarou em maio de 1942. "Esse é o *meu* heroísmo. Pretendo prestar testemunho, testemunho exato!"[136]

Em Hamburgo, grata porque seu marido judeu Friedrich não tinha de usar a estrela amarela por conta do *status* privilegiado de veterano de guerra condecorado, casado com uma não judia e que criava uma filha como cristã, Luise Solmitz registrou com amargura em 13 de setembro de 1941: "Nossa sorte agora é negativa – tudo aquilo que não nos afeta". Os Solmitz foram beneficiados pela norma da Gestapo de que pessoas em casamentos mistos privilegiados como o deles não eram obrigadas a acolher judeus em suas casas. Eles compartilhavam com os outros alemães os cortes de pensões, benefícios e rações. Quanto ao resto, viviam de modo semelhante a antes, ainda que necessariamente de forma mais reclusa, visto que Friedrich foi efetivamente proibido de fazer parte da vida social dos círculos não judeus em que eles outrora circulavam. Luise Solmitz e o marido foram perdendo peso constantemente à medida que o fornecimento de comida ficou menor ao longo de 1941. Em 21 de dezembro de 1942, ela pesava 43 quilos. Todavia, sua maior preocupação quanto às mudanças nos esquemas de racionamento não era tanto o fato de sua dieta ficar ainda mais restrita, mas de ela ser proibida de buscar os cupons de ração da família, e Friedrich ter de ir ao escritório de racionamento como judeu, com seu "epíteto maligno, inacreditável" imposto pelo governo ("Israel") e ficar na fila "em meio a toda aquela gente com quem não tem nada a ver" ou, em outras palavras, a população restante de judeus de Hamburgo. Sua preocupação com a segurança da filha semijudia, Gisela, crescia, à medida que circulavam rumores de que pessoas classificadas como mestiças seriam deportadas. "Já somos os joguetes de poderes sombrios e maliciosos", ela registrou soturna no diário em 24 de novembro de 1942.[137]

III

É claro que, em outubro de 1941, a ideia de deportação em princípio abrangia a Europa inteira, e a intenção era começar quase imediatamente.[138] Em 4 de outubro de 1941, Heydrich referiu-se ao "plano de evacuação total dos judeus dos territórios ocupados por nós".[139] No princípio de novembro de 1941, ele defendeu sua aprovação aos ataques antissemitas a sinagogas parisienses ocorridos quatro dias antes em vista do fato de a "judiaria ter sido identificada com a maior clareza e no mais alto grau como a instigadora responsável pelo que havia acontecido na Europa, e dever enfim desaparecer da Europa".[140] O próprio Hitler aumentou agudamente outra vez os ataques retóricos aos judeus, não só da União Soviética e dos Estados Unidos, mas também da Europa no todo. Em 28 de novembro de 1941, ao se reunir com o grande mufti de Jerusalém, Haj Amin al-Husseini, Hitler declarou: "A Alemanha está decidida a pressionar as nações europeias uma por uma para resolver o problema judaico". Também na Palestina, ele assegurou ao mufti, a Alemanha trataria dos judeus assim que obtivesse o controle da região.[141]

A essa altura, os judeus sobreviventes das regiões conquistadas pelas forças alemãs na Europa oriental estavam sendo reunidos e confinados em guetos nas principais cidades. Em Vilna (Vilnius), a partir de 6 de setembro de 1941, 29 mil judeus foram apinhados em uma área que antes abrigava apenas 4 mil pessoas. Ao visitar o gueto de Vilna no começo de novembro de 1941, Goebbels notou: "Os judeus estão quase acocorados uns por cima dos outros, figuras horríveis, não é de se olhar, que dirá tocar [...] Os judeus são os piolhos da humanidade civilizada. Têm de ser exterminados de algum jeito [...] Onde quer que você os poupe, mais tarde torna-se vítima deles".[142] Outro gueto foi montado em Kovno em 10 de julho de 1941, onde uma população de 18 mil foi submetida a violentos e frequentes ataques de forças alemãs e lituanas em busca de objetos de valor.[143] Guetos menores foram estabelecidos por volta da mesma época em outras cidades nos países bálticos, na esteira de grandes massacres da população judaica local. Visto que os massacres, ao menos na fase inicial, haviam sido direcionados principalmente contra os homens, os guetos com frequência tinham predomínio de mulheres e crianças: em Riga, por exemplo, onde o gueto foi implantado por volta do fim de outubro de 1941, havia quase 19 mil mulheres e 11 mil homens quando este foi fechado, pouco mais de um mês depois. Desses, 24 mil foram levados e fuzilados em 30 de novembro e 8 de dezembro de 1941; o restante, na maioria homens, foram mandados para a Alemanha como operários industriais. Uma matança em massa semelhante aconteceu em maior escala em Kovno em 28 de outubro de 1941, quando Helmut Rauca, chefe do Departamento Judaico da Gestapo na cidade, ordenou que 27 mil habitantes judeus se reunissem às seis da manhã na praça principal. Ao longo de todo o dia, Rauca e seus homens separaram os que podiam trabalhar dos que não podiam. Ao anoitecer, haviam sido selecionados 10 mil judeus da última categoria. O resto foi mandado para casa. Na manhã seguinte, os 10 mil marcharam para fora da cidade até o Forte IX e foram fuzilados em grupos.[144]

Quase todos os guetos criados na Europa oriental ocupada depois da invasão da União Soviética foram improvisados e de duração relativamente curta, planejados como pouco mais que zonas de contenção para judeus destinados à morte em futuro bastante próximo. Em Ialta, um gueto foi criado em 5 de dezembro de 1941 pelo isolamento de uma área nos limites da cidade; em 17 de dezembro de 1941, menos de duas semanas depois, foi fechado e seus habitantes fuzilados. Padrão semelhante pôde ser observado também em outros centros.[145] Era claro que não se esperava que os judeus da Europa oriental vivessem por muito mais tempo. Os guetos precisavam ser esvaziados para dar lugar aos judeus cuja expulsão do Velho Reich e do Protetorado da Boêmia e Morávia era agora incitada repetidamente por Hitler, sendo que essa seria seguida da expulsão do resto da Europa de ocupação alemã. Alguns historiadores tentaram identificar a data exata em que Hitler ordenou a expulsão e o extermínio dos judeus da Europa. Todas as evidências para isso são inconsistentes. Deu-se muito destaque ao fato de que, bem depois da guerra, Adolf Eichmann recordou-se de Heydrich tê-lo convocado no fim de setembro ou início de outubro para dizer que "o Líder havia ordenado o extermínio físico dos judeus". Himmler também viria a se referir a tal ordem em mais de uma ocasião no futuro. Mas é extremamente duvidoso que a ordem tenha sido dada em tantas palavras a Himmler ou a Heydrich – ou de fato a qualquer outro. As declarações de Hitler, registradas em várias fontes, mais notadamente no registro público de seus discursos e nas anotações particulares de suas conversas no diário de Goebbels e na *Conversa à mesa*, representam tanto o estilo quanto o teor do que ele tinha a dizer sobre o assunto. É um erro procurar ou imaginar uma ordem, seja escrita ou falada, do tipo emitido por Hitler no caso do programa de eutanásia compulsória, onde ela foi exigida para dar legitimidade às ações de profissionais médicos e não às de homens comprometidos da SS, que mal precisavam delas de qualquer forma.[146] Conforme a Suprema Corte do Partido Nazista havia notado no começo de 1939, durante a República de Weimar, os líderes do Partido haviam se acostumado a se furtar de responsabilidade legal certificando-se de que "as ações [...] não são ordenadas com clareza absoluta ou nos mínimos detalhes". De modo análogo, os membros do Partido haviam se acostumado a "interpretar mais de tais comandos do que o que era dito em palavras, assim como tornou-se costume generalizado de parte das pessoas que emitem o comando [...] não dizer tudo" e "apenas insinuar" o objetivo de uma ordem.[147]

Desse modo, é extremamente improvável que Hitler tenha ido além de proferir declarações do tipo que ele fez repetidas vezes da metade de 1941 em diante a respeito dos judeus, respaldado pela virulenta propaganda antissemita de Goebbels e seus meios de comunicação coordenados. Tais declarações com frequência eram amplamente transmitidas e propagandeadas, e ao menos aquelas feitas em público eram familiares a quase todo membro do Partido, da SS e de organizações semelhantes. Quando somadas às ordens explícitas dadas antes da Operação Barba Ruiva de matar comissários soviéticos e judeus e às políticas homicidas já implementadas na Polônia desde setembro de 1939, criaram uma mentalidade genocida na qual Himmler em Berlim e seus funcionários graduados em campo no leste competiram para ver quão plena e radicalmente conseguiam pôr em prática a repetida promessa, ou ameaça, de Hitler de aniquilar os judeus da Europa. Com frequência, eles encararam severa escassez de alimentos e, como na Polônia, estabeleceram uma hierarquia de racionamento de comida na qual os judeus ocuparam inevitavelmente o posto mais baixo. Daí para o extermínio ativo foi apenas um pequeno passo para muitos comandantes locais e regionais zelosos, que – como na Bielorrússia – também ordenaram a chacina de outras pessoas vistas como incapazes de trabalhar e, portanto, "consumidoras inúteis de comida", conforme a expressão usada. Entre estas estavam os doentes mentais e os deficientes. Eles foram assassinados não por motivos raciais, embora a campanha alemã de "eutanásia" houvesse proporcionado um precedente importante, mas por razões econômicas. A SS não fazia objeção às influências "degeneradas" na hereditariedade eslava, simplesmente considerava supérfluos os doentes mentais e deficientes dessas regiões.[148]

Os resultados concretos dessa mentalidade ficaram evidentes o mais tardar na metade de outubro de 1941. A essa altura, judeus do Grande Reich Alemão e do Protetorado estavam sendo deportados para o leste, e judeus do resto da Europa de ocupação alemã iriam a seguir. Nenhum judeu tinha permissão para emigrar. Há numerosas declarações da época em vários níveis da hierarquia nazista atestando que houve um entendimento geral de que todos os judeus da Europa seriam deportados para o leste. As forças-tarefa estavam fuzilando um grande número de judeus de forma indiscriminada por toda a Europa oriental ocupada. Em uma palestra na Academia Alemã em 1º de dezembro de 1941 proferida para importantes elementos militares, policiais, do Partido, da Frente de Trabalho, dos meios acadêmico e cultural e outras áreas, Goebbels relatou que a profecia de Hitler de 30 de janeiro de 1939 agora estava sendo cumprida.

> Simpatia ou mesmo pesar são inteiramente descabidos. A judiaria mundial fez uma estimativa completamente falsa das forças à sua disposição ao deflagrar esta guerra. Agora está sofrendo o processo gradual de aniquilação que pretendia para nós e que sem dúvida teria executado se tivesse poder para fazê-lo. Agora está perecendo como resultado da própria lei da judiaria: "Olho por olho, dente por dente".[149]

Conforme Goebbels insinuou, embora o assassinato em massa tivesse de ser levado a cabo em estágios por motivos óbvios de praticidade, não havia dúvida de que, conforme afirmou Alfred Rosenberg ao falar em uma conferência de imprensa em 18 de novembro de 1941, a meta era o "extermínio biológico de toda a judiaria da Europa".[150]

A essa altura, estava claro que autoridades militares, unidades policiais, SS e administradores civis estavam cooperando sem dificuldade com a implementação do programa de extermínio. De acordo com um relatório compilado pela Inspetoria de Armas das Forças Armadas, milícias ucranianas, "em muitos locais, lamentavelmente, com a participação voluntária de membros das Forças Armadas alemãs", estavam fuzilando homens, mulheres e crianças judeus de maneira "horrível". Cerca de 200 mil já haviam sido mortos no Comissariado do Reich da Ucrânia, e no fim o total atingiria quase meio milhão.[151] Mas já estava ficando claro que o fuzilamento em massa não atingiria a escala de extermínio que Himmler exigia. Além disso, chegavam queixas dos líderes das forças-tarefa de que os fuzilamentos em massa contínuos de mulheres e crianças indefesas causavam um desgaste intolerável nos homens. Conforme Rudolf Höss, oficial sênior da SS, mais tarde recordou: "Sempre estremeci diante da perspectiva de promover extermínio por fuzilamento ao pensar nos vastos números envolvidos e nas mulheres e crianças". Muitos membros das forças-tarefa, "sem condições de chapinhar no sangue por mais tempo, haviam cometido suicídio. Alguns até tinham ficado loucos. A maioria [...] tinha de contar com o álcool enquanto executava seu trabalho horrível".[152] O número de judeus a ser fuzilado era tão grande que o relatório de uma força-tarefa concluiu em 3 de novembro de 1941: "Apesar de um total de cerca de 75 mil judeus ter sido liquidado dessa forma até agora, ficou evidente que o método não vai proporcionar uma solução para o problema judaico".[153]

IV

Entretanto, uma solução para o problema apresentou-se imediatamente. Depois do término forçado da ação T-4 de "eutanásia" em 24 de agosto de 1941, depois das denúncias do bispo Clemens von Galen, os técnicos em gás letal ficaram disponíveis para recolocação no leste.[154] Especialistas da unidade T-4 visitaram Lublin em setembro; Viktor Brack e Philipp Bouhler, dois de seus principais administradores, também. O doutor August Becker, que se descreveu como "especialista nos processos gasosos envolvidos no extermínio de doentes mentais", mais tarde recordou:

> Fui transferido para o Escritório Central de Segurança do Reich em Berlim como resultado de uma conversa particular entre o líder da SS

do Reich, Himmler, e o líder sênior do serviço, Brack. Himmler queria empregar pessoas que haviam ficado disponíveis como resultado da suspensão do programa de eutanásia e que, como eu, eram especialistas em extermínio por gás, nas operações de utilização do gás em larga escala no leste, que estavam recém-começando.[155]

Além disso, Albert Widmann, que imaginou a câmara de gás padrão usada no programa de "eutanásia", visitou Minsk e Mogilev, onde a Força-Tarefa B requisitara assistência técnica para matar pacientes dos manicômios locais. Tais assassinatos faziam parte das atividades de praxe da força-tarefa no leste, assim como ocorrera na Polônia em 1939-40, e vários milhares de pacientes sucumbiram. Depois de muitos pacientes serem mortos por monóxido de carbono da fumaça do escapamento de carros lançada dentro de uma sala lacrada, Arthur Nebe, o chefe da Força-Tarefa, teve a ideia de matar pessoas colocando-as dentro de uma van hermeticamente fechada e canalizando a fumaça do escapamento para dentro do veículo. Heydrich deu sua aprovação.[156]

Em 13 de outubro de 1941, Himmler reuniu-se com os chefes regionais de polícia, Globonick e Krüger, no início da noite e concordou com a construção de um campo em Belzec para servir de base para caminhonetes de gás. Em outras palavras, um campo criado com o único propósito de matar pessoas.[157] A construção começou em 1º de novembro de 1941, e especialistas da operação T-4 foram enviados para o local no mês seguinte.[158] Os habitantes dos guetos poloneses agora estavam sendo mortos de forma sistemática para dar espaço aos judeus que eram levados para lá de outras partes da Europa. Um centro semelhante foi montado em Chelmno, Wartheland, de onde os prisioneiros judeus, transportados do gueto de Lódź, eram levados nas caminhonetes e asfixiados. Cada uma das três caminhonetes de gás baseadas em Chelmno podia matar cinquenta pessoas por vez; as vítimas eram levadas do campo para os bosques a uns dezesseis quilômetros de distância, sendo asfixiadas no caminho. Lá as caminhonetes paravam para largar seu pavoroso carregamento em valas escavadas por outros reclusos judeus do campo. Às vezes, uma mãe dentro da caminhonete conseguia enrolar seu bebê o bastante para impedi-lo de respirar a fumaça mortífera. Jakow Grojanowski, um dos coveiros empregados pela SS, relatou que os guardas alemães pegavam quaisquer bebês que sobrevivessem à jornada e esmagavam a cabeça deles contra as árvores próximas. Até mil pessoas eram mortas todos os dias; 4,4 mil ciganos do gueto de Lódź também foram assassinados. Ao todo, 145 mil judeus foram sacrificados no primeiro período da existência de Chelmno; seguiram-se mais, e outros 7 mil foram assassinados quando o campo reabriu brevemente na primavera de 1944; o total de mortos no campo ultrapassou 360 mil.[159]

Essas caminhonetes de gás estavam entre as trinta construídas por um pequeno fabricante de veículos de Berlim. As quatro primeiras foram entregues para as forças-tarefa em novembro-dezembro de 1941; todas as quatro forças-tarefa estavam usando-as no fim do ano.[160] Os operadores das caminhonetes mais tarde descreveram como até sessenta judeus, com frequência em más condições físicas, famintos, sedentos e fracos, eram reunidos na parte de trás de cada veículo, completamente vestidos. "Não parecia que os judeus soubessem que estavam prestes a ser asfixiados", disse um deles posteriormente. "Os gases do escapamento eram emitidos dentro da caminhonete", recordou Anton Lauer, membro do Batalhão da Reserva da Polícia número 9. "Ainda hoje posso ouvir os judeus batendo e gritando: 'Caros alemães, deixem-nos sair'." "Quando as portas abriam-se", relembrou outro operador, "saía uma nuvem de fumaça. Depois que a fumaça dissipava-se, podíamos começar nosso trabalho hediondo. Era apavorante. Dava para ver que eles haviam lutado terrivelmente pela vida. Alguns seguravam o nariz. Os mortos tinham de ser puxados para se separar uns dos outros".[161]

Uma caminhonete de gás também foi enviada para a Sérvia, onde o general Franz Böhme, ocupado em exterminar judeus em represália ao que supunha ter sido o papel deles no levante Chetnik em curso desde julho anterior, relatou em dezembro de 1941 que 160 soldados alemães mortos e 278 feridos haviam sido vingados pela chacina de 20 mil a 30 mil civis sérvios, incluindo todos os judeus e ciganos homens adultos. Até ali, os assassinatos haviam abrangido apenas homens; Böhme imaginava que os 10 mil restantes de mulheres, crianças e velhos judeus, bem como algum judeu homem sobrevivente, seriam arrebanhados e colocados em um gueto. Mais de 7 mil mulheres e crianças judias, quinhentos homens judeus e 292 mulheres e crianças ciganas foram reunidos pela SS em um campo em Sajmiste, do outro lado do rio de Belgrado, e mantidos em alojamentos sem saneamento e sem aquecimento enquanto a SS arranjava o envio, vindo de Berlim, de uma unidade móvel de extermínio por gás. Os ciganos foram soltos, ao passo que os judeus foram informados de que seriam transferidos para um campo com melhores condições. Assim que o primeiro lote de 64 entrou na caminhonete, as portas foram lacradas, e o cano de escapamento foi virado, para lançar a fumaça mortífera no interior do veículo. Enquanto a caminhonete andava pelo centro de Belgrado, passando por multidões de pedestres incautos e pelo trânsito diário e indo até o campo de tiro de Avela, do outro lado da capital, os judeus dentro dela eram asfixiados até a morte. Em Avela, uma unidade da polícia removeu os corpos e jogou-os em uma grande cova já escavada. Até o começo de maio de 1942, todos os 7,5 mil reclusos judeus do campo haviam sido mortos dessa maneira, junto com os pacientes e a equipe do hospital judaico de Belgrado e prisioneiros judeus de outro campo das redondezas. Harald Turner, o principal oficial da SS no país, declarou com orgulho em agosto de 1942 que a Sérvia era o único país até então no qual a questão judaica fora completamente "resolvida".[162]

A Conferência de Wannsee

I

Em 29 de novembro de 1941, Reinhard Heydrich mandou Adolf Eichmann redigir um convite para uma variedade de funcionários públicos graduados dos ministérios com algum tipo de responsabilidade na questão judaica, e também para representantes dos departamentos-chave da SS e do Partido Nazista envolvidos no assunto. "Em 31 de julho de 1941", começava o convite, "o marechal do Grande Reich Alemão incumbiu-me de, com o auxílio de outras autoridades centrais, fazer todos os preparativos organizacionais e técnicos necessários para uma solução abrangente da questão judaica e de lhe apresentar uma proposta completa na primeira oportunidade".[163] Para encerrar os detalhes de tal proposta, todas as agências interessadas precisavam reunir-se. Heydrich estava particularmente interessado em incluir representantes de instituições e departamentos que haviam trazido problema à SS. Solicitou-se que o Ministério de Relações Exteriores enviasse um oficial subalterno, desmentindo afirmações posteriores de que a conferência pretendia tratar apenas dos judeus alemães; na verdade, embora Heydrich não entrasse em detalhes sobre o que exatamente seria discutido na conferência, o Ministério de Relações Exteriores presumiu que fosse enfocar o arranjo para reunir e deportar judeus em todos os países da Europa sob ocupação alemã.[164]

O encontro foi marcado para 9 de dezembro de 1941 e ocorreria em uma *villa* junto ao lago em Wannsee, um subúrbio tranquilo de Berlim. Mas, um dia antes, ao ficar sabendo do ataque japonês a Pearl Harbor, a assessoria de Heydrich telefonou a todos os convidados e adiou a conferência, visto que era provável que ele e outros participantes seriam chamados para a sessão do Reichstag que esse novo acontecimento na política internacional claramente exigiria.[165] Isso não significou, porém, que a política em relação aos judeus tenha ficado em segundo plano. Falando em um encontro de altos oficiais do Partido no dia seguinte à declaração de guerra aos Estados Unidos, Hitler, conforme registrado no diário de Goebbels, repetiu seus sentimentos de agosto passado de forma mais precisa:

No que tange à questão judaica, o Líder está determinado a pôr a casa em ordem. Ele profetizou aos judeus que, se provocassem outra guerra mundial, vivenciariam sua própria aniquilação por meio dela. Não era conversa fiada. A guerra mundial está aí, a aniquilação da judiaria há de ser a consequência necessária. Essa questão é para ser contemplada sem nenhum sentimentalismo. Não estamos aqui para ter pena dos judeus, mas para ter pena de nosso próprio povo alemão. Agora que o povo alemão perdeu outros 160 mil homens na frente oriental, os causadores desse conflito sangrento terão de pagar por isso com sua vida.[166]

Em 14 de dezembro de 1941, Rosenberg concordou com Hitler, por motivo de política internacional, em não mencionar "extermínio da judiaria" em uma palestra pública que estava prestes a proferir, muito embora, conforme Hitler observou, "eles nos sobrecarregaram com a guerra e trouxeram destruição; não é de espantar que sejam os primeiros a arcar com as consequências".[167]

Nessa época, havia ficado claro para Hitler e todo mundo mais na hierarquia nazista que a guerra não chegaria ao fim tão em breve quanto haviam esperado. Agora admitiam que a guerra atravessaria o inverno, embora ainda pensassem que a União Soviética entraria em colapso em algum momento do verão de 1942. A deportação de judeus europeus para o leste, portanto, agora ocorreria antes do fim da guerra. A retórica radical de Hitler em novembro e dezembro de 1941 foi arquitetada para acelerar ao máximo o planejamento detalhado e a implementação dessa política.[168] Visto que os judeus já estavam sendo exterminados nos territórios ocupados da Europa oriental, inclusive aqueles como Wartheland, que haviam sido incorporados ao Reich, era claro que os planos iniciais de deportá-los para o Comissariado do Reich da Ucrânia ou para alguma área indefinida mais a leste agora tinham sido abandonados. Conforme Hans Frank disse à sua equipe no Governo Geral da Polônia em 16 de dezembro de 1941, após voltar da conferência dos líderes nazistas com Hitler em 12 de dezembro em Berlim:

> Quanto aos judeus – quero dizer isso a vocês com total franqueza –, deve-se dar um fim neles de um jeito ou de outro [...] Em Berlim nos falaram: por que vocês estão levantando todas essas objeções?; não podemos fazer nada com eles no [Comissariado do Reich do] Território Oriental ou no Comissariado do Reich [da Ucrânia], liquidem com eles vocês mesmos! Cavalheiros, devo preveni-los contra qualquer pensamento de pena. Devemos aniquilar os judeus onde quer que topemos com eles e sempre que possível a fim de sustentar a estrutura total do Reich aqui.[169]

Entretanto, como isso deveria ser feito? O número de judeus no Governo Geral que Frank foi instruído a matar era incrivelmente grande, cerca de 3,5 milhões ao todo, de acordo com Frank (um certo exagero; sua equipe mais adiante situou o número em 2,5 milhões). "Não podemos fuzilar esses 3,5 milhões de judeus", queixou-se Frank à equipe em 16 de dezembro de 1941, "não podemos envenená-los, mas teremos condições de tomar medidas que de algum modo levem à aniquilação bem-sucedida, ou seja, ligadas a medidas de larga escala a serem discutidas a partir do Reich".[170] Logo ficaria claro que medidas seriam essas.

O assassinato em massa de judeus europeus orientais que começou no verão de 1941 devia algo ao zelo ideológico de homens como Arthur Greiser, líder regional de Wartheland, e chefes de polícia e líderes de força-tarefa que executaram por iniciativa própria massacres de judeus em larga escala em vários centros. Ao mesmo tempo, porém, eles eram limitados por uma política geral cujos parâmetros eram fixados por Hitler e aplicados na prática por Himmler. Quando, por exemplo, o chefe de polícia de Riga, Friedrich Jeckeln, mandou fuzilar na chegada uma leva de judeus deportados por trem de Berlim, Himmler, cuja ordem para não matá-los, enviada em 30 de novembro de 1941, chegou a Jeckeln tarde demais, ficou furioso. Fuzilar judeus de Berlim alarmaria aqueles que ainda estavam na capital. A intenção era mantê-los por enquanto no gueto de Riga. Himmler disciplinou Jecklen e disse a ele para não agir por conta própria de novo.[171] Entretanto, na maioria das vezes, as iniciativas locais e regionais enquadravam-se muito bem nos propósitos globais do regime. A transferência geral da tecnologia de extermínio por gás para o leste, junto com os especialistas que sabiam como montar e operar o equipamento, e a participação de instituições como a administração do Governo Geral de Frank, o Exército, a Chancelaria do Líder (que fornecia os tecnólogos do gás) e o Escritório Central de Segurança do Reich, liderado por Himmler, mostra uma política amplamente coordenada sob a direção central. Isso também é percebido quando se analisa a cronologia das operações regionais de matança, que coincidiram com o início das deportações organizadas de judeus do Reich e a encomenda de campos especiais perto dos principais guetos no leste com o objetivo único de matar seus habitantes.

Nenhuma operação desse tamanho e escala poderia ter ocorrido no Terceiro Reich sem o conhecimento de Hitler, cuja posição de Líder fazia dele a pessoa a quem todas as instituições em última análise respondiam. Foi a retórica homicida antissemita, mas deliberadamente generalizada, de Hitler, repetida em muitas ocasiões na segunda metade de 1941, que deu a Himmler e seus subordinados o impulso essencial para levar a cabo as chacinas.[172] Ocasionalmente, Hitler confirmou a aprovação dos assassinatos de forma direta. Reunindo-se com Himmler em 18 de dezembro, por exemplo, ele disse ao líder da SS, de acordo com as notas deste: "questão judaica/ ser exterminados como guerrilheiros".[173] O extermínio de judeus soviéticos, portanto, deveria ter prosseguimento sob o pretexto de que eram guerrilheiros. Os frutos dessa política ficaram visíveis pouco mais de um ano depois no "Relatório número 51", datado de 29 de dezembro de 1942, enviado a Hitler por Himmler e, conforme uma anotação do ajudante de Hitler na margem comprova, visto e lido por ele. Intitulado "a luta contra bandidos", o documento anota sob o subtítulo de "aqueles que ajudam bandidos ou suspeitos de banditismo" que o número de "judeus executados" no sul da Rússia, na Ucrânia e no distrito de Bialystok nos meses de agosto a novembro de 1942 era de nada menos que 363.211.[174] A simples extensão da chacina tornou-se um fator em si, sugerindo poderosamente às lideranças nazistas que o extermínio em massa de judeus em uma escala até então inimaginável agora era uma possibilidade.

A essa altura, a rede nazista havia se ampliado para englobar não só judeus poloneses e soviéticos, mas também judeus de toda a Europa ocupada.[175]

II

Em 20 de janeiro de 1942, finalmente ocorreu o encontro de altos oficiais convocado por Heydrich em novembro. Entre os 15 homens reunidos em torno de uma mesa na *villa* de Wannsee estavam representantes do Ministério do Reich para os Territórios Ocupados do Leste (de Rosenberg), do Gabinete do Governo Geral da Polônia (de Frank) e do Serviço de Segurança da SS na Polônia, Letônia e Comissariado do Reich do Território Oriental, que estariam envolvidos com a efetiva operação do programa de extermínio; dos ministérios do Reich do Interior e da Justiça, da Chancelaria do Partido e da Chancelaria do Reich, cobrindo as questões legais e administrativas; do Ministério de Relações Exteriores, tratando dos judeus que viviam em países nominalmente independentes fora da Alemanha, em particular na Europa ocidental; do Plano de Quatro Anos, para cobrir aspectos econômicos; e dos departamentos da SS do Escritório Central de Segurança do Reich e do Escritório Central de Raça e Reassentamento, que estariam a cargo do extermínio. Tinha havido alguma discussão entre os vários sátrapas nazistas, notadamente Hans Frank e Alfred Rosenberg, quanto a quem deveria ter controle sobre a "questão judaica" nos territórios ocupados, e Heydrich quis assegurar a autoridade da SS. Ele começou, portanto, relembrando a reunião de 31 de julho de 1941 em que Göring o encarregara de fazer os arranjos detalhados para a solução final da questão judaica europeia, e que a responsabilidade global cabia a seu superior, Heinrich Himmler. Depois de expor as medidas tomadas ao longo dos vários anos anteriores para fazer que os judeus emigrassem da Alemanha, Heydrich notou que Hitler havia aprovado mais recentemente uma nova política para deportá-los para o leste. Essa era uma medida apenas temporária, enfatizou ele, embora proporcionasse "experiência prática de grande importância para a solução final da questão judaica que se aproximava".[176]

Heydrich prosseguiu enumerando a população judaica de cada país da Europa, inclusive de muitos fora da esfera de influência alemã. Ele observou, por exemplo, que havia 4 mil judeus na Irlanda, 3 mil em Portugal, 8 mil na Suécia e 18 mil na Suíça. Todos esses eram países neutros, mas sua inclusão na lista sugere fortemente que, em algum ponto do futuro não muito distante, o Terceiro Reich esperava estar em posição de pressioná-los para que entregassem sua população judaica para extermínio. No total, computou Heydrich, a população judaica da Europa somava cerca de 11 milhões, embora, observou ele em tom de desaprovação, em muitos casos constassem apenas as pessoas que praticavam o judaísmo, "visto que alguns países ainda não têm uma definição do termo *judeu* de acordo com princípios raciais".[177] "No decorrer da solução final e sob liderança apropriada", disse ele, "os judeus serão colocados a trabalhar no leste. Em grandes colunas de trabalho de sexo único, os judeus aptos a trabalhar seguirão seu rumo para o leste construindo estradas". Mas, na prática, essa era outra forma de extermínio, pois, continuou Heydrich: "Sem dúvida, a grande maioria será eliminada por causas naturais". Qualquer um que sobrevivesse à experiência seria "tratado de forma apropriada porque, pela seleção natural, formariam a célula germinativa de um novo renascimento judaico (vejam a experiência da história)". Em todo caso, aqueles julgados "aptos para trabalhar" seriam apenas uma pequena minoria. O representante do Governo Geral destacou que "os 2,5 milhões de judeus da região eram na maioria inaptos para trabalhar". Judeus acima de 65 anos – quase um terço da população judaica restante na Alemanha e na Áustria – e judeus com condecorações de guerra ou gravemente feridos na Primeira Guerra Mundial deveriam ser mandados para guetos de idosos. A reunião discutiu os problemas de persuadir países ocupados ou aliados a entregar sua população judaica. Um "consultor para questões judaicas" teria de ser imposto ao governo húngaro com esse objetivo. Fazendo uma pausa para comentar que a "questão judaica" já fora "resolvida" na Eslováquia e na Croácia, o encontro mergulhou então em uma discussão pedante e inconclusiva sobre o que fazer com gente "racialmente mista" – assunto que continuou a ser debatido em reuniões e discussões seguintes, notadamente em 6 de março de 1942. A conferência foi então concluída com o que as minutas descreveram recatadamente como "vários tipos de solução possíveis". De acordo com testemunhos posteriores, esses tipos de solução incluíam o uso das caminhonetes de gás.[178]

Houve argumentações de que o principal interesse da conferência foi organizar a provisão de trabalho para os imensos projetos de construção de estradas imaginados pelo Plano Geral para o Leste. Por conseguinte, não teria sido realmente sobre assassinato em massa.[179] Mas, na verdade, a Força-Tarefa C já havia recomendado alguns meses antes o recrutamento de judeus para projetos de trabalho e comentado que isso iria "resultar em uma liquidação gradual da judiaria". Os trabalhadores escravos judeus seriam privados de rações adequadas e trabalhariam até cair. Dada a escassez de mão de obra de que a economia de guerra alemã sofria cada vez mais, usar operários judeus parecia inevitável; mas, no fim, não era uma alternativa a matá-los, era apenas uma forma diferente de fazê-lo. A referência quase parentética ao fato de que os judeus do Governo Geral eram na maioria inadequados para o trabalho, mais a declaração de que aqueles que sobrevivessem às colunas de trabalho seriam mortos, significa que o objetivo principal do encontro foi discutir a logística do extermínio. Os homens sentados em torno da mesa na *villa* de Wannsee estavam bem cientes disso.[180]

A ênfase da conferência no "extermínio pelo trabalho" teve consequências administrativas importantes nas semanas seguintes. Em fevereiro de 1942, a administração de todos os campos de concentração foi reestruturada, com as divisões econômicas, de construção e administrativas internas sendo fundidas no novo Escritório Central de Economia e Administração da SS sob Oswald Pohl. O Grupo D do escritório central de Pohl, sob Richard Glücks, agora estava a cargo de todo o sistema de campos de concentração. Essas mudanças marcaram o fato de que os campos agora eram vistos como uma fonte significativa de mão de obra a ser fornecida para as indústrias bélicas da Alemanha. Isso, na verdade, já havia começado antes da guerra, mas agora se tornaria mais sistemático. Todavia, a SS não abordou de modo racional a necessidade de usar mão de obra prisioneira na economia de guerra. Para a SS, tirar o máximo daqueles homens não era uma questão de melhorar suas condições ou pagar salários. Em vez disso, eles seriam forçados a aumentar a produção operária pela violência e pelo terror. Os prisioneiros eram considerados pela SS não apenas sacrificáveis, mas obstáculos ao reordenamento racial da Europa oriental a médio e longo prazo. Por conseguinte, deveriam ser submetidos a "extermínio através do trabalho". Aqueles que se tornassem improdutivos seriam mortos e substituídos por novos trabalhadores escravos. Era isso que a SS também imaginava que aconteceria com milhões de eslavos quando a guerra acabasse. A seleção de judeus com aptidões físicas para tarefas de trabalho proporcionou uma justificativa conveniente para a chacina em massa de milhões julgados inaptos para o trabalho.[181]

A conversa na Conferência de Wannsee, conforme Eichmann – que fez as minutas – mais tarde admitiu, foi sobre matança, muitas vezes expressa "em palavras muito grosseiras [...] totalmente fora da linguagem legal".[182] As minutas atenuaram isso, mas em pontos-chave deixam claro que todos os judeus da Europa pereceriam de um jeito ou de outro. Quase todos os homens ao redor da mesa em algum momento tinham dado ordens diretas para matar judeus – quatro deles haviam ordenado ou dirigido os assassinatos em massa levados a cabo pelas forças-tarefa do Serviço de Segurança da SS, tanto Eichmann como Martin Luther, do Ministério de Relações Exteriores, haviam exigido explicitamente que todos os judeus da Sérvia fossem fuzilados, vários participantes, inclusive os representantes da Chancelaria do Reich e do Ministério de Relações Exteriores, muito provavelmente tinham visto as estatísticas de assassinato em massa compiladas pelas forças-tarefa e mandadas para Berlim, e os oficiais enviados a Wannsee pelo Governo Geral e pelo Ministério para os Territórios Ocupados do Leste já haviam sancionado o assassinato de judeus julgados inaptos para o trabalho – ou criado condições nos guetos que sabiam que seriam fatais para muitos de seus habitantes.[183] Assim, não tinham problemas em planejar um genocídio.

No fim do encontro, os participantes ficaram por lá mais um tempo bebendo conhaque e se parabenizando por um dia de trabalho produtivo. Heydrich sentou-se à lareira com Eichmann e Heinrich Müller, o chefe da Gestapo, os três do Escritório Central de Segurança do Reich. Heydrich começou a fumar e a beber conhaque, algo que Eichmann disse mais tarde que nunca o vira fazer antes, ou pelo menos não há muitos anos. O Ministério do Interior e o Governo Geral tinham entrado na linha, e a autoridade geral de Heydrich sobre a "solução final" fora afirmada de modo inequívoco. Ao remeter 30 cópias das minutas para vários oficiais, Heydrich notou que "felizmente a linha fundamental" fora estabelecida "no que se refere à execução prática da solução final da questão judaica".[184] Ao ler a cópia das minutas, Joseph Goebbels anotou:

"A questão judaica deve ser resolvida agora em uma escala pan-europeia". Em 31 de janeiro de 1942, Eichmann emitiu novas ordens de deportação. Problemas nos transportes retardaram as coisas por algumas semanas, de modo que ele ordenou uma nova série de deportações de judeus alemães em março.[185] Estes foram levados não para campos de concentração, mas para guetos no leste. Lá ficariam confinados por um tempo, possivelmente até o fim da guerra, antes de serem mortos. Nesse meio-tempo, os que tivessem condições seriam usados como mão de obra. Para dar espaço a eles, os judeus poloneses e europeus orientais dos guetos teriam de ser retirados e exterminados nos campos próximos que já estavam sendo preparados com esse propósito.[186]

III

A Conferência de Wannsee e seu rescaldo aconteceram em uma atmosfera de violenta propaganda antissemita, liderada pelo próprio Hitler. Em 30 de janeiro de 1942, no tradicional discurso para assinalar o aniversário de sua nomeação como chanceler do Reich em 1933, ele recordou à plateia no Palácio de Esportes de Berlim que, em 1939, havia profetizado que, se os judeus começassem uma guerra mundial, seriam aniquilados: "Estamos [...] certos de que a guerra só pode acabar ou com os povos arianos sendo exterminados, ou com a judiaria desaparecendo da Europa [...] Dessa vez a verdadeira velha lei judaica do 'olho por olho, dente por dente', está sendo aplicada pela primeira vez!".[187] Em particular, Hitler garantiu a Himmler e a Lammers que os judeus teriam de deixar a Europa de vez. "Não sei", disse ele em 25 de janeiro de 1942,

> sou colossalmente humano. Nos tempos do governo papal em Roma, os judeus foram maltratados. Todos os anos, até 1830, oito judeus eram transportados pela cidade em jumentos. Só estou dizendo que eles têm de ir. Se perecerem no processo, não posso fazer nada. Só vejo o extermínio total caso eles não partam por sua livre vontade. Por que eu deveria considerar um judeu diferente de um prisioneiro russo? Muitos estão morrendo nos campos de prisioneiros porque foram levados a essa situação pelos judeus. Mas o que posso fazer? Por que então os judeus provocaram a guerra?[188]

Eis aí um momento em que Hitler admitiu a chacina de grande quantidade de prisioneiros de guerra soviéticos, declarando que igual sina estava se abatendo sobre os judeus da Europa, ao mesmo tempo que verbalmente lavou as mãos da responsabilidade por ambas as atividades de assassinato em massa: na imaginação dele, os judeus eram os responsáveis.

As justificativas de Hitler para o genocídio continuaram ao longo dos primeiros meses de 1942, expressas em termos que não deixavam nada a desejar em clareza. A insistência repetida na necessidade de destruir, remover, aniquilar e exterminar os judeus da Europa constituiu uma série de estímulos a seus subordinados, liderados por Himmler, de prosseguir com o extermínio vigoroso de judeus mesmo antes de a guerra acabar.[189] Em 14 de fevereiro de 1942, Hitler disse a Goebbels que

> está determinado a liquidar os judeus da Europa sem remorso. É inadmissível ter-se qualquer tipo de emoção sentimental nisso. Os judeus mereceram a catástrofe que estão vivenciando hoje. Assim como nossos inimigos são aniquilados, eles também vão experimentar sua própria aniquilação. Devemos acelerar esse processo com frieza implacável, e fazendo isso prestamos um serviço incalculável para a raça humana, que foi atormentada pela judiaria por milênios.[190]

O próprio Goebbels estava bem ciente do processo pelo qual o programa de matança estava sendo posto em prática. Em 27 de março de 1942, ele confidenciou ao diário os detalhes do que ficara sabendo – ou pelo menos alguns deles; até mesmo Goebbels era cauteloso demais para colocar tudo no papel. A passagem a seguir é crucial quanto às ideias de Hitler, bem como de seu ministro de Propaganda, e merece ser citada na íntegra:

> Os judeus agora estão sendo postos para fora do Governo Geral, começando por Lublin, no leste. Um procedimento deveras bárbaro está sendo aplicado por lá, e não deve ser descrito com nenhum detalhe, e não restam muito judeus. No geral, pode-se concluir que 60% deles devem ser liquidados, ao passo que apenas 40% podem ser colocados para trabalhar. O ex-líder regional de Viena [Globocnik], que está desempe-

nhando a ação, age de modo deveras prudente e com um procedimento que não funciona de modo excessivamente chamativo. Os judeus estão sendo punidos de forma bárbara, mas mereceram plenamente. A profecia que o Líder lançou a eles no processo, caso iniciassem uma nova guerra mundial, está começando a se realizar da maneira mais terrível. Não se pode permitir que nenhum sentimentalismo governe esses assuntos. Se não nos defendêssemos contra eles, os judeus nos aniquilariam. É uma luta de vida e morte entre a raça ariana e o bacilo judaico. Nenhum outro governo e nenhum outro regime poderiam reunir o vigor para a solução geral da questão. Nisso também o Líder é o porta-voz pioneiro e persistente de uma solução radical, exigida pelo jeito que as coisas são e que por isso parece inevitável.[191]

Os guetos do Governo Geral, prosseguiu ele, seriam enchidos de judeus do Reich à medida que ficassem desocupados (em outras palavras, quando seus habitantes houvessem sido mortos), e depois o processo se repetiria.[192] A insistência em que os judeus estavam terminantemente decididos a exterminar a raça alemã proporcionava uma justificativa implícita para matá-los em massa.

Essa série de invectivas antissemitas culminou com um discurso proferido por Hitler na derradeira sessão do Reichstag, na tarde de 26 de abril de 1942. Os judeus, disse ele, haviam destruído as tradições culturais da sociedade humana. "O que resta então é a parte animal do ser humano e uma classe judaica que, tendo sido conduzida à liderança, no fim destrói sua própria fonte de nutrição como um parasita." Só agora a Europa estava declarando guerra a esse processo de decomposição de seus povos pelos judeus.[193] No mesmo dia, Goebbels anotou no diário: "Repassei mais uma vez a questão judaica com o Líder em detalhes. Sua posição a respeito desse problema é implacável. Ele deseja expulsar os judeus da Europa de forma absoluta".[194] Os discursos de Hitler nesses meses foram acompanhados de um coro crescente de falas antissemitas de outros líderes nazistas e de diatribes antijudaicas na imprensa. Em um discurso proferido no Palácio de Esportes de Berlim em 2 de fevereiro de 1942, o líder da Frente Trabalhista Alemã Robert Ley declarou: "A judiaria vai e deve ser exterminada. Essa é nossa missão sagrada. É disso que trata essa guerra".[195] Para isso, foram cruciais as ansiedades de fundo ideológico dos líderes nazistas sobre a ameaça à segurança que acreditavam que os judeus representavam. Essa ameaça foi ilustrada de modo dramático por um ataque a bomba organizado por um grupo de resistência comunista sob a liderança de Herbert Baum a uma exposição antissoviética em Berlim em 18 de maio de 1942. Houve pouco estrago, e ninguém ficou ferido. Mas a ação causou considerável impressão na liderança nazista. A Gestapo teve sucesso em rastrear e deter os responsáveis, entre os quais, escreveu Goebbels em 24 de maio de 1942, havia cinco judeus e três semijudeus, bem como quatro não judeus. "A partir dessa composição, vê-se o quanto nossa política judaica está correta", ele anotou. Goebbels achou que aquilo mostrava que todos os judeus remanescentes tinham de ser removidos de Berlim por medida de segurança. "Claro que a melhor coisa seria o extermínio."[196] Baum cometeu suicídio depois de ser torturado, os outros membros do grupo foram executados, e 250 homens judeus encarcerados em Sachsenhausen foram fuzilados em "represália", sendo substituídos por outros 250 judeus de Berlim presos como reféns. Em 23 de maio de 1942, Hitler disse a líderes nazistas reunidos na Chancelaria do Reich que o ataque a bomba demonstrou "que os judeus estão decididos a levar essa guerra a uma conclusão vitoriosa para eles sob qualquer circunstância, uma vez que sabem que a derrota também significa extermínio pessoal para eles".[197] Em conversa com o ministro da Propaganda em 29 de maio de 1942, Hitler concordou em não ceder a objeções à deportação dos trabalhadores forçados judeus de Berlim. Eles poderiam ser substituídos por trabalhadores estrangeiros. "Vejo um grande perigo", disse Goebbels, "no fato de 40 mil judeus que não têm mais nada a perder estarem à solta na capital do Reich". A experiência da Primeira Guerra Mundial, acrescentou Hitler, mostrou que os alemães só participavam em movimentos subversivos quando persuadidos a fazê-lo por judeus. "Em todo caso", escreveu Goebbels, "a meta do Líder é deixar toda a Europa ocidental livre de judeus".[198]

Essas diatribes radicais contra os judeus foram traduzidas em ação por Heinrich Himmler, que se reuniu com Hitler em várias ocasiões nesses meses para discussões confidenciais. No fim do inverno e começo da primavera de 1942, após a Conferência de Wannsee, Himmler forçou o avanço do programa de matança repetidas vezes. Visitou a Cracóvia e Lublin em 13--14 de março, quando teve início o programa de chacinas em massa por gás venenoso. Um mês depois, em 17 de abril de 1942, um dia após falar com Hitler, ele estava em Varsóvia, onde ordenou o assassinato de judeus europeus orientais que haviam chegado ao gueto de Lódź. Depois de mais uma consulta com Hitler em 14 de julho de 1942, Himmler viajou para o leste de novo para acelerar o programa de matança. Em Lublin, enviou para Krüger, o chefe de polícia do Governo Geral, uma ordem de organizar a matança dos judeus restantes no Governo Geral até o fim do ano. Himmler emitiu até mesmo uma ordem escrita para o extermínio dos últimos judeus ucranianos, que teve início em maio de 1942. Como no outono e no inverno passados, Himmler, viajando atarefado pelas áreas ocupadas na Polônia, forçou o andamento da matança mais uma vez. A Conferência de Wannsee tornara o processo mais fácil de coordenar e implementar, mas não o havia inaugurado, nem tampouco transformado em uma sequência automática de acontecimentos.[199] A atividade incansável de Himmler garantiu que o processo entrasse em vigor. Conforme ele anotou em 26 de julho de 1942, em reação ao que viu como uma tentativa de Rosenberg de interferir na política referente aos judeus: "Os territórios ocupados do leste ficarão livres de judeus. O Líder depositou a implementação dessa ordem muito difícil sobre os meus ombros. Portanto, proíbo qualquer outro de se meter nisso".[200]

Ao mesmo tempo, no Escritório Central de Segurança do Reich, Adolf Eichmann dava prosseguimento à Conferência de Wannsee emitindo uma torrente de ordens projetadas para fazer os trens rodar para os guetos da Europa oriental outra vez. Em 6 de março de 1942, ele disse aos chefes da Gestapo que mais 55 mil judeus teriam de ser deportados do Velho Reich, do Protetorado e do "Marco Oriental" (isto é, a antiga Áustria). Cerca de sessenta trens, cada um deles carregado com até mil deportados, rumaram para os guetos nas semanas seguintes. A remoção da maioria dos empregados das instituições judaicas restantes começou, com a primeira leva de trem partindo em 20 de outubro de 1942, seguida dos reclusos judeus dos campos de concentração do Reich. Em decorrência da decisão de começar a deportar trabalhadores judeus das fábricas de munição da Alemanha e substituí-los por poloneses, a polícia começou a reunir os "judeus inteiros" e suas famílias na Alemanha em 27 de fevereiro de 1943. A primeira leva de trem partiu em 1º de março de 1943 e até o fim da primeira semana de atividade quase 11 mil judeus haviam sido transportados, inclusive 7 mil de Berlim, onde a maioria dos judeus restantes agora vivia. Dos judeus detidos em Berlim, entre 1,5 mil e 2 mil conseguiram demonstrar à polícia que estavam isentos de deportação, a maioria por serem casados com cônjuges não judeus. Enquanto as autoridades elaboravam os detalhes a respeito de para onde deveriam ser mandados para trabalhar – não mais em fábricas de munição por motivo de segurança, mas nas poucas instituições judaicas remanescentes na capital, como hospitais –, a esposa, os parentes e os amigos dos prisioneiros reuniram-se na calçada do outro lado do prédio da Rosenstrasse, 2-4, onde eles haviam sido detidos, chamando-os e às vezes tentando enviar pacotes de comida para dentro do edifício. Em 8 de março de 1943, a maioria dos prisioneiros fora remanejada para novos serviços; o resto foi logo em seguida. A pequena multidão dispersou-se. A lenda decorrente disso elevou o incidente a um raro protesto público que haveria garantido a liberação dos reclusos; mas jamais houve intenção de mandar esses judeus específicos para o extermínio no leste, e a multidão não se engajou em nenhum tipo de protesto explícito.[201] A essa altura, as últimas organizações comunitárias judaicas restantes na Alemanha haviam enfim sido destruídas; os únicos judeus que sobravam eram aqueles em posição privilegiada (basicamente pelo casamento com não judeus) ou os que estavam na clandestinidade.

Para alguns, o suicídio pareceu a única saída digna. O escritor Jochen Klepper, devoto protestante cuja esposa e enteadas eram judias, rejeitou a ideia de resistência, como muitos fizeram, por questão de patriotismo. "Não podemos desejar a derrocada da Alemanha por causa da amargura contra o Terceiro Reich", ele escreveu em seu diário na eclosão da guerra.[202] À medida que uma regra antissemita após a outra era impingida à sua família, Klepper deu jeito de garantir a permissão para que uma das enteadas emigrasse, mas a outra, Renate, ficou. Em 1937, ele havia enviado ao ministro do Interior, Wilhelm Frick, exemplares de seu bem-sucedido romance histórico *Der Vater: Roman des Soldatenkönigs* [O pai: o romance do soldado rei], e em outubro de 1941 usou a apreciação de Frick a seu trabalho para garantir uma carta oficial certificando que Renate ficaria isenta da deportação. Em 5 de dezembro de 1942, Renate obteve um visto de imigração da embaixada sueca em Berlim, mas, quando Klepper visitou Frick para tentar obter permissão para que sua esposa fosse embora com ela, o ministro do Interior disse: "Não posso proteger sua esposa. Não posso proteger nenhum judeu. Coisas assim por sua própria natureza não podem ser levadas a cabo em segredo. Elas vão chegar aos ouvidos do Líder e então haverá uma comoção mortífera".²⁰³ Era provável, disse Frick, que as duas mulheres fossem deportadas para o leste. "Deus sabe", escreveu Klepper em desespero, "que não posso suportar deixar Hanni e a filha irem na mais cruel e mais pavorosa de todas as deportações".²⁰⁴ Restava uma última chance. Visto que Frick de qualquer modo havia perdido o poder de conceder vistos de emigração, Klepper mexeu mais alguns pauzinhos e obteve uma entrevista pessoal com Adolf Eichmann, que lhe disse que a filha provavelmente teria condições de partir, mas sua esposa não. Klepper, a esposa e a filha não queriam se separar. "Agora vamos morrer – oh, isso também está nas mãos de Deus", escreveu Klepper em 10 de dezembro. "Vamos para a morte juntos hoje à noite. Em nossas últimas horas, paira acima de nós a imagem de Cristo abençoando, e ele vai lutar por nós. Com essa visão, nossa vida chegará ao fim."²⁰⁵ Poucas horas depois, eles estavam mortos.

Muitos judeus mataram-se em vez de ser deportados nessa época; outros o fizeram mais pelo desespero diante de sua situação cada vez mais intolerável. Entre eles, estava Joachim Gottschalk, um conhecido ator de cinema que fora proibido por Goebbels de aparecer em filmes por ter se recusado a se divorciar da esposa judia. Em 6 de novembro de 1941, ele se matou com a esposa e a filha quando as duas mulheres receberam uma carta de deportação. Outra foi a viúva do pintor Max Liebermann, que se matou em 1943 quando recebeu a ordem de deportação. Ela foi sepultada no cemitério judaico de Weissensee, onde 811 suicidas haviam sido enterrados no ano anterior, contra 254 em 1941. Cerca de 4 mil judeus alemães mataram-se em 1941-43, com o número subindo para 850 apenas no quarto trimestre de 1941. Àquela altura, o suicídio de judeus somava quase metade de todos os suicídios de Berlim não obstante o número minúsculo da comunidade judaica sobrevivente. A maioria eram idosos, que viam a ingestão de veneno, o método mais comum, como uma forma de garantir o direito de acabar com a própria vida quando e como quisessem, em vez de ser assassinados pelos nazistas. Alguns homens colocavam suas medalhas por serviço na Primeira Guerra Mundial antes de cometer suicídio. Tais atos continuaram quase até o fim da guerra.

Em 30 de outubro de 1944, por exemplo, uma judia de Berlim cujo marido não judeu havia sido morto na frente oriental recusou-se a aceitar sua situação e não pegou sua "estrela judaica" no escritório da Gestapo em sua cidade natal, preferindo em vez disso tirar sua vida.[206]

Bem antes dessa época, o programa de extermínio fora estendido a outras partes da Europa. As deportações começaram em 25 de março de 1942. Ao longo das semanas seguintes, cerca de 90 mil judeus, primeiro rapazes para o trabalho, depois homens mais velhos, mulheres e crianças foram enviados pelo Estado-fantoche da Eslováquia para guetos no distrito de Lublin e para campos no leste. Ao visitar Bratislava, a capital eslovaca, em 10 de abril de 1942, Heydrich disse ao ministro presidente Tuka que aquela era apenas "uma parte do programa" de deportação de meio milhão de judeus de países europeus, incluindo a Holanda, a Bélgica e a França.[207] Em 27 de março de 1942, 1.112 judeus foram deportados de Paris para o leste, a fim de serem mantidos como reféns para deter a resistência francesa (com a qual, na realidade, muito poucos deles tinham qualquer conexão). Mais cinco levas de trem, cuja partida já fora proposta por Heydrich na primavera, seguiram-se em junho e julho de 1942. Em julho, houve a decisão de solicitar ao governo croata que entregasse os judeus do país à Alemanha para extermínio; 5 mil foram devidamente deportados no mês seguinte. Foi feita pressão sobre outros aliados da Alemanha, incluindo a Hungria e a Finlândia, para que fizessem a mesma coisa. A "solução final da questão judaica na Europa" agora estava em andamento.[208]

IV

Alguns meses antes, perto do fim de setembro de 1941, Hitler havia aposentado o protetor do Reich da Boêmia e Morávia, o antigo conservador e ex-ministro de Relações Exteriores Konstantin von Neurath, aparentemente por motivo de saúde. Os ocupantes alemães haviam começado a deparar com resistência crescente dos tchecos, e atos de sabotagem comunista e outras atividades de subversão multiplicavam-se no rastro da invasão alemã da União Soviética. A situação, pensou Hitler, exigia uma abordagem mais firme e mais completa do que Neurath podia oferecer. O novo protetor do Reich foi Reinhard Heydrich, que agora somava, portanto, o governo da Boêmia e Morávia a suas muitas outras tarefas. Heydrich não tardou a anunciar que os tchecos seriam divididos em três categorias básicas. Os racial e ideologicamente doentios seriam deportados para o leste. Aqueles julgados racialmente insatisfatórios mas ideologicamente aceitáveis seriam esterilizados. Os tchecos racialmente impecáveis mas ideologicamente dúbios seriam germanizados. Caso se recusassem, seriam fuzilados. Antes que pudesse lançar esse programa bizarro, Heydrich teve de lidar com a onda crescente de resistência. Ele começou a deter e a executar tchecos pela participação no movimento – 404 apenas nos primeiros dois meses de gabinete. Ao longo do mesmo período, mandou mais 1,3 mil para campos de concentração do Reich, onde a maioria pereceu. Em outubro de 1941, encenou um julgamento espetaculoso do primeiro-ministro tcheco de fachada, Alois Eliáš, que foi condenado à morte em uma avalanche de publicidade por supostamente fazer contato com o governo tcheco no exílio e encorajar a resistência local. Eliáš acabou executado em junho de 1942. Essas medidas destruíram efetivamente o movimento de resistência tcheco, conferindo a Heydrich o apelido de "o Carniceiro de Praga". Encarregado entre outras coisas de melhorar a produtividade dos trabalhadores e fazendeiros tchecos no interesse do abastecimento da agricultura e da indústria alemãs, ele, não obstante, também aumentou a ração alimentar de mais de 2 milhões de operários e disponibilizou 200 mil pares de sapatos novos muito necessários para os trabalhadores da indústria bélica. Organizou e melhorou o sistema de seguridade social tcheco e se envolveu em uma série de gestos públicos para atrair as massas tchecas para longe da classe intelectual nacionalista, inclusive um esquema de mandar operários para hotéis de luxo em estações de águas tchecas. Tudo isso, ele considerou, evitaria o ressurgimento de qualquer tipo de movimento de resistência sério, agora que a resistência existente fora efetivamente destruída.[209]

Alarmado com o aparente sucesso das políticas de Heydrich, o governo tcheco no exílio em Londres insistiu em que ele deveria ser morto. Isso teria o benefício adicional de incitar uma rígida repressão, que por sua vez colocaria o movimento de resistência em funcionamento outra vez. Sem um movimento de resistência ativo trabalhando por ele no Protetorado, o governo exilado tcheco poderia se encontrar em uma posição de negociação frágil quando a guerra enfim acabasse. O governo britânico concordou com esse plano. Dois exilados tchecos, Jozef Gabčik e Jan Kubiš, foram selecionados pelo governo exilado tcheco em dezembro de 1941 para fazer o serviço. Receberam treinamento em técnicas de sabotagem e espionagem dos britânicos e voaram para o Protetorado em um avião fornecido pela Executiva de Operações Especiais Britânicas em maio de 1942, saltando de paraquedas em um campo nos arredores de Praga. Na manhã de 27 de maio de 1942, Heydrich saiu de casa, a vinte quilômetros de Praga, para ir de carro até seu escritório no Castelo de Hradany, no centro da cidade. Apesar de ser o principal oficial de segurança do Reich, ele não se dava ao menor trabalho com sua segurança pessoal. Viajava sozinho, sem escolta; a única pessoa com ele no carro era o motorista. Nessa ocasião específica, desfrutando do clima agradável de primavera, Heydrich pedira para ser levado ao trabalho em um carro sem capota. Os matadores haviam percebido que Heydrich percorria a mesma rota todos os dias na mesma hora. Embora Heydrich estivesse um pouco mais atrasado que de costume naquela manhã específica, eles ainda estavam à espera quando o carro reduziu a velocidade para fazer uma curva fechada na estrada de um subúrbio da capital tcheca. A submetralhadora de Gabčik emperrou quando ele tentou disparar, mas Kubiš conseguiu lançar uma granada que atingiu a roda traseira e explodiu, fazendo o carro parar. Heydrich saltou, sacou o revólver e começou a atirar em Kubiš, que correu para trás de um bonde que passava, pulou em uma bicicleta e pedalou para longe da cena. Frustrado, Heydrich voltou-se para Gabčik, que trocou tiros com um revólver, errando Heydrich, mas atingindo o motorista nas duas pernas. A seguir, Heydrich levou a mão ao quadril e parou, vacilante. Gabčik deixou a cena e conseguiu escapar metendo-se em um bonde lotado. O vigia, que havia sinalizado com um espelho para avisar os matadores de que o carro estava vindo, saiu a pé calmamente da cena.[210]

Heydrich ficou gravemente ferido. A granada, ao explodir, fez que pedacinhos de couro e crina e fragmentos de molas de aço do estofamento do carro penetrassem em suas costelas, estômago e baço. Os estilhaços foram removidos em uma cirurgia, mas o corte foi grande demais, o ferimento infeccionou e, em 4 de junho de 1942, Heydrich morreu.[211] Ele era, declarou o jornal da SS, *As Tropas Negras*, em um obituário, "um homem sem defeitos".[212] Hitler classificou-o como "indispensável".[213] Com certeza, para muita gente, ele parecia a encarnação de todas as virtudes da SS. Até mesmo seus homens, às vezes, chamavam-no, com um toque de ironia, de "a besta loira". Todavia, seu caráter permaneceu elusivo, difícil de determinar com exatidão. Muitos historiadores caracterizaram Heydrich como um técnico do poder, um "artífice do pragmatismo", ou a "encarnação da tecnologia de governo pela força bruta". Não resta dúvida a respeito de sua ambição voraz de fazer uma carreira pessoal no Terceiro Reich. Argumentou-se que ideologia era algo que ele era inteligente demais para levar a sério. Contudo, qualquer um que leia seus memorandos e declarações deve por certo ficar impressionado com a assimilação insensata e total da ideologia nazista, com a impregnação dos padrões de pensamento do nazismo, com a falta de reconhecimento de qualquer alternativa possível à visão de mundo nazista.[214] Seu extraordinário esquema para classificar e lidar com a população tcheca é um caso típico.

O que estava ausente na retórica de Heydrich era a grosseria e a crueza que com tanta frequência caraterizavam a linguagem usada pelos "velhos combatentes" como Hans Frank, Hermann Göring ou Heinrich Himmler. Para Heydrich, a ideologia nazista parecia ser algo totalmente impessoal, um conjunto incontestado de ideias e atitudes que ele ambicionava colocar em prática no mundo com eficiência fria e desapaixonada. A maioria de seus colegas e subordinados tinha medo dele, até mesmo Himmler, que sabia muitíssimo bem de sua inferioridade intelectual em relação a Heydrich. "Você e sua lógica", Himmler gritou com Heydrich em certa ocasião: "Nunca ouvimos nada a não ser sua lógica. Tudo que eu proponho você demole com sua lógica. Estou farto de seu criticismo frio e racional".[215] Contudo, por outro lado, Heydrich também era, conforme muitos observaram, um homem apaixonado, um esportista entusiástico, um músico que com frequência ficava nítida e profundamente emocionado ao tocar violino. A personalidade dividida não escapou à atenção de seus contemporâneos, muitos dos quais (de forma bastante equivocada) explicaram-na em termos de uma ancestralidade dividida, parcialmente judaica – "um homem infeliz, completamente dividido contra si mesmo, como muito acontece com aqueles de raça mista", teria dito Himmler.[216] Carl J. Burckhardt, comissário da Liga das Nações em Danzig durante a década de 1930, disse para si mesmo ao conhecer Heydrich: "Duas pessoas estão olhando para mim simultaneamente".[217] Um dos colegas de

Heydrich contou a Burckhardt uma história de que Heydrich, ao chegar em casa bêbado, olhou pela porta do banheiro, onde as luzes estavam acesas, e viu sua imagem de corpo inteiro no espelho da parede em frente. Sacou o revólver e disparou duas vezes no reflexo, gritando: "Finalmente peguei você, canalha!".[218]

Hitler concedeu a Heydrich uma cerimônia fúnebre adequadamente solene e pomposa. No âmbito particular, ficou furioso com a falha de segurança que havia propiciado a chance dos matadores. O hábito de Heydrich de se entregar a "esses gestos heroicos de andar em veículos abertos e sem blindagem" era, disse ele, "estúpido e idiota".[219] Heydrich foi substituído no Protetorado por Karl Hermann Frank, que havia sido seu vice, bem como de Neurath. Defensor de uma abordagem menos sutil, mais cruamente repressora que Heydrich, Frank foi por fim nomeado ministro de Estado alemão para a Boêmia e Morávia em agosto de 1943. Foi Frank que presidiu a pavorosa vingança de Hitler imposta aos tchecos. Os matadores, escondidos na Igreja Ortodoxa de São Cirilo e Metódio em Praga, foram entregues à Gestapo por um agente local da Executiva de Operações Especiais Britânica em troca de uma gorda recompensa. Junto com outros cinco agentes que também haviam sido lançados de paraquedas no Protetorado pelos britânicos, Gabčik e Kubiš lutaram em uma encarniçada troca de tiros durante horas. Enfim, percebendo que a situação não tinha remédio, voltaram as armas contra si mesmos. De início, Hitler queria fuzilar 10 mil tchecos imediatamente como retaliação pelo assassinato e eliminar toda a intelectualidade tcheca, como fizera com os poloneses. Ele disse ao presidente-fantoche tcheco Hácha: "Vamos considerar a deportação de toda a população tcheca", caso ocorresse outro incidente semelhante.[220] Voando sem demora para Berlim, Hermann Frank persuadiu o Líder de que essas medidas causariam um dano imenso à produção tcheca de armas. Entre os documentos encontrados com outro agente tcheco da Executiva de Operações Especiais havia um mencionando a aldeia tcheca de Lídice. Frank sugeriu que transformar a aldeia em um exemplo seria uma retaliação suficiente. Hitler concordou. Em 10 de junho de 1942, toda a população de Lídice, acusada de oferecer abrigo aos matadores, foi reunida, os homens fuzilados, as mulheres mandadas para o campo de concentração de Ravensbrück e as crianças levadas para classificação racial. Dessas, 88 foram julgadas racialmente inferiores, retiradas e mortas; as outras dezessete receberam nova identidade e foram colocadas com famílias alemãs para adoção. A aldeia foi reduzida a cinzas. Outros 24 homens e mulheres foram fuzilados no povoado de Lezacky, e seus filhos enviados para Ravensbrück. Mais 1.357 pessoas foram sumariamente julgadas e executadas por suposto envolvimento com a resistência. Outros 250 tchecos, incluindo famílias inteiras, foram mortos no campo de concentração de Mauthausen. E mil judeus foram arrebanhados em Praga e levados embora para ser fuzilados. No total, cerca de 5 mil tchecos pereceram na orgia de vingança. Apenas a necessidade desesperada do regime nazista pelos produtos da grande e avançada indústria de armas boêmia impediu que o terror fosse adiante. Por enquanto, pelo menos, o objetivo fora atingido.[221]

O assassinato de Heydrich reforçou o medo da liderança nazista de que os judeus (que, na verdade, não tinham nada a ver com aquilo) representassem uma crescente ameaça à segurança na frente doméstica. Alguns historiadores também argumentaram que a progressiva escassez de alimentos no Reich foi o que incitou a aceleração do programa de matança na época. A ração diária distribuída à população alemã em casa fora cortada em abril de 1942. Os cortes não só eram impopulares, como obrigavam o governo a reduzir ainda mais a ração distribuída a trabalhadores estrangeiros na Alemanha para evitar comentários hostis dos nativos alemães. Isso prejudicava a produtividade. A severidade dos cortes foi tamanha que Hitler tomou a medida incomum de forçar a aposentadoria de seu ministro da Agricultura, Richard Walther Darré, que havia se mostrado mais um ideólogo do que administrador, e promover o principal funcionário público do ministério, Herbert Backe, ao posto de ministro interino. Depois de se reunir com Hitler e Himmler em maio de 1942, Backe garantiu a concordância deles com o fim do abastecimento das Forças Armadas alemãs a partir da Alemanha. Dali em diante, elas teriam de viver da terra. No leste, onde a maior parte estava estacionada, isso significou cortar ainda mais a ração da população local, o que foi ordenado por Backe em 23 de junho de 1942. E, quanto aos judeus restantes na região, cujo abastecimento de comida já havia sido reduzido a índices de inanição por muitos administradores locais, a ração seria cortada de vez. O Governo Geral, disse Backe, estaria "higienizado" de judeus "no ano que vem".[222] Mas é claro que isso não foi uma declaração de intenção, sendo mais um relatório sobre o que era esperado, dada a escala dos programas de matança já em operação. Tampouco existe alguma evidência que sugira ligação causal direta entre a situação da comida e qualquer aceleração decisiva no programa de extermínio. As considerações de segurança mantiveram-se predominantes na mente da liderança nazista.

Em 19 de julho de 1942, Himmler mandou Friedrich Wilhelm Krüger, o chefe de polícia do Governo Geral, assegurar-se "de que o reassentamento de toda a população judaica do Governo Geral seja executado e concluído até 31 de dezembro de 1942". A reordenação étnica da Europa exigia uma "limpeza total".[223] Hitler agora também decidira, conforme disse em setembro de 1942, que os operários judeus deviam ser removidos tanto quanto possível das fábricas de munição do Reich e que todos os judeus restantes de Berlim deviam ser deportados.[224] Ele voltou à "profecia" de 30 de janeiro de 1939 em um discurso no Palácio de Esportes de Berlim em 30 de setembro de 1942. Disse à plateia que havia previsto "que, caso a judiaria provoque uma guerra mundial internacional para o extermínio dos povos arianos, não serão os povos arianos que serão exterminados, mas a judiaria". Contudo agora, "uma onda antissemita" estava passando pela Europa "de um povo para outro", e todo Estado que entrava na guerra tornava-se um Estado antissemita.[225] Foi relatado que, em uma discussão privada com Bormann em 10 de outubro de 1942, Göring teria dito "acreditar que os passos tomados pelo líder da SS do Reich, Himmler, estejam absolutamente corretos", a despeito de que tivesse de haver pelo menos algumas exceções (provavelmente por motivos econômicos).[226] Poucos dias antes, em um discurso proferido no Palácio de Esportes de Berlim, Göring havia dito à plateia que Churchill e Roosevelt eram "gente bêbada e doente mental, manipulada pelos judeus". A guerra era uma "grande guerra de raças [...] a respeito de se os alemães e arianos vão sobreviver, ou se os judeus vão dominar o mundo".[227] Portanto, ele também apresentou o extermínio como um ato necessário de autodefesa por parte do povo alemão. O discurso anual de Hitler para os "velhos combatentes" nazistas em Munique a 8 de novembro de 1942, transmitido pelo rádio alemão, repetiu mais uma vez sua profecia de 1939, dizendo claramente dessa vez que a guerra terminaria com o "extermínio". Ele acrescentou que os judeus que, pensava ele, tinham rido dele, agora "não estão mais rindo".[228]

Logo depois desse discurso, o chefe de imprensa de Hitler, Dietrich, impulsionou de novo a propaganda antissemita. Ao longo dos meses seguintes, Goebbels também voltou ao tema repetidamente. Uma parte significativa de seu discurso no Palácio de Esportes de Berlim em 18 de fevereiro de 1943, transmitido por todas as estações de rádio alemãs, foi dedicado a isso:

> Por trás da investida – [gritos excitados de exclamação] –, por trás das divisões soviéticas que investem, *podemos ver claramente os esquadrões de morte judeus*, que assomam por trás do *terror*, o espectro de milhões passando fome e da anarquia total na Europa. A judiaria internacional está aqui provando mais uma vez que é o elemento *diabólico* de decomposição [...] *Nós nunca tivemos medo da judiaria e hoje temos menos medo do que nunca!* [gritos de "Salve!", aplauso ruidoso] [...] A meta do bolchevismo é a revolução mundial dos judeus [...] A Alemanha pelo menos não pretende acovardar-se diante dessa ameaça judaica; em vez disso, pretende enfrentá-la com *oportuna*, se necessária *total* e a *mais radical exter* [...] [corrigindo-se] *exclusão* da judiaria! [aplauso ruidoso, gritaria selvagem, risadas].[229]

O escorregão deliberado de Goebbels arregimentou a cumplicidade de sua audiência através da Alemanha não apenas para o assassinato em massa dos judeus, mas também para o entendimento de que se devia usar linguagem eufemista ao se referir a isso. Hitler falou de modo menos explícito na mesma linha em 24 de fevereiro e em 21 de março de 1943. Ele instruiu Goebbels a intensificar a propaganda antissemita em transmissões estrangeiras, especialmente para a Inglaterra.[230] Em um alentado monólogo dirigido ao ministro da Propaganda em 12 de maio de 1943, após Goebbels ter atraído sua atenção para a falsificação tsarista *Os protocolos dos sábios de Sião* (uma obra que Hitler insistia que sem dúvida era genuína), o Líder nazista insistiu em que os judeus estavam por toda parte agindo com base em seu instinto racial de minar a civilização. "Não resta outra escolha aos povos modernos a não ser exterminar os judeus." Apenas combatendo a raça judaica "com todos os meios ao nosso dispor" a vitória seria possível. "Os povos que descobriram primeiro as intenções dos judeus e que os combateram primeiro vão governar o mundo no lugar deles."²³¹ O tom apocalíptico desse discurso foi notável. Hitler agora justificava o extermínio dos judeus como uma precondição necessária para o domínio do mundo pelos alemães.

Em 3 de maio de 1943, Goebbels emitiu uma circular confidencial para a imprensa alemã exigindo que dedicasse maior atenção ao ataque aos judeus. "As possibilidades para se expor o verdadeiro caráter dos judeus são infinitas", opinou ele. "Os judeus devem ser usados agora como um alvo político: os judeus devem levar a culpa; os judeus quiseram a guerra; os judeus estão piorando a guerra; e, outra vez, os judeus devem levar a culpa."²³² Depois de apenas quatro manchetes de primeira página de natureza antissemita no *Observador Racial* em todo o ano de 1942, houve dezessete apenas nos primeiros cinco meses de 1943. De fato, em 1943, o jornal estampou no total 34 manchetes de primeira página referindo-se aos judeus.²³³ A ofensiva de propaganda repetiu *ad nauseam* as agora familiares diatribes contra Churchill, Roosevelt e Stálin como fantoches de uma conspiração mundial judaica com a meta de aniquilar a raça alemã – uma espécie de projeção, argumentou-se, do ímpeto nazista de aniquilar os judeus.²³⁴ Quando a situação militar piorou e os bombardeios aliados sobre cidades alemãs começaram a ter um impacto sério, as advertências da propaganda de que a vitória dos aliados significaria um extermínio genocida do povo alemão tornaram-se continuamente mais estridentes. Fez-se grande estardalhaço com a descoberta de túmulos de oficiais poloneses massacrados pela polícia secreta soviética em Katyń no começo da guerra – um massacre inevitavelmente atribuído não aos russos, mas aos judeus. A propaganda antijudaica, que atravessara seu primeiro período de intensidade concentrada na segunda metade de 1941 como uma forma de lançar o que os nazistas chamavam de a "solução final da questão judaica na Europa", estava se tornando agora um meio de animar o povo alemão para que continuasse lutando.²³⁵

Assim, o ritmo, a justificativa e o modo de implementação do genocídio mudaram repetidamente desde sua criação no verão de 1941. Examinar as origens da "solução final" em termos de processo em vez de uma decisão única desvenda uma variedade de impulsos dados pela liderança nazista em geral, e Hitler e Himmler em particular, para o combate contra o suposto inimigo global dos alemães. Subjacente a todos eles, porém, havia a memória de 1918, a crença de que os judeus, onde quer que estivessem e quem quer que fossem, ameaçavam minar o esforço de guerra alemão, engajando-se em subversão, atividades guerrilheiras, movimentos comunistas de resistência e muito mais. O que impelia os impulsos exterminadores dos nazistas em todos os níveis da hierarquia não era o tipo de desprezo que tachava milhões de eslavos como sub-humanos dispensáveis, mas uma mistura ideologicamente difusa de medo e ódio, que culpava os judeus por todos os males da Alemanha e buscava sua destruição como uma questão fundamental para a sobrevivência do país.

"Como ovelhas para o abate"

I

Algum tempo antes da Conferência de Wannsee, Himmler nomeara Odilo Globocnik, líder da SS e da polícia de Lublin, para organizar a matança sistemática de todos os judeus do Governo Geral. Os guetos deviam ser esvaziados para dar lugar aos judeus deportados do oeste. Globocnik teria de montar uma série de campos para atingir sua meta na Operação Reinhard.[236] Globocnik era um nazista austríaco. Seu profundo antissemitismo rendera-lhe uma condenação por assassinar um judeu em 1933. Foi designado líder regional de Viena depois da anexação, mas em janeiro de 1939 foi rebaixado por especular com moeda estrangeira. Himmler, entretanto, não o perdeu de vista e o nomeou para o cargo em Lublin em novembro seguinte. Em 1940, Globocnik havia construído um pequeno império econômico baseado em trabalhadores escravos judeus, e em julho de 1941 autorizou a construção de um enorme campo de trabalho em Majdanek. Para a Operação Reinhard, Globocnik recrutou um grande número de funcionários da antiga Ação T-4, inclusive Christian Wirth. Eles continuaram a ser pagos pela sede do programa de eutanásia da Chancelaria do Líder em Berlim, embora recebessem ordens de Globocnik. Quase todos os vinte ou trinta homens da SS empregados em cada um dos campos que Globocnik começou a estabelecer nessa época para executar a missão enquadravam-se nessa categoria. Isso deixou os campos separados da gerência normal dos estabelecimentos da SS. Todos os homens da SS eram oficiais ou suboficiais. A força de trabalho básica era fornecida por auxiliares ucranianos, muitos deles recrutados de campos de prisioneiros de guerra, que recebiam um treinamento rápido antes de serem enviados para trabalhar para Globocnik.[237]

Os três campos da Operação Reinhard montados para levar a cabo o programa de extermínio situavam-se em locais remotos a oeste do rio Bug, mas com boas ligações ferroviárias com outras partes da Polônia e acesso relativamente fácil aos principais guetos. A construção do primeiro desses campos, em Belzec, começou em 1º de novembro de 1941 no local de um campo de trabalho já existente. Foi executada sob a supervisão de um ex-funcionário da eutanásia, que permaneceu para assessorar Christian Wirth quando este foi nomeado comandante do campo em dezembro de 1941. Ele mandou construir um ramal da estação ferroviária local até o campo. Havia casas para a SS, alojamentos para um pequeno número de prisioneiros de maior duração, como sapateiros, alfaiates ou marceneiros, que trabalhavam para a SS, e peças para os auxiliares ucranianos. As câmaras de gás foram feitas de madeira, mas eram herméticas e equipadas com canos através dos quais seria injetada a fumaça do escapamento de carros a gasolina, matando todos ali dentro. Wirth optou por esse procedimento porque latas de monóxido de carbono puro como as usadas na ação de eutanásia eram difíceis de se obter em quantidade e poderiam suscitar a suspeita das vítimas que as vissem. Em fevereiro de 1942, as instalações estavam prontas. Foram testadas em pequenos grupos de judeus; a seguir, os trabalhadores judeus que haviam ajudado a construí-las também foram asfixiados. Em 17 de março de 1942, os primeiros deportados foram entregues ao campo e mortos a gás logo ao chegar. Em quatro semanas, 75 mil judeus haviam sido levados à morte, inclusive 30 mil dos 37 mil habitantes do gueto de Lublin, e mais de outras regiões do Governo Geral, incluindo Zamość e Piaski.[238]

A brutalidade homicida dos recolhimentos e transportes para Belzec foi anotada pelo doutor Zygmunt Klukowski, cujo diário proporciona um relato vívido, ainda que não completamente exato, do impacto sobre as populações judaicas locais da Polônia. Em 8 de abril de 1942 ele ficou sabendo

> que todo dia dois trens, consistindo de vinte vagões cada um, chegam a Belzec, um de Lublin, outro de Lvov. Depois de desembarcarem em trilhos separados, todos os judeus são forçados para dentro do recinto cercado de arame farpado. Alguns são mortos com eletricidade, alguns com gás venenoso, e os corpos são queimados. A caminho de Belzec,

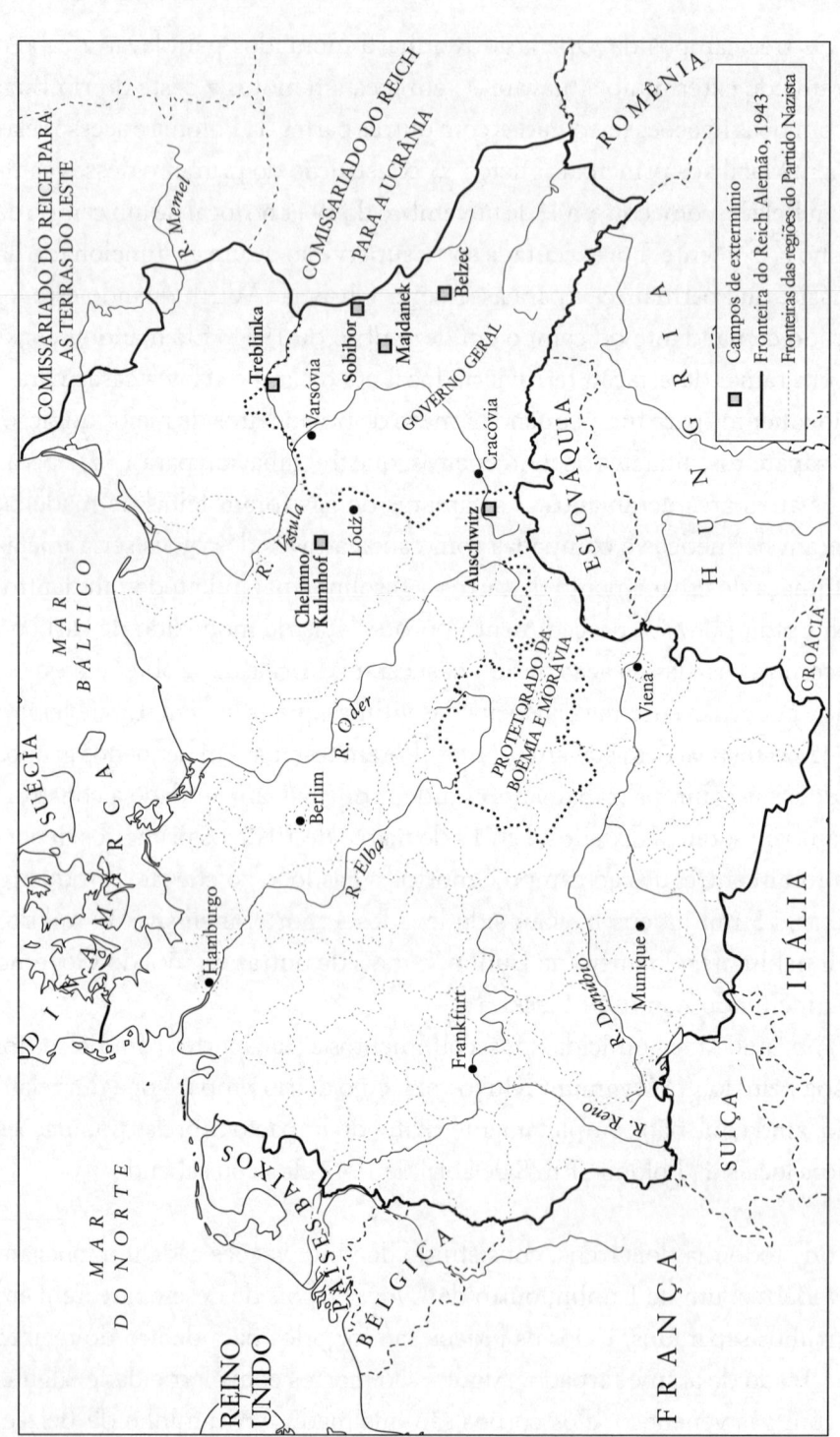

Mapa 11. Campos de extermínio, 1941-45

os judeus passam por muitas coisas terríveis. Estão cientes do que vai lhes acontecer. Alguns tentam reagir. Na estação ferroviária de Szczebrzeszyn, uma jovem mulher deu um anel de ouro em troca de um copo d'água para o filho moribundo. Em Lublin, o povo testemunhou criancinhas serem jogadas das janelas dos trens em alta velocidade. Muita gente é fuzilada antes de chegar a Belzec.[239]

Pouco depois, 2,5 mil judeus foram levados de Zamość; várias centenas foram fuzilados nas ruas. Os habitantes judeus de Szczebrzeszyn ficaram em estado de pânico total, mandando os filhos para viver com poloneses em Varsóvia e subornando poloneses para mantê-los escondidos. Multidões reuniam-se para saquear a casa deles quando eram deportados.[240] Em 8 de maio de 1942, relatou Klukowski, uma unidade policial alemã chegou a Szczebrzeszyn e começou a atirar nos judeus "como patos, matando-os não só nas ruas, mas também em casa – homens, mulheres e crianças indiscriminadamente". Klukowski começou a organizar socorro para os feridos, mas foi informado de que não tinha permissão para prestar auxílio aos judeus, de modo que, relutante, colocou gente do lado de fora do hospital para mandá-los embora. "Tive sorte de ter feito isso", ele anotou posteriormente: pouco depois, a polícia chegou ao hospital carregando metralhadoras e revistou as alas procurando judeus; se houvesse algum, Klukowski e provavelmente os membros de sua equipe teriam sido fuzilados. O massacre deixou-o profundamente transtornado, conforme registrou no diário:

> Estou entristecido por ter tido de me recusar a prestar qualquer socorro. Fiz isso apenas por causa das ordens estritas dos alemães. Foi algo contra meu sentimento pessoal e contra os deveres de um médico. Com meus olhos ainda posso ver as carroças cheias de mortos, uma mulher judia andando com o filho morto nos braços, e muitos feridos caídos na calçada em frente a meu hospital, onde fui proibido de lhes prestar qualquer socorro.[241]

Klukowski ficou consternado com o comportamento de alguns poloneses, que saquearam a casa das vítimas e até riram ao vê-las ser fuziladas.

Depois, a polícia alemã também mandou o conselho judaico local pagar pela munição usada no massacre.[242]

Wirth tentou projetar o campo de Belzec de forma que abrandasse as suspeitas dos judeus que lá chegassem. Eles eram informados de que se tratava de um centro de trânsito e que seriam desinfetados antes de receber roupas limpas e terem seus pertences devolvidos. As câmaras de gás em si foram planejadas para parecer chuveiros. Tudo isso seguiu o padrão original concebido para a eutanásia por gás, só que em escala muito maior. Mas os ardis não passavam de uma formalidade. A brutalidade com que os judeus eram agrupados deve ter deixado poucas ilusões quanto ao destino reservado a eles. Outro oficial austríaco da SS, Franz Stangl, descreveu o que viu em Belzec na primavera de 1942:

> Fui até lá de carro. Ao chegar, a primeira coisa que se via era a estação ferroviária de Belzec, do lado esquerdo da estrada. O campo ficava do mesmo lado, mas em cima de um morro. O escritório do comandante ficava a duzentos metros, do outro lado da estrada. Era um prédio de um andar. O cheiro [...] Oh, Deus, o cheiro. Estava por toda parte. Wirth não estava no escritório. Lembro que me levaram até ele [...] Ele estava parado em um morro, perto das covas [...] as covas [...] cheias, estavam cheias. Nem dá para falar; não centenas, milhares, milhares de corpos [...] Uma das covas havia transbordado. Haviam colocado corpos em excesso dentro dela, e a putrefação havia transcorrido depressa demais, de modo que o líquido na parte de baixo havia empurrado os corpos para cima e para fora, e os corpos haviam rolado morro abaixo. Vi alguns deles [...] oh, Deus, era medonho.[243]

Em seguida, o próprio Stangl viria a desempenhar um papel central na Operação Reinhard. Nascido em 1908, filho de um ex-soldado brutal, cresceu na pobreza de uma cidade pequena e recebeu treinamento de tecelão. Em 1931, entrou para a polícia, passando por um treinamento árduo antes de se envolver na busca e detenção de membros da oposição socialista ilegal durante a ditadura de Schuschnigg. A certa altura, tornou-se um ativo membro secreto do Partido Nazista e, após a absorção da Áustria pelo Reich em

1938, foi promovido antes de ser transferido para trabalhar na administração central do programa de matança por "eutanásia" em Berlim, em 1940. Lá, ele conheceu Christian Wirth, que o convocou a Belzec para que se familiarizasse com a Operação Reinhard no terreno.²⁴⁴ Stangl achou que o programa estava operando com ineficiência lamentável. As câmaras de gás de Belzec eram construções toscas. Viviam estragando, deixando os deportados à espera por dias, sem comida ou água; muitos morriam. Aquilo acabou sendo demais até para Wirth. Em junho de 1942, ele suspendeu os transportes temporariamente e demoliu as câmaras de madeira, substituindo-as por uma construção de concreto contendo seis câmaras de gás com uma capacidade total de 2 mil pessoas por vez. Elas entraram em funcionamento em meados de julho; os transportes continuaram a chegar até meados de dezembro. Até o fim de 1942, cerca de 414 mil judeus da Polônia ocupada foram mortos no campo, e mais de outras partes da Europa central que haviam sido levados para os guetos do distrito de Lublin; o total pode ter chegado a 600 mil.²⁴⁵

O segundo campo da Operação Reinhard foi construído perto da aldeia de Sobibor, onde até então não havia nada além de um pequeno campo de trabalho para mulheres judias. A construção começou em março de 1942, mas sofreu atraso, de modo que Wirth nomeou Franz Stangl comandante do campo com a tarefa inicial de terminar a construção no prazo. Na metade de maio de 1942, as câmaras de gás estavam prontas. Elas foram abrigadas em um prédio de tijolos, e cada uma podia receber cem pessoas, que eram mortas por fumaça de motor enviada de fora para dentro por tubulação. O campo foi construído imitando Belzec, com as áreas de administração e recepção perto do ramal ferroviário e a zona de extermínio a uma certa distância, fora da vista e acessada através de uma passagem estreita de 150 metros de comprimento conhecida como "tubo". Atrás do prédio da câmara de gás havia covas para sepultamento. Um trilho estreito de bonde ia da estação férrea às covas para transportar o corpo dos que haviam morrido na jornada. Os subterfúgios de praxe eram usados para tranquilizar as vítimas que chegavam, mas, como em Belzec, com frequência eram ineficazes, visto que a SS e em especial os guardas ucranianos gritavam com as vítimas e as surravam enquanto elas passavam correndo pelo "tubo". Alguns homens da SS treinaram um cão para morder os judeus nus, aumentando o pânico. A seu próprio ver, Stangl dirigia o campo com eficiência, e a instalação não ficava sobrecarregada pelo vasto número de transportes como Belzec. Todavia, nos três primeiros meses de funcionamento do campo, quase 100 mil judeus de Lublin, da Áustria, do Protetorado da Boêmia e Morávia e do Velho Reich haviam sido mortos ali.[246]

Obras na linha principal da ferrovia provocaram uma suspensão temporária dos transportes no verão de 1942. Ao mesmo tempo, o clima quente fez que as camadas compactas de cadáveres socadas dentro das covas atrás da zona de extermínio inchassem e irrompessem do solo, como havia acontecido em Belzec, causando um fedor terrível e atraindo grande quantidade de ratos e outros animais carniceiros. Os homens da SS também começaram a notar um gosto rançoso na água. O suprimento de água do campo era retirado de poços, e eles sem dúvida estavam sendo contaminados. Desse modo, a administração do campo construiu uma grande cova que foi preenchida com madeira e acesa; uma escavadeira foi trazida para desenterrar os corpos, que foram colocados em grades sobre a cova e cremados por um destacamento especial judaico cujos membros depois foram mortos. Enquanto isso, os transportes foram retomados em outubro de 1942 e continuaram até o começo de maio de 1943. Uma leva de 5 mil pessoas chegou de Majdanek, com prisioneiros de uniforme listrado já debilitados pela fome e por maus-tratos. Nessa ocasião, as câmaras de gás estavam com problemas, de modo que os prisioneiros foram mantidos ao ar livre durante a noite. Duzentos morreram por exaustão ou espancamento e fuzilamento perpetrados pela SS durante a madrugada. O restante foi levado para as câmaras de gás no dia seguinte. Outro transporte chegou em junho de 1943 com os prisioneiros já nus porque a SS de Lvov achou que isso dificultaria as fugas: a jornada havia sido longa, e 25 dos cinquenta vagões de carga continham apenas cadáveres. As pessoas haviam morrido de fome e sede, e, conforme uma testemunha ocular mais tarde relembrou, algumas já estavam mortas havia até duas semanas quando chegaram.[247]

Os judeus ainda carregavam alguns pertences pessoais consigo. Esses, juntamente com suas roupas e o conteúdo das malas, eram tirados deles. Objetos de valor eram recolhidos pelas autoridades do campo. Muitos foram parar nos bolsos de indivíduos da SS e de seus ajudantes. As joias mais valiosas eram remetidas junto com o ouro extraído das restaurações dentárias dos mortos para um escritório central de classificação em Berlim, onde os metais preciosos eram fundidos em barras para o Reichsbank e a pedraria era trocada nos países neutros ou ocupados por diamantes industriais necessários às fábricas de armas alemãs.[248] A partir de agosto de 1942, a coleta e a entrega desses objetos foram organizadas pelo Escritório Central de Economia e Administração de Pohl. O confisco de mobília e outros bens que os judeus deixavam para trás, inclusive roupas, louças, tapetes e muito mais, era efetuado pelo escritório de Rosenberg, e os itens confiscados eram leiloados na Alemanha.[249] Um relatório do escritório de Pohl estimou em pouco menos de 180 milhões de reichsmarks o valor total de posses judaicas confiscadas pela Operação Reinhard até 15 de dezembro de 1943.[250]

A essa altura, quase 250 mil vítimas haviam sido mortas em Sobibor. Quando Himmler visitou o campo no início de 1943, a operação já estava sendo encerrada. Embora não houvesse transportes regulares previstos para chegar, a administração do campo arranjou um transporte especial de um campo de trabalho do distrito a fim de que Himmler observasse uma operação de extermínio por gás. Satisfeito com o que viu, ele concedeu promoções a 28 oficiais da SS e da polícia, inclusive Wirth, Stangl e outros funcionários graduados. Também ordenou que se fizessem os preparativos para o fechamento dos campos e a remoção de todos os vestígios de atividades, uma vez que os últimos lotes de vítimas estivessem mortos. Sobibor seria transformado em um depósito para a munição capturada do Exército Vermelho. Os trabalhadores judeus foram forçados a trabalhar na construção de novas instalações. Nesse ínterim, a cremação do corpo das vítimas continuou em ritmo acelerado. Ficou evidente para os operários judeus da construção, muitos deles prisioneiros de guerra soviéticos calejados em batalha, que chegaram em 23 de setembro de 1943 e formavam um grupo coeso e bem disciplinado, que estavam condenados. Começaram, então, a organizar uma fuga. Em 14 de outubro de 1943, conseguiram atrair a maioria do pessoal da SS e vários auxiliares ucranianos do campo para as oficinas sob uma variedade de pretextos, matando-os com adagas e machadinhas sem chamar a atenção dos guardas das torres de observação. Os rebeldes cortaram os fios de telefone e o abastecimento de eletricidade do campo. Quando correram para o portão principal, os guardas ucranianos abriram fogo com armas automáticas, matando muitos; outros atravessaram a cerca do perímetro. Alguns foram mortos no campo minado do lado de fora da cerca, porém mais de trezentos de um total de seiscentos reclusos tiveram êxito em escapar do campo (todos que não conseguiram foram fuzilados no dia seguinte). Cem fugitivos foram capturados e mortos quase imediatamente, enquanto a SS e a polícia mobilizavam uma grande operação de busca, incluindo aviões de observação. Mas o restante evitou os captores e vários deles acabaram chegando às unidades de guerrilha. Pouco depois, um novo destacamento de prisioneiros judeus chegou ao campo desativado. Os prédios foram demolidos, plantaram-se árvores, construiu-se uma fazenda e, quando a obra estava concluída, os judeus foram forçados a deitar-se nas grelhas e acabaram fuzilados, um por um. Depois de dezembro de 1943, não restou ninguém no campo, e todos os seus vestígios óbvios haviam desaparecido.[251]

II

O terceiro campo da Operação Reinhard localizava-se em Treblinka, a noroeste de Varsóvia, em uma área florestal remota no fim de um ramal ferroviário de via única que se estendia até uma velha pedreira a partir da estação ferroviária de Malkinia, uma estação na principal linha férrea de Varsóvia a Bialystok. Na primavera de 1941, os ocupantes alemães abriram um campo de trabalho perto da pedreira para escavar materiais para uso em fortificações da fronteira soviético-alemã na Polônia. Um ano depois, a SS selecionou o local para um novo campo de morte. A construção teve início no começo de junho de 1942, supervisionada por Richard Thomalla, o oficial da SS que havia construído Sobibor. Na época em que a obra teve início, os campos de morte de Belzec e Sobibor já estavam em funcionamento, de modo que Thomalla tentou aperfeiçoá-los. Trabalhadores judeus foram levados para construir o novo campo; muitos deles foram fuzilados aleatoriamente pela SS enquanto trabalhavam, ou forçados a ficar na linha de árvores que eram abatidas para limpar o terreno, de modo que o progresso da obra com frequência era interrompido. Foram construídos um ramal ferroviário e uma estação, da qual os judeus que chegavam eram levados para um vestiário para se despir perto do "gueto" onde viviam os prisioneiros que duravam mais tempo. Ao chegar lá, os judeus desnudos eram conduzidos rapidamente por uma ruela estreita cercada (chamada pela SS de Estrada para o Céu) até um grande prédio de tijolos cuidadosamente escondido na parte superior do campo. O prédio abrigava três câmaras de gás, para dentro das quais as vítimas eram impelidas com gritos e xingamentos, para serem mortas pela fumaça de motores a diesel despejada por um sistema de tubulação. Atrás do prédio havia um conjunto de covas, cada uma com cinquenta metros de comprimento, 25 metros de largura e dez metros de profundidade, abertas por uma escavadeira. Destacamentos especiais de prisioneiros empurravam os corpos em pequenos vagões por uma via férrea de bitola estreita desde a zona de processamento e os jogavam nas covas, que eram cobertas de terra quando cheias.[252]

Como em Sobibor, os judeus que chegavam eram informados de que estavam em um campo de trânsito e receberiam roupas limpas e seus pertences de volta depois de passar por um banho de desinfecção. De início, chegavam cerca de 5 mil ou mais judeus por dia, mas, em meados de agosto de 1942, o ritmo da chacina aumentou e, até o fim daquele mês, 312 mil judeus, não só de Varsóvia, mas também de Radom e Lublin, haviam sido mortos pelo gás em Treblinka. Haviam se passado menos de dois meses desde as primeiras mortes por gás no campo em 23 de julho de 1942. O primeiro comandante do campo, Irmfried Eberl, um médico austríaco que havia trabalhado na operação de "eutanásia", declarara sua ambição de superar o número de assassinatos de qualquer outro campo. Os trens de transporte não tinham ventilação, e, sem água ou instalações sanitárias, milhares morriam ao longo do trajeto no clima quente. A pressão por resultados era tamanha que todo o fingimento foi abandonado. Oskar Berger, que chegou em um transporte de 22 de agosto de 1942, reparou em "centenas de corpos jazendo por toda parte" na plataforma, "pilhas de trouxas, roupas, malas, tudo misturado. Soldados da SS, alemães e ucranianos estavam postados nos telhados e atiravam indiscriminadamente na multidão. Homens, mulheres e crianças tombavam sangrando. O ar estava cheio de gritos e choro". Os sobreviventes foram guiados para as câmaras de gás por homens da SS que os espancavam com chicotes e barras de ferro. Para o caso de seus gritos serem ouvidos pelos que esperavam na parte inferior, a SS montou uma pequena orquestra que tocava canções famosas da Europa central para abafar o barulho. Chegavam tantas vítimas que as câmaras de gás não davam conta e, como no caso da leva que chegou em 22 de agosto de 1942, os guardas da SS fuzilavam grande quantidade de judeus na zona de recepção. Mas nem isso adiantava, e trens recém-chegados eram deixados à espera por horas, até dias, no calor do verão. Muitos dos que estavam ali dentro morriam de sede, ataque cardíaco ou asfixia. As câmaras de gás com frequência enguiçavam, às vezes quando as vítimas já estavam lá dentro, onde eram forçadas a esperar por horas até o conserto estar concluído. As covas ficavam cheias rapidamente, e não dava para escavar novas com rapidez suficiente, de modo que em breve havia corpos insepultos por toda parte.[253]

Eberl e sua equipe confiscaram grande quantidade de bens dos judeus para si mesmos, e dizia-se que havia ouro e dinheiro jogados no pátio de classificação em grandes montes, ao lado de pilhas enormes de roupas e malas, que se acumulavam rápido demais para ser processadas. Na falta de acomodação adequada, os guardas ucranianos haviam montado tendas ao redor do campo, onde faziam festas com prostitutas locais. Foi relatado que Eberl fez uma moça judia tirar a roupa e dançar nua diante dele; mais tarde, ela foi fuzilada. Relatórios do caos chegaram a Globocnik e Wirth, que fizeram uma inspeção de surpresa e demitiram Eberl na hora. Wirth fora nomeado inspetor-geral dos três campos de morte em agosto de 1942, com a incumbência de aprimorar as operações de matança. Ele transferiu o comando para Franz Stangl, o comandante de Sobibor, no início de setembro. Ao chegar, Stangl estabeleceu o que julgava um regime ordeiro. Bem-vestido, com um elegante casaco branco, calças escuras e botas de cano alto, Stangl habitualmente carregava um relho, embora não o usasse, e tampouco tomasse parte em qualquer violência pessoalmente. Ele construiu uma estação de trem falsa, rematada com tabelas de horário, guichês de passagens e um relógio de estação, embora os ponteiros fossem pintados e jamais se movessem. Fez jardins, construiu novos alojamentos e montou novas cozinhas, tudo para enganar as vítimas que chegavam e levá-las a pensar que estavam em um campo de trânsito. Postado, como costumava ficar, em um ponto de observação entre a parte inferior e a superior do campo, ele podia assistir aos prisioneiros sendo guiados brutalmente pela Estrada para o Céu, pensando neles, conforme confessou mais tarde, como "carga" em vez de seres humanos. De tempos em tempos,

Stangl ia para casa de folga para visitar a esposa e a família. Ele jamais disse à esposa qual era o seu trabalho, e ela pensava que ele estava envolvido apenas em obras de construção.[254]

No campo, as cenas de sadismo e violência continuaram. Grupos de trabalhadores judeus eram constantemente espancados, e, quando seu período de serviço chegava ao fim, eram fuzilados na frente de seus substitutos. Era comum os ajudantes ucranianos agarrarem e estuprarem jovens judias, e foi relatado que um deles, Ivan Demjanjuk, que supervisionava os judeus a caminho das câmaras de gás e acionava o motor a diesel do lado de fora, extirpava as orelhas e o nariz de judeus idosos na entrada.[255] Em setembro de 1942, um prisioneiro, Meir Berliner, que de fato era cidadão argentino, matou um oficial da SS a facadas na hora da chamada. Wirth foi convocado; ele fez 160 homens serem executados a esmo como represália, e cortou a comida e a água dos prisioneiros operários por três dias. O incidente não interrompeu o fluxo de vítimas para as câmaras de gás. O número de transportes oscilou durante os primeiros meses de 1943, mas, no fim de julho de 1943, o pequeno número de operários mantidos vivos no campo percebeu que a quantidade de trabalho estava diminuindo. Já na primavera de 1942, Himmler havia decidido que os corpos enterrados nos campos de extermínio deviam ser desencavados e queimados para destruir a evidência dos assassinatos. Globocnik resistiu à implementação dessa política, exceto onde ela era obviamente necessária por outros motivos, como em Sobibor. Diz-se que ele comentou que, em vez de desenterrar os corpos, deveriam "cravar placas de bronze declarando que fomos nós que tivemos coragem de levar a cabo essa tarefa gigantesca".[256]

Em dezembro de 1942, porém, começaram as cremações em Chelmno e Belzec, e a seguir em Treblinka, em abril de 1943. Himmler tomou a decisão de fechar os campos, uma vez que a vasta maioria dos habitantes judeus dos guetos poloneses fora morta. No fim de julho de 1943, após quatro meses, a tarefa de desenterrar e incinerar cerca de 700 mil corpos que haviam sido sepultados grosseiramente em covas de massa estava quase completa. Cada vez menos transportes chegavam a Treblinka. Os trabalhadores perceberam que eles seriam os próximos na fila para as câmaras de gás. Havia grupos de resistência montados nas duas partes do campo, e, embora o plano elaborado para coordenar suas ações no fim não tenha funcionado, em 2 de agosto de

1943, eles conseguiram atear fogo em parte do campo, pegar armas e dar condições para que quase metade dos 850 reclusos do campo irrompessem pela cerca do perímetro e escapassem. Olhando de sua janela, Stangl de repente viu judeus além da cerca do perímetro interno, atirando. Os fios de telefone não haviam sido cortados, de modo que Stangl pediu reforços do outro lado. Os combatentes judeus não tinham conseguido reunir muitas armas ou muita munição, e de 350 a quatrocentos foram mortos pelos guardas mais bem armados da SS quando eles revidaram. Apenas meia dúzia de guardas levou tiros. Dos homens que escaparam, metade foi capturada logo depois, e talvez cem tenham desaparecido nas florestas próximas; não se sabe quantos sobreviveram. Praticamente o único prédio intacto após o incêndio foi a sólida construção de tijolos que continha as câmaras de gás.[257]

De início, Stangl pretendia reconstruir o campo, mas, três semanas depois, ele foi convocado por Globocnik, que lhe disse que o campo devia ser fechado imediatamente e que ele seria transferido para Trieste para organizar a repressão aos guerrilheiros. De volta ao campo, Stangl fez as malas, depois chamou todos os operários judeus restantes "porque", disse ele mais tarde sem o menor traço de ironia, "quis dar adeus. Troquei apertos de mão com alguns deles".[258] Depois que ele partiu, os judeus foram mortos. Enquanto isso, as revoltas em Sobibor e Treblinka haviam fortalecido a crença de Himmler de que os judeus eram um risco à segurança. O número de reclusos nos dois campos era pequeno, mas havia cerca de 45 mil judeus, incluindo mulheres e crianças, em três campos de trabalho na área de Lublin administrada pelo pessoal da Operação Reinhard, especialmente em Travniki e Poniatowa, e um grande número de judeus no campo de concentração de Majdanek. Himmler decidiu que todos deveriam ser mortos imediatamente. Em uma operação de estilo militar cuidadosamente planejada, de codinome Operação Festival da Colheita, milhares de homens da polícia, da SS e da SS militar cercaram os campos, onde os homens já tinham recebido ordens de cavar trincheiras sob o pretexto de que estavam construindo fortificações defensivas. Quando as forças alemãs chegaram, fizeram todos os detentos se despir e ir para as trincheiras, onde foram fuzilados. Um grupo clandestino de resistência judaica em Poniatowa apoderou-se de um prédio de alojamento e abriu fogo contra a SS, mas os alemães atearam fogo aos alojamentos e queimaram vivos todos os judeus lá dentro. Em Majdanek, todos os reclusos judeus foram selecionados e, junto com muitos outros judeus trazidos de campos de trabalho menores do distrito de Lublin, foram obrigados a se despir, levados para valas previamente preparadas e fuzilados. À medida que as covas se enchiam, as vítimas nuas recém-chegadas tinham de deitar por cima dos cadáveres antes de ser fuziladas. Iniciada às seis da manhã, a chacina prosseguiu até as cinco da tarde. Cerca de 18 mil judeus foram assassinados no campo nesse único dia. Em Travniki e Majdanek, os alto-falantes do campo transmitiram músicas de dança a todo volume ao longo de toda ação para abafar o som dos tiros e os gritos das vítimas. Ao todo, a Operação Festival da Colheita matou um total de 42 mil pessoas.[259]

Hoje restam poucos ou nenhum vestígio dos campos da Operação Reinhard. Após a revolta, os prédios remanescentes em Treblinka foram demolidos, a terra foi coberta de grama e plantaram-se flores e árvores; os tijolos das câmaras de gás foram usados para construir uma pequena fazenda, projetada para ser habitada por um ucraniano que prometeu dizer aos visitantes que ele estava ali havia décadas.[260] Mas a população polonesa local sabia o que houvera ali, e no verão de 1944 espalharam-se rumores de que os judeus tinham sido enterrados sem ter os dentes de ouro removidos e que suas vestimentas, cheias de joias e objetos de valor, haviam sido enterradas com eles. Por muitos meses, grande número de camponeses e operários agrícolas esquadrinharam o local em busca de tesouros enterrados. Quando um membro da comissão estatal polonesa de crimes de guerra visitou o sítio de Treblinka em 7 de novembro de 1945, encontrou "multidões de todos os tipos de gatunos e ladrões com pás e enxadas nas mãos [...] escavando e procurando, varrendo e peneirando a terra a areia. Eles removeram membros decompostos da terra, ossos e lixo que havia sido jogado ali". A caça macabra ao tesouro só acabou quando o governo polonês instalou memoriais oficiais nos campos e postou guardas em volta deles.[261]

De acordo com um relatório enviado a Eichmann em 11 de janeiro de 1943 e interceptado por serviços britânicos de monitoramento, o número de judeus mortos nos campos da Operação Reinhard até o fim do ano anterior totalizava quase 1,25 milhão.[262] Uma lista mais completa de todos os judeus "evacuados" ou "canalizados através dos campos" no leste foi fornecida por ordem de Himmler por seu "inspetor de estatísticas", Richard Korherr, em 23 de março de 1943; ele situou o número em 1.873.539, embora também incluísse chacinas fora dos campos da Operação Reinhard. Uma versão resumida do relatório, atualizada até 31 de março de 1943 e preparada em letras graúdas usadas nos documentos a serem lidos pelo míope Hitler, foi apresentada ao Líder alemão às vésperas de seu 54º aniversário, em 19 de abril de 1943.[263] As estimativas modernas situam o número total de mortos em Belzec, Sobibor e Treblinka em 1,7 milhão.[264]

III

A conquista da Polônia e a vitória sobre a França, com a reanexação da Alsácia e Lorena, havia levado à criação de novos campos de concentração nos territórios incorporados em Stutthof, perto de Danzig, em setembro de 1939 (com gerência local até janeiro de 1942); em Natzweiler, na Alsácia, em junho de 1940; e em Gross-Rosen, na Silésia, em agosto de 1940 (inicialmente como um subcampo de Sachsenhausen). Outro campo foi montado em abril de 1940 em um antigo centro de captação de trabalhadores migrantes perto da cidade de Oswiecim, conhecida em alemão como Auschwitz, agora parte do Reich Alemão. Ele foi construído para abrigar prisioneiros políticos poloneses. Em 4 de maio de 1940, Rudolf Höss, ex-combatente das Brigadas Livres e oficial de campo em Dachau e Sachsenhausen, foi nomeado comandante. Em suas memórias, Höss queixou-se da baixa qualidade da equipe que lhe foi dada e da falta de suprimentos e materiais de construção. Não sem uma ponta de orgulho, Höss registrou que, quando não conseguiu obter arame farpado suficiente para isolar o campo, ele furtou de outros locais, pegou aço de velhas fortificações e precisou "organizar" os caminhões e caminhonetes de que precisava. Teve de andar noventa quilômetros para adquirir panelas para a cozinha. Nesse meio-tempo, os prisioneiros haviam começado a aparecer; em 14 de junho de 1940, o primeiro lote chegou para ser classificado, ficar por um período de quarentena e depois ser enviado para outros campos. A maioria foi recrutada para trabalho de construção enquanto estava em Auschwitz. Mas Auschwitz logo se tornou um centro permanente para os presos políticos poloneses, dos quais haveria 10 mil no campo. Sobre a entrada, Höss colocou um arco de ferro fundido com as palavras *Arbeit macht frei*, "O trabalho liberta", lema que ele havia aprendido em Dachau.[265]

Em novembro de 1940, Himmler disse ao comandante que "Auschwitz se tornaria *a* estação de pesquisa agrícola para os territórios do leste [...] Deveriam ser estabelecidos enormes laboratórios e estufas. Todos os tipos de plantel de gado deveriam ser mantidos ali".[266] O campo cresceu ainda mais depois da Operação Barba Ruiva. Em 26 de setembro de 1941, Himmler ordenou a construção de um enorme campo novo em Birkenau (Brzezinka), a 2 quilômetros do campo principal de Auschwitz, para abrigar prisioneiros de guerra soviéticos e usá-los em projetos de trabalho: até 200 mil seriam aprisionados ali conforme os planos de Himmler, embora estes nunca tenham se concretizado plenamente. Dez mil prisioneiros de guerra soviéticos chegaram em outubro de 1941. Höss colocou-os em um complexo separado no campo principal e tentou usá-los para construir o novo campo na vizinha Birkenau, mas verificou que estavam fracos e desnutridos demais para serem de qualquer serventia. "Morreram como moscas", ele anotou mais tarde, em especial no inverno. Houve muitos casos de canibalismo. "Eu mesmo", recordou Höss, "deparei com um russo que jazia entre pilhas de tijolos, cujo corpo havia sido aberto e o fígado removido. Eles espancavam uns aos outros até a morte por comida [...] Não eram mais seres humanos. Haviam se tornado animais que apenas buscavam comida". O que, evidentemente, não ocorreu a Höss dar a eles. Dos 10 mil, apenas umas poucas centenas restavam vivos na primavera seguinte.[267]

O novo campo de Auschwitz-Birkenau fazia parte de uma dupla, acompanhado da construção de outro centro de trabalho para prisioneiros soviéticos na parte leste da cidade de Lublin. Esse era conhecido informalmente como o campo de Majdanek. Mas o projeto não deu certo, e o campo só atingiu um quinto de sua extensão projetada (planos ainda mais grandiosos de que contivesse 250 mil reclusos foram rapidamente abandonados). Em vez dos planejados 50 mil prisioneiros soviéticos, chegaram apenas 2 mil para construir o campo. Enquanto se desenvolvia, Majdanek assumiu uma variedade de funções, contendo não só prisioneiros de guerra, mas também membros da resistência polonesa, reféns, deportados e mais tarde prisioneiros doentes transportados de outros campos para ser mortos ali. Havia uma ampla variedade de oficinas e fabriquetas, mas a administração do campo jamais tratou de integrá-las à produção de guerra alemã, e o emprego de judeus era tratado basicamente como uma forma de matá-los, forçando-os a trabalhar longas horas em tarefas exaustivas. Quando Himmler decidiu acelerar o ritmo do extermínio dos judeus em julho de 1942, cerca de sete câmaras de gás foram construídas em Majdanek, das quais pelo menos três estavam em uso em setembro de 1942. Cerca de 50 mil judeus foram colocados para morrer nessas câmaras de gás com fumaça de escapamento ao longo dos meses seguintes. Além disso, depois da revolta de Sobibor, 18 mil judeus foram fuzilados no campo como parte da Operação Festival da Colheita. No total, 180 mil pessoas viriam a ser mortas em Majdanek; umas 120 mil dessas eram judias, não só do distrito de Lublin, mas também de locais mais além, inclusive da Europa oriental. Majdanek não se tornou maior em parte como consequência da má administração contínua. A administração do campo logo tornou-se amplamente conhecida pela corrupção e brutalidade. Dois de seus comandantes, Karl Otto Koch e Hermann Florstedt, não só roubaram em uma escala tremenda, como negligenciaram por completo seus deveres administrativos, preferindo impor suas ordens por terror puro. No fim, foram longe demais até mesmo para o Escritório Central de Segurança do Reich, e acabaram detidos e executados. Seu sucessor, Max Koegel, tinha condenações por peculato e fraude na década de 1920 e não era muito melhor. Muitos guardas eram croatas e romenos, difíceis de controlar. Sua crueldade para com os reclusos judeus era notória. Sendo um campo instável, mal gerenciado e ineficiente, Majdanek jamais atingiu o potencial originalmente pretendido como centro multifuncional de trabalho e extermínio. Esse feito, se é que isso é um feito, coube a Auschwitz.[268]

Auschwitz, de fato, estava destinado a se tornar o maior centro de matança em massa na história do mundo, maior até mesmo que os de Belzec, Sobibor e Treblinka. Conforme recordação subsequente de Höss, ao ser convocado por Himmler em algum momento do verão de 1941, mas provavelmente vários meses depois, bem no fim do ano ou no início de 1942, o comandante de campo foi informado de que, uma vez que as instalações de extermínio existentes no leste não eram abrangentes o bastante para levar a cabo a solução final da questão judaica, Himmler estava designando Auschwitz como um centro adicional, sobretudo por sua combinação de boas comunicações e relativa distância de centros populacionais importantes. Pouco depois disso, Eichmann chegou ao campo e discutiu os planos em detalhes. Enquanto os campos da Operação Reinhard haviam sido montados para matar os judeus da Polônia, a eventual função de Auschwitz seria matar os judeus trazidos do restante da Europa ocupada, incluindo não apenas áreas vizinhas da antiga Polônia, mas também, uma vez que esses judeus tivessem sido mortos, da Alemanha, do Protetorado da Boêmia e Morávia e de países do oeste, como França, Bélgica e Holanda. De saída, os métodos usados em Auschwitz foram diferentes dos empregados nos outros campos. Inicialmente foi uma questão de descoberta por acaso, mas logo tornou-se sistemático.[269]

Em julho de 1941, uma equipe de prisioneiros e guardas da SS estava desinfetando algumas peças de vestuário e roupas de cama com um pesticida conhecido como Zyklon-B, cujo principal componente era o ácido sulfúrico, quando notaram que um gato que penetrara no recinto fora morto rapidamente pelo gás. Um dos guardas especulou que o produto químico também poderia ser útil para matar pessoas. A ideia, que havia sido brevemente cogitada pela equipe da T-4 em 1939, mas rejeitada como impraticável, foi adotada pela administração do campo. No início de setembro de 1941, foi testada em cerca de seiscentos prisioneiros de guerra soviéticos que haviam sido classificados por uma comissão da Gestapo como "fanáticos comunistas" no mês anterior, junto com 250 reclusos doentes do campo. Eles foram levados para um porão no Bloco 11, no campo principal, e asfixiados. O experimento foi repetido mais adiante no mesmo mês com novecentos prisioneiros saudáveis do Exército Vermelho no necrotério do campo.[270] Höss mais tarde recordou ter observado a operação. Os homens foram levados para a sala, as portas foram lacradas, e a seguir o Zyklon-B em pó foi despejado através de orifícios no teto. O calor gerado pelos corpos abarrotados dentro da câmara abaixo logo transformou o pó em um gás mortífero. "Por um breve momento", recordou Höss, "pôde se ouvir um murmúrio. Quando o pó foi jogado lá dentro, houve gritos de 'Gás!', a seguir um enorme mugido, e os prisioneiros encurralados arremessaram-se contra as portas. Mas as portas resistiram". Todos os prisioneiros morreram.[271] Na visita seguinte de Eichmann ao campo, foi acertado o uso do gás de modo sistemático. Mas o necrotério do campo era tão perto do prédio principal da administração que, quando os prisioneiros soviéticos eram mortos, seus gritos na câmara de gás podiam ser ouvidos pelos funcionários. Assim, Höss decidiu que a matança deveria ser feita longe do campo principal, em Auschwitz-Birkenau. Em breve havia duas câmaras de gás provisórias prontas para funcionar ali, em prédios conhecidos como *Bunker* I e *Bunker* II, ou "casa vermelha" e "casa branca". As primeiras vítimas foram mortas em 20 de março de 1942.[272]

Ao chegar ao campo, os deportados sobreviventes eram rudemente amontoados fora dos trens por guardas da SS e auxiliares com cães e chicotes, que berravam: "Fora! Fora! Depressa! Depressa!". Eles eram obrigados a fazer fila – nos primeiros meses em um terreno a céu aberto a 2,5 quilômetros do campo, no fim de um ramal secundário para mercadorias, e, nos estágios posteriores da existência do campo, na infame "rampa" que levava do ramal ferroviário para o campo – e submetidos a uma "seleção". "O processo de seleção", Höss recordou mais tarde, sem vestígios de embaraço, "[...] era em si rico em incidentes".[273] As seleções eram feitas por médicos da SS, que faziam umas poucas perguntas aos recém-chegados e realizavam um exame médico sumário. Aqueles com menos de 16 anos de idade, mães com filhos, doentes, velhos e fracos eram colocados à esquerda, embarcados em vagões e levados diretamente para as câmaras de gás, após serem informados de que seriam "desinfetados" ali. Höss recordou que as famílias tentavam manter-se unidas e saíam correndo das filas para se reunir. "Com frequência era necessário usar a força para restaurar a ordem." Homens e mulheres de constituição saudável eram levados para o campo, tatuados com um número de série no braço esquerdo e registrados. Em muitos transportes eles eram uma minoria. No campo principal e nos campos de trabalho, eram efetuadas "seleções" periódicas para eliminar aqueles considerados não mais aptos para o trabalho. Ao contrário de muitos dos que chegavam, essas vítimas sabiam o que estava reservado para elas; com frequência seguiam-se cenas terríveis enquanto elas choravam, imploravam misericórdia ou tentavam resistir aos esforços para empurrá-las para dentro da câmara de gás.[274]

Os selecionados para a chacina marchavam da área de seleção até a câmara de gás. Os dois *bunkers* tinham capacidade para oitocentas e 1,2 mil pessoas, respectivamente. Ao longo de 1942-43, as instalações de morte por gás de Auschwitz-Birkenau foram ampliadas e aprimoradas. Uma câmara de gás projetada para essa finalidade, já encomendada para o campo principal em outubro de 1941, foi em vez disso entregue a Birkenau, e mais três crematórios também foram construídos. Os quatro foram renomeados Crematório I, II, III e IV quando as duas câmaras de gás do campo principal foram fechadas em julho de 1943 (uma foi destruída, a outra, desativada). Outros foram planejados, mas jamais construídos. Todos os novos crematórios localizavam-se a certa distância dos alojamentos dos prisioneiros. Eram disfarçados por árvores e moitas. Dois deles eram conhecidos pela SS como "crematórios da floresta". As novas câmaras de gás foram concluídas entre março e junho de 1943. Pequenas levas de menos de duzentas pessoas eram levadas para uma sala de banho no Crematório II ou III depois da "seleção" e fuziladas com um tiro na nuca. Grupos maiores eram gaseados. Em cada instalação, a câmara de gás ficava usualmente abaixo da superfície, disfarçada da forma habitual como um chuveiro e lacrada por uma porta hermética com um visor. Os judeus selecionados para a chacina eram levados para um vestiário, informados de que tomariam um banho desinfetante e recebiam a ordem de se despir. "Era da maior importância que toda a função de chegar e tirar a roupa ocorresse em uma atmosfera da maior calma possível", Höss escreveu mais tarde. Membros dos destacamentos especiais de prisioneiros judeus encarregados de tratar dos corpos depois de gaseados conversavam com as vítimas e faziam de tudo para tranquilizá-las. Aqueles que relutavam em se despir eram "ajudados", e os recalcitrantes eram "acalmados", ou, se começavam a gritar e a chorar, levados para fora e abatidos com um tiro na nuca. Muitos não se deixavam enganar. As mães às vezes tentavam esconder seus bebês nas pilhas de roupas. As crianças com frequência choravam, mas a maioria delas "entrava nas câmaras de gás brincando umas com as outras e carregando seus brinquedos", anotou Höss. Ocasionalmente, os judeus dirigiam-se a ele quando supervisionava os procedimentos. "Uma mulher aproximou-se de mim ao passar", ele recordou mais tarde, "e, apontando para os quatro filhos que ajudavam bravamente os menores ao longo do caminho íngreme, sussurrou: 'Como você consegue matar crianças tão bonitas e queridas? Você absolutamente não tem coração?'".[275]

Assim que as vítimas eram arrebanhadas para dentro da câmara de gás, os homens da SS postados no teto de concreto reforçado baixavam latas com Zyklon-B granulado através de quatro aberturas em colunas de malha de arame, o que possibilitava que os grânulos se dissolvessem em gás mortífero assim que o calor corporal das vítimas aquecia o ar. Depois de cerca de 20 minutos, as latas eram içadas de novo, para evitar a possibilidade de mais escapamento de gás, enquanto a câmara era ventilada e um destacamento especial de prisioneiros judeus arrastava os cadáveres para outra sala, arrancava-lhes os dentes e restaurações de ouro, cortava o cabelo das mulheres, retirava anéis de ouro, óculos, membros protéticos e outros supérfluos e colocava os corpos em elevadores que os levavam para o crematório no piso térreo, onde eram colocados em fornos incineradores e reduzidos a cinzas. Os ossos que sobravam eram moídos, e as cinzas eram usadas como fertilizante ou jogadas nas matas e nos regatos das redondezas. Essas instalações, projetadas e produzidas pela empresa Topf and Sons, de Erfurt, foram patenteadas para uso futuro por seu inventor, o engenheiro Kurt Prüfer, que foi a Auschwitz em numerosas ocasiões para supervisionar a construção, os testes e a operação inicial. Ele introduziu numerosas inovações técnicas, incluindo, por exemplo, a instalação de aquecimento no Crematório II para acelerar a dissolução do Zyklon-B nos dias frios de inverno. Seus projetos sobreviveram e proporcionaram aos historiadores importante evidência documental sobre o *modus operandi* do crematório.[276] Todavia, os modelos de Prüfer não resistiram ao teste do uso constante. Muito em breve, o número de cadáveres mostrou-se grande demais para os fornos crematórios darem conta. A alvenaria começou a rachar, e os fornos foram danificados pelo superaquecimento. Antes da construção das novas instalações, a maior parte dos corpos havia sido enterrada no solo, mas, de setembro de 1942 em diante, a SS, sob o comando de Paul Blobel, que estava a cargo de operações semelhantes em outros campos, começou a fazer que fossem desenterrados pelos destacamentos especiais de prisioneiros e queimados em grelhas metálicas colocadas sobre valas, no estilo empregado pelos campos da Operação Reinhard logo depois. Até o fim do ano, ele havia descartado 100 mil corpos dessa maneira, em uma tentativa de esconder os vestígios do assassinato para a posteridade. Esse método também tinha de ser usado cada vez que os fornos dos crematórios mostravam-se incapazes de dar conta do número de cadáveres que chegavam.[277]

Em Auschwitz, assim como nos campos da Operação Reinhard, os destacamentos especiais eram mortos a intervalos regulares e substituídos por outros prisioneiros jovens de compleição física saudável. Alguns desses, incluindo membros da resistência francesa e da clandestinidade comunista polonesa, formaram uma organização clandestina de prisioneiros que conseguiu fazer contato com um movimento secreto de resistência maior dos prisioneiros regulares em algum momento do fim do verão de 1943. Uma rebelião com o objetivo de abrir caminho para uma fuga em massa foi frustrada pelo recrutamento de reforços da SS. Entretanto, em 1944, após os guardas de campo da SS terem assassinado duzentos membros dos destacamentos especiais após uma tentativa de fuga malsucedida, outros trezentos que foram selecionados para serem gaseados em 7 de outubro de 1944 atacaram os homens da SS ao se aproximar do Crematório IV, usando qualquer coisa em que conseguiram pôr as mãos, inclusive pedras e barras de ferro. Atearam fogo ao prédio e o destruíram. A fumaça alertou outros membros da resistência do campo, e alguns conseguiram romper o arame farpado que cercava o Crematório II, embora nenhum deles conseguisse chegar à liberdade: foram todos mortos, inclusive um grupo que buscara abrigo em um celeiro e foi queimado vivo pela SS. Enquanto isso, a SS havia montado posições de metralhadora no campo e começou a atirar indiscriminadamente; no total, cerca de 425 prisioneiros do destacamento especial foram assassinados ao longo dos três dias seguintes.[278]

IV

As primeiras levas a chegar em Auschwitz, em março de 1942, vieram da Eslováquia e da França. De início foram registradas e admitidas, na crença de que poderiam ser usadas para fins de trabalho; mas não demorou muito para o extermínio sistemático começar, em maio de 1942, matando não apenas judeus franceses e eslovacos, como também outros judeus da Polônia, da Bélgica e dos Países Baixos. Foi uma leva da Holanda que Himmler viu ser selecionada e assassinada durante sua visita em 17 e 18 de julho de 1942. "Ele não teve críticas a fazer", registrou Höss; de fato, no fim da visita, o líder da SS do Reich acabou conferindo uma promoção ao comandante do campo.

Em uma recepção noturna, Höss notou que Himmler "estava no melhor dos humores, assumiu papel de liderança na conversa e foi extremamente amável, em especial com as senhoras". No dia seguinte, Himmler foi ao campo das mulheres, "assistiu ao açoitamento de uma criminosa" e "conversou com algumas mulheres Testemunhas de Jeová e discutiu com elas sobre suas crenças fanáticas". Em seu discurso final antes de partir, Himmler ordenou a intensificação da matança e instou com Höss para que completasse a construção do novo campo de Birkenau tão rapidamente quanto possível.[279] De julho em diante, os judeus-alemães começaram a chegar, primeiro de Viena e a seguir, em novembro e dezembro, de Berlim. Dos trens começaram a desembarcar judeus da Romênia, da Croácia, da Finlândia, da Noruega e depois da Bulgária, da Itália e da Hungria, da Sérvia, da Dinamarca, da Grécia e do sul da França.[280]

A maioria dos judeus foi transportada de seu país de origem diretamente para Auschwitz, mas alguns vieram de um campo especial montado na cidade de Terezin, no norte tcheco, conhecido pelos alemães como Theresienstadt, onde havia sido estabelecida a prisão central da Gestapo no Protetorado. As obras desse novo campo começaram em novembro de 1941, e os primeiros 10 mil judeus chegaram no princípio de janeiro de 1942. O propósito inicial era atuar como um centro de recolhimento de judeus tchecos, e foi organizado no estilo de um gueto, com um conselho judaico liderado por um ancião, o sionista Jakob Edelstein, bem conhecido por Adolf Eichmann como uma figura de liderança entre os judeus tchecos. Sob a liderança de Edelstein, o campo desenvolveu um amplo leque de atividades culturais e esportivas, estabeleceu um sistema de assistência e recebeu dinheiro suficiente das autoridades alemãs para funcionar como uma espécie de gueto-modelo, a fim de ser filmado para os cinejornais internacionais e exibido para delegações visitantes de organizações como a Cruz Vermelha. Um filme concluído no fim de novembro de 1944 mostrou parques, piscinas, atividades esportivas, escolas, concertos e rostos felizes por toda parte. Intitulado *O Líder dá um campo aos judeus*, o filme, na verdade, jamais foi exibido. Seu diretor foi o ator judeu-alemão Kurt Gerron, que havia alcançado fama no fim da República de Weimar cantando o papel de Macheath na primeira gravação de *A ópera dos três vinténs*, de Bertolt Brecht e Kurt Weill, e estrelando o filme *O Anjo*

Azul, em que Emil Jannings fazia par com Marlene Dietrich. Em 1933, ele fugira primeiro para Paris e a seguir para a Holanda, onde continuou a fazer filmes; mas, depois da invasão alemã, foi internado com outros judeus e mandado para Theresienstadt. Gerron organizou um show de cabaré no campo, intitulado *O carrossel*, um empreendimento tão bem-sucedido que ele pareceu uma escolha natural para dirigir o filme, o que fez sob coação. Depois de o filme estar concluído, Gerron foi levado para Auschwitz no último transporte a deixar o campo, em 18 de outubro de 1944, e asfixiado.[281]

A descrição da ativa vida cultural do gueto, ao contrário de outros aspectos do filme, não era mentira. No mesmo transporte de Gerron em outubro de 1944 estava o compositor judeu tcheco Viktor Ullmann, seguidor de Arnold Schoenberg, que havia sido levado para Theresienstadt dois anos antes. Entre outras coisas, Ullmann compôs uma ópera, *O imperador de Atlântida*, encenada com sucesso no campo, além de música de câmara e peças para piano. Mais tarde, Ullmann ficou reduzido a escrever suas composições no verso das listas de reclusos designados para a deportação para Auschwitz. Os amigos, de algum modo, deram jeito de preservar muitas delas até a guerra acabar. Artistas judeus do campo davam aulas de desenho e pintura para as crianças reclusas; muitos de seus desenhos também sobreviveram. A despeito dessas atividades culturais, as condições gerais do campo eram precárias e se deterioraram com o passar do tempo. A partir de julho de 1942, começaram a chegar ao campo trens carregados de judeus idosos do Reich. Muitos estavam fracos, esgotados ou doentes, e morriam às centenas. Apenas em setembro de 1942, morreram 3,9 mil pessoas de um total de 58 mil. Os reclusos de Theresienstadt também incluíam veteranos judeus da Primeira Guerra Mundial com sua família, e cônjuges judeus de "casamentos mistos" que haviam se dissolvido. Em 8 de setembro de 1943, nada menos que 18 mil reclusos foram levados para Auschwitz. Eles tiveram permissão para manter suas roupas e pertences. Foram abrigados em um "campo familiar" especialmente planejado, com uma escola e um jardim de infância, morando em acomodações relativamente superiores, que tiveram permissão para decorar. O propósito do "campo familiar" era impressionar os visitantes e proporcionar material para propaganda internacional. Depois de seis meses, esse campo foi fechado; em duas operações separadas, em março e julho de 1944, quase todos os reclusos foram levados para a câmara de gás, exceto 3 mil que foram transferidos para outro campo.[282] Então, em outubro de 1944, só de Theresienstadt partiram doze levas para Auschwitz, deixando uma população de apenas 11 mil onde havia quase 30 mil em meados de setembro. Entretanto, em poucas semanas, o número havia subido para 30 mil outra vez, com um novo influxo de deportados da Eslováquia, das terras tchecas e do Reich, muitos deles "mestiços". Em fevereiro de 1945, as autoridades do campo construíram um salão enorme que podia ser hermeticamente lacrado e uma enorme cova coberta. Os reclusos restantes poderiam ser exterminados ali mesmo caso fosse considerado desejável ou necessário. Isso acabou não acontecendo. Contudo, das mais de 140 mil pessoas transportadas para Theresienstadt ao longo de sua existência, menos de 17 mil restavam vivas no fim da guerra.[283]

Se Theresienstadt foi um gueto-modelo, então Auschwitz, em muitos aspectos, foi uma cidade alemã-modelo no leste recém-conquistado. Em março de 1941, havia setecentos guardas da SS trabalhando no campo, número que crescera para mais de 2 mil em junho de 1942; no total, ao longo do período de existência do campo, cerca de 7 mil homens da SS trabalharam ali em algum momento. Os SS e sua família, caso a tivessem, viviam na cidade, com secretários e administradores; havia festas com concertos, apresentações teatrais de companhias visitantes, como o Teatro Estatal de Dresden, um *pub* (com um apartamento no andar de cima para Himmler, que ele na verdade nunca usou) e um centro médico. Os homens da SS eram abastecidos com comida abundante e tinham permissão para períodos regulares de licença. Se não eram casados, podiam receber visitas da namorada, ou, se eram casados e a família vivia em outra parte do Reich, podiam receber visita da esposa, em geral durante o verão. Foram construídas casas novas para a equipe do campo, e nas redondezas havia uma gigantesca fábrica química da I. G. Farben em Monowitz, que transformou Auschwitz em um importante centro econômico e empregou gerentes, cientistas, administradores e secretários. A criação de uma zona residencial, uma fábrica e um centro de extermínio em um complexo único antecipou o tipo de comunidade urbana que poderia ter sido fundada em outras partes do leste alemão, pelo menos até o Grande Plano para o Leste estar completamente efetivado. O único motivo de queixa dos habitantes da cidade era o cheiro desagradável que flutuava pelo local e pelos alojamentos residenciais da SS vindo dos crematórios do campo.[284]

Ao longo de todo o período de existência do campo, pelo menos 1,1 milhão e possivelmente até 1,5 milhão de pessoas foram mortas em Auschwitz; 90% delas, provavelmente cerca de 960 mil, eram judias, correspondendo a algo entre um quinto e um quarto de todos os judeus mortos na guerra. Incluíam-se aí 300 mil judeus da Polônia, 69 mil da França, 60 mil da Holanda, 55 mil da Grécia, 46 mil da Tchecoslováquia (do Protetorado da Boêmia e Morávia), 27 mil da Eslováquia, 25 mil da Bélgica, 23 mil da Alemanha (do "Velho Reich"), 10 mil da Croácia, 6 mil da Itália, o mesmo número da Bielorrússia, 1,6 mil da Áustria e setecentos da Noruega. Em um estágio tardio da guerra, como veremos, cerca de 394 mil judeus húngaros foram levados para as câmaras de gás. Mais de 70 mil poloneses não judeus foram mortos, 21 mil ciganos, 15 mil prisioneiros de guerra soviéticos e até 15 mil pessoas de várias nacionalidades, na maioria europeus-orientais. A minoria que ao chegar era "selecionada" para trabalhar era registrada, e vários foram tatuados no antebraço. Havia uns 400 mil desses, e cerca da metade eram judeus. Pelo menos metade dos prisioneiros registrados morreu de desnutrição, doença, exaustão ou hipotermia.[285]

Rudolf Höss mais tarde confessou que considerou seus deveres de comandante da maior fábrica de assassinato da história do mundo difíceis de executar com equanimidade.

> Eu tinha de ver tudo. Tinha de assistir hora após hora, de dia e de noite, à remoção e à queima dos corpos, à extração dos dentes, ao corte dos cabelos, a toda a interminável função horripilante [...] Tinha de olhar através do visor das câmaras de gás e assistir ao processo da morte em si, porque os médicos queriam que eu visse. Eu tinha de fazer tudo isso porque eu era aquele para quem todos olhavam, porque eu tinha de mostrar a todos eles que eu não apenas emitia as ordens e fazia as regras, mas que também estava preparado para estar presente em qualquer tarefa que eu atribuísse a meus subordinados.[286]

Os subordinados de Höss com frequência perguntavam a ele: "É necessário fazermos tudo isso? É necessário que centenas de milhares de mulheres e crianças sejam destruídas?". Höss sentia que "precisava dizer a eles que o extermínio da judiaria era preciso, de modo que a Alemanha e nossa posteridade pudessem livrar-se de seus incansáveis adversários".[287] Antissemita até o fim, Höss refletiu depois da guerra que o antissemitismo "só havia adquirido notoriedade quandos os judeus alçaram-se demais na busca por poder e quando suas maquinações malignas tornaram-se óbvias demais para o público em geral tolerar".[288] Preso a seu trabalho por essas crenças, Höss sentiu que devia suprimir quaisquer dúvidas ao executar o que acreditava serem ordens de Hitler. Era seu dever para com os subordinados não mostrar nenhum sinal de fraqueza. Afinal de contas, "dureza" era um valor essencial da SS. "Eu tinha de parecer frio e indiferente a acontecimentos que deviam contorcer o coração de qualquer um dotado de sentimentos humanos", ele recordou mais tarde. "Eu tinha de assistir friamente enquanto mães com filhos a rir ou chorar entravam nas câmaras de gás."[289] Especialmente depois de uma noite bebendo com Adolf Eichmann, que "mostrou que estava completamente obcecado com a ideia de destruir todo judeu em que pudesse pôr as mãos", Höss sentiu que precisava suprimir seus sentimentos humanos: "Após aquela conversa com Eichmann, eu cheguei ao ponto de quase considerar tais emoções como uma traição ao Líder".[290]

Höss não conseguia deixar de pensar em sua própria esposa e filhos ao observar famílias judaicas entrando na câmara de gás. Em casa, ele era assombrado pelas lembranças de tais cenas. Mas também sentia-se sitiado em Auschwitz. As exigências constantes de expansão, a incompetência e o espírito trapaceiro de seus subordinados, e o número sempre crescente de prisioneiros com que lidar fizeram-no mergulhar em si mesmo, e ele passou a beber. Sua esposa, que morava em uma casa logo depois do perímetro do campo com ele e os quatro filhos (um quinto nasceu em 1943), tentava organizar festas e passeios para melhorar a qualidade de vida dele, mas Höss rapidamente ficou conhecido pelo mau gênio, a despeito de ser capaz de requisitar o que quer que quisesse (ilegalmente) dos depósitos do campo. "O jardim de minha esposa", ele escreveu mais tarde, "era um paraíso de flores [...] As crianças viviam me pedindo cigarros para os prisioneiros. Elas eram especialmente afeiçoadas àqueles que trabalhavam no jardim". Os filhos de Höss mantinham muitos animais no jardim, inclusive tartarugas e lagartos; nos domingos, ele caminhava pelos campos com a família para verem os cavalos e os potros, ou, no verão, iam nadar no rio que formava a divisa leste do complexo do campo.[291]

V

Muitos judeus que chegaram a Auschwitz-Birkenau, especialmente nas fases mais tardias da existência do campo, foram retirados diretamente de seu país natal. Mas muitos outros passaram pelo estágio transitório de confinamento em um gueto, assim como todos os judeus mortos nos campos da Operação Reinhard. Ali podiam sobreviver por meses ou mesmo anos. Os maiores guetos, como vimos, foram fundados pouco depois da conquista da Polônia em 1939. Alguns deles duraram até boa parte da segunda metade da guerra. Na prática, é claro que as condições dos guetos eram tão terríveis que eles já significavam uma morte lenta para muitos habitantes. Privados de abastecimento, mesmo para aqueles que trabalhavam na economia de guerra alemã, os guetos eram desesperadoramente superlotados, destituídos de saneamento adequado e fervilhavam de doenças. Durante o inverno de 1941-42, Adam Czerniaków, o ancião judaico do gueto de Varsóvia, continuou a fazer o máximo para combater a rápida deterioração da situação sob o impacto da fome e das doenças. "Nos abrigos de assistência pública", ele anotou em 19 de novembro de 1941, "mães escondem os filhos mortos embaixo da cama por até oito dias para receber uma cota maior de comida". Ao se encontrar com um grupo de crianças em 14 de junho de 1942, Czerniaków notou em desespero que eram "esqueletos vivos [...] tenho vergonha de admitir", ele escreveu, "mas chorei como não chorava há muito tempo". À medida que grandes contingentes de judeus deportados da Alemanha começaram a chegar e ficar no gueto por uns poucos dias antes de serem transportados para Treblinka, e os rumores sobre os campos de morte começaram a se espalhar, Czerniaków fez tudo que pôde para tentar deter o alastramento do pânico. Ele organizou até mesmo brincadeiras para as crianças do gueto, comparando-se com o capitão do *Titanic* ("o navio está afundando, e o capitão, para levantar o ânimo dos passageiros, manda a orquestra tocar um jazz. Decidi emular o capitão").²⁹²

Assegurado repetidas vezes pelas autoridades alemãs de que os "rumores aterrorizantes" de deportações iminentes eram falsos, ele percorreu o gueto tentando "acalmar a população" ("eles não veem o que isso me custa"). Mas em 21 de julho de 1942 a Polícia de Segurança alemã começou a deter membros do Conselho Judaico e outros oficiais na presença dele a fim de mantê-los como reféns para a colaboração dos demais. Na manhã seguinte, o especialista em deportação da SS regional, Hermann Höfle, chamou Czerniaków e os oficiais da liderança judaica que restavam no gueto para uma reunião. Enquanto seu jovem intérprete judeu, Marcel Reich-Ranicki, datilografava as minutas, o som da valsa *Danúbio azul*, de Johann Strauss, tocada pela SS em um gramofone portátil do lado de fora, na rua, infiltrava-se pela janela aberta. Czerniaków foi oficialmente informado de que todos os judeus seriam deportados, em remessas de 6 mil por dia, a começar imediatamente. Qualquer um que tentasse deter a operação seria fuzilado. Ao longo de todo seu período como ancião, Czerniaków havia mantido um comprimido de cianureto pronto para usar caso recebesse ordens que não pudesse conciliar com sua consciência. Um dos oficiais da SS encarregado das deportações havia dito a ele que as crianças estavam incluídas, e Czerniaków não pôde concordar em entregá-las para serem mortas. "Estou impotente", escreveu ele em uma carta final, "meu coração agita-se de dor e compaixão. Não posso mais suportar tudo isso. Minha ação mostrará para todo mundo a coisa certa a fazer". Recusando-se a assinar a ordem de deportação, ele engoliu o comprido e morreu na hora. As dúvidas a respeito dele na comunidade do gueto foram imediatamente sufocadas. "Seu fim justifica seu começo", escreveu Chaim Kaplan. "Czerniaków obteve a eternidade em um instante."²⁹³

O oficial católico do Exército alemão Wilm Hosenfeld, estacionado em Varsóvia e incumbido da organização de atividades esportivas para as tropas, ficou ciente das deportações para Treblinka quase no seu início. "Que todo um povo, homens, mulheres, crianças, esteja sendo simplesmente chacinado no século XX, por nós, nós entre todos os povos, que estamos lutando uma cruzada contra o bolchevismo: isso é uma culpa sangrenta tão medonha que dá vontade de se afundar na terra de vergonha."²⁹⁴ Apenas na última semana de julho de 1942, 30 mil judeus foram transportados para o extermínio em massa, ele relatou. Mesmo nos tempos da guilhotina do terror revolucionário francês, ele notou causticamente, "essa virtuosidade em assassinato de massa jamais foi alcançada".[295] Os judeus, disse ele ao filho em agosto de 1942, "vão ser exterminados, e isso já está sendo feito. Que quantidade imensurável de sofrimento humano está vindo à tona, por um lado, e quanta malícia e bestialidade humana, por outro. Quantas pessoas inocentes têm de morrer, quem está exigindo justiça e legalidade? Será que tudo isso tem de acontecer?".[296] "A morte galga as ruas do gueto", registrou Chaim Kaplan em seu diário em junho de 1942. "Todos os dias, os judeus poloneses são levados para a chacina. Estima-se, e existe certa base para os números, que três quartos de 1 milhão de judeus poloneses já tenha partido deste mundo." Kaplan registrou cenas terríveis à medida que as pessoas eram arrebanhadas e levadas para Treblinka no mesmo dia nas sucessivas deportações do verão de 1942. Em 5 de agosto de 1942, foi a vez das crianças que viviam nos orfanatos e em outros lares da infância. Essas ações não eram ordenadas, tampouco pacíficas. Tropas alemãs, homens da SS e ajudantes usavam de força desenfreada para reunir os judeus e metê-los nos trens. Mais de 10 mil judeus foram fuzilados no gueto durante os ajuntamentos; alguns deles devem ter tentado resistir. No início de agosto de 1942, ao visitar Varsóvia, Zygmunt Klukowski manteve-se acordado por causa do som de disparos de metralhadora vindo do gueto. "Disseram que cerca de 5 mil pessoas são mortas por dia."[297] Quando os recolhimentos chegaram ao fim, em 12 de setembro de 1942, mais de 253 mil habitantes do gueto haviam sido levados para Treblinka e asfixiados. Já em agosto de 1942, temendo o pior para si, Kaplan deu seu diário para um amigo. O amigo contrabandeou-o para fora do gueto e o repassou para um membro da clandestinidade polonesa, que o levou consigo quando emigrou para Nova York em 1962, sendo que depois o texto foi enfim publicado. Os temores de Kaplan eram mais do que justificados: ele foi pego não muito depois de entregar o diário e pereceu com a esposa nas câmaras de gás de Treblinka em dezembro de 1942 ou em janeiro de 1943.[298]

Em novembro de 1942, sobravam apenas 36 mil judeus no gueto de Varsóvia, todos engajados em algum esquema de trabalho.[299] Agora poucos tinham dúvidas sobre o que acontecia àqueles que eram levados em uma "operação". Eles sabiam que estavam indo para a morte, mesmo que não tivessem clareza sobre a forma como isso aconteceria. As deportações em massa deram origem a um angustiado autoexame entre os judeus politicamente ativos. "Por que nos deixamos levar como ovelhas para o abate?", foi a agoniada pergunta que Emanuel Ringelblum fez a si mesmo.[300] Ringelblum achava que os judeus haviam sido levados à passividade pelo terror causado pela violência extrema dos alemães. As pessoas sabiam que, se tentassem se revoltar, muitas outras não envolvidas também seriam alvo das represálias alemãs. Judeus religiosos, que provavelmente compunham a maioria dos habitantes dos guetos, talvez fossem propensos a considerar o sofrimento e a morte meramente transitórios e a aceitar o que estava acontecendo como resultado da vontade divina, por mais difícil que fosse. O papel da polícia judaica em efetuar as seleções e as deportações também dificultava a resistência. Com frequência, as pessoas confiavam na liderança do gueto, que quase sempre tentava tranquilizá-las sobre o futuro em vez de criar problemas espalhando pânico. Era uma dificuldade conseguir armas, a resistência polonesa seguidamente (embora não sempre) relutava em fornecê-las, e os armamentos frequentemente tinham de ser comprados no mercado negro a preços muito altos. Sempre havia esperança, e a necessidade de tê-la com frequência significava que os habitantes do gueto preferiam não acreditar nas histórias de campos de extermínio que lhes contavam. Muitas vezes, em especial nos estágios iniciais do programa de assassinato, as autoridades alemãs convenceram os selecionados à deportação que eles estavam apenas sendo deslocados para outro gueto ou outro campo. A vasta maioria dos judeus estava debilitada demais por fome, privação e doença prolongadas e preocupada demais com a luta diária para se manter viva, por isso não tinha como oferecer nenhuma resistência. Todavia, judeus jovens e politicamente ativos em vários guetos formaram movimentos de resistência clandestina para preparar uma revolta armada ou organizar uma fuga para as florestas para se juntar às guerrilhas, a tática favorita dos comunistas (mas que também liquidava com a possibilidade de resistência dentro do gueto em si). Um grupo desse tipo foi particularmente ativo em Vilna, mas no geral não teve condições de agir devido às divisões políticas internas entre comunistas, socialistas e sionistas, à desaprovação dos conselhos judaicos que dirigiam os guetos e à violenta intervenção das autoridades alemãs ao mais leve indício de resistência.[301]

Em Varsóvia, porém, a resistência surtiu efeito. Ao longo de 1942, começaram a se formar organizações clandestinas judaicas, e comunistas poloneses as abasteceram com armas. Em 18 de janeiro de 1943, os insurgentes atacaram os guardas alemães que acompanhavam uma coluna de deportação, e os deportados fugiram. Himmler então considerou o gueto um risco de segurança e ordenou sua "liquidação" final em 16 de fevereiro de 1943. Mas o ataque surpresa havia tornado o movimento de resistência amplamente conhecido e admirado entre a população judaica restante de Varsóvia, que começou a reunir e armazenar mantimentos para um levante a despeito da hostilidade do Conselho Judaico do gueto a qualquer ação armada. Alarmada com a perspectiva de um confronto armado e preocupada com a política de esquerda de alguns dos líderes clandestinos do gueto, a resistência nacionalista polonesa rejeitou o pedido de ajuda e, em vez disso, ofereceu-se para contrabandear os combatentes judeus para um local seguro; a oferta foi recusada. Fundamental para a resistência foi a certeza de que toda a população do gueto estava prestes a ser morta; não restava mais esperança, e o pessoal da resistência, na grande maioria rapazes, estava convencido de que seria melhor cair lutando e morrer com dignidade do que se submeter mansamente ao extermínio. Quando a SS marchou para dentro do gueto para o recolhimento final em 19 de abril de 1943, recebeu disparos de diversos pontos e teve de abrir caminho em uma série de encarniçados combates de rua.[302]

Jürgen Stroop, o oficial da SS encarregado de sufocar a revolta, descreveu como seus homens lutaram dia e noite contra a desesperada resistência. Em 23 de abril de 1943, Himmler ordenou-lhe que procedesse com "a maior severidade, impiedade e firmeza". "Eu decidi, então", escreveu Stroop,

> empreender a aniquilação total do bairro residencial judaico queimando todos os blocos de moradia, inclusive os que pertenciam às fábricas de armamentos [...] Os judeus então quase sempre saíam de seus esconderijos e *bunkers*. Não raro, os judeus ficavam dentro das casas em chamas até decidirem saltar dos andares mais altos – por causa do calor e por temerem ser queimados até a morte –, primeiro atirando colchões e outros objetos acolchoados das casas incendiadas para a rua. Com os ossos quebrados, eles ainda tentavam rastejar pela rua até blocos habitacionais que ainda não estivessem ardendo ou estivessem apenas parcialmente em chamas.[303]

Alguns combatentes fugiram pelos esgotos sob o gueto, de modo que Stroop mandou abrir dezenas de tampas de bueiros e colocar bastões de fumaça dentro deles, impelindo os combatentes para uma área da cidade onde poderiam ser encurralados e fuzilados. Uns poucos conseguiram escapulir através da fronteira para o lado polonês da cidade. A grande maioria foi morta. Em 16 de maio de 1943, Stroop anunciou o fim da ação explodindo a principal sinagoga. O combate havia sido desigual. Apenas quinze soldados alemães e auxiliares foram mortos. Esse, quase certamente, é um número subestimado, mas, com igual certeza, o número verdadeiro, qualquer que tenha sido, ficou fora de toda proporção em relação ao número de judeus mortos. Stroop relatou que 7 mil judeus haviam sido "aniquilados" no combate de rua, e que até 6 mil haviam sido "aniquilados" enquanto os prédios eram queimados ou explodidos. O resto dos habitantes do gueto foi levado para Treblinka.[304] "Os últimos remanescentes dos habitantes judeus do gueto foram erradicados", relatou Wilm Hosenfeld em 16 de junho de 1943. "Um líder da SS contou-me como haviam dizimado os judeus que saíam correndo das casas incendiadas. O gueto inteiro é uma ruína flamejante. É desse jeito que pretendemos ganhar a guerra. Essas bestas."[305]

Em 11 de junho de 1943, Himmler ordenou que as ruínas do gueto de Varsóvia fossem arrasadas. Porões e esgotos deveriam ser aterrados ou murados. Após a obra estar concluída, deveriam despejar terra sobre o local e construir um parque. Embora o parque jamais tenha sido iniciado, os prédios arruinados foram destruídos ao longo dos meses seguintes. Himmler e a SS perseguiram os sobreviventes do levante implacavelmente. Stroop ofereceu uma recompensa de um terço do dinheiro vivo encontrado de posse de qualquer judeu na parte polonesa da cidade para o policial que efetuasse a detenção, e ameaçou executar qualquer polonês descoberto abrigando um judeu. A população polonesa de Varsóvia, relatou Stroop, havia "em geral saudado as medidas tomadas contra os judeus". Um número substancial de judeus sobreviveu por um tempo escondido, protegido por poloneses. Entre eles, Marcel Reich-Ranicki, que havia roubado uma boa quantia de dinheiro do cofre de seus empregadores, o Conselho Judaico, e entregue a maior parte para a resistência. Com o restante, ele e a esposa pagaram suborno para sair do gueto em fevereiro de 1943 e encontraram esconderijo com um tipógrafo polonês e sua esposa nos arredores da cidade. Cada vez que se aventurava a sair, Reich-Ranicki via-se em sério perigo por causa de jovens poloneses que buscavam ganhar dinheiro, ou às vezes apenas as joias ou as roupas de inverno vestidas por suas vítimas, identificando judeus na rua e os entregando à polícia.[306]

Emanuel Ringelblum, o historiador cuja ininterrupta coleção de diários, cartas e documentos forneceu muito do que sabemos sobre o gueto de Varsóvia, também foi para um esconderijo. Ringelblum foi detido durante a revolta e levado para o campo de Travniki, de onde um ferroviário polonês e um contato judeu soltaram-no em julho de 1943. Vestido como ferroviário e munido de documentos falsos pela clandestinidade polonesa, ele voltou para Varsóvia com a esposa e o filho de doze anos de idade, onde se esconderam, junto com outros trinta judeus, em um *bunker* sob as estufas de uma horta polonesa. Dali ele restabeleceu o contato com a resistência polonesa e retomou o trabalho de coleta de informações e redação de relatórios sobre o desenrolar da situação para a posteridade. Em 7 de março de 1944, porém, o *bunker* foi denunciado, e a Gestapo deteve os habitantes. Ringelblum foi torturado por três dias, depois levado para o local do gueto, onde foi forçado a ver a esposa e o filho serem mortos antes de ser executado. Os alemães haviam ficado sabendo dos arquivos que ele reunira, mas no fim não conseguiram pôr as mãos neles; Ringelblum havia enterrado o material no gueto durante a revolta, mas recusou-se a revelar o paradeiro. Uma parte enfim foi localizada e desenterrada em setembro de 1946; o resto foi descoberto em dezembro de 1950, com as *Notas* de Ringelblum lacradas dentro de uma lata de leite.[307]

Bem antes da morte de Ringelblum, os líderes originais da maioria das comunidades judaicas dos guetos já haviam sido removidos do cargo e substituídos por homens que poderiam ser mais facilmente intimidados a cumprir as ordens dos alemães.[308] Praticamente a única opção disponível para esses homens era tentar preservar a minoria dos habitantes do gueto do zelo exterminador dos nazistas argumentando em favor de sua indispensabilidade econômica. Entretanto, no fim nem mesmo isso contou, uma vez que Hitler e Himmler cada vez mais consideravam que o risco à segurança representado pelos judeus pesava mais que qualquer valor que pudessem ter para a economia de guerra.[309] Os dilemas insolúveis encarados pelos líderes de gueto nessa época foram vividamente ilustrados por Chaim Rumkowski, o controverso e voluntarioso ancião do gueto de Lódź. De início, Rumkowski havia preservado o gueto por persuadir os alemães a considerá-lo um centro de produção. Mas isso não impediu os alemães de privarem-no sistematicamente do abastecimento de comida. O diário do jovem estudante Dawid Sierakowiak registrava "fome por toda parte" no gueto de Lódź já em abril de 1941. A vida para ele, assim como para outros, ficou reduzida a uma busca sem fim de algo para comer – basicamente cenouras e outros vegetais. Sierakowiak abrandava o tédio aprendendo esperanto com um grupo de amigos comunistas antes de conseguir matricular-se na escola do gueto e recomeçar as aulas. Com outros reclusos, Sierakowiak mantinha-se a par dos eventos mundiais escutando transmissões da rádio BBC em segredo e lendo jornais alemães contrabandeados para dentro do gueto. As notícias que ele ouvia apenas deprimiam seu estado de espírito ainda mais: uma vitória alemã seguia-se de outra de modo aparentemente infindável. Em 16 de maio de 1941, ele relatou que um exame médico o havia deixado seriamente preocupado com sua saúde: o doutor "ficou horrorizado com minha magreza [...] Doença pulmonar é a última moda no gueto; acaba com as pessoas tanto quanto disenteria e tifo. Quanto à comida, está cada vez pior por toda parte; faz uma semana que não se tem batatas". De algum modo ele conseguiu sobreviver naquele ano, ocupando a mente com a tradução de Ovídio para o polonês e ganhando algum dinheiro dando aulas particulares. Frequentemente enfermo, perseverou nos estudos de maneira obstinada, concluindo-os com sucesso em setembro de 1941 e encontrando um emprego em uma selaria.[310]

Enquanto isso, à medida que mais e mais reclusos do gueto eram levados pela polícia judaica do gueto para nunca mais voltar, judeus de outras partes da Europa começaram a ser despachados para lá. Rumkowski tentou persuadir as autoridades alemãs de que não havia espaço para eles, mas não funcionou. Aos 143 mil judeus que viviam no gueto de Lódź no outono de 1941, somavam-se agora, em outubro, mais 2 mil de vilarejos das redondezas, a seguir 20 mil do Reich e do Protetorado da Boêmia e Morávia, junto com 5 mil ciganos. Sierakowiak achou que os recém-chegados pareciam espetacularmente bem-vestidos. Todavia, logo ficaram reduzidos a vender seus trajes ajustados sob medida em troca de pequenas quantidades de farinha e pão. Enquanto isso, em 6 de dezembro de 1941, as caminhonetes de gás do recém-construído campo de Chelmno entraram em operação. Rumkowski recebeu ordem de registrar 20 mil residentes do gueto supostamente para trabalho fora dos muros do gueto. Ele conseguiu persuadir os alemães a cortar o número pela metade e, com um comitê especial, selecionou prostitutas, criminosos, dependentes de assistência social, desempregados e ciganos. Em uma tentativa de tranquilizar o povo, Rumkowski declarou em um discurso público em 3 de janeiro de 1942 que as pessoas honestas não tinham nada a temer. Em 12 de janeiro de 1942, ocorreram as primeiras deportações. Até 29 de janeiro de 1942, mais de 10 mil judeus haviam sido levados do gueto diretamente para Chelmno e colocados nas caminhonetes para morrer. Até 2 de abril de 1942, outros 34 mil haviam sido levados e assassinados; até maio, o total atingiu 55 mil, incluindo agora mais de 10 mil judeus deportados do oeste para Lódź.[311]

Durante todo esse tempo, chegaram novas levas de judeus, em especial de Wartheland. Com isso, a população do gueto permaneceu bem acima de 100 mil.[312] Em meados de 1942, relatou Sierakowiak, as pessoas estavam morrendo em grande quantidade da "doença do gueto": "A pessoa fica magra (uma 'ampulheta') e com o rosto pálido, a seguir vem o inchaço, uns dias de cama ou no hospital, e era isso. A pessoa estava viva, a pessoa está morta; vivemos e morremos como gado". Em setembro de 1942, 2 mil pacientes foram retirados dos hospitais do gueto com a cooperação da administração de Rumkowski e levados para ser asfixiados; em seguida, todas as crianças com menos de dez anos de idade, todos aqueles acima de 65 anos e todos os desempregados, somando no total mais 16 mil. A mãe de Sierakowiak estava entre eles. Muitos foram fuzilados, sugerindo uma resistência crescente às deportações. Rumkowski justificou sua cooperação com a ação em um discurso para os habitantes do gueto em 4 de setembro de 1942: "Devo amputar membros a fim de salvar o corpo!", disse ele, chorando enquanto falava. Não ficou claro se ele realmente acreditava nisso ou não. Com medo e deprimida, a maioria dos habitantes que restava estava preocupada demais com a luta diária pela sobrevivência para reagir com qualquer coisa a não ser uma resignação inerte. Em novembro de 1942, o pai de Sierakowiak ficou doente, "completamente coberto de piolhos e sarna"; em março, ele morreu. Em abril de 1943, as coisas começaram a melhorar para Dawid Sierakowiak: ele encontrou serviço em uma padaria, uma função muito disputada, visto que lhe permitia comer sua cota de pão no serviço. Mas era tarde demais. Ele já estava doente, com febre, desnutrição e tuberculose, infestado de piolhos e sofrendo de sarna, tão fraco que às vezes não conseguia sair da cama pela manhã. "Realmente não há saída para nós", ele escreveu em 15 de abril de 1943. Foi sua última anotação no diário. Sierakowiak morreu em 8 de agosto de 1943, duas semanas depois de seu 19º aniversário.[313]

A essa altura, o gueto de Lódź já estava com os dias contados. Depois da revolta no gueto de Varsóvia, Himmler havia ordenado a "liquidação" de todos os guetos restantes no leste em 21 de junho de 1943. Todos os judeus remanescentes no Reich deveriam ser deportados.[314] Os 26 mil habitantes do gueto de Minsk foram mortos nos meses seguintes, e outros 9 mil, todos engajados em esquemas de trabalho, estariam mortos até o fim do ano.[315] Em Bialystok, a "liquidação" final teve início em 15 de agosto de 1943, pegando de surpresa o movimento de resistência que ali se formara. As profundas divisões da resistência entre comunistas e sionistas dificultaram ainda mais uma ação orquestrada, e os rebeldes tinham pouco apoio da população geral do gueto. Todavia, o combate durou cinco dias. Globocnik, que assumiu o comando pessoal da operação, enviou tanques e, copiando Stroop, reduziu a cinzas todos os prédios do gueto.[316] Em outros guetos, o processo de dissolução já havia começado antes de Himmler emitir a ordem.[317] Em Lvov, 40 mil judeus foram levados de um campo de trabalho em meados de agosto e gaseados em Belzec; os judeus restantes foram colocados em um gueto recém-criado na cidade, enquanto doze membros do Conselho Judaico eram enforcados publicamente em postes de iluminação na rua ou no telhado do prédio do escritório do conselho. Ao longo de poucos meses, ações adicionais levaram outros milhares de habitantes do gueto para as câmaras de gás de Belzec, até o gueto ser fechado no início de 1943 e os judeus restantes serem transferidos de volta para o campo de trabalho. Apenas 3,4 mil de uma população de 160 mil sobreviveram à guerra.[318] Em Vilna, os recolhimentos tiveram início em abril de 1943, incitando, como em outras partes, a fuga de muitos membros jovens da resistência, especialmente os de crença comunista, para quem o principal objetivo era ajudar o Exército Vermelho, enredando as forças alemãs nas matas das redondezas. A maior parte dos 20 mil habitantes que restavam no gueto foi levada embora para ser morta, muitos deles em Sobibor.

O último grande gueto a ser fechado foi o de Lódź, fechado no verão de 1944. Mais de 73 mil pessoas ainda viviam ali. As deportações para Chelmno começaram em meados de julho, a essa altura ainda efetuadas com a participação da polícia judaica do gueto, e a partir de 3 de agosto cerca de 5 mil judeus por dia eram obrigados a reunir-se na estação de trem com a promessa de que seriam realocados em melhores condições. Todos os trens seguiam diretamente para campos de extermínio. O último, que partiu do gueto agora praticamente vazio em 28 de agosto de 1944, levou o ancião do gueto, Chaim Rumkowski, e sua família. Na chegada a Auschwitz-Birkenau, todos foram enviados para a câmara de gás. De quase 70 mil judeus que ainda moravam no gueto no fim de julho de 1944, apenas 877 ainda estavam lá em janeiro seguinte, encarregados da tarefa de limpeza.[319] No total, mais de 90% dos 3,3 milhões de judeus da Polônia haviam sido mortos nessa época.[320]

VI

O extermínio dos judeus foi visto, às vezes, como uma espécie de linha de montagem de assassinato em massa industrializado, e essa imagem contém em si pelo menos algum elemento de verdade. Nenhum outro genocídio na história foi levado a cabo por meios mecânicos – exposição a gases letais – em instalações especialmente construídas, como aquelas em operação em Auschwitz ou Treblinka. Ao mesmo tempo, entretanto, essas instalações não operaram de modo eficiente ou efetivo e, se a impressão causada por chamá-las de industrializadas é de que eram automatizadas ou impessoais, trata-se então de algo falso. Homens como Höss e Stangl e seus subordinados tentavam isolar-se da dimensão humana do que estavam fazendo ao se referir às vítimas como "carga" ou "itens". Conversando com Gerhard Stabenow, o chefe do Serviço de Segurança da SS em Varsóvia em setembro de 1942, Wilm Hosenfeld notou como a linguagem usada por Stabenow distanciava-o do fato de que ele estava envolvido no assassinato em massa de seres humanos. "Ele fala dos judeus como se fosse de formigas ou outros insetos, de seu 'reassentamento', que significa seu assassinato em massa, como falaria do extermínio de percevejos na desinsetização de uma casa."[321] Mas, ao mesmo tempo, esses homens não ficavam imunes às emoções humanas que tão arduamente tentavam reprimir, e lembravam-se de incidentes em que mulheres e crianças específicas haviam apelado à sua consciência, mesmo que tais apelos fossem em vão. O desgaste psicológico que a chacina contínua de civis desarmados, inclusive mulheres e crianças, impunha a tais homens era considerável, assim como fora no caso das forças-tarefa da SS, cujas tropas haviam fuzilado judeus às centenas de milhares antes de as primeiras caminhonetes de gás serem empregadas em uma tentativa não só de acelerar a matança, mas também de torná-la de algum modo mais impessoal.

O que fazia tais homens seguir em frente era a crença de que estavam cumprindo a ordem de Hitler e matando os inimigos atuais e futuros da raça alemã. Eles não eram burocratas sem rosto ou tecnólogos da morte; a matança tampouco era, em qualquer nível, um simples produto de pressões impessoais para se obedecer a ordens superiores ou a fria busca de vantagem material ou militar para o Terceiro Reich. A carreira de homens da SS como Eichmann, Stangl ou Höss revela que eram antissemitas empedernidos; o ódio racial de seus subordinados, atiçado e alimentado por anos de propaganda, treinamento e doutrinação, dificilmente era menos extremo. Traduzir o ódio visceral aos judeus do abstrato para atos violentos de assassinato em massa na realidade não se mostrou difícil para eles, nem para vários burocratas do Serviço de Segurança da SS que assumiram a liderança das forças-tarefa no leste. Em particular nos escalões inferiores da SS, mas também do Exército regular, os judeus, quando encontrados individualmente ou em grupos pequenos, com frequência despertavam um grau de brutalidade sádica, pessoal, um desejo de humilhar bem como de destruir, que raramente se fazia presente quando eles lidavam com poloneses, russos ou outros eslavos comuns. Os prisioneiros eslavos não eram obrigados a fazer ginástica ou dançar antes de serem fuzilados, como eram os judeus; tampouco eram forçados a limpar latrinas com suas roupas ou mãos nuas, como os judeus o eram. Os eslavos eram meras ferramentas; os judeus é que supostamente estavam por trás do regime de Stálin, que mandavam a polícia secreta soviética cometer massacres bestiais de prisioneiros alemães, que inspiravam os guerrilheiros a desferir ataques cruéis e covardes às tropas alemãs pela retaguarda. As tropas ordinárias alemãs, tanto de soldados regulares como da SS, foram intensamente influenciadas pela propaganda, doutrinamento e, no caso dos jovens, por anos de educação no sistema escolar do Terceiro Reich, para acreditarem que os judeus em geral, e os judeus orientais em particular, eram sujos, perigosos, desonestos e doentios, os inimigos de toda a civilização.[322]

As atrocidades da polícia secreta soviética confirmaram a crença dos soldados alemães de que os judeus, a quem atribuíam a culpa, eram assassinos bestiais que não mereciam clemência. "A judiaria só é boa para uma coisa", escreveu um sargento,

> Aniquilação [...] E eu estou convencido de que toda liderança de todas as instituições [soviéticas] consiste de judeus. Assim, a culpa deles é imensa, o sofrimento que causaram é inimaginável, seus atos homicidas são diabólicos. Isso só pode ser expiado por sua aniquilação. Até agora eu havia rejeitado esse jeito de fazer as coisas como imoral. Mas, depois de ver o Paraíso Soviético por mim mesmo, não conheço nenhuma outra solução. Naqueles judeus-orientais de lá vive a escória de todo tipo de criminalidade, e estou consciente da singularidade de nossa missão.[323]

Abusar de judeus e humilhá-los também podia servir de compensação para o *status* inferior e as privações cotidianas do soldado comum. "A melhor coisa aqui", escreveu um deles de uma cidade ocupada no leste em maio de 1942, "é que todos os judeus tiram o chapéu para nós. Se um judeu nos avista a cem metros, ele já tira o chapéu. Se ele não tira, nós então o ensinamos. Aqui você se sente um soldado, pois aqui cantamos de galo".[324] Mais acima na cadeia de comando, o Exército com frequência racionalizava a chacina de judeus como um passo necessário para a manutenção de seu abastecimento essencial de alimentos,[325] mas essa afirmação não deve ser tomada simplesmente como um fato. A necessidade de alimentar o Exército e a população alemã civil em casa criou em conjunturas particulares uma necessidade reconhecida de fazer o que em termos médicos poderia ser chamado de *triagem*, distinguindo os que se considerava necessitados de comida com mais urgência e em maior quantidade daqueles com prioridade menor. Mas o que colocou os judeus na base dessa hierarquia não foi nenhum cálculo racionalista amparado em uma estimativa de sua contribuição para a economia. Foi algo derivado sobretudo de uma ideologia perseguida de forma obsessiva, que considerava os judeus não só os habitantes mais dispensáveis da Europa oriental ocupada, mas também uma ameaça positiva à Alemanha em todos os sentidos, conspirando com judeus de todas as partes do mundo e especialmente da Grã-Bretanha e dos Estados Unidos, para travar a guerra contra o Terceiro Reich. Caso os judeus fossem apenas consumidores supérfluos de recursos escassos, dificilmente Himmler teria empreendido uma viagem pessoal à Finlândia para tentar persuadir o governo de lá a entregar o pequeno número de judeus sob seu controle para a deportação e o extermínio.[326]

Conforme isso sugere, o programa de extermínio foi dirigido e repetidamente forçado a ir em frente a partir do centro, sobretudo pelos contínuos ataques retóricos de Hitler aos judeus na segunda metade de 1941, repetidos em outras ocasiões quando os judeus assomaram de novo em sua mente como uma ameaça. Não houve uma decisão única, aplicada de forma racional, burocrática; em vez disso, o programa de extermínio emergiu em um processo que levou vários meses, no qual a propaganda nazista criou uma mentalidade genocida que incitou Himmler e outras lideranças nazistas a levar adiante a matança de judeus em escala sempre maior. No total, cerca de 3 milhões de judeus foram assassinados em campos de extermínio durante a guerra. Setecentos mil foram mortos em caminhonetes de gás móveis e 1,3 milhão foi fuzilado pelas forças-tarefa da SS, por unidades de polícia e por forças aliadas ou milícias auxiliares. Cerca de 1 milhão de judeus morreu de fome, doença ou pela brutalidade da SS e fuzilamentos nos campos de concentração e especialmente nos guetos que o Terceiro Reich estabeleceu nos territórios ocupados. É impossível chegar-se a um total exato, mas é certo que pelo menos 5,5 milhões de judeus foram deliberadamente assassinados de um jeito ou outro pelos nazistas e seus aliados. Desde a abertura dos arquivos do antigo bloco soviético na década de 1990, ficou claro que o total provável situa-se em torno de 6 milhões, o número fornecido por Adolf Eichmann em seu julgamento em Jerusalém em 1961. "Com esse terrível assassinato dos judeus", escreveu Wilm Hosenfeld em 16 de junho de 1943, "nós perdemos a guerra. Atraímos uma desgraça indelével para nós mesmos, uma maldição que jamais poderá ser desfeita. Não merecemos misericórdia, somos todos culpados".[327]

4
A nova ordem

Os nervos da guerra

I

Na madrugada de fevereiro de 1942, Albert Speer, arquiteto favorito de Hitler e seu amigo íntimo, estava com o Líder no quartel-general de campo deste em Rastenburg, na Prússia Oriental, revendo seus planos para a reconstrução de Berlim. A conversa, ele recordou mais tarde, animara visivelmente o cansado Líder, que havia passado as horas anteriores em uma desalentadora conferência com o ministro de Armamentos, Fritz Todt. O ministro de Armamentos já havia concluído durante a Batalha de Moscou, em novembro-dezembro de 1941, que a guerra não podia ser vencida. Não só os recursos industriais britânicos e americanos eram mais poderosos que os da Alemanha, como a indústria soviética estava produzindo equipamento melhor em escala maior, mais adaptado para o combate no rigor do inverno. Os suprimentos alemães estavam ficando escassos. Os empresários da indústria estavam avisando Todt de que não teriam condições de competir com a produção militar dos inimigos da Alemanha. Mas Hitler não ouvia. Para ele, o ataque japonês a Pearl Harbor retardaria o envolvimento americano no teatro europeu e daria uma nova chance de vitória à Alemanha. Em 3 de dezembro de 1941, ele emitira uma ordem para a "simplificação e o aumento da eficiência na produção de armamentos", que pretendia gerar uma "produção em massa com princípios modernos". Por ordem de Hitler, Todt reorganizara o sistema de administração da produção de armas em cinco comitês principais – para munição, armas, tanques, engenharia e equipamento – e montara um novo comitê consultivo com representantes da indústria e da Força Aérea. É provável que sua visita a Hitler em 7-8 de fevereiro de

1942 tenha envolvido discussões sobre essas novas estruturas e os benefícios que poderiam trazer. A despeito de todas as modificações, Todt muito provavelmente advertiu Hitler, durante aquela visita a Rastenburg, de que a situação em si permanecia grave, se não crítica; daí o ar de abatimento do Líder ao sair da reunião.[1]

Conversando rapidamente com Speer enquanto bebiam uma taça de vinho, Todt ofereceu-lhe um assento no avião que o levaria de volta a Berlim às oito da manhã de 8 de fevereiro. O arquiteto só estava em Rastenburg por acaso, tendo sido impedido de voltar de trem de Dnepropetrovsk para Berlim por causa da neve espessa. Em vez disso, aceitou uma carona de avião para o quartel-general de campo de Hitler, o que pelo menos o deixaria mais próximo de seu destino. Desse modo, ele estava à procura de transporte, e a oferta de Todt foi, portanto, tentadora. Mas, quando Hitler e Speer foram dormir, já eram três da manhã, e Speer mandou avisar que queria dormir e não viajaria com o ministro de Armamentos. Speer ainda estava adormecido quando o telefone à cabeceira de sua cama tocou pouco depois das oito da manhã. O avião de Todt, um bimotor Heinkel 111 convertido, decolara normalmente, mas a seguir espatifara-se contra a terra, pegando fogo. A aeronave ficara completamente destruída. Todos a bordo haviam morrido.[2] Uma comissão de inquérito posterior sugeriu que o piloto haveria acionado um mecanismo de autodestruição por engano; mas, na verdade, aquele avião não tinha tal mecanismo, tampouco houve qualquer evidência confiável de explosão no ar. Nicolaus von Below, ajudante aeronáutico de Hitler, mais tarde lembrou que Hitler proibira o uso de aviões bimotores pequenos como aquele por sua equipe de alto escalão e ficara preocupado com a aeronavegabilidade do Heinkel a ponto de mandar o piloto dar uma volta de teste antes de Todt embarcar. Below achava que as más condições do tempo nas quais o avião havia decolado fizeram que o piloto inexperiente não conseguisse enxergar bem e colidisse com o solo. O mistério nunca foi resolvido de modo satisfatório. Speer teria plantado uma bomba a bordo? Parece improvável, pois, embora o relato da colisão fornecido em suas memórias esteja cheio de imprecisões, não há motivo para duvidar da história de que ele estava em Rastenburg inteiramente por acaso, e com isso não teria tido tempo de planejar a morte de Todt. Tampouco, a despeito de um certo desgaste na relação entre os dois homens, haveria qualquer motivo óbvio para Speer querer Todt morto. Teria Hitler então decidido matar seu ministro de Armamentos porque não podia suportar o pessimismo de seus relatórios? Teria ele dito a Speer em particular para que não viajasse no avião? Essa especulação também é implausível; não era assim que Hitler lidava com subordinados incômodos ou inconvenientes, e, caso quisesse livrar-se de Todt, era muito mais provável que o tivesse simplesmente demitido ou, em uma situação extrema, mandado deter e fuzilar.[3]

Todt era um engenheiro e nazista comprometido que se destacara como construtor das famosas autoestradas da Alemanha na década de 1930. Hitler o respeitava e admirava, e o colocara a cargo não só da produção de armas e munições, como também de energia e canais pluviais e alguns aspectos da organização do trabalho forçado durante a guerra. Todt chefiara a indústria da construção sob a égide da administração do Segundo Plano de Quatro Anos de Göring. Ele havia dirigido sua própria companhia, a Organização Todt, construindo estradas por todos os territórios ocupados, prosseguindo com a criação das defesas da Linha Siegfried e construindo bases para submarinos na costa do Atlântico. No Partido, Todt era encarregado do Escritório Central de Tecnologia, controlando associações voluntárias de muitos tipos no setor. Na primavera de 1940, Hitler havia criado o novo Ministério dos Armamentos e nomeado Todt para dirigi-lo. Esse acúmulo de cargos dera a Todt poder considerável sobre o gerenciamento econômico da guerra, embora tivesse de enfrentar uma variedade de rivais, especialmente Hermann Göring.[4] Ele seria um homem difícil de substituir.

Durante o café da manhã no quartel-general do Líder em 8 de fevereiro de 1942, a conversa foi toda sobre quem deveria ser seu sucessor. Speer percebeu que seria convidado a assumir pelo menos algumas das funções de Todt, uma vez que, como inspetor-geral de obras de Berlim, já tinha algumas responsabilidades no setor, inclusive o reparo de estragos por bombardeio e fornecimento de abrigos antiaéreos. Todt havia incumbido Speer da tarefa de melhorar o sistema de transportes da Ucrânia, e de fato era por isso que ele estivera em Dnepropetrovsk. Hitler dissera a Speer mais de uma vez que queria confiar a ele algumas das tarefas de Todt. Mas Speer não estava preparado para quando, conforme recordou mais tarde, foi "convocado por Hitler como o primeiro interlocutor do dia no horário tardio de costume, por volta da uma da tarde" e informado de que estava sendo nomeado para suceder Todt em todas as suas funções, não apenas na de suserano da construção. Ainda que "estupefato", Speer teve a presença de espírito de pedir a Hitler que emitisse um comando formal, que ele teria condições de usar para impor sua autoridade sobre sua nova esfera de operações. Entretanto, havia um último obstáculo a ser superado. No momento em que Speer estava saindo, Göring "chegou alvoroçado". Havia embarcado em seu trem especial em sua cabana de caça, a cem quilômetros de distância, assim que soubera da morte de Todt. "É melhor eu assumir as funções do doutor Todt dentro da estrutura do Plano de Quatro Anos", disse ele. Mas era tarde demais. Hitler nomeou formalmente Speer para todas as tarefas de Todt. E a autoridade de Göring sobre a economia foi ainda mais rebaixada quando Speer persuadiu Hitler a assinar um decreto em 21 de março de 1942 ordenando que todos os outros aspectos da economia deviam ficar subordinados à produção de armas, comandada por ele.[5]

Em suas memórias, escritas muitos anos depois desses acontecimentos, Speer, não sem uma pontinha de sinceridade, confessou ter ficado surpreso com a "irresponsabilidade e frivolidade" de sua nomeação. Afinal de contas, ele não tinha experiência militar nem conhecimento em indústria. Speer escreveu que

> combinava com o diletantismo de Hitler que ele preferisse escolher não especialistas como associados. Afinal, ele já havia nomeado um comerciante de vinhos como seu ministro de Relações Exteriores, seu filósofo do Partido como ministro para Assuntos do Leste e um ex-piloto de caça como supervisor de toda a economia. Agora estava pegando um arquiteto para ser seu ministro de Armamentos. Sem dúvida, Hitler preferia preencher os cargos de liderança com leigos. Durante toda sua vida, ele respeitou, mas desconfiou, de profissionais como Schacht.[6]

Mas a escolha não era tão irracional quanto Speer mais tarde alegou. Como arquiteto, ele era menos um artista solitário sentado à mesa de desenho fazendo esboços de prédios e mais o gerente de um grande e complexo escritório envolvido em projetos enormes, de fato gigantescos, de construção e *design*.⁷ Como inspetor-geral de obras em Berlim, já estava familiarizado com os estragos que o bombardeio podia causar e, como homem responsável pela restauração de estradas e ferrovias da Ucrânia, ele sabia tudo sobre os problemas gerados por comunicação deficiente e sobre a necessidade de organizar um fornecimento adequado de mão de obra. Havia trabalhado próximo de Todt em vários setores. Seus deveres já o haviam familiarizado com os jogos de poder de homens como Göring, e sua reação inicial à nomeação mostrou muito claramente que Speer era plenamente capaz de lidar com eles. Sobretudo, porém, ele era o homem de Hitler. Era amigo pessoal de Hitler, talvez o único. Mesmo depois de sua nomeação, os dois continuaram a se debruçar juntos sobre as maquetes para a nova Berlim e a sonhar com a transformação das cidades alemãs que efetuariam juntos depois que a guerra acabasse. Muito antes de sua nomeação, Speer havia caído totalmente sob o feitiço de seu Líder. Ele faria qualquer coisa que Hitler quisesse sem questionamento.⁸

Em contraste com o otimismo inextinguível de Speer, outros além de Fritz Todt haviam começado a ter sérias dúvidas nessa época quanto à capacidade alemã de continuar na guerra até a vitória. Poucos meses antes de sua nomeação, Speer visitara o gerente-geral da fábrica da Junkers em Dessau, Heinrich Koppenberg, para discutir os prédios necessários para abrigar a nova e gigantesca fábrica de aviões que ele planejava para o leste. Speer mais tarde recordou que Koppenberg levou-o "para uma sala fechada e me mostrou um gráfico comparando a produção americana de bombardeiros para os próximos anos com a nossa. Eu perguntei", prosseguiu Speer, "o que nossos líderes tinham a dizer sobre aqueles números deprimentes. 'Aí é que está, eles não vão acreditar', disse ele. E então explodiu em um choro incontrolável".⁹ O general Georg Thomas, chefe do abastecimento do Comando Supremo das Forças Armadas Combinadas, tornou-se cada vez mais pessimista do verão de 1941 em diante. Em janeiro de 1942, ele estava mais preocupado a respeito de quem culpar pela desastrosa situação de abastecimento que confrontava o Exército no leste do que em salvar a situação, "uma vez que", conforme disse, "algum dia alguém será considerado responsável".¹⁰ O general Friedrich Fromm, que comandava o Exército da reserva em casa e era responsável pela provisão de armamentos do Exército, informou o chefe do Estado-Maior Geral do Exército, Franz Halder, em 24 de novembro de 1941, de que a economia de armas estava "em curva descendente. Ele pensa", anotou Halder em seu diário, "na necessidade de se fazer a paz!".[11] As reservas de contingência estavam se esgotando e o suprimento de óleo estava acabando, e Fromm aconselhou Hitler a mandar todas as novas tropas disponíveis para o Grupo de Exércitos do Sul, de modo que este pudesse lançar uma investida rumo aos campos petrolíferos do Cáucaso. O desespero de alguns era ainda mais profundo. Em 17 de novembro de 1941, o chefe da organização do abastecimento da Força Aérea, Ernst Udet, um antigo ás da aviação, matou-se com um tiro depois de falhar repetidas vezes em convencer Hitler e Göring de que a produção de aeronaves na Grã-Bretanha e nos Estados Unidos estava crescendo tão depressa que os aviões alemães estariam encarando uma desigualdade impossível, avassaladora, dentro de poucos meses.[12] Em janeiro de 1942, Walter Borbet, chefe da Associação Bochum, uma importante empresa de fabricação de armas onde ele desenvolvera novos métodos de produção, também se matou com um tiro, convencido tanto de que a guerra não poderia ser vencida como de que a liderança da Alemanha jamais seria persuadida a fazer a paz.[13]

Esses homens tinham um bom motivo para se preocupar. A despeito de todos os esforços alemães, os britânicos continuavam a superá-los na produção de tanques e de outras armas. Os oficiais de compras das Forças Armadas insistiam em sofisticação tecnológica em detrimento da produção em massa, e havia disputa constante entre o Exército, a Marinha e a Aeronáutica, cada um deles com alegações muito plausíveis para a prioridade na alocação de recursos. O foco em armamento complexo trazia lucros maiores para as empresas do que a produção em massa barata. Tudo isso retardava a produção e reduzia a quantidade de armamentos e equipamento disponíveis para as Forças Armadas. Ao mesmo tempo, Hitler continuava a exigir esforços sempre maiores da indústria, à medida que a situação militar não produzia o aguardado avanço decisivo. Em julho de 1941, ele ordenou a construção de uma nova frota para batalhas em alto-mar, o aumento de quatro vezes da Força Aérea e a expansão do número das divisões de veículos motorizados do Exército para 36. Ele estava muitíssimo ciente da quantidade rapidamente crescente de armas e equipamentos americanos que estavam chegando à Grã--Bretanha. Já na época em que se tornaram formalmente uma nação combatente, em dezembro de 1941, os Estados Unidos estavam produzindo um volume de armamentos em massa que a Alemanha até então não mostrava sinais de ser capaz de igualar. No início de 1942, os oficiais do Exército começaram a notar também uma melhora no equipamento e no armamento militar soviético. Exigir que a produção de armas alemã igualasse tudo isso parecia completamente irreal.[14]

Ao contrário de Todt e dos outros administradores econômicos que achavam que a guerra já estava perdida em termos econômicos e, portanto, também militares, Speer acreditava, assim como Hitler, que ela ainda poderia ser vencida. Ele tinha uma fé cega nos poderes de Hitler. Em todos os estágios, o lider havia triunfado sobre a adversidade, e isso aconteceria de novo. Speer não era um tecnocrata; era um verdadeiro crente.[15] É claro que não estava tão cego que deixasse de perceber que esse era o principal motivo de sua nomeação. De fato, Hitler confidenciou a ele mais de uma vez que a morte de Todt no momento em que Speer visitava seu quartel-general fora providencial. Conforme Speer escreveu mais tarde,

> em contraste com o incômodo doutor Todt, Hitler deve ter me considerado de início uma ferramenta mais manejável. Quanto a isso, a mudança na equipe obedeceu ao princípio de seleção negativa que governou a composição do séquito de Hitler. Uma vez que reagia regularmente à oposição escolhendo alguém mais tratável, ao longo dos anos ele reuniu à sua volta um grupo de associados que se rendiam cada vez mais a seus argumentos e os traduziam em ação de modo cada vez mais inescrupuloso.[16]

Esse princípio já estivera em prática nas mudanças feitas por Hitler no alto escalão do Exército após o desastre de Moscou. Agora também estava em operação no gerenciamento da economia de guerra. Mas Speer não era um amador pelo menos a respeito de uma coisa. Nas semanas seguintes, ele rechaçou uma tentativa atrás da outra de Göring para restringir seus poderes. Recorreu a Hitler repetidamente para respaldá-lo e até para transferir as atribuições de armamentos do Plano de Quatro Anos para o Ministério de Armamentos. Em tudo isso, ele mostrou que seu instinto para o poder era tão forte quanto o de qualquer um na hierarquia nazista.[17]

II

Speer teve muitas vantagens importantes em sua missão de galvanizar a produção de guerra alemã em busca de maior eficiência. Teve o apoio de Hitler, a quem recorreu sempre que deparou com oposição séria, e manteve boas relações com figuras-chave na hierarquia nazista. Como inspetor-geral de obras, por exemplo, Speer havia trabalhado próximo de Himmler e da SS, e para seus projetos grandiosos dependia do suprimento de pedra escavada pelos reclusos dos campos de concentração de Flossenbürg e Mauthausen.[18] Também tinha bons contatos na hierarquia da administração de armamentos (especialmente o secretário de Estado do Ministério do Ar, marechal de campo Erhard Milch, nominalmente um homem de Göring, mas na prática muito mais disposto a trabalhar com Speer). Speer também chegou ao cargo quando o impulso para a racionalização já havia começado, instigado pelas críticas insistentes de Hitler à ineficiência e facilitado pelas mudanças no gerenciamento econômico inauguradas por Todt em dezembro de 1941. Ele trabalhou duro para eliminar sobreposições na produção de armamentos entre as Forças Armadas. Subordinou diretamente a ele os principais produtores industriais e lhes deu um grau de responsabilidade delegada para a melhoria de seus métodos de produção. Lutou contra a burocracia excessiva e introduziu métodos simplificados de produção em massa. O resultado, afirmou mais tarde, foi um aumento significativo na produção em todos os setores em seis meses. "A produtividade total de armamentos aumentou 59,6% [...] Depois de dois anos e meio, a despeito do início do bombardeio pesado, elevamos toda a nossa produção de armamentos de um índice médio de 98 no ano de 1941 – reconhecidamente um ponto baixo – para um pico de 322 em julho de 1944."[19]

Ao assumir o gerenciamento da produção de armamentos, Speer alardeou as virtudes da racionalização. Trouxe vários empresários da indústria para integrar a nova estrutura de comitê implantada por Todt. Um exemplo típico do uso dos homens da indústria por Speer para aumentar a eficiência pode ser encontrado na produção de submarinos. Ele nomeou um fabricante de carros para reorganizar o processo de montagem em 1943. O novo chefe dos submarinos dividiu a produção de cada embarcação em oito seções, contratou uma empresa diferente para fazer cada seção com peças padronizadas e dentro de um cronograma coordenado com os das outras, montou o produto final em uma fábrica central e, com isso, reduziu o tempo que se levava para fazer cada submarino de 42 para dezesseis semanas. Speer também implementou um novo sistema de contratos de preços fixos introduzido por Todt em janeiro de 1941, o que forçou a baixa dos preços, e ofereceu isenção de imposto sobre pessoa jurídica para quem reduzisse custos e com isso os preços em um volume significativo. Speer exigiu que as companhias explorassem seus trabalhadores de modo mais eficiente, com a introdução de turnos dobrados, e tentou reduzir custos com o uso mais intensivo de instalações já existentes em vez de construir novas fábricas. Nada menos que 1,8 milhão de homens estava empregado na implantação de novas unidades industriais, mas boa parte da capacidade extra não podia ser usada devido à escassez de energia e à falta de máquinas-ferramentas. Speer rescindiu contratos para novas instalações industriais no valor de 3 milhões de reichsmarks, e introduziu uma concentração e uma simplificação drásticas na produção de armas e produtos relacionados a armas por toda a economia. O número de empresas, na maioria pequenas, envolvidas na produção de vidro prismático para uso em visores, telescópios, binóculos, periscópios e outros foi reduzido de 23 para sete, e a variedade de diferentes tipos de vidro caiu de assombrosos trezentos para meros catorze. Speer verificou que nada menos que 334 fábricas estavam fazendo equipamentos de combate a incêndio para a Força Aérea; no início de 1944, havia reduzido o número para 64, o que se calcula ter economizado 360 mil horas-homem por mês. O número de companhias produtoras de máquinas-ferramentas foi cortado de novecentos no começo de 1942 para 369 até outubro do ano seguinte. Speer estendeu o princípio de racionalização até mesmo às indústrias de bens de consumo. Quando descobriu que cinco de 117 fabricantes de tapetes da Alemanha produziam 90% dos tapetes, mandou fechar as outras 112 e colocar suas fábricas e mão de obra na economia de guerra. Na competição por recursos, as diferentes Forças Armadas e seus fabricantes associados haviam exagerado suas necessidades, de modo que, por exemplo, fábricas de aviões haviam requisitado quatro vezes o volume de alumínio que na verdade era necessário para cada aeronave. O metal estava sendo estocado ou destinado a usos não essenciais, como fabricação de escadas e estufas. Speer fez as empresas entregarem seus estoques e vinculou a alocação de matérias-primas a metas de produção.[20]

A produção de armas exigia tremendas quantidades de aço, que Hitler mandou que fosse direcionado sobretudo para o Exército, e não para a Marinha ou para a Aeronáutica. Introduzir uma maior eficiência na organização da produção de aço foi em parte um feito do Ministério de Economia do Reich e de seu principal funcionário, Hans Kehrl. Ele implantou um novo sistema de encomenda e produção em 15 de maio de 1942, em um encontro do novo organismo de planejamento central que havia estabelecido com Milch para coordenar a produção de armas. Ao mesmo tempo, Speer indicou engenheiros de produção para aconselhar as empresas sobre como usar aço e outras matérias-primas de forma mais eficiente. Máquinas melhores e maior automação reduziram o desperdício. Em maio de 1943, Speer pôde afirmar que usava-se menos da metade de ferro e aço para produzir uma tonelada média de armamentos do que fora empregado em 1941. No fim da guerra, cada tonelada de aço estava sendo usada para produzir uma quantidade de munição quatro vezes maior do que em 1941. Entretanto, a produção de aço precisava de grande quantidade de coque, e isso revelou-se impossível de ser obtido, dadas as dificuldades enfrentadas pelo sistema ferroviário e a baixa produtividade do trabalho forçado nas minas. Além disso, as minas ainda careciam de mais de 100 mil operários, ao passo que as ferrovias precisavam de outros 9 mil homens para carregar e operar os trens que transportavam carvão. Informado desses problemas em 11 de agosto de 1942, Hitler declarou sem rodeios: "Se a produção da indústria siderúrgica não pode crescer conforme o planejado devido à escassez de carvão de coque, então a guerra está perdida".[21]

Obteve-se mais carvão com um corte de 10% na alocação para os consumidores domésticos. A produção de aço do Grande Reich Alemão subiu para 2,7 milhões de toneladas por mês no início de 1943. Com o aumento da alocação de aço para as fábricas de munição e a introdução de novos incentivos à indústria, Speer conseguiu vangloriar-se de que a produção de armas como um todo duplicou em seu primeiro ano de ministério. Ao mesmo tempo, Erhard Milch e o Ministério do Ar conseguiram dobrar a produção mensal de aeronaves, em parte por concentrar a produção em um pequeno número de fábricas gigantescas. Colocando os produtores na linha ao forçá-los a fazer modificações no gerenciamento de alto nível, Milch levou adiante um programa de racionalização no qual o desenvolvimento de caças e bombardeiros mais avançados foi sacrificado em favor da produção em massa de grande número dos modelos existentes, obtendo-se assim significativa economia de escala. Um caça avançado, o Messerschmitt Me210, já estava sendo fabricado, mas o Ministério do Ar havia apressado demais a produção, deixando problemas cruciais de *design* e desenvolvimento sem solução. A aeronave era instável, mas centenas delas estavam sendo produzidas. Milch cancelou o projeto e focou os recursos na produção de aviões como o bimotor Heinkel 111. Esse bombardeiro médio havia voado pela primeira vez em 1934 e se mostrado ineficiente na *blitz*, de modo que fora reutilizado como um interceptador noturno sobre a Alemanha, onde obteve algum sucesso. De modo semelhante, Milch direcionou recursos para extrair mais caças Me109 das linhas de produção. O número de fábricas para fazer o caça foi reduzido de sete para três, e a produção saltou de 180 por mês para mil. Essas mudanças fizeram que, no verão de 1943, fossem produzidas duas vezes mais aeronaves por mês em comparação com um ano e meio antes.[22]

A Força Aérea havia repetidamente exigido modificações e melhorias nas aeronaves existentes, com isso retardando a produção; de fato, até o fim de 1942, o número de modificações no *design* recomendadas para o bombardeiro Junkers Ju88 havia atingido 18 mil, enquanto as especificações de mudanças no bombardeiro pesado Heinkel He177 armazenadas nos escritórios de *design* da Heinkel enchiam nada menos que 46 robustos arquivos. Trabalhando com Milch, Speer fez tudo que pôde para rechaçar novos pedidos de modificação no *design*, mas só no começo de 1944 conseguiu reduzir o número de modelos de aeronaves de combate em produção de 42 para trinta, depois para nove e por fim para cinco. O número de tipos diferentes de tanques e veículos blindados foi cortado de dezoito para sete em janeiro de 1944, com a relutante e muito adiada concordância do Exército, e um único tipo de arma antitanque substituiu as doze existentes. Speer descobriu um total de 151 tipos diferentes de caminhões de carga sendo manufaturados para uso militar; em 1942, ele cortou o número para 23. O processo de simplificação estendeu-se também à mineração de carvão e às máquinas-ferramentas, onde um total de 440 diferentes tipos de prensas mecânicas e hidráulicas foi reduzido para 36. As peças eram um problema particular, complicando e retardando o processo de produção; o Ju88, por exemplo, usava mais de 4 mil tipos diferentes de porca e parafuso. Seu substituto posterior, o Ju288, usava apenas duzentos. Nesse setor, e em outros onde também foi possível, rebitadoras automáticas substituíram o trabalho manual, e o processo de simplificação fez também que os trabalhadores precisassem de treinamento menor e mais elementar do que antes. Tudo isso impulsionou a produtividade, que nas indústrias de armas foi mais de 50% maior em 1944 do que havia sido dois anos antes.[23]

Speer também racionalizou a produção de tanques. No início da guerra, o Exército alemão havia confiado em dois tanques médios, o Mark III e o Mark IV, e em um tanque de *design* tcheco, o T-38, que haviam provado seu valor na invasão da Polônia e da Europa oriental em 1939-40. Mas, em 1941, eles toparam com o superior T-34 soviético, que era veloz, manobrável e ao mesmo tempo mais blindado e equipado com armas mais eficientes. Isso levou a uma importante reformulação, resultando na produção de dois tanques novos, o Tiger de 56 toneladas e o Panther de 45 toneladas. Eram equipamentos formidáveis, muito mais que um equivalente do T-34 e bem mais fortemente armados que seus concorrentes americanos. Speer conseguiu fazer que saíssem em quantidades consideráveis das linhas de produção em 1943. Mas, quase tão logo os tanques começaram a ser construídos, o bombardeio aliado começou a destruir as fábricas onde eram feitos, de modo que nunca puderam ser produzidos em número suficiente. A indústria soviética, por outro lado, estava fabricando quatro tanques para cada unidade feita pelos alemães no início de 1943. A transferência da indústria soviética para os Urais enfim havia dado frutos.[24] Em alguns setores, ao menos, a economia alemã pode ter sido capaz de produzir armas melhores que as de seus inimigos, mas foi inteiramente incapaz de se equiparar a elas na quantidade. A mudança para a produção em massa padronizada chegou mais tardiamente à Alemanha do que em outros lugares; na verdade, chegou tarde demais.[25]

A diferença em outros setores da produção de armamentos era similarmente impressionante, ainda que não tão dramática. Até mesmo os Estados Unidos estavam produzindo apenas a metade de armas de infantaria que a União Soviética produzia em 1942, e não muito mais aeronaves de combate e tanques. O método de racionalização americano era igual ao alemão, concentrando a produção em uma variedade limitada de unidades industriais gigantes que produziam um pequeno número de armamentos padronizados. Todavia, a racionalização alemã foi obtida à custa da qualidade em alguns setores. O caça Me109, por exemplo, era lento demais para fazer frente a seus equivalentes soviéticos, mais manobráveis. Os bombardeiros Junkers também eram lentos demais e pequenos demais para levar uma carga realmente devastadora. Os novos tanques Tiger e Panther eram produtos superiores, mas, como acontecia com frequência, foram levados às pressas para a batalha antes de todos os problemas de *design* terem sido resolvidos. Eles tinham uma preocupante tendência a quebrar. E com frequência excessiva ficavam sem combustível e não podiam ser reabastecidos.[26] Ao mesmo tempo, o povo soviético havia pago caríssimo por seus esforços hercúleos de produção: centenas de milhares de trabalhadores, em um tipo de procedimento que já se tornara familiar no impulso de Stálin rumo à industrialização na década de 1930, foram recrutados nas fazendas, a produção agrícola sofreu, e houve desnutrição disseminada e até mesmo fome. O pico febril da mobilização econômica soviética, evidente em 1942, não podia ser mantido por muito tempo. Mas os arranjos de empréstimo e arrendamento americanos abasteceram o Exército soviético com grandes quantidades de alimentos, matérias-primas e equipamentos de comunicação, especialmente rádios e telefones de campo, e também fizeram uma imensa diferença nos equipamentos e suprimentos britânicos. Em breve, os americanos entrariam na guerra na Europa e no norte da África de forma direta. No fim, os esforços de Speer para a racionalização, o ímpeto de Todt para a eficiência, as reformas organizacionais de Milch, as modificações administrativas de Kehrl, tudo isso foi insuficiente.[27]

Na metade da guerra, a economia americana estava produzindo uma quantidade de armas, aeronaves, navios de guerra, munição e equipamento militar que o Terceiro Reich não podia esperar igualar. Em 1942, as fábricas dos Estados Unidos produziram quase 48 mil aviões; no ano seguinte, quase 86 mil saíram das linhas de produção; e, em 1944, mais de 114 mil. Claro que uma grande parte foi para o combate aos japoneses no Pacífico. Mas, ainda assim, sobrou um número enorme para ser empregado no teatro de guerra europeu. Além disso, tanto a União Soviética como o Reino Unido também estavam superando a produção da Alemanha. Assim, em 1940, a União Soviética produziu mais de 21 mil aeronaves; em 1943, quase 37 mil. O império britânico produziu 15 mil aviões em 1940, mais de 20 mil em 1941, mais de 23 mil em 1942, cerca de 35 mil em 1943 e quase 47 mil em 1944. A maioria foi produzida no próprio Reino Unido. A esses números comparam-se 10 mil aviões novos construídos na Alemanha em 1940, 11 mil em 1941 e 15 mil em 1942. As medidas de racionalização tomadas por Speer e Milch e a crescente concentração de recursos na produção de aeronaves só surtiram efeito em 1943, quando mais de 26 mil saíram das linhas de produção, e em 1944, quando o número atingiu quase 40 mil. Isso ainda era menos do que a Grã-Bretanha e seus domínios produziam, e menos de um quinto da produção combinada das três principais potências aliadas.[28]

Aconteceu o mesmo em outros setores. Por exemplo, de acordo com o Comando Supremo das Forças Armadas Combinadas, a Alemanha conseguiu manufaturar entre 5 mil e 6 mil tanques por ano de 1942 a 1944, e com isso fracassou significativamente em aumentar a produção. Isso era comparável à Grã-Bretanha e seus domínios, onde cerca de 6 mil a 8 mil tanques foram produzidos por ano. A União Soviética, porém, produziu cerca de 19 mil tanques por ano durante esse período, e a produção de tanques dos Estados Unidos subiu de 17 mil em 1942 para mais de 29 mil em 1944. Em 1943, a produção aliada combinada de metralhadoras chegou a 1,11 milhão, contra 165.527 da Alemanha. Claro que nem toda a aparelhagem militar aliada foi empregada contra os alemães; os britânicos e americanos em particular estavam travando guerras duras na Ásia e no Pacífico. Todavia, grande volume de armas e equipamentos americanos foi parar na Grã-Bretanha e na União Soviética, para apoiar o que já era uma maciça superioridade soviética em tanques e aeronaves. Em 1942, o destino já estava escrito, conforme Todt havia percebido.[29] Em 1944, ficou claro para qualquer um.

III

A pressão sobre a economia alemã pode ser medida pelo fato de que, em 1944, 75% do PIB era dedicado à guerra, comparado a 60% na União Soviética e 55% na Grã-Bretanha.[30] Todavia, a Alemanha pôde se beneficiar da anexação e da ocupação de uma grande parte da Europa na primeira metade da guerra. Como já vimos, a tomada da Polônia ofereceu oportunidades de enriquecimento às quais poucos conseguiram resistir. E o mais importante talvez é que a conquista de países ricos da Europa ocidental, com setores industriais avançados e agricultura próspera, ofereceu a promessa de fazer uma importante diferença a partir de 1940. Estima-se que, no total, a esfera de influência alemã na Europa em 1940 tivesse uma população de 290 milhões, com um PIB pré-guerra maior que o dos Estados Unidos. Entre as nações conquistadas, França, Bélgica e Países Baixos também tinham extensos impérios ultramarinos que aumentaram o poder econômico potencial do Terceiro Reich. As autoridades alemãs começaram a tratar de explorar os recursos dos países conquistados com uma impetuosidade que não era de bom augúrio para o futuro bem-estar das economias subjugadas. Na euforia inicial da vitória, pilhagem e roubo estiveram na ordem do dia. Após a derrota da França, as tropas alemãs sequestraram para seu próprio uso mais de 300 mil rifles, mais de 5 mil peças de artilharia, quase 4 milhões de projéteis e 2.170 tanques, muitos dos quais ainda estavam em uso pelo Exército alemão nas fases tardias da guerra. Tudo isso constituiu nada mais que um terço do butim total que os alemães apreenderam dos franceses. Outro terço foi proporcionado pela captura de milhares de locomotivas e vasta quantidade de material circulante. O sistema ferroviário alemão ficara à míngua no que se refere a investimento nos anos anteriores à guerra, levando a graves atrasos na movimentação de suprimentos volumosos, como carvão, pelo país. Mas teve então condições de reabastecer seus estoques depauperados com 4.260 locomotivas e 140 mil vagões de carga e vagões das ferrovias francesas, holandesas e belgas. Por fim, as forças alemãs confiscaram quantidades maciças de matérias-primas para a indústria de armas doméstica, inclusive 81 mil toneladas de cobre, suprimento de estanho e níquel para um ano e quantidades consideráveis de gasolina e óleo. No total, os franceses estimaram que o equivalente a 7,7 bilhões de reichsmarks em mercadorias foram levados de seu país durante a ocupação.[31]

Não foram apenas o governo alemão e as Forças Armadas alemãs que tiveram vantagens com a conquista de outros países: soldados alemães comuns, como já vimos, também se beneficiaram. A escala de suas depredações na Polônia, na União Soviética e na Europa ocidental e oriental foi considerável. As cartas escritas por soldados alemães estão cheias de relatos e promessas de produtos, saqueados ou comprados com seus reichsmarks, enviados para sua família na Alemanha. Heinrich Böll, que mais tarde ficaria famoso como escritor ganhador do Nobel, enviou pacotes de manteiga, papel de carta, ovos, sapatos femininos, cebolas e muito mais. "Consegui metade de um leitão para vocês", anunciou triunfante para a família pouco antes de ir para casa de licença em 1940. Mães e esposas postavam dinheiro para seus filhos e maridos na França e na Bélgica, na Letônia e na Grécia, a fim de que comprassem suprimentos para trazer ou mandar para casa. Os soldados raramente voltavam para a Alemanha sem carregar sacolas e malas de presentes, comprados ou roubados. Após o regime suspender as restrições sobre a quantidade que podia ser levada ou enviada para casa dessa forma, o número de pacotes remetidos da França para a Alemanha pelo correio militar logo disparou para mais de 3 milhões por mês. Houve um aumento no ordenado dos soldados no fim de 1940 explicitamente para ajudá-los a pagar por mercadorias estrangeiras para sua família. Mais importantes ainda foram as quantidades abusivas de mercadorias, equipamentos e sobretudo gêneros alimentícios oficialmente requisitados e sequestrados pelo Exército e autoridades civis alemãs na Europa oriental ocupada.[32]

O Terceiro Reich também começou a explorar as economias de maneiras mais sutis, menos óbvias. A taxa de câmbio do franco francês e belga, do florim holandês e de outras moedas da Europa ocidental ocupada foi fixada em um nível extremamente favorável ao reichsmark alemão. Calcula-se, por exemplo, que o poder de compra do reichsmark na França ficou mais de 60% acima do que teria ficado caso a taxa de câmbio fosse definida sem intervenção nos mercados, ao invés de ser artificialmente fixada por decreto.[33] A Alemanha importou de maneira legítima imensas quantidades de mercadorias dos países conquistados, assim como simplesmente saqueou-os, mas não pagou por elas por meio do aumento de suas próprias exportações de forma proporcional. Em vez disso, empresas francesas, holandesas e belgas que exportavam mercadorias para a Alemanha eram pagas por seus próprios bancos centrais em francos ou florins, e as quantias pagas eram assinaladas como débitos do Reichsbank de Berlim. Claro que os débitos nunca foram pagos, de modo que, no fim de 1944, o Reichsbank devia 8,5 bilhões de reichsmarks para os franceses, quase 6 bilhões para os holandeses e 5 bilhões para os belgas e os luxemburgueses.[34] No total, os pagamentos franceses à Alemanha somaram quase metade de todos os gastos públicos da França em 1940, 1941 e 1942, chegando a 60% em 1943.[35] Calcula-se que a Alemanha estivesse usando 40% dos recursos franceses nessa época.[36] No total, bem mais de 30% da produção líquida dos países ocupados na Europa ocidental foi extraída pelos alemães no período da guerra.[37] Os efeitos dessas extrações sobre a economia doméstica dos países ocupados foram significativos. O controle alemão dos bancos centrais dos países ocupados levou ao fim das restrições à emissão de notas bancárias, de modo que os "custos de ocupação" eram pagos inclusive com a simples impressão de dinheiro, levando a uma grave inflação, piorada pela escassez de mercadorias para compra, pois elas estavam sendo levadas para a Alemanha.[38]

As companhias alemãs também tiveram condições de usar o reichsmark sobrevalorizado para adquirir o controle de empresas rivais na França, na Bélgica e em outras partes da Europa ocidental. Podiam ser ajudadas nisso pela regulamentação de comércio e distribuição de matérias-primas do governo alemão, que em geral trabalhava a seu favor. Todavia, a enorme escalada do déficit da Alemanha pelo não reembolso de débitos aos bancos centrais dos países ocupados obviamente dificultava a exportação do capital necessário para a compra de empresas nos países ocupados. A I. G. Farben, monopólio alemão de pigmentos, conseguiu apoderar-se de boa parte da indústria química francesa, e firmas alemãs, sobretudo a Usina do Reich Hermann Göring, patrocinada pelo Estado, abocanharam muito da mineração e das indústrias de ferro e aço da Alsácia-Lorena. O patrocínio estatal alemão da Usina do Reich Hermann Göring proporcionou a esta uma vantagem óbvia sobre a iniciativa privada na aquisição de empresas estrangeiras. Muitos dos empreendimentos tomados eram de controle estatal ou de propriedade estrangeira; a arianização de firmas judaicas também desempenhou um papel nisso, embora em termos gerais não significasse muito. Entretanto, muitos dos maiores empreendimentos privados escaparam das tomadas de controle, inclusive grandes multinacionais holandesas como Philips, Shell e Unilever, ou o enorme conglomerado siderúrgico abrigado sob o nome Arbed. Claro que os ocupantes alemães supervisionavam as atividades dessas empresas de muitas maneiras, mas na maioria dos casos não conseguiram exercer controle direto ou colher benefícios financeiros diretos.[39]

Isso ocorreu em parte porque os governos nacionais continuaram a existir nos países ocupados da Europa ocidental, por mais limitados que fossem seus poderes, e as leis e os direitos de propriedade continuaram a vigorar como antes. Do ponto de vista de Berlim, portanto, o que se exigia era a cooperação econômica, por mais desiguais que fossem os termos em que se baseasse, e não a subjugação total ou expropriação conforme a linha adotada na Polônia. As autoridades de ocupação, civis e militares, estabeleceram as condições gerais e abriram as oportunidades para as empresas alemãs, por meio da arianização, por exemplo – embora não na França, onde a propriedade judaica era controlada pelas autoridades francesas. Portanto, tudo que podiam fazer as companhias alemãs, que buscavam expandir sua influência e colher os lucros da ocupação, era se insinuar com as autoridades de ocupação a fim de tentar passar as rivais para trás.[40] A política de cooperação ditada por Berlim limitava a liberdade de ação de tais companhias. E não havia nascido simplesmente da conveniência – do desejo de conquistar a cooperação da França e de outros países europeus ocidentais na luta em curso contra a Grã--Bretanha –, mas também de uma visão mais grandiosa: o conceito de uma Nova Ordem na Europa, uma economia pan-europeia de larga escala que mobilizaria o continente como um bloco único para se opor às gigantescas economias dos Estados Unidos e do império britânico. Em 24 de maio de 1940, representantes do Ministério de Relações Exteriores, Plano de Quatro Anos, Reichsbank, Ministério da Economia e outros setores interessados fizeram uma reunião para discutir como essa Nova Ordem seria estabelecida. Estava claro que tinha de ser apresentada não como um veículo do expansionismo alemão, mas como uma proposta de cooperação europeia. A política da Alemanha de tentar travar guerra com seus próprios recursos evidentemente

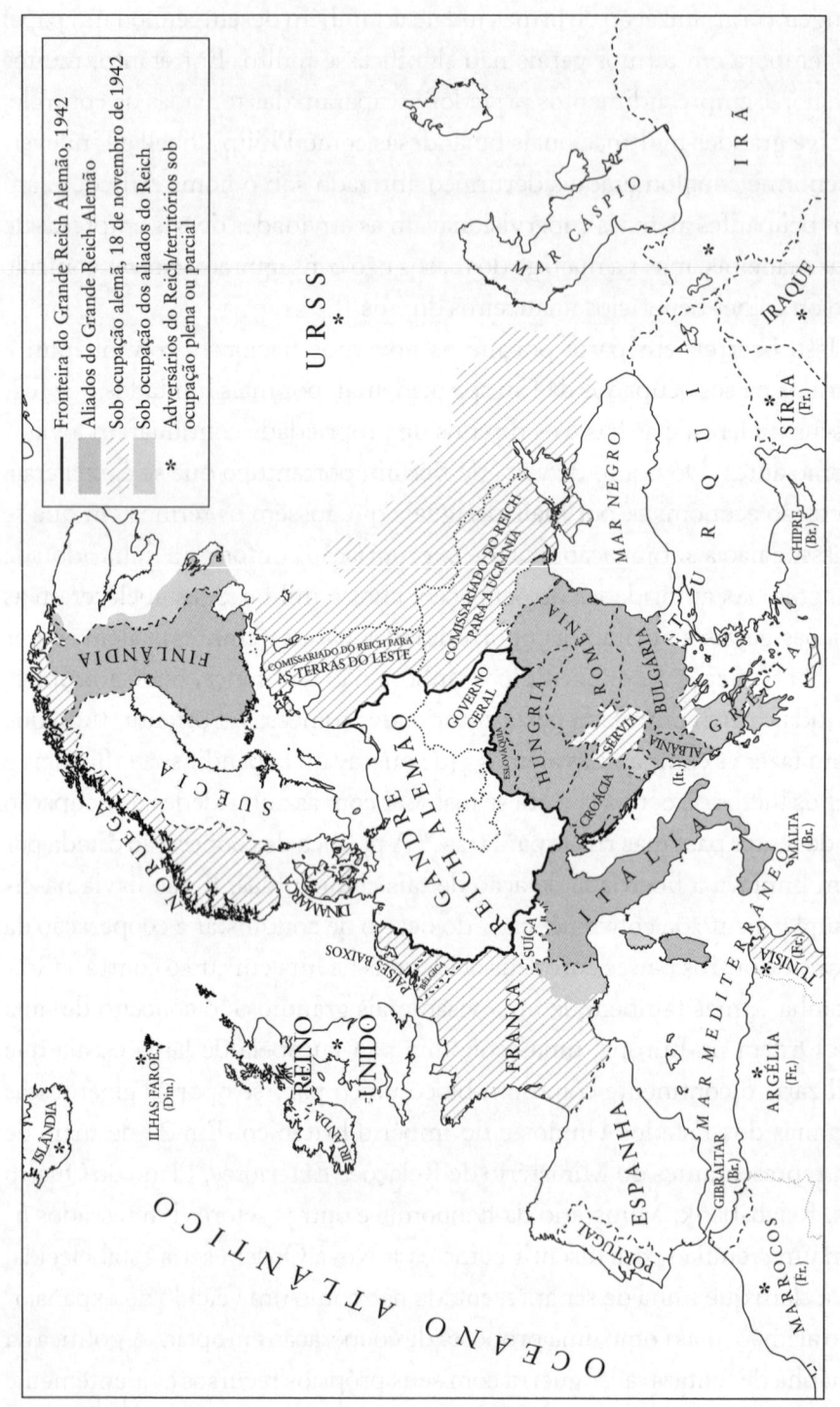

Mapa 12. A Nova Ordem na Europa, 1942

não estava funcionando. Os recursos dos outros países também precisavam ser empregados. Conforme o próprio Hitler disse para Todt em 20 de junho de 1940: "O curso da guerra mostra que fomos longe demais em nossos esforços para adquirir autossuficiência".[41] A Nova Ordem pretendia reconstituir a autossuficiência em termos europeus.[42]

O que se exigia, portanto, conforme Hermann Göring, chefe do Plano de Quatro Anos, declarou em 17 de agosto de 1940, era "uma integração mútua e uma união de interesses entre a economia da Alemanha e da Holanda, Bélgica, Noruega e Dinamarca", bem como uma cooperação intensificada com a França. Companhias como a I. G. Farben apareceram com sugestões sobre como suas próprias necessidades industriais particulares poderiam ser atendidas, conforme esclarece um memorando da companhia em 3 de agosto de 1940, pela criação de "uma grande esfera econômica organizada para conseguir autossuficiência e planejada em relação a todas as outras esferas econômicas do mundo".[43] Nisso também, segundo explicou um representante do Ministério da Economia do Reich em 3 de outubro de 1940, era preciso prudência:

> Pode-se adotar a ideia de que podemos simplesmente ditar o que vai acontecer no campo econômico na Europa, ou seja, de que podemos simplesmente considerar os assuntos do ponto de vista unilateral dos interesses alemães. Esse é o critério adotado às vezes por círculos empresariais privados quando tratam das questões da estrutura da economia europeia no futuro do ponto de vista de sua esfera de operações particular. Entretanto, uma visão dessas seria errada, porque em última análise não estamos sozinhos na Europa e não podemos comandar uma economia com nações subjugadas. É bastante óbvio que devemos evitar cair em qualquer dos dois extremos – de um lado, de que devemos engolir tudo e tirar tudo dos outros; e, de outro, de dizer: não somos assim, não queremos nada.[44]

Seguir esse caminho do meio aproximava-se da linha adotada pelos imperialistas econômicos visionários que haviam desenvolvido pensamentos sobre uma esfera alemã de interesse econômico – às vezes conhecida como *Mitteleuropa*, "Europa Central" – antes da Primeira Guerra Mundial. Ela envolveria, pensavam os planejadores econômicos, a criação de cartéis, investimentos e aquisições de âmbito europeu. Iria requerer a intervenção do governo para abolir barreiras alfandegárias e regular as moedas. Mas, do ponto de vista da indústria alemã, a Nova Ordem devia ser criada sobretudo pela iniciativa privada. A integração econômica europeia sob a bandeira da Nova Ordem deveria basear-se não em regulamentações estatais e controles de governo, mas na reestruturação da economia de mercado europeia.[45]

Perseguir tal meta significava evitar tanto quanto possível dar a impressão de que a conquista dos países europeus ocidentais não passava de sua subjugação e exploração econômica. Ao mesmo tempo, porém, os planejadores econômicos alemães estavam certos de que a Nova Ordem seria implantada sobretudo para servir aos interesses econômicos alemães. Isso envolvia um jogo de artifícios que às vezes podia ser deveras sofisticado. Ciente, por exemplo, da má fama aderida ao conceito de reparações desde 1919, o Terceiro Reich não exigiu compensação financeira dos países derrotados; de qualquer modo, como poderia fazê-lo, uma vez que as reparações que a Alemanha tivera de pagar de 1919 a 1932 haviam sido para compensar o estrago causado à França e à Bélgica pela invasão alemã dos dois países em 1914, e ninguém invadira a Alemanha em 1940? Assim, os alemães vitoriosos, em vez disso, impuseram o que chamaram de "custos de ocupação" às nações derrotadas. Esses aparentemente eram para pagar a manutenção de tropas, bases militares e navais, campos de aviação e posições defensivas alemãs nos territórios conquistados. De fato, as somas extraídas com essa rubrica excederam em muitas vezes os custos de ocupação, atingindo, no caso da França, 20 milhões de reichsmarks por dia, o suficiente, segundo um cálculo francês, para sustentar um exército de 18 milhões de homens. Até o fim de 1943, quase 25 bilhões de reichsmarks tinham ido parar nos cofres alemães com essa justificativa. As somas eram tão grandes que os alemães encorajaram os franceses a contribuir para seu pagamento com a transferência de ações e, não muito depois, o controle majoritário de empreendimentos vitais de propriedade francesa na indústria petrolífera romena e nas imensas minas de cobre da Iugoslávia havia passado para empreendimentos de domínio alemão, como a onipresente Usina do Reich Hermann Göring e a recém-estabelecida "multinacional" Petróleo Continental.[46]

IV

O que tudo isso refletiu foi o fato de que, a partir do momento em que os preparativos sérios para a invasão da União Soviética tiveram início, as ideias de cooperação econômica começaram a ficar em segundo plano em relação aos imperativos da exploração econômica. Alguns, como Speer, levaram essas ideias relativamente a sério.[47] Mas, no que dizia respeito a Hitler, elas eram pouco mais que uma cortina de fumaça. Em 16 de julho de 1941, por exemplo, ele dedicou alguma atenção para uma declaração em um jornal francês de Vichy de que a guerra contra a União Soviética era uma guerra europeia e, portanto, deveria beneficiar todos os Estados europeus. "O que dizemos ao mundo sobre os motivos de nossas medidas", disse ele, "deve [...] ser condicionado por razões táticas".[48] Dizer que a invasão era uma iniciativa europeia era uma tática. A realidade é que seria pelos interesses da Alemanha. Isso já estava claro há tempos para os líderes nazistas. Conforme Goebbels declarou em 5 de abril de 1940: "Estamos levando a cabo na Europa a mesma revolução que fizemos em menor escala na Alemanha. Se alguém perguntar", prosseguiu ele, "como imaginamos a nova Europa, temos de dizer que não sabemos. Claro que temos algumas ideias a respeito, mas, se as colocássemos em palavras, elas imediatamente nos criariam mais inimigos".[49] Em 26 de outubro de 1940, ele deixou brutalmente claro a que se resumiam essas ideias: "Quando essa guerra acabar, queremos ser os senhores da Europa".[50]

Em 1941, portanto, os países da Europa ocidental estavam sendo explorados ao máximo pelos alemães. A maioria tinha setores industriais avançados que se pretendia que contribuíssem para o esforço de guerra alemão. Todavia, logo ficou claro que a contribuição francesa estava ficando aquém do que os líderes econômicos e militares alemães esperavam. As tentativas de fazer que fábricas francesas produzissem 3 mil aeronaves para o esforço de guerra alemão emperraram repetidas vezes antes da assinatura de um acordo em 12 de fevereiro de 1941. Mesmo depois disso, a produção foi retardada pela escassez de alumínio e pelas dificuldades de se obter carvão para gerar energia. Apenas 78 aviões foram entregues por fábricas da França e dos Países

Baixos até o fim do ano, ao passo que os britânicos haviam comprado mais de 5 mil dos Estados Unidos no mesmo período. No ano seguinte, as coisas melhoraram um pouco, com 753 aviões entregues à Força Aérea alemã; mas isso foi só um décimo da quantidade que os britânicos receberam dos americanos. O moral baixo, a saúde e a nutrição ruins dos trabalhadores, e provavelmente também uma considerável relutância ideológica, fizeram que a produtividade da mão de obra nas fábricas francesas de aviação fosse apenas um quarto do que era na Alemanha. Em conjunto, os territórios europeus ocidentais ocupados conseguiram produzir apenas pouco mais de 2,6 mil aviões para uso militar alemão durante toda a guerra.[51]

Mesmo com a adição de recursos naturais substanciais das áreas conquistadas da Europa ocidental, a economia do Terceiro Reich permaneceu calamitosamente mal de combustíveis durante a guerra. Particularmente séria era a falta de óleo derivado de petróleo. As tentativas de se encontrar um substituto não tiveram êxito. A produção de combustível sintético cresceu apenas para 6,5 milhões de toneladas em 1943, contra 4 milhões nos quatro anos anteriores. As economias europeias-ocidentais ocupadas em 1940 eram grandes consumidoras de óleo importado, e não produziam nem uma gota, de modo que apenas aumentaram os problemas de combustível da Alemanha ao terem suas antigas fontes de abastecimento abruptamente cortadas. A Romênia fornecia 1,5 milhão de toneladas de óleo por ano, e a Hungria quase o mesmo volume, mas não bastava de jeito nenhum. As reservas de combustível francesas e outras foram capturadas pelas forças ocupantes, reduzindo o abastecimento de petróleo da França a apenas 8% dos níveis pré-guerra. A Itália, aliada da Alemanha, consumiu quantidades adicionais de óleo alemão e romeno, visto que também teve as outras fontes cortadas. As reservas alemãs de óleo nunca passaram de 2 milhões de toneladas durante a guerra inteira. Em contraste, o império britânico e os Estados Unidos abasteceram a Grã-Bretanha com mais de 10 milhões de toneladas de óleo importado em 1942, e o dobro disso em 1942. Os alemães fracassaram em apoderar-se de outras fontes de óleo no Cáucaso e no Oriente Médio.[52]

O carvão, que ainda fornecia o combustível básico para a geração de eletricidade, tanto industrial como doméstica, estava presente na Europa central e ocidental em quantidades imensas, mas a produção nos países ocupados despencou à medida que os operários reduziam o ritmo de trabalho. Alguns até entraram em greve em protesto contra as rações de comida insuportavelmente baixas e as condições deterioradas. Em 1943-44, cerca de 30% do carvão usado na Alemanha vinha de áreas ocupadas, em particular da Alta Silésia, mas muito mais poderia ter sido obtido, em especial das ricas minas de carvão do norte da França e da Bélgica. O bloqueio britânico cortou as importações de grãos, fertilizantes e forragens do além-mar, ao mesmo tempo que o confisco alemão desses produtos das fazendas francesas, holandesas e belgas e o recrutamento dos operários agrícolas para os projetos de trabalho forçado na Alemanha tiveram um efeito desastroso sobre a agricultura. Os fazendeiros tiveram de abater porcos, galinhas e outros animais em enormes quantidades porque não havia nada com que os alimentar. A colheita de grãos da França caiu mais da metade no período 1938-40. Os ocupantes alemães introduziram o racionamento de comida. Em 1941, as rações oficiais da Noruega estavam abaixo de 1,6 mil calorias por dia, na França e na Bélgica eram meras 1,3 mil. Isso não era o bastante para ninguém viver, e, assim como na Europa oriental ocupada, depressa surgiu um mercado negro, à medida que as pessoas violavam a lei para se manter vivas.[53] Tudo isso fez que o acréscimo das economias da Europa ocidental significasse bem menos do que o esperado para o fortalecimento do esforço de guerra alemão. Não só a produtividade nas minas de carvão caiu, como o confisco do material circulante e locomotivas franceses, belgas e holandeses também atrapalhou severamente o deslocamento de suprimentos de carvão pelo país, estorvando a produção industrial. À medida que o suprimento de carvão caiu, as usinas siderúrgicas, privadas do coque, essencial para a fundição, também começaram a se complicar. A economia alemã não só não foi capaz de tirar muita vantagem da aquisição de minas de carvão na França e na Bélgica, como as condições nas minas alemãs também começaram a deteriorar. O recrutamento pelas Forças Armadas de muitos trabalhadores essenciais não ajudou, e as tentativas de induzir os homens a descer para as minas aumentando o salário já haviam sido solapadas pelas longas horas de trabalho, inclusive aos domingos, pelas condições perigosas e sobretudo pela parca cota de comida com que os mineiros tinham de subsistir.[54] No total, portanto, a economia de guerra alemã ganhou bem menos com a conquista de outros países europeus do que se poderia esperar.

No fim, tudo isso refletiu a primazia da exploração impiedosa ditada pelo Estado. Alguns economistas, como Otto Bräutigam, um alto funcionário do Ministério para os Territórios do Leste, de Rosenberg, considerou que a Alemanha poderia ter extraído muito mais das economias dos países que conquistou, sobretudo na Europa oriental, se sua liderança tivesse seguido as ideias de uma Nova Ordem de colaboração na Europa, em vez de políticas de subjugação racial, opressão e assassinato em massa.[55] Alguns empresários e capitalistas podem ter pensado na mesma linha, mas no geral tomaram como imutáveis as políticas do regime em relação aos povos submetidos e tentaram ganhar o que pudessem com elas. Conforme o cientista político exilado Franz Neumann afirmou durante a guerra, tratava-se claramente de uma *economia de comando*, uma economia capitalista de mercado cada vez mais submetida à direção e ao controle vindos de cima.[56] Tratava-se de algo além disso? A economia nazista estava se deslocando por completo do capitalismo de livre iniciativa? Não há dúvida de que, no curso da guerra, o regime interveio de maneira cada vez mais intrusiva na economia, em uma extensão que ia muito além de apenas conduzi-la em certas direções ou de forçá-la a operar no contexto político de uma guerra global. O controle de preços e câmbio, a regulamentação da distribuição de mão de obra e de matérias-primas, a limitação dos dividendos, a racionalização forçada, a fixação e a refixação de metas de produção e muito mais constituíram uma deformação drástica do mercado. O vasto e precipitado aumento do gasto estatal em armamentos distorceu o mercado ao sacar recursos da produção de bens de consumo para as indústrias bélicas e pesadas. Desse modo, a indústria passou a servir cada vez mais aos propósitos e interesses de um regime político impulsionado pela ideologia.[57]

Além disso, com o passar do tempo, Estado e Partido tomaram posse de parte crescente da economia. Praticamente toda a indústria de jornais e revistas, por exemplo, já havia caído sob propriedade nazista antes da guerra, e, de modo semelhante, outros meios de comunicação, inclusive estúdios de cinema e editoras de livros, pertenciam em grande parte a divisões do Partido Nazista. Em algumas áreas, como a Turíngia, os chefes regionais do Partido deram jeito de pôr as mãos em indústrias essenciais. Depois de 1939, agências estatais ou partidárias puderam assumir o controle de companhias de proprietários estrangeiros cujos países estavam em guerra com a Alemanha, e a arianização de empresas judaicas em países ocupados proporcionou oportunidades adicionais. A Usina Hermann Göring, gerida pelo Estado, espalhou seus tentáculos ainda mais longe nesse sentido. O Escritório Central de Economia e Administração da SS, sob Oswald Pohl, alastrou-se em uma rede complexa de empresas, cobrindo uma espantosa variedade de setores. A empresa *holding* montada por Pohl em 1940, a chamada Empreendimento Econômico Alemão (*Deutscher Wirtschaftsbetrieb*), tinha ou arrendava e efetivamente controlava construtoras, fábricas de móveis, cerâmicas e cimento, uma pedreira, fábricas de munição, marcenarias, indústrias têxteis, editoras de livros e muito mais. Com frequência, isso refletia os interesses particulares, às vezes deveras excêntricos, de Himmler. Assim, por exemplo, Himmler estava interessado em reduzir o consumo de álcool na Alemanha e em especial na SS, de modo que tomou providências para que a companhia de água mineral Apollinaris, em Bad Neuenahr, de propriedade britânica antes da guerra, fosse arrendada dos curadores alemães para a *holding* da SS, recompensando-a com um grande contrato de fornecimento de água mineral para a SS. O diretor não pôde ser despedido, mas foi forçado a trabalhar com um assistente indicado pela SS, dando-lhe uma grande parte do controle. Outras companhias caíram sob controle direto. O império econômico da SS expandiu-se muito rapidamente como resultado desses acontecimentos.[58] Ao mesmo tempo, porém, não tinha uma concepção geral clara sobre qual seria seu papel. Simplesmente cresceu por acréscimo, de forma fortuita, como sugere o exemplo da companhia de água mineral Apollinaris. O domínio final da economia alemã tampouco foi uma meta significativa da SS; isso sempre ficou em segundo lugar em relação às políticas de segurança e racial.[59] Nos dois últimos anos da guerra, essas metas de fato empurraram as ambições econômicas da SS para o plano de fundo.[60]

Por mais impressionantes que tenham sido esses acontecimentos, eles não alteraram em muito o fato de que a Alemanha ainda era uma economia capitalista, dominada pela iniciativa privada. A regulamentação foi disseminada e intrusiva, mas foi efetuada por muitas instituições e organizações diferentes, com frequência rivais.[61] Gerentes industriais e executivos de empresas conseguiram preservar pelo menos alguma liberdade de ação, mas ficaram cientes de que sua autonomia era cada vez mais restringida durante a guerra, junto com o funcionamento de uma economia de livre mercado, e ficaram profundamente preocupados que o regime pudesse se tornar uma economia plenamente "socialista", gerida pelo Estado; Joseph Goebbels, amplamente considerado um "socialista", era um verdadeiro "bicho-papão" nesse ponto, mas os impérios econômicos em expansão da SS e da Usina Hermann Göring, entre outros, também eram motivo de ansiedade. Essas preocupações levaram muitos empresários e industriais a cooperar com o regime o máximo que podiam, a fim de evitar, pensavam eles, intromissões ainda mais drásticas em seu poder de tomada de decisão.[62]

Assim, gerentes, executivos e presidentes de companhias estavam mais que dispostos a tirar vantagem dos muitos incentivos que o Estado tinha a oferecer, mais notadamente, é claro, a oferta de lucrativos contratos de armas. Os negócios alemães beneficiaram-se igualmente das atividades da SS. O Banco Dresdner, por exemplo, emitiu créditos para a SS, e altos executivos foram recompensados tornando-se oficiais da organização. Os serviços do banco para a SS incluíram fornecimento de empréstimos para obras de construção em Sachsenhausen e financiamento para a construção do Crematório II de Auschwitz.[63] Huta, a pequena empresa que construiu as vans de gás usadas para matar judeus em Chelmno e outros locais, a empresa de engenharia Topf e Filhos, que construiu as câmaras de gás de Auschwitz, e muitas outras companhias ficaram muitíssimo felizes em lucrar com o negócio da morte. Algumas, como a companhia que fornecia o Zyklon-B para Auschwitz, possivelmente podiam ignorar o uso dado a seus produtos, mas na maioria dos casos era totalmente óbvio. Aqueles que processaram o ouro das restaurações dentárias extraídas do corpo de judeus mortos em Auschwitz e outros campos de morte devem ter tido poucas dúvidas a respeito de sua procedência. Depois de recolhidas nos campos, as restaurações eram enviadas para uma refinaria operada pela firma Degussa, com sede em Frankfurt, a líder em processamento de metais preciosos na Alemanha. O metal era derretido e fundido em barras, junto com outros produtos de ouro, joias e coisas assim, retirados dos judeus e outras pessoas das áreas conquistadas da Europa. No total, estima-se que a Degussa obteve cerca de 2 milhões de reichsmarks com a pilhagem de judeus entre 1939 e 1945; 95% da entrada de ouro na firma entre 1940 e 1944 veio do saque.[64] A Degussa obteve tal lucro vendendo o ouro por meio do Reichsbank para instituições financeiras como o Deutsche Bank.[65] A origem de boa parte desse ouro ficava bem clara para aqueles que o processavam na fábrica. As restaurações chegavam na fábrica da Degussa para processamento, conforme recordou uma trabalhadora muito depois da guerra, em um estado que deixava claríssimo de onde tinham vindo: "As coroas e pontes, e havia aquelas nas quais os dentes ainda estavam fixados [...] Isso era o mais deprimente, o fato de que tudo ainda estava ali. Provavelmente como no momento em que haviam sido quebrados e arrancados da boca. Os dentes ainda estavam ali, e às vezes ainda ensanguentados e com pedaços de gengiva".[66]

"Não estamos melhor que porcos"

I

O feito de Speer de galvanizar a economia de guerra em um aumento de produção, por mais fútil que se provasse no fim, baseou-se em parte no uso eficiente da força de trabalho. A proporção de trabalhadores industriais engajados na manufatura de armas havia crescido 159% de 1939 a 1941 e, na época em que Speer assumiu o cargo, restava pouco espaço para mais aumento nesse setor. Speer encorajou o uso mais eficiente da mão de obra, não apenas aumentando a quantidade de trabalho em turnos, mas também com a racionalização geral da produção, cortando pela metade o número de horas-homem necessárias para fazer um tanque Panzer III, por exemplo. O número de aviões de combate feitos em fábricas alemãs quadruplicou entre 1941 e 1944, e, mesmo que a escolha de datas de conclusão para as estatísticas maximizasse o aumento, o crescimento na produção ainda assim foi bastante real. Todavia, isso foi obtido com uma mão de obra nas fábricas de avião que, em 1944, não era muito maior do que três anos antes: de 390 mil, em vez de 360 mil.[67]

Ao mesmo tempo, novos braços foram despejados nas indústrias de armamento, aumentando drasticamente o tamanho da força de trabalho em uns poucos setores-chave. Em 1942, o número de operários engajados na produção de tanques cresceu perto de 60%. Um aumento de 90% no número de empregados de fábricas de locomotivas no mesmo ano ajudou a impulsionar a produção de menos de 2 mil em 1941 para mais de 5 mil dois anos depois. O aumento crucial veio na produção de munições, onde 450 mil trabalhadores estavam empregados no outono de 1943, contra 160 mil nas fábricas de tanques e 210 mil na manufatura de armas. Ali também houve aumentos significativos, embora tenham sido inaugurados não por Speer, mas por um programa anunciado em 10 de janeiro de 1942 na gestão de Todt.[68] A tarefa de recrutar esses novos operários coube ao homem que Hitler nomeou plenipotenciário geral para a mobilização de trabalhadores depois da criação desse novo cargo em 21 de março de 1942: Fritz Sauckel. Este era um tipo muito diferente do profissional burguês afável e refinado como Speer. Nascido em 27 de outubro de 1894, filho de um trabalhador dos correios, Sauckel cresceu em situação de pobreza na Francônia, deixou a escola aos quinze anos, tornou-se grumete em um cargueiro e passou a Primeira Guerra Mundial em um campo de prisioneiros quando o navio foi afundado por uma belonave francesa assim que as hostilidades tiveram início. De volta à Alemanha em 1919, trabalhou como torneiro mecânico em uma fábrica de rolamentos antes de estudar engenharia. Eis, portanto, um verdadeiro plebeu, tanto de origem como de estilo de vida. Ao contrário de outras lideranças nazistas, Sauckel parece ter tido um casamento feliz, durante o qual foi pai de nada menos que dez filhos. Em 1923, ele ouviu Hitler falar e foi convertido pela mensagem de necessidade de união nacional. Sauckel permaneceu leal a Hitler depois do golpe fracassado da cervejaria naquele ano, e Hitler recompensou-o com a nomeação de líder regional da Turíngia em 1927. Eleito para a Assembleia Legislativa da Turíngia em 1929, Sauckel tornou-se ministro-presidente da Turíngia quando os nazistas saíram das eleições estaduais de 1932 como o partido mais forte.[69]

Na década de 1930, ele não só dirigiu a arianização de uma das maiores fábricas de armas da Turíngia, como assegurou-se de que fosse tomada por sua própria empresa *holding*, a Fundação Wilhelm Gustloff. Portanto, a despeito de suas origens, Sauckel não era alheio ao mundo dos negócios e da indústria. Sua experiência seria útil em 1942. O populismo plebeu de Sauckel encontrou expressão dramática na deflagração da guerra quando, depois de Hitler negar seu pedido para servir nas Forças Armadas, ele infiltrou-se em um submarino como clandestino, sendo descoberto apenas depois de a embarcação fazer-se ao mar. Dada sua proeminência, o chefe da esquadra do submarino, almirante Karl Dönitz, retornou a embarcação ao porto, mas o episódio não causou dano à reputação de Sauckel. Aliado próximo de Martin Bormann, Sauckel deu a impressão, tanto para aquele como de fato para

Hitler, de ter as qualidades de energia e impiedade necessárias para resolver a questão trabalhista em 1942. Sua ficha de nazista linha-dura asseguraria ao Partido que ele não seria mole com os "sub-humanos" eslavos mesmo que o trabalho deles fosse vital para o esforço de guerra alemão. O novo cargo era subordinado diretamente a Hitler, o que deu a Sauckel, assim como a Speer, enorme influência. Ele a usou, ao menos de início, para trabalhar próximo de Speer na organização e no recrutamento sobretudo de operários estrangeiros, embora a tensão entre os dois homens fosse palpável, transformando-se mais tarde em uma verdadeira luta por poder. Outras instituições que haviam desempenhado um papel na mobilização trabalhista anteriormente, inclusive o Ministério do Trabalho do Reich, o Plano de Quatro Anos e a Frente de Trabalho Alemã, foram efetivamente deixadas de lado. Em contrapartida, o elemento de coerção necessário para colocar a mobilização em prática necessariamente envolvia o Gabinete Central de Segurança do Reich, cujo chefe, Heinrich Himmler, tornou-se assim o terceiro principal jogador em campo, junto com Sauckel e Speer.[70]

Já havia grande quantidade de trabalhadores estrangeiros na Alemanha – mais de um milhão deles eram poloneses – quando Sauckel assumiu o cargo recém-criado. Como Himmler e Göring consideravam os poloneses inferiores em termos raciais e também em todos os outros, eram vistos como capazes de trabalhar apenas em serviços simples e não especializados na agricultura, onde de fato eram muito necessários devido ao alistamento dos operários alemães no Exército e à migração de longo prazo dos trabalhadores rurais para as cidades.[71] Do 1,2 milhão de prisioneiros de guerra e civis estrangeiros trabalhando na Alemanha em maio de 1940, 60% estavam empregados na agricultura. Os 700 mil poloneses entre eles trabalhavam quase exclusivamente como peões de fazenda, embora uns poucos estivessem empregados na construção de estradas. Tentativas de convocá-los para as minas surtiram pouco efeito; os trabalhadores poloneses eram inexperientes, muitos estavam com a saúde ruim, desnutridos e inaptos para o pesado trabalho braçal exigido dos mineradores de carvão, e sua produtividade era baixa.[72] Embora a maioria dos operários poloneses tivesse sido recrutada para a agricultura, em meados de 1940 a necessidade bem maior era de operários para a indústria de armas – de acordo com alguns inspetores de armamento, o déficit era de até um milhão. A grande quantidade de prisioneiros de guerra franceses e britânicos durante a campanha de maio-junho de 1940 pareceu notavelmente adequada. No início de julho de 1940, cerca de 200 mil deles já haviam sido enviados para trabalhar na Alemanha; o número aumentou para 600 mil em agosto de 1940 e para 1,2 milhão em outubro de 1940.[73]

Todavia, as tentativas de identificar trabalhadores especializados para emprego na indústria de armas ficaram longe de ser um pleno sucesso. Em dezembro de 1940, mais da metade dos prisioneiros estava empregada, como os poloneses, na agricultura. O déficit teve de ser coberto por voluntários civis. Eles foram recrutados de países orientais ocupados e países aliados da Alemanha, e pelo menos na teoria supunha-se que tivessem os mesmos salários e condições dos operários alemães. Em outubro de 1941, havia 300 mil trabalhadores civis na Alemanha vindos de países orientais, 270 mil da Itália, 80 mil da Eslováquia e 35 mil da Hungria. Os italianos logo tornaram-se impopulares devido às reclamações sobre a comida alemã e ao comportamento desordeiro à noite; além disso, os privilégios concedidos a eles suscitaram ressentimento entre os nativos alemães. Tampouco os trabalhadores estrangeiros ficaram à altura das expectativas de seus empregadores. A maioria deles, conforme reclamava o Serviço de Segurança da SS, dedicava pouco esforço ao trabalho. O motivo era óbvio: seus salários eram mantidos abaixo dos vencimentos de seus equivalentes alemães e não estavam vinculados ao desempenho.[74]

A invasão da União Soviética, entretanto, introduziu toda uma nova dimensão no emprego de mão de obra estrangeira. De início, como vimos, Hitler, Göring e os administradores econômicos do Reich consideravam o povo dos territórios conquistados na Operação Barba Ruiva dispensáveis. A vitória seria rápida, de modo que seu trabalho não seria necessário. Em outubro de 1941, porém, ficou claro que a vitória não viria naquele ano, e os empresários da indústria da Alemanha começaram a pressionar o regime para fornecer prisioneiros de guerra do Exército Vermelho para as minas, por exemplo, onde a escassez de mão de obra havia provocado uma queda na produção. Em 31 de outubro de 1941, Hitler ordenou que os prisioneiros russos de guerra fossem alistados no trabalho da economia de guerra. Usá--los como operários não especializados permitira dispor dos trabalhadores especializados alemães onde se faziam mais necessários.[75] Entretanto, a essa altura, haviam morrido tantos prisioneiros de guerra soviéticos e a condição dos restantes era tão precária que apenas 5% dos 3,35 milhões de soldados do Exército Vermelho capturados até o fim de março de 1942 foram realmente usados como trabalhadores.[76] Com isso, o recrutamento de civis tornou-se ainda mais urgente.

Usando uma mistura de publicidade e incentivos, de um lado, e coerção e terror, de outro, as autoridades civis e militares alemãs nos territórios ocupados do leste deflagraram uma campanha maciça para recrutar trabalhadores civis antes mesmo de Sauckel assumir o cargo. Comissões armadas de recrutamento percorreram o interior detendo e prendendo homens e mulheres jovens e de boa constituição física, ou, se eles houvessem se escondido, maltratando os pais e familiares até que se entregassem. No fim de novembro de 1942, Sauckel afirmou ter recrutado mais de 1,5 milhão de trabalhadores estrangeiros desde sua nomeação, elevando o total a quase 5,75 milhões. Muitos desses, notadamente os do oeste, ficaram sob contratos de seis meses, e uma parte foi liberada como inapta, de modo que o verdadeiro número de operários estrangeiros (incluindo prisioneiros de guerra) empregados na Alemanha em novembro de 1942, na verdade, não passava de 4,665 milhões. No entender de Sauckel, isso foi um feito substancial.[77] Mas ainda não era o bastante. Em 1942, a guerra no leste havia se transformado exatamente no tipo de guerra de desgaste que Hitler tentara evitar. De junho de 1941 a maio de 1944, as Forças Armadas alemãs perderam em média 60 mil homens mortos por mês na frente oriental. Além disso, outras centenas de milhares ficaram fora de ação por captura, ferimento ou doença.[78] Substituí-los não foi nada fácil. Quase um milhão de novos recrutas foram obtidos em 1942 baixando-se a idade de alistamento; outros 200 mil homens antes considerados isentos foram recrutados da indústria de armas; aumentar a idade de alistamento para incluir os de meia-idade também foi necessário para engajar muitos deles. Mas essas medidas, por sua vez, exacerbaram a escassez existente de mão de obra na indústria de armas e na agricultura.[79]

Quanto mais soldados alemães morriam na frente oriental, mais o Exército convocava novos grupos de operários alemães das indústrias de armas antes protegidos, e mais essas indústrias precisavam substituir os empregados que partiam por novas levas de operários estrangeiros. Sem vontade de desagradar a opinião popular na Alemanha aumentando os salários e melhorando as condições dos trabalhadores estrangeiros, o regime apelou cada vez mais para a coação até mesmo no oeste. Em 6 de junho de 1942, Hitler combinou com Pierre Laval, o primeiro-ministro de Vichy, que soltaria 50 mil prisioneiros de guerra franceses em troca do envio de 150 mil operários civis para a Alemanha, em um esquema que em seguida foi ainda mais ampliado. No começo de 1942, Sauckel exigiu que um terço de todos os metalúrgicos franceses, somando cerca de 150 mil operários especializados, fossem realocados para a Alemanha, junto com mais 250 mil trabalhadores de todos os tipos. Em dezembro de 1943, havia mais de 666 mil trabalhadores franceses empregados na Alemanha, junto com 223 mil belgas e 274 mil holandeses. Quanto mais resolutamente as comissões itinerantes de Sauckel capturavam operários das fábricas francesas, mais difícil ficava manter tais fábricas produzindo munições e equipamento para o esforço de guerra alemão. O aumento da coação levou a uma resistência crescente, assim como acontecera antes na Polônia.[80]

Sauckel sentiu que a esfera de ação que tinha para o recrutamento forçado era consideravelmente maior no leste que no oeste. À medida que a situação militar na frente oriental ficou mais difícil, Exército, autoridades de ocupação e a SS começaram a abandonar quaisquer escrúpulos restantes quanto ao recrutamento de habitantes locais como mão de obra. Ao falar em Posen em outubro de 1943, Heinrich Himmler declarou: "Que 10 mil mulheres russas caiam de exaustão na construção de uma vala antitanque para a Alemanha só me interessa na medida em que a vala seja cavada para a Alemanha".[81] A SS queimava aldeias inteiras se os rapazes fugissem da convocação para o trabalho, pegava operários potenciais nas ruas e fazia reféns até que se apresentassem candidatos suficientes para o alistamento – medidas essas que incitavam ainda mais o recrutamento para as guerrilhas. Enquanto isso, as autoridades militares no leste conceberam um plano (Operação Feno) para capturar até 50 mil crianças de dez a 14 anos de idade para o emprego em obras de construção da Força Aérea alemã ou para deportação para a Alemanha a fim de trabalharem em fábricas de armas. Com tais métodos, o número de operários estrangeiros das áreas ocupadas da União Soviética empregados na Alemanha saltou para mais de 2,8 milhões no outono de 1944, incluindo mais de 600 mil prisioneiros de guerra. Nessa época, havia um total de quase 8 milhões de operários estrangeiros no Reich: 46% dos trabalhadores na agricultura eram cidadãos estrangeiros, 33% na mineração, 30% nas indústrias metalúrgicas, 32% na construção, 28% na indústria química e 26% nos transportes. No último ano da guerra, mais de um quarto da força de trabalho da Alemanha consistia de cidadãos de outros países.[82]

II

O influxo maciço de mão de obra estrangeira mudou o aspecto das aldeias e cidades alemãs da primavera de 1942 em diante. Campos e albergues foram montados por toda a Alemanha para abrigar esses trabalhadores. Apenas em Munique, por exemplo, havia 120 campos de prisioneiros de guerra e 286 acampamentos e albergues para operários civis estrangeiros. Dessa forma, foram disponibilizados 80 mil leitos para os trabalhadores estrangeiros. Algumas empresas empregaram números bastante grandes: no fim de 1944, a fabricante de veículos BMW abrigava 16,6 mil operários estrangeiros em centros especiais.[83] A fábrica da Daimler-Benz em Untertürkheim, perto de Stuttgart, que fazia motores para aviação e outros produtos bélicos, teve uma força de trabalho de até 15 mil durante a guerra. Excluindo-se o setor de pesquisa e desenvolvimento da companhia, a proporção de trabalhadores estrangeiros aumentou de praticamente nenhum em 1939 para mais da metade em 1943. Eles foram abrigados em 70 instalações diferentes, inclusive alojamentos improvisados, montados em uma velha sala de concertos e uma antiga escola.[84] Na siderúrgica Krupp em Essen, que perdera mais da metade de seus funcionários alemães do sexo masculino para as Forças Armadas em setembro de 1942, ao mesmo tempo que tinha de lidar com a duplicação do volume de negócios desde 1937 em resposta aos enormes aumentos nas encomendas militares, quase 40% da mão de obra consistia de estrangeiros no começo de 1943. Eles estavam lá porque a empresa apresentara repetidas solicitações às autoridades relevantes do governo (posteriormente ao gabinete de Sauckel) e porque a própria companhia se lançara em uma ofensiva na busca de operários especializados na Europa ocidental. Os altos funcionários da Krupp mexeram os pauzinhos na administração de ocupação alemã na França para garantir a alocação de quase 8 mil trabalhadores, muitos deles altamente especializados, no outono de 1942. O gabinete de Sauckel começou a suspeitar até mesmo de que a companhia preferia funcionários estrangeiros especializados do que os alemães menos qualificados e experientes. Em Essen, cidade da companhia Krupp, os operários estrangeiros moravam em alojamentos privativos ou – se fossem prisioneiros de guerra ou recrutados no leste – em campos especialmente construídos e fortemente guardados. Os campos para os trabalhadores soviéticos eram particularmente mal construídos, com saneamento inadequado e sem roupa de cama e outros acessórios. Uma grande quantidade de civis tinha menos de 18 anos de idade. A dieta reservada a eles era claramente pior que a fornecida às outras nacionalidades. Um capataz da unidade de produção de veículos da Krupp, que também era sargento da SS e assim provavelmente não solidário com os operários soviéticos, queixou-se de que esperavam que ele obtivesse um dia decente de trabalho de homens cuja ração diária "não passava de água com dois nabos boiando nela, igualzinho à água usada para lavar louça". Outro gerente da Krupp destacou: "Essa gente está morta de fome e sem condição de fazer o serviço pesado na construção de caldeiras para o qual foi designada".[85]

A corrupção grassava nos campos de operários estrangeiros, com comandantes e oficiais subtraindo mantimentos e vendendo-os no mercado negro, ou alugando operários especializados para comerciantes locais em troca de bebida ou comida para si mesmos. Havia um comércio ativo de autorização de licenças, com frequência forjadas por reclusos estudados que trabalhavam na administração do campo. Em um campo, um intérprete de alemão e polonês estabeleceu uma disseminada roda de prostituição usando as moças reclusas e subornando os guardas alemães para fecharem os olhos com comida roubada das cozinhas do campo. Eram comuns as relações sexuais entre oficiais alemães do campo e as reclusas; elas com frequência eram coagidas, e o estupro não era incomum. Para as necessidades sexuais dos trabalhadores estrangeiros, haviam sido especialmente estabelecidos sessenta bordéis até o fim de 1943, com seiscentas prostitutas, todas (pelo menos de acordo com o Serviço de Segurança da SS) voluntárias de Paris, da Polônia e do Protetorado

Tcheco, e todas ganhando uma bela soma de dinheiro pelo oferecimento de serviços sexuais aos trabalhadores. É questionável se o trabalho delas era tão lucrativo quanto a SS supunha. Em um bordel do campo de Oldenburg, por exemplo, cerca de seis a oito mulheres registraram 14.161 visitas de clientes ao longo de 1943, ganhando duzentos reichsmarks por semana, com 110 deduzidos como custos de moradia.[86] Se essas medidas pretendiam impedir as ligações entre operários estrangeiros e cidadãos alemães, elas fracassaram. O contato social entre alemães e operários estrangeiros ocidentais não era proibido se estes não fossem prisioneiros de guerra, e inevitavelmente houve muitos encontros sexuais, tantos, na verdade, que o Serviço de Segurança da SS estimou que, como resultado, pelo menos 20 mil filhos ilegítimos nasceram de mulheres alemãs, de modo que o "perigo de contaminação estrangeira do sangue do povo alemão estava aumentando constantemente".[87]

A situação dos trabalhadores poloneses no Reich era particularmente ruim. No interior, conforme os observadores secretos dos sociais-democratas alemães registraram em fevereiro de 1940, os aldeões estavam prestando auxílio aos operários poloneses de todas as maneiras. Especialmente nas zonas do leste, os alemães estavam acostumados há décadas a usar poloneses como operários migrantes sazonais. O regime ficou consternado com tal fraternidade, reagindo com propaganda detalhando as atrocidades supostamente cometidas pelos poloneses e apresentando evidências de sua alegada inferioridade racial e a ameaça que isso representaria.[88] Baseado na experiência de lidar com trabalhadores tchecos recrutados pelo Reich depois de março de 1939,[89] o regime nazista, após discussões entre Hitler, Himmler e Göring, emitiu uma série de decretos em 8 de março de 1940 para assegurar-se de que a inferioridade dos poloneses fosse claramente reconhecida na Alemanha. Foram distribuídos panfletos aos operários poloneses na Alemanha advertindo-os de que corriam o risco de ser enviados para um campo de concentração caso fossem indolentes no trabalho ou atentassem contra a operação industrial. Eles recebiam salários mais baixos que alemães fazendo o mesmo trabalho, estavam sujeitos a impostos especiais e não ganhavam bônus ou subsídio por doença. Deviam usar um distintivo indicando sua condição de trabalhadores poloneses – um precursor da "estrela judaica" introduzida no ano seguinte. Tinham de ser abrigados em alojamentos separados e se manter longe de instituições culturais alemãs e locais de divertimento como bares, estalagens e restaurantes. Não podiam usar as mesmas igrejas que os católicos alemães. Para evitar as ligações sexuais com alemãs, recrutavam-se números iguais de ambos os sexos da Polônia, ou, onde não fosse possível, estabeleciam-se bordéis para os homens. Os trabalhadores poloneses não tinham permissão para usar transportes públicos. Eram submetidos a toque de recolher. Relação sexual com uma mulher alemã era passível de morte para o homem polonês envolvido, por ordens pessoais de Hitler. Qualquer alemã que se envolvesse em um relacionamento com um trabalhador polonês deveria ser publicamente identificada e humilhada, tendo, entre outras coisas, a cabeça raspada. Se não fossem condenadas à prisão por um tribunal, deveriam de qualquer forma ser mandadas para um campo de concentração. O padrão sexual duplo em vigor sob o regime nazista garantia que punições semelhantes não fossem decretadas para homens alemães que tivessem relações sexuais com mulheres polonesas. Durante a primeira fase da guerra, esses decretos foram amplamente distribuídos às autoridades locais e aplicados em vários locais, às vezes como resultado de denúncias de membros da comunidade, embora os atos rituais de humilhação, como raspar a cabeça das mulheres, também causassem desassossego popular disseminado.[90] Um incidente típico ocorreu em 24 de agosto de 1940 em Gotha, quando um operário polonês de dezessete anos foi enforcado em público sem julgamento diante de cinquenta poloneses (forçados a assistir) e 150 alemães (que assistiram por vontade própria). Seu delito foi ter sido flagrado em intercurso sexual com uma prostituta alemã. Tais incidentes tornaram-se mais comuns do outono de 1940 em diante.[91] Os poloneses deveriam ser mantidos separados da sociedade alemã por todos os meios possíveis. Não é de surpreender, portanto, que muitos fugissem e que a resistência ao recrutamento se espalhasse depressa pela Polônia.[92]

Os prisioneiros de guerra soviéticos que trabalhavam na Alemanha eram tratados com severidade ainda maior que os poloneses.[93] Em um encontro ocorrido em 7 de novembro de 1941, Göring dispôs as diretrizes básicas:

> O lugar dos operários alemães especializados é na indústria de armamentos. Limpar sujeira e escavar pedras não são serviços para eles – os russos estão aqui para isso [...] Nada de contato com a população alemã,

em especial nada de "solidariedade". O trabalhador alemão basicamente é sempre o chefe dos russos [...] *Fornecimento de comida* é assunto do Plano de Quatro Anos. Os russos que arranjem a própria comida (gatos, cavalos etc.). Vestuário, moradia e manutenção um pouco melhores do que o que eles têm em casa, onde alguns ainda vivem em cavernas [...] Supervisão: membros das Forças Armadas durante o trabalho, bem como trabalhadores alemães atuando como polícia auxiliar [...] Âmbito de punição: de corte nas rações de comida a execução por esquadrão de fuzilamento; no geral, nada entre uma coisa e outra.[94]

Parte da intenção dessas regulamentações era cooptar a classe operária alemã para a ideologia do regime, da qual muitos de seus membros ainda permaneciam distantes, alistando-os como membros da raça dominante em seus contatos com os russos. O meio-termo mais amplo que elas representavam entre os impulsos racistas exterminadores da SS, de um lado, e a necessidade de mão de obra, de outro, foi expresso, tanto aí como em outras situações, pelo recrutamento dos supostamente sub-humanos como trabalhadores, mas eles continuavam a ser tratados como sub-humanos ao lhe serem negadas condições decentes de vida e obrigados a viver sob um regime draconiano de supervisão e punição. Em 20 de fevereiro de 1942, após semanas de negociação, Heydrich assinou um projeto de decreto ordenando que prisioneiros de guerra soviéticos e trabalhadores forçados que – afirmava-se – tivessem sido criados sob o bolchevismo, sendo, portanto, inimigos inveterados do nacional-socialismo, fossem segregados dos alemães tanto quanto possível, usassem um distintivo especial e fossem punidos com enforcamento se praticassem relação sexual com alemãs.[95]

Quer tivessem vindo como voluntários ou não, os trabalhadores forçados soviéticos eram todos tratados da mesma forma: amontoados em alojamentos, submetidos a rituais humilhantes de despiolhamento e alimentados com pão e sopa aguada. "Não estamos melhor que porcos", reclamaram duas moças russas que foram como voluntárias e por isso tinham permissão para escrever a seus parentes em casa no começo de 1942. "[...] É como estar na cadeia, e o portão está trancado [...] Não temos permissão para sair para lugar nenhum [...] Levantamos às cinco da manhã e vamos para o trabalho às sete. Terminamos às cinco da tarde."⁹⁶ Tuberculose e doenças semelhantes grassavam.⁹⁷ Os empregadores logo começaram a reclamar que os trabalhadores do leste estavam tão desnutridos que, todos os dias, mais de 10% faltavam devido a doenças, e o resto mal tinha condições de trabalhar. Algumas mulheres sofriam desmaios por fome enquanto trabalhavam. Relatos sobre a forma como os russos eram tratados chegaram aos parentes e amigos em casa e levaram a um rápido declínio no número de voluntários. O Ministério do Leste, de Rosenberg, exigiu uma melhora no tratamento; em 13 de março de 1942, quando Speer fez um relatório da situação para Hitler, o Líder ordenou que os trabalhadores civis russos não deveriam ser mantidos confinados e teriam seus salários aumentados, bônus por desempenho e rações melhoradas. Por outro lado, qualquer insubordinação era passível de morte. Em 9 de abril de 1942, essas ordens foram expressas em um novo conjunto de regulamentações que Sauckel colocou em prática imediatamente, revestindo-as com uma retórica brutal destinada a assegurar aos ideólogos nazistas que os russos racialmente inferiores não estavam sendo tratados com espírito humanitário. Se desobedecessem ordens, disse Sauckel, seriam entregues à Gestapo e "enforcados, fuzilados!". Se agora estavam recebendo rações decentes, era porque "até uma máquina só pode funcionar se eu lhe der combustível, óleo lubrificante e cuidar de suas necessidades". Do contrário, os russos se tornariam um fardo para o povo alemão ou até mesmo uma ameaça à sua saúde.⁹⁸

Essa retórica conseguiu superar a hostilidade da SS ao recrutamento de civis soviéticos. Entretanto, foi considerado vital para os objetivos políticos que seus salários e condições não fossem substancialmente melhorados no momento em que as rações para os alemães estavam sendo reduzidas. Isso causaria reações hostis entre a população alemã. De qualquer modo, seu padrão de vida no leste era mais baixo, argumentou-se. Por outro lado, era igualmente importante não deixar seus salários tão baixos que os empregadores demitissem operários alemães para contratá-los. Para evitar isso, os empregadores tinham de pagar uma sobretaxa especial para trabalhadores do leste. E, para melhorar o ritmo do trabalho, os operários recebiam por unidade produzida e bônus de produtividade, especialmente quando se percebeu que o programa de industrialização forçada de Stálin da década de 1930 havia provido muitos deles com habilidades muitíssimo necessárias à indústria alemã. A despeito de melhorias limitadas como essas, o número de alistamentos aumentou. Sauckel, todavia, julgou necessário lembrar aos oficiais nazistas locais em setembro de 1942 que "russos fatigados, semimortos de fome e mortos não mineram carvão para nós, são totalmente inúteis para produzir ferro e aço".[99] No fim de 1942, portanto, os operários estrangeiros estavam se tornando vitais tanto para a indústria quanto para a agricultura na Alemanha. Ao mesmo tempo, porém, a SS e as agências da lei do Partido ficavam cada vez mais preocupadas com o que viam como a ameaça à segurança representada pela presença de enormes contigentes de homens e mulheres de países conquistados nas cidades e aldeias da Alemanha, e tentavam controlá-la por todos os meios possíveis. Com a concordância do Escritório Central da Segurança do Reich, Martin Bormann montou uma operação especial de vigilância, com unidades de membros confiáveis do Partido, ex-soldados, homens da SS e da SA para monitorar os operários estrangeiros e denunciá-los caso violassem normas, como usar transporte público, frequentar bares ou andar de bicicleta, por exemplo.[100]

Não só as condições desses trabalhadores eram precárias como a segurança na prática também era muito frouxa, a despeito das punições draconianas para infrações das regras. Em abril de 1942, à medida que o programa de importação de mão de obra entrava em andamento, mais de 2 mil prisioneiros de guerra e civis soviéticos escaparam dos campos e albergues; três meses depois, o número havia se multiplicado mais de dez vezes. Em agosto de 1942, a Gestapo previu em desespero que haveria pelos menos outros 30 mil foragidos até o fim do ano. Mesmo que a afirmação sobre a recaptura de três quartos dos fugitivos fosse correta, era claro que a situação estava saindo do controle. Assumindo o comando da situação no mês seguinte, Heinrich Müller, chefe da Gestapo, montou bloqueios de estrada e cordões por todo o país, instituiu barreiras de fiscalização nas estações de trem e colocou homens em cidades do interior para conferir os documentos de pedestres com aparência suspeita. Com isso, o influxo em massa de operários estrangeiros agora tinha um efeito drástico na vida dos alemães comuns, à medida que as verificações e o controle da polícia tornavam-se mais invasivos que nunca. Eram tantos os trabalhadores estrangeiros em Hamburgo na primavera de 1941, anotou

Luise Solmitz em seu diário, que havia "uma babel confusa de idiomas sempre que se ouvia pessoas conversando".[101]

> Enquanto isso, Fr.[iedrich] Solmitz viu uma procissão miserável de operários estrangeiros na rua Ostmark: moças loiras, gente jovem, entre eles os inconfundíveis asiáticos, gente velha, cambaleando sob seus fardos, sem um sorriso do leste, curvados sob seus parcos pertences, quase a morrer de cansaço. "Saiam da calçada, seus bandidos!"[102]

Simpatia desse tipo não era incomum, embora, conforme a referência de Luise Solmitz a asiáticos sugere, o povo alemão com frequência tivesse uma sensação de superioridade racial sobre prisioneiros soviéticos e trabalhadores forçados.[103] Quando, poucos meses depois, ele deu um pouco de comida a um trabalhador forçado faminto, Friedrich Solmitz foi denunciado anonimamente à polícia e detido pela Gestapo; teve a sorte de escapar com apenas uma advertência.[104]

III

Um grande motivo para o recrutamento em massa de mão de obra estrangeira para a indústria de armas estava no fato de, por uma variedade de motivos, o regime não colocar um número suficiente de mulheres alemãs na força de trabalho. As possibilidades para isso eram de fato bastante limitadas. Por muitas décadas, a participação das mulheres na força de trabalho fora muito maior na Alemanha do que na economia industrial mais avançada da Grã-Bretanha. Em 1939, mais da metade de todas as mulheres entre 15 e 60 anos de idade da Alemanha estava no trabalho, comparadas a apenas um quarto no Reino Unido. Graças a um esforço considerável, a taxa de participação britânica cresceu para 41% em 1944; mas jamais alcançou a da Alemanha. A cota feminina na força de trabalho alemã também era maior que nos Estados Unidos, que ficava em 26%. O motivo básico era que as fazendas pequenas, tão características de muitas regiões agrícolas da Alemanha, dependiam pesadamente do trabalho feminino, ainda mais à medida que os homens partiam para o *front* ou eram sugados pela indústria de munições. Em 1939, nada menos que 6 milhões de mulheres alemãs trabalhavam em fazendas, em comparação com meras 100 mil na Grã-Bretanha. À medida que os homens foram convocados para o Exército ou para a produção de armas, a proporção de mulheres na força de trabalho nativa alemã aumentou de 55% em 1939 para 67% em 1944; esse trabalho era parte vital da produção de guerra, e as mulheres engajadas nele eram ajudadas nos momentos cruciais, tais como os meses de colheita, pelo recrutamento de trabalho temporário feminino adicional, envolvendo, por exemplo, quase 950 mil mulheres no verão de 1942. Acima e além de tudo isso, centenas de milhares de mulheres trabalhavam como ajudantes de família não remuneradas nas fazendas ou em lojas. Em 1941, 14 milhões de mulheres estavam empregadas, constituindo 42% da mão de obra nativa (já havia um número substancial de trabalhadoras estrangeiras na Alemanha antes da guerra, e seu número também aumentou). Quanto mais esse índice poderia subir?[105] Os gestores da economia consideravam que, mesmo com os mais vigorosos esforços para mobilizar as mulheres para a produção de guerra, não seria possível recrutar mais que 1,4 milhão de pares de mãos extras. Essa era uma mera fração do número realmente necessário.[106]

Quando a guerra começou, a Alemanha, na verdade, experimentou uma queda no emprego feminino, com meio milhão de mulheres deixando o mercado de trabalho entre maio de 1939 e maio de 1941. Isso ocorreu em grande parte devido à retração nas indústrias têxtil, calçadista e de bens de consumo em geral, que empregavam grande quantidade de mulheres. Cerca de 250 mil trabalhadoras haviam sido transferidas desses setores para a indústria bélica em junho de 1940. Entre maio de 1939 e maio de 1942, o número de mulheres trabalhando na indústria bélica subiu de 760 mil para pouco mais de 1,5 milhão, ao passo que nas indústrias de bens de consumo caiu de pouco mais de 1,6 milhão para menos de 1,3 milhão. A Frente de Trabalho Alemã, em consequência disso, fez intensa pressão para a melhoria das condições das operárias, a fim de atrair mais mulheres para a indústria de armas. Em maio de 1942, obteve sucesso ao conseguir um aumento da verba do governo no que diz respeito a creches para operárias casadas, e uma licença melhorada para as trabalhadoras nas semanas antes e depois do parto, bem como novas restrições no horário de trabalho de gestantes e mães que estivessem amamentando. Mas o efeito desses incentivos era mais do que neutralizado pelas generosas pensões proporcionadas às esposas e viúvas de homens em serviço militar; em alguns casos, somavam até 85% do salário dos homens em suas ocupações civis prévias. O próprio Hitler opunha-se pessoalmente ao recrutamento de mulheres alemãs para a indústria bélica porque pensava que isso poderia prejudicar suas perspectivas de procriação ou até desencorajá-las por completo de ter filhos. Ele vetou pessoalmente a ideia de se recrutar mulheres alemãs de 45 a 50 anos de idade para os esquemas de trabalho em novembro de 1943, declarando que isso afetaria sua capacidade de cuidar do marido e da família; no ano anterior, ele também interviera para tentar garantir que as mulheres alemãs que se candidatassem a emprego relacionado à guerra recebessem serviços de escritório relativamente pouco exigentes. Mobilizar mulheres com filhos pequenos não era considerado aceitável em nenhum país beligerante, e de qualquer modo, em 1944, mais de 3,5 milhões dessas mulheres na Alemanha estavam em serviços de meio período, o que era quatro vezes mais que no Reino Unido. O mais fundamental talvez é que Hitler estava obcecado, como sempre, com o que via como o precedente da "punhalada pelas costas" que julgava ter causado a derrota da Alemanha em 1918. As mulheres da frente doméstica haviam ficado descontentes e ressentidas por serem forçadas ao trabalho mal pago, exaustivo e perigoso nas fábricas, e algumas haviam participado de greves que Hitler achava que haviam minado o moral na frente doméstica. O apoio previdenciário inadequado havia levado as mulheres a participar de tumultos por comida e espalhado o sentimento contrário à guerra mais amplamente entre a população. Ele estava determinado a impedir que isso acontecesse na Segunda Guerra Mundial.[107]

Em 1º de setembro de 1939, para garantir, Hitler conclamou as mulheres a se unir à "comunidade combatente" da Alemanha e dar sua contribuição ao esforço de guerra. Mas que contribuição era essa?[108] As tentativas do regime de impulsionar o papel da mãe na "comunidade nacional" alemã continuaram infatigavelmente durante a guerra: as organizações nazistas de mulheres prosseguiram com as exposições itinerantes sobre maternidade, cursos de puericultura e celebrações do Dia das Mães que organizavam antes da guerra.[109] Com a publicação constante de literatura louvando a mãe alemã, apareceram novas coleções de ensaios, voltadas ao consumo feminino, recontando a vida de mulheres alemãs heroicas do passado. Seu heroísmo, porém, não consistia em feitos guerreiros, mas apenas em ajudar nobremente seus homens, mandando o marido e os filhos para a batalha ou protegendo as crianças quando o inimigo aparecia. A coragem das mulheres em tempos de guerra transparecia principalmente em sua recusa em ceder ao desespero ao saber da morte de alguém querido em batalha. A propaganda em vários meios de comunicação insistia em que, como donas de casa, as mulheres podiam contribuir para o esforço de guerra comportando-se de forma responsável como consumidoras e mantendo a família vestida e alimentada em circunstâncias econômicas difíceis. Se as mulheres tinham de ser persuadidas a se engajar no trabalho de guerra, então deveria ser um trabalho de guerra em conformidade com o que a ideologia nazista considerava sua essência feminina. Se atuassem como guardas antiaéreos, fariam-no para proteger a família alemã; se fizessem munição em uma fábrica, estariam provendo os filhos da nação com as armas de que precisavam para sobreviver em batalha. O sacrifício altruísta deveria ser seu quinhão. Foi relatado que uma mulher que trabalhava em uma fábrica enquanto o filho servia no *front* disse: "Antes eu passava manteiga no pão para ele, agora pinto granadas e penso: isso é para ele".[110]

Não havia um equivalente alemão para "Rosie, a Rebitadora", o muito alardeado ícone de propaganda americana que arregaçava as mangas alegremente para ajudar no esforço de guerra fazendo o que tradicionalmente fora considerado um serviço de homem em um mundo industrial de homens.[111] A despeito de todas as medidas de assistência social projetadas para proteger as mães trabalhadoras, o fato é que na Alemanha, assim como em outros países, a maioria das mulheres em trabalho remunerado em turno integral eram jovens e não casadas. Organizações como a Liga das Moças Alemãs e a Frente de Trabalho Alemã fizeram de tudo para recrutar mulheres para vários tipos de serviços relacionados à guerra, e a extensão em que moças nazistas comprometidas candidataram-se a serviços movidas pelo entusiasmo pela causa não deve ser subestimada. O percentual de mulheres na força civil de trabalho cresceu, segundo uma estimativa, de 37% em 1939 para 51% em 1944, e também havia 3,5 milhões de mulheres trabalhando em meio expediente em turnos de até oito horas nessa época. Mas é claro que a força de trabalho civil alemã estava encolhendo o tempo todo. Cada vez mais homens alemães partiam para o *front*, de modo que o número real de mulheres em empregos pagos cresceu apenas de 14,626 milhões em maio de 1939 para 14,897 milhões em setembro de 1944.[112] Os empregadores simplesmente acharam mais fácil contar com a mão de obra estrangeira. Podiam obter da França ou das áreas conquistadas da União Soviética trabalhadores especializados, ou pelo menos treinados, e em todo caso (pelo menos na teoria) capazes de trabalho físico pesado. E podiam empregá-los por salários muito baixos e sem ter de organizar e proporcionar os extensos privilégios e benefícios a que as trabalhadoras alemãs tinham direito.[113]

É claro que os empregadores não faziam objeção a mulheres operárias. De fato, em maio de 1944, as mulheres somavam 58% de todos os trabalhadores poloneses e soviéticos civis na Alemanha. Muitas estavam empregadas como domésticas, para ajudar as mulheres alemãs em casa enquanto as moças alemãs que em tempos de paz normalmente teriam assumido esse papel eram enviadas para um ano de serviço compulsório. Em 10 de setembro de 1942, Sauckel emitiu um decreto para a importação de empregadas domésticas do leste. Em parte, estava regularizando uma situação, pois muitos administradores civis e oficiais das Forças Armadas já haviam trazido mulheres dos territórios ocupados para sua casa na Alemanha como empregadas domésticas. Consultado sobre o assunto, Hitler deixou de lado possíveis objeções raciais: muitas mulheres da Ucrânia, declarou ele, de qualquer modo, eram de descendência alemã, e, se fossem loiras de olhos azuis, poderiam ser germanizadas após um período adequado de serviço no Reich. O decreto de Sauckel exigia devidamente que as mulheres, que deveriam ter de quinze a 35 anos de idade, fossem o mais parecidas possíveis com as mulheres alemãs. Famílias de classe média agarraram a oportunidade avidamente. Empregar uma doméstica do leste tornou-se um novo símbolo de *status*. Ao contrário das serviçais alemãs, as mulheres do leste podiam receber ordens para fazer qualquer tipo de trabalho, não importando o quão sujo ou pesado; elas eram baratas; podiam ser obrigadas a trabalhar por longas horas sem férias e ser mantidas em uma posição de subordinação completa. Conforme relatou o Serviço de Segurança da SS, "uma grande proporção das donas de casa reclamou repetidas vezes que, em contraste com as moças russas, as ajudantes domésticas alemãs são com frequência insolentes, preguiçosas e devassas, e tomam todo tipo de liberdade".[114] Ter uma empregada russa em casa permitiu às famílias de classe média voltar aos bons tempos de quando os criados conheciam seu lugar e faziam o que lhes mandavam.[115]

Raciocínio semelhante foi aplicado pelos empregadores da indústria. Diferentemente das alemãs, as mulheres do leste podiam ser colocadas nos turnos da noite e receber tarefas físicas pesadas. Não podiam tirar férias e eram consideradas dóceis e obedientes. "Queremos mais operárias do leste!", declarou a gerência da fábrica óptica Carl Zeiss em Jena, em junho de 1943.[116] Dada a quantidade, era inevitável que houvesse relacionamentos sexuais entre homens alemães e trabalhadoras estrangeiras em larga escala. Como era típico, Himmler e a SS ficaram preocupados com as crianças resultantes dessas relações. Algumas mulheres polonesas e outras engravidaram deliberadamente, por pensar que isso as mandaria de volta para casa.[117] Mas, a partir do fim de 1942, operárias estrangeiras grávidas não deviam ser deportadas de volta ao local de origem, mas examinadas para determinar se havia probabilidade de a criança ser de "boa linhagem racial". Se o diagnóstico fosse positivo, elas deveriam ser tiradas da mãe após o desmame, colocadas em maternidades especiais – sem a permissão da mãe, caso ela fosse do leste – e criadas como alemãs. As outras eram colocadas em maternidades para crianças estrangeiras. Esses bebês eram de baixa prioridade em termos de nutrição e padrões gerais de cuidado e amparo. Em uma dessas casas, em Helmstedt, 96% das crianças polonesas e russas morreram entre maio e dezembro de 1944 de doenças e desnutrição, ao passo que 48 de 120 em outra casa em Voerde morreram em uma epidemia de difteria no mesmo ano. A taxa de mortalidade entre os bebês de operárias russas e polonesas colocados no lar de crianças da fábrica da Volkswagen em Wolfsburg era comparável. Um general da SS relatou a Himmler, em 11 de agosto de 1943, que as crianças de uma casa que ele visitou obviamente estavam sendo "deixadas a morrer de fome lentamente".[118] Políticas como essa devem ter tido um efeito no moral e no comprometimento de muitos operários estrangeiros. Todavia, ao passo que entre 1939 e 1941 a produção por operário da indústria de armas caiu quase um quarto, começou a se recuperar em 1942, e a produtividade havia melhorado claramente em 1944. O motivo para isso jazia sobretudo nos princípios de racionalização introduzidos por Speer e seus aliados e levados a termo com tamanha determinação que 1944 se revelaria o ponto culminante da economia de guerra alemã.

IV

Uma parte essencial do gerenciamento da economia armamentista de Speer foi sua colaboração não só com a SS, mas também com a indústria alemã. Logo surgiu um elo de interesses comuns. Em sua busca por mão de obra barata e obediente, indústrias de toda a Alemanha olharam além dos operários estrangeiros disponíveis e começaram a recrutar reclusos dos campos de concentração. Em outubro de 1944, por exemplo, os 83,3 mil trabalhadores estrangeiros empregados pelo conglomerado químico gigante da I. G. Farben – 46% da força de trabalho total – incluíam não apenas 9,6 mil prisioneiros de guerra, mas também 10,9 mil prisioneiros fornecidos pelo sistema de campos. Entre as unidades industriais essenciais montadas pelo conglomerado durante a guerra estava uma enorme fábrica de buna (borracha sintética) em Monowitz, a cinco quilômetros da cidade de Auschwitz. Situava-se longe o bastante a leste para ficar fora do alcance dos bombardeios, mas desfrutava de boas conexões ferroviárias e estava próxima de boas fontes de água, cal e carvão. Uma vez acertada a construção, em 6 de fevereiro de 1941, Carl Krauch, diretor da I. G. Farben e também chefe de pesquisa e desenvolvimento do Plano de Quatro Anos de Göring, fez Göring pedir a Himmler para fornecer mão de obra tanto de alemães étnicos reassentados na área como de reclusos do campo de concentração vizinho (na época prisioneiros políticos e militares poloneses) a fim de acelerar a obra. A companhia concordou em pagar à SS de três a quatro reichsmarks por turno de nove a 11 horas completados por prisioneiro, enquanto o comandante do campo, Rudolf Höss, concordou em fornecer trens e comida e abrigar os reclusos, e construir uma ponte e um ramal ferroviário do campo até a fábrica. Na primavera de 1942, havia 11,2 mil homens trabalhando no local, 2 mil deles do campo. Otto Ambros, que comandava o programa de buna na I. G. Farben, declarou que a companhia tornaria "essa fundação industrial uma pedra angular do germanismo viril e saudável no leste". "Nossa nova amizade com a SS", relatou ele privadamente a seu chefe dentro da companhia, Fritz terMeer, "está se mostrando muito benéfica".[119]

No fim de 1943, porém, a construção ainda estava longe de concluída. Até 29 mil operários foram empregados em Monowitz, quase metade deles estrangeiros, cerca de um quarto alemães étnicos e o restante reclusos do campo. Os maus-tratos dos prisioneiros pelos guardas da SS, junto com as parcas rações que recebiam e a falta de instalações médicas e sanitárias básicas nos alojamentos da obra, onde dormiam em dois ou três por cama, fez que um número crescente ficasse doente ou não tivesse condições de cumprir as longas horas de trabalho braçal pesado exigidas na construção. Além disso, a essa altura, a grande maioria dos reclusos do campo eram judeus. Muito provavelmente a convite dos gerentes da companhia no local, um oficial da SS no campo foi convocado, inspecionou os 3,5 mil prisioneiros engajados na obra e mandou aqueles considerados inaptos para trabalhar de volta ao campo principal de Auschwitz para serem mortos a gás. Dali em diante, essas "seleções" seriam repetidas a intervalos frequentes, de modo que, em 1943-44, um total de 35 mil reclusos passou por Monowitz, dos quais sabe-se que 23 mil morreram de doença ou exaustão, ou foram mandados para as câmaras de gás; o total pode ter chegado a 30 mil. Em sua residência, os gerentes da companhia ficavam expostos ao fedor constante das chaminés dos crematórios e, além disso, durante alguns períodos de setembro de 1942 em diante, das grelhas onde grandes quantidades de cadáveres às vezes eram queimados a céu aberto. Os supervisores e gerentes da I. G. Farben sabiam do extermínio em massa em andamento em Birkenau e da sina que aguardava aqueles identificados pela SS como inaptos para trabalhar na unidade de Monowitz: de fato, alguns até usavam as câmaras de gás como ameaça aos prisioneiros que achavam que não estavam dando duro o bastante. Enquanto isso, a SS acumulava uma bela renda graças à colaboração com a gigante química, recolhendo no total algo em torno de 20 milhões de reichsmarks em pagamentos da companhia pelos operários.[120]

O uso de prisioneiros de campos de concentração como trabalhadores foi o resultado de uma mudança significativa na natureza, na extensão e na administração dos campos ocorrida no começo de 1942. Quase tão logo a guerra começou, Theodor Eicke, que dirigia os campos desde os primeiros tempos do Terceiro Reich, foi transferido para tarefas militares; ele foi morto em ação na Rússia em 16 de fevereiro de 1943. Sob seu sucessor, Richard Glücks, a população geral do sistema de campos expandiu-se rapidamente de um total de 21 mil às vésperas da guerra para 110 mil em setembro de 1942. É claro que esse total não inclui os campos de extermínio da Operação Reinhard, onde os prisioneiros não eram registrados, mas mandados diretamente para as câmaras de gás, exceto um pequeno número empregado por algum tempo nos destacamentos especiais. Grande quantidade dos novos reclusos eram trabalhadores poloneses, e a partir de 1940 também oponentes conhecidos ou suspeitos de oposição ao regime de ocupação alemã no Protetorado da Boêmia e Morávia, na França, na Bélgica, na Noruega, na Holanda e na Sérvia. Trabalhadores, profissionais liberais e clérigos eram um alvo específico. Com a invasão da União Soviética, vieram mais detenções. Uma tabela das detenções efetuadas pela Gestapo em outubro de 1941 através do Reich mostrou que o total do mês foi de 544 detenções por "comunismo e marxismo", 1.518 por "oposição", 531 por "associação proibida com poloneses ou prisioneiros de guerra" e nada menos que 7.729 por "parar de trabalhar". Outros, em números menores, foram detidos por oposição religiosa ao regime ou porque eram judeus que haviam sido soltos de um campo após o *pogrom* de novembro de 1938 sob a condição de emigrar e não cumpriram essa determinação.[121]

A expansão do sistema nos dois anos e meio iniciais da guerra envolveu o estabelecimento de novos campos, inclusive Auschwitz, Gross-Rosen e Stutthof. A despeito da tentativa de Himmler de insistir em que algumas das novas fundações fossem realmente campos de trabalho, a distinção entre campo de concentração, campo de trabalho e gueto tornou-se cada vez mais nebulosa com o avanço da guerra. Isso ocorreu em parte porque a necessidade rapidamente crescente de mão de obra para a economia de guerra alemã tornou a população dos campos uma fonte cada vez mais óbvia de operários para as indústrias relacionadas à guerra. A mudança mais importante nesse sentido veio como parte da reorganização geral da economia de guerra após a derrota do Exército da Alemanha diante de Moscou e a nomeação de Albert

420 O TERCEIRO REICH EM GUERRA

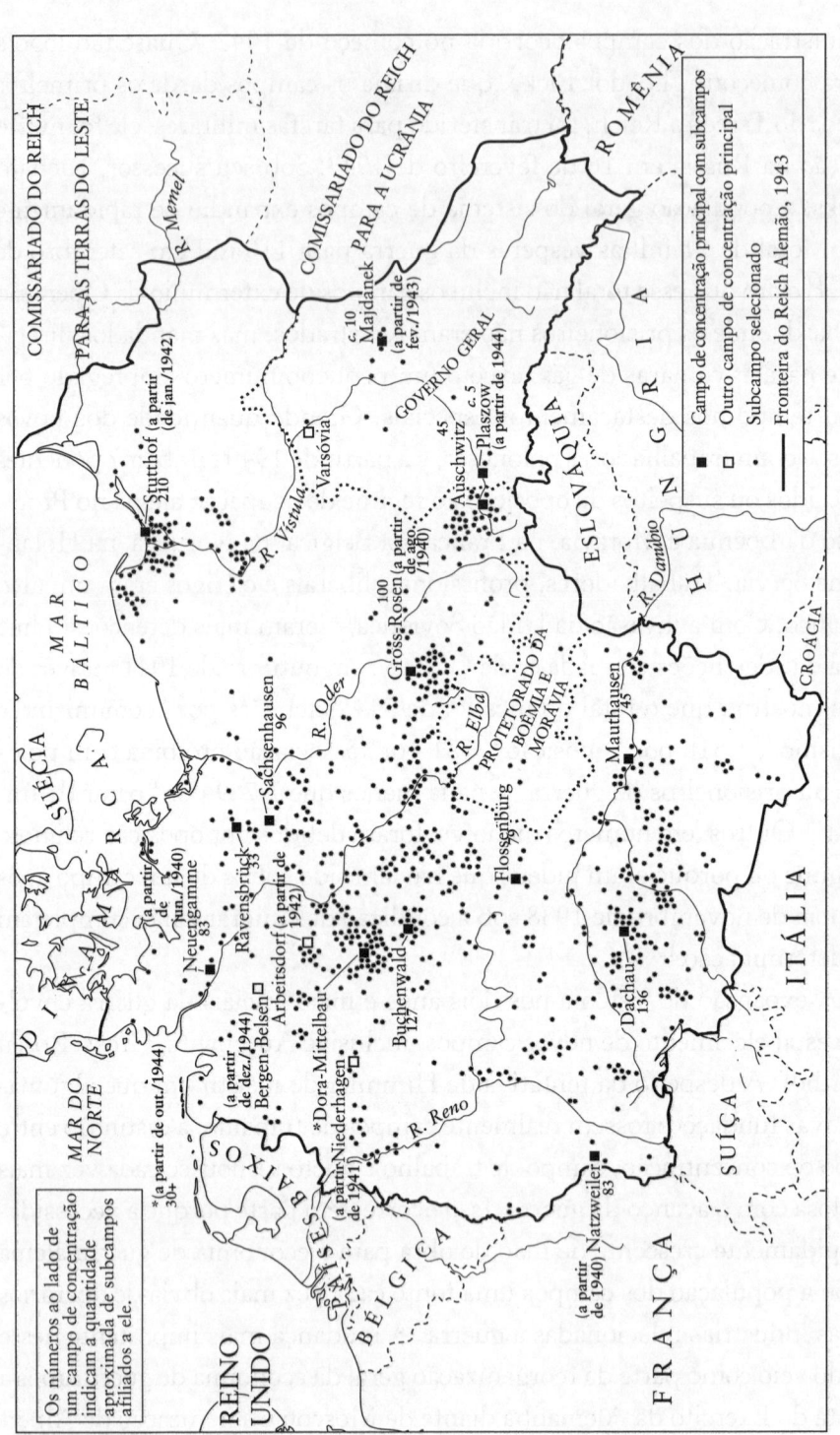

Mapa 13. Campos de concentração e satélites, 1939-45

Speer como ministro de Armamentos. Em 16 de março de 1942, Himmler transferiu a Inspetoria dos Campos de Concentração para o Escritório Central de Economia e Administração da SS, comandado por Oswald Pohl. Esse tornou-se o canal através do qual as empresas solicitavam a provisão de mão de obra, e a SS colocou mais e mais operários poloneses e do leste nos campos, de modo que pudessem atender à demanda. Em 30 de abril de 1942, Pohl escreveu a Himmler resumindo a mudança de função que ocorria nos campos naquele momento:

> A mobilização de toda a mão de obra dos campos inicialmente para tarefas militares (para aumentar a produção de armamentos) e depois para programas de construção de tempos de paz está se tornando cada vez mais importante. Essa percepção requer uma ação que permita uma transformação gradual dos campos de concentração de sua antiga forma política unilateral em uma organização adequada aos requisitos econômicos.[122]

Himmler concordou plenamente com essa mudança radical, embora continuasse a insistir em que os campos deveriam efetuar reeducação política, "do contrário poderia aumentar a suspeita de que detemos pessoas, ou as mantemos presas se foram detidas, a fim de ter trabalhadores".[123]

A mão de obra era provida basicamente segundo os mesmos arranjos de Monowitz: a SS recebia um pagamento e em troca supervisionava e guardava os destacamentos de trabalho, certificava-se de que trabalhassem duro e lhes fornecia roupas, comida, acomodações e assistência médica. Himmler ordenou que os trabalhadores especializados entre a população do campo fossem identificados e que outros recebessem treinamento quando fosse apropriado. O grosso era usado em projetos de construção, para trabalho braçal pesado e relativamente não especializado, mas Himmler pretendia que a especialização fosse explorada onde existisse. Desde 1933, muitos reclusos já marchavam para fora dos campos diariamente a serviço, mas desse ponto em diante a escala da expansão do sistema foi tal que logo se tornou necessário estabelecer subcampos perto dos postos de trabalho a mais de um dia de marcha do campo principal. Em agosto de 1943, havia 224 mil prisioneiros nos campos; o maior era o complexo dos três campos de Auschwitz, com 74 mil, seguido de Sachsenhausen, com 26 mil, e Buchenwald, com 17 mil. Em abril de 1944, os reclusos estavam abrigados em vinte campos e 165 subcampos. Em agosto de 1944, o número de reclusos havia subido para quase 525 mil. De modo igualmente crescente, os trabalhadores forçados dos territórios ocupados foram transferidos para o Reich, e assim, em janeiro de 1945, havia quase 715 mil reclusos, inclusive mais de 202 mil mulheres.[124]

A essa altura, a proliferação de subcampos, muitos deles bastante pequenos, havia atingido tal dimensão que praticamente não havia cidade do Reich que não tivesse prisioneiros de campos de concentração trabalhando nela ou nas proximidades. Neuengamme, por exemplo, tinha nada menos que 83 subcampos, inclusive em Alderney, nas ilhas do Canal. Auschwitz tinha 45. Alguns eram muito pequenos, como em Kattowitz, onde dez prisioneiros de Auschwitz ficaram envolvidos com a construção de abrigos antiaéreos e alojamentos para a Gestapo ao longo de 1944. Outros ficavam anexos a grandes empreendimentos industriais, como a fábrica de armas antiaéreas operada pela companhia Rheinmetall-Borsig em Laurahütte, onde uns novecentos prisioneiros estavam trabalhando no fim de 1944 junto com 850 trabalhadores forçados e 650 alemães. Muitos prisioneiros eram selecionados pela habilidade e qualificação, e eram relativamente bem tratados; outros trabalhavam nas cozinhas, realizavam trabalho de escritório ou atuavam em serviço não especializado, como carregar e descarregar produtos e equipamento. O campo onde viviam era comandado por Walter Quakernack, um guarda transferido do campo principal de Auschwitz e conhecido pela brutalidade; ele foi executado por seus crimes pelos britânicos em 1946.[125] Mas essa situação logo mudou, quando a SS perdeu o controle sobre a distribuição e o emprego dos reclusos dos campos, que finalmente foi assumido pelo Ministério de Armamentos em outubro de 1944. Nos meses finais da guerra, a SS na prática ficou reduzida ao papel de simplesmente proporcionar "segurança" aos empregadores dos prisioneiros.[126]

Uma vasta variedade de companhias alemãs de armas fez uso do trabalho dos campos. Tamanha era a demanda das empresas que, contrariando os dogmas ideológicos mais básicos da SS e da administração dos campos, até mesmo prisioneiros judeus eram recrutados à força se tivessem as habilidades e qualificações certas.[127] As empresas eram indiferentes ao bem-estar dos prisioneiros, e a SS continuou a tratá-los da mesma forma que nos campos; por isso, desnutrição, sobrecarga, estresse físico e também a violência contínua dos guardas cobravam um preço. Na fábrica da Volkswagen em Wolfsburg, 7 mil reclusos do campo foram empregados de abril de 1944 em diante, a maioria na construção; as condições miseráveis em que viviam pouco importavam à gerência da companhia, e a SS continuou a priorizar a supressão da individualidade dos prisioneiros e da coesão de grupo sobre sua manutenção como trabalhadores efetivos.[128] Os prisioneiros foram levados para os estaleiros Blohm e Voss em Hamburgo, onde a SS montou outro subcampo. Ali também os interesses econômicos da companhia conflitaram com o zelo repressor da SS.[129] Na fábrica da Daimler-Benz em Genshagen, 180 reclusos de Sachsenhausen foram postos a trabalhar a partir de janeiro de 1943, juntando-se a milhares de outros de Dachau e de outros campos em uma variedade de unidades industriais. A utilização de mão de obra dos campos foi o motor que impulsionou a criação de subcampos pelo país, refletindo por sua vez a dispersão crescente da produção de armas por muitos locais diferentes, alguns subterrâneos, outros no interior, em um esforço para desviar a atenção dos bombardeios aliados. As empresas precisavam de uma injeção rápida de mão de obra para construir as novas instalações, e a SS estava mais que disposta a fornecê-la.[130]

As mortes nos campos de trabalho forçado eram comuns, e as condições eram terríveis. Por toda parte, os prisioneiros fracos demais ou doentes demais para trabalhar eram mortos a bala ou, em alguns casos, por gás. Ao contrário de outros campos, o complexo de Auschwitz continuou até o fim com a função dupla de campo de trabalho e campo de extermínio, e comparado a ele as instalações de extermínio em massa por gás de outros locais só tiveram uso relativamente restrito, como em Sachsenhausen e Mauthausen. Entretanto, os médicos de campo da SS no geral recebiam instruções de matar reclusos que estivessem doentes demais ou fracos demais para trabalhar aplicando-lhes injeções letais de fenol. Nesses casos, a causa da morte era atribuída ao tifo ou a alguma enfermidade semelhante.[131] Foi relatado que, em 16 de dezembro de 1942, o subcomandante de Auschwitz, Hans Aumeier, disse ao oficial da SS encarregado das deportações de Zamość:

Apenas poloneses de boa constituição física devem ser enviados, a fim de se evitar tanto quanto possível qualquer fardo inútil para o sistema de transporte. Deficientes mentais, aleijados e doentes devem ser removidos o mais rápido possível para liquidação, de modo a aliviar a carga do campo. Entretanto, a ação apropriada é complicada pela instrução do Escritório Central de Segurança do Reich de que, ao contrário dos judeus, os poloneses devem morrer de causas naturais.[132]

Na prática, portanto, Aumeier estava dizendo que apenas quando poloneses eram mortos os registros precisavam ser falsificados para constar óbito por causas naturais. As taxas de mortalidade de fato eram altas. Nada menos que 57 mil de uma média total de 95 mil prisioneiros morreram apenas na segunda metade de 1942, uma taxa de mortalidade de 60%. Em alguns campos, notadamente em Mauthausen, para onde alemães "antissociais" e condenados por crimes eram mandados para "extermínio por meio do trabalho", as taxas de mortalidade eram ainda mais altas. Em janeiro de 1943, Glücks ordenou aos comandantes de campo que "fizessem todo o esforço para reduzir a mortalidade", com isso "preservando a capacidade dos prisioneiros para o trabalho". As taxas de mortalidade de fato declinaram um pouco depois disso. Não obstante, mais 60 mil prisioneiros morreram nos campos entre janeiro e agosto de 1943 de doença, desnutrição e maus-tratos ou assassinato pela SS.[133] Havia uma tensão constante entre a SS, incapaz de abandonar o conceito arraigado dos campos como instrumentos de punição e opressão racial e política, e os empregadores, que os viam como fonte de mão de obra barata; essa tensão jamais foi resolvida de forma satisfatória.[134]

Até que ponto as empresas lucraram com o emprego de trabalho forçado e de prisioneiros? Com certeza isso era deveras barato. Um prisioneiro de guerra soviético, por exemplo, custava menos da metade de um operário alemão. Até 1943, as empresas alemãs muito provavelmente obtiveram ganhos financeiros com o uso de operários estrangeiros. Mas a produtividade deles era baixa, particularmente se eram prisioneiros de guerra. Em 1943-44, por exemplo, a produtividade dos prisioneiros de guerra nas minas de carvão era apenas a metade dos trabalhadores flamengos.[135] Mas a mão de obra estrangeira era cada vez mais usada em projetos de construção, que não renderam lucros significativos antes de a guerra chegar ao fim. A unidade química gigante de Auschwitz-Monowitz, por exemplo, jamais foi concluída e nunca conseguiu produzir buna, embora uma instalação para produzir metanol, usado no combustível de aviação e explosivos, tenha começado a operar em outubro de 1943; no fim de 1944, produzia 15% do total do metanol da Alemanha. A longo prazo, a fábrica de Monowitz tornou-se uma importante produtora de borracha sintética, mas só bem depois de a guerra acabar, e então sob ocupação soviética.[136] Um empreendimento semelhante, construído em Gleiwitz com o uso de mão de obra de reclusos de campos de concentração, entre outras, custou à companhia química Degussa 21 milhões de reichsmarks no fim de 1944, ao passo que a venda dos produtos que começou a produzir amealhou não mais que 7 milhões, e as instalações construídas pelos prisioneiros foram desmanteladas para uso das forças soviéticas, sendo que depois o que sobrou foi nacionalizado pelo governo polonês. A avidez das empresas em usar o sistema de campos de concentração como fonte de mão de obra barata, especialmente nos dois últimos anos da guerra, refletiu metas de longo prazo e não a obtenção de lucros imediatos. Em 1943, a maioria dos líderes empresariais havia percebido que a guerra seria perdida. Eles começaram a olhar à frente e posicionar seus empreendimentos para os anos pós-guerra. A forma de investimento mais segura era adquirir imóveis e unidades industriais, e para isso as fábricas tinham de se expandir para abocanhar mais terrenos e conseguir mais encomendas de armamentos do governo. Isso, por sua vez, exigia o recrutamento de mais operários, e os líderes empresariais não se importavam muito com a questão de onde os conseguiam. Uma vez obtidos os operários, as empresas com frequência decidiam por conta própria como eles seriam explorados, apesar das instruções de organismos centrais de planejamento. A provisão de mão de obra forçada, e mais ainda as condições homicidas sob as quais ela era usada, era responsabilidade da SS e do Estado nazista. Mas uma grande parte da responsabilidade por sua rápida expansão e exploração coube às empresas que a exigiram.[137] No total, 8,435 milhões de trabalhadores estrangeiros foram recrutados pela indústria ao longo da guerra; apenas 7,945 milhões deles ainda estavam vivos em meados de 1945. Para os prisioneiros de guerra foi ainda pior: dos 4,585 milhões que se viram engajados no trabalho forçado durante a guerra, apenas 3,425 milhões ainda estavam vivos quando a guerra acabou.[138] Os sobreviventes tiveram de esperar quase meio século até poder reivindicar compensação.

Speer nunca alcançou o domínio total da economia. Embora sua influência fosse enorme, muito dela dependia da cooperação uniforme com outras partes interessadas, envolvendo não só Göring e o Plano de Quatro Anos, mas também as Forças Armadas e seus oficiais de compras, como Milch e Thomas, Sauckel e sua operação de mobilização de mão de obra, o Ministério de Economia do Reich e a SS. Em suas memórias, Speer traçou um contraste agudo entre os anos em que esteve no comando e o que ele retratou como o caos administrativo precedente; o contraste foi exagerado.[139] Por um lado, Fritz Todt já havia alcançado um grau de descentralização antes de morrer; por outro, a "policracia" administrativa que muitos historiadores identificaram na economia armamentista antes de Speer continuou até o fim da guerra.[140] Speer fez de tudo para dominá-la, mas jamais foi realmente bem-sucedido. De forma igualmente importante, Speer conseguiu beneficiar-se das conquistas nazistas. Quando somada à pilhagem e requisição forçada de vastas quantidades de gêneros alimentícios, matérias-primas, armas e equipamentos e produção industrial de países ocupados, à expropriação de judeus da Europa, às relações desiguais de taxas, tarifas e câmbio entre o Reich e as nações sob seu domínio e à compra contínua pelos soldados comuns alemães de mercadorias de todos os tipos por um preço vantajoso, a mobilização da mão de obra estrangeira deu uma enorme contribuição à economia de guerra alemã. Provavelmente algo como um quarto das receitas do Reich foi gerado de um jeito ou de outro pela conquista.[141]

Todavia, nem isso foi suficiente para impulsionar a economia de guerra alemã o bastante para competir com o avassalador poder econômico dos Estados Unidos, da União Soviética e do império britânico combinados. Nenhum tipo de racionalização, impulso em favor da eficiência e mobilização de mão de obra teriam funcionado a longo prazo. Os sucessos militares alemães dos primeiros dois anos de guerra dependeram em larga medida do elemento surpresa, da velocidade e da vivacidade e do uso de táticas desconhecidas contra um inimigo despreparado. Uma vez perdidos esses elementos, também perderam-se as chances de vitória. No fim de 1941, a guerra havia se tornado uma guerra de desgaste, assim como a Primeira Guerra Mundial.

A Alemanha simplesmente estava sendo superada em produção pelos inimigos, e no fim não havia nada que Speer pudesse fazer para salvar a situação, por mais que tentasse. Isso ficara claro para muitos gestores econômicos antes mesmo de Speer assumir em 1942. Em momento nenhum da guerra a relação entre a taxa do PIB dos aliados e dos países do Eixo, incluindo o Japão, foi menor que 2:1, e em 1944 era de mais de 3:1.¹⁴² No começo de 1944, até Speer estava começando a perceber que a desigualdade era irremediável. Todos os seus esforços simplesmente adiaram o inevitável. Foram direcionados não para o gerenciamento da crise de abastecimento de armas, mas para disfarçá-lo. O recrutamento em massa de mão de obra estrangeira, a racionalização, os esforços desesperados para coordenar a produção de armamentos foram essencialmente empreendimentos irracionais que ignoraram a impossibilidade básica de a Alemanha superar a produção de seus inimigos.¹⁴³ Em 18 de janeiro de 1944, esgotado pelo esforço de tentar alcançar o impossível, Albert Speer caiu gravemente enfermo e foi levado para o hospital. Passaram-se quase quatro meses antes de ele se recuperar o suficiente para ter condições de voltar ao trabalho. Nesse ínterim, seus rivais, de Himmler a Sauckel, juntaram-se como abutres em volta do que consideravam um cadáver político na esperança de bicar partes do império de Speer para si mesmos.¹⁴⁴

Sob o tacão nazista

I

Em algumas versões, a Nova Ordem da Europa não foi uma mera ideia econômica, mas abrangeu também uma reestruturação política.[145] Confrontado com o problema de administrar as áreas dominadas da Europa, o Terceiro Reich saiu-se com a característica mixórdia de diferentes arranjos.[146] Enquanto algumas áreas como o oeste da Polônia e pequenos pedaços do leste da França e da Bélgica foram incorporadas diretamente ao Reich, outras, pretendidas para absorção posterior, como Alsácia-Lorena, Luxemburgo ou Bialystok, foram colocadas sob a autoridade do líder regional alemão mais próximo. Uma terceira categoria, com *status* de certo modo indeterminado, incluindo o Protetorado do Reich da Boêmia e Morávia, e os comissariados do Reich da Ucrânia e do "Território do Leste" (os estados bálticos e a Bielorrússia), foi governada por uma administração alemã especialmente criada, embora no Protetorado também houvesse uma boa parte de elemento tcheco na burocracia. Em outros países sob ocupação alemã, houve uma administração militar quando eles eram considerados estrategicamente importantes, como a Bélgica, a França ocupada ou a Grécia; países considerados "germânicos", como Noruega, Dinamarca e Países Baixos, foram governados por um comissário civil do Reich, usando a administração nativa tanto quanto possível. Apenas na Noruega um líder fascista local foi colocado no poder, embora em outro Estado nominalmente independente, a França de Vichy, tenha surgido um regime ostentando nítidos traços fascistas. Uma quinta categoria consistia de Estados-clientes como Croácia ou Eslováquia, onde houve uma presença militar alemã limitada, mas agentes alemães de algum tipo exerceram enorme poder. Por fim, havia os aliados alemães, notadamente Hungria, Itália e Romênia, onde houve influência alemã, mas não domínio alemão. Entretanto, a situação era fluida, mudando em parte com a situação militar e, em parte, com as condições locais, de modo que os países, às vezes, deslocavam-se de uma categoria para outra.[147]

A exploração econômica não era a única prioridade das autoridades de ocupação. A Nova Ordem exigia a reestruturação racial da Europa, assim como seu rearranjo econômico em favor da Alemanha. Um objetivo importante da administração alemã dos países ocupados, bem como dos representantes alemães nos Estados-clientes e nações aliadas, era a implementação nesses locais, como em casa, "da solução final da questão judaica na Europa". Em todos os lugares onde puderam, os administradores alemães civis, militares e a SS agiram rapidamente para garantir a aprovação de leis antijudaicas, a arianização da propriedade judaica e por fim o recolhimento da população judaica e sua deportação para os centros de matança no leste. As reações a essas políticas variaram amplamente de país para país, dependendo do zelo dos alemães, da força do sentimento antissemita nas autoridades locais, do grau de orgulho nacional da população e do governo, e de uma variedade de outros fatores. Quase por toda parte, os refugiados judeus de outros países foram as primeiras vítimas. No geral, eles receberam pouca ou nenhuma proteção da administração do país onde buscaram segurança contra a perseguição na Alemanha ou em outros locais; até mesmo organizações judaicas nativas relutaram em fazer qualquer coisa para ajudá-los. Porém, quando os alemães agiram contra a população judaica nativa desses países, as reações mostraram-se mais complexas e mais divididas.

Tais ações no geral começaram em 1941-42; antes, portanto, de qualquer movimento disseminado de resistência na Europa ocidental ocupada. A velocidade e a escala das vitórias militares alemãs em 1940 haviam deixado a maioria dos europeus ocidentais em estado de choque e abatimento. Milhões de refugiados precisavam dar um jeito de voltar para casa; o estrago físico causado pela ação militar tinha de ser reparado; a vida normal devia ser restabelecida. Em 1940 ou 1941, dificilmente alguém pensava que a Grã-Bretanha sobreviveria à investida que mais cedo ou mais tarde Hitler sem dúvida deflagraria. A maioria das pessoas dos países ocupados da Europa ocidental decidiu esperar para ver o que aconteceria, e nesse meio-tempo tocar sua vida da melhor maneira possível. Pouquíssimos empreenderam qualquer forma de resistência. Antes de junho de 1941, a existência do Pacto Alemão-Soviético também dificultou a tomada de ação dos comunistas. Grupinhos de esquerdistas independentes e de nacionalistas de direita engajaram-se em vários tipos de resistência, mas isso não incluiu ação violenta, e ao todo teve pouco efeito. Para a grande maioria, as vitórias da Alemanha faziam dela um país a ser admirado, ou pelo menos respeitado. Essas vitórias haviam demonstrado a efetividade da ditadura e a fraqueza da democracia. A ordem política pré-guerra estava desacreditada. Parecia inevitável trabalhar com as autoridades de ocupação.[148] E, ao menos para alguns, a derrota proporcionou o estímulo para a regeneração nacional.

Isso foi mais óbvio na França, onde o armistício foi seguido pela divisão do país em uma zona ocupada no norte e ao longo da costa oeste, e uma área autônoma ao sul e a leste, comandada pelo governo do marechal Pétain na cidade balneária de Vichy. Tecnicamente, esse foi o último governo da derrotada e desacreditada Terceira República, mas o Parlamento rapidamente aprovou plenos poderes para Pétain redigir uma nova Constituição. O idoso marechal aboliu a Terceira República, mas não criou nenhum substituto formal. Tudo centrou-se nele mesmo. "Os ministros respondem apenas a mim", disse ele em 10 de novembro de 1940. "A história julgará apenas a mim."[149] Ele desenvolveu um culto à liderança. Seu retrato estava por toda parte, e ele exigiu que todos os funcionários públicos prestassem um juramento pessoal de lealdade a ele. Na França de Vichy, prefeitos e outros oficiais eram indicados em vez de eleitos, e era Pétain quem controlava o processo de nomeação. A opinião pública considerava-o o salvador da França. Seu regime assumiu um matiz fascista, proclamando uma "revolução nacional" que iria regenerar a sociedade e a cultura francesas. Um novo movimento jovem mobilizaria e disciplinaria a juventude a serviço do país. Vichy proclamou as virtudes da família tradicional, com as mulheres no lugar apropriado de esposa e mãe. Pretendia-se que os valores católicos substituíssem a irreligiosidade da Terceira República, e o clero, alto e baixo, concedeu o devido apoio ao regime. Mas Vichy não teve tempo ou coesão para se desenvolver em um fascismo consumado. Além disso, muitas de suas políticas logo começaram a desagradar a opinião pública. A repressão moral de Vichy não era popular entre os jovens, e a requisição de mão de obra pelos alemães começou a voltar o povo contra a ideia de colaboração. O vice-premier Pierre Laval, que gostava de se ver como um realista e, portanto, observava a "revolução nacional" com um saudável grau de ceticismo, não se acertou com Pétain e foi demitido em dezembro de 1940, mas em 18 de abril de 1942 Pétain reconvocou-o para o cargo de primeiro-ministro, e ali ele permaneceu até o fim da guerra, tomando as rédeas do governo gradativamente das mãos do velho marechal.[150]

O triunfo do marechal Pétain e dos nacionalistas de extrema direita na França levou ao poder na zona não ocupada um regime imbuído de antissemitismo até o cerne. Essa tradição provinha em parte da oposição militar na campanha para exonerar o oficial judeu Alfred Dreyfus, acusado de espionagem para os alemães na década de 1890, em parte do antissemitismo resultante de uma série de escândalos financeiros notórios na década de 1930, e em parte da influência mais ampla da ascensão do antissemitismo europeu sob o impacto de Hitler.[151] A polarização da política francesa durante a Frente Popular apoiada pelos comunistas em 1936-37 sob o governo do primeiro-ministro Léon Blum, que por acaso era judeu, jogou lenha na fogueira do sentimento antissemita de direita. E a emigração para a França de cerca de 55 mil refugiados judeus da Europa central, levando a população judaica total do país para 330 mil em 1940, ironicamente alimentou temores entre os militares de uma "quinta-coluna" de agentes trabalhando secretamente para a causa alemã, segundo a linha que eles ainda acreditavam ter sido seguida por Dreyfus.[152] Mais da metade dos judeus que viviam na França não eram cidadãos franceses, e uma proporção elevada dos que eram haviam obtido cidadania após a Primeira Guerra Mundial. Esses tornaram-se então o primeiro alvo de discriminação estatal. Já em novembro de 1939, bem antes da derrota, uma nova lei estipulou a internação de qualquer um que fosse considerado um perigo à pátria francesa, e cerca de 20 mil estrangeiros residentes na França, incluindo muitos imigrantes judeus da Alemanha, da Áustria e da Tchecoslováquia, foram colocados em campos de detenção; muitos foram soltos pouco tempo depois, mas, tão logo começou a invasão alemã, todos os cidadãos alemães, a maioria judeus, foram detidos outra vez e levados de novo para os campos. Judeus da Alsácia-Lorena, da França e de países do Benelux estavam entre os milhares que pegaram as estradas para o interior, fugindo para o sul. Ao mesmo tempo, porta-vozes antissemitas como Charles Maurras e Jacques Doriot despencaram para novos patamares nos ataques retóricos aos judeus, a quem agora culpavam pela derrota francesa, uma visão compartilhada por muitas figuras de peso da direita política, bem como por amplas camadas da população francesa em geral e ainda pela hierarquia da Igreja Católica na França.[153] Nos anos de guerra que se seguiram, outros escritores antissemitas, como Louis-Ferdinand Céline, Pierre Drieu La Rochelle ou Lucien Rebatet no *best-seller Les Décombres* [As ruínas], ecoariam essas visões e, pelo menos no caso de Rebatet, descreveriam os judeus franceses como ervas daninhas que deviam ser radicalmente extirpadas.[154]

Após a derrota francesa e a criação do regime de Vichy na zona não ocupada, o governo de Pétain primeiro revogou a legislação proibindo incitação ao ódio racial ou religioso, e então, em 3 de outubro de 1940, aprovou sua primeira medida formal contra os judeus, a quem definiu como pessoas com três ou quatro avós judeus, ou dois se fossem casados com um judeu. Os judeus foram proibidos em particular de ter ou dirigir empresas de comunicação. Professores judeus foram demitidos de seus cargos, com poucas exceções. Essas medidas foram válidas para toda a França, inclusive a zona ocupada; além disso, quando as autoridades alemãs da zona ocupada tomavam medidas contra os judeus, o regime de Vichy com frequência agia de acordo, sob o pretexto de preservar a unidade administrativa da França. Em 4 de outubro de 1940, outra lei criou campos especiais de internação para todos os judeus estrangeiros na zona de Vichy. Até o fim daquele ano, 40 mil judeus estavam internados neles.[155] Os judeus franceses nativos e suas lideranças representativas garantiram ao regime de Vichy que a sina dos judeus estrangeiros não era de sua conta.[156] De momento, eles permaneceram relativamente incólumes. Mas isso não durou. Já em agosto de 1940, a embaixada alemã em Paris havia começado a insistir com as autoridades militares para remover todos os judeus da área ocupada.[157] A ação veio em seguida.

Na zona ocupada da França, o embaixador alemão Otto Abetz instou por medidas imediatas contra os judeus. Com aprovação explícita de Hitler, foi proibida a emigração para a zona ocupada e fizeram-se os preparativos para a expulsão de todos os judeus que ainda estavam lá. Em 27 de setembro de 1940, com a concordância do comandante-chefe do Exército, Von

Brauchitsch, os judeus que haviam fugido para a zona não ocupada foram impedidos de voltar, e todas as pessoas e propriedades judaicas passaram a ser registradas com vistas à expulsão e à expropriação. A partir de 21 de outubro de 1940, todas as lojas judaicas tiveram de ser indicadas como tal. A essa altura, o registro de cerca de 150 mil judeus na zona ocupada estava praticamente concluído.[158] A arianização de negócios judaicos foi então tocada em frente com rapidez, enquanto a base econômica da existência dos judeus era progressivamente solapada por uma série de ordens que os baniram de um conjunto variado de ocupações. Os judeus foram proibidos de entrar em bares frequentados por membros das Forças Armadas alemãs. E a SS começou a assumir um papel cada vez mais ativo, liderada por Theodor Dannecker, oficial responsável pela "questão judaica" no Serviço de Segurança da SS na França. Dannecker ordenou a detenção e a internação nos campos de 3.733 imigrantes judeus em 14 de maio de 1941. O regime de Vichy também começou a adotar medidas de arianização na mesma linha, confiscando bens e negócios judaicos. No início de 1942, cerca de 140 mil judeus haviam sido oficialmente registrados, permitindo às autoridades pegá-los quando quisessem.[159] Os preparativos para deportá-los tiveram início em outubro e novembro de 1941, após uma série de reuniões entre Himmler e figuras destacadas da administração francesa de ocupação, incluindo Abetz, em setembro de 1941.[160]

Muitos desses refugiados haviam sido oponentes do regime nazista, e um bom número foi caçado de forma implacável pela Gestapo. Um destino especial estava reservado a um refugiado judeu em particular. Em junho de 1940, uma unidade da Gestapo chegou a Paris para capturar o jovem polonês Herschel Grynszpan – que assassinara um diplomata alemão na cidade, fato que havia sido o pretexto para a deflagração do *pogrom* de 9-10 de novembro de 1938. Grynszpan, de fato, fora levado pelas autoridades carcerárias francesas para Toulouse. No trajeto, ele escapou, talvez com a conivência de seus captores, ou quem sabe simplesmente extraviou-se, mas, espantosamente, apareceu em uma delegacia de polícia não muito depois para se entregar às autoridades. A Gestapo entrou em cena rapidamente. Depois de interrogá-lo em seus famosos porões na rua Prinz Albrecht de Berlim, sem dúvida sobre seus supostos, mas de fato puramente imaginários, apoiadores judeus, a Gestapo levou-o para o campo de concentração de Sachsenhausen, onde Grynszpan foi admitido em 18 de janeiro de 1941 e parece ter recebido tratamento relativamente privilegiado. Em março de 1941, ele foi transferido para Flossenbürg, e em outubro para a prisão moabita de Berlim, para aguardar julgamento pelo Tribunal Popular sob Otto-Georg Thierack. Enquanto isso, uma equipe legal fora enviada a Paris para tentar achar evidências para a afirmação, apresentada em 1938 como justificativa para o *pogrom*, de que ele atuara como parte de uma conspiração judaica. O grupo não conseguir achar nada. Pior ainda é que agora estava claro que o homem que Grynszpan abatera, Von Rath, era homossexual, e circulavam rumores de que os dois haviam tido um relacionamento sexual. Não havia verdade nessas alegações, mas o perigo de um constrangimento ainda assim era considerável, de modo que Goebbels decidiu abandonar a ideia de um julgamento. Grynszpan foi transferido para a penitenciária de Magdeburgo em setembro de 1942, onde parece ter morrido no começo de 1945, não se sabendo ao certo se de causas naturais ou não.[161]

Enquanto isso, aumentava a tensão em Paris e em outras partes da zona ocupada da França. O comandante sênior do Exército na zona ocupada, Otto von Stülpnagel, foi substituído em 16 de fevereiro de 1942 por seu primo Karl-Heinrich von Stülpnagel, um antissemita linha-dura transferido da frente oriental. O novo comandante ordenou que futuras represálias deveriam assumir a forma de detenções em massa de judeus e sua deportação para o leste. Seguindo-se a um ataque a soldados alemães, 743 judeus, na maioria franceses, foram detidos pela polícia alemã e internados em um campo administrado pelos alemães em Compiègne; por fim, foram deportados com outros 369 prisioneiros judeus para Auschwitz em março de 1942.[162] Além disso, em 1º de junho de 1942, um novo chefe da SS e da polícia assumiu em Paris – outra transferência do leste, Carl Oberg. Por fim, na zona de Vichy, o retorno de Pierre Laval à chefia do governo em abril de 1942 assinalou um aumento da disposição para cooperar com os alemães, na crença de que isso lançaria as bases para uma parceria franco-alemã na construção de uma nova Europa depois da guerra. Em conformidade com a crescente radicalização da política alemã em relação aos judeus, Laval nomeou um antissemita radical, Louis Darquier (que se autodenominava, um tanto pretensiosamente,

"Darquier de Pellepoix"), para gerir os assuntos judaicos na zona ocupada, com a assistência de um eficiente e inescrupuloso novo chefe de polícia, René Bousquet. Foi Bousquet que pediu a Heydrich, durante uma visita deste à França em 7 de maio de 1942, permissão para transportar outros 5 mil judeus do campo de trânsito de Drancy para o leste. No fim de junho, 4 mil já tinham ido para Auschwitz.[163]

Em 11 de junho de 1942, Eichmann convocou uma reunião no Escritório Central de Segurança do Reich com o chefe dos departamentos de assuntos judaicos do Serviço de Segurança da SS em Paris, Bruxelas e Haia. Foi comunicado que Himmler exigia o transporte de homens e mulheres judeus da Europa ocidental para servir como mão de obra, junto com um número substancial daqueles considerados inaptos para trabalhar. Por motivos militares, não era possível deportar mais judeus da Alemanha no verão. Cem mil deveriam ser levados de ambas as zonas francesas (mais tarde reduzidos para 40 mil por motivos de praticidade), 15 mil deveriam vir dos Países Baixos (número subsequentemente amplificado para 40 mil, para compensar parte do déficit da França) e 10 mil da Bélgica.[164] A essa altura, o uso da estrela judaica havia se tornado compulsório na zona ocupada, suscitando muitas manifestações individuais de simpatia de comunistas, estudantes e intelectuais católicos franceses.[165] Em 15 de julho de 1942, teve início a detenção de judeus sem pátria. A polícia francesa usou arquivos previamente compilados para a identificação e começou o recolhimento de 27 mil refugiados judeus na região de Paris. A escala da ação era tamanha que dificilmente poderia permanecer em segredo mesmo no estágio de planejamento, e muitos judeus foram para a clandestinidade. Pouco mais de 13 mil haviam sido detidos até 17 de julho de 1942. Depois de mandar todas as pessoas não casadas ou casais sem filhos para o campo de recolhimento de Drancy, a polícia enjaulou os 8.160 homens, mulheres e crianças restantes no estádio de corrida de bicicletas conhecido como Vél d'Hiv. Eles ficaram lá de três a seis dias, sem água, banheiro ou cama, em temperaturas de 37 graus ou mais, subsistindo apenas com uma ou duas tigelas de sopa por dia. Com outros 7,1 mil judeus da zona de Vichy, enfim foram enviados para Auschwitz através de outros centros de recolhimento – um total de 42,5 mil até o fim do ano. Entre esses houve uma leva enviada em 24 de agosto de 1942 consistindo basicamente de crianças e adolescentes doentes com idade entre dois e sete anos, que haviam sido mantidos no hospital quando os pais foram mandados para Auschwitz; todos os 533 foram gaseados imediatamente ao chegar ao campo.[166]

Os líderes representativos da comunidade judaica francesa pouco fizeram em protesto contra essas deportações de judeus estrangeiros, menos ainda para tentar impedi-las. Apenas quando a maioria já tinha sido deportada e os alemães começaram a voltar a atenção para os judeus franceses nativos, sua atitude começou a mudar.[167] Uma evolução semelhante ocorreu na abordagem da Igreja Católica na França. Reunidos em 21 de julho de 1942, os cardeais e arcebispos franceses resolveram não fazer nada para impedir que os judeus estrangeiros fossem deportados para o que sabiam que era a morte. Aqueles que protestavam, eles observaram, eram inimigos do cristianismo, em especial comunistas. Seria errado cerrar fileiras com eles. A carta enviada ao marechal Pétain em 22 de julho de 1942 apenas criticou os maus-tratos dos internos, especialmente no Vél d'Hiv. Alguns prelados eram menos fingidos. Em 30 de agosto de 1942, o arcebispo de Toulouse, Jules-Gérard Saliège, emitiu uma carta pastoral declarando sem rodeios que tanto os judeus franceses como estrangeiros eram seres humanos e não deviam ser carregados em trens como gado. Outros encorajaram tentativas de resgate por trás da cena, particularmente quando crianças judias eram o alvo. Mas, como instituição, a Igreja Católica da França tradicionalmente havia sido profundamente conservadora, até mesmo de tendência monarquista, e respaldou amplamente as ideias que sustentavam o regime de Vichy. Apenas quando o regime ficou sob pressão para reclassificar como estrangeiros todos os judeus que haviam se naturalizado cidadãos franceses desde 1927 os cardeais e arcebispos declararam sua oposição. Também ficou claro que essa política enfrentaria substancial crítica popular, e Pétain e Laval rejeitaram a proposta em agosto de 1943. Sua relutância, sem dúvida, foi fortalecida pela percepção de que, àquela altura, a Alemanha estava a caminho de perder a guerra.[168]

Em 11 de novembro de 1942, marcando de modo simbólico o aniversário do armistício que acabou com a Primeira Guerra Mundial, tropas alemãs cruzaram a fronteira da zona ocupada para a área controlada por Vichy e avançaram para tomá-la. O regime de Vichy havia fracassado em impedir a invasão aliada dos territórios que controlava no norte da África, notadamente na Argélia, e suas ineficientes forças de combate, que Hitler agora mandava dispersar, evidentemente não ofereciam perspectiva de defesa contra ataques aliados na costa sul francesa ao longo do Mediterrâneo.[169] Isso pressagiou uma piora ainda mais dramática na situação da população judaica que restava na França. Em 10 de dezembro de 1942, Himmler anotou que, em uma reunião com Hitler, os dois haviam concordado em que "judeus na França/ 600-700 mil/ dar cabo".[170] Na realidade, isso era o dobro do número de judeus na França. Não obstante, no mesmo dia, Himmler disse a seus subordinados: "O Líder deu a ordem de que os judeus e outros inimigos do Reich na França sejam detidos e levados embora".[171] As deportações foram retomadas em fevereiro de 1943. Mas os esforços das autoridades alemãs para deter e deportar judeus franceses toparam com dificuldades crescentes. A disposição popular para protegê-los ou escondê-los estava crescendo, e cerca de 30 mil também acharam um caminho para a relativa segurança da parte ocupada pela Itália no sudeste da França. No verão de 1943, resolvido a exterminar os judeus franceses, Eichmann enviou Alois Brunner diretamente de um trabalho semelhante em Salônica com uma equipe de 25 oficiais da SS para substituir os funcionários franceses encarregados do campo de trânsito de Drancy. Ao longo dos meses seguintes, a Gestapo deteve a maioria dos líderes da comunidade judaica francesa e os deportou para Auschwitz ou Theresienstadt; o último carregamento de trem partiu para Auschwitz em 22 de agosto de 1944.[172] Ao todo, cerca de 80 mil dos 350 mil judeus franceses, ou pouco menos de um quarto, foram mortos; essa foi uma proporção bem maior do que a de outros países largamente independentes da Europa ocidental, como Dinamarca ou Itália.[173]

A tomada alemã da área ainda não ocupada da França pressagiou o declínio do regime de Vichy. Pétain tornou-se então pouco mais que um testa de ferro para Laval, cujas visões direitistas radicais ficaram à solta. Ele chocou muitos franceses ao proclamar abertamente o desejo de que a Alemanha vencesse a guerra. Mas cada vez mais Laval tinha de contar com a repressão para impor suas opiniões. Em janeiro de 1943, ele montou uma nova força policial, a Milícia francesa (*Milice française*) sob Joseph Darnand, cujos legionários paramilitares fascistas formavam o cerne ativo e radical do grupo. Com quase 30 mil membros, todos ligados a um código de honra que os obrigava a lutar contra a democracia, o comunismo, o individualismo e a "lepra judaica", a Milícia possuía mais que uma leve semelhança com a Legião do Arcanjo Miguel de Michael Codreanu na Romênia. Darnand juntou-se à SS e como recompensa a organização de Himmler começou a abastecê-lo com dinheiro e armas. Laval estava sendo preterido pela direita, e em dezembro de 1943 a Milícia francesa foi autorizada pelos alemães a operar por toda a França. Esses acontecimentos aprofundaram a impopularidade da ocupação e do regime de Vichy. Problemas econômicos crescentes, a rápida queda do padrão de vida e recrutamentos de mão de obra cada vez mais intrusivos minaram ainda mais sua credibilidade. Esperando do outro lado do canal, em Londres, estava o movimento Franceses Livres do coronel Charles de Gaulle. Em 1943, o regime de Vichy havia perdido a maior parte de seu poder, e a ideia de regeneração nacional sobre a qual baseara seu apelo ao povo francês havia se tornado sem sentido pelo fato de a Alemanha ter tomado a zona não ocupada.[174]

II

Na Bélgica, o caos que acompanhou a invasão alemã foi tamanho que a maioria das pessoas ficou preocupada simplesmente em restabelecer algum tipo de normalidade. Dois milhões de belgas, um quinto da população total, fugiram para o sul, rumo à França, quando as forças alemãs avançaram, e, a despeito da brevidade do conflito, os danos à propriedade pela ação militar foram consideráveis. Vista da Bélgica, a situação parecia bem diferente da maneira como era percebida do outro lado do canal. O rei Leopoldo III, cuja rendição precipitada havia causado grande ira em Londres, era visto pelos belgas como uma figura unificadora, e sua presença em Bruxelas durante a guerra, ainda que em confinamento, proporcionou um ponto focal para a unidade nacional. O governo que fugiu para Londres levou a culpa pela derrota, junto com o parlamento. A ordem pré-guerra era impopular até entre os grupinhos de extrema esquerda e direita que tentaram, sem muito sucesso, resistir à ocupação alemã. Dada a importância da costa belga como base para uma possível invasão da Grã-Bretanha, fosse em 1940 ou em algum momento no futuro, Hitler decidiu deixar os militares no comando, assim como fizera nos departamentos franceses do Nord e do Pas-de-Calais. Isso levou a uma forma de ocupação diferente e em certa medida mais branda do que se um comissário civil nazista estivesse no comando. Do ponto de vista alemão, o papel da indústria pesada belga também era importante para a economia de guerra, de modo que era vital não indispor a população trabalhadora. No geral, o resultado foi que as instituições belgas existentes, o funcionalismo público, advogados, industriais, Igreja e líderes políticos que não haviam ido para o exílio trabalharam com a administração militar alemã para tentar preservar a paz e a tranquilidade e manter a ordem social existente. A vasta maioria dos belgas comuns viu poucas alternativas a não ser concordar com isso, fazendo quaisquer ajustes com os poderes dominantes que julgassem necessários.[175]

Os ocupantes alemães tinham a tendência de ver os habitantes flamengos da Bélgica como nórdicos em sua constituição racial, e nutriam a mesma ideia quanto à vasta maioria dos habitantes dos Países Baixos. A longo prazo, a Holanda de fato estava destinada à incorporação ao Reich. Em consequência, a administração alemã foi relativamente conciliatória e tomou cuidado para não indispor a população. Em todo caso, como na Bélgica, a ordem pré--guerra levou a culpa pela derrota, e a vasta maioria do povo holandês viu poucas alternativas a se submeter à ocupação, pelo menos a curto e a médio prazo. A melhor coisa a fazer pareceu ser chegar a um *modus vivendi* com os alemães e esperar para ver o que aconteceria com o passar do tempo. A rainha Guilhermina e o governo haviam fugido para o exílio em Londres, de modo que uma administração civil foi importada sob o comando do político austríaco Arthur Seyss-Inquart, que tratou de nomear companheiros austríacos para todos os altos cargos civis, exceto um. Além disso, o chefe da SS e da polícia alemã na Holanda, Hanns Rauter, também era austríaco. A administração militar, comandada por um general da Força Aérea, era relativamente fraca. Desse modo, os nomeados pelo Partido Nazista e a SS tiveram muito mais espaço para impor políticas extremas que seus equivalentes na Bélgica. Na ausência de um governo holandês, Seyss-Inquart emitiu uma série de editais e injunções, e estabeleceu controle abrangente sobre a administração. As consequências disso logo apareceriam.[176]

Havia 140 mil judeus vivendo nos Países Baixos quando as Forças Armadas alemãs os invadiram em 1940; desses, 20 mil eram refugiados estrangeiros. Os judeus holandeses nativos pertenciam a uma das mais antigas comunidades judaicas estabelecidas na Europa, e o antissemitismo era relativamente limitado em âmbito e intensidade antes da ocupação alemã. Mas a posição firme da liderança nazista e em particular da SS na ausência de um governo holandês, e as convicções antissemitas de praticamente todo o conjunto da administração de ocupação austríaca, emprestaram uma agudeza radical à perseguição dos judeus holandeses. Somado a isso, ironicamente, visto que Hitler e as lideranças nazistas consideravam os holadenses essencialmente arianos, a necessidade de remover os judeus da sociedade holandesa pareceu particularmente urgente. A administração alemã começou a instituir medidas antijudaicas quase de imediato, limitando e a seguir, em novembro de 1940, encerrando a participação judaica no emprego estatal. As lojas judaicas tiveram de ser registradas e, em 10 de janeiro de 1941, também o foram todos os indivíduos judeus (definidos aproximadamente conforme as Leis de Nuremberg). Com o inevitável surgimento de um Partido Nazista holandês, as tensões começaram a aumentar, e, quando os proprietários judeus de uma sorveteria de Amsterdã atacaram uma dupla de policiais alemães devido à impressão equivocada de que eram nazistas holandeses, forças alemãs cercaram o bairro judaico da cidade e detiveram 389 rapazes, que foram deportados para Buchenwald e a seguir para Mauthausen. Apenas um deles sobreviveu. Numerosos protestos foram organizados por acadêmicos holandeses e igrejas protestantes (exceto os luteranos) contra as políticas antissemitas dos ocupadores. O Partido Comunista holandês declarou uma greve geral que levou Amsterdã a uma paralisação praticamente total em 25 de fevereiro de 1941. As autoridades alemãs de ocupação responderam com uma tremenda e violenta repressão, na qual vários manifestantes foram mortos, e a greve foi encerrada rapidamente. Outros duzentos jovens judeus, dessa vez refugiados da Alemanha, foram caçados, detidos e enviados para a morte em Mauthausen após um pequeno grupo de resistência lançar um ataque audacioso, porém em vão, a um centro de comunicações da Força Aérea alemã em 3 de junho de 1941.[177]

A situação dos judeus holandeses tornou-se verdadeiramente catastrófica após uma conferência de Eichmann em 11 de junho de 1942. Já em 7 de janeiro de 1942, agindo sob ordens alemãs, o Conselho Judaico de Amsterdã, responsável pelos judeus de todo o país desde outubro anterior, começaram a mandar judeus desempregados para campos de trabalho especiais em Amersfoort e em outros locais. Dirigidos basicamente por holandeses nazistas, os campos depressa tornaram-se centros notórios de tortura e abuso. Outro campo em Westerbork, onde refugiados judeus alemães foram detidos, tornou-se o principal centro de trânsito de não holandeses deportados para o leste, enquanto judeus holandeses eram recolhidos em Amsterdã antes de ser carregados em trens com destino a Auschwitz, Sobibor, Bergen-Belsen e Theresienstadt. Após uma nova legislação antissemita ter sido introduzida, inclusive uma versão holandesa das Leis de Nuremberg alemãs e, no começo de maio de 1942, do uso compulsório da estrela judaica, ficou mais fácil identificar-se judeus na Holanda. O maior encargo da tarefa de arrebanhar, internar e deportar judeus recaiu sobre a polícia holandesa, que participou de bom grado e, no caso de uma força voluntária de 2 mil auxiliares de polícia recrutados em maio de 1942, com brutalidade considerável. Da maneira usual, a Polícia de Segurança alemã em Amsterdã – cerca de duzentos homens ao todo – forçou o Conselho Judaico a cooperar com o processo de deportação, quando mais não fosse permitindo-lhe estabelecer categorias de judeus que ficariam isentos. A corrupção e o favoritismo espalharam-se rapidamente à medida que judeus holandeses desesperados usavam de todos os meios a seu alcance para obter o cobiçado carimbo em seu documento de identidade concedendo imunidade. Essa imunidade não estava disponível para judeus não holandeses, a maioria refugiados da Alemanha, muitos dos quais, por conseguinte, foram esconder-se – entre eles, a família judaico-alemã Frank, cuja filha adolescente Anne manteve um diário que ficou amplamente conhecido ao ser publicado depois da guerra.[178]

Dois membros do Conselho Judaico conseguiram destruir os registros de cerca de mil crianças, a maioria delas da classe operária, reunidas em uma creche central, e as contrabandearam para esconderijos. Mas a ajuda da massa da população holandesa não veio. O serviço público e a polícia estavam habituados a trabalhar com os ocupantes alemães, e adotaram uma visão estritamente legalista das ordens recebidas. Os líderes das igrejas Católica e Protestante enviaram um protesto coletivo a Seyss-Inquart em 11 de julho de 1942, objetando não só ao assassinato de judeus convertidos ao cristianis-

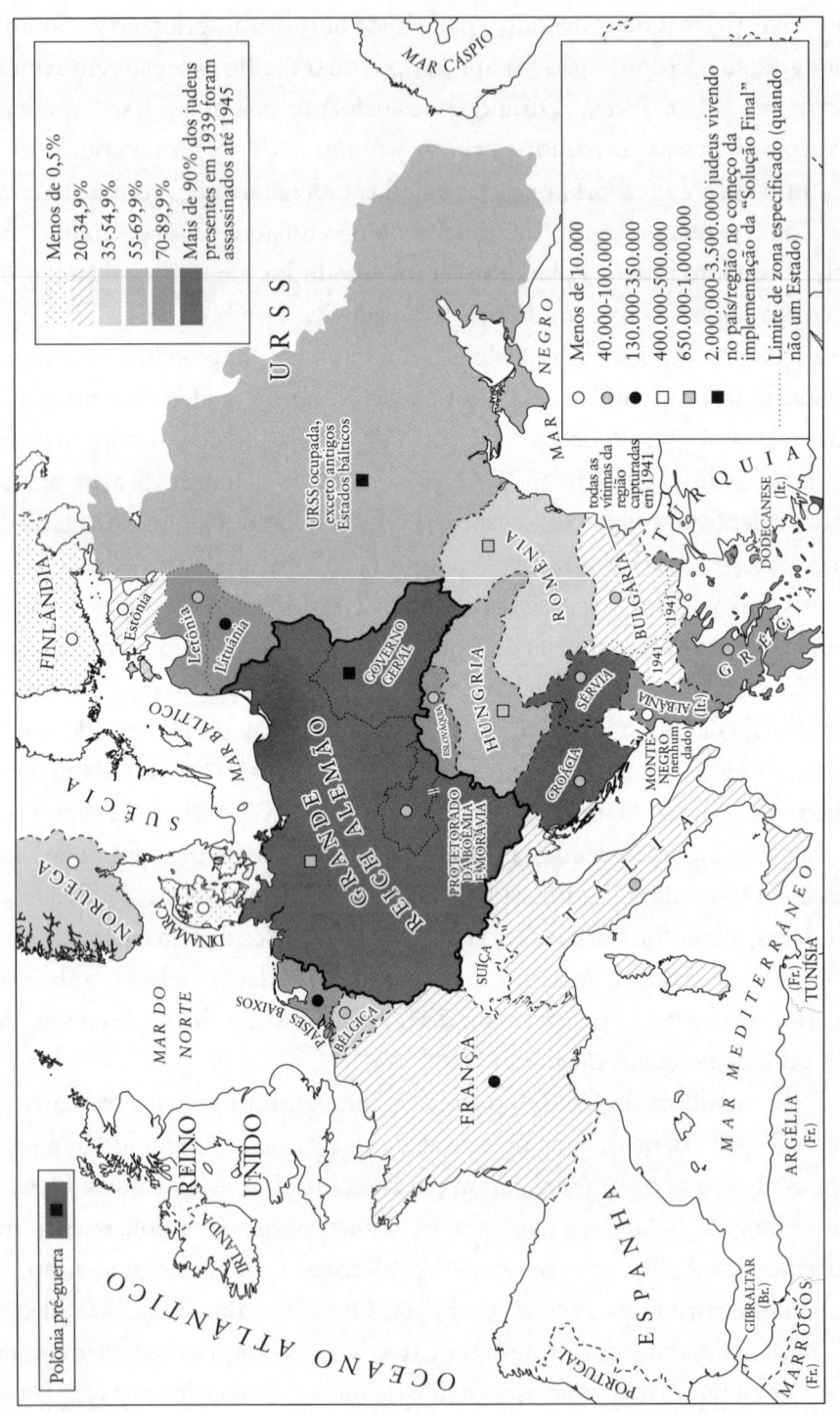

Mapa 14. O extermínio dos judeus europeus

mo, mas também ao assassinato de judeus não batizados, a maioria. Quando o bispo católico de Utrecht, Jan de Jong, recusou-se a ceder à intimidação das autoridades alemães, a Gestapo deteve tantos judeus católicos quanto conseguiu encontrar, e mandou 92 deles para Auschwitz. A despeito desse confronto, porém, nem as igrejas, nem o governo holandês no exílio fizeram qualquer coisa para incitar a população contra as deportações. Relatórios sobre os campos de morte enviados à Holanda tanto por voluntários holandeses da SS como por dois prisioneiros políticos holandeses que haviam sido soltos de Auschwitz não causaram efeito. Entre julho de 1942 e fevereiro de 1943, 53 trens partiram de Westerbork, carregando um total de quase 47 mil judeus para Auschwitz – 266 deles sobreviveram à guerra.[179] Nos meses seguintes, mais 35 mil foram levados para Sobibor, dos quais apenas dezenove sobreviveram. Um carregamento de mil judeus deixava o campo de trânsito de Westerbork toda terça-feira, semana após semana, durante todo esse período e além, até mais de 100 mil terem sido deportados para a morte até o fim da guerra.[180] A administração nazista na Holanda foi mais longe no antissemitismo do que qualquer outra na Europa ocidental, refletindo em parte a presença de austríacos entre sua liderança máxima. Seyss-Inquart almejou até mesmo a esterilização dos cônjuges judeus nos seiscentos casamentos chamados de mistos registrados nos Países Baixos, uma política discutida na Alemanha, mas nunca colocada em prática.[181]

O contraste com a vizinha Bélgica era impressionante. De 65 mil a 75 mil judeus viviam na Bélgica no começo da guerra, dos quais apenas 6% não eram imigrantes e refugiados. O governo militar alemão emitiu um decreto em 28 de outubro de 1940 obrigando-os a se registrar junto às autoridades, e em breve os judeus nativos estavam sendo demitidos do serviço público, do sistema judiciário e dos meios de comunicação, ao passo que o registro e a arianização de todos os bens judaicos entrava em operação. O movimento nacionalista flamengo ateou fogo a sinagogas da Antuérpia em abril de 1941 após a exibição de um filme antissemita.[182] Entretanto, o governo militar alemão relatou que havia pequeno entendimento sobre a questão judaica entre os belgas comuns, e temeu reações hostis caso os judeus belgas nativos fossem recolhidos. Parecia que a maioria dos belgas considerava-os belgas. Himmler de momento mostrou-se disposto a concordar com o adiamento de sua deportação, e, quando o primeiro trem partiu para Auschwitz em 4 de agosto de 1942, continha apenas judeus estrangeiros. Até novembro de 1942, cerca de 15 mil haviam sido deportados. A essa altura, porém, uma organização judaica clandestina recém-fundada fez contato com a resistência belga, cuja ala comunista já continha muitos judeus estrangeiros, e teve início uma ação disseminada para se esconder os judeus que restavam no país; muitas instituições católicas locais também desempenharam um papel importante no ocultamento de crianças judias. Na Holanda, por outro lado, a liderança comunitária judaica foi menos ativa em ajudar os judeus a ir para a clandestinidade. Muito possivelmente, também o fato de a monarquia, a administração do governo, o funcionalismo público e a polícia belgas terem permanecido no país proporcionou um amortecedor contra o zelo genocida dos ocupantes nazistas, assim como o controle efetivo da Bélgica por militares alemães, em contraste com o domínio do comissário nazista Seyss-Inquart e da SS na Holanda. Com certeza, a polícia belga estava menos disposta a ajudar no recolhimento de judeus que seus colegas nos Países Baixos. Como consequência de tudo isso, apenas 25 mil judeus foram deportados da Bélgica para as câmaras de gás de Auschwitz; outros 25 mil acharam um jeito de se esconder. Ao todo, 40% dos judeus belgas foram assassinados pelos nazistas, um número aterrador o bastante; nos Países Baixos, porém, a proporção atingiu 73%, ou 102 mil de um total de 140 mil.[183]

III

Na busca do objetivo declarado de Hitler de livrar a Europa dos judeus, o pedante Heinrich Himmler também voltou sua atenção para a Escandinávia, onde o número de judeus era tão pequeno que praticamente não tinha importância política ou econômica, e o antissemitismo nativo era bem menos disseminado que em outros países europeus ocidentais. Ele até visitou Helsinque em julho de 1942 para tentar persuadir o governo, aliado do Terceiro Reich, a entregar os cerca de duzentos judeus estrangeiros que viviam na Finlândia. Quando a polícia finlandesa começou a compilar uma lista, a notícia das detenções por vir espalhou-se e ergueram-se vozes em protesto tanto dentro como fora do governo. Por fim, o número acabou reduzido a oito (quatro alemães e um estoniano com suas famílias), deportados para Auschwitz em 6 de novembro de 1942. Com exceção de um, todos foram mortos. Os cerca de 2 mil judeus finlandeses nativos não foram afetados, e, depois de o governo finlandês assegurar a Himmler que não havia uma "questão judaica" no país, ele abandonou qualquer tentativa de garantir sua entrega à SS.[184]

Na Noruega, sob ocupação alemã direta, a tarefa de Himmler foi mais simples. O rei e o governo eleito antes da guerra tinham ido para o exílio na Grã-Bretanha, de onde faziam pronunciamentos regulares à população. A resistência à invasão alemã havia sido forte, e a instalação de um governo fantoche sob o fascista Vidkun Quisling fracassou em produzir o apoio popular em massa para a colaboração com os ocupantes alemães que seu líder havia prometido. A escassez crescente de alimentos e matérias-primas, como por toda parte na Europa ocidental, pouco fez para conquistar a população. A maioria dos noruegueses manteve-se contrária à ocupação alemã, mas de momento incapaz de fazer muita coisa a respeito. Por trás dos panos, o país era efetivamente governado pelo comissário do Reich Josef Terboven, líder regional do Partido Nazista em Essen. Havia cerca de 2 mil judeus na Noruega, e em julho de 1941 o governo Quisling demitiu-os do serviço estatal e das profissões. Em outubro de 1941, suas propriedades foram arianizadas. Pouco depois, em janeiro de 1942, o governo Quisling ordenou o registro dos judeus conforme as Leis de Nuremberg. Em abril de 1942, entretanto, reconhecendo o fracasso de Quisling em conquistar apoio público, os alemães demitiram seu governo, e Terboven começou a mandar de forma direta. Em outubro de 1942, as autoridades alemãs ordenaram a deportação dos judeus da Noruega. Em 26 de outubro de 1942, a polícia norueguesa começou a deter homens judeus, seguindo-se mulheres e crianças em 25 de novembro. Em 26 de novembro, 532 judeus foram embarcados para Stettin, seguidos por outros; no total, 770 judeus noruegueses foram deportados, dos quais setecentos foram gaseados em Auschwitz. Entretanto, 930 conseguiram escapar para a Suécia, e o resto sobreviveu escondido ou escapou de alguma outra maneira.[185] Uma vez começadas as deportações de judeus da Noruega, o governo sueco decidiu conceder asilo a quaisquer judeus chegados de outras partes da Europa.[186] A Suécia neutra assumiu então um papel significativo em favor daqueles que tentavam parar o genocídio. O governo sueco com certeza estava bem informado a respeito. Em 9 de agosto de 1942, seu cônsul em Stettin, Karl Ingve Vendel, que trabalhava para o serviço secreto sueco e tinha bons contatos com membros da resistência militar alemã aos nazistas, enviou um detalhado relatório deixando claro que os judeus estavam sendo gaseados em grande quantidade no Governo Geral. As autoridades continuaram a conceder asilo aos judeus que cruzavam a fronteira sueca, mas recusaram-se a lançar qualquer iniciativa para parar os assassinatos.[187]

Hitler considerava os dinamarqueses, bem como os suecos e os noruegueses, arianos; ao contrário dos noruegueses, eles não haviam oferecido resistência digna de nota à invasão alemã de 1940. Também era importante manter a situação calma na Dinamarca para que mercadorias vitais pudessem ir e vir da Alemanha, da Noruega e da Suécia sem empecilhos. A importância estratégica da Dinamarca, dominando um trecho significativo da costa oposta à Inglaterra, era vital. Por todos esses motivos, o governo e a administração dinamarqueses foram deixados largamente intactos até setembro de 1942, quando o rei Cristiano X causou considerável irritação a Hitler ao responder a sua mensagem de felicitações pelo aniversário com uma concisão que não poderia ser considerada outra coisa senão descortês. Já irritado com o grau de autonomia mostrado pelo governo dinamarquês, um Hitler furioso na mesma hora substituiu o comandante militar no país, instruindo seu sucessor a adotar uma linha mais dura. Mais significativamente, nomeou o oficial sênior da SS Werner Best como plenipotenciário do Reich em 26 de outubro de 1942. A essa altura, porém, Hitler havia se acalmado, e Best estava plenamente cônscio da necessidade de não ofender os dinamarqueses, seu governo ou o monarca sendo por demais ríspido. De forma um tanto inesperada, portanto, ele de início atuou com uma política de flexibilidade e moderação. Por vários meses instou até mesmo por cautela na política adotada em relação aos judeus dinamarqueses, dos quais havia cerca de 8 mil, e pouco se fez para separá-los além de medidas menores de discriminação, às quais os líderes da comunidade judaica não se opuseram.[188]

Mas, à medida que os sucessos militares alemães declinavam, começaram a se multiplicar os atos de resistência na Dinamarca. Sabotagem, greves e vários tipos de agitação se disseminaram no verão de 1943. Hitler ordenou a declaração de lei marcial, e a isso seguiu-se logo depois a retirada da cooperação do governo dinamarquês. Ficou claro que não havia a possibilidade de se montar uma administração mais bem disposta para ocupar o lugar, embora esse fosse o curso de ação preferido pelo ministro alemão de Relações Exteriores, Ribbentrop. Best então agiu para assumir o poder total, usando o serviço público dinamarquês para instalar seu governo pessoal. Para isso, ele precisava de um aumento maciço nos poderes policiais, e o meio para tal pareceu-lhe óbvio: a realização da muito adiada deportação dos judeus dinamarqueses. Em 17 de setembro de 1943, Hitler deu sua aprovação, confirmando a ordem de deportação em 22 de setembro de 1943. Na cabeça dele, os judeus de qualquer modo eram responsáveis pelo crescimento da resistência dinamarquesa e sua remoção seria essencial para dar fim àquilo. Rapidez e surpresa eram vitais. Mas a notícia das detenções iminentes começou a vazar. O governo sueco, que havia sido informado da data por seu embaixador em Copenhague, emitiu uma oferta pública de asilo a todos os judeus dinamarqueses, que agora começavam a se esconder. Em um país onde a colaboração era fraca e havia pouco antissemitismo nativo, uma ação policial agora pareceu contraprodutiva para Best. Uma varredura policial provavelmente levaria semanas e suscitaria raiva pública disseminada. Best tentou fazer Berlim cancelar a ação, mas sem resultado. Então ele mesmo assegurou que a data planejada para a ação, 2 de outubro, vazasse tão amplamente quanto possível. Em 1º de outubro de 1943, após uma boa dose de preparativos secretos, dinamarqueses de todos os lugares e todos os níveis sociais trabalharam juntos para embarcar 7 mil judeus pelos estreitos rumo à Suécia e à segurança. Apenas 485 foram detidos na "ação" do dia seguinte. Best interveio com Eichmann para garantir que quase todos os detidos fossem levados não para Auschwitz, mas para Theresienstadt, onde a grande maioria sobreviveu à guerra.[189]

Best apresentou sua ação como um triunfo da política alemã. "A Dinamarca", escreveu ele ao Ministério de Relações Exteriores alemão, "foi livrada dos judeus, uma vez que não há mais judeus ativos e vivendo aqui legalmente que se enquadrem nos decretos relevantes".[190] Sua ação não foi motivada por nenhuma consideração moral, mas por calculismo político, dentro do contexto geral de um antissemitismo virulento e homicida propagado e praticado pela organização à qual ele pertencia, a SS. Já estava claro que a lei marcial chegaria ao fim em breve, e, quando chegou, Best instituiu um regime que poderia ser chamado de terror de bastidores, no qual ele em público proclamava a continuidade de uma abordagem flexível, mas – agindo sob ordens de Hitler para adotar represálias – usava bandos armados clandestinos, inclusive homens da SS vestidos como civis em certas ocasiões, para matar aqueles que acreditava serem responsáveis pelo crescimento da campanha de sabotagem contra instalações militares e econômicas alemãs. Sua política obteve pouco sucesso; de fato, em 19 de abril de 1944, seu motorista foi assassinado. À medida que a situação ameaçava deteriorar-se em um estado de guerra civil desenfreada, e Copenhague parecia estar se tornando uma versão europeia da Chicago da década de 1920, Best recuou de novo. Ignorando ordens de Hitler e Himmler para julgamentos espetaculosos e assassinato imediato de suspeitos, ele promoveu execuções individuais, mas, mesmo depois de uma greve de massa em Copenhague, recusou-se a adotar uma política de contraterror maciço. Do ponto de vista dinamarquês, porém, havia pouca diferença entre as duas políticas. Conforme Ulrich von Hassell anotou em 10 de julho de 1944, após encontrar-se com um amigo estacionado na Dinamarca, Best era "um homem muito sensível": "O assassinato de soldados alemães ou de dinamarqueses favoráveis aos alemães não é combatido com a punição ou o fuzilamento de um refém. Em vez disso, leva-se a cabo uma política de simples assassinato por vingança, ou seja, alguns dinamarqueses inocentes são mortos. Hitler queria uma cota de cinco para um; Best reduziu-a a dois para um. O ódio gerado por toda parte é ilimitado".[191] O efeito, portanto, foi o mesmo. A vida normal prosseguiu na Dinamarca até certo ponto, com a administração civil continuando a funcionar, mas o controle dos ocupantes alemães sobre o país tornou-se cada vez mais vacilante. E, embora Best tivesse voltado atrás na instrumentalização da "política judaica" para o desmantelamento de formas de colaboração existentes e a introdução de um regime de terror puro, essa seria introduzida em outros países com efeito mortífero.[192]

Ao mesmo tempo, a perseguição obsessiva à população judaica por toda a Europa ocupada continuou, independentemente de sua utilidade econômica ou de algo que não o extermínio. Um caso evidente em questão foi a Grécia, onde havia uma comunidade judaica substancial – 55 mil na zona de ocupação alemã, 13 mil na área controlada pelos italianos, cuja relutância em cooperar com as medidas antissemitas frustraram as ambições do Escritório Central de Segurança do Reich até 1943. Em 1942, porém, o Exército alemão começou a recrutar homens judeus para os projetos de trabalho forçado, e em fevereiro de 1943 o uso da estrela judaica tornou-se compulsório. Grande parte da população judaica na cidade de Salônica, ao norte, foi reunida em um bairro caindo aos pedaços, em um preparativo para a deportação. Enquanto isso, oficiais graduados do departamento de Eichmann chegavam a Salônica para preparar a ação, inclusive Alois Brunner. Em 15 de março de 1943, o primeiro trem partiu com 2,8 mil judeus a bordo; seguiram-se outros até que, dentro de poucas semanas, 45 mil dos 50 mil habitantes judeus da cidade haviam sido levados para Auschwitz, onde a maioria foi morta logo ao chegar. Apanhados de surpresa e mal informados – ou nem isso – sobre o que estava acontecendo em Auschwitz, eles não ofereceram resistência; tampouco havia alguma organização grega atuando que pudesse ter oferecido ajuda. O líder da comunidade religiosa em Salônica, o rabino Zwi Koretz, tentou apenas aplacar os temores de sua congregação. Objeções do representante da Cruz Vermelha em Atenas, René Burckhardt, foram confrontadas com uma bem--sucedida solicitação alemã à sede da organização de que ele fosse transferido de volta para a Suíça. O cônsul italiano em Salônica, Guelfo Zamboni, apoiado pelo embaixador em Atenas, interveio para tentar obter tantas isenções quantas pudesse, mas ao todo só conseguiu salvar 320 judeus de Salônica. Enquanto isso, os alemães demoliram o cemitério judaico e usaram as lápides para pavimentar novas estradas na região.[193]

Passaram-se vários meses antes que as deportações pudessem ser estendidas à capital, uma vez que a lista de membros da comunidade judaica fora destruída. Entretanto, em 23 de março de 1944, oitocentos judeus que haviam se reunido na principal sinagoga após as autoridades alemãs prometerem distribuir pão de Pessach foram detidos e deportados para Auschwitz; e, ao longo de julho de 1944, os alemães arrebanharam as minúsculas comunidades judaicas que viviam nas ilhas gregas, inclusive 96 pessoas de Kos e 1.750 de Rhodes, que foram enviadas para o continente e igualmente deportadas para Auschwitz.[194] Como no caso da Finlândia, a obsessão com que a

SS, ajudada pelas autoridades alemãs civis e militares locais, caçou os últimos judeus até a morte, independentemente de qualquer racionalidade militar ou econômica, foi um testemunho cabal sobre a primazia do pensamento antissemita na ideologia do Terceiro Reich.

IV

A situação das populações judaicas de países aliados da Alemanha nazista era complexa, e variou com os destinos cambiantes da guerra. Em alguns deles, o antissemitismo nativo era forte, e no caso da Romênia, como vimos, levou a *pogroms* e chacinas em uma escala enorme. Na metade de 1942, porém, o ditador romeno Ion Antonescu estava começando a pensar melhor sobre o extermínio dos judeus romenos, que formavam uma larga proporção de profissionais especializados do país. Intervenções dos Estados Unidos, da Cruz Vermelha, do governo turco, da rainha mãe romena, do metropolitano ortodoxo da Transilvânia e do núncio papal começaram a fazer efeito sobre o ditador. Também há certa evidência de que judeus romenos ricos subornaram Antonescu e alguns de seus funcionários para adiar sua deportação. Além disso, nos bastidores, intelectuais, professores universitários e escolares e outros lembraram Antonescu à força de que a Romênia era o único país europeu além da Alemanha a ter exterminado judeus em larga escala por iniciativa própria. Quando a guerra acabasse, e os alemães tivessem sido derrotados – como agora parecia cada vez mais provável para muitas lideranças romenas –, isso colocaria em risco as reivindicações romenas sobre o norte da Transilvânia, visto que, em dezembro de 1942, Churchill e Roosevelt declararam que a punição de países que haviam perseguido judeus era uma meta da guerra aliada. De início, Antonescu havia acedido ao pedido alemão de permitir a deportação para a Polônia ocupada não só de judeus romenos que viviam na Alemanha ou na Europa de ocupação alemã, como também de 300 mil judeus deixados na própria Romênia. Mas ele irritou-se com as repetidas tentativas alemãs de fazê-lo entregar aqueles que, afinal de contas, a despeito de seu antecedente de reduzir sua igualdade civil e muito mais, eram cidadãos romenos. Advertido pelo Ministério de Relações Exteriores alemão de que os judeus eram uma ameaça séria, ainda assim Ionescu vacilou. Depois de protelar, finalmente suspendeu a deportação de judeus para a Transnístria e no fim de 1943 começou a repatriar os deportados sobreviventes para sua terra natal romena.[195] Hitler não desistiu de tentar persuadi-lo a retomar o genocídio, advertindo ainda em 5 de agosto de 1944 que, se a Romênia fosse derrotada, não poderia esperar que os judeus romenos a defendessem ou fizessem qualquer coisa a não ser colocar um regime comunista no poder.[196] Mas Antonescu não estava mais disposto a ouvi-lo.

As preocupações quanto à soberania também foram decisivas na Bulgária, onde o rei Bóris recusou-se a entregar os judeus do país à SS depois de protesto popular generalizado contra o plano. Ainda havia um parlamento em funcionamento no país, impondo limites à liberdade de ação do monarca, e os deputados opuseram-se vigorosamente à deportação de cidadãos búlgaros, a despeito de anteriormente terem se curvado à pressão alemã ao introduzir legislação antissemita. Onze mil judeus dos territórios da Trácia e da Macedônia foram privados da cidadania, arrebanhados e entregues à Gestapo para a chacina. Todavia, havia pouco antissemitismo endêmico na Bulgária, onde a comunidade judaica era pequena. Houve abominação generalizada quando 6 mil judeus do reino búlgaro pré-guerra foram listados para deportação junto com os outros por um funcionário antissemita excessivamente zeloso. A Igreja Ortodoxa entrou em cena para proteger os judeus, declarando que a Bulgária lembraria da guerra com vergonha se eles fossem deportados. Em uma visita à Alemanha em 2 de abril de 1943, o rei Bóris explicou ao ministro de Relações Exteriores, Ribbentrop, que os 25 mil judeus restantes na Bulgária seriam colocados em campos de concentração em vez de entregues aos alemães. Ribbentrop insistiu em que, na sua opinião, apenas "a solução mais radical era a correta". Mas foi forçado a admitir que nada mais poderia ser feito.[197]

De modo semelhante, o governo húngaro, que havia nacionalizado as terras de propriedade judaica e iniciado discussões com o governo alemão sobre a deportação de judeus húngaros, também começou a encontrar desculpas para deixar de cooperar com as exigências cada vez mais insistentes do Ministério de Relações Exteriores alemão. Em outubro de 1942, o regente húngaro e chefe de Estado efetivo, Miklós Hórthy, e seu primeiro-ministro, Miklós Kállay, rejeitaram um pedido alemão para introduzir o uso da estrela judaica pelos judeus húngaros. Embora Hitler não quisesse ofender nem a Romênia nem a Bulgária, ficou cada vez mais irritado com a falha da Hungria em entregar sua população judaica de 800 mil para extermínio e em confiscar seus bens. Somado a isso, Hórthy agora estava retirando tropas do exército liderado pelos alemães da frente oriental, na crença de que a Alemanha estava prestes a de perder a guerra. Em 16 e 17 de abril de 1943, portanto, Hitler reuniu-se com Hórthy perto de Salzburgo, na presença do ministro de Relações Exteriores, Ribbentrop, para fazer uma certa pressão a respeito de ambos os temas. Entre outras coisas, Hórthy deixou claro, durante o primeiro dia de discussões, que qualquer solução húngara para a "questão judaica" deveria levar em conta as circunstâncias específicas da Hungria. Desanimados com a relutância de Hórthy em aceder ao pedido, Hitler e Ribbentrop voltaram ao tema no segundo dia. Ambas as partes então abandonaram os rodeios diplomáticos. De acordo com as minutas do intérprete, Ribbentrop disse a Hórthy "que os judeus devem ser ou aniquilados ou levados para campos de concentração. Não havia outro jeito". Hitler apresentou uma série mais longa de argumentos:

> Onde os judeus foram deixados por si mesmos, como na Polônia, por exemplo, prevaleceram uma pobreza e uma degeneração horripilantes. Eles são apenas uns puros parasitas. Em essência, esse estado de coisas foi arrumado na Polônia. Se os judeus não queriam trabalhar, eram fuzilados. Se não conseguiam trabalhar, deveriam perecer. Tiveram de ser tratados como bacilos da tuberculose, pelos quais um corpo saudável poderia ser infectado. Isso não foi cruel, caso se lembre que até mesmo criaturas inocentes da natureza como a lebre e o cervo têm de ser mortas para que não haja danos. Por que qualquer um haveria de querer poupar as bestas que quiseram trazer-nos o bolchevismo? As nações que não se livraram dos judeus pereceram.[198]

Mas Hórthy não arredou pé. Em breve, ele pagaria o preço por sua intransigência.

O pequeno Estado católico da Eslováquia, predominantemente agrícola, implantado como um Estado autônomo após o acordo de Munique em

1938, havia sido liderado desde março de 1939, quando se tornara nominalmente independente, pelo padre católico Jozef Tiso como presidente e pelo professor de direito e nacionalista radical Vojtech Tuka como primeiro-ministro. A ala radical do movimento nacionalista, que Tuka liderava, havia se aproximado com firmeza do nacional-socialismo, e podia contar com uma força paramilitar conhecida como Guarda Hlinka, nomeada em homenagem ao padre Andrej Hlinka, que havia encorajado o crescimento do nacionalismo eslovaco. Em um encontro com Hitler em 28 de julho de 1940, Tiso, Tuka e o ministro do Interior, Mach, receberam ordens para colocar em vigor uma legislação para lidar com a pequena minoria judaica da Eslováquia – 80 mil pessoas, somando 3,3% da população total do país. Eles concordaram com a nomeação do funcionário da SS Dieter Wisliceny como consultor oficial sobre questões judaicas, e, logo após a chegada deste à capital eslovaca, Bratislava, o governo começou um programa abrangente de expropriação da população judaica, expulsando-a da vida econômica, removendo seus direitos civis e a recrutando para projetos de trabalho forçado. Os judeus eslovacos foram forçados a usar a estrela judaica, assim como os do Reich. Dentro de poucos meses, grande parte da população judaica do país estava reduzida a um estado de grande pobreza. No início de 1942, respondendo a um pedido do governo alemão de 20 mil trabalhadores eslovacos para a indústria de armas alemã, o governo ofereceu em vez disso 20 mil operários judeus. Com isso, o assunto passou para as mãos de Eichmann, que decidiu que poderiam ser usados para construir o campo de extermínio de Auschwitz-Birkenau. Ele também ofereceu-se para levar as famílias; em outras palavras, garantir, de uma forma que se tornaria costumeira, que os homens que pudessem trabalhar fossem recrutados para os esquemas de trabalho ao chegar ao campo e qualquer um que não pudesse trabalhar fosse levado direto para a câmara de gás. Em 26 de março de 1942, 999 moças judias eslovacas foram amontoadas com tapas e xingamentos em vagões de gado pela Guarda Hlinka, auxiliada por unidades locais de alemães étnicos, e levadas para Auschwitz. Rapidamente seguiram-se mais homens, mulheres e crianças. De forma incomum, o governo eslovaco pagou quinhentos reichsmarks às autoridades alemãs por judeu "improdutivo" para cobrir os custos de transporte e como compensação por poder ficar com suas posses. Eichmann garantiu aos eslovacos que nenhum dos deportados jamais voltaria. E de fato, até o fim de junho de 1942, cerca de 52 mil judeus eslovacos, bem mais da metade de toda a população judaica do país, haviam sido deportados, a maioria para Auschwitz; mesmo aqueles poupados para trabalhar nos projetos de construção de Birkenau não viveram muito.[199]

A essa altura, entretanto, as deportações empreendidas, convém lembrar, por iniciativa do próprio governo eslovaco e não em resposta a alguma solicitação dos alemães, estavam deparando com problemas. Cenas aflitivas e violentas nos pátios ferroviários, quando deportados judeus eram espancados pela Guarda Hlinka, estavam causando uma escalada de protestos de eslovacos comuns, manifestados também por algumas lideranças religiosas, como o bispo Pavol Jantausch, que exigiu que os judeus fossem tratados de forma humana. A posição formal da Igreja Católica eslovaca foi um tanto mais ambivalente, uma vez que combinou a exigência de que os direitos civis dos judeus fossem respeitados com uma acusação de sua alegada responsabilidade pela morte de Jesus na cruz. O Vaticano convocou o embaixador eslovaco duas vezes para inquirir em particular o que estava acontecendo, uma intervenção que, a despeito de toda a moderação, fez Tiso, que afinal de contas ainda era um padre com ordenação sagrada, repensar o programa. De longe a iniciativa mais importante foi a de um grupo de líderes da comunidade judaica eslovaca ainda ricos que subornou sistematicamente os funcionários eslovacos de postos-chave para emitir certificados de isenção. Em 26 de junho de 1942, o embaixador alemão em Bratislava estava reclamando que haviam sido emitidos 35 mil desses documentos, e o resultado era que praticamente não restavam mais judeus para ser deportados. No Ministério de Relações Exteriores alemão, Ernst von Weizsäcker respondeu dizendo ao embaixador para lembrar Tiso de que "a cooperação da Eslováquia na questão judaica até então fora muitíssimo apreciada" e que a suspensão das deportações causava, portanto, alguma surpresa. Todavia, exceto por uma breve e temporária retomada em setembro de 1942, as deportações eslovacas agora haviam chegado ao fim. Em abril de 1943, quando Tuka ameaçou retomá-las, foi forçado a voltar atrás pelos protestos públicos, em especial da Igreja, que a essa altura fora convencida do destino que aguardava os deportados. A pressão dos alemães, inclusive um confronto direto entre Hitler e Tiso em

22 de abril de 1943, permaneceu sem efeito.[200] Entretanto, em 1944, o movimento de resistência eslovaco, que havia crescido em força e determinação, fez uma tentativa desastrada de derrubar Tiso e foi brutalmente reprimido pela Guarda Hlinka ajudada por tropas alemãs. Nessa ocasião, Tiso ordenou a deportação dos judeus restantes no país, alguns dos quais foram enviados para Sachsenhausen e Theresienstadt, mas a maioria para Auschwitz.[201]

V

Por toda a Europa ocupada, os movimentos de resistência começaram a ganhar terreno em 1943, e em algumas partes bem antes disso. Na França, a convocação para o trabalho levou à formação dos Maquis, grupos de resistência assim chamados porque originalmente surgiram no pequeno bosque de mesmo nome da Córsega. Em certos casos foram assessorados, treinados e abastecidos por agentes britânicos da Executiva de Operações Especiais. Eles minavam o apoio aos ocupantes alemães distribuindo folhetos de propaganda e espalhando boatos, encorajando várias formas possíveis de não cooperação, até as greves. Atacavam soldados alemães desacompanhados ou colaboradores locais importantes, inclusive a polícia, e se engajaram progressivamente em atos de sabotagem e subversão. No início de 1944, Joseph Darnand, chefe da milícia de Vichy, substituiu René Bousquet como chefe de polícia, e Philippe Henriot, conhecido havia anos como radical de direita, assumiu a gestão da propaganda do regime. Henriot começou a despejar violenta literatura antissemita, rotulando a resistência francesa em rápido crescimento como uma conspiração judaica contra a França. Ao mesmo tempo, a polícia de Darnand torturou e assassinou numerosos judeus proeminentes e combatentes da resistência. Esta reagiu em junho de 1944 assassinando Henriot.[202] As autoridades militares alemãs na França implementaram uma política de represália, detendo e fuzilando "reféns". No começo de junho de 1944, os militares ordenaram uma escalada das represálias, o que a Segunda Divisão de Tanques da SS entendeu que significava a implementação do tipo de política que há muito era de praxe no leste. Em 10 de junho de 1944, suas tropas entraram na aldeia de Oradour-sur-Glane, fuzilaram todos os habitantes homens, amontoaram as mulheres e crianças dentro da igreja, à qual atearam fogo, queimando todos vivos. No total, 642 aldeões pereceram no massacre. A suposta represália a violentos ataques a tropas alemãs cometidos recentemente teve lugar em uma comunidade que de fato era completamente desconectada da resistência. Seu único efeito foi propagar uma onda de revolta pela França e indispor o povo ainda mais contra a ocupação alemã.[203]

À medida que a resistência se espalhava, trabalhava em cooperação cada vez mais estreita com as forças aliadas regulares. Ao mesmo tempo, porém, os movimentos de resistência por quase toda parte estavam profundamente divididos entre si. A injunção de Stálin aos comunistas para que formassem grupos guerrilheiros em julho de 1941 galvanizou-os na ação, mas ao mesmo tempo surgiram movimentos de guerrilha e resistência rivais, nacionalistas e muitas vezes de direita, que frequentemente deviam lealdade a governos no exílio em Londres. E o antissemitismo nazista, às vezes ecoado pelos combatentes nacionalistas, incitou os judeus de alguns locais a também formar suas unidades de guerrilha. Estava montado o cenário para uma luta complexa na qual, para muitos guerrilheiros, os alemães estavam longe de ser o único inimigo.[204] Talvez a mais séria divisão entre movimentos de resistência tenha ocorrido no sudeste da Europa. Na Grécia, a resistência comunista lançou ataques bem-sucedidos a linhas de comunicação alemãs, e na metade de agosto de 1944 havia assumido o controle efetivo de boa parte do interior montanhoso e inacessível. Em agosto de 1943, irrompeu uma luta séria entre suas forças e a rival menor de direita, liderada pelo ambicioso e apropriadamente chamado Napoleon Zervas, apoiado pelos britânicos como contrapeso aos comunistas. O conflito por fim descambaria em uma guerra civil consumada. Situação bastante semelhante surgiu na antiga Iugoslávia, onde os guerrilheiros comunistas iugoslavos sob Tito conquistaram o apoio dos britânicos porque eram mais ativos que os nacionalistas sérvios Chetniks. Em 1943, as forças de Tito somavam cerca de 20 mil homens. Como na Grécia, os guerrilheiros comunistas, apesar de ferozes represálias das forças de ocupação alemã, conseguiram assumir o controle de imensos trechos do inóspito e remoto interior do país. Contudo, mais ainda do que na Grécia, os dois movimentos da resistência passavam tanto tempo lutando entre si quanto contra os alemães. De fato,

Tito até negociou com os alemães, oferecendo seus serviços para esmagar os Chetniks se as forças de ocupação alemãs concordassem em suspender suas campanhas antiguerrilha, o que fizeram por um tempo, até Hitler em pessoa vetar o acordo.²⁰⁵

Por trás da frente oriental, o domínio alemão começou a se desintegrar no primeiro ano de invasão da União Soviética. Já na primavera de 1942, a situação da segurança em algumas partes da Polônia estava fora de controle. Em seu diário, o diretor de hospital Zygmunt Klukowski registrou um roubo atrás do outro; os guerrilheiros, anotou ele, estavam por toda parte, pegando comida e matando pessoas que trabalhavam para a administração alemã. "É quase impossível descobrir quem são eles", escreveu Klukowski, "poloneses, russos, até mesmo desertores alemães ou simples bandidos". A polícia havia desistido de tentar intervir.²⁰⁶ Muitos grupos guerrilheiros eram bem armados e organizados, e alguns oficiais poloneses estavam formando unidades regulares do Exército Doméstico. Aldeões atirados para fora de casa para dar lugar a alemães étnicos engrossavam as fileiras, sedentos de vingança. Com frequência, voltavam a sua aldeia para queimar a própria casa antes que os alemães pudessem ocupá-la.²⁰⁷ O Exército Doméstico estabeleceu ligação com o governo polonês no exílio em Londres, cujo conselho para ser paciente raramente era observado. De janeiro de 1943 em diante, Klukowski dedicou um número crescente de entradas em seu diário para descrever os atos de resistência militar e sabotagem. Algumas linhas ferroviárias locais já estavam intransitáveis pelas explosões constantes e ataques de metralhadora. As aldeias de colonos alemães foram atacadas, os rebanhos foram expropriados e qualquer um que protestasse era espancado. Os líderes guerrilheiros locais tornaram-se heróis do povo; Klukowski encontrou-se com um deles e concordou em fornecer suprimentos médicos para o movimento.²⁰⁸ Depois disso, seus contatos com o Exército Doméstico tornaram-se mais frequentes. Usando o codinome "Podwinski", ele abasteceu os combatentes com dinheiro, redigiu relatórios sobre os acontecimentos em sua área e atuou como caixa de correio para unidades de guerrilha. Também tratou guerrilheiros feridos, ignorando a exigência alemã de que relatasse qualquer caso de ferimentos à bala para a polícia. Klukowski permaneceu cauteloso como de costume: quando comandantes das unidades de guerrilha visitavam-no, fazia-os se despir, "de modo que, na eventualidade de intrusão alemã, parecesse um exame médico normal".[209]

Grupos guerrilheiros rivais, notadamente os organizados por russos, também estavam ativos na época. Alguns tinham efetivos de várias centenas.[210] A atividade guerrilheira levou a represálias radicais das forças de ocupação alemãs, que tomaram reféns da população local e ameaçaram publicamente matar dez ou vinte deles para cada soldado alemão baleado pela resistência, ameaça que levaram a cabo repetidas vezes, intensificando a atmosfera de terror e apreensão entre a população local.[211] A polícia auxiliar alemã e polonesa era cada menos capaz de montar operações efetivas tanto contra o movimento de resistência quanto contra a onda crescente de violência, roubo e desordem. A brutalidade do governo alemão na Europa oriental desde o princípio havia alienado completamente a maioria da população.[212] O argumento, apoiado entre outros por Alfred Rosenberg, de que esse era o principal motivo para a resistência guerrilheira disseminada, não surtiu efeito em Himmler nem na hierarquia do Exército. A atividade guerrilheira também alimentou ainda mais o antissemitismo de administradores civis. Um oficial da Bielorrússia escreveu em outubro de 1942 que, na sua opinião, os judeus tinham uma "participação muito grande no sucesso de toda a campanha de sabotagem e destruição [...] Uma operação realizada em um único dia [...] revelou oitenta judeus armados entre 223 bandidos que foram mortos. Fico feliz", ele acrescentou, "em ver que os 25 mil judeus que originalmente havia no território foram reduzidos para quinhentos".[213] Cerca de 345 mil pessoas, somando uns 5% da população da Bielorrússia, morreram no conflito de guerrilhas. Estima-se que, ao longo de todo o período da ocupação alemã, em torno de 283 mil pessoas da Bielorrússia tenham participado de algum tipo de grupo guerrilheiro.[214] Perdas semelhantes de vidas foram causadas pelas represálias militares alemãs em outras partes da Europa oriental.

Grupos guerrilheiros judaicos, consistindo de homens e mulheres que haviam se embrenhado nas florestas da Europa oriental fugindo das metralhadoras das forças-tarefa da SS, também começaram a surgir no início de 1942.[215] Muitos judeus escaparam para as florestas sozinhos, mas não conseguiram conectar-se aos guerrilheiros. Com frequência, ladrões roubavam suas roupas, e muitos passavam fome. Eles passavam tão mal que, conforme anotou Zygmunt Klukowski, "é um fato comum judeus irem por conta própria ao posto policial e pedirem para ser fuzilados".[216] Os aldeões, ele registrou, com frequência eram hostis a esses guerrilheiros. "Há muita gente que vê os judeus não como seres humanos, mas como animais que devem ser destruídos."[217] Todavia, o envolvimento judaico com o movimento guerrilheiro foi disseminado. O primeiro grupo judaico de resistência na Europa oriental foi fundado pelo intelectual Abba Kovner, de 23 anos de idade, em Vilna, em 31 de dezembro de 1941. Em um encontro de 150 jovens fingindo tratar-se de uma festa de Ano-Novo, Kovner leu um manifesto no qual, baseando seu argumento nos fuzilamentos e nas chacinas em massa que estavam em curso desde o verão anterior, declarou: "Hitler planeja aniquilar todos os judeus da Europa [...] Não vamos deixar que nos levem como ovelhas para o abatedouro".[218] No início de 1942, outro grupo havia sido montado pelos quatro irmãos Bielski, aldeões da Bielorrússia cujos pais foram mortos pelos alemães em dezembro de 1941. Baseados em um campo secreto embrenhado nas infindáveis florestas da região, os irmãos montaram um elaborado sistema de obtenção de armas, e outros judeus uniram-se a eles; seu número chegou a 1,5 mil até o fim da guerra. Muitos outros judeus juntaram-se individualmente a unidades guerrilheiras lideradas por comunistas.[219]

A Nova Ordem da Europa estava começando a desmoronar. A ambição inicial de uma ampla esfera de cooperação econômica e política havia se desvanecido em face das sinistras realidades da guerra. Por toda parte, o governo alemão havia se tornado mais severo. Execuções e fuzilamentos em massa, frutos da crença de que o terror era o único jeito de combater a resistência, haviam substituído os mecanismos informais de cooperação e colaboração. Regimes amigáveis ao Terceiro Reich, de Vichy à Hungria, estavam se distanciando ou perdendo a autonomia e caindo no mesmo padrão de repressão e resistência que estava minando o controle alemão em países sob ocupação direta. As exigências insaciáveis de mão de obra e material da economia de guerra alemã e a exploração implacável das economias submetidas impeliam cada vez mais rapazes e moças para os movimentos de resistência, cujas campanhas disseminadas de não cooperação, perturbação, sabotagem e assassinato suscitavam represálias cada vez mais severas, gerando por sua vez uma maior alienação dos povos subjugados e maior escalada da violência. Todavia, esse ciclo de violência era também um reflexo da situação de deterioração geral da própria Alemanha na guerra, sobretudo do começo de 1943 em diante. A crença inicial da Europa de que não havia alternativa ao domínio alemão começava a desaparecer. No cerne do novo estado de prontidão dos europeus para resistir estava a percepção de que Hitler poderia, afinal de contas, perder a guerra. O momento decisivo foi proporcionado por uma única batalha que mais do que qualquer outra mostrou que as Forças Armadas alemãs poderiam ser derrotadas: Stalingrado.

Guerra total

I

A extensão do programa nazista de extermínio em 1942 ocorreu em um contexto militar no qual as Forças Armadas alemãs estavam mais uma vez na ofensiva. Por certo, a derrota do Exército alemão diante de Moscou significou que a crença de Hitler na fragilidade do regime stalinista na União Soviética havia se mostrado decididamente errada. A Operação Barba Ruiva fracassara visivelmente em atingir as metas estabelecidas nos dias confiantes de junho de 1941. Depois de refrear a onda alemã diante de Moscou, o Exército Vermelho havia partido para a ofensiva e forçado o Exército alemão a recuar. Conforme um oficial alemão escreveu para o irmão: "Os russos estão se defendendo com uma coragem e tenacidade que o doutor Goebbels caracteriza como 'animal'; isso custa-nos sangue, assim como cada rechaço dos atacantes. Ao que parece", prosseguiu ele, com um sarcasmo que traiu o respeito crescente das tropas alemãs pelo Exército Vermelho, bem como um desprezo generalizado por Goebbels entre a classe dos oficiais, "a verdadeira coragem e o heroísmo genuíno apenas começam na Europa ocidental e no centro dessa parte do mundo".[220]

O frio de rachar do ápice do inverno, seguido de uma primavera que transformou o solo em lama mole, dificultou qualquer nova campanha de qualquer escala até maio de 1942. A essa altura, incentivado pela vitória sobre os alemães diante de Moscou, Stálin ordenou uma série de contraofensivas. Sua confiança foi ainda mais reforçada pelo fato de que as instalações industriais realocadas para os Urais e o Transcáucaso haviam começado a produzir quantidades significativas de equipamento militar – 4,5 mil tanques, 3 mil aviões, 14 mil armas de fogo e mais de 50 mil morteiros até o começo da campanha de primavera de maio de 1942. Ao longo do verão e outono de 1942, o comando do Exército Vermelho testou uma variedade de maneiras de empregar os novos tanques combinados com a infantaria e a artilharia, aprendendo com os erros em cada ocasião.[221] Mas os primeiros contra-ataques de Stálin mostraram-se tão desastrosos quanto as iniciativas militares do outono anterior. Assaltos maciços às forças alemãs em Leningrado fracassaram em recuperar a cidade sitiada, ataques pelo centro foram rechaçados em combates ferozes, e ao sul os alemães aguentaram firmes diante de repetidas investidas soviéticas. Na área de Kharkov, uma ofensiva soviética de larga escala em maio de 1942 terminou com 100 mil soldados do Exército Vermelho mortos e o dobro disso capturados como prisioneiros. Os comandantes soviéticos haviam subestimado gravemente a força alemã na região e fracassaram em estabelecer a supremacia aérea. Enquanto isso, o marechal de campo Fedor von Bock, de volta em 20 de janeiro de 1942 como comandante do Grupo de Exércitos do Sul, após a licença de saúde, havia concluído que o ataque era a melhor defesa, e travou uma campanha prolongada e por fim bem-sucedida na Crimeia. Mas o tempo todo ele permaneceu agudamente cônscio da tenuidade das linhas alemãs e do estado de cansaço contínuo das tropas, notando com preocupação que elas "seguiam em frente lutando com grande dificuldade e perdas consideráveis".[222] Em uma vitória importante, Bock tomou a cidade de Voronej. A situação pareceu melhorar. "Ali eu vi com meus próprios olhos", escreveu Hans-Albert Giese, um soldado do norte rural da Alemanha, "como os nossos tanques fizeram os colossos russos em pedaços. O soldado alemão é melhor em tudo. Também acho que a coisa estará acabada por aqui este ano".[223]

Mas não seria assim. Hitler julgou Bock procrastinador e excessivamente cauteloso na sequência da captura de Voronej, permitindo que divisões soviéticas essenciais escapassem do envolvimento e da destruição. Bock estava preocupado com suas tropas esgotadas. Mas Hitler não quis saber disso. Retirou Bock do comando em 15 de julho de 1942, substituindo-o pelo coronel-general Maximilian von Weichs.[224] O amargurado Bock passou o resto da guerra efetivamente na reforma, tentando defender de modo obsessivo, sua conduta no avanço a partir de Voronej e esperando inutilmente ser reconduzido ao posto. Enquanto isso, em 16 de julho de 1942, a fim de assumir o comando pessoal das operações, Hitler mudou seu quartel-general de campo para um novo centro, chamado de Werwolf [Lobisomem], perto de Vinnitsa, na Ucrânia. Transportados da Prússia Oriental em dezesseis aviões, Hitler, seus secretários e equipe passaram os três meses e meio seguintes em um complexo de cabanas úmidas, flagelados pelo calor diurno e por mosquitos vorazes. Ali também foi instalado provisoriamente o quartel-general operacional do Comando Supremo do Exército e das Forças Armadas.[225] A principal arremetida da ofensiva de verão alemã almejava garantir o Cáucaso, com seus ricos campos de petróleo. A escassez de combustível havia desempenhado papel significativo na derrocada em Moscou no inverno anterior. Com o exagero dramático típico, Hitler advertiu que, se os campos de petróleo do Cáucaso não fossem conquistados em três meses, a Alemanha perderia a guerra. Tendo dividido anteriormente o Grupo de Exércitos do Sul em um setor norte (A) e um setor sul (B), ele então ordenou que o Grupo de Exércitos A liquidasse as forças inimigas em torno de Rostove-na-Donu e a seguir avançasse pelo Cáucaso, conquistando a costa leste do mar Negro e penetrando na Chechênia e em Baku, no Cáspio, duas regiões ricas em petróleo. O Grupo de Exércitos B deveria tomar a cidade de Stalingrado e investir sobre o Cáspio via Astrakhan, na parte inferior do Volga. A repartição do Grupo de Exércitos do Sul e a ordem para o lançamento das duas ofensivas simultaneamente, ao mesmo tempo que enviava várias divisões rumo ao norte para ajudar no ataque a Leningrado, refletiram a contínua subestimação do Exército soviético por Hitler. O chefe do Estado-Maior Geral do Exército, Franz Halder, ficou desesperado, e seu ânimo não melhorou com o desprezo óbvio de Hitler pela liderança do Exército alemão.[226]

 Entretanto, fosse o que fosse que pensassem em particular, os generais não viam alternativa a não ser tocar adiante os planos de Hitler. A campanha começou com uma investida do Grupo de Exércitos A sobre a Crimeia, na qual o marechal de campo Erich von Manstein derrotou 21 divisões do Exército Vermelho, matando ou capturando 200 mil dos 300 mil soldados que enfrentaram suas forças. O comando do Exército Vermelho percebeu tarde demais que os alemães haviam abandonado, pelo menos temporariamente, a ambição de tomar Moscou e estavam concentrando esforços no sul. A principal cidade da Crimeia, Sebastopol, ofereceu rija resistência, mas caiu após um cerco de um mês, com 90 mil soldados do Exército Vermelho tomados como prisioneiros. Entretanto, o conjunto da operação havia custado quase 100 mil baixas ao Exército alemão, e, quando as forças alemãs, húngaras, italianas e romenas deslocaram-se para o sul, encontraram os russos adotando uma nova tática. Em vez de combater em cada centímetro do terreno até serem cercados e destruídos, as tropas russas, com a concordância de Stálin, engajaram-se em uma série de recuos táticos que negaram aos alemães a vasta quantidade de prisioneiros que haviam esperado fazer. Eles pegaram entre 100 mil e 200 mil em três batalhas de larga escala, bem menos que antes. Indômito, o Grupo de Exércitos A ocupou os campos de petróleo de Maykop, apenas para descobrir que as refinarias haviam sido sistematicamente destruídas pelos russos em retirada. Para marcar o sucesso da investida, tropas de montanhismo da Áustria escalaram o monte Elbrus, a 5.630 metros, o ponto mais alto do Cáucaso, e colocaram a bandeira alemã no pico. Em particular, Hitler enfureceu-se com o que viu como uma distração dos verdadeiros objetivos da campanha. "Eu vi Hitler furioso com frequência", relatou Albert Speer, mais tarde, "mas raras vezes sua raiva eclodiu como no momento em que esse relatório chegou. Ele esbravejou contra 'esses alpinistas malucos, que mereciam uma corte marcial'. Ficavam tratando de seus passatempos idiotas em meio a uma guerra, exclamou indignado".[227] A reação sugere um nervosismo a respeito da investida que se revelaria plenamente justificado.

Ao norte, Leningrado (São Petersburgo) estava sitiada pelas forças alemãs desde 8 de setembro de 1941. Com mais de 3 milhões de pessoas vivendo na cidade e seus arrabaldes, a situação logo ficou extremamente difícil, à medida que os suprimentos minguavam a quase nada. Em breve, os habitantes da cidade passavam fome, comendo gatos, cães, ratos e até uns aos outros. Uma estreita e precária linha de comunicações manteve-se aberta através do gelo do lago Ladoga, mas os russos não conseguiam levar mais do que uma fração do necessário para alimentar a cidade e manter seus habitantes aquecidos. No primeiro inverno do cerco, houve 886 detenções por canibalismo. Foram evacuadas 440 mil pessoas, mas, de acordo com estimativas alemãs, 1 milhão de civis morreram de frio e fome durante o inverno de 1941-42. A situação da cidade melhorou ao longo de 1942, com todo mundo plantando e estocando vegetais para o inverno seguinte, além da evacuação de mais meio milhão de pessoas e o envio de imensas quantidades de mantimentos e munição pelo lago Ladoga, armazenados para quando o frio começasse. Uma nova tubulação colocada no fundo do lago bombeou óleo para o aquecimento. Cento e sessenta aviões de combate da Força Aérea alemã foram perdidos na vã tentativa de bombardear a linha de comunicação soviética, enquanto bombardeios sobre a cidade causaram estrago generalizado, mas fracassaram em destruí-la ou abater o moral dos cidadãos remanescentes. Por fim, a sorte também chegou em socorro da população de Leningrado: o inverno de 1942-43 foi bem menos severo que o calamitoso predecessor. O gelo chegou tarde, em meados de novembro. Quanto tudo começou a congelar outra vez, a cidade ainda resistiu em desafio ao cerco alemão.[228]

Mais ao sul, um contra-ataque soviético à cidade de Rjev em agosto de 1942 ameaçava causar grave dano ao Grupo de Exércitos de Centro. Halder pediu a Hitler para permitir uma retirada para uma linha mais facilmente defensável. "Você sempre vem cá com a mesma proposta, a de retirada", gritou Hitler para seu chefe do Estado-Maior Geral do Exército. Halder carecia da mesma dureza que suas tropas, disse Hitler. Halder perdeu a paciência. "Mas, lá fora, bravos mosqueteiros e tenentes tombam aos milhares e milhares em um sacrifício inútil numa situação irremediável simplesmente porque seus comandantes não têm permissão para tomar a única decisão razoável e têm as mãos atadas às costas."[229] Em Rjev, Hans Meier-Welcker notou uma melhora alarmante nas táticas dos soviéticos. Eles agora começavam a coordenar tanques, infantaria e apoio aéreo de uma forma que não haviam logrado antes. As tropas do Exército Vermelho eram muitíssimo mais capazes que as alemãs de encarar condições de tempo extremas, avaliou Meier-Welcker. "Estamos pasmos", escreveu ele em abril de 1942, "com o que os russos estão conseguindo na lama!"[230] "Nossas colunas de veículos", escreveu um oficial, "estão irremediavelmente empacadas no atoleiro de estradas insondáveis, e já está difícil de organizar os próximos abastecimentos".[231] Em tais condições, os blindados alemães com frequência eram inúteis. No verão, as tropas tinham de lutar com temperaturas de 40 graus à sombra e com as nuvens maciças de poeira lançadas pelas colunas motorizadas que avançavam. "As estradas", escreveu o mesmo oficial ao irmão, "estão envoltas em uma espessa nuvem *única* de pó, através da qual homens e animais abrem caminho. É incômodo para os olhos. A poeira com frequência rodopia em largos pilares que então sopram pelas colunas, tornando impossível ver qualquer coisa durante minutos".[232]

Impaciente com tais problemas práticos, ou talvez ignorando-os, Hitler exigiu que seus generais prosseguissem rapidamente com o avanço. "As discussões com o Líder hoje", registrou Halder em desespero no fim de agosto de 1942, "foram mais uma vez caracterizadas por graves acusações lançadas às lideranças militares do alto escalão do Exército. Elas são acusadas de arrogância intelectual, incorrigibilidade e incapacidade de reconhecer o básico".[233] Em 24 de setembro de 1942, Hitler enfim demitiu Halder, dizendo na cara deste que ele havia perdido a fibra. O substituto de Halder foi o major-general Kurt Zeitzler, previamente a cargo das defesas costeiras no oeste. Nacional-socialista convicto, Zeitzler tomou posse exigindo que todos os membros do Estado-Maior Geral do Exército reafirmassem sua crença no Líder, uma crença que Halder evidentemente perdera havia tempos. No fim de 1942, contabilizou-se 1,5 milhão de soldados de várias nacionalidades mortos, feridos, inválidos ou feitos prisioneiros na frente oriental, quase metade da força invasora original. Havia 327 mil alemães mortos.[234] Era cada vez mais difícil substituir essas perdas. A campanha do leste empacou. Para tentar romper o impasse, o Exército alemão avançou sobre Stalingrado, não só um importante centro industrial e ponto-chave de distribuição de suprimentos do e para o Cáucaso, mas também uma cidade cujo nome concedia-lhe um significado simbólico que durante os meses seguintes viria a adquirir uma importância muito além de qualquer coisa que sua situação pudesse garantir.[235]

II

O jovem piloto de caça Heinrich Graf von Einsiedel, bisneto do chanceler do Reich Otto von Bismarck por parte de mãe, voava sobre Stalingrado em uma manhã clara e quente de 24 de agosto de 1942 à procura de sinais de atividade inimiga. "Uma leve névoa repousava sobre as estepes", ele escreveu, "enquanto eu voava alto em círculos no meu Me109. Meus olhos esquadrinharam o horizonte, que se desvanecia em névoas informes. O céu, as estepes, os rios e os lagos, que só podiam ser vistos vagamente à distância, repousavam em paz, eles com a eternidade". Einsiedel, que acabara de completar 21 anos de idade, compartilhava plenamente a imagem romântica do piloto de caça como um cavaleiro do ar que atraía rapazes aristocratas como ele para esse setor das Forças Armadas. A excitação pelo combate excedia de longe as dúvidas que ele tinha a respeito da justiça da causa. Todavia, seu relato transmitiu também a força pura dos números da Força Aérea russa, contra os quais bravura e habilidade no fim foram inúteis. Quando o inimigo veio na direção deles, escreveu Einsiedel,

> cada Stuka alemão, cada aeronave de combate foi cercada por enxames de caças russos [...] Lançamo-nos a esmo para dentro do tumulto. Um avião russo cruzou minha rota. O russo me viu, mergulhou e tentou se safar voando baixo. O medo pareceu incapacitá-lo. Ele voou a 3 metros do chão em linha reta e não tentou se defender. Minha máquina vibrou com o coice das armas. Uma raia de chamas disparou do tanque de gasolina do avião russo. Ele explodiu e rolou sobre o solo. Uma tira larga e comprida de estepe chamuscada foi tudo que restou.[236]

Avistando um grupo de caças soviéticos acima, Einsiedel saiu do mergulho e voou na direção deles. "O amor pela perseguição", ele confessou, "e um senso de indiferença tomaram conta de minhas reações". Voando em uma curva inclinada fechada, ele foi para trás de um e o abateu. Foi uma ação imprudente. "Ao me virar para procurar os caças russos", escreveu ele no diário após o incidente, "eu os vi descarregando as armas setenta metros atrás de mim. Houve uma explosão terrível, e senti um golpe forte nos pés. Virei meu Messerschmitt e o forcei ao alto em uma subida íngreme. O russo deixou de me seguir". Mas o avião de Einsiedel sofreu graves avarias, as armas ficaram fora de ação, e ele teve de se arrastar de volta à base.[237] Incidentes assim ocorreram todos os dias sobre Stalingrado durante o fim do verão e o outono de 1942, e inevitavelmente tiveram um preço. Os altos oficiais desaprovavam ações individuais espetaculares, que, diziam eles, desperdiçavam combustível. Dali em diante, a unidade de Einsiedel recebeu ordem de apoiar a infantaria alemã e evitar o combate com caças soviéticos. Era uma batalha perdida. "As panes atingiram proporções enormes [...] Um grupo de caças de 42 máquinas raramente tinha mais de dez aeronaves operacionais." A probabilidade de sucesso era mínima. Em 30 de agosto, um projétil penetrou o refrigerador do motor enquanto Einsiedel voava baixo sobre as linhas russas, e ele colidiu com o solo. Milagrosamente, saiu ileso. Mas tropas soviéticas chegaram rapidamente ao local. E roubaram todos os pertences pessoais de Einsiedel antes de levarem-no para ser interrogado.[238]

Conforme Einsiedel havia notado, os aviões alemães fracassaram em estabelecer superioridade aérea total na região; tão rápido quanto perdiam aviões para os ases alemães, os soviéticos mandavam substitutos de outras frentes para a zona de combate. Por outro lado, contudo, a Força Aérea soviética tampouco conseguiu o domínio. Ao longo da primavera e do verão de 1942, enquanto os aviões alemães continuavam a disputar o domínio dos céus com pilotos de caça soviéticos, as forças alemãs em terra do Grupo de Exércitos B avançaram firme para a cidade de Stalingrado, portal para a parte inferior do rio Volga e para o mar Cáspio. Até ali, os alemães haviam fracassado tanto em tomar Moscou como Leningrado. Portanto, para Hitler em particular, era da maior importância que Stalingrado fosse capturada e destruída. Em 23 de agosto de 1942, uma onda atrás da outra de aviões alemães cobriram a cidade de bombas, causando enormes estragos e perdas de vidas. Ao mesmo tempo, os tanques alemães avançaram praticamente sem oposição, chegando ao Volga pelo norte. Enquanto o bombardeio continuava, Stálin autorizou o início da evacuação de civis da cidade, que desmoronava rapidamente em ruínas inabitáveis. Em 12 de setembro de 1942, tropas alemãs do VI Exército, do general Friedrich Paulus, apoiadas pelo IV Exército Panzer, do general Hermann Hoth, entraram em Stalingrado. Parecia que a cidade cairia em uma questão de semanas. Mas o comandante alemão era em alguns aspectos menos do que o ideal para a tarefa de tomar a cidade. Paulus havia sido subchefe do Estado-Maior Geral do Exército antes de receber o comando no início do ano. Nascido em 1890, havia passado quase toda a carreira, inclusive os anos da Primeira Guerra Mundial, em cargos de gabinete, e quase não tinha experiência em combate. Nessa situação, ele dependia pesadamente de Hitler, cujos feitos como comandante inspiravam-lhe grande reverência. Em 12 de setembro, enquanto suas tropas entravam na cidade, Paulus estava confereciando com o Líder em Vinnitsa. Os dois homens concordaram em que a captura de Stalingrado daria às forças alemãs o domínio de toda a linha ao longo dos rios Don e Volga. O Exército Vermelho não tinha mais recursos, entraria em colapso, deixando os alemães livres para dedicar esforços a acelerar a investida para o Cáucaso. A cidade, Paulus garantiu ao Líder, estaria em mãos alemãs dentro de poucas semanas.[239] Depois disso, Hitler já havia decidido, toda a população masculina adulta da cidade seria morta, e as mulheres e crianças seriam deportadas.[240]

Em 30 de setembro de 1942, os homens de Paulus haviam se espalhado por dois terços da cidade, incitando Hitler a anunciar publicamente que Stalingrado estava prestes a cair. O discurso de Hitler fortaleceu em muito a fé das tropas na vitória definitiva. "O magnífico discurso do Líder", relatou Albert Neuhaus do *front* de Stalingrado para a esposa em 3 de outubro de 1942, "apenas fortaleceu nossa crença nisso em mais 100%".[241] Mas discursos não sobrepujariam a resistência soviética, fosse qual fosse seu efeito sobre o moral. Generais seniores, inclusive Paulus e seu superior, Weichs, e o sucessor de Halder, Zeitzler, aconselharam Hitler a ordenar uma retirada, temendo as perdas em que incorreriam em um longo período de combate casa a casa. Mas para Hitler a importância simbólica de Stalingrado agora excedia de longe quaisquer considerações práticas. Em 6 de outubro de 1942, ele reafirmou que a cidade devia ser tomada.[242] Considerações semelhantes governavam o outro lado. Após um ano de derrotas quase contínuas, Stálin havia decidido lançar tantos recursos quanto possíveis na defesa do que sobrava. A cidade trazia seu nome, e seria um grande golpe psicológico se ela caísse. Ao mesmo tempo, sentindo-se arrasado pelas derrotas dos meses anteriores, ele decidiu dar carta branca ao chefe do Estado-Maior Geral, general Aleksandr Vasilevskii, e Georgi Jukov, o general que havia detido as forças alemãs diante de Moscou um ano antes, para organizarem o conjunto da campanha no sul. Stálin deu o comando das forças do Exército Vermelho na cidade em si ao general Vasili Chuikov, um enérgico soldado profissional com 40 e poucos anos de idade. Chuikov tivera uma carreira acidentada, sendo enviado em desgraça para a China como adido militar soviético em decorrência da derrota de seu IX Exército pelos finlandeses na Guerra de Inverno em 1940. Stalingrado, onde ele fora encarregado do LXII Exército, era sua chance de se colocar à prova. Chuikov entendeu que precisava "defender a cidade ou morrer na tentativa", conforme disse ao chefe político regional, Nikita Khrushchev. Ele estacionou unidades armadas da polícia política soviética em cada vau do rio para interceptar desertores e executá-los na hora. Recuar era impensável.[243]

A aviação e a artilharia alemãs continuaram a atacar a zona de ocupação soviética de Stalingrado, mas as ruínas bombardeadas da cidade propiciaram condições ideais de defesa às tropas soviéticas. Escavando por detrás de montes de escombros, vivendo em porões e posicionando atiradores de elite nos pisos superiores de blocos de apartamento semidemolidos, os soviéticos conseguiam emboscar as tropas de avanço alemãs, romper seus assaltos maciços ou canalizar o avanço inimigo para avenidas onde este podia ser liquidado por armas antitanques e armamento pesado escondidos. Os soviéticos colocaram milhares de minas sob o manto da escuridão, bombardeavam posições alemãs à noite e montaram armadilhas explosivas para matar soldados alemães quando estes entrassem nas casas. Chuikov formou esquadrões de metralhadoras e arranjou o envio de suprimentos de granadas de mão para dentro da cidade.[244] Com frequência, o combate era corpo a corpo, com o uso de baionetas e adagas. A luta tornou-se rapidamente uma batalha de desgaste. O combate constante e ininterrupto cobrou seu preço, e muitos soldados adoeceram. Suas cartas para casa ficam cheias de amarga decepção ao serem informados de que terão de passar o segundo Natal consecutivo em campo. A despeito do perigo de serem descobertos pelo censor militar, muitos eram bastante francos: "Só me resta um único grande desejo", escreveu um deles em 4 de dezembro de 1942, "e é que essa merda chegue ao fim [...] Estamos todos muito deprimidos".[245] Todavia, seria pela retaguarda das forças de Paulus, e não na cidade em si, que viria a brecha soviética. Jukov e Vasilevskii persuadiram Stálin a trazer e treinar grande quantidade de tropas novas, inteiramente equipadas com tanques e artilharia, para tentar montar uma enorme operação de envolvimento. A União Soviética já estava produzindo mais de 2 mil tanques por mês contra os quinhentos da Alemanha. Em outubro, o Exército Vermelho havia criado cinco novos exércitos de tanques e quinze corpos de tanques para a operação. Mais de um milhão de homens estavam reunidos de prontidão para um assalto maciço às linhas de Paulus no início de novembro de 1942.[246]

Jukov e Vasilevskii viram sua chance quando o superior de Paulus, general Maximiliam von Weichs, no comando do Grupo de Exércitos B, decidiu ajudar Paulus a concentrar forças na tomada da cidade. Tropas romenas assumiriam cerca de metade das posições alemãs a oeste de Stalingrado, liberando as forças alemãs para o assalto à cidade. Weichs pensava nelas como algo mais que uma retaguarda. Mas Jukov sabia que os romenos tinham um fraco antecedente militar, assim como os italianos, que estavam estacionados junto deles no noroeste. Jukov deslocou dois corpos blindados e quatro exércitos de campo para confrontar os romenos e italianos a noroeste das forças blindadas de Hoth, e outros dois corpos de tanques para encarar os romenos a sudeste, do outro lado dos blindados alemães. Foi mantido um rigoroso segredo, o tráfego de rádio foi reduzido ao mínimo, tropas e blindados deslocaram-se à noite e camuflados durante o dia. Paulus deixou de fortalecer suas defesas, preferindo manter os tanques perto da cidade, onde eram de pouca serventia. Em 19 de novembro de 1942, com os preparativos enfim concluídos e as condições climáticas favoráveis, as novas forças soviéticas atacaram em um ponto fraco das linhas romenas a quase 160 quilômetros a oeste da cidade. Em meio à névoa do amanhecer, 3,5 mil armas e morteiros pesados fizeram fogo, abrindo um caminho para os tanques e a infantaria. Os exércitos romenos estavam despreparados, carecendo de armas antitanque, e ficaram perdidos. Depois de oferecer um combate inicial, começaram a fugir em pânico e confusão. Paulus reagiu devagar demais e, quando enfim mandou tanques para tentar segurar as linhas romenas, era tarde. Eles não foram páreo para as colunas maciças de tanques T-34 que agora jorravam pela lacuna.[247]

Em breve, o veloz avanço soviético estava empurrando igualmente as linhas alemãs, impelindo os homens de Paulus para trás, na direção da cidade. Nenhum dos generais alemães havia cogitado um ataque soviético de tamanho vigor, e só depois de um tempo é que perceberam que o que estava em andamento era uma manobra clássica de envolvimento. Assim, não trataram de movimentar as tropas para impedir que as arremetidas de tanques soviéticos se encontrassem umas com as outras. Em 23 de novembro de 1942, as duas colunas de tanques encontraram-se em Kalach, interceptando por completo Paulus e suas forças pela retaguarda e deixando os blindados de Hoth abandonados do lado de fora da área envolvida. Com 20 divisões, seis delas motorizadas, e quase 250 mil homens no total, o primeiro pensamento de Paulus foi tentar irromper pelo oeste. Mas ele não tinha um plano definido e hesitou mais uma vez. A ideia de uma ruptura teria significado uma retirada, abandonando a muito alardeada tentativa de capturar Stalingrado, e Hitler não estava disposto a sancionar um recuo porque já havia anunciado em público que Stalingrado seria tomada.[248] Speer relatou que em novembro de 1942, no Berghof, Hitler reclamou privadamente de que os generais haviam superestimado consistentemente a força dos russos, que ele achava que estavam esgotando suas últimas reservas e em breve seriam subjugados.[249] Agindo conforme essa crença, Hitler organizou uma força de socorro sob o comando do marechal de campo Von Manstein e do general Hoth. A crença de Manstein em que teria êxito em romper o envolvimento reforçou a recusa de Hitler a permitir que Paulus recuasse. Em 28 de novembro, Manstein enviou um telegrama às forças sitiadas: "Aguentem firme – Estou indo arrancar vocês daí – Manstein". "Isso causou uma impressão em nós!", exclamou um tenente alemão no bolsão de Stalingrado. "Isso vale mais que um carregamento de munição e um Ju[nkers] cheio de gêneros alimentícios!"[250]

III

As forças de Manstein, duas divisões de infantaria, junto com três divisões *panzer*, todas sob o comando de Hoth, avançaram sobre o Exército Vermelho a partir do sul em 12 de dezembro de 1942. Em reação, Jukov atacou o VIII Exército italiano a noroeste, devastando-o e dirigindo-se ao sul para interceptar as forças de Manstein pela retaguarda. Em 19 de dezembro de 1942, os blindados de socorro alemães estavam imobilizados a 56 quilômetros das linhas de retaguarda de Paulus. Nove dias depois, estavam praticamente cercados, e Manstein foi forçado a permitir que Hoth recuasse. A operação de socorro havia fracassado. Nada restava a Paulus a não ser tentar uma brecha, conforme Manstein disse a Hitler em 23 de dezembro. Mas a impressão que isso causava era de desistência da operação de tomada da cidade, de modo que Hitler disse não mais uma vez. Mas Paulus disse a ele que o VI Exército só dispunha de combustível para seus blindados e veículos de transporte avançarem vinte quilômetros antes de acabar. Göring havia prometido mandar para o bolsão trezentas toneladas de suprimentos por avião todos os dias para manter os homens de Paulus, mas na prática havia conseguido enviar pouco mais de noventa, e mesmo a intervenção pessoal de Hitler não conseguiu elevá-los para qualquer coisa acima de 120, e isso apenas durante cerca de três semanas. Os aviões tinham dificuldade em pousar e decolar na neve pesada, e os campos de aviação estavam sob ataque constante dos russos.[251] Os suprimentos estavam escasseando, e a situação dos soldados alemães na cidade era cada vez mais desesperadora. Àquela altura, eles pouco faziam além de tentar se manter vivos. A maioria vivia em porões, ou *bunkers* subterrâneos, ou trincheiras individuais a céu aberto, que tentavam forrar e cobrir com tijolos e madeira o melhor que podiam. Com frequência, eles as mobiliavam e decoravam na tentativa de recriar um ambiente caseiro. Conforme um soldado relatou à esposa em 20 de dezembro de 1942:

> Estamos acocorados aqui, quinze homens em um *bunker*, isto é, um buraco no chão mais ou menos do tamanho da cozinha em Widdershausen [sua casa na Alemanha], cada um com seu equipamento. Você pode muito bem imaginar por si o apinhamento terrível. Agora a situação é a seguinte. Um homem está se lavando (na medida em que haja água), um está catando seus piolhos, outro está comendo e um está fazendo uma fritada, um dorme etc. O ambiente aqui é mais ou menos esse.[252]

Em buracos subterrâneos desse tipo, os alemães aguardavam os ataques soviéticos regulares, conservando munição e mantimentos o máximo que podiam.[253]

Quando a temporada das festas chegou, o exército de Paulus estava efetivamente condenado. O Natal propiciou a oportunidade para uma enorme avalanche de emoção nas cartas dos soldados para casa, à medida que eles traçavam o contraste entre sua situação desesperadora e a paz e o sossego que haviam conhecido em seu círculo familiar no passado. Eles acenderam velas

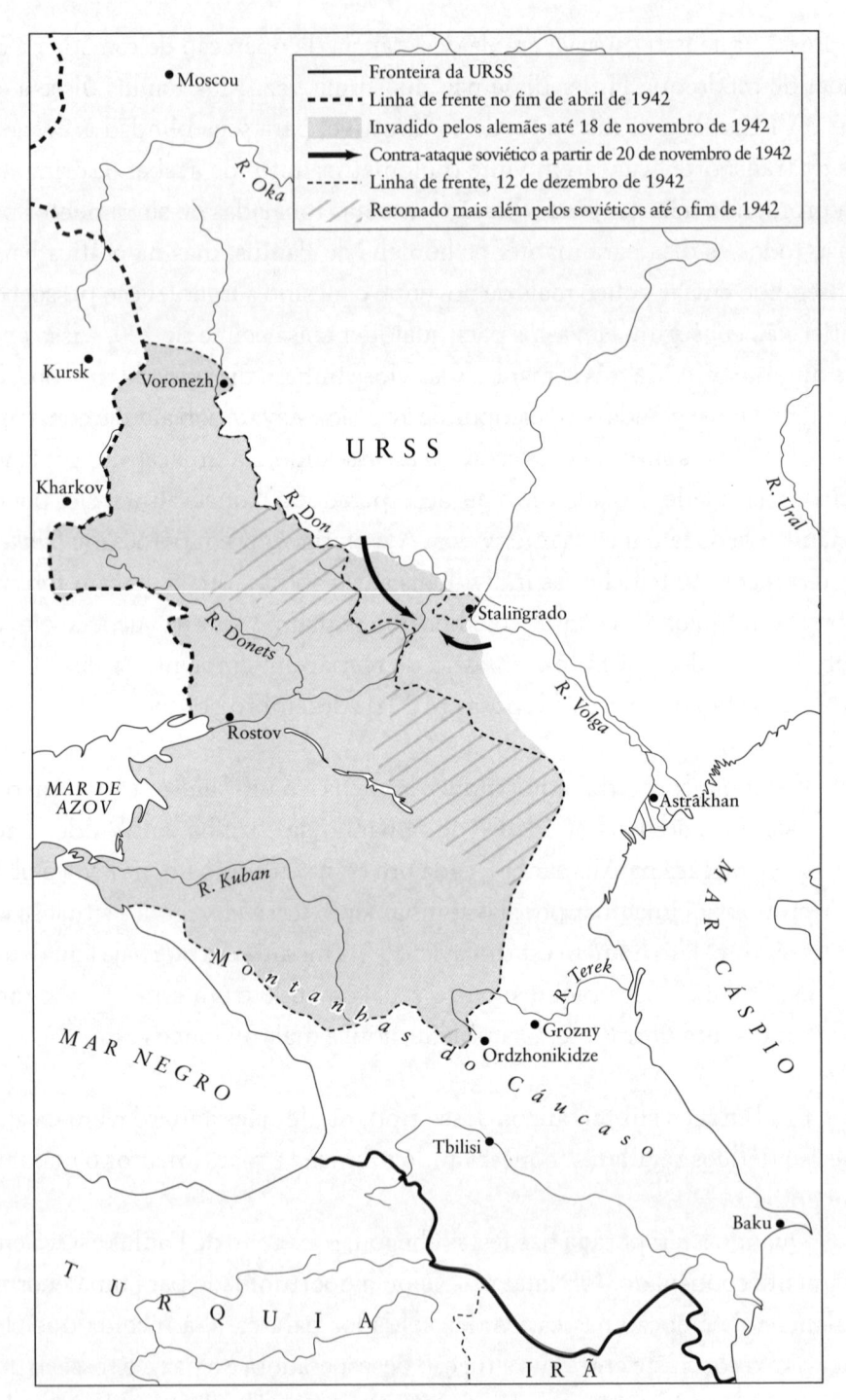

Mapa 15. O *front* oriental, 1942

e usaram galhos quebrados para fazer ávores de Natal. A carta de um jovem oficial para sua mãe em 27 de dezembro de 1942 é típica:

> A despeito de tudo, a arvorezinha tem tanto da magia do Natal e do ambiente caseiro que de início eu não pude aguentar a visão das velas acesas. Fiquei realmente comovido, de tal maneira que vim abaixo e tive de dar as costas por um minuto antes de conseguir sentar com os outros e cantar músicas natalinas diante da vista maravilhosa da árvore iluminada com velas.[254]

Os soldados reconfortavam-se com transmissões de rádio de casa, especialmente quando tocavam canções sentimentais, que às vezes eles sabiam de memória e cantavam. "Há uma canção que cantamos com frequência aqui", um soldado escreveu para a família em 17 de dezembro de 1942. "O refrão diz: 'Logo tudo estará acabado/ um dia vai acabar/ depois de cada dezembro vem maio' etc."[255] Escrever cartas para casa era uma forma de manter vivas as emoções humanas; o pensamento de voltar para a Alemanha e para a família mantinha o desespero sob controle. Quase 3 milhões de cartas saíram do exército envolvido rumo à Alemanha durante os meses do conflito, ou foram encontradas, não postadas, com os soldados mortos em ação ou levados para o cativeiro.[256]

Os soldados não morreram congelados como no inverno anterior. "A propósito", escreveu Hans Michel de Stalingrado em 5 de novembro de 1942, "estamos bem abastecidos de coisas de inverno; também me apoderei de um par de meias, de um belo cachecol de lã, de um segundo pulôver, de uma pele, de roupa de baixo quente etc. Tudo isso é da coleção de inverno. Dá vontade de rir quando você encontra um homem usando um blusão feminino ou coisa parecida." Os que ficavam de guarda, além disso, eram supridos com botas de feltro e casacos de pele. Os veteranos da campanha de Moscou também notaram que de início o inverno foi muito mais ameno em 1942-43 que no ano anterior.[257] Mas o calor gerado pelas camadas de roupas eram um campo de cultura ideal para os piolhos. "Seu pulôver vermelho", escreveu um soldado para a esposa em 5 de novembro de 1942, "é uma perfeita armadilha para piolhos; já catei alguns nele (desculpe a digressão, mas um acaba de me picar agora)". Outro escreveu que, embora ele não fosse o mais infestado, "já esmaguei alguns milhares". Alguns tentavam não dar bola para o problema em cartas para casa ("na verdade, pode-se dizer que todo mundo tem seu próprio zoo", gracejou um), mas a longo prazo a irritação e o desconforto físicos que causavam somavam-se à crescente desmoralização das tropas alemãs. "Eles conseguem deixá-lo louco", escreveu um soldado de infantaria em 28 de dezembro de 1942. "Não dá mais para dormir direito [...] Com o tempo você fica cheio de nojo de si mesmo. Você não tem nenhuma oportunidade de se lavar direito e trocar a roupa íntima." "Os malditos piolhos", reclamou outro em 2 de janeiro de 1943, "comem você inteiro. O corpo é totalmente consumido".[258]

Bem pior, porém, era a escassez cada vez mais grave de comida, que enfraquecia a resistência dos homens ao frio, por mais agasalhados que estivessem. "Estamos nos alimentando basicamente com carne de cavalo", escreveu um soldado alemão em 31 de dezembro de 1942, "e eu mesmo comi carne de cavalo crua, de tão faminto que estava".[259] Todos os cavalos foram comidos em poucos dias, relatou o oficial do Estado-Maior Helmuth Groscurth em 14 de janeiro de 1943, acrescentando com amargura: "No décimo ano de nossa gloriosa era estamos diante de uma das maiores catástrofes da história".[260] "Embora eu esteja exausto", escreveu outro soldado no mesmo dia, "não consigo dormir à noite, mas sonho de olhos abertos o tempo todo com bolos, bolos, bolos. Às vezes rezo, e às vezes me amaldiçoo. Em todo caso, nada tem sentido ou significado".[261] "Peso apenas 42 quilos. Nada mais que pele e osso, um morto vivo", escreveu outro em 10 de janeiro de 1943.[262] A essa altura, o tempo havia se deteriorado agudamente, e os soldados enfraquecidos não tinham condições de resistir ao frio. Lutar em tais circunstâncias era praticamente impossível, e os soldados ficavam cada vez mais deprimidos. "Já não passamos de uns cacos. Estamos todos completamente desesperados."[263] "O corpo vai perdendo gradativamente a capacidade de resistência", foi a observação em outra carta, escrita em 15 de janeiro de 1943, "porque não consegue aguentar muito tempo sem gordura ou comida adequada. Isso já dura oito semanas, e nossa situação, ou triste apuro, ainda não mudou. Em momento algum de minha vida até hoje o destino havia sido tão duro, nem a fome jamais havia me atormentado tanto quanto agora".[264] Um jovem soldado relatou que sua companhia havia recebido apenas um pão para seis homens, para durar três dias. "Querida mamãe [...] não consigo mais mover as pernas, e acontece o mesmo com outros, por causa da fome; um de nossos companheiros morreu, ele não tinha mais nada no corpo e saiu em uma marcha, e sofreu um colapso de fome no caminho e morreu de frio, o frio foi a gota d'água para ele."[265] Em 28 de janeiro de 1943, foi emitida a ordem de que doentes e feridos deveriam ser deixados a morrer de fome. Com efeito, as tropas alemãs estavam padecendo do mesmo destino que Hitler havia planejado para os eslavos.[266]

Agora, até a fé em Hitler começava a desvanecer-se. "Nenhum de nós ainda está abandonando a crença ou a esperança", escreveu o conde Heino Vitztbum, um oficial aristocrata, em 20 de janeiro de 1943, "de que o Líder achará um jeito de preservar os muitos milhares que aqui estão, mas infelizmente já ficamos amargamente decepcionados muitas vezes".[267] Não só a comida estava acabando, mas a munição também. "Os russos", queixou-se um soldado em 17 de janeiro de 1943, "fabricaram armas adequadas para o inverno; pode-se ver o que quiser: artilharia, lança-granadas, lança-foguetes e aviões. Eles atacam sem parar dia e noite, e nós temos de poupar cada tiro porque a situação não nos permite. Como queríamos poder abrir fogo de forma adequada outra vez".[268] Os homens começavam a se perguntar se não seria melhor ser levado como prisioneiro do que continuar a luta inútil, embora, conforme um deles observou em 20 de janeiro de 1943, não seria tão ruim "se fossem franceses, americanos, ingleses, mas com os russos realmente não dá para saber se não seria melhor você se matar". "Se der tudo errado, meu amor", escreveu um outro para a esposa, "não espere que eu seja feito prisioneiro". Como outros, ele começou a usar suas cartas para dizer adeus aos entes queridos.[269] Uma quantidade suficiente de cartas desse tipo foi aberta pelo Serviço de Segurança da SS para proporcionar um quadro realista de seu efeito sobre o moral na Alemanha. Já em meados de janeiro, os relatórios confidenciais do Serviço de Segurança da SS sobre o moral na frente doméstica notavam que o povo não acreditava na propaganda divulgada a partir de Berlim. As cartas postadas do *front* eram vistas como a única fonte de informação confiável. "Se a situação no leste atualmente é vista com uma preocupação desproporcionadamente maior do que semanas atrás por grandes camadas da população, isso se explica pelo fato de que a maioria esmagadora das cartas postadas do *front* que estão chegando agora soam muito sérias e em certa medida extremamente soturnas."[270]

A essa altura, o marechal Konstantin Rokossovskii, oficial experimentado que sofrera expurgo e fora aprisionado por Stálin na década de 1930, mas reintegrado em 1940, tendo recebido o comando das tropas do Exército Vermelho a oeste de Stalingrado, começara a avançar pelo bolsão de oeste para leste, capturando o último campo de aviação em 16 de janeiro de 1942. Bombardeio aéreo, fogo de artilharia e tanques, apoiados por infantaria maciça, esmagaram as enfraquecidas defesas alemãs. No setor sul, as tropas romenas simplesmente fugiram, deixando um enorme buraco na linha defensiva, através do qual o Exército Vermelho despejou seus tanques T-34. O tempo virou e esfriou, muitos soldados alemães colapsaram de exaustão e morreram congelados no terreno ao bater em retirada. Outros puxavam os feridos em trenós, percorrendo estradas com gelo e atravancadas de equipamento militar abandonado ou destroçado. As forças alemãs ofereceram combate em alguns poucos setores, mas logo foram empurradas para as ruínas da cidade, onde 20 mil feridos foram apinhados em hospitais subterrâneos improvisados e porões pelos quais entrava-se passando por pilhas de cadáveres congelados. Ataduras e medicamentos acabaram, e não havia chance de livrar os pacientes dos piolhos que rastejavam por cima deles. Mesmo aqueles que não estavam hospitalizados estavam doentes, esfomeados, com gangrenas causadas pelo frio e exaustos.[271]

Oito dias antes, o Alto Comando soviético fizera a Paulus uma oferta de rendição honrosa. Até ali 100 mil soldados alemães haviam sido mortos em batalha. A situação do resto ficara claramente irremediável desde o fracasso da tentativa de ajuda de Manstein. Oficiais de alta patente estavam começando a se render ao inimigo. Mas Hitler mais uma vez mandou Paulus seguir em combate. O general ordenou que no futuro todas as aproximações soviéticas deveriam ser recebidas à bala. Ainda assim, em 22 de janeiro de 1943, Paulus sugeriu que a rendição era a única maneira de salvar o que restava das tropas. Hitler mais uma vez rejeitou seu pedido. Enquanto isso, o avanço de Rokossovskii ia adiante, dividindo o bolsão em dois e empurrando os 100 mil soldados alemães restantes para duas pequenas áreas da cidade.[272] A máquina de propaganda de Goebbels agora abandonava a conversa anterior de vitória. Cada vez mais, as histórias de jornal e cinejornal enfatizavam o heroísmo dos soldados envolvidos, uma lição para todos sobre a glória de continuar lutando sem jamais desistir, mesmo quando a situação parecia sem esperança. O telegrama enviado por Paulus na noite anterior ao décimo aniversário da nomeação de Hitler como chanceler do Reich em 30 de janeiro de 1933 veio a calhar para a propaganda: "No aniversário de sua tomada do poder, o VI Exército saúda o Líder. A bandeira da suástica ainda tremula sobre Stalingrado. Possa nossa luta ser um exemplo para as gerações presentes e futuras de que jamais devemos capitular, mesmo quando perdemos a esperança. Então a Alemanha vencerá. Salve, meu Líder. Paulus, coronel-general".[273] No mesmo dia, Hermann Göring proferiu um discurso, transmitido por rádio, no qual comparou o VI Exército aos espartanos que morreram defendendo o desfiladeiro das Termópilas contra as hordas invasoras persas. Essa, disse ele, "permanecerá como a maior luta heroica em nossa história". Não escapou à atenção de muitos soldados agachados ao redor dos rádios nos *bunkers* espalhados por Stalingrado e arredores que todos os espartanos das Termópilas haviam sido mortos. Para sublinhar a mensagem, Hitler promoveu Paulus a marechal de campo em 30 de janeiro de 1943, uma medida projetada – e entendida claramente pelo agraciado – como um convite para cometer suicídio.[274]

Mas, no derradeiro fim, Paulus voltou-se contra o mestre. Em 31 de janeiro de 1943, em vez de cometer suicídio, rendeu-se, junto com todas as tropas restantes na parte de Stalingrado que ele ainda ocupava. Rokossovskii chegou para aceitar a rendição formal acompanhado de um fotógrafo e um intérprete, policiais secretos, oficiais do Exército e do marechal Voronov, do Estado-Maior Geral Supremo soviético. O cabelo escuro e a barba incipiente de Paulus haviam começado a ficar brancos sob a tensão dos meses anteriores, e ele havia desenvolvido um tique nos músculos da face. Os generais soviéticos pediram-lhe para ordenar a todas as tropas restantes que se entregassem, para evitar mais derramamento de sangue. Em um resquício de deferência a Hitler, Paulus recusou-se a mandar o outro bolsão de resistência cessar fogo. Os remanescentes de seis divisões ficaram encalacrados ali; Hitler ordenou que lutassem até o fim. Mas os russos bombardearam sem piedade, e eles renderam-se em 2 de fevereiro de 1943. No total, cerca de 235 mil soldados alemães e aliados de todas as unidades, incluindo a malfadada força de socorro de Manstein, foram capturados durante a batalha; mais de 200 mil haviam sido mortos. Vestidos em andrajos, imundos, barbudos, infestados de piolhos e com frequência mal conseguindo andar, os 91 mil soldados alemães e aliados deixados em Stalingrado foram enfileirados e levados em marcha para o cativeiro. Já fracos, famintos e enfermos, desmoralizados e deprimidos, eles morreram aos milhares a caminho dos campos de prisioneiros. Os russos não estavam preparados para números tão grandes de prisioneiros, o abastecimento de comida era inadequado e mais de 55 mil prisioneiros estavam mortos até metade de abril de 1943. Entre eles Helmuth Groscurth, cujos diários de 1939-40 deram a historiadores posteriores dados importantes sobre o desenrolar inicial da resistência militar-conservadora a Hitler; capturado no bolsão que se rendeu em 2 de fevereiro de 1943, ele sucumbiu ao tifo e morreu em 7 de abril de 1943. No total, menos de 6 mil dos homens feitos prisioneiros em Stalingrado conseguiram voltar para a Alemanha.[275]

IV

Era impossível dar uma explicação para uma derrota daquelas dimensões. A retirada de Moscou no inverno anterior pôde ser apresentada como uma medida temporária, um recuo tático que seria reparado mais adiante. Mas era quase impossível adotar essa posição no caso de Stalingrado. O envolvimento e a destruição totais de todo um exército alemão não podia ser dissimulado. Privadamente, Hitler zangou-se com a fraqueza das tropas romenas e italianas, mas acima de tudo ficou furioso com o que viu como covardia de Paulus e seus altos oficiais, que preferiram perder a honra ao se render do que salvá-la suicidando-se. O pior estava por vir, pois, quase imediatamente após a invasão, os russos deram início a tentativas de "reeducar" prisioneiros de guerra alemães como "antifascistas", começando com os suboficiais e depois passando para os oficiais. Uma mistura criteriosa de morde e assopra conquistou um número crescente de prisioneiros para a causa, sendo que a maioria a aceitou porque era a coisa mais fácil de fazer. Entre eles, um pequeno número de nacionalistas alemães convictos foi persuadido de que Hitler estava destruindo a Alemanha e que se juntar ao inimigo era o jeito mais rápido de salvar o país. Uns poucos oportunistas, muitos deles ex-nazistas, eram especialmente loquazes no apoio ao "antifascismo". Em julho de 1942, a polícia secreta soviética havia obtido sucesso suficiente para começar a montar uma organização de prisioneiros convertidos, transformando-a no ano seguinte no Comitê Nacional Alemanha Livre. O jovem piloto Friedrich von Einsiedel tornou-se uma das figuras de liderança, gravitando rumo à ala comunista da organização junto com uns poucos outros que nutriam sérias dúvidas quanto à causa nazista antes mesmo de serem feitos prisioneiros. Entretanto, a adesão mais espetacular ao Comitê Nacional foi a do marechal de campo Friedrich von Paulus, persuadido pelos russos a fazer uma série de transmissões de propaganda para a Alemanha em favor deles. As transmissões provavelmente tiveram pouco efeito, mas o simples fato de Paulus estar fazendo-as era um profundo constrangimento para a liderança nazista, e proporcionou mais uma prova para Hitler – se é que ele precisava de alguma – de que a liderança do Exército não era de confiança.[276]

Goebbels já havia começado a preparar o povo alemão para as más notícias antes mesmo da rendição final em Stalingrado. De todos os meios de comunicação coordenados jorraram os elementos de um novo mito: "Eles morreram para que a Alemanha pudesse viver", conforme afirmou o *Observador Racial* em 4 de fevereiro de 1943. O autossacrifício das tropas seria um modelo para todos os alemães no futuro. O que exatamente o sacrifício havia alcançado, porém, era difícil dizer. A jovem estudante Lore Walb, por exemplo, aceitou a imagem da propaganda oficial de "heroísmo" das tropas em Stalingrado e a necessidade de "aguentar firme". Mas isso não a impediu de anotar em 3 de fevereiro de 1943: "Hoje é o dia mais negro para a Alemanha na história de nossa guerra".[277] E muita gente escarneceu da retórica divulgada pelo Ministério da Propaganda.[278] O Serviço de Segurança da SS relatou uma "sensação geral de choque profundo" entre os alemães em casa. As pessoas falavam sobre as enormes perdas e discutiam se a ameaça soviética ao VI Exército fora reconhecida cedo o bastante:

> Acima de tudo, o povo está dizendo que a força do inimigo deve ter sido subestimada, do contrário não se teria corrido o risco de continuar

a ocupação de Stalingrado mesmo depois de a cidade estar cercada. Os compatriotas não conseguem entender como não foi possível socorrer Stalingrado, e alguns não estão exatamente informados o bastante sobre todo o desenrolar dos acontecimentos no setor sul da frente oriental para ter o entendimento correto sobre o significado estratégico dessas batalhas [...] Há uma convicção geral de que *Stalingrado* significa um *momento decisivo* da guerra.[279]

O relatório foi forçado a admitir que algumas pessoas de fato viram em Stalingrado "o começo do fim", e dizia-se que nos gabinetes de governo de Berlim havia "em certa medida uma nítida atmosfera de desespero iminente".[280]

Diz-se que, na Francônia, as pessoas estavam dirigindo "as mais graves críticas à liderança do Exército" e perguntando por que o VI Exército não havia recuado enquanto ainda havia uma chance. Além disso, "as pessoas estão dizendo com base nas cartas [do *front*] que muitos soldados morreram simplesmente de exaustão, e que outros apresentam um aspecto irreconhecível de tanto peso que perderam. Circulam rumores", concluiu o relatório, "que de fato deprimem o moral da população muito profundamente".[281] Relatórios de outras regiões sugeriram um "estado de espírito visivelmente grave, se não desesperado", como resultado da derrota.[282] No distrito rural de Ebermannstadt, na Bavária, onde muita gente tinha filhos, irmãos ou marido no VI Exército, foi dito que a desaprovação era de "um grau muito duro e forte, ainda que as pessoas sejam cuidadosas na escolha das palavras, de modo a não se tornar passíveis de processo criminal". Assim, as pessoas estavam criticando Hitler sem realmente citá-lo, embora a implicação do que dissessem fosse clara: ele não descansaria enquanto tudo não estivesse destruído, ele havia superestimado a força da Alemanha, ele devia ter tentado fazer a paz.[283] Pela primeira vez, conforme o diplomata descontente Ulrich von Hassell anotou em seu diário em 14 de fevereiro de 1943, os "rumores críticos" eram dirigidos ao próprio Hitler.[284] As pessoas perguntavam por que ele não havia salvado a vida dos homens restantes do VI Exército, mandando-os capitular.[285] Os poucos judeus perseguidos e arrasados que restavam na Alemanha extraíram esperança da derrota. Em 5 de fevereiro de 1943, Victor Klemperer ficou sabendo que "dizem que a derrocada na Rússia é real e decisiva". O choque público foi tão grande, disse-lhe um conhecido não judeu, que havia toda a possibilidade de um levante interno contra os nazistas.[286]

A crise no moral provocada pela derrota em Stalingrado não acabou logo. "O ânimo popular não está mais bom", registrou um oficial local da Baviária em 19 de março de 1943. "A palavra Stalingrado ainda está no primeiro plano."[287] Outros relatórios observaram que "muitos agora estão condenando a guerra". Muitos queriam que ela chegasse ao fim e opinavam que ingleses e americanos não deixariam os russos tomarem a Alemanha; mesmo que deixassem, apenas os homens do Partido sofreriam.[288] Em meados de abril, o Serviço de Segurança da SS registrava que as pessoas exigiam ver Hitler mais vezes. "Uma imagem do Líder a partir da qual as pessoas pudessem certificar-se de que ele não ficou com os cabelos completamente brancos – conforme afirma um boato – teria um efeito mais positivo sobre a atitude dos compatriotas do que muitos lemas agressivos."[289] O carisma de Hitler começava a se desvanecer. Funcionários regionais do Partido relataram que começavam a circular piadas sobre ele. "Qual é a diferença entre o sol e Hitler?", perguntava uma, e a resposta era: "O sol nasce no leste, Hitler se põe no leste".[290]

Em julho de 1943, o Serviço de Segurança da SS notava que *os mais disparatados e mal-intencionados boatos sobre os homens da liderança do Partido ou do Estado estão circulando muito depressa e podem durar semanas e meses*".[291] Assim, por exemplo, dizia-se muito erroneamente que Baldur von Schirach havia fugido com a família para a Suíça. Pior ainda:

> Contar piadas maldosas e nocivas sobre o Estado, piadas até mesmo sobre a pessoa do Líder, tornou-se cada vez mais comum desde Stalingrado. Quando os compatriotas conversam em estabelecimentos públicos, lojas ou outrais locais onde se encontram, eles contam uns aos outros as "últimas" piadas políticas, e ao contá-las com frequência não fazem distinção entre aquelas de conteúdo relativamente inofensivo e aquelas de nítida oposição. Mesmo compatriotas que mal se conhecem estão trocando piadas políticas. Evidentemente, estão presumindo que qualquer um *pode contar qualquer piada hoje em dia sem ter de levar em conta ser mal recebido, que dirá denunciado à polícia.*[292]

De modo semelhante, prosseguiu o relatório, as pessoas agora criticavam o regime abertamente, declarando que era ineficiente, mal organizado e corrupto. Estava claro também *"que escutar rádios estrangeiras havia se tornado muito mais comum nos últimos meses"*. O Serviço de Segurança da SS encontrou nesse fato uma explicação para o pessimismo disseminado que as pessoas mostravam sobre o desfecho da guerra. Como um claro sinal simbólico da distância crescente entre o povo e o regime, *"o uso da saudação alemã, conforme lojistas e funcionários que lidam com o público estão relatando, declinou de modo impressionante nos últimos meses. Também deve ser confirmado que muitos membros do Partido não usam mais o distintivo partidário"*.²⁹³

V

O ministro da Propaganda, Joseph Goebbels, estava agudamente ciente da necessidade de se fazer algo dramático para levantar o moral e reverter a situação. Ele sabia, como todo o resto da liderança nazista, que o fator decisivo subjacente na curva descendente dos sucessos militares e navais da Alemanha era o fracasso da economia em produzir equipamento suficiente, tanques suficientes, armas suficientes, aviões suficientes, submarinos suficientes, munição suficiente. Antes mesmo de a plena extensão da catástrofe de Stalingrado ficar clara, ele estava começando a declarar que "apenas um processo civil mais radical da guerra nos colocará em posição de conquistar vitórias militares. Todos os dias fornecem provas adicionais", disse ele em sua reunião ministerial de 4 de janeiro de 1943, "de que somos confrontados no leste por um oponente brutal que só pode ser derrotado pelos métodos mais brutais. A fim de atingir isso, faz-se necessário o comprometimento total de todos os nossos recursos e reservas".²⁹⁴ Goebbels agora pressionava Hitler repetidamente para que declarasse "guerra total", incluindo a mobilização das mulheres para o trabalho, o fechamento das "lojas de luxo" e dos "cafés luxuosos" e muito mais. Insatisfeito com o lento progresso obtido após a decisão inicial de Hitler de apoiar a ideia, ele decidiu elevar a pressão com uma grande manifestação pública.

Em 18 de fevereiro de 1943, Goebbels proferiu um importante discurso em transmissão nacional no Palácio de Esportes de Berlim diante de uma plateia escolhida a dedo de 14 mil fanáticos nazistas representando, conforme ele disse, "um apanhado do conjunto da nação alemã no *front* e em casa. Estou certo? [gritos estridentes de "sim!". Aplauso demorado] Mas os judeus não estão representados aqui! [Aplauso ensandecido, gritos]".²⁹⁵ Depois de expor as medidas tomadas contra luxos e divertimentos, ele declarou que os alemães agora queriam "um estilo de vida espartano para todos", de fato, o tipo de vida levado pelo próprio Líder. Todo mundo tinha de redobrar esforços para se alcançar a vitória. No clímax do discurso, ele apresentou uma série de dez perguntas retóricas para a plateia, àquela altura inteiramente atiçada, entre as quais estavam as seguintes:

> Vocês e o povo alemão estão determinados, caso o Líder ordene, a trabalhar dez, 12 e, se necessário, 14 e 16 horas por dia e dar o máximo pela vitória? [Gritos estridentes de "sim!" e aplauso demorado] [...] Eu pergunto: vocês querem guerra total? [Berros estridentes de "sim!". Aplauso ruidoso] Vocês querem, se necessário, uma guerra mais total e mais radical do que podemos imaginar hoje? [Gritos estridentes de "sim!". Aplauso]

Juntando a ideia de guerra total com a lealdade a Hitler, o ministro da Propaganda fez a multidão gritar com entusiasmo pela mobilização até o último recurso, inclusive de mulheres operárias, na luta final pela vitória. Ele foi interrompido mais de duzentas vezes por gritos selvagens e refrões, lemas ("Salve, Vitória!", "Comando do Líder – nós o seguimos!") e aplausos histéricos. O evento foi subsequentemente descrito como "um feito de hipnose de massa". O discurso foi ouvido por milhões de pessoas que vinham esperando por um tipo de direção do regime. Para sublinhar sua importância, foi publicado pelos jornais na manhã seguinte e transmitido de novo no domingo seguinte. Foi apresentado como uma demonstração imponente da vontade do povo alemão de lutar até o fim.²⁹⁶

É bem provável que Hitler tenha dado sua aprovação à iniciativa de Goebbels em termos gerais de antemão. Mas não foi consultado sobre o conteúdo do discurso em detalhes, de modo que lhe enviaram uma cópia imediatamente, e ele declarou aprovação total.²⁹⁷ Mas o que "guerra total" realmente significava em termos concretos? Entre a liderança nazista, era vista antes de mais nada como uma cartada de Goebbels, auxiliado e apoiado por Speer, para se apoderar do controle da frente doméstica. A reação inicial de Hitler à crise havia sido criar um Comitê de Três, consistindo de Martin Bormann, Hans-Heinrich Lammers e Wilhelm Keitel, para dar início às medidas da "guerra total"; entre outras coisas, o discurso de Goebbels foi uma tentativa de enfraquecer esse grupo, e em seguida ele tramou com Hermann Göring para reaver o gerenciamento da "guerra total". Mas, a essa altura, Göring havia perdido muito de sua antiga energia, enfraquecido por pesadas doses de morfina, na qual agora estava viciado. Hitler recusou-se a dar a Goebbels e Speer ou ao grupo de Lammers a autoridade sobre a frente doméstica pela qual todos competiam. No outono de 1943, o Comitê de Três havia efetivamente deixado de funcionar. Suas iniciativas para simplificar a administração civil do Reich reduzindo a duplicação, por exemplo, entre os ministérios das Finanças do Reich e da Prússia (defendendo a abolição deste último), não deram em nada, e o comitê passou muito tempo discutindo trivialidades como banir ou não as corridas de cavalos.²⁹⁸ Quanto às realidades econômicas da "guerra total", era difícil ver o que podia ser feito. O problema, conforme ficou evidente em todo o leque de derrotas e reveses na guerra durante 1943, não era que as pessoas não estivessem dando duro o bastante, era a falta de matérias-primas. Não adiantava exigir um aumento na produção se não havia carvão e aço suficientes para fabricar aviões e tanques, ou gasolina bastante para abastecê-los. E a escassez de mão de obra, como vimos, só podia ser resolvida em grau muito limitado pela mobilização das mulheres; no fim, isso foi enfrentado com a expansão brutal da mão de obra estrangeira. Em termos puramente práticos, a "guerra total" ficou reduzida a uma tentativa de reprimir o consumo doméstico a fim de desviar os recursos para a produção bélica. Também nisso as possibilidades eram reduzidas.

Uma série de decretos emitidos no início de 1943 por certo arrocharam a produção e o consumo não relacionados à guerra. Em 30 de janeiro de 1943, o Comitê de Três ordenou o fechamento das empresas não essenciais. Essa medida levou ao encerramento de 9 mil negócios, a maioria pequenos, apenas na região de Brandemburgo, causando ressentimento disseminado na classe média baixa, uma vez que agora os proprietários independentes de oficinas eram obrigados a se tornar operários assalariados nas fábricas de armas. Muitos temiam não poder reabrir depois da guerra. Em poucos meses, a implementação da política teve de cessar, por insistência do Ministério da Propaganda, devido à resistência e à evasão generalizadas.[299] Em Berlim, foi registrado que o Bar Melodia, na Kurfürstendamm, havia fechado apenas para reabrir imediatamente como restaurante, com os mesmos garçons. O Bar Gongo foi rebatizado de Café Gongo e seguiu em atividade com café e bolos em vez de cerveja e drinques. A medida também criou problemas para operários de fábricas de munição e outras relacionadas à guerra que eram forçados a passar a semana longe da família e com isso dependiam de restaurantes para jantar. Nessa época, muitos bares e pequenos restaurantes eram geridos por pessoas que haviam atingido a idade da aposentadoria e dificilmente podia esperar-se que fossem convocadas para as fábricas de munição. O que suscitou amplo ressentimento foi que, enquanto os bares da classe operária eram fechados, hotéis de alta categoria, como o Quatro Estações, com seu restaurante caro, e restaurantes finos como o Porão das Ostras do Schumann, na mesma cidade, permaneciam ativos.[300] Em todo caso, o arrocho no consumo conspícuo foi apenas simbólico. Ficava muito bem dizer que os alemães tinham de viver como espartanos, mas em 1943 muitos achavam que já estavam fazendo isso.

A guinada para a produção e o investimento relacionados à guerra em detrimento do consumo de fato tivera início na década de 1930, mas, quando a guerra eclodiu, acelerou-se ainda mais. No fim do primeiro ano da guerra, a despesa militar havia aumentado de um quinto da produção nacional para mais de um terço. Na esperança de evitar dar ao público alemão a sensação de que estava sendo sangrado até o último centavo, o Ministério da Economia do Reich abandonou a ideia inicial de impor uma pesada alta nos impostos e optou em vez disso por controlar o gasto dos consumidores por meio do racionamento. No fim de agosto de 1939, o consumo *per capita* havia caído 11%; caiu outros 7% no ano seguinte.[301] Quase tão logo a guerra começou, alimento e vestuário foram racionados. Claro que, em princípio, isso não era nenhuma novidade. Já na década de 1930, alguns gêneros alimentícios e outros artigos com oferta reduzida haviam sido racionados.[302] Em outubro de 1939, foi estabelecida uma ração oficial de comida de 2.570 calorias diárias para os civis, com 3,6 mil calorias alocadas a cada membro das Forças Armadas e 4.652 aos operários engajados em trabalho braçal especialmente pesado. Os civis tinham de apresentar seus carnês de racionamento em lojas, com um código de cores para diferentes itens (vermelho para pão, por exemplo), e suas compras eram assinaladas, de modo que não podiam adquirir mais do que o máximo prescrito. Esses carnês de racionamento duravam um mês, para que pudessem ser emitidos novos com diferentes valores máximos caso necessário.[303]

Em termos concretos, no começo da guerrra isso significou, por exemplo, pouco menos de dez quilos de pão por mês para um adulto normal, 2,4 quilos de carne, 1,4 quilo de gorduras, incluindo manteiga, 320 gramas de queijo, e assim por diante. Com o avançar da guerra, essas cotas começaram a ser reduzidas. A ração de pão manteve-se mais ou menos constante, mas a carne baixou para 1,6 quilo por mês em meados de 1941, e por volta dessa época começou a ser introduzido o racionamento de frutas, e pouco depois de vegetais e batatas. No início de 1943, as cotas situavam-se em nove quilos de pão por mês, seiscentos gramas de cereais, 1,85 quilo de carne e 950 gramas de gorduras. No geral, esses níveis foram mais ou menos mantidos, com flutuações para cima e para baixo, até a fase final da guerra, quando a cota de pão caiu de 10,5 quilos por mês em janeiro de 1945 para 3,6 quilos em abril, a ração de cereal de seiscentos para trezentos gramas, a carne despencou abruptamente para meros 550 gramas, e as gorduras, de 875 gramas para 325 gramas. Apenas as batatas, com uma cota regular em torno de 10 quilos por mês ao longo da guerra pareceram manter-se em oferta abundante. Mas essas quantidades não só eram insuficientes para as necessidades da maioria das pessoas, como frequentemente era impossível obtê-las por causa da escassez. O racionamento também cobriu um leque de artigos maior que na Grã-Bretanha, e restrições rigorosas no vestuário reduziram o consumo médio alemão em outubro de 1941 a um quarto dos níveis dos tempos de paz; muitas roupas eram feitas de materiais sintéticos inferiores, e as pessoas com frequência tinham de usar tamancos de madeira devido à escassez de couro. "Um homem cansado da vida tenta em vão enforcar-se", dizia uma piada em abril de 1942, "mas é impossível: a corda é de fibra sintética. Então tenta pular no rio – mas ele flutua, porque está vestindo um traje feito de madeira. Finalmente, ele consegue tirar a própria vida. Passou dois meses vivendo com nada além do que o que obtinha com seu carnê de ração".[304]

Mesmo cortes relativamente pequenos na ração de comida podiam levar a descontentamento. Em março de 1942, por exemplo, o Serviço de Segurança da SS relatou que o anúncio de futuros cortes de ração equivalentes a cerca de 250 calorias diárias para civis normais e de quinhentas para trabalhadores braçais havia sido "devastador"; de fato, "em um grau maior do que praticamente qualquer outro acontecimento na guerra". Os operários em particular não entendiam a necessidade dos cortes, visto que já consideravam as rações atuais muito reduzidas. "O estado de ânimo nesses setores da população", advertiu o relatório, "atingiu um ponto mais baixo que qualquer outro anteriormente observado ao longo da guerra". E havia ressentimento generalizado com o que muitos viam como a capacidade dos mais abastados de usar suas conexões para conseguir comida acima e além da quantidade racionada.[305] Se foi evitada uma situação de fome como a ocorrida na Primeira Guerra Mundial – praticamente uma obsessão do regime, uma vez que Hitler considerava que ela havia sido um dos principais fatores por trás da mítica "punhalada nas costas" em 1918 –, isso deveu-se em parte às importações maciças do exterior, principalmente de 1940 em diante, dos territórios ocupados. Essas foram especialmente vitais para a manutenção da ração de pão em um nível aceitável, dado que o pão era a base da dieta de muitos alemães, e que seu corte em abril de 1942 havia sido "particularmente sentido em todos os setores da população".[306]

As importações de grãos para pão subiram de 1,5 milhão de tonelada em 1939-40 para 3,6 milhões em 1942-43, permanecendo quase no mesmo nível no ano seguinte. Todavia, não dava para negar que a grande maioria das pessoas continuava a achar as rações de comida mal e mal suficientes para se sobreviver e, cada vez que o regime fazia que apertasssem o cinto, havia resmungos e descontentamento generalizados. As remessas de comida de parentes e amigos do Exército na França ou na Europa ocidental ajudavam, mas jamais foram decisivas, e, em algumas situações, particularmente em Stalingrado e na frente oriental, as remessas de comida tendiam a seguir na direção oposta. No total, a contribuição das economias dos países ocupados a leste e a oeste para a economia alemã ao longo da guerra provavelmente não foi muito maior do que 20% do conjunto. Não foi o bastante para fazer as pessoas sentir que estivessem vivendo bem. "Qual é a diferença entre a Índia e a Alemanha?", perguntava uma piada popular relatada na primavera de 1943. "Na Índia, uma pessoa [Gandhi] passa fome por todo mundo, e na Alemanha, todo mundo passa fome por uma [Hitler]."[307]

A retórica de sofrimento e sacrifício de Goebbels fracassou em convencer porque o padrão de vida já fora gravemente rebaixado muito antes de 1943. Na verdade, a retórica não era sequer nova. Goebbels havia divulgado um apelo de "guerra total" no começo de 1942, após a derrocada diante de Moscou.[308] Já em março de 1939, Hitler havia declarado: "Qualquer mobilização deve ser total", incluindo a economia. No afã do rearmamento, o padrão de vida já fora rebaixado até mesmo antes disso. Há poucas lendas históricas mais duradouras do que a de que a *Blitzkrieg* foi uma estratégia econômica planejada para travar a guerra de forma barata e rápida, sem colocar a economia em ritmo de guerra.[309] A economia estava em ritmo de guerra bem antes de a guerra começar.[310] O consumo privado baixou de 71% da renda nacional em 1928 para 59% em 1938, e os salários reais não haviam conseguido voltar aos níveis pré-Depressão na época em que a guerra estourou. Os salários reais na Alemanha haviam crescido 9% em 1938 comparados aos níveis de 1913, mas o número equivalente nos Estados Unidos foi de 53% e no Reino Unido, de 33%. A qualidade de muitas mercadorias na Alemanha, de vestuário a alimentos, caiu sob o impacto das restrições às importações durante a década de 1930. Quando a guerra começou, o Ministério das Finanças e o Plano de Quatro Anos concordaram em que o consumo pessoal deveria ser limitado, basicamente por meio do racionamento, para não mais do que o mínimo necessário para se ficar vivo. Os impostos sobre cerveja, tabaco, cinema, teatro, viagens e outros aspectos do consumo foram aumentados, e todos os contribuintes tiveram de pagar uma sobretaxa de emergência para a guerra. Como resultado, os impostos aumentaram em média 20% para as pessoas, na maioria da classe operária, que recebiam entre 1,5 mil e 3 mil reichsmarks por ano entre 1939 e 1941, e 55% para quem ganhava entre 3 mil e 5 mil. A taxação proporcionou metade da renda necessária para os gastos militares, e a outra metade foi coberta por extorsões dos territórios ocupados e empréstimos do governo.[311]

Hitler vetou quaisquer outros aumentos no imposto de renda por temer a hostilidade popular que poderiam suscitar. Em vez disso, fundos adicionais foram angariados mediante um ataque à poupança do povo. O governo estava muitíssimo ciente de que, a partir de 1940, cada vez mais dinheiro afluía para as contas em bancos locais de poupança e fundos de seguro da Alemanha. Depois de um ano, os investidores estavam colocando mais de 1 bilhão de reichsmarks na poupança anualmente. O governo extraiu esse dinheiro na surdina para pagar pelas armas, ao mesmo tempo que forçou retrações severas no tipo de programa que a verba normalmente teria financiado, como obras habitacionais, que caíram de pouco mais de 320 mil novas moradias em 1937 para meras 40 mil cinco anos depois. Já em 1940, 8 bilhões de reichsmarks jorraram dos bancos de poupança para a fabricação de armas, número que subiu para 12,8 bilhões no ano seguinte. Esse sistema de financiamento da guerra era bem preferível a apelos públicos de empréstimos, que tiveram um efeito desastroso na Primeira Guerra Mundial, quando investidores patrióticos perderam todas as economias na inflação do pós-guerra. A poupança não significou, como às vezes afirmou-se, confiança pública no governo ou certeza de vitória. À medida que se apertavam as restrições do governo a outras formas de investimento, as pessoas ficavam sem alternativa. Em vez de investimentos de longo prazo, elas preferiam tanto quanto possível colocar o dinheiro onde fosse mais fácil apoderar-se dele quando precisassem – depois que a guerra acabasse.[312] Com exceção disso, havia pouca coisa que pudessem fazer com o dinheiro. Conforme Mathilde Wolff-Mönckeberg, de uma família proeminente de Hamburgo, escreveu em 25 de março de 1944, todo mundo havia aderido ao escambo:

> Troquei a mesa por gordura, carne e um bom número de outros petiscos, que a nova proprietária trará de sua cantina. Mas o que mais se pode fazer hoje em dia? O estômago exige o que lhe cabe, e dinheiro não compra nada. Todo mundo tem montes de dinheiro [...] Você consegue convencer um operário a ir à sua casa se colocar cigarros na mão dele ou oferecer um cálice de conhaque. O homem do gás, a quem tentei engambelar para que nos deixasse ter um novo fogão, teve de ser amaciado com um caneco de cerveja, dois sanduíches de salsicha e um charuto para encerrar.[313]

Dois meses antes, o Serviço de Segurança da SS havia dedicado um relatório especial à disseminação do escambo. Havia escassez de tantos produtos e serviços essenciais que "o mercado negro de pequenas quantidades de mercadorias tornou-se um meio de vida para muita gente, que na sua maioria menospreza quaisquer reservas a esse respeito com o comentário: 'Quem não fizer por si nunca vai melhorar sua situação'". Apenas o comércio e o escambo visando o lucro deparavam com desaprovação popular. A despeito disso, foi um pequeno passo do pequeno escambo para o surgimento de um mercado negro em escala muito substancial.[314]

O rápido aumento da poupança na parte inicial da guerra refletiu o fato de que o gasto dos consumidores caiu mais abruptamente até 1942, e então manteve-se relativamente estável dali em diante até os últimos meses da guerra. O consumo *per capita* na Alemanha (em suas fronteiras pré-guerra, incluindo Áustria, Sudetos e Memel) caiu em um quarto entre 1939 e 1942, e então estabilizou-se. Se a incorporação de novas áreas relativamente pobres da Polônia ao Reich for levada em conta, o consumo *per capita* real então caiu a 74% de seu nível de 1938 em 1941, a seguir nivelou-se em 67%-68% nos dois anos seguintes, ao passo que as vendas *per capita* no varejo baixaram em proporções bastante semelhantes. A produção real *per capita* de todos os bens de consumo caiu 22% de 1938 a 1941. Depois de uma alta inicial causada pelas compras movidas por pânico, as vendas de produtos têxteis, metálicos e domésticos em junho de 1940 foram 20% menores que no ano anterior, e as vendas de mobília foram 40% mais baixas.[315] Esses números ocultam o fato de que a prioridade sobre os bens de consumo era das Forças Armadas. Em 1941-42, por exemplo, o consumo *per capita* de carne nas Forças Armadas foi mais de quatro vezes superior que entre os civis, e o consumo de grãos para pão foi 2,5 vezes maior. Soldados podiam beber café de verdade, enquanto os civis precisavam se contentar com substitutos, e tinham suprimento abundante de cigarros e álcool. Era uma questão política. A ração de carne dos soldados era 3,5 vezes maior que a dos civis, e eles tinham direito ao dobro da ração diária de pão. A maior parte dos setores não armamentistas da economia estava trabalhando principalmente para as Forças Armadas, e, em janeiro de 1941, 90% da mobília manufaturada foi para o setor militar, e em maio de 1940 metade de todas as vendas de têxteis foram para as forças armadas,

SS e outras organizações uniformizadas. Oitenta por cento dos produtos de consumo da indústria química iam para as Forças Armadas (inclusive pasta de dente e cera para sapato).[316] Reservava-se tanto carvão para a produção industrial que as pessoas não tinham o suficiente para aquecer sua casa durante o inverno. "Na Alemanha", dizia uma piada bastante contada em 1941, "a temperatura ainda é medida de acordo com os padrões estrangeiros de Celsius e Réaumur. Hitler ordena que no futuro as medidas sejam feitas pela escala alemã de Fahrenheit. Desse modo, a temperatura sobe 65 graus, e a escassez de carvão se resolve automaticamente!"[317]

O esforço de Goebbels para agitar as massas inspirou alguns em casa e no *front*. "São duas da manhã", escreveu o paraquedista Martin Pöppel em seu diário da frente oriental em 19 de fevereiro de 1943. "Não consigo tirar o discurso de Goebbels sobre a guerra total de minha cabeça. O discurso foi tão tremendo e fantástico que sinto que preciso escrever para casa com minha resposta. Todos foram arrebatados pelas palavras dele, todos nós sucumbimos ao encanto dele. Ele nos falou com sinceridade."[318] Goebbels obteve louvor geral por deixar clara a gravidade da situação militar. Muitos, aparentemente, não haviam percebido antes. Eles ficaram impressionados por pensar que o regime estava sendo honesto, embora outros fossem mais céticos. Uns poucos consideraram que Goebbels "pintou uma situação mais negra do que ela é para garantir ênfase às *medidas totalizadoras*". Alguns acharam que o discurso conteve pouca novidade em termos concretos. O Serviço de Segurança da SS registrou: "Por certo o povo em geral reconheceu a efetividade das dez perguntas, mas compatriotas e membros do Partido de todos os níveis sociais expressaram o pensamento de que o propósito de propaganda dessas perguntas e respostas ficou totalmente óbvio para leitores e ouvintes".[319] Pôde-se ouvir pequenos fazendeiros reclamando que "já tinham sido coagidos a trabalhar em um nível sobre-humano há muito tempo", de modo que julgaram as exigências feitas no discurso mais ou menos incompreensíveis.[320] Em Würzburg, de fato, relatou-se que algumas pessoas "estão caracterizando o fecho do discurso com suas perguntas como uma comédia, uma vez que os presentes no encontro não eram o povo [em geral], mas grupos mandados, que obviamente gritavam sim para tudo".[321] Evento de propaganda claramente encenado, o discurso no Palácio de Esportes fracassou amplamente em convencer porque as pessoas sabiam que a mobilização econômica já tinha ido tão longe quanto poderia. O impulso dado pelo discurso dissipou-se amplamente em ataques a estabelecimentos "de luxo" cujo impacto na economia de guerra como um todo era mínimo. Entretanto, em poucos meses o discurso de Goebbels se abateria sobre a frente doméstica em um sentido que nem o Ministério da Propaganda nem ninguém mais havia previsto. E seu impacto, em termos tanto econômicos como humanos, seria devastador.

5
"O começo do fim"

Alemanha em chamas

I

No dia 9 de novembro de 1934, um estudante de Dresden, ao escrever uma redação a respeito de conflitos aéreos, imaginou como seria se, em uma guerra futura, o inimigo decidisse bombardear a cidade. As sirenes, ele escreveu, uivavam, e as pessoas corriam para os abrigos antiaéreos. As bombas caíam com um ruído ensurdecedor, atingindo as janelas e destruindo todas as casas. "Chamas violentas devastam Dresden." Uma segunda leva de aviões inimigos se aproximava, lançando bombas de gás. Quase todas as pessoas nos abrigos eram mortas. Restavam apenas cinzas e detritos. O ataque era uma catástrofe completa. Mas o menino não ganhou nota alta por sua presciência. "Não poderia ser pior!", escreveu a professora na redação dele, em uma descrença irritada. "Burro!" "Maldoso! Não é assim tão simples destruir Dresden! Você não escreveu praticamente nada a respeito das defesas. A redação está repleta de erros!"[1] Apenas uma década mais tarde, todos dariam razão ao menino da maneira mais dramática possível. Mesmo assim, sua professora não deixava de ter certa razão. Desde o início do Terceiro Reich, em 1933, o regime tinha começado a preparar defesas contra bombardeios aéreos. Sentinelas de ataques aéreos foram designadas, instalaram-se sirenes para dar o aviso e a população dos centros urbanos foi forçada a se engajar em constantes exercícios e práticas de fuga. Baterias antiaéreas começaram a ser construídas, na crença de que a artilharia antiaérea (*flak*) seria decisiva. Entretanto, a construção de abrigos antiaéreos e *bunkers* antibombas não prosseguiu com muito vigor até o outono de 1940, e, mesmo então, a escassez de mão de obra e de matéria-prima não permitiu a continuidade das medidas. Dois anos depois, elas foram definitivamente abandonadas.[2]

Quando a guerra começou, alertas frequentes, muitas vezes falsos, causaram interrupções, desconforto e irritação, mas, pelo menos a princípio, os estragos causados pelos bombardeios eram relativamente pequenos. À medida que sua situação militar na França se deteriorava em maio de 1940, os ingleses decidiram atacar selecionando alvos a leste do rio Reno: o porto e o centro comercial e industrial de Hamburgo, a segunda maior cidade da Alemanha, cujo acesso pelo mar do Norte era fácil, tornaram-se o alvo favorito. O ataque à cidade ocorrido na noite de 17 para 18 de maio de 1940 foi o primeiro a uma grande cidade alemã, sendo seguido por outros 69 ataques e 123 alarmes até o fim da guerra. Os habitantes de Hamburgo tiveram de passar praticamente quase todas as noites em *bunkers* e abrigos antiaéreos durante esse período. Mas os estragos causados foram relativamente pequenos: 125 mortos e 567 feridos. Em 1941 e no primeiro semestre do ano seguinte, os ataques continuaram, mas em intervalos maiores: no total, até meados de julho de 1942, a cidade havia sofrido 137 ataques que custaram 1.431 vidas e deixaram 4.657 feridos. Pouco mais de 24 mil pessoas haviam ficado desabrigadas em uma cidade de 2 milhões de habitantes. Nessa época, após um começo tardio, as autoridades de Hamburgo reforçaram a maior parte dos celeiros da cidade. Nas áreas perto do rio Elba, onde o lençol freático era alto demais para permitir sua construção, sólidos *bunkers* na superfície da terra foram construídos. Precauções similares foram tomadas em outras grandes e pequenas cidades em todo o Reich.[3] Mas logo os bombardeiros britânicos estavam atacando postos ainda mais avançados. Bombardeios noturnos contra Berlim em 1940-41 não eram nem em grande escala nem tinham grande poder de destruição, mas causavam incômodos, e tornaram-se tão frequentes que os habitantes da capital começaram a não se preocupar muito com eles. Avisos oficiais foram dados para que as pessoas dessem uma cochilada à tarde antes que os bombardeios começassem. Começou a circular uma piada contando que, se uma pessoa chegasse ao abrigo antiaéreo e dissesse "Bom dia", significava que ela realmente tinha dormido. Se a pessoa chegasse e dissesse "Boa noite", significava que ela não tinha dormido. E, quando algumas poucas pessoas chegavam e diziam "*Heil*, Hitler!", isso queria dizer que elas tinham estado dormindo o tempo todo.[4]

Apesar de todos os preparativos, os dirigentes do Terceiro Reich, assim como seus colegas na União Soviética, não deram muita importância aos bombardeios estratégicos em grande escala. Ambos usavam bombardeiros de modo tático, ou para dar apoio às forças terrestres ou para abrir caminho a elas. Os ataques alemães a Londres e a outras cidades em 1940 tinham como objetivo, acima de tudo, levar a Grã-Bretanha à mesa de conferência, e, quando isso não aconteceu, foram interrompidos. A ideia de destruir o inimigo em terra por meio de um bombardeio persistente, duradouro e em grande escala não foi levada em consideração em Berlim. Apenas no *front* oriental algo parecido com uma campanha desse tipo foi levado a cabo, mas ela tinha objetivos militares rigidamente delimitados e não durou muito tempo. Em 1943-44, a Força Aérea alemã lançou um bombardeio ofensivo estratégico contra alvos industriais e de comunicação soviéticos. Ele alcançou certo sucesso, de modo mais notável na destruição de 43 bombardeiros B-17 fabricados nos Estados Unidos e de cerca de um milhão de toneladas de combustível para aviação enviados para a União Soviética e estacionados no campo de aviação em Poltava em junho de 1944, eliminando, assim, de modo eficiente, a ameaça de bombardeiros americanos que pudessem atacar a Alemanha vindos do leste assim como do oeste. Mas a escassez de combustível e a mudança da produção de aviões para caças, com o objetivo de defender as cidades alemãs contra bombardeios aéreos liderados pelos ingleses e pelos americanos, impediram que a ofensiva fosse levada adiante.[5] Do mesmo modo, Stálin considerava o bombardeio útil principalmente para auxiliar as tropas das linhas de frente em terra. Ele não desenvolveu uma esquadrilha de bombardeiros estratégicos em larga escala, e a destruição que acabou sendo causada em cidades alemãs na linha do avanço do Exército Vermelho nos dois últimos anos da guerra foi obra de bombardeiros ingleses e americanos, não russos. Mas Stálin realmente desejava que os aliados ajudassem o Exército Vermelho desenvolvendo uma campanha de bombardeios contra o território alemão.[6]

O medo dos ataques aéreos se espalhara pela Europa na década de 1930, principalmente depois da destruição de Guernica pelos bombardeiros alemães e italianos durante a Guerra Civil Espanhola. Os bombardeiros nunca conseguiam ser precisos ao atingir seus alvos; a questão é que eles tinham de ser grandes para poder carregar uma carga adequada, característica que os deixava lentos e difíceis de manobrar; então, tinham de voar o mais alto possível para evitar ser atingidos pelas *flak*. Isso os levava com frequência a voar acima das nuvens, o que tornava a identificação dos alvos ainda mais difícil. Ataques diurnos eram praticamente impossíveis devido aos grandes prejuízos infligidos aos aviões pelos caças e pelas defesas terrestres. Alguns aconteceram no começo da guerra, mas foram logo abandonados. O bombardeio noturno não era nem um pouco fácil, especialmente porque todas as nações em guerra fizeram esforços para reforçar o "blecaute", disfarçando ou apagando luzes das vias públicas e das residências em cidades grandes e pequenas, de modo que os bombardeiros inimigos não pudessem vê-las. Frequentemente, também, os bombardeiros tinham de voar longas distâncias para alcançar seus alvos, e a dificuldade de navegação era outro problema que as tripulações precisavam superar. O máximo que os pilotos podiam fazer era voar no rumo em que achavam que seus alvos se localizavam, e soltar suas bombas na direção aproximada. Se, por um lado, os pequenos bombardeiros de mergulho como o Stuka ofereciam maior apoio tático para as forças de terra, por outro, podiam carregar apenas cargas limitadas e eram então inúteis para bombardeios estratégicos em larga escala. Desse modo, na prática, todos os grandes ataques aéreos eram mais ou menos indiscriminados; era impossível ser preciso. Quase desde o início, portanto, o bombardeio estratégico servia a dois propósitos que, na realidade, não podiam ser desvinculados: por um lado, destruir recursos militares e industriais dos inimigos; por outro, enfraquecer o moral civil dos inimigos. Em muitos ataques em 1941 – todos eles pequenos se comparados a parâmetros posteriores –, a maior parte das bombas não alcançou os alvos pretendidos. Apenas alvos muito grandes, de fato, cidades inteiras, eram passíveis de ser atacados por aviões que voavam a grandes altitudes durante a noite, e foi essa a estratégia que Churchill e os líderes britânicos finalmente decidiram adotar no fim de 1941. A fim de implementá-la, indicaram Arthur Harris, um oficial enérgico e determinado, para liderar o Comando de Bombardeio. Harris decidiu voltar o foco para as maiores cidades alemãs, onde seus bombardeiros teriam a certeza de encontrar, sem uma inspeção a curta distância, indústrias bélicas e a casa das pessoas que nelas trabalhavam. Em 1942, quando a luta terrestre no continente e no norte da África não parecia estar dando muito certo para os ingleses, a destruição causada pelos bombardeiros de Harris nas cidades alemãs levantou o estado de espírito dos civis e militares ingleses. Ao mesmo tempo, por mais surpreendente que possa parecer, poucos ingleses viam no bombardeio da Alemanha uma oportunidade para se vingar da destruição de Coventry e da *Blitz* em Londres.[7]

Ingleses e americanos, ao contrário dos alemães e dos russos, já haviam percebido no fim da década de 1930 que os bombardeios pesados seriam a arma estratégica do futuro. Em 1942, a produção inglesa de bombardeiros pesados, notadamente os quadrimotores Avro-Lancaster, que haviam voado pela primeira vez apenas no ano anterior, e os Handley Page Halifax, introduzidos em 1940, estava a pleno vapor, aumentando os modelos bimotores mais leves, como o Wellington, que era parte imprescindível do Comando de Bombardeio, com mais de 11 mil aeronaves produzidas no total. Quando Harris assumiu sua posição, havia apenas 69 bombardeiros pesados à sua disposição. No fim do ano, havia quase 2 mil; eles se transformaram no elemento central dos ataques ingleses à Alemanha. Finalmente, mais de 7 mil Lancasters e de 6 mil Halifaxes foram produzidos, substituindo os não tão bem-sucedidos quadrimotores Stirling. A eles se juntaram, a partir do fim de 1942, bombardeiros americanos estacionados em campos de aviação no Reino Unido, particularmente os B-17 Fortalezas Voadoras, dos quais mais de 12 mil foram produzidos, e o mais veloz, mais leve, porém mais vulnerável, Liberator, que foi produzido em grande escala, com cerca de 18 mil deles saindo das linhas de produção. A primeira demonstração da nova tática de Harris em relação a bombardeios em massa sobre grandes alvos urbanos foi contra Lübeck na noite de 28-29 de março de 1942. A cidade não tinha importância militar nem econômica digna de nota, mas seus antigos prédios de tijolo e madeira transformaram-na em um bom alvo para a demonstração do que um bombardeio podia alcançar. Duzentos e trinta e quatro bombardeiros Wellington, Lancaster e Stirling, voando a baixas altitudes, porque Lübeck estava praticamente sem defesas e tinha fácil acesso pelo mar, soltaram grandes bombas para esfacelar edifícios da cidade, seguidos por dispositivos incendiários para atear fogo neles. Cinquenta por cento da cidade foi destruída; 1.425 edifícios foram postos abaixo e 10 mil sofreram prejuízos, dos quais quase 2 mil o foram gravemente; 320 pessoas foram mortas e 785 feridas. Harris deu continuidade aos bombardeios com ataques posteriores a outras cidades pequenas ao longo da costa do Báltico em abril de 1942, incluindo a cidade medieval de Rostock.[8]

Esses ataques levaram Hitler a anunciar, em abril de 1942, o que ele chamou de "ataques de terror" a alvos britânicos, com o objetivo de "produzir os mais dolorosos efeitos na vida pública [...] no âmbito geral da retribuição".⁹ Depois de boa parte do ano ter se passado sem ataques graves a cidades britânicas, ele ordenou que a Força Aérea alemã iniciasse, em cidades britânicas semelhantes às alemãs, uma contracampanha conhecida como "ataques Baedeker", por causa de uma muito conhecida série de guias turísticos de bolso. Esses ataques foram levados a cabo com apenas um pequeno número de aeronaves – apenas trinta caças-bombardeiros estavam disponíveis para ataques diurnos, e 130 para uso durante a noite – em cidades históricas pequenas, porém mais ou menos sem defesas. Causaram poucos prejuízos para o esforço de guerra britânico e não alcançaram nada que fosse significativo em termos militares.¹⁰ Foram uma resposta intrinsecamente emocional da parte de Hitler. Não havia como ele se equiparar às grandes forças reunidas por Harris, "o Bombardeador". No entanto, apesar da devastação causada pelo ataque a Lübeck, o estado de espírito na cidade não parecia ter sido afetado. No dia seguinte ao do ataque, muitas lojas reabriram com cartazes como "A vida continua aqui!".¹¹ Os ataques tampouco parecem ter causado fúria contra os britânicos. Luise Solmitz relembrou os bombardeios de modo impessoal em seu diário, como se fossem desastres naturais ou a vontade de Deus. "Não mais controlamos nosso destino, somos forçados a deixar que ele nos conduza e a aceitar os fatos decorrentes sem confiança ou esperança", ela escreveu de modo resignado em 8 de setembro de 1942.¹² A destruição de Lübeck, antiga cidade alemã de tijolos vermelhos que fazia parte da Liga Hanseática, a entristeceu, mas, ao mesmo tempo, ela registrou os bombardeios de York e Norwich, "uma imensa tristeza em relação a todas aquelas heranças culturais de origem germânica [...] Sofrimento e destruição por todos os lados".¹³

O fato de Lübeck ser um alvo fácil de atacar era incomum. Os ataques noturnos britânicos na região do Ruhr em 1940 levaram à designação de um general da Força Aérea, Josef Kammhuber, para organizar um sistema nacional de defesa antiaérea. Até o fim do ano, ele havia mandado instalar uma linha de estações de radar que se estendia de Paris até a Dinamarca, apoiada por caças Me110 dirigidos por uma sala de comando central e completada por holofotes terrestres de busca e por armamento antiaéreo. Cerca de mil bombardeiros britânicos se perderam em 1941 como resultado dessa tática. A situação começou a melhorar para os britânicos apenas em 1942, com a introdução dos Lancasters e a instalação de um novo sistema de navegação via rádio que permitia que eles permanecessem unidos em formação, subjugando as defesas alemãs. Harris começou a empregar *pathfinders* (rastreadores) à frente das esquadrilhas de bombardeiros, para localizar alvos e iluminá-los com dispositivos incendiários. A partir do começo de 1943, eles estavam equipados com radares aéreos e localizadores via rádio que os auxiliavam a voar com pouca visibilidade, embora só tenham sido aperfeiçoados no ano seguinte. Harris colocava um bombardeador como membro da tripulação em cada avião para que o navegador pudesse permanecer concentrado em achar o caminho de ida e de volta. E a partir do meio de 1943, depois de um longo atraso, devido em parte ao temor de que os alemães pudessem ter a mesma ideia, bombardeiros foram equipados com um aparelho conhecido como Chaff (originalmente chamado de Window pelos britânicos). Ele consistia em cartuchos de tiras de papel-alumínio que eram jogados dos compartimentos de bombas e confundiam os radares inimigos. Para contrabalançar tais medidas, a Força Aérea alemã desenvolveu seu próprio radar aéreo que permitia que os caças noturnos voassem em grupos, localizassem bombardeiros inimigos e os abatessem. Isso levou um grande volume de caças para o oeste, deixando menos de um terço das forças de combate para enfrentar o Exército Vermelho. Baterias antiaéreas eram fabricadas em grande escala: até agosto de 1944, havia 39 mil delas, e seu uso noturno absorvia uma força de não menos que um milhão de atiradores. As defesas alemãs conseguiram destruir um número considerável de bombardeiros inimigos; a taxa de mortalidade entre os homens do Comando de Bombardeio britânico alcançava uma média de 50%; mais de 55 mil homens foram mortos durante a guerra. No entanto, a típica preferência de Hitler pelo ataque à defesa fez que ele sistematicamente favorecesse a retaliação ordenando novos bombardeios sobre a Inglaterra e diminuindo a produção e o emprego de caças em posições defensivas. E, de qualquer modo, os caças descobriram que custava tanto alcançar uma posição a partir da qual pudessem atacar bombardeiros que voassem a cerca de 9 mil metros de altitude que, muitas vezes, eram incapazes de confrontá-los antes que aqueles tivessem lançado suas munições.[14]

Inicialmente, entretanto, não havia uma campanha sistemática de bombardeio contra a Alemanha. Com o objetivo de demonstrar que ataques maiores poderiam ser desencadeados contra alvos maiores, Harris organizou um ataque de mil bombardeiros contra Colônia em 30 de maio de 1942, destruindo cerca de 3.300 edifícios e deixando 45 mil pessoas desabrigadas; 474 pessoas morreram e 5 mil ficaram feridas, muitas delas gravemente. O ataque provou que grandes esquadrilhas de bombardeiros podiam alcançar seus alvos sem erros e vencer as defesas locais.[15] Um ataque com mil bombardeiros em Essen, no verão de 1942, porém, foi relativamente malsucedido, e não foi repetido; entre outros fatores, só havia sido possível organizá-lo incluindo aeronaves geralmente usadas para treinamento – e tripuladas pelos homens que aprendiam a pilotá-las. Naquele momento, bombardeiros britânicos se concentravam não em alvos urbanos, mas em bases de submarinos na costa atlântica da França, que eram tão fortemente protegidas por concreto armado que poucos danos sofriam. Entretanto, preservar os comboios no Atlântico parecia ser a prioridade máxima. Somente quando Churchill e Roosevelt se encontraram em Casablanca em janeiro de 1943 foi tomada a decisão de realmente iniciar a campanha de bombardeio estratégico. O segundo *front* exigido por Stálin, os dois líderes concordaram, teria de ser postergado até 1944; em seu lugar aconteceria a invasão da Itália e uma nova campanha de bombardeio, cujo objetivo, para citar o Comando Supremo em sua ordem para as forças aéreas americana e britânica em 21 de janeiro de 1943, era efetuar "a destruição progressiva e o deslocamento do sistema militar, industrial e econômico alemão, e a quebra do moral do povo alemão até o ponto em que sua capacidade de resistir por meio de armas seja fatalmente enfraquecida".[16] A nova Ofensiva de Bombardeio Conjunto começou com uma série de ataques na região do Ruhr. Em 5 de março de 1943, 362 bombardeiros atacaram Essen, onde se localizava a fábrica de armamentos Krupp; esse bombardeio foi seguido por uma série de ataques posteriores à cidade nos meses seguintes. Nesse meio-tempo, aconteceram os ataques a Duisburg, Bochum, Krefeld, Düsseldorf, Dortmund, Wuppertal, Mülheim, Gelsenkirchen e Colônia, todas elas cidades importantes no que diz respeito à indústria e à mineração. O ataque a Dortmund foi particularmente pesado. Oitocentos bombardeiros lançaram duas vezes a quantidade de munição que fora jogada sobre Colônia no ataque com mil bombardeiros no ano anterior. Morreram 650 pessoas, e a biblioteca da cidade, com cerca de 200 mil volumes e um arquivo inigualável de documentos, ardeu em chamas. Um ataque posterior a Colônia, nos dias 28-29 de junho de 1943, causou quase 5 mil mortes. No total, cerca de 15 mil pessoas foram mortas nas cidades industriais do oeste da Alemanha nessa série de ataques. Além disso, em 16 de maio de 1943, o esquadrão Dam-Buster (Destruidor de Barragens), voando em baixa altitude na direção das principais barragens nos rios Eder e Möhne, lançou suas "bombas saltitantes", que estilhaçaram as barreiras de concreto, liberando grandes quantidades de água e causando prejuízos severos na região do Ruhr, inundando grandes regiões da área rural, bem como interrompendo o fornecimento de energia elétrica para as indústrias. Pouco mais de 1.500 pessoas morreram, a maior parte delas trabalhadores estrangeiros e prisioneiros de guerra; rumores repletos de pânico espalhados entre a população alemã levaram os números para algo além de 30 mil. Para completar a devastação, velozes caças-bombardeiros Mosquito, feitos de madeira para alcançar maior velocidade, voaram para a região do Ruhr entre os ataques principais, a fim de garantir que não haveria descanso.[17] O ministro da Propaganda do Reich, Goebbels, ficou chocado com a devastação. "Nós nos encontramos em uma situação de inferioridade irremediável", ele confidenciou a seu diário depois do ataque a Dortmund, "e temos de receber os golpes dos ingleses e dos americanos com uma fúria determinada".[18]

O ministro dos Armamentos, Albert Speer, ficou seriamente alarmado. Ele visitou repetidas vezes a região do Ruhr, com o intuito de realocar as forças de trabalho para campos de onde pudessem ser enviadas para outras fábricas caso aquela em que trabalhavam fosse destruída, e ele fez o que pôde para reparar os estragos e fazer que tudo voltasse a funcionar outra vez. Selecionou 7 mil homens da Linha Siegfried para reconstruir as barragens. A Frente Alemã de Trabalho, a Organização Todt e o Partido Nazista regional criaram equipes especiais para pôr ordem na situação e fazer que mineiros e trabalhadores das fábricas de munição voltassem ao trabalho, enquanto a Beneficência Popular Nacional-Socialista se mobilizou para cuidar dos desabrigados.[19] Apesar de todos esses esforços, não havia dúvidas quanto à escala de destruição infligida pelos bombardeiros na economia de guerra. A produção de armas estava crescendo em uma média de 5,5% por mês na Alemanha desde junho de 1942; agora o crescimento havia parado completamente. A produção de aço caiu em 200 mil toneladas no segundo trimestre de 1943, e as quotas de munição tiveram de ser cortadas. Houve uma crise no suprimento de componentes para aeronaves e, de julho de 1943 até março de 1944, a produção de aeronaves ficou estagnada.[20] Um ataque perpetrado por bombardeiros americanos em Schweinfurt em 17 de agosto de 1943 causou sérios prejuízos em um grande número de fábricas produtoras de rolamentos, ocasionando uma queda de 38% em sua produção. "Estamos nos aproximando do ponto de colapso total [...] em nossa indústria de suprimentos", Speer disse ao Departamento de Aquisições da Força Aérea. "Logo ficarão em falta peças cruciais para aeronaves, tanques ou caminhões." Se os ataques contra os centros industriais alemães continuassem, ele advertiu Hitler, então a produção de armas na Alemanha pararia por completo.[21]

II

Os ataques na região do Ruhr foram seguidos por outro maciço a Hamburgo, o maior porto marítimo da Alemanha e um importante centro industrial e de construção de navios. Essa foi a primeira ocasião em que o Chaff foi usado, e ele demonstrou ser muito eficiente. Na noite de 24-25 de junho de 1943, 791 bombardeiros decolaram de 42 campos de aviação no leste da Inglaterra e se encaminharam ao nordeste na direção da foz do rio Elba. Quarenta e cinco deles tiveram de retornar devido a problemas mecânicos e jogaram suas bombas no mar. A maior parte da esquadrilha se voltou para o sudeste e voou na direção de Hamburgo vindo do norte, o que as defesas da cidade não esperavam, jogando cartuchos de tiras de papel-alumínio em intervalos de um minuto e interferindo seriamente nos radares terrestres. Houve pouca resistência, e apenas doze das aeronaves se perderam. Os pilotos relataram que os fachos de luz dos holofotes terrestres se voltavam inutilmente para todos os lados, procurando alvos. Os *pathfinders* jogaram seus sinalizadores, e a força principal começou a lançar suas bombas sobre o centro da cidade pouco antes da uma hora da madrugada. As pessoas correram para os abrigos. Muitas bombas caíram sobre bairros distantes escassamente povoados e vilas, mas o centro da cidade e os estaleiros no porto foram atingidos também, e os bombeiros e as equipes de limpeza começaram seu trabalho segundo um plano predeterminado antes mesmo que o ataque terminasse. Porém, o assalto a Hamburgo foi um novo tipo de operação, não um ataque isolado, mas parte de uma série destinada a destruir a cidade em etapas. No dia seguinte, 109 Fortalezas Voadoras americanas voaram sobre a cidade para um novo ataque. Bombardeios diurnos eram muito mais perigosos que os ataques noturnos, e nada menos que 78 dos aviões foram atingidos por fogo antiaéreo, fazendo que muitos deles soltassem suas bombas longe do alvo, embora algum prejuízo fosse causado no porto e nos bairros mais distantes. Um ataque menor na noite seguinte manteve a pressão e então, na noite de 27-28 de julho de 1943, 735 bombardeiros atacaram, vindos dessa vez do leste. Os *pathfinders* lançaram seus sinalizadores em uma área concentrada a sudeste do centro da cidade e a força principal lançou 2.326 toneladas de bombas antes de voltar para casa. Dezessete aviões e suas tripulações foram perdidos, mas a maioria escapou porque, depois de passado um terço do ataque, a artilharia antiaérea terrestre havia sido instruída a limitar seu poder de fogo a 5.500 metros de altitude para permitir que os caças noturnos atacassem a esquadrilha inimiga: todos os bombardeiros, com exceção dos Stirling, que já haviam cumprido sua tarefa, podiam voar acima dessa altitude, e havia poucos caças noturnos alemães para causar um impacto muito grande.[22]

O tempo estava excepcionalmente quente e seco naquela noite, e os bombeiros estavam concentrados sobretudo na região oeste da cidade, ainda enfrentando os destroços fumegantes dos ataques anteriores. Nos primeiros 23 minutos do ataque, os bombardeiros lançaram tantos dispositivos incendiários, bombas explosivas e altos explosivos em uma área tão pequena na região sudeste da cidade que os incêndios se transformaram em um só, sugando o ar da área vizinha até que todo o espaço de cerca de 1,6 quilômetros quadrados se tornou uma única labareda, com temperaturas alcançando 800 °C no centro. Com a força de um furacão, ela começou a absorver o ar de toda a redondeza, se estendendo por cerca de três quilômetros para o sudeste, enquanto os bombardeiros continuavam a lançar sua munição. A força do vento que uivava, repleto de fagulhas, criado pela tempestade de fogo, arrancou árvores pelas raízes e transformou as pessoas que estavam nas ruas em tochas humanas. A tempestade de fogo sugou o ar dos abrigos subterrâneos nos quais milhares de pessoas se encolhiam de medo, matando-as por envenenamento por monóxido de carbono, ou aprisionando-as e sufocando-as ao reduzir os edifícios na superfície a montes de detritos que cobriram as aberturas para ventilação e as saídas. Dezesseis mil prédios de apartamentos com uma frontaria de cerca de 215 quilômetros estavam em chamas às três horas da madrugada, até que a tempestade de fogo finalmente começou a diminuir. Por volta das sete horas da manhã tudo estava acabado. Muitas pessoas sobreviveram por pura sorte. Traute Koch, de quinze anos de idade, descreveu como sua mãe a embrulhou em lençóis molhados, empurrou-a para fora do abrigo antiaéreo e disse "corra!":

> Eu hesitei à porta. À minha frente, eu só podia ver fogo – tudo vermelho, como a porta de uma fornalha. Um calor intenso me atingiu. Uma viga incandescente caiu à frente dos meus pés. Eu hesitei, mas então, quando estava pronta para pular por cima dela, ela foi arrebatada por uma mão fantasmagórica. Corri para a rua. Os lençóis que me envolviam pareciam velas de um navio e eu tinha a sensação de estar sendo carregada pela tempestade. Alcancei a frente de um edifício de cinco andares, na frente do qual tínhamos combinado de nos encontrar novamente. Ele havia sido bombardeado e incendiado no ataque anterior e não havia muita coisa ali que pudesse ser atacada pelo fogo. Alguém apareceu, me pegou em seus braços e me empurrou para a entrada.[23]

Elas desceram para o porão e sobreviveram. Outros não tiveram tanta sorte. Johann Burmeister, um verdureiro, relembrou como as pessoas pulavam em um dos muitos canais de Hamburgo para apagar o fogo de suas roupas. Alguns cometeram suicídio. Uma chapeleira de 19 anos de idade descreveu como sua tia a havia arrastado ao longo das ruas repletas de fagulhas até que seu progresso foi impedido porque o asfalto havia derretido. "Havia pessoas nas estradas, algumas já mortas, outras caídas, ainda vivas, mas presas no asfalto [...] Seus pés haviam ficado presos e então elas haviam colocado as mãos no asfalto para tentar se soltar de novo. Elas estavam de quatro, gritando." Por fim, ela resolveu rolar por uma ribanceira perto de algumas árvores que queimavam. "Soltei as mãos da minha tia e fui. Acho que rolei por cima de algumas pessoas que ainda estavam vivas." No fundo da ribanceira, encontrou um cobertor e o enrolou ao redor de seu corpo. Na manhã seguinte, encontrou o corpo de sua tia; ela conseguiu identificá-lo apenas por causa do anel de safira branca e azul que ela sempre usava. Muitos corpos foram encontrados enegrecidos, encolhidos e ressecados; alguns jaziam em uma mistura de gordura humana coagulada.[24]

Esse nem era o fim da infelicidade de Hamburgo. À medida que o vento dissipava a fumaça das ruínas que ainda queimavam, o Comando de Bombardeio decidiu organizar um terceiro ataque. Na noite de 29-30 de julho, 786 bombardeiros decolaram rumo àquela cidade. Quarenta e cinco tiveram de voltar devido a problemas mecânicos, e alguns outros foram alvejados e derrubados no meio do caminho, mas a maior parte atingiu seu alvo, identificando a cidade pelo fulgor de suas chamas, que podiam ser vistas até mesmo acima da linha do horizonte. Holofotes adicionais tinham sido levados às pressas para a cidade e seus arredores, e tanto as baterias antiaéreas como os caças noturnos tiraram o máximo proveito das luzes que eles lançavam sobre os bombardeiros, assim evitando a necessidade de depender de leituras de radares ainda confusos pela grande quantidade de cartuchos de tiras de papel-alumínio que os Chaff estavam lançando. Dessa vez, as bombas foram lançadas sobre uma área muito maior; ventos fortes haviam colocado os *pathfinders* fora de curso. Como resultado, a região nordeste da cidade foi devastada, e não a área mais para oeste que fora designada como alvo. Mesmo assim, Harris não estava satisfeito; depois de um atraso causado por condições meteorológicas adversas, ele desencadeou um quarto e último ataque, ainda maior, sobre a cidade, nos dias 2-3 de agosto de 1943. Dois grupos de bombardeiros decolaram. O primeiro, com 498 aeronaves, precedido por 54 *pathfinders*, devia atacar as ricas áreas residenciais a oeste do lago central de Hamburgo, o Alster, enquanto o segundo, consistindo de 245 bombardeiros e 27 *pathfinders*, tinha por objetivo destruir a área industrial de Hamburgo, ao sul. Dessa vez, as defesas alemãs tinham aprendido a lidar com o Chaff, permitindo que os caças noturnos voassem livremente e operassem visualmente, guiados por comentários contínuos feitos em terra a respeito do posicionamento dos bombardeiros e por seus próprios radares aéreos. As condições meteorológicas pioraram e os bombardeiros voaram para dentro de uma tempestade elétrica que transformou suas hélices em gigantescas rodas de fogo, como relatou um piloto, e os jogou para todos os cantos do céu. As linhas de bombardeiros foram desfeitas, muitos lançaram suas bombas em pequenas cidades ou vilarejos, ou na área rural, e voltaram antes mesmo de alcançar Hamburgo. Alguns caíram. Caças e artilharia antiaérea inimiga causaram prejuízos. No total, 35 aeronaves não conseguiram voltar, e pouco estrago foi causado à cidade. Não obstante, somando os quatro grandes ataques, os bombardeiros aliados haviam feito mais de 2.500 voos sobre a cidade, lançando mais de 8.300 toneladas de dispositivos incendiários e altos explosivos em seu alvo. Cinquenta e nove haviam sido abatidos por caças noturnos, onze por *flak* antiaérea e outros dezessete por uma combinação de causas, incluindo estragos causados pela tempestade no último ataque. A devastação era atordoante. Os estaleiros da cidade tinham sido pulverizados, de modo que entre 20 e 25 submarinos planejados ou já em construção nunca foram terminados. Cálculos posteriores indicam que a produção da cidade retrocedeu a 80% de seus níveis anteriores em um período de cinco meses, mas estimou-se que a perda da produção de armamentos bélicos causada pelos bombardeios chegou ao equivalente a quase dois meses de produção da cidade no total. Os estragos eram abrangentes. Todas as estações de trem da cidade foram destruídas, o porto e o rio foram bloqueados por navios afundados, os rios e os canais bloqueados por detritos. Os suprimentos de gás, água e eletricidade da cidade foram cortados e não puderam ser restaurados antes do meio de agosto. No entanto, as maiores perdas foram humanas. Em parte por acidente, e em parte deliberadamente, a maior parte das bombas caíra em áreas residenciais. Além disso, a tempestade de fogo devastara os bairros de trabalhadores na região a sudeste do centro da cidade, que eram habitados por pessoas tradicionalmente opositoras aos nazistas, enquanto o rico bairro das mansões a noroeste, onde vivia a elite pró-nazista, escapara praticamente ileso, embora sua destruição tivesse sido um dos propósitos do último e malsucedido ataque. No total, 56% das habitações de Hamburgo, cerca de 256 mil, foram destruídas, e 900 mil pessoas ficaram desabrigadas. Cerca de 40 mil perderam a vida, e outras 125 mil necessitavam de tratamento médico, muitas delas em razão de queimaduras.[25]

Catorze mil bombeiros, 12 mil soldados e 8 mil especialistas técnicos trabalharam noite e dia para aplacar os incêndios e reparar os piores estragos, trazendo suprimentos de emergência, tais como alimentos e comida. As pessoas começaram a fugir da cidade já logo depois do primeiro ataque. Havia, como observou Mathilde Wolff-Mönckeberg em uma carta não enviada para seus filhos que estavam no exterior, "pânico e caos [...] Não havia bondes, nem metrô, nem linhas de trem para os bairros mais afastados. Muitas pessoas colocaram algumas posses pessoais em carroças, bicicletas, carrinhos de bebê, ou carregavam coisas em suas costas, e saíam andando a pé, simplesmente para ir embora, para escapar".[26] Oitocentos e quarenta mil dos desabrigados saíram andando do centro da cidade e foram guiados pela polícia até as estações de trem que ainda estavam intactas ou aos cais fluviais em seus arredores. O líder regional do Partido Nazista, Karl Kaufmann, providenciou para que eles fossem evacuados para áreas rurais ao norte e ao leste. Sabe-se que 625 trens transportaram mais de 750 mil pessoas para novas residências, a maior parte delas temporárias. Apesar do apelo de Kaufmann para que os funcionários públicos permanecessem em seus postos, muitos deles também fugiram. Três semanas depois dos ataques, novecentos dos 2.500 funcionários do serviço municipal de distribuição de alimentos ainda não estavam em seus postos, estavam ausentes ou mortos. Muitos chefes locais do Partido Nazista agiram por iniciativa própria e, na sede do Partido na cidade, tomaram sob controle os trens destinados às pessoas evacuadas, e não poucos deles pegaram carros e caminhões para tirar da cidade sua própria família e o que conseguissem transportar de seus pertences pessoais. O aparato do Partido parecia ter entrado em colapso. No abrangente Estado paternalista do Terceiro Reich, as pessoas tinham passado a esperar assistência em uma crise como se fosse algo natural, e sua falência colossal na catástrofe suscitou muitos comentários hostis. A ira popular não era dirigida contra os britânicos por seus "ataques de terror", embora a propaganda de Goebbels desse o máximo de si para suscitar esse sentimento de vingança, e sim contra Göring e a Força Aérea alemã, que falharam clamorosamente na defesa da pátria, e também contra o Partido Nazista, que trouxera toda essa destruição para a Alemanha. "As pessoas que estavam usando as insígnias do Partido Nazista", observou Mathilde Wolff-Mönckeberg, "as haviam arrancado de seu casaco, e ouviam-se gritos de 'Vamos pegar aquele assassino'. A polícia não fez nada".[27]

Os ataques chocaram tanto Luise Solmitz que ela não encontrou palavras para descrevê-los. Quando ela e seu marido se aventuraram pelas ruas da cidade no começo de agosto de 1943, viram "nada além de detritos, detritos em nosso caminho". Em um misto de horror e de fascinação, ela observou a lentidão com que os edifícios superaquecidos esfriavam:

> O depósito de carvão na esquina de Rebienhaus finalmente, finalmente terminou de queimar. Um drama fantástico. As lojas [no alto do *bunker*], destruídas, brilhavam avermelhadas e rosa-avermelhadas. Eu desci pela escada do porão, foi uma atitude irresponsável; o enorme edifício assomava fora de prumo por cima de mim, tudo destruído, e lá embaixo eu podia ver o inferno solitário, flamejante, repleto de chamas enraivecidas com vida própria. Depois apenas os poços dos elevadores do *bunker* estavam ardendo, as lojas eram cavernas negras e mortas. No final, as chamas queimavam azuladas. Durante o dia, o ar estava vibrando com o calor.[28]

Ao visitar Hamburgo alguns dias antes, em 28 de julho de 1943, o soldado Gerhard M., antigo membro das tropas de assalto nazistas, como sempre viajando com sua bicicleta, encontrou a cidade deserta. "Onde estão todas as pessoas agora?", ele se perguntou. Na área de Hammerbrookstrasse, perto do porto, onde moravam os trabalhadores, ele deparou

> com um silêncio mortal. Aqui não há pessoas procurando seus pertences, porque aqui as pessoas também jazem sob os escombros. Aqui a rua não é mais transitável. Tenho de carregar minha bicicleta nos ombros e escalar os escombros. As casas foram destruídas. Onde quer que eu olhe: um campo de ruínas, tão imóvel quanto a morte. Ninguém escapou daqui. Aqui, os dispositivos incendiários, as minas aéreas (minas navais presas a paraquedas) e as bombas-relógios caíram ao mesmo tempo. Ainda dá para ver pessoas mortas caídas nas ruas. Quantas delas ainda estão sob os escombros no que costumava ser a superfície da rua?[29]

Quando, ele se perguntou, tudo isso seria reconstruído e as pessoas viveriam ali outra vez? Como membro das tropas de assalto de longa data, ele conhecia apenas uma resposta: "Quando tivermos vencido a guerra. Quando pudermos uma vez mais trabalhar na Alemanha sem que nos perturbem.

Quando for colocado um ponto-final na inveja dos estrangeiros".³⁰ Ele encontrou consolo no fato de que Hamburgo tinha se recuperado da devastação anterior, do Grande Incêndio de 1842, exatamente um século antes. E – se esquecendo talvez dos prejuízos e das mortes causados pelas *Blitzen* – ele pensou que Londres, onde as pessoas celebravam "ignorando a força da Alemanha" e vivendo uma vida "irresponsável", iria, um dia, passar pela mesma situação: "um dia, a arrogante Londres vai sentir os efeitos da guerra, e vai sentir muito mais, de uma maneira muito mais intensa do que aconteceu aqui em Hamburgo".³¹ No entanto, esse tipo de reação era incomum. Nos abrigos antiaéreos, tentativas de acirrar os ânimos contra os britânicos eram frequentemente recebidas com repulsa. "Quase três horas no *bunker*", Luise Solmitz relatou em uma ocasião posterior. "A sentinela do *bunker*, Söldner: 'Os londrinos têm de permanecer em seus *bunkers* por 120 horas. Espero que eles nunca saiam de lá – eles não merecem sair!' – 'Eles têm de fazer o que o governo deles manda. Que outra atitude eles podem tomar?', disse uma voz de mulher".³² "Apesar de tudo que temos sofrido nos ataques", ela escreveu posteriormente, "não há em Hamburgo muito ódio pelo 'inimigo'".³³

O que as pessoas sentiam era desespero. "Perdemos a coragem e sentimos dentro de nós apenas um tipo estranho de apatia passiva", escreveu Mathilde Wolff-Mönckeberg. "Praticamente todos sabem que aquele monte de ameaças e de bobagens impressas nos jornais e proclamadas no rádio não faz o menor sentido."³⁴ O Serviço de Segurança da SS relatou que "grande parte da população *está dando as costas à propaganda* da forma como ela é feita agora".³⁵ Muitas pessoas acabaram voltando para Hamburgo, de modo que a população da cidade passou de 600 mil a 1 milhão até o fim do ano, mas um número grande de refugiados permaneceu em outras partes do Reich, intensificando o que o Serviço de Segurança do Reich chamava de "efeito do choque e grande consternação" na "população de todo o território do Reich". "As histórias que os companheiros evacuados têm espalhado a respeito dos estragos em Hamburgo intensificaram ainda mais o medo já existente."³⁶ A ansiedade foi exacerbada ainda mais devido ao estratagema dos aliados de jogar folhetos sobre cidades alemãs, alertando as pessoas de que elas seriam destruídas também: às vezes eles continham versos ameaçadores, tais como "Hagen [uma cidade pequena na região do Ruhr], você está se escondendo em um buraco, mas nós ainda vamos encontrar vocês todos". Em 1943, aviões aliados jogaram grande quantidade de cartões de racionamento de alimentos falsificados, o que realmente causou confusão entre os cidadãos comuns e deu trabalho extra para as autoridades locais. A destruição provocada pelos ataques a Hamburgo de julho e agosto de 1943 causou um grande golpe no moral dos civis, já enfraquecido como estava pela catastrófica derrota do Exército alemão em Stalingrado. Depois de agosto de 1943, as pessoas seguiam com sua vida menos pelo entusiasmo pela guerra do que por medo do que poderia acontecer caso a Alemanha fosse derrotada, um medo cada vez mais atiçado pela propaganda produzida continuamente pelo sistema de comunicação coordenado por Goebbels.[37]

Ao mesmo tempo, a exortação do Ministério da Propaganda para que os cidadãos comuns da Alemanha redobrassem seus esforços na campanha pela "guerra total" era abalada pela óbvia falta de preparo do regime. "Eles estão mentindo na maior caradura", reclamou um oficial subalterno do Exército depois de a casa de sua família ter sido bombardeada em Hamburgo. "Os acontecimentos em Hamburgo demonstraram que a 'guerra total' pode ter sido proclamada, mas não fora preparada."[38] Em 17 de junho de 1943, depois dos ataques a Wuppertal e Düsseldorf, as pessoas, como foi relatado pelo Serviço de Segurança da SS, estavam "completamente exaustas e apáticas". Mas algumas (segundo o palpite cauteloso da SS) culpavam o regime. Em Bremen, dois integrantes das tropas de assalto haviam deparado com uma mulher chorando na frente do porão de sua casa destruída por uma bomba, na qual jazia o corpo de seu filho, de sua nora e de sua neta de dois anos de idade. Quando eles tentaram consolá-la, ela gritou: "Os cadetes marrons são os culpados pela guerra. Eles teriam feito muito melhor se tivessem ido ao *front* e garantido que os ingleses não viessem para cá".[39] Era digno de nota, continuava o relato, o fato de as pessoas em cidades bombardeadas estarem usando o antiquado "Bom dia!" em vez do "*Heil*, Hitler!" quando se encontravam. Um membro do Partido com pendor para a estatística relatou que, no dia seguinte ao ataque em Barmen, ele havia cumprimentado 51 pessoas com as palavras "*Heil*, Hitler" e recebera a mesma saudação como resposta só de duas delas. "Qualquer pessoa que traga cinco novos membros para o Partido", dizia uma piada relatada pelo Serviço de Segurança da SS em agosto de 1943, "tem permissão para passar a ser membro dele. E qualquer um que traga dez novos membros até recebe um certificado dizendo que nunca fez parte dele".⁴⁰ Outra piada popular contada em muitas regiões do Reich era:

> Um homem de Berlim e um homem de Essen estão discutindo a extensão dos estragos provocados pelos bombardeios em suas respectivas cidades. O homem de Berlim explica que o bombardeio de Berlim foi tão pavoroso que as vidraças ainda estavam caindo das casas cinco horas depois do ataque. O homem de Essen responde que isso não é nada; em Essen, até mesmo uns quinze dias depois do ataque as fotos do Líder estavam voando pelas janelas.⁴¹

Em Düsseldorf alguém havia pendurado uma foto de Hitler em uma forca caseira.⁴² A desilusão em relação a Hitler era particularmente grande em cidades como essa, onde os social-democratas e os movimentos trabalhistas comunistas haviam se entrincheirado antes de 1933. Mas ele se disseminara em praticamente todas as cidades, grandes e pequenas, incluindo Hamburgo e Berlim. O descontentamento aflorou lá com facilidade porque a crença no sistema nazista nunca atingira profundamente as massas.

III

A evacuação em massa dos habitantes de Hamburgo era análoga à de outras cidades do Reich. Cada grande ataque ocasionava um êxodo, mas em cada caso havia também um plano para a evacuação. Este tinha como foco inicial os mais jovens, as pessoas que, em outras palavras, não tinham utilidade direta para a economia de guerra. Um elaborado programa de "Evacuação das Crianças para as Áreas Rurais" (*Kinderlandverschickung*) foi desenvolvido. De acordo com ele, crianças moradoras das cidades e maiores de dez anos de idade eram mandadas para campos no sul da Alemanha, na Saxônia, na Prússia Oriental e, em certos casos, até mesmo na Polônia, na Dinamarca, no Protetorado da Boêmia e Morávia e nos países bálticos. Até o fim de 1940, cerca de 300 mil já tinham sido mandadas para um total de quase 2 mil campos, a maioria por poucas semanas; crianças com menos de dez anos eram alojadas com famílias locais. Em 1943, elas permaneciam por períodos maiores de tempo, às vezes por meses seguidos, e havia mais de um milhão de crianças em cerca de 5 mil campos ao mesmo tempo.[43] O esquema tinha como um de seus objetivos – e não o menor deles – permitir que a Juventude Hitlerista, que o coordenava com a Beneficência Popular Nacional-Socialista, removesse crianças da influência de sua família e especialmente da Igreja, e lhes oferecesse uma rigorosa educação nazista. Padres e pastores foram banidos dos campos, e os bispos começaram a reclamar da falta de educação religiosa neles.[44] Nesse sentido, o esquema pareceu tão bem-sucedido ao líder da Juventude Hitlerista, Baldur von Schirach, e à sua equipe, que planos foram elaborados para aumentá-lo depois que a guerra tivesse sido vencida.[45] Entretanto, o esquema deparou com considerável hostilidade dos habitantes das áreas rurais, especialmente daqueles que tinham de alojar as crianças e os adolescentes insolentes e indisciplinados vindos dos bairros das classes trabalhadoras das grandes cidades alemãs, e muitos se recusaram a aceitá-los mesmo quando lhes foram oferecidos incentivos financeiros. O fechamento de escolas destruídas por bombardeios nas cidades e a evacuação de alunos e de professores para as áreas rurais tiveram um alcance relativamente limitado. Até mesmo no fim de 1943, somente 32 mil estudantes haviam sido evacuados de Berlim dessa forma, do total de uma população de 249 mil estudantes; 85 mil permaneceram na cidade, enquanto 132 mil foram mandados por seus pais para ficar com parentes em outras localidades da Alemanha. Portanto, até esse momento, agir por conta própria ainda era mais importante do que a orientação do Estado ou do Partido na remoção de crianças das áreas bombardeadas de cidades alemãs.[46]

Durante o ano de 1944, e no começo de 1945, os ataques aéreos se intensificaram e deixaram um número ainda maior de desabrigados; o número de pessoas evacuadas e de refugiados aumentou até atingir mais de 8 milhões, incluindo não apenas crianças, mas mães, bebês e idosos.[47] Em 18 de novembro de 1943, o Serviço de Segurança da SS fez um resumo atualizado dos fatos. Se, por um lado, as mulheres e crianças que haviam sido evacuadas estavam razoavelmente satisfeitas com sua sorte, ele observou que uma minoria delas não estava, em particular aquelas que foram obrigadas a deixar os homens da família para trás. Queixas semelhantes poderiam ser ouvidas dos homens, especialmente das classes trabalhadoras, cuja família tinha sido evacuada para as áreas rurais: eles se sentiam abandonados e negligenciados, sozinhos e destituídos. Relatou-se que um mineiro na região do Ruhr disse para seus companheiros de trabalho depois de sua escala ter terminado: "'Eu me sinto na maior agonia pensando na noite que me espera. Enquanto estou trabalhando na fábrica, não fico pensando nisso, mas, quando volto para casa, o medo toma conta de mim. Sinto falta da minha esposa e da risada dos meus filhos'. E", o relatório continuava, "o homem chorou enquanto dizia isso, abertamente e sem sentir vergonha".[48] Problemas específicos eram causados pelas tensões surgidas entre famílias das classes trabalhadoras evacuadas para áreas católicas e os piedosos habitantes com os quais elas haviam sido alojadas. "Podemos agradecer a vocês de Hamburgo por isso", consta que alguns habitantes da Bavária teriam dito às pessoas evacuadas do norte, depois de Munique e de Nuremberg também terem sido bombardeadas. "Isso aconteceu porque vocês não vão à Igreja!"[49] A essas tensões, foi acrescentado o fato de que, como o relatório observou, "a maior parte das crianças e das mulheres evacuadas foi acomodada em vilarejos e comunidades rurais nas circunstâncias mais primitivas". Elas frequentemente tinham de caminhar quilômetros para obter suprimentos, "no vento e nas intempéries, com gelo ou com neve", deixando suas crianças sozinhas e, desse modo, causando uma ansiedade ainda maior. Muitas vezes, parecia que as autoridades locais e do Partido nas áreas rurais não ofereciam ajuda. Um descontentamento generalizado foi causado pelo fato óbvio de que as casas de classe média e alta ficavam com cômodos desocupados, enquanto camponeses e trabalhadores tinham de ceder espaço para os refugiados em suas apertadas cabanas. A evacuação causou ainda maiores preocupações quanto ao destino das propriedades avariadas que as pessoas tinham deixado para trás na cidade.[50]

Problemas desse tipo fizeram que muitas mulheres levassem seus filhos de volta para sua cidade natal, uma atitude que as autoridades tentavam desencorajar ordenando que seus cartões de racionamento não fossem aceitos lá. Como resultado, trezentas mulheres organizaram uma manifestação aberta e pública na cidade industrial de Witten, perto de Dortmund, em 11 de outubro de 1943, e a polícia teve de ser chamada para restaurar a ordem. Ao chegar ao local, contudo, a polícia se recusou a fazer alguma coisa, pois foi persuadida de que as mulheres tinham o direito de protestar. Cenas semelhantes, porém menos intensas, aconteceram em outras regiões do Ruhr. "Abuso por parte de funcionários públicos e de líderes", o relato observou em tom chocado, "constava da agenda".[51] Notaram que uma mulher disse, em uma óbvia alusão ao destino dos judeus alemães: "Por que vocês não nos mandam para a Rússia, passam a metralhadora em nós, e acabam conosco?".[52] As pessoas queriam que sua casa fosse consertada o mais rapidamente possível, ou que novas casas fossem construídas.[53] Mas isso era praticamente impossível, dada a extensão do estrago. Alguns funcionários, como o líder regional de Hamburgo, Karl Kaufmann, incitaram a deportação de judeus para deixar mais habitações disponíveis para as pessoas que haviam perdido sua casa no bombardeio, mas a minoria judia na Alemanha era tão pequena – ela nunca fora mais do que 1% da população mesmo em seu ponto mais alto – que, embora essa oportunidade fosse mesmo aproveitada, entre outros por Albert Speer em sua busca por acomodações para seus trabalhadores, ela não foi de modo nenhum suficiente para trazer alívio para o problema. As autoridades locais fizeram planos para construir acomodações de emergência, incluindo alojamentos de construção rápida, de dois andares, mas eles não foram postos em prática por causa da priorização oficial da construção industrial bélica. Em 9 de setembro de 1943, Hitler assinou um decreto estabelecendo um Auxílio Alemão para Moradia sob a chefia de Robert Ley, e o regime proporcionou ajuda para a construção de barracas pré-fabricadas, algumas das quais foram feitas por prisioneiros judeus dos campos de concentração. Mas também estas causaram um impacto pequeno. Em março de 1944, uma estimativa oficial calculava o número de pessoas desabrigadas em 1,9 milhão, precisando de um total de 657 mil novas habitações. Até o fim de julho de 1944, apenas 53 mil tinham sido construídas. Alguns patrões ofereciam novas acomodações simples a seus trabalhadores alemães, mas até isso acontecia em escala muito limitada. Ao visitar Bochum em dezembro de 1944, Goebbels notou que umas 100 mil pessoas ainda moravam na cidade, mas se corrigiu: "é demais dizer 'morar'; elas estão acampando em porões e em buracos no chão".[54]

O próprio Goebbels tinha desempenhado um papel importante ao se ocupar dos ataques aéreos desde que fora nomeado por Hitler presidente do Comitê Interministerial das Avarias Causadas pelas Bombas em janeiro de 1943. Isso lhe deu poder abrangente para mandar ajuda de emergência a cidades atingidas, incluindo, por exemplo, até mesmo o confisco de acampamentos do Exército para oferecer acomodação temporária para as pessoas que tinham perdido sua casa. Quando um ataque aéreo a Kassel, em 22 de outubro de 1943, criou uma imensa tempestade de fogo que deixou inabitáveis 63% das casas e dos apartamentos da cidade, Goebbels enviou uma equipe que relatou quase imediatamente que o chefe local do Partido, Karl Weinrich, era completamente incapaz de lidar com a situação. A pedido de Goebbels, Weinrich foi logo em seguida afastado sob a alegação de problemas de saúde. A experiência levou Goebbels a persuadir Hitler a estabelecer uma Superintendência do Reich para Medidas para Guerras Aéreas Civis em 10 de dezembro de 1943, tendo ele próprio na chefia. Tudo isso lhe permitiu criticar membros do Partido dos quais não gostava e usar sua influência para dominá-los ou até mesmo substituí-los. Mas, naturalmente, ele nunca conseguiu obter controle total nessa área; em determinados aspectos, na verdade, isso apenas o indispôs com outras figuras poderosas, como Göring, que controlava a defesa civil, e Himmler, encarregado dos serviços de polícia e de combate ao fogo. Bombas que não explodiam, das quais existiam muitas, estavam sob a responsabilidade do Ministério da Justiça do Reich, que, seguindo uma ordem dada por Hitler em outubro de 1940, mandava prisioneiros das instituições penais estaduais para desarmá-las. Até julho de 1942, como o ministério informou Hitler, eles já haviam desarmado mais de 3 mil bombas; esse número aumentou drasticamente à medida que os ataques se intensificaram nos meses seguintes. A taxa de mortalidade entre os prisioneiros empregados nesse serviço era de cerca de 50%. Para os sobreviventes, a promessa de remissão de sua sentença, que persuadira muitos deles a concordar a fazer esse serviço, nunca se materializou. Muitas outras medidas de emergência que se seguiram aos ataques aéreos ficavam nas mãos da Beneficência Popular Nacional-Socialista, que transportava cozinhas de acampamento para oferecer comida à população, às vezes com o auxílio do Exército. A guerra transformou a organização em uma operação de resgate, lidando com as consequências da guerra total, abrigando pessoas evacuadas, tomando conta dos idosos, encontrando lares para os órfãos, criando um serviço para localização de crianças desaparecidas, e muito mais. Em 1944, cerca de um milhão de voluntários estavam trabalhando nessas atividades e para a Cruz Vermelha Alemã, que mantinha estreita ligação com a organização. Ela havia eliminado com sucesso a competição dos grupos de assistência da Igreja.[55] Mas ainda tinha como rival a organização das mulheres nazistas, que também fez sua parte no cuidado de famílias com crianças atingidas pelos bombardeios.[56] Os líderes regionais do Partido Nazista tinham poder para aumentar o fornecimento de rações e distribuir suprimentos extras de comida, bem como para emitir cartões de racionamento substitutos para quem perdera o seu em um ataque. Os suprimentos eram com frequência insuficientes, e a demanda por utensílios para cozinha e outros produtos para uso doméstico deparou com a escassez de material e com a maior prioridade dada à produção de guerra. A compensação financeira paga pelo governo (segundo decretos emitidos em novembro de 1940) às pessoas vítimas de bombardeios, para que elas pudessem alugar novas acomodações e substituir itens essenciais de uso doméstico, teve um alcance estritamente limitado.[57]

E nem foi fácil aumentar o número de abrigos antiaéreos para os níveis desejados. Apesar das frequentes inspeções feitas por membros mais antigos do Partido, como Karl Kaufmann, líder regional de Hamburgo (que criticou severamente a falta de *bunkers* em uma viagem de inspeção a Dresden em janeiro de 1945), pouco foi feito para melhorar a situação de modo concreto. Hitler havia originalmente planejado a construção de até 2 mil *bunkers* à prova de bombas até o fim de setembro de 1940, e até o fim de agosto de 1943 pouco mais de 1.700 tinham sido terminados. No ponto mais alto do programa de construção em Berlim, na metade de 1941, mais de 22 mil trabalhadores haviam sido contratados para a construção de *bunkers* na capital, muitos dos quais eram estrangeiros em regime de trabalho forçado. Mas, é claro, mesmo 2 mil era um número ridiculamente irrisório para a proteção da grande população urbana alemã. O concreto era necessário para as bases de submarinos; a mão de obra, para a indústria de armamento e para a Linha Siegfried; o transporte, para material ligado à produção de armamentos; o dinheiro, para construir aviões e tanques. Consequentemente, os *bunkers* que foram terminados, particularmente as estruturas de concreto reforçado com grossas paredes, construídas acima da superfície, ficavam terrivelmente lotados quando havia um ataque – por exemplo, 5 mil pessoas se amontoavam em um *bunker* em Hamburgo--Harburg no começo de 1945, o qual fora construído para acomodar 1.200 pessoas. Nas cidades, tanto as grandes como as pequenas, a proteção contra ataques aéreos estava disponível apenas para uma parcela da população – 1.200 pessoas, de uma população total de 38.400 em Lüdenscheid, por exemplo; ou 4 mil de uma população total de 25.100 em Soest. As pessoas começaram a reclamar já em 1943 que o regime nada fizera para construir os abrigos quando dinheiro, mão de obra e materiais estavam à disposição, no começo da guerra. Logo se tornaram comuns os rumores de que os chefes do Partido haviam mandado construir seus *bunkers* particulares, como o líder regional da Saxônia, Martin Mutschmann, que, usando os primeiros trabalhadores da SS, fizera, embaixo de sua mansão particular em Dresden, o único abrigo antiaéreo à prova de bombas de toda a cidade. O mais espetacular deles era, é claro, o complexo de *bunkers* do próprio Hitler, sob a Chancelaria do Reich em Berlim. Um abrigo antiaéreo existira ali desde 1936, mas, no começo de 1943, um vasto programa de ampliação foi executado. Consistindo de dois andares localizados a cerca de 12 metros abaixo da superfície, e protegido por um teto de concreto reforçado de cerca de 3,6 metros de espessura, ele tinha seu próprio gerador a diesel para fornecer aquecimento e iluminação, bombear água para dentro e eliminar detritos. Sua construção, realizada pela firma Hochtief de Essen, juntamente com a do *bunker* central nos quartéis-generais de Hitler e o complexo de quartéis--generais subterrâneos em Ohrdruf, na Turíngia, haviam consumido mais concreto e maior quantidade de mão de obra (28 mil homens no total) do que todo o programa público da defesa civil de construção de *bunkers* para toda a Alemanha nos anos de 1943 e 1944 juntos.[58]

A vida das pessoas nas cidades alemãs, grandes ou pequenas, durante a segunda metade da guerra era passada cada vez mais tempo, ou até a maior parte do tempo, em abrigos antiaéreos, em *bunkers* e em porões, como sugerem os comentários feitos por Goebbels em Bochum. Avisos de ataques aéreos faziam que as pessoas corressem apressadamente para eles com uma frequência cada vez maior, dia e noite. Em Münster, por exemplo, as sirenes soaram 209 vezes em 1943 e 329 em 1944; nesse último ano, nada menos que 231 desses alarmes soaram durante o dia. E, nos três primeiros meses de 1945, os avisos de ataques aéreos da cidade soaram 293 vezes, mais que em todo o ano de 1943. Outras cidades passaram por experiências parecidas. A falta de continuidade da vida cotidiana das pessoas, de seu sono, da economia, era enorme, e nos últimos meses da guerra ela se tornou insuportável em muitas localidades. As pessoas tentavam diminuir a tensão com piadas: "'A quem devemos agradecer pelos caças noturnos?' 'Hermann Göring'. 'E por toda a Força Aérea?' 'Hermann Göring'. 'E sob as ordens de quem Hermann Göring fez tudo isso?' 'Sob as ordens do Líder!' 'E onde nós todos estaríamos se não fosse por Hermann Göring e pelo Líder?' 'Em nossa cama!'".[59] À medida que os exércitos inimigos avançavam pela Europa ocupada em 1944-45, as estações de radar avançadas alemãs ficaram silenciosas, e o intervalo entre os bombardeios tornou-se ainda menor. As pessoas começaram a entrar em pânico, correndo para os abrigos descontroladamente; com frequência cada vez maior, havia ferimentos e mesmo mortes na multidão. Em janeiro de 1944, de fato, trinta pessoas foram pisoteadas até a morte na luta para entrar em um *bunker* na Hermannplatz em Berlim; no mês de novembro seguinte, 35 pessoas morreram em circunstâncias similares na cidade de Wanne-Eickel.[60]

As pessoas que permaneciam em casa colocavam sacos de areia e baldes d'água a postos para tentar apagar os incêndios causados pelas bombas. Elas tinham plena consciência de que não havia proteção contra um ataque direto. Eram abertos buracos nas paredes do porão para permitir a fuga para uma casa nas redondezas caso a bomba caísse em sua própria casa. Uma pessoa que mantinha um diário descreveu assim uma noite em seu abrigo antiaéreo no porão, durante um ataque:

> Para começar, uma série de dispositivos incendiários caiu na nossa vizinhança. Então houve uma detonação depois da outra, explosões muito, muito fortes. Como não temos um porão muito fundo, nos agachávamos no chão, em tapetes, perto do buraco que havíamos aberto [com o propósito de escapar para a casa mais próxima, como era exigido nos regulamentos]. Todos tinham panos molhados enrolados ao redor da cabeça, uma máscara de gás no braço, fósforos nos bolsos e uma toalha molhada que colocávamos sobre nosso rosto ao ouvir o comando

"atenção!" que marcava a aproximação audível de bombas pesadas, pressionando-a com nossos dedos polegares e mindinhos sobre nossa boca e narinas, para que nossos olhos, também fechados, e nossa boca, fossem protegidos contra a pressão do ar e o pó causado pela destruição. Embora bombas explosivas ou minas muito potentes não caíssem em nossa rua, ainda assim as paredes balançavam de modo horrível. As luzes se apagaram, e nós acendemos nossas lanternas. Houve um barulho de vidro quebrado e de telhas e dos caixilhos das janelas caindo etc. Não esperávamos encontrar nada além de escombros na casa. Havia um cheiro penetrante de fogo.[61]

Nos abrigos públicos, a entrada e o comportamento eram cuidadosamente regulamentados e controlados por sentinelas de ataques aéreos, mas na última fase da guerra as regras eram cada vez mais ignoradas. Os abrigos deveriam ser destinados a pessoas que não tinham proteção em casa, e não era permitida a entrada de judeus e de ciganos neles. Em 1944, Goebbels ordenou que deveria ser dada prioridade aos trabalhadores das indústrias vitais para a guerra. As pessoas que fossem entrar em um abrigo público tinham de mostrar um cartão de admissão. No segundo semestre de 1943, poucos prestavam atenção a tais regras. As pessoas lotavam indiscriminadamente os *bunkers*, onde o sistema de ventilação projetado para poucas pessoas logo mostrava ser inadequado, o ar fétido fazia que elas transpirassem; sarna e outras doenças e infestações relacionadas à sujeira se alastraram, e as pessoas começaram a perder toda a noção de ordem, como observou um funcionário do sistema de saúde em Hamm em janeiro de 1945: "Eles estão roubando as posses de outras pessoas, não respeitam as mulheres e as crianças, qualquer noção de ordem ou de limpeza desaparece. As pessoas que, em outras circunstâncias, eram bem arrumadas não se preocupam em se lavar ou em pentear o cabelo o dia inteiro [...] Nos *bunkers*, eles não usam mais os banheiros, mas fazem suas necessidades no escuro, nos cantos da construção".[62]

Enquanto isso, na superfície, a polícia lutava para restaurar a ordem depois dos grandes bombardeios. Ruínas perigosas eram lacradas, as ruas eram limpas, os corpos, recolhidos, se possível identificados e enterrados, às vezes apenas embrulhados em papel, em covas coletivas: embora Hitler tivesse proibido essa prática, não era possível, em muitos casos, fazer algo mais, já que o número de corpos excedia em muito a capacidade dos cemitérios de recebê-los, e as objeções religiosas ao longo dos anos quanto à cremação significavam que não havia instalações para incinerá-los. As pessoas deixavam mensagens escritas nas paredes de sua casa em ruínas para seus parentes desaparecidos, na esperança de que eles ainda pudessem estar vivos. Objetos pessoais jaziam por todos os lugares em meio aos destroços: mobília, camas, panelas, roupas, potes de vidro e latas de comida, e tudo que se pudesse imaginar além disso. Destacamentos especiais saíam recolhendo-os e levando-os para depósitos para que ficassem guardados até que seus donos, caso ainda estivessem vivos, os reclamassem: somente em Colônia havia 150 desses depósitos, muitos dos quais foram destruídos em ataques aéreos.[63] Nessas condições, com pessoas desesperadas e que tinham perdido tudo perambulando pelas ruas, a tentação de pegar alguns desses objetos era avassaladora. As sanções contra pessoas flagradas fazendo isso eram severas. Um decreto emitido em 5 de setembro de 1939 contra "pragas nacionais" (*Volksschädlinge*) instituía a pena de morte para o roubo praticado durante o blecaute. Como um jornal de Hamburgo observou em 19 de agosto de 1943, não muito tempo depois dos grandes ataques aéreos contra a cidade:

> A polícia e as cortes de Justiça estão se devotando ao trabalho com muita energia, e em uma sessão contínua estão alcançando ainda maior sucesso em dar uma boa lição a todos aqueles que, de maneira muito egoísta, se aproveitaram do sofrimento de nossos camaradas praticando o roubo. Qualquer pessoa que saqueia, e, portanto, pratica a mais séria das ofensas contra a comunidade, será erradicada![64]

Um caso pequeno, insignificante, de pilhagem poderia levar a uma sentença de um a dois anos de prisão em uma penitenciária estatal, mas roubos repetidos ou em larga escala eram punidos com a pena de morte, principalmente se o criminoso pertencesse a um destacamento de limpeza.

A Corte Especial em Bremen sentenciou um homem a quinze anos de prisão em uma penitenciária no dia 4 de maio de 1943 por quinze acusações de roubo em locais bombardeados, após o anoitecer, de roupas, aparelhos de rádio, comida e outros itens, e de vendê-los a um receptador. A corte observou que ele tinha condenações prévias e declarou que era um perigoso criminoso reincidente. O promotor considerou a sentença muito suave, contudo, e apelou para que ela fosse mudada para morte por decapitação. Um dia antes de ser ouvida a decisão da apelação, o acusado cometeu suicídio.[65] Em outro caso, ouvido em 23 de janeiro de 1945, um trabalhador com dez condenações prévias foi condenado à morte por roubar objetos de corpos de pessoas mortas durante o ataque aéreo no mês de junho anterior. Seu espólio consistia em um relógio de pulso, um cachimbo, uma lata de tabaco, um pincel de barba, um molho de chaves, tesouras de cortar unhas, uma piteira e uma cigarreira. Ele foi executado em 15 de março de 1945.[66] Tais casos eram apresentados às cortes especiais com regularidade crescente. Trinta e duas das 52 sentenças de morte decretadas pelas cortes especiais em Dortmund, Essen e Bielefeld em 1941 foram por crimes contra a propriedade; um quarto de todas as sentenças de morte decretadas em toda a Alemanha foi por ataques à propriedade, a grande maioria pilhagem de locais bombardeados.[67] Mas essa era uma batalha perdida. Quanto mais a estrutura das cidades alemãs ia sendo destruída, mais a estrutura da sociedade alemã se desintegrava. Em 1943, começou a transição de "comunidade do povo" para uma "sociedade em ruínas". Ela só foi terminar em 1945, em um estado de completa dissolução.

IV

As bem-sucedidas operações de bombardeio levadas a cabo pelos aliados na primavera e no verão de 1943 foram uma clara acusação às defesas aéreas de Göring. Não apenas seu prestígio na liderança nazista, mas também sua reputação perante a população de maneira geral começou a declinar vertiginosamente. Logo todos os tipos de piada a respeito dele começaram a circular. Já que uma vez ele havia se vangloriado de que iria mudar seu nome para Meier se uma única bomba inimiga caísse na terra pátria, as pessoas começaram a chamá-lo habitualmente de "sr. Meier". Entretanto, o marechal do Reich, como Speer relatou posteriormente, apenas enfiou a cabeça em um buraco. Quando o general Adolf Galland, no comando dos caças, relatou a alarmante notícia de que os caças americanos com tanques de combustível suplementares tinham conseguido acompanhar os bombardeiros até Aachen, Göring ignorou o relatório. Ele próprio era um antigo piloto de caças e sabia que isso era impossível. Algumas aeronaves deveriam ter sido levadas para o leste pelo vento. Quando Galland insistiu, observando que alguns caças haviam sido alvejados e identificados no solo, Göring se descontrolou: "A partir de agora dou uma ordem oficial dizendo que eles não estavam lá!", exclamou ele. Galland, com um grande charuto preso entre os dentes, concordou com deliberada ironia. "Ordens são ordens, senhor", ele replicou, como notou Speer, com "um sorriso inesquecível". Os ataques eram tão sérios que deixaram o chefe de Estado da Força Aérea Alemã, Hans Jeschonnek, em uma depressão profunda. Em 18 de agosto de 1943, ele cometeu suicídio, deixando um bilhete dizendo que não desejava que Göring estivesse presente em seu funeral. Naturalmente, o marechal do Reich não poderia deixar de ir, e ele colocou uma coroa de flores em nome de Hitler. Mas o suicídio, que ocorreu dois anos depois do de Ernst Udet, foi outra indicação de que a sublime autocomplacência de Göring estava levando seus subordinados ao desespero.[68]

Em vez de continuar seus ataques na região do Ruhr em 1943, entretanto, os aliados voltaram sua atenção para Berlim. Além de ser a capital do Reich, ela era, de longe, o maior centro industrial na Alemanha. Mas também estava muito mais distante dos campos de aviação ingleses do que Hamburgo ou a região do Ruhr, e os bombardeiros tinham de fazer um percurso longo e tortuoso para chegar lá. Assim, as defesas alemãs tinham tempo de localizá-los. Berlim também estava fora do alcance dos recursos de navegação mais eficazes porque estava escondida pela curvatura da Terra. Imperturbáveis, mais de setecentos bombardeiros sobrevoaram a capital na noite do dia 22--23 de novembro de 1943, guiados por radares, lançando suas munições através de nuvens pesadas. Embora muitos não conseguissem alcançar seus alvos, o ataque destruiu uma grande quantidade de pontos de referência familiares, incluindo muitas das estações de trem e, ironicamente, também as antigas embaixadas britânica e francesa. Observando um ataque de uma torre *flak*, Albert Speer teve uma visão de camarote da "iluminação dos sinalizadores dos paraquedas, que os berlinenses chamaram de 'árvores de Natal', seguida por lampejos de explosões que foram captados pelas nuvens de fumaça, os inúmeros holofotes que sondavam o céu, a excitação quando um avião foi pego e tentou escapar do cone de luz, a breve tocha flamejante quando ele foi atingido". Ao raiar do dia, a cidade estava envolvida por uma nuvem de fumaça e de pó que se erguia a seiscentos metros.⁶⁹

Durante os meses seguintes, o Comando de Bombardeio atacou a capital outras 18 vezes. No total, os ataques mataram mais de 9 mil pessoas e deixaram 812 mil desabrigados. Mas o custo para os aliados foi imenso. Mais de 3.300 pilotos britânicos e suas tripulações foram mortos, e cerca de mil tiveram de saltar de seu avião e foram colocados em cativeiro. No ataque de 24 de março de 1944, 10% dos bombardeiros foram destruídos e muitos outros atingidos. Esse foi o último dos ataques aéreos britânicos. No começo do mês, os americanos tinham começado a organizar ataques diurnos, que tiveram continuidade durante abril e maio de 1944.⁷⁰ Nessa época, os americanos já haviam aprendido a reduzir suas perdas fazendo que caças acompanhassem os ataques de modo a lidar com as defesas aéreas alemãs. Mas o alcance limitado dos caças forçava-os a retroceder na fronteira alemã. Em 14 de outubro de 1943, uma esquadrilha de quase trezentos aviões B-17 voou sobre o Reich alemão via Aachen. Assim que os caças americanos que os escoltavam deram meia-volta, um grande grupo de caças alemães apareceu, apontando canhões e foguetes para os bombardeiros, destruindo sua formação e então acabando com eles um por um. Duzentos e vinte bombardeiros americanos alcançaram Schweinfurt e causaram um estrago ainda maior às fábricas de rolamentos, mas no total sessenta foram abatidos e outros 138 avariados. Igualmente, em um ataque a Nuremberg em 30 de março de 1944, 795 bombardeiros que voavam em uma clara noite enluarada foram identificados por seus rastros de vapor antes mesmo de alcançarem a Alemanha, e atacados por esquadrões de caças noturnos enquanto prosseguiam em sua rota rumo a seus alvos. Noventa e cinco foram destruídos, ou 11% dos que haviam decolado. Harris avisou que tais perdas não poderiam ser mantidas.⁷¹

Era óbvio que os bombardeiros precisavam ter os caças como escolta para lidar com os caças noturnos alemães. Os caças P-38 Lightning e P-47 Thunderbolt americanos já haviam sido equipados com tanques suplementares de combustível sob as asas, mas a grande diferença foi causada pelo P-51 Mustang, um avião construído com estrutura americana e um motor

Rolls-Royce Merlin britânico. Equipado com tanques de combustível suplementares, ele podia voar até uns 2.900 quilômetros, característica que permitia que escoltasse bombardeiros até Berlim e voltasse com combustível sobrando. Logo milhares dessas aeronaves estavam saindo rapidamente das linhas de produção. As primeiras voaram sobre a Alemanha em um ataque a Kiel em dezembro de 1943, e logo todos os ataques aéreos eram escoltados por esquadrões de caças que eram rápidos e fáceis de manobrar o suficiente para enfrentar seus similares alemães apesar da carga extra de combustível que carregavam. Já em novembro de 1943, as perdas de caças alemães começaram a aumentar à medida que a nova tática começou a ser empregada. Em dezembro, cerca de um quarto da força do esquadrão de caças alemão estava perdido. A produção não podia acompanhar o ritmo das perdas, que estavam alcançando um número próximo de 50% por mês na primavera de 1944; as fábricas de aviões também foram afetadas pelos bombardeios aéreos, com a produção caindo de 873 em julho de 1943 para 663 em dezembro de 1943. A remoção de caças para o oeste a fim de enfrentar os bombardeiros deixou desguarnecido o *front* oriental, onde, em abril de 1944, a Força Aérea alemã tinha apenas quinhentas aeronaves para enfrentar mais de 13 mil aviões soviéticos. O Ministério da Aviação alemão considerou que 5 mil aviões por mês teriam de ser produzidos para que tivessem uma chance de vencer esses confrontos. Porém, os bombardeiros aliados destruíram não apenas fábricas de aviões, mas também refinarias de petróleo e unidades de produção de combustível, deixando a Alemanha, em junho de 1944, dependente de combustível estocado. Nessa época, a Força Aérea alemã já havia sido efetivamente derrotada, e os céus estavam abertos para um aumento posterior da ofensiva de bombardeios estratégicos.[72]

Naturalmente, mesmo com a redução das forças defensivas alemãs para não mais do que uma ameaça marginal, esquadrões de bombardeiros ainda tinham de enfrentar baterias antiaéreas em grande número, e sobrevoar as cidades alemãs, grandes ou pequenas, continuava a ser uma tarefa perigosa e, muitas vezes, mortal. Mas as perdas foram reduzidas a números que os chefes das forças aéreas aliadas consideravam aceitáveis, e se transformaram em algo ainda melhor devido à grande expansão da produção de aviões nos Estados Unidos e na Grã-Bretanha. Em março de 1945, havia mais de

7 mil bombardeiros e caças americanos em operação, enquanto os britânicos estavam empregando mais de 1.500 bombardeiros pesados em ataques praticamente contínuos a todo o território da Alemanha. Dos 1,42 milhão de toneladas de bombas jogadas sobre a Alemanha durante a guerra, não menos de 1,18 milhão de toneladas caiu entre o fim de abril de 1944 e o começo de maio de 1945, o ano final da guerra. Mas não se tratava apenas de uma questão de quantidade. O declínio das forças defensivas alemãs permitiu que caças-bombardeiros menores viessem e atacassem seus alvos com maior precisão que os Lancasters ou as Fortalezas Voadoras jamais puderam fazer, e no segundo semestre de 1944 eles voltaram sua atenção para o sistema de transporte, atacando estradas de ferro e centros de comunicação. No fim do ano, eles tinham diminuído pela metade o número de viagens do sistema ferroviário alemão. Indústrias de armamentos sofreram com intensidade ainda maior que antes. No fim de 1945, o ministério de Speer calculou que a economia havia produzido 25% menos tanques que o planejado, 31% menos aeronaves e 42% menos caminhões, tudo isso devido à destruição causada pelos bombardeios. Mesmo que as metas de produção tivessem sido atingidas, elas não teriam de modo nenhum se igualado à assombrosa produção militar-industrial dos Estados Unidos, sem contar a produção adicional da economia de guerra na Grã-Bretanha e na União Soviética. Além do mais, a necessidade de combater os bombardeios absorvia uma quantidade cada vez maior de recursos da Alemanha, com um terço de toda a produção de artilharia sendo direcionado para a artilharia antiaérea em 1944, e 2 milhões de pessoas envolvidas em defesa antiaérea ou fazendo manutenção e limpeza depois dos ataques. A superioridade da aviação alemã foi perdida no *front* oriental, onde caças e bombardeiros não estavam mais presentes em número suficiente para derrotar o Exército Vermelho, apoio que havia desempenhado um papel primordial nos primeiros estágios da guerra. Bombardeiros aliados podiam pulverizar estradas, pontes e estradas de ferro localizadas atrás das praias da Normandia em 1944, tornando impossível para o Exército alemão trazer reforços adequados. Se a Força Aérea alemã tivesse mantido o controle dos céus, a invasão não teria ocorrido.[73]

Já argumentaram, portanto, que os bombardeios ajudaram a salvar vidas ao encurtar a guerra, e de modo específico que salvaram vidas dos aliados ao enfraquecer a resistência alemã. Não obstante, eles também causaram entre 400 mil e 500 mil mortes nas cidades alemãs, a maioria esmagadora delas de civis. Dessas pessoas, cerca de 11 mil foram mortas até o fim de 1942, cerca de 100 mil em 1943; 200 mil em 1944 e entre 50 mil e 100 mil nos últimos meses de guerra, em 1945. Cerca de 10% dos mortos eram trabalhadores estrangeiros e prisioneiros de guerra. Todos esses números são aproximados, mas não resta dúvida quanto a sua concentração nos dois últimos anos da guerra. No lado dos aliados, cerca de 80 mil aviadores foram mortos nos bombardeios aéreos, juntamente com 60 mil civis britânicos nos ataques alemães e, muito possivelmente, uma quantidade semelhante nos ataques aéreos alemães a Varsóvia, Roterdã, Belgrado, Leningrado, Stalingrado e outras cidades europeias. Cerca de 40% dos imóveis nas cidades alemãs com mais de 20 mil habitantes foram destruídos; em algumas cidades, como Hamburgo e Colônia, os números alcançaram quase 70%, e em algumas cidades pequenas, como Paderborn ou Giessen, praticamente todas as casas ficaram inabitáveis. A devastação foi enorme, e foram necessários muitos anos para reverter a situação.[74]

Os mortos alemães não eram um simples "dano colateral", para adotar a frase tornada familiar pelas guerras em anos posteriores e em outros locais. Enfraquecer o moral civil, até mesmo se vingar da Alemanha e dos alemães, inquestionavelmente figurava entre os objetivos da ofensiva de bombardeios estratégicos, embora os ataques a civis fossem normalmente vistos como crimes de guerra. Mesmo que não se possa aceitar que toda a campanha de bombardeios foi desnecessária, é pelo menos possível argumentar que ela foi prolongada além do necessário, e conduzida, em particular no último ano de guerra, de maneira excessivamente indiscriminada para ser justificável.[75] Sem dúvida, continuarão a acontecer discussões acaloradas sobre essa questão controversa. O que não se pode negar, entretanto, é que os bombardeios tiveram um efeito enorme no estado de espírito dos civis. A esperança de algumas pessoas na Grã-Bretanha de que eles inspirassem cidadãos comuns na Alemanha a se levantar contra os nazistas e fazer que a guerra acabasse logo por meio de uma revolução era irreal. A maior parte dos alemães afetados pelos bombardeios estava ocupada demais tentando sobreviver em meio às ruínas, reconstruir sua casa destroçada e sua vida interrompida, e tentando

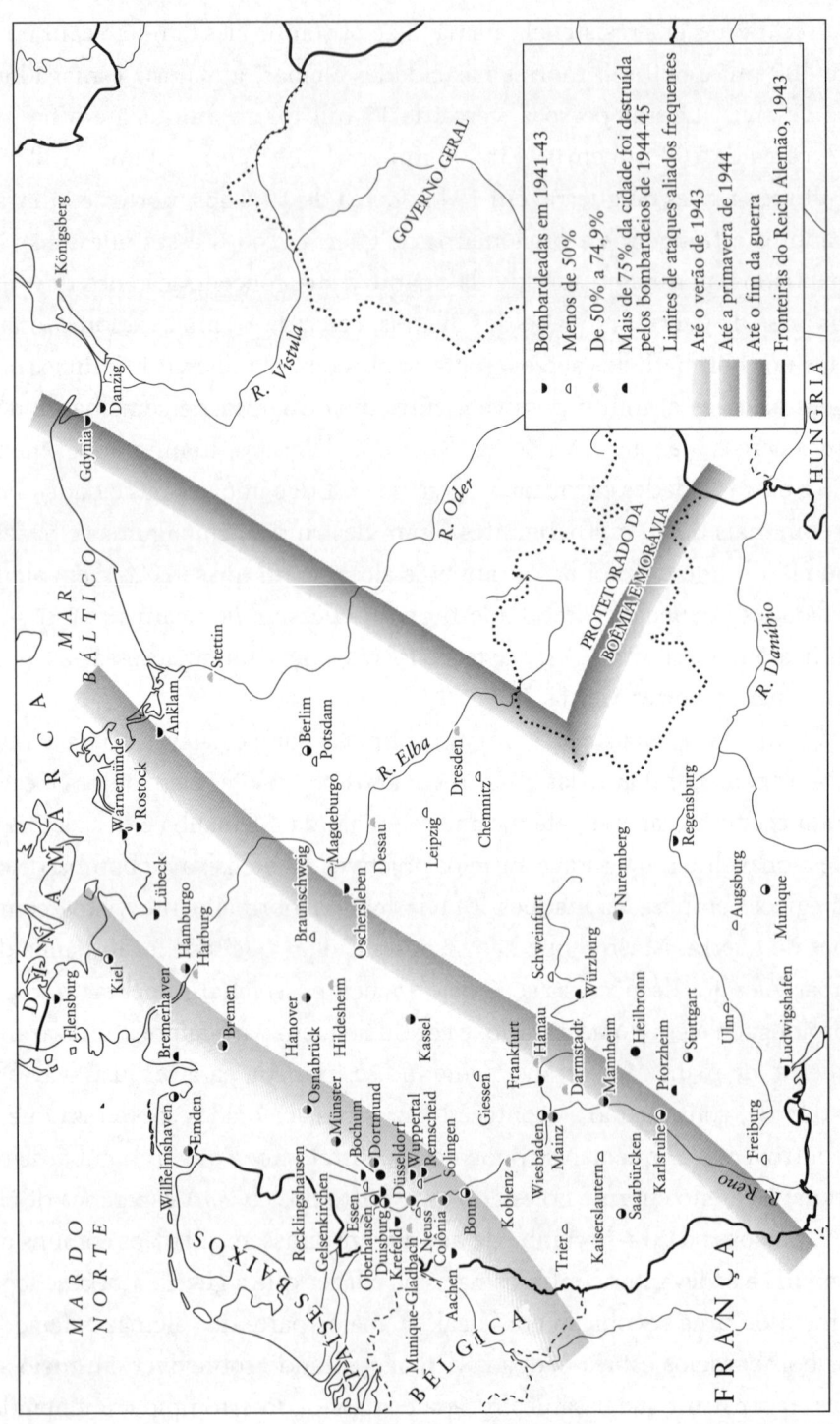

Mapa 16. Bombardeios aliados das cidades alemãs, 1941-45

encontrar um modo de não morrer para se preocupar com algo parecido com uma revolução. Depois da guerra, quando lhes perguntaram qual tinha sido a coisa mais difícil que os civis tiveram de enfrentar na Alemanha, 91% das pessoas responderam que haviam sido os bombardeios; e mais de um terço disse que eles tinham afetado o estado de espírito das pessoas, incluindo o seu próprio.[76] Eles foram mais vitais que as derrotas em Stalingrado e no norte da África para disseminar a desilusão popular em relação ao Partido Nazista. A esse respeito, um exemplo que não é atípico pode ser encontrado na correspondência do paraquedista Martin Pöppel, então servindo em uma unidade que combatia as forças aliadas depois do Dia D. Em 1944, ele recebia cartas cada vez mais desesperadas de sua esposa, que estava na Alemanha. Ela não conseguia mais compreender ou apoiar os nazistas. "O que eles fizeram com a nossa bela e magnífica Alemanha?", ela perguntou. "É o suficiente para fazer você chorar." As bombas aliadas estavam destruindo tudo. Certamente, era hora de pôr um ponto-final na guerra. "Por que as pessoas deixam que nossos soldados marchem para a morte inutilmente, por que elas permitem que o resto da Alemanha seja destruído, por que toda esta desgraça, por quê?"[77]

O Ministério da Propaganda de Goebbels fez críticas pesadas às equipes de bombardeios aliadas e seus chefes políticos. Os americanos eram gângsteres e seus aviadores, criminosos sem educação tirados das prisões. Em contrapartida, a mídia alemã alegava, os aviadores britânicos eram convocados principalmente das classes enfraquecidas da aristocracia. Ambos, entretanto, na visão divulgada pela mídia nazista, estavam a serviço de conspiradores judeus, que também estavam manipulando Churchill e Roosevelt em sua luta pela destruição total da Alemanha.[78] A propaganda surtiu efeito.[79] Houve relatos amplamente divulgados, pelo menos a partir de 1943, de pessoas que exigiam ataques de represália a Londres; mas elas não eram motivadas tanto pela raiva como pela crença de que evitariam posteriores ataques à Alemanha e até mesmo a derrota na guerra de modo geral.[80] "Repetidas vezes", relatou o Serviço de Segurança da SS, "se ouvia: 'Se nós não fizermos alguma coisa logo, nada mais vai nos ajudar', ou 'Não podemos ficar muito tempo mais olhando enquanto tudo que temos é reduzido a pedaços'".[81]

Em 1944, havia uma certa raiva da população contra os pilotos e as tripulações dos bombardeiros aliados, sob a pressão psicológica dos constantes alarmes, ataques, mortes e destruição, raiva que era encorajada pela mídia de massas de Goebbels. Ela começou a se manifestar sob a forma de violência contra os aviadores aliados que eram forçados a saltar depois de seus aviões terem sido atingidos. Em 26 de agosto de 1944, sete aviadores americanos que se haviam ejetado de seus aviões sobre Rüsselsheim foram espancados até a morte por uma multidão enraivecida, e, em 24 de março de 1945, um aviador britânico que havia pousado de paraquedas em um campo perto de Bochum foi atacado por um soldado com a culatra de seu rifle. Ele caiu e foi rodeado por uma multidão que o atacou com chutes, machucando-o seriamente. Alguém tentou atirar no aviador, mas o revólver travou, então ele foi arrastado até que um membro da multidão arrumou um martelo e o espancou até a morte. Outros três aviadores britânicos que também haviam pousado na área foram presos pela Gestapo, torturados e depois baleados. Um bombeiro local que protestou com seus colegas contra essas mortes foi denunciado, preso e baleado pela Gestapo. Não só a polícia falhava ao tentar acabar com tais incidentes, mas qualquer um que tentasse fazê-lo muito provavelmente seria preso e julgado por "contato proibido com prisioneiros de guerra". O líder regional do Partido para a Vestfália do Sul ordenou, em 25 de janeiro de 1945, que os pilotos "que tivessem sido abatidos não deveriam receber proteção contra a ira popular". No total, pelo menos 350 aviadores aliados foram linchados nos dois últimos anos da guerra, e cerca de outros 60 foram feridos sem ser mortos. Em um incidente particularmente conhecido, quando 58 aviadores britânicos escaparam em 24 de março de 1944 de um campo de prisioneiros de guerra perto de Sagan na Baixa Saxônia, todos os recapturados foram baleados pela Gestapo por ordem explícita de Heinrich Himmler. No entanto, esses incidentes devem ser encarados em perspectiva. O número total de aviadores aliados que foram linchados ou baleados pela Gestapo não chegava a 1% do total de capturados.[82] O ódio que animava tais ações era uma consequência, acima de tudo, da última fase dos bombardeios, e não estava presente, como o Serviço de Segurança da SS observou, antes de 1944. Observadores do Serviço de Segurança notaram apelos entre a população, especialmente os que haviam perdido sua casa por causa dos bombardeios, para que os britânicos fossem mortos na câmara de gás ou "aniquilados", mas acrescentaram que "as palavras cheias de ódio contra a Inglaterra são na maior parte das vezes um modo de expressar o desespero e a crença de que a aniquilação da Inglaterra é a única solução [...] *Não se pode falar de ódio contra o povo inglês de maneira geral*". E eles citaram as palavras de uma mulher que havia perdido sua casa em um ataque: "Eu me sinto triste por ter perdido tudo que era meu para sempre. Mas é a guerra. Contra os ingleses, não, não tenho nada contra eles".[83]

A longa retirada

I

A acentuada queda do estado de espírito entre a população alemã em 1943 não era apenas resultado da intensificação dos bombardeios aliados nas cidades alemãs; ela também refletia uma série de intensos contratempos em outros setores da guerra. Entre eles, um dos mais desencorajadores foi o ocorrido no norte da África. No verão de 1942, o marechal de campo Erwin Rommel havia sido bem-sucedido ao capturar o importante porto marítimo de Tobruk e mandar os britânicos de volta para o Egito. Mas as dificuldades para o abastecimento de suas tropas ou por terra ou por mar enfraqueceram a posição de Rommel, e os britânicos se mantiveram firmes em El Alamein, onde prepararam grandes posições defensivas e reuniram suas forças prontas para um contra-ataque. No dia 23 de outubro de 1942, sob as ordens de um novo general, o meticuloso Bernard Montgomery, os britânicos atacaram as forças alemãs com cerca de duas vezes o número de soldados de infantaria e de tanques que Rommel conseguiu reunir. Em 12 dias, eles infligiram uma derrota decisiva nos alemães. Rommel teve 30 mil homens capturados em seu longo retrocesso através do deserto. Pouco mais de duas semanas depois, os aliados, com seu comando do Mediterrâneo praticamente incólume, desembarcaram 63 mil homens, equipados com 430 tanques, em Marrocos e na Argélia. A tentativa dos alemães de obter o controle do norte da África e de lá penetrar nos campos petrolíferos do Oriente Médio havia falhado. Rommel voltou para a Alemanha em licença de saúde em março de 1943.[84] A derrota no norte da África se transformou em humilhação em meados de maio, quando 250 mil soldados do Eixo, metade deles alemães, se renderam aos aliados.[85] Sua incapacidade de abalar o controle britânico sobre o Egito e o Oriente Médio impediu o Terceiro Reich de ter acesso a fontes essenciais de petróleo. Essas falhas uma vez mais assinalaram não somente o fato de que os britânicos estavam determinados a não ceder, mas também a força maciça do vasto Império Britânico, apoiado de maneira crescente pelos recursos materiais dos Estados Unidos.[86] Refletindo sobre essas falhas em 1944, o marechal de campo Rommel ainda acreditava que, se lhe tivessem dado "mais formações motorizadas e uma linha segura de suprimento", ele teria capturado o canal de Suez, interrompendo desse modo os suprimentos britânicos, e partido para assegurar os campos petrolíferos do Oriente Médio, da Pérsia e até mesmo de Baku, no mar Cáspio. Mas não era para ser assim. Amargurado, ele concluiu que "a guerra no norte da África foi decidida pela força material anglo-americana. Na verdade, desde a entrada dos Estados Unidos na guerra, há pouca perspectiva de que possamos alcançar a vitória final".[87] Esse era um ponto de vista compartilhado por muitos cidadãos comuns da Alemanha. Rommel era um general brilhante, a estudante Lore Walb confidenciou a seu diário. Mas, ela prosseguiu: "O que ele pode fazer com forças limitadas e pouca munição?". Depois de Tobruk ter sido reconquistado pelos aliados em novembro de 1942, ela estava começando a imaginar se isso era "o começo do fim", e poucos dias depois começou a temer que toda a guerra estivesse sendo perdida. "Os céus permitirão que nós sejamos aniquilados???"[88]

O Terceiro Reich estava então começando a perder seus aliados. Em março de 1943, o rei Bóris III da Bulgária decidiu que os alemães não iriam vencer a guerra. Ao se encontrar com Hitler em junho, ele achou que seria sensato concordar com o pedido do ditador alemão de que tropas búlgaras substituíssem as forças alemãs no nordeste da Sérvia, de modo que elas pudessem ser enviadas para o *front* oriental. Mas se recusou a oferecer qualquer outro tipo de assistência e, nos bastidores, começou a estabelecer contatos amistosos com os aliados, temendo, com razão, que os soviéticos fossem ignorar a atitude oficial da Bulgária de manter a neutralidade no conflito maior. Hitler continuou a pressioná-lo, se encontrando com ele outra vez em agosto de 1943. Mas, antes que alguma coisa pudesse acontecer como resultado de suas conversas, os eventos tomaram um rumo inesperado. Logo depois de voltar para Sófia, Bóris adoeceu, morrendo em 28 de agosto de 1943, com apenas 49 anos de idade. Devido ao clima exaltado da época, logo começaram a correr rumores de que ele havia sido envenenado. Uma autópsia feita no começo dos anos 1990 revelou, entretanto, que morreu de um infarto do ventrículo esquerdo do coração. Foi sucedido por Simeão II, que era apenas uma criança, e a regência continuou de modo geral a política de Bóris de se desengajar do lado alemão, estimulada por um número cada vez maior de bombardeios aliados a Sófia, os quais começaram em novembro de 1943. A oposição popular contra a guerra se espalhou rapidamente, e bandos armados de guerrilheiros se formaram sob a liderança da Frente Patriótica inspirada pelos soviéticos, causando uma perturbação ainda maior; os agentes britânicos chegaram para ajudá-los, mas o movimento guerrilheiro não conseguiu fazer muito progresso, e alguns dos agentes britânicos foram traídos e baleados. Não obstante, sob toda essa pressão, o governo começou a retroceder, revogando leis antijudaicas e declarando neutralidade completa no ano seguinte.[89]

Bem mais alarmantes para muitos alemães foram os eventos catastróficos que se desenrolaram na Itália depois de sua derrota no norte da África. No dia 10 de julho de 1943, forças anglo-americanas, transportadas pelo mar e apoiadas por investidas aéreas em posições defensivas colocadas atrás da praia, desembarcaram na Sicília, que estava ocupada por uma combinação de tropas italianas e alemãs. Apesar de extensos preparativos, o ataque estava longe de ser perfeitamente executado. As forças que desembarcaram confundiram os aviões que as sobrevoavam com aviação inimiga e começaram a alvejá-los, enfraquecendo o poder aéreo. Montgomery, o comandante britânico, dividiu suas forças no leste em uma coluna costeira e uma no interior da ilha, e como resultado elas fizeram um lento progresso contra a forte resistência alemã. Siracusa foi capturada, mas, devido aos atrasos no avanço britânico, os alemães conseguiram evacuar a maior parte de suas tropas para o continente. Mesmo assim, no fim a ilha se rendeu às forças aliadas. E de um modo que era de mau agouro também para o ditador fascista italiano, Mussolini, os habitantes de Palermo agitaram bandeiras brancas para os invasores americanos, e havia uma crescente indicação de que os cidadãos comuns italianos não desejavam continuar a lutar. Hitler visitou Mussolini no norte da Itália em 18 de julho de 1943 para tentar aumentar sua confiança, mas seu monólogo de duas horas deprimiu o ditador italiano e fez que ele sentisse que não tinha forças para prosseguir. O prestígio e a popularidade do ditador nunca se recuperaram depois das catastróficas derrotas de 1941, sobretudo na Grécia. Seu relacionamento com Hitler havia mudado fundamentalmente depois disso: até mesmo o próprio Mussolini se referia à Itália fascista como nada mais que o "farol traseiro" do Eixo, e logo ele ganhou um novo apelido: o líder regional da Itália. Hitler, que sempre dormia muito tarde, havia adquirido o costume de mandar mensagens para ele tarde da noite, obrigando-o a permanecer acordado para recebê-las, e o ditador italiano começou a reclamar que estava ficando cansado de ser convocado para reuniões com ele como se fosse um garçom sendo chamado pela sineta.[90]

Mesmo que as tropas italianas continuassem a lutar, elas estavam perdendo sua fé na causa pela qual lhes pediam que dessem sua vida. O próprio Mussolini começou a reclamar confidencialmente que os italianos o estavam decepcionando. Sem confiar na habilidade dos italianos de continuar a combater, Hitler já fizera planos para dominar a Itália e os territórios que ela havia ocupado no sul da França, na Iugoslávia, na Grécia e na Albânia. Ele colocou Rommel no comando da operação.[91] À medida que os aviões dos aliados começaram a bombardear cidades italianas, a perspectiva de uma invasão do território continental da Itália pelos aliados se tornou iminente. Forças alemãs penetraram na península, indicando com sua mera presença qual era a causa pela qual os italianos estavam então lutando. Uma séria oposição à ditadura de Mussolini aflorou pela primeira vez em muitos anos, e a situação se agravou no fim do mês de julho. Em fevereiro de 1943, Mussolini realizara um expurgo de líderes no seu cada vez mais descontente Partido Fascista, que havia ficado cada vez mais crítico em relação à sua liderança política e militar. Esse foi praticamente seu último ato decisivo. Desorientado e desmoralizado, ele começou a sofrer de dores de estômago que minaram sua energia. Passava a maior parte do tempo vivendo na ociosidade com sua amante Clara Petacci, traduzindo literatura clássica italiana para o alemão, ou se devotando a questões administrativas menores. Como ele era não apenas comandante-chefe das Forças Armadas, mas também detinha muitos ministérios importantes, isso acabou gerando um vácuo no centro do poder. Os chefes demitidos do partido começaram a fazer intrigas contra ele. Os membros do Grande Conselho do Fascismo, que ou desejavam medidas mais radicais para mobilizar a população ou tentavam colocar o comando posterior da guerra inteiramente nas mãos dos militares, decidiram destituí-lo da maior parte de seus poderes em uma reunião ocorrida nos dias 24-25 de julho de 1943 (a primeira desde 1939). Poucos detalhes dessa emocionante maratona de dez horas foram tornados públicos. O líder fascista moderado, Dino Grandi, que propôs a petição, posteriormente confessou que tinha carregado uma granada desarmada o tempo todo, em caso de emergência. Mas não foi necessário. A reação de Mussolini às críticas que lhe foram apresentadas foi fraca e confusa. Ele mal parecia saber o que estava acontecendo e não conseguiu apresentar uma contraproposta, levando muitos a pensar que não fazia objeções à petição de Grandi. Nas primeiras horas da manhã, ela foi votada por dezenove votos contra sete.[92]

O voto do Grande Conselho atendeu às expectativas dos líderes militares, cuja insatisfação com a guerra levou-os a solicitar ao rei que demitisse Mussolini (ele tinha o direito constitucional de fazê-lo, já que o cargo formal de Mussolini ainda era o de primeiro-ministro) e mandasse prendê-lo no dia seguinte. Não houve resistência, e o então ex-ditador foi levado à prisão sem grandes protestos. Só se soube que um zelote fascista cometeu suicídio ao ouvir a notícia. Como sucessor de Mussolini, o monarca apontou o marechal Pietro Badoglio para liderar um novo governo. O Partido Fascista de certo modo se esfacelou sob o impacto desses eventos cheios de emoção, e foi rapidamente declarado ilegal. Badoglio e o rei asseguraram aos alemães que a Itália continuaria na guerra e, como mostra de boa vontade, ou talvez reconhecimento daquilo que era inevitável, o novo governo permitiu que eles controlassem postos cruciais nos desfiladeiros alpinos e outras posições significativas, e começassem a enviar grandes quantidades de tropas e de equipamentos para a península. Enquanto os alemães retiravam suas forças da Córsega e da Sardenha, também usaram as tropas que haviam evacuado da Sicília para começar os preparativos para defender a parte sul da península. No meio dessa situação de rápida desintegração, Badoglio começou a negociar secretamente um armistício com os aliados, que ele assinou no dia 3 de setembro de 1943. No mesmo dia, tropas aliadas desembarcaram na Calábria, bem ao sul da Itália, e, no dia 9 de setembro de 1943, em Salerno, mais ao norte na costa. No dia anterior, 8 de setembro de 1943, o governo italiano anunciou sua rendição aos aliados. Badoglio, o rei e o governo fugiram para o sul, sob a proteção dos aliados. Consta que os cidadãos comuns na Alemanha expressaram seu desapontamento pelo fato de os líderes italianos não terem sido capturados e enforcados. Nem o Exército nem o governo italianos tinham instruções para o milhão ou mais de soldados italianos que ainda estavam com armas nas mãos.[93]

Confrontados com tropas alemãs, endurecidas pelas batalhas, que estavam ocupando posições em toda a península, os soldados italianos depuseram suas armas, arrancaram os uniformes, ou simplesmente se renderam. Apenas algumas poucas unidades tentaram resistir, de modo mais notável a ilha de Cefalônia, controlada pelos italianos, na costa grega, onde a batalha prosseguiu por mais uma semana e terminou com os ocupantes alemães executando mais de 6 mil soldados e marinheiros italianos, atirando em quase todos os oficiais italianos em grupos durante umas quatro horas de carnificina a sangue-frio. Quinhentos mil soldados italianos tiveram sorte suficiente para se encontrar em áreas já sob controle dos aliados. Eles foram desarmados e, por fim, mandados de volta para casa. Mas 650 mil soldados italianos foram capturados pelos alemães como prisioneiros de guerra e então deportados para a Alemanha como mão de obra para trabalhos forçados em dezembro de 1943. A situação deles estava longe de ser invejável. Goebbels declarou que os italianos eram "um povo de ciganos que se havia deteriorado". Hitler achou que eles eram extremamente decadentes. Muitos alemães estavam amargurados com o que consideravam a traição da Itália contra o Eixo, que eles compararam com acontecimentos semelhantes durante a Primeira Guerra Mundial, quando a Itália também mudou de lado. O Serviço de Segurança da SS relatou que

> havia um *evidente* sentimento de ódio em todas as partes do Reich e em todas as camadas da população *contra* um povo, a saber, *o* italiano. Basicamente, as pessoas não culpam nossos verdadeiros oponentes por sua inimizade. Elas parecem achar que é uma questão de destino. Mas as pessoas não conseguem perdoar os italianos pelo fato de que, depois de eles terem feito tanto para nos assegurar de sua amizade por meio de seus representantes eleitos, tenham nos traído de modo tão "desprezível" uma segunda vez. O *ódio* pelos italianos tem sua origem nos sentimentos mais profundos.[94]

As autoridades alemãs trataram os italianos de modo particularmente cruel, vingando-se deles seriamente pelo repúdio da Itália à aliança com os alemães. Em relação às rações de alimento e tratamento geral, foram colocados no mesmo nível que os trabalhadores soviéticos. Na fábrica Krupp em Essen, a média de perda de peso entre os trabalhadores italianos prisioneiros de guerra foi de 9 quilos nos três primeiros meses de 1944; alguns chegaram a perder 22 quilos. As taxas de mortalidade eram maiores do que as de quaisquer outros grupos, com exceção dos trabalhadores soviéticos.[95] Cerca de 50 mil prisioneiros de guerra italianos morreram nessas condições. Com 77 mortes para cada grupo de mil, essa era cinco vezes a taxa de mortalidade dos prisioneiros de guerra britânicos; ela era, na verdade, a mais alta de todos os prisioneiros de guerra ocidentais na Alemanha.[96]

Na própria Itália, a ira dos alemães por causa da deserção dos italianos se manifestou em inúmeros atos gratuitos de vandalismo e de vingança. No dia 26 de setembro de 1943, depois de depararem com uma certa resistência enquanto marchavam por Nápoles, tropas alemãs derramaram querosene sobre as prateleiras da biblioteca da universidade e atearam fogo, destruindo 50 mil manuscritos e livros, muitos deles insubstituíveis. Dois dias depois, enquanto a biblioteca ainda pegava fogo, soldados alemães descobriram mais 80 mil livros e manuscritos de vários arquivos que haviam sido depositados em Nola por questões de segurança e atearam fogo neles, juntamente com todo o acervo do Museu Cívico, incluindo 45 pinturas. O comandante militar alemão na Itália, o marechal de campo Albert Kesselring, apressadamente organizou a evacuação de tesouros artísticos dos museus de Florença e de outras cidades que, com toda a probabilidade, se tornariam campos de batalha se os aliados fossem bem-sucedidos em seu avanço pela península. Soldados e membros da SS tiraram joias, casacos de pele e prataria de palácios e de casas de campo, ou os ocuparam como quartéis, expulsando seus proprietários. A marquesa Origo, uma anglo-americana casada com um aristocrata italiano, ao chegar a sua mansão depois da retirada das tropas alemãs que a haviam ocupado, descreveu a cena com que seus olhos depararam:

> Os alemães roubaram tudo que tiveram vontade, cobertores, roupas, sapatos e brinquedos, bem como, naturalmente, tudo que fosse de valor ou comestível, e deliberadamente destruíram muita coisa que pudesse ter va-

lor sentimental ou pessoal [...] Na sala de jantar, a mesa ainda está posta, e há traços de uma refeição regada a bebidas: garrafas vazias de vinho e copos estilhaçados estão ao lado de uma grande quantidade de meus chapéus de verão (que, presumivelmente, foram usados), juntamente com formas para alargar sapatos, brinquedos, mobília derrubada e papel higiênico [...] O vaso sanitário está cheio de sujeira até as bordas, e carne estragada, largada em todas as mesas, aumenta o cheiro fétido. Há uma grande quantidade de moscas. Em nosso quarto, também, a cena é a mesma.[97]

Sua experiência de sofrer com a indiferença de soldados alemães cansados e exaustos, muitos dos quais haviam lutado anteriormente no *front* oriental, era a mesma de muitos proprietários italianos da época.

Em termos políticos, os alemães não ficaram parados esperando que alguma coisa acontecesse. Em setembro de 1943, o ditador deposto, Mussolini, foi levado sob ordens do novo governo em primeiro lugar para a ilha de Ponza, depois para outra ilha, e finalmente para um hotel de esqui isolado na região dos montes Apeninos no centro da Itália. Deprimido e doente, em uma ocasião ele tentou se matar. Enquanto isso, Hitler havia começado a organizar uma operação de busca e de resgate, determinado a que seu aliado não caísse em mãos anglo-americanas, com todas as possibilidades de má propaganda e de revelações embaraçosas que se poderiam seguir à captura. Ele tinha consciência do fato de, como o Serviço de Segurança da SS estava relatando, muitos alemães pensarem que, se o regime de Mussolini pudera sofrer um colapso da noite para o dia, então poderia acontecer a mesma coisa com o de Hitler. A mística do ditador italiano tinha de ser restaurada de algum jeito. E algo tinha de ser feito para diminuir os efeitos desastrosos de sua queda no estado de espírito do povo da Alemanha, onde, conforme foi noticiado no fim do mês de julho, as pessoas estavam considerando essa uma outra reviravolta na guerra, e a maioria estava então deprimida e não "conseguia mais ver uma saída".[98] A localização de Mussolini não era difícil de descobrir – ela foi revelada por meio de uma mensagem de rádio interceptada. O hotel estava equipado com um grande contingente de policiais militares armados. Mas eles haviam sido instruídos a agir com extrema precaução e, de qualquer maneira, a ocupação da Itália pela Alemanha deixou-os extremamente pouco propensos a ofender os novos governantes da península. O caminho parecia aberto para uma operação de resgate.⁹⁹

Em 12 de setembro de 1943, depois de fazer um reconhecimento aéreo da região, uma unidade de comando da SS constituída por paraquedistas liderados por Otto Skorzeny, um oficial austríaco da SS, sobrevoou silenciosamente o pico com planadores e desceu de paraquedas no hotel, deixando que os aviões caíssem nas montanhas das redondezas. Em cinco minutos, eles haviam controlado o complexo sem disparar um tiro. Skorzeny encontrou Mussolini e anunciou que havia sido enviado por Hitler. Liberando uma faixa de terra para pouso em uma campina pequena e inclinada na frente do hotel, o grupo de soldados chamou uma pequena aeronave Stork de reconhecimento e de apoio, que podia aterrissar em uma velocidade muito baixa: Mussolini foi embarcado às pressas e levado primeiro a Roma, e de lá para os quartéis-generais de Hitler em Rastenburg. Hitler se sentiu desapontado ao deparar com um homem obviamente alquebrado. Porém, persuadiu o antigo ditador italiano a estabelecer um regime fantoche no norte da Itália, cuja base era a cidade de Salò. Lá, instigado pelos nazistas, ele fez que cinco dos líderes fascistas que haviam votado contra ele no Grande Conselho, incluindo seu genro e ex-ministro das Relações Exteriores Galeazzo Ciano, fossem julgados por traição e executados. Seu regime logo degenerou em um antro de violência, de corrupção e de terror. Enquanto isso, a proeza arriscada de Skorzeny animou as pessoas na Alemanha, como na verdade tinha sido seu objetivo. Ela mostrara, segundo comentários feitos pelas pessoas, que a Alemanha ainda era capaz de sair de uma situação difícil improvisando em grande estilo.¹⁰⁰

II

O controle alemão e o estabelecimento do regime fantoche fascista em Salò mergulharam os 43 mil judeus italianos, dos quais 34 mil se encontravam na zona alemã, em uma crise muito pior do que qualquer outra que tivessem enfrentado. Haviam sido submetidos a uma considerável discriminação oficial pelo regime fascista desde a introdução, em 1938, das leis raciais que acompanhavam as Leis de Nuremberg na Alemanha. Contudo, o antissemitismo nunca fora muito intenso ou disseminado na Itália. Na Grécia, no sul da França e na Croácia, na verdade, o Exército italiano havia feito o possível para proteger os judeus da morte e da deportação. Agora, tal proteção não era mais possível. Para começar, os alemães se concentraram em roubos. Logo depois da ocupação de Roma pelos alemães, o chefe do Serviço de Segurança da SS na capital italiana, Herbert Kappler, ordenou que a comunidade judaica entregasse cinquenta quilos de ouro no prazo de 36 horas. Se fizessem isso, ele assegurou aos líderes da comunidade, os judeus não seriam deportados. E, realmente, embora Himmler já tivesse telefonado para Kappler em 12 de setembro de 1943 para lhe dizer que organizasse a deportação dos judeus italianos, o chefe do Serviço de Segurança em pessoa era da opinião de que a polícia italiana representava uma ameaça à segurança muito maior, e pretendia, se possível, dedicar os poucos homens de que dispunha para lidar com eles em primeiro lugar. Enquanto os líderes da comunidade judia recolhiam o ouro, entregando-o a Kappler para ser transportado ao Gabinete Central de Segurança do Reich em Berlim no dia 7 de outubro de 1943, a equipe de Alfred Rosenberg chegou à cidade e começou a carregar o conteúdo da biblioteca da comunidade em dois vagões de trem para ser transportado à Alemanha. Esse roubo escancarado causou um alarme disseminado entre os judeus de Roma, que ficaram horrorizados com a impunidade com a qual estava sendo cometido. Não parecia ser um bom prenúncio para sua segurança. Em breve, na verdade, 54 judeus foram mortos pelas tropas da SS ao norte, na região do lago Maggiore, e deportações começaram a acontecer em Merano e em Trieste. E, no dia 6 de outubro de 1943, Theodor Dannecker chegou a Roma com uma escolta armada, sob ordens de Berlim, para ocupar o lugar de Kappler e organizar a prisão e o transporte de judeus para o extermínio em Auschwitz.[101]

Sua chegada causou considerável apreensão entre as mais destacadas autoridades alemãs em Roma. O representante do Ministério das Relações Exteriores, Eitel Möllhausen, e o marechal de campo Albert Kesselring, chefe das Forças Armadas alemãs na área, se uniram a Kappler para pressionar o Ministério das Relações Exteriores em Berlim a usar os judeus em trabalhos forçados em vez de serem "liquidados", como Möllhausen negligentemente escreveu em um telegrama enviado a Berlim em 6 de outubro de 1943.

Além do mais, o recém-nomeado embaixador alemão no Vaticano, Ernst von Weizsäcker, alertou o Ministério das Relações Exteriores que o papa Pio XII, sob cujos olhos, por assim dizer, a deportação deveria acontecer, poderia fazer um protesto público; com o intuito de evitar tal coisa, ele também aconselhava que seria preferível empregar os judeus em trabalhos forçados na Itália. A reação de Hitler não tardou a acontecer. No dia 9 de outubro de 1943, o Ministério das Relações Exteriores disse a Möllhausen em um tom em que não havia margem para dúvidas que Ribbentrop insistia, "baseado nas instruções do Líder", que os judeus de Roma deveriam ser levados e que ele deveria "se manter distante de todas as questões envolvendo os judeus", pois aquilo era encargo da SS.[102] Isso aniquilou de modo completo a oposição. Com o apoio das tropas regulares alemãs, os homens da SS de Dannecker prenderam 1.259 judeus romanos em 16 de outubro de 1943, incluindo duzentas crianças menores de dez anos de idade. A maioria dos presos consistia de mulheres. Depois de liberarem 29 dos presos, por não serem italianos, ou por serem de "raça mista" ou casados com não judeus, Dannecker despachou-os para Auschwitz. Quinze deles sobreviveram à guerra. Muitos outros judeus foram para a clandestinidade, apoiados por não judeus italianos que estavam enfurecidos com a ação. Milhares de judeus conseguiram se refugiar no Vaticano e em monastérios e conventos em outras áreas de Roma, mas o previsto manifesto público papal não se materializou; esse fator pode ter dado uma vantagem aos italianos e feito que os alemães interrompessem sua ação com medo de excitar a oposição popular. Mas o papa temia que uma condenação direta pudesse colocar em perigo a posição da Igreja ou, até mesmo, o próprio Vaticano. Um artigo publicado posteriormente no jornal oficial do Vaticano, o *Osservatore Romano*, cumprimentando o papa por suas tentativas de mitigar o sofrimento causado pela guerra, foi escrito em termos tão vagos e gerais que, como Weizsäcker notou, poucas pessoas iriam realmente interpretá-lo como uma clara referência à questão judaica.[103]

No não representativo Estado fascista de Mussolini no norte da Itália, o governo ordenou que todos os judeus fossem deportados para campos de concentração, e a polícia começou a prender judeus em Veneza em dezembro de 1943 e novamente em agosto e em outubro de 1944, tirando-os de um asilo para idosos e de um hospital, bem como de sua própria casa. Depois

1. Tropas alemãs entram em Lódź, em setembro de 1939, e são recebidas por alemães étnicos extasiados, enquanto os habitantes poloneses da cidade assistem em silêncio.

2. Redesenhando o mapa racial da Europa: alemães étnicos da Lituânia cruzam a fronteira com a Alemanha em Eydtkau, na Prússia oriental, em fevereiro de 1941, entrando no Reich sob uma faixa saudando-os com "Bem-vindos à Grande Alemanha".

3. Judeus poloneses são reunidos para serviço de limpeza de estradas por soldados alemães, setembro de 1939.

4. Soldados da Força Aérea alemã recolhem um grupo de judeus aterrorizados em Szczebrzeszyn, a cidade natal do doutor Zygmunt Klukowski.

5. Essa cena de *Eu acuso* (1941), dirigido por Wolfgang Liebeneiner, mostra a pianista Hanna Heyt, que sofre de esclerose múltipla, pedindo conselhos a seu amigo, o doutor Lang; a oposição dele ao suicídio assistido serve para realçar a justificativa do filme para a chacina dos doentes incuráveis.

6. Uma tentativa de assassinato fracassada: a destruição causada em uma cervejaria de Munique na noite de 8 de novembro de 1939 pela bomba colocada pelo esquerdista solitário Georg Elser. Hitler deixou o salão pouco antes de a bomba explodir.

7. Rudolf Hess visita a fábrica de armamentos Krupp em 1º de maio de 1940, ladeado por Robert Ley (*à esquerda*) e Alfred Krupp (*à direita*).

8. "O maior engarrafamento de trânsito da história": blindados alemães espremem-se pelos desfiladeiros estreitos de Ardenas a caminho da França em 11 de maio de 1940.

9. Hitler, com Albert Speer (*à esquerda*) e Arno Breker (*à direita*), no Trocadéro, em Paris, durante uma rápida visita privada à cidade conquistada em 28 de junho de 1940.

10. Espionando o terreno: o marechal de campo Fedor von Bock (*à esquerda*) avalia a situação na Crimeia em maio de 1942, acompanhado pelo general Fritz Lindemann.

11. Operação Barba Ruiva: soldados da infantaria da divisão de tanque "Caveira" da SS percorrem uma estrada poeirenta perto de Smolensk, setembro de 1941.

12. Soldados alemães queimam uma fazenda ucraniana em setembro de 1941 enquanto a esposa do fazendeiro protesta em vão.

13. Turismo de atrocidade: soldados alemães tiram fotos enquanto um suposto guerrilheiro é enforcado em uma cidade da Bielorrússia em janeiro de 1942.

14. Três milhões e meio de prisioneiros de guerra do Exército Vermelho morreram no cativeiro alemão, muitos deles ao ser transportados do *front* em vagões de carga abertos como esse, fotografado na estação ferroviária de Witebsk em 21 de setembro de 1941: quando o inverno chegou, esses vagões tornaram-se armadilhas mortais.

15. Atolado diante de Moscou: soldados alemães tentam libertar um carro da lama em novembro de 1941.

16. A propaganda de guerra contra o "inimigo global": um pôster do Ministério da Propaganda mostra Churchill e Stálin apertando as mãos sobre o continente em uma "Conspiração Judaica Contra a Europa" no verão de 1941.

17. O chefe da Gestapo, Heinrich Müller (*à direita*), o chefão do Serviço de Segurança, Reinhard Heydrich (*ao centro*), e Heinrich Himmler (*à esquerda*), mandachuva geral da SS, reúnem-se em novembro de 1939 para discutir o atentado de Georg Elser à vida de Hitler.

18. Interior de um alojamento de mulheres em Auschwitz: esta fotografia, tirada em janeiro de 1945, pouco depois da libertação, transmite apenas uma leve ideia da miséria e da superpopulação a que as prisioneiras eram submetidas.

19. O comandante de campo Richard Baer, o médico do campo Josef Mengele e o antigo comandante de campo Rudolf Höss em uma atitude descontraída no retiro da SS conhecido como "Sun Huts" (Cabanas Ensolaradas) nas cercanias de Auschwitz, em 1944.

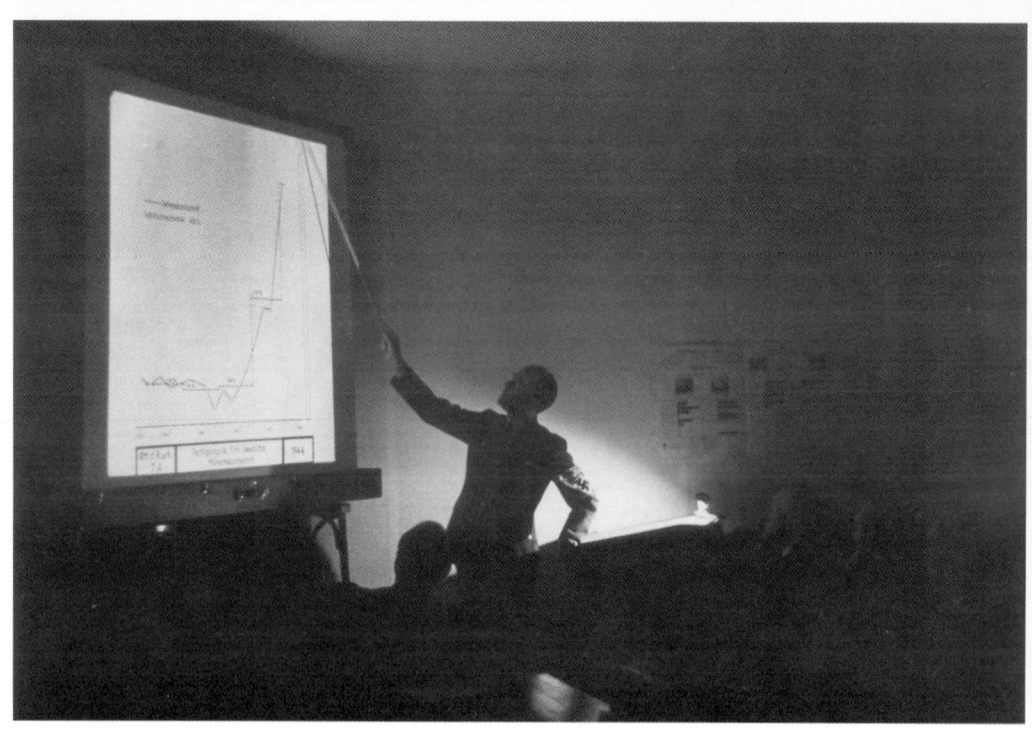

20. Albert Speer faz uma demonstração do aumento da produção de peças de artilharia no período de sua administração da economia de guerra em 1943.

21. Produção dos tanques de guerra StuG III no verão de 1943.

22. Guerra urbana em casas de Stalingrado, no fim de 1942; mas onde foram parar as casas?

23. A face da derrota: um soldado alemão é feito prisioneiro em Stalingrado em janeiro de 1943.

24. A longa marcha rumo ao cativeiro: soldados alemães marcham na frente das ruínas da cidade de Stalingrado, em janeiro de 1943.

25. A Alemanha em chamas: bombardeios aéreos aliados em Hamburgo em julho e em agosto de 1943 destruíram grande parte da cidade e mataram 40 mil de seus habitantes. Quando esta foto foi tirada, no dia 2 de dezembro de 1943, pó e ruínas eram tudo o que restava da maior parte da cidade.

26. Bombardeios estratégicos causaram interrupções generalizadas nas comunicações: uma foto da principal estação de trem de Hamburgo não muito tempo depois dos bombardeios.

27. O general Gotthard Heinrici (*à direita*) e o marechal de campo Günther von Kluge (*à esquerda*) planejam a próxima retirada.

28. Soldados do Exército Vermelho que avançavam na direção de Varsóvia em agosto de 1944 perseguem tropas alemãs que estão fugindo de seu tanque destroçado.

29. As bombas voadoras sem piloto V-1 às vezes transportavam folhetos de propaganda como este: a mensagem no verso dizia aos londrinos que eles estavam sendo "continuamente bombardeados dia e noite por aqueles misteriosos meteoros voadores". "Que vantagem oferecem todos os seus aviões, navios de guerra e tanques contra o novo armamento alemão?", ele perguntava.

30. As portas do inferno: trabalhadores passam pela entrada rumo à fábrica subterrânea onde os foguetes V-2 estavam sendo produzidos nas últimas fases da guerra.

31. Hitler com oficiais do 9º Exército em uma rápida visita a Wriezen, atrás do *front* do rio Oder, no dia 3 de março de 1945. Estão com ele, em pé na fileira da frente, da esquerda para a direita: Wilhelm Berlin, Robert Ritter von Greim, Franz Reuss, Job Oderbrecht e Theodor Busse.

32. O "Exército do Papai" alemão: nem todos os membros da Força de Ataque do Povo eram tão bem vestidos e equipados quanto os desta fotografia tirada em Hamburgo no dia 29 de outubro de 1944, embora provavelmente muitos deles fossem igualmente míopes.

33. Os jovens também foram recrutados para a Força de Ataque do Povo: Josef Goebbels se encontra com um soldado adolescente em Lauban, na Baixa Silésia, em março de 1945.

34. Hermann Göring tomando o café da manhã em sua cela em Nuremberg no dia 26 de novembro de 1945. Ele cometeu suicídio para não ter de enfrentar o carrasco.

35. Joachim von Ribbentrop enfrenta seu destino na mesma prisão. Ele foi condenado à morte e enforcado.

36. A Tauentzientrasse em Berlim, depois do fim da guerra. Ao fundo estão as ruínas da Igreja Kaiser Wilhelm. A ausência de homens capazes significou que a responsabilidade pela limpeza das ruínas caiu principalmente nas mãos das mulheres civis. A placa à esquerda marca os limites entre o setor ocupado pelos britânicos e o setor norte-americano da cidade.

do segundo e do terceiro desses ataques, que aconteceram, ao contrário do primeiro, com a participação dos alemães, os mais fracos dos internos foram mortos e os demais deportados para Auschwitz. No total, outros 3.800 judeus foram levados para Auschwitz em 1944, enquanto outros 4 mil judeus e *partigiani* (membros da resistência italiana) foram capturados por Odilo Globocnik, que havia sido transferido do leste, na costa do Adriático, e mortos em um campo de concentração perto de Trieste, alguns deles em caminhões de gás.[104] No entanto, cerca de 80% dos judeus italianos sobreviveram à guerra, sobretudo graças ao auxílio de cidadãos comuns italianos não judeus.[105] A ocupação alemã levou à imediata formação de grupos de *partigiani*, que alcançaram o número de 10 mil combatentes no fim de 1943 e de 100 mil em outubro de 1944. Deles, cerca da metade era de comunistas, e havia pouca ou nenhuma unidade geral ou coordenação entre os outros. Suas atividades levaram à criação de uma variedade de contraorganizações inspiradas pelo regime de Salò; elas perambulavam pelas áreas rurais, caçando os oponentes do regime e executando represálias sangrentas. Unidades da SS se uniram a elas e, em um incidente notório no dia 24 de março de 1944, capturaram 335 pessoas, incluindo 72 judeus, em Roma, levaram-nos para as grutas Ardeatinas, um labirinto de antigas catacumbas cristãs, fizeram que se ajoelhassem e atiraram em todas elas, na nuca, como represália por um ataque *partigiano* acontecido no dia anterior e que não havia tido grandes consequências. Outros massacres se seguiram, todos eles sob o mesmo pretexto, incluindo um no qual 771 pessoas foram baleadas em Marzabotto. No total, estima-se que cerca de 45 mil *partigiani* foram mortos em tiroteios com a polícia fascista ou alemã, ou com unidades paramilitares, da SS e do Exército, e cerca de 10 mil pessoas foram executadas em represálias.[106] Entre os *partigiani* presos nessas ações se encontrava o jovem químico industrial Primo Levi, que fugira para os Alpes para evitar a prisão e então se uniu a um grupo que se autodenominava Justiça e Liberdade. Capturado pela milícia fascista, admitiu ser judeu e foi levado para o campo de concentração para judeus em Fossoli, perto de Modena, e de lá para Auschwitz, onde sobreviveu por muitos meses graças ao seu conhecimento de alemão e à ajuda de um prisioneiro italiano. Em novembro de 1944, Levi foi transferido para Monowitz, onde seu conhecimento científico foi usado no projeto de produção de borracha sintética. Depois da guerra, as reminiscências e as reflexões de Levi, reunidas em seu livro *É isto um homem?* e em outras publicações, atraíram atenção no mundo todo devido ao detalhamento e à sutileza de seu testemunho ocular.[107]

Nesse ínterim, as tropas aliadas continuaram lentamente a abrir caminho pela península. Em seu trajeto se encontravam os pântanos Pontinos, que Mussolini havia drenado a um custo exorbitante durante a década de 1930, transformando-os em fazendas e povoando-os com 100 mil veteranos da Primeira Guerra Mundial e sua família, além de ter construído cinco novas cidades e 18 vilarejos no local. Os alemães resolveram fazer que os pântanos voltassem a seu estado original, para tornar o avanço aliado mais lento e, ao mesmo tempo, praticar uma nova represália contra os italianos traidores. Não muito tempo depois da rendição italiana, a área foi visitada por Erich Martini e Ernst Rodenwaldt, dois médicos especialistas em malária que trabalhavam na Academia Médica Militar em Berlim. Os dois tinham o apoio da Sociedade para a Pesquisa e Ensino sobre a Herança Ancestral de Himmler na SS, e Martini era membro do comitê conselheiro do instituto em Dachau. Os dois instruíram o Exército alemão a desligar os drenos que mantinham os antigos pântanos secos, de modo que, no fim do inverno, eles estavam novamente cobertos com um lençol d'água de trinta centímetros de profundidade. Então, ignorando os apelos dos médicos cientistas italianos, eles inverteram o sistema de drenagem, despejando água do mar na área, e destruíram as comportas que mantinham o mar afastado durante a maré alta. Sob suas ordens, tropas alemãs dinamitaram muitos dos drenos e transportaram o restante para a Alemanha, destruíram o equipamento usado para manter os canais de drenagem livres de vegetação e colocaram minas na área ao seu redor, garantindo que os estragos causados por eles fossem duradouros.[108]

Essas medidas tinham por propósito, acima de tudo, reintroduzir a malária nos pântanos, pois o próprio Martini havia descoberto, em 1931, que apenas um tipo de mosquito poderia sobreviver e se reproduzir muito bem tanto na água salgada como na doce ou na salobra, especificamente o *anopheles labranchiae*, o vetor da malária. Como resultado da inundação, a espécie de água doce do mosquito nos pântanos Pontinos foi destruída; praticamente todos os mosquitos que se reproduziam furiosamente nos 98 mil acres de terra inundada eram portadores da doença, em contraste com a situação de 1940, quando eles estavam perto de ser erradicados. Para garantir que a doença voltaria, as equipes de Martini e de Rodenwaldt mandaram confiscar todos os estoques de quinino, a droga usada para combatê-la, e os levaram para um local secreto na Toscana, muito longe dos pântanos. Para minimizar o número de testemunhas oculares, os alemães evacuaram toda a população das terras pantanosas, permitindo que ela voltasse apenas depois que seu trabalho tivesse terminado. Com sua casa inundada ou destruída, muitas pessoas tinham de dormir a céu aberto, e assim se transformaram rapidamente em vítimas de grandes nuvens dos mosquitos *anopheles*, que então se reproduziam nos canais de drenagem entupidos e nas crateras abertas pelas bombas na área. Os casos oficiais registrados de malária cresceram vertiginosamente de apenas cerca de 1.200 em 1943 para quase 55 mil no ano seguinte e 43 mil em 1945: posteriormente, o número verdadeiro na área no ano de 1944 foi calculado em quase o dobro dos casos oficialmente registrados. Sem ter quinino disponível, e com os serviços médicos desorganizados devido à guerra e ao completo colapso do Estado italiano, os moradores empobrecidos da área, que estavam então também sofrendo de desnutrição por causa da destruição de suas terras aráveis e dos suprimentos de alimentos, foram vitimados pela malária. Esta fora deliberadamente reintroduzida como um ato de guerra biológica, direcionada não apenas às tropas aliadas que pudessem passar pela região, mas também contra os 250 mil italianos que lá viviam, pessoas que não mais eram tratadas pelos alemães como aliados, mas como seres de raça inferior cujo ato de traição ao abandonar o Eixo merecia a mais severa possível das punições.[109]

III

A invasão da Itália pelos aliados foi possibilitada devido ao que então havia se tornado um completo domínio aliado do mar Mediterrâneo. Em 1942-43, os britânicos e os americanos puderam desembarcar suas tropas no norte da África, na Sicília e na Itália impunemente. As marinhas alemã e italiana não tiveram condições de atacá-los. Durante a década de 1930, Hitler tencionara construir uma grande esquadra de superfície, mas o destino dos relativamente poucos navios construídos até 1939 não era encorajador. No começo da guerra, a Marinha Real Britânica havia estabelecido uma vantagem tática sobre o encouraçado de bolso alemão *Count Spee*, fazendo que ele fosse deliberadamente afundado na costa do Uruguai. Outra unidade da Marinha Real abordou um navio prisão alemão, o *Altmark*, ao largo da costa da Noruega em 16 de fevereiro de 1940, libertando trezentos marinheiros britânicos. Mais navios alemães foram destruídos durante a invasão da Noruega, como já vimos. A Marinha alemã nunca conseguiu construir um porta-aviões, de modo que os ataques aéreos aos navios britânicos foram limitados pelo alcance dos bombardeiros estacionados em terra. A artilharia aérea estacionada na Noruega chegou a atacar comboios que se dirigiam para os portos russos no Ártico, mas não havia uma grande quantidade de aviões. O dano tinha de ser causado por navios alemães. Então, o comandante da Marinha alemã, o grande almirante Raeder, enviou navios importantes para atacar os britânicos. Mas eles não alcançaram todos o mesmo sucesso. Um novo navio de guerra, o *Bismarck*, afundou o cruzador britânico *Hood* e causou sérias avarias no navio de guerra *Prince of Wales*, mas foi localizado por um hidroavião britânico e afundado em 27 de maio de 1941. O encouraçado de bolso *Lützow* foi torpedeado no dia 13 de junho de 1941; por sua vez, os navios de guerra *Scharnhorst* e *Gneisenau* foram avariados por minas britânicas enquanto passavam pelo canal da Mancha, saindo da França rumo à Noruega no ano seguinte, e foram definitivamente colocados fora de combate. Um ataque de uma unidade do Exército britânico no porto de St. Nazaire destruiu a única doca do Atlântico capaz de reparar o único navio de guerra restante, o *Tirpitz*, que foi atacado repetidas vezes em seu esconderijo na Noruega até ser atingido por um ataque de um minissubmarino britânico em setembro de 1943 e sendo então colocado definitivamente fora de ação por um bombardeio. As lições foram claras. Forças navais convencionais não seriam bem-sucedidas. O grande almirante Raeder, que continuava a defender ataques de superfície durante todo esse período, foi sumariamente dispensado em 30 de janeiro de 1943 e substituído pelo almirante Karl Dönitz, comandante da frota de submarinos, que acabou dissuadindo Hitler de desarmar todos os grandes navios restantes da Marinha alemã e usar seus canhões para a defesa da costa.[110]

Na verdade, por muito tempo Hitler havia concentrado seus recursos na construção de submarinos. Mas, no começo da guerra, prejudicados pela escassez de matéria-prima como cobre e borracha e pela concentração de recursos no planejamento da invasão da França por terra, os ambiciosos planos de Dönitz para a construção de seiscentos submarinos não tiveram chance de se concretizar. De fato, apenas vinte foram construídos entre o início da guerra e o verão de 1940. A infiltração de um submarino na base naval britânica de Scapa Flow, onde ele afundou o navio de guerra *Royal Oak*, foi um espetacular golpe de propaganda. Mas muito mais sério foi o fato de que os submarinos, embora fossem em pequena quantidade, imediatamente desencadearam ataques submarinos aos navios aliados em uma tentativa de interromper o fornecimento de suprimentos. Eles foram auxiliados pelo êxito em decifrar os códigos com os quais os britânicos codificavam suas emissões de rádio. Em março de 1940, haviam afundado cerca de 680 mil toneladas de carregamentos britânicos. Esse fato causou sério alarme em Londres. No entanto, isso foi apenas uma fração do total. As perdas, as falhas e os longos períodos parados nos portos para reparos significavam que havia apenas 25 submarinos operando no Atlântico no verão de 1940. Isso não estava nem perto de ser suficiente para interromper as linhas transatlânticas de suprimento britânicas.[111]

Além de serem pouco numerosos, os submarinos alemães também não estavam muito mais avançados, tecnicamente falando, do que na Primeira Guerra Mundial. Eles ainda tinham de permanecer a maior parte do tempo na superfície, onde se moviam lentamente e podiam ser detectados por aviões inimigos com facilidade; mergulhar era possível apenas por períodos relativamente curtos. Também estavam em desvantagem por sua falta de aparelhagem para reconhecimento aéreo, então eles próprios tinham de encontrar os navios. Os britânicos instituíram um sistema de comboio quase imediatamente, proporcionando a proteção de contratorpedeiros para os vulneráveis navios mercantes. Esquadrinhando o horizonte ansiosamente em busca das reveladoras colunas de fumaça dos navios britânicos se erguendo pálidas acima da linha do horizonte, a tripulação dos submarinos alemães precisava fazer um cálculo visual antes de lançar seus torpedos. Mergulhar era uma tática defensiva, uma medida extrema tomada para distrair a atenção da escolta de contratorpedeiros e de suas cargas de profundidade. A localização era fácil, e apenas poucas perdas entre a frota de submarinos prejudicaria seriamente a tentativa de destruir as linhas transatlânticas de suprimentos dos britânicos.[112] Uma campanha de construção realmente grande deveria ter dado primazia aos submarinos. Sua construção era mais barata que a dos navios de guerra de superfície. Hitler ordenou que a média de construção fosse elevada para 25 submarinos por mês em julho de 1940. Porém, os resultados custaram a aparecer. No fim do ano, o observador soldado intelectual Hans Meier-Welcker foi forçado a admitir: "Não podemos destruir o poder marítimo dos britânicos".[113] Outras pessoas, com cargos mais elevados, concordaram. Pouco depois, Hitler transferiu as prioridades de volta ao Exército, e em março de 1941 apenas 72 submarinos adicionais haviam sido entregues. Não obstante, durante o mesmo período, os vinte e poucos submarinos que cruzavam o Atlântico a qualquer hora conseguiram afundar mais de 2 milhões de toneladas de carregamentos britânicos. Entretanto, o sistema de comboio foi então reforçado, e os britânicos foram bem-sucedidos no deciframento dos códigos de rádio dos alemães, de modo que as perdas diminuíram para menos de 100 mil toneladas por mês no verão de 1941.[114]

Nos primeiros meses depois de a guerra ter sido declarada pelos Estados Unidos, os submarinos alemães que espreitavam a costa americana e a zona do Caribe tiraram vantagem do fato de os americanos não conseguirem diminuir as luzes das cidades costeiras para afundar grande quantidade de navios de transporte de suprimentos que navegavam pelo Atlântico sem uma escolta armada naval. No fim de agosto de 1942, 485 navios tinham sido afundados, totalizando mais de 2 milhões e meio de toneladas. Durante a maior parte de 1942, até ele ser finalmente decifrado em dezembro de 1942, um novo código alemão impedia os britânicos de decodificar mensagens navais, enquanto os alemães, por sua vez, podiam decifrar o tráfego de rádio britânico. Apenas em novembro de 1942, 860 mil toneladas de carregamentos aliados foram afundadas, 720 mil das quais por submarinos. Nessa época, o número de submarinos na área havia aumentado de 22, em janeiro de 1942, para mais de cem. Já em 27 de junho de 1942, o comboio do Ártico PQ17, carregando suprimentos militares para a União Soviética, tinha sido em grande parte destruído por aviões e submarinos alemães, com a perda de 26 dos 39 navios depois de as autoridades navais em Londres terem ordenado que ele se separasse na errônea crença de que o encouraçado *Tirpitz* havia zarpado para atacá-lo. Muitas lições foram aprendidas com essa derrocada, e depois de um pequeno intervalo os comboios do Ártico recomeçaram suas atividades em setembro de 1942, dessa vez alcançando um sucesso muito maior. Contudo, tentativas de bombardear os estaleiros onde os submarinos eram construídos e os portos onde eles estavam atracados acabaram se tornando um desastre catastrófico. A Batalha do Atlântico, como foi chamada, alcançou seu ponto máximo nos quatro primeiros meses de 1943 em uma série de combates renhidos entre comboios escoltados e submarinos alemães, dos quais havia então mais de 120 no Atlântico Norte.[115] O resultado parecia incerto.

Mas os britânicos conseguiram uma vez mais decodificar sinais de tráfego naval a partir de dezembro de 1942, e passaram a enviar seus comboios para longe dos submarinos que estavam à espreita.[116] Os submarinos foram forçados a procurar comboios aliados principalmente navegando em grupos não muito coesos (matilhas), que convergiam quando um deles detectava o inimigo. O tráfego de sinais de rádio terra-mar com os comboios também passou a ser interceptado pela Marinha alemã a partir de 1941 até 1943, quando um novo código foi introduzido, ajudando desse modo os submarinos a encontrar os comboios ou pelo menos ajudando a descobrir para onde eles se dirigiam. Mas os sinais de rádio usados pelos submarinos em matilhas para comunicação uns com os outros eram interceptados pelos navios que escoltavam os comboios. Os submarinos não podiam mandar ou receber sinais enquanto estavam submersos, e quando estavam debaixo d'água só podiam navegar muito devagar, então passavam a maior parte do tempo na superfície, tornando-se vulneráveis em relação à localização e ao ataque. Debaixo d'água, podiam ser localizados por ecobatímetros e avariados por cargas de profundidade. Os submarinos geralmente atacavam na superfície e à noite, de modo que as escoltas dos comboios desenvolveram um sistema de holofotes para localizá-los. A partir de 1943, pequenos porta-aviões acompanhavam os comboios. Isso fez uma enorme diferença, principalmente para os comboios do Ártico. Em fevereiro de 1943, pela primeira vez, os aliados, sobretudo os americanos, estavam construindo maior quantidade de arqueação bruta do que a afundada pelos alemães. Em meados de maio de 1943, as perdas de submarinos aconteciam em uma média de um por dia, e seus comandantes estavam começando a relutar em atacar o inimigo. No dia 24 de maio de 1943, o almirante Dönitz admitiu a derrota e ordenou que a matilha de submarinos se retirasse do Atlântico Norte. A construção de submarinos prosseguiu em grande quantidade, e, então, modelos mais avançados foram comissionados. A guerra no oceano continuou, mas a ameaça aos suprimentos aliados ao longo do Atlântico e do oceano Ártico na verdade nunca mais foi significativa.[117]

"O inferno se desencadeou"

I

No *front* oriental, a derrota do VI Exército alemão em Stalingrado marcou o começo de uma longa retirada que só seria concluída com a derrota total em Berlim pouco mais de dois anos depois. Esse foi o ponto de virada da guerra no leste.[118] Antes mesmo de Paulus e suas enlameadas forças terem se rendido, o Grupo de Exércitos A (a outra metade do Grupo de Exércitos do Sul) também estava entrando em apuros. No verão de 1942, o Grupo de Exércitos A tinha avançado rapidamente ao longo do Cáucaso à medida que o Exército Vermelho batia em retirada e os generais soviéticos tentavam desesperadamente organizar reforços de homens e de suprimentos. No começo do outono, as forças alemãs estavam exaustas, reduzidas em número, dependendo de longas e precárias linhas de suprimento e enfraquecidas por terem sido divididas em inúmeros grupos diferentes. Em meados de setembro de 1942, apesar de seus rápidos avanços, elas ainda estavam milhares de quilômetros longe de seus objetivos, os campos petrolíferos em Grozni e Baku. O comandante do Grupo de Exércitos A, o marechal de campo Wilhelm List, concluiu que ele simplesmente não tinha recursos para fazer com que os russos retrocedessem pelos passos montanhosos antes que o inverno começasse. Ao ser informado da situação, Hitler teve uma reação violenta e demitiu List, assumindo em pessoa, temporariamente, o comando do Grupo, embora não se desse ao trabalho de visitar o cenário das operações. Hitler ainda pensava que conseguiria conquistar os campos petrolíferos do Cáspio. Mas, por fim, até ele precisou admitir que isso não aconteceria em 1942. O Exército Vermelho finalmente se organizou o suficiente para oferecer resistência. Para muitos soldados alemães, o avanço ao longo dos pomares perfumados, dos vinhedos e dos campos de milho, com picos cobertos de neve na linha do horizonte, tinha parecido algo quase idílico. Porém, na cidade de Ordjonikide, eles depararam com uma resistência insuperável. "Nenhum de nós", escreveu um jovem artilheiro em 2 de novembro, "jamais passou por dias como estes. O inferno se desencadeou".[119] "Tudo por que nós passamos nas duas últimas semanas", ele escreveu em 14 de novembro de 1942, "foi apavorante".[120] Cercadas por tropas do Exército Vermelho, as forças alemãs lutaram para conseguir passar, mas a única opção era retroceder. A ofensiva não havia sido simplesmente interrompida, ela havia acabado.[121]

Retroceder tornou-se então a única alternativa, já que o ataque soviético ao oeste de Stalingrado não só isolou o VI Exército de Paulus, como também ameaçou outras posições alemãs. O Grupo de Exércitos A também ficaria isolado se as forças soviéticas conseguissem recapturar Rostov e bloqueassem o Cáucaso no lado norte. À medida que ficava cada vez mais preocupado com Stalingrado, Hitler designou o marechal de campo Ewald von Kleist para o comando do Grupo de Exércitos A. Kleist imediatamente percebeu o perigo de ficar isolado. No dia 27 de dezembro de 1942, Manstein persuadiu Zeitzler a pedir a Hitler permissão para a retirada das tropas do Cáucaso. Relutante, Hitler consentiu. Talvez tivesse percebido que, com o VI Exército preso em Stalingrado e unidades vitais tendo sido mandadas anteriormente para o norte, não seria possível conseguir reforços para o Cáucaso. Pouco depois, ele mudou de ideia, mas era tarde demais: Zeitzler tinha enviado a ordem por telefone e a retirada havia começado. Perseguidas pelas relativamente fracas forças soviéticas, as tropas alemãs marcharam de volta para Rostov-sobre-o-Don, então, à medida que o Exército Vermelho avançava na direção oeste depois de sua vitória em Stalingrado, os alemães foram forçados a recuar ainda mais.[122] A retirada deprimiu grande parte das tropas. "Quase dá para chorar", escreveu Albert Neuhaus para sua esposa em 16 de fevereiro de 1943, "quando se pensa no que a conquista destes territórios custou em sacrifício e em esforço. Não dá para pensar nisso [...] Parece que há uma crise séria no momento, e daria para perder a coragem se não tivéssemos um coração dedicado".[123] Essa foi uma de suas últimas cartas para casa. Albert Neuhaus foi vítima de uma bala do Exército Vermelho quase um mês depois, em 11 de março de 1943.[124]

O *front* oriental tinha sido reconstruído e, até certo ponto, estabilizado por essas interrupções. Novas tropas foram transferidas da Europa ocidental, enquanto Manstein reorganizava e reequipava suas forças para que ficassem prontas para um contra-ataque. Em 19 de fevereiro de 1943, o Grupo de Exércitos do Sul enviou duas divisões *panzer* para o norte, pulverizando o avanço das forças soviéticas e recapturando Kharkov, enquanto a outra divisão *panzer* destruía os veículos blindados soviéticos mais ao leste. Um mês depois, o degelo da primavera transformou toda a região em lama e impediu outras manobras naquele momento. Mas nem Hitler nem as lideranças do Exército tinham muitas ilusões quanto a esses ganhos limitados. Depois de Stalingrado, eles sabiam, apesar de toda a retórica ousada com a qual a liderança nazista continuava a se satisfazer, que a Alemanha tinha se decidido pela defensiva no *front* oriental. A prioridade maior era, então, a de manter o controle sobre as áreas fortemente industrializadas da bacia do Donets, com seus ricos e essenciais depósitos de carvão e de minérios. Sua perda significaria o fim da guerra, Hitler disse aos generais.[125] Eles precisavam de uma ofensiva tática destinada a fortalecer o *front* alemão, sacrificando o menor número possível de homens e de armamentos, e enfraquecendo o Exército Vermelho o suficiente para impedi-lo de desencadear uma ofensiva de verão bem-sucedida. As possibilidades eram limitadas. Os generais alemães sabiam que o Exército Vermelho agora tinha duas vezes mais homens e três ou quatro vezes mais peças de artilharia e tanques do que eles podiam dispor no *front* oriental. Nessas circunstâncias, onde seria mais seguro desencadear a ofensiva? Assim como tinham feito antes de Moscou, os generais discutiram entre si e foram incapazes de chegar a uma decisão consensual. O Comando Supremo das Forças Armadas Combinadas não concordou com o Comando Supremo do Exército se, de qualquer modo, era mais importante fortalecer as defesas na Itália e no oeste. E, assim como antes de Moscou, Hitler foi por fim forçado a tomar a decisão pessoalmente. O golpe, ele ordenou, seria dado em Kursk, onde um saliente na linha do *front* expunha as forças soviéticas a uma clássica manobra de envolvimento.[126]

Enquanto esperavam que o solo endurecesse, os comandantes alemães transportaram uma grande quantidade dos novos tanques Tiger e Panther, junto com mais artilharia pesada – sobretudo outro armamento novo, o obus autopropulsado Ferdinand – e aviões de combate, fazendo preparativos para um ataque ao saliente. Manstein desejava atacar rapidamente, antes que o Exército Vermelho pudesse se preparar, mas foi frustrado pelos problemas que o sistema ferroviário enfrentou no transporte dos reforços para o *front* e pelos ataques feitos aos transportes pelos guerrilheiros. O marechal de campo Model, comandante da IX Divisão Panzer ao norte de Kursk, avisou repetidas vezes que suas forças estavam fracas demais para fazer sua parte na Operação Cidadela, como era chamada. Portanto, Hitler postergou o ataque enquanto suas tropas recuperavam as forças. Mas a vulnerabilidade do bolsão de Kursk era óbvia para todos, então o Exército Vermelho trouxe reforços maciços de homens e de armamentos. O serviço de informações soviético conseguiu descobrir não somente onde os ataques ofensivos dos alemães seriam desencadeados, mas também quando começariam. O elemento-surpresa, essencial para a concepção original do ataque, tinha sido perdido. As consequências foram devastadoras para as forças alemãs.[127]

No começo de julho, as forças estavam reunidas para aquela que seria a maior batalha terrestre da história. As estatísticas eram estonteantes. A Batalha de Kursk, incluindo a Operação Cidadela e duas contraofensivas soviéticas, envolveu um total de mais de 4 milhões de soldados, 69 mil peças de artilharia, 13 mil tanques e obuses autopropulsados e quase 12 mil aviões de combate. No assalto inicial da Operação Cidadela, o Exército Vermelho excedia em número as forças alemãs em um fator de quase três por um (1.426.352 homens contra aproximadamente 518 mil). Os alemães contavam com 2.365 tanques e obuses autopropulsores para enfrentar 4.938 veículos soviéticos do mesmo tipo. Os defensores soviéticos contavam com 31.415 peças de artilharia de vários tipos, incluindo lança-foguetes, para erigir uma muralha de fogo que os alemães teriam dificuldade para penetrar, ao passo que as 7.417 peças de artilharia empregadas pelo Exército alemão não tinham chance de destruir as defesas soviéticas. As forças alemãs no *front* oriental tinham há muito tempo perdido o controle dos céus e, com apenas 1.372 aviões de combate para enfrentar os 3.648 de seus oponentes, não tinham grande chance de recuperá-lo. Acrescente-se a isso o fato de o Exército Vermelho ter grande quantidade de homens e de equipamentos de reserva nas proximidades, prontos para entrar na batalha se e quando fosse necessário. Percebendo isso, Model manteve um número significativo de forças *panzer* fora da batalha caso os soviéticos trouxessem suas reservas para ameaçar a retaguarda alemã. No total, em toda a área da batalha, o Exército Vermelho excedia em número seus oponentes alemães em três homens por um, três por um em tanques e armamentos, cinco por um em artilharia e quatro por um em aviões de combate. E ele também estava muito mais preparado e organizado do que em confrontos anteriores.[128]

II

Na manhã de 5 de julho de 1943, os alemães atacaram simultaneamente dos dois lados do saliente. Os russos estavam preparados para recebê-los. Em três meses de trabalho febril, 300 mil recrutas civis tinham ajudado as tropas soviéticas a construir linhas de defesa com trezentos quilômetros de extensão, com arame farpado, trincheiras, barricadas antitanque, *bunkers*, casamatas para metralhadoras, lança-chamas e artilharia organizados em oito linhas, uma atrás da outra. Cerca de um milhão de minas terrestres tinham sido enterradas, em alguns setores mais de 3 mil por quilômetro. Um comandante alemão da divisão *panzer* comentou: "O que aconteceu em Kursk foi inacreditável. Nunca passei por nada semelhante em uma guerra, ou antes, ou depois. Os soviéticos tinham preparado um sistema defensivo cuja extensão era inimaginável para nós. Cada vez que conquistávamos uma posição em uma luta acirrada, nos confrontávamos com uma nova".[129] Não obstante, a batalha começou mal para o Exército Vermelho. Tendo recebido informações falsas de um soldado alemão capturado a respeito da hora do assalto planejado, a artilharia soviética abriu fogo primeiro, desse modo traindo para os alemães o fato de que sabiam que o ataque ia acontecer. Bombardeiros soviéticos levantaram voo em um ataque-surpresa aos campos de aviação alemães, que estavam lotados com aviões de combate, mas foram localizados por radares alemães, e a Força Aérea alemã rapidamente fez seus caças decolarem, e eles abateram 425 aviões soviéticos para um total de perdas de apenas 36 dos seus. Como resultado, os alemães conquistaram uma temporária supremacia aérea, apesar da superioridade muito maior da Força Aérea soviética na área.[130]

Enquanto isso, no norte, o marechal de campo Walter Model avançava com a IX Divisão Panzer do Exército. Pensando nas gigantescas reservas soviéticas na sua retaguarda e na maciça superioridade das forças que o confrontavam, ele estava hesitante, de um modo que não lhe era característico. Tentou preservar seus tanques usando-os para seguir a infantaria em vez de transferi-los para abrir caminho através das profundas defesas soviéticas. Isso retardou o avanço, e então Model começou a perder seus tanques à medida que eram explodidos por minas. Depois de cinco dias de combate ferrenho, o avanço cessou completamente.[131] Para o sul, Manstein enviou seu exército *panzer* consideravelmente maior, com mais de duzentos tanques Tiger e Panther, do modo clássico, empurrando-os pelas defesas soviéticas. Mas também tiveram seu avanço retardado por campos minados, que destruíram 25 deles no primeiro dia. Avarias mecânicas danificaram outros 45 Panthers, em outra demonstração dos perigos de colocar em uso uma nova arma antes de ela ter sido completamente verificada e testada. Não obstante, os pesados Tigers demonstraram que eram muito resistentes às tentativas de destruição, e até mesmo os Panthers logo demonstraram sua superioridade em relação aos soviéticos T-34, alvejando-os e deixando-os em pedaços a distâncias bem superiores a 2 mil metros. As forças de Manstein e de Hoth avançaram progressivamente, e os generais soviéticos começaram a entrar em pânico. Eles decidiram enterrar um grande número de seus tanques no chão, até a torre, para proteção. Isso causou dificuldades imensas para os tanques alemães, que então tinham de se aproximar demais para destruir seus oponentes soviéticos; os tanques russos, bem camuflados, frequentemente deixavam os Tigers e os Panthers passar antes de destruí-los a pouca distância pela retaguarda. O ataque sul começou a ficar mais lento, sua situação piorou devido à transferência de grande quantidade de aviões de combate para auxiliar o acossado Model no norte. Ainda assim, no dia 11 de julho de 1941, as forças de Manstein tinham aberto caminho através das defesas soviéticas e estavam perto da cidade de Prochorovka, seu primeiro objetivo maior.[132]

Lá, os generais soviéticos desencadearam um contra-ataque, com o objetivo de envolver e destruir as forças alemãs. O general soviético das forças blindadas, Pavel Rotmistrov, mandou novas tropas, avançando até 380 quilômetros a partir da retaguarda em apenas três dias com mais de oitocentos tanques. Mantendo alguns na reserva, ele deslocou quatrocentos deles do nordeste e outros duzentos do leste, contra as forças alemãs esgotadas pela batalha e que foram completamente apanhadas de surpresa. Com apenas 186 veículos blindados, somente 117 deles tanques, as forças alemãs depararam com a destruição total. Mas os pilotos dos tanques soviéticos, cansados depois de três dias dirigindo, e talvez também excitados, como as tropas do Exército Vermelho frequentemente estavam, por doses liberais de vodca, não conseguiram perceber uma maciça trincheira antitanque de 4,5 metros de profundidade escavada não muito tempo antes pelos pioneiros soviéticos como parte dos preparativos de Jukov para a batalha. As primeiras linhas de T-34 caíram direto na trincheira, e, quando aquelas que as seguiam finalmente se deram conta do perigo, afastaram-se rapidamente em pânico, colidindo umas com as outras, e pegaram fogo assim que os alemães começaram a atirar. Perto do meio-dia, os alemães relatavam 190 tanques soviéticos destruídos ou abandonados no campo de batalha, alguns deles ainda em chamas. O número parecia tão inacreditável que um general de alto escalão chegou pessoalmente para fazer uma verificação. A perda de tantos tanques enraiveceu Stálin, que ameaçou mandar Rotmistrov para a corte marcial. Para salvar sua pele, o general concordou com seu oficial em comando e com o mais alto comissário político na região – Nikita Khrushchev em alegar que os tanques haviam sido perdidos em uma imensa batalha na qual mais de quatrocentos tanques alemães tinham sido destruídos pelas heroicas forças soviéticas. Stálin, que tivera a ideia original de mandar as forças de Rotmistrov para a batalha, foi obrigado a aceitar o relatório deles. Ele se tornou a fonte de uma lenda longeva que marcou Prochorovka como a "maior batalha de tanques da história". Na verdade, ela foi um dos maiores fiascos militares da história. As forças soviéticas perderam um total de 235 tanques, as alemãs, três. Apesar disso, Rotmistrov se tornou um herói, e atualmente um grande monumento assinala o local.[133]

Os tanques alemães perdidos haviam desaparecido como consequência de uma ordem de transferência dada por Hitler. A situação que se deteriorava rapidamente no Mediterrâneo e, acima de tudo, os desembarques aliados na Sicília no dia 10 de julho de 1943 convenceram o Líder alemão da necessidade imediata de retirar importantes forças do *front* oriental, sobretudo as divisões de tanques que estavam participando da Operação Cidadela, e transportá-las à península italiana para se preparar para defendê-la contra a iminente invasão aliada. Manstein ainda acreditava que seria possível obter um sucesso limitado com a ofensiva de Kursk, particularmente tendo em vista as maciças perdas soviéticas. Mas, em 17 de julho de 1943, os comandantes dos tanques receberam a ordem de bater em retirada. Manstein e outros generais reprovaram amargamente Hitler nos anos seguintes por supostamente ter jogado fora a perspectiva de vitória. Mas o fato era que o fiasco em Prochorovka não causou grande diferença para o equilíbrio geral de forças em Kursk. As perdas totais sofridas pelas forças alemãs na batalha foram relativamente pequenas: 252 tanques contra quase 2 mil tanques soviéticos; talvez umas quinhentas peças de artilharia contra quase 4 mil de seus oponentes soviéticos; 159 aviões contra quase 2 mil caças e bombardeiros russos; 54 mil homens comparados a cerca de 320 mil soldados russos. Longe de ser o túmulo do Exército alemão, como tem sido por vezes descrita, a batalha causou apenas um impacto relativamente pequeno. Ela havia, certamente, demonstrado que os tanques Tiger e Panther eram muito superiores aos T-34. Mas isso não fez muita diferença; eles eram simplesmente em número muito pequeno comparados a seus similares soviéticos. Os objetivos da Operação Cidadela haviam sido limitados e modestos. Mas ela falhara. Sua falha convenceu muitos soldados alemães de que não haveria uma reviravolta da sorte depois de Stalingrado. Pela primeira vez, uma ofensiva de verão alemã fora repelida, e uma das razões era o fato de uma guerra travada em dois *fronts* estar acontecendo.[134]

Esse estava longe de ser o fim da Batalha de Kursk. No dia 12 de julho de 1943, enquanto a ofensiva alemã ainda estava em andamento, o Exército Vermelho desencadeou sua contraofensiva. Mais de um milhão de soldados recém-chegados foram deslocados para a batalha, juntamente com 3.200 tanques e obuses autopropulsados, 25.500 peças de artilharia e de lançadores de granadas e cerca de 4 mil aviões de combate. Junto com as forças que já estavam lutando pela defesa, isso significava que os números envolvidos no lado soviético eram então avassaladores e sem precedentes: mais de 2 milhões e 250 mil homens, dos quais pouco mais de 1,5 milhão eram tropas de combate; 4.800 tanques e obuses autopropulsados; e 35.200 peças de artilharia. Isso representava mais de duas vezes o tamanho do Exército Vermelho que saíra vitorioso em Stalingrado. A superioridade numérica do Exército Vermelho era tão grande que ela poderia permitir a abertura de novas ofensivas em outros setores do *front* oriental ao mesmo tempo, apoiadas pela maciça operação guerrilheira na retaguarda alemã que havia restringido um grande número de tropas alemãs. O Exército Vermelho, avançando em uma frente ampla em vez de seguir o clássico princípio de tentar abrir caminho através das linhas alemãs e cercar o inimigo em uma manobra de envolvimento, teve perdas horríveis. Na época em que as contraofensivas terminaram, em 23 de agosto de 1943, ele havia perdido aproximadamente 1.677.000 homens, mortos, feridos ou desaparecidos em ação, contra os 170 mil alemães; mais de 6 mil tanques em comparação com os 760 alemães; 5.244 peças de artilharia comparadas às talvez pouco mais de setecentas no lado alemão; e cerca de 4.200 aviões de combate contra os 524 alemães. No total, em julho e agosto de 1943, o Exército Vermelho perdeu aproximadamente 10 mil tanques e obuses autopropulsados; os alemães, apenas pouco mais de 1.300.[135] A pouca importância dada por Stálin e seus generais à vida de seus soldados era de tirar o fôlego.

Contudo, os alemães não tinham tantas condições de enfrentar suas perdas consideravelmente menores. No dia 2 de setembro de 1943, Otto Wöhler, um general alemão de infantaria, confessou:

> Enquanto nós fomos forçados a adotar as mais difíceis táticas para conservar nossa munição, o inimigo podia dispor de equipamentos ilimitados para sua artilharia e lançadores de granadas. Ele debilitou nossas tropas a tal ponto que não era mais possível preservar a p[rincipal] l[inha de] c[ombate], mas somente construí-la a partir de grupos de segurança unidos por patrulhas [...] A 39ª D[ivisão de Infantaria] contava apenas com 6 oficiais e cerca de trezentos homens lutando hoje de manhã [...] Os comandantes relataram para mim que a fadiga extrema havia levado a uma tal apatia entre as tropas que medidas draconianas não estavam surtindo o efeito desejado naquele momento, e que nem o exemplo dado pelos oficiais nem o "encorajamento gentil" tinham sucesso.[136]

Os generais alemães foram forçados a recuar. Hitler ficou furioso, e deu uma torrente de ordens para manter a posição. Mas a situação era impossível, e até mesmo o comandante favorito de Hitler, Walter Model, não levou em conta os desejos de seu Líder e executou uma porção de retiradas taticamente engenhosas que conseguiram reduzir as perdas alemãs. À medida que as tropas soviéticas avançavam sobre Kharkov, Hitler ordenou que a cidade fosse mantida a qualquer custo: Manstein e Werner Kempf, seu comandante no local, disseram-lhe que não seria possível. Hitler reagiu demitindo Kempf, mas seu substituto disse a mesma coisa, e Hitler foi forçado a concordar com a evacuação da cidade. Enquanto as tropas alemãs se retiravam do campo de batalha de Kursk, deixavam para trás uma cena de devastação apocalíptica, um "campo de batalha", como um soldado alemão descreveu-o, "no qual todas as árvores e arbustos foram reduzidos a pedaços, a área estava coberta de peças de artilharia destroçadas, tanques queimados e aviões abatidos [...] Retratos do fim do mundo; e passar por essa experiência ameaçava levar ao desespero o homem por ela afetado, a não ser que ele tivesse nervos de aço".[137]

III

Os meses entre a Batalha de Kursk em julho-agosto de 1943 e os desembarques na Normandia em junho de 1944 às vezes têm sido chamados de "o ano esquecido" da guerra.[138] Os generais tinham plena consciência de sua situação desesperadora, e frequentemente pediam a Hitler para ter liberdade de ação, de modo que pudessem usar a amplidão da estepe para realizar movimentos táticos em grande escala, na esperança de impedir o avanço dos exércitos soviéticos e destruí-los. Para Hitler, entretanto, isso parecia apenas uma desculpa para uma retirada covarde e, à medida que o tempo passava, ele se tornava cada vez mais insistente quanto a manter as posições. Isso significava, de modo crescente, que as retiradas alemãs não estavam integradas em uma estratégia geral, e aconteciam repentinamente, como resposta à ameaça de envolvimento pelas tropas soviéticas. Com muita frequência, as unidades do Exército alemão abandonavam suas posições em pânico em vez de fazer uma retirada planejada.[139] Durante quase todo esse período, as forças alemãs permaneceram em retirada, incendiando e destruindo tudo enquanto partiam. Um jovem soldado da infantaria descreveu a cena para sua esposa que estava em casa, enquanto sua unidade se retirava através do Dnieper:

De um lado do rio tudo já está queimando violentamente há dias, pois você deve saber que todas as cidades e vilarejos das redondezas que estamos evacuando agora foram incendiados, até mesmo a menor das casas no vilarejo deve ser destruída. Explodiram todas as grandes construções. Os russos não devem encontrar nada além de um campo de destroços. Isso não lhes dá a menor possibilidade de acomodar suas tropas. Então, é uma cena horrivelmente bela.[140]

As tropas estavam possuídas por um tipo de desejo intenso de destruição, como essa carta sugere, o que muitas vezes levava a uma quebra da disciplina e à pilhagem em massa dos edifícios antes que fossem completamente incendiados. Edifícios em chamas mostravam com muita clareza para as tropas soviéticas que avançavam para onde os alemães se dirigiam, e a obra de destruição desperdiçava tempo e recursos que poderiam ter sido usados com melhor proveito na organização de linhas defensivas. Progressivamente, as unidades de tropas se retiravam por conta própria sem esperar ordens, assim que sua situação começava a parecer crítica.[141]

Não obstante, o Exército alemão se mantinha unido contra as temerárias investidas dos soviéticos, cujos repetidos ataques frontais levaram-nos a sofrer cinco vezes o número de perdas de seus opositores, às vezes mais. Um serviço de informações superior, o preparo de pontos fortes e a defesa em profundidade permitiram que partes cruciais da linha de frente mantivessem suas posições repetidas vezes antes de serem sobrepujadas pelo número superior de forças e forçadas a se retirar.[142] O que mantinha os soldados alemães lutando batalhas perdidas uma depois da outra? De modo crescente, eles sentiam que estavam lutando pela Alemanha, e não por Hitler ou pelo nazismo. O temor e a aversão pelas "hordas bolcheviques", pelos soviéticos "sub-humanos", fizeram que eles sentissem um intenso desejo de matar e de destruir. A própria temeridade de seus inimigos tornava a vida ainda mais sem valor do que antes. Quanto mais a retirada se aproximava das fronteiras da Alemanha, mais desesperada se tornava a luta para salvá-la, independentemente da fidelidade aos princípios do nazismo, tão característica dos soldados. Ao mesmo tempo, as crenças nacionalistas que sustentavam as tropas tinham ficado ainda mais fortemente instiladas ao longo da década anterior com a ideologia do nazismo. Ela os animava com seu desprezo pelos eslavos, com sua afirmação da superioridade alemã e, de modo crucial, com seu desejo de usar da violência para alcançar seus objetivos.[143]

A mistura de nazismo com um tipo mais tradicional de nacionalismo era mais forte entre os mais jovens e a maioria dos oficiais intermediários, e mais fraca nas gerações mais velhas, o que significava, acima de tudo, os mais altos escalões dos corpos de oficiais. A maioria dos generais, nascidos na década de 1880, era nacionalista do tipo tradicional. Eles haviam crescido no reinado do último *Kaiser*, quando haviam pertencido inconscientemente à casta governante dos oficiais, dos aristocratas, dos funcionários públicos com cargos elevados, dos homens da Igreja Protestante, dos professores universitários e dos homens de negócios tradicionais. Muitos haviam vivido em distritos rurais ou em cidades pequenas, e tido contato apenas com a família de outros oficiais ou de membros da elite local. Sobretudo se vinham da região da Prússia a leste do Elba, eles provavelmente teriam lançado olhares temerosos na direção do colosso ameaçador da Rússia "meio asiática". O longo treinamento militar pelo qual haviam passado tinha confirmado seus valores conservadores, monarquistas e nacionalistas, assim como os havia afastado do restante da sociedade. Um exemplo típico disso era Gotthard Heinrici, um general pouco comum apenas na assiduidade com que mantinha um diário e nos detalhes vívidos com os quais descrevia o que via e as experiências pelas quais passava. Nascido em 1886, em Gumbinnen, na fronteira com a Polônia, ele havia se alistado na carreira militar como cadete em 1905, lutado na Primeira Guerra Mundial e ascendido aos postos mais altos do Exército em uma típica alternância entre posições administrativas e operacionais entre as guerras, tornando-se tenente-general em 1938, general em junho de 1940 e coronel-general no dia 1º de janeiro de 1943. Heinrici tinha passado toda a sua vida nos círculos limitados da elite militar, sem ter o menor conhecimento do resto da sociedade alemã, ou contato com ela. Seu mundo inteiro fora destruído em novembro de 1918, assim como o de outros membros da elite do *Kaiser* Guilherme. Ele punha a culpa da derrota em uma conspiração revolucionária judaico-socialista no *front* doméstico e, o que não era surpreendente, apoiava o *Kapp-putsch*, esperava pela queda da República de Weimar e sonhava com uma guerra de vingança contra os inimigos da Alemanha. A princípio desconfiado daquilo que considerava o radicalismo vulgar dos nazistas, ele foi conquistado pelo apoio dado por Hitler ao rearmamento e sua supressão da social-democracia e do comunismo. Heinrici não era um ideólogo nazista, mas chegou a admirar Hitler, e permaneceu fiel ao regime por um conformismo inato e um sentimento de lealdade patriótica. Ele apoiou o objetivo de Hitler de alcançar a liderança europeia para a Alemanha e de usá-la para desafiar o Império Britânico e os Estados Unidos na luta pela hegemonia global, embora, ao contrário de Hitler, permanecesse cético quanto às possibilidades de esta ser alcançada. O que aparece em seu diário não é apenas sua preocupação modelar com o bem-estar de suas tropas, cujos infortúnios ele fazia questão de compartilhar, mas também sua visão limitada, que não admitiria uma prioridade maior que a militar. Seus preconceitos profundos contra os judeus e os eslavos, mas que ele expressava de maneira casual, eram completamente típicos de sua casta. Sua lealdade para com Hitler e suas próprias ideias a respeito da Alemanha fariam que ele permanecesse lutando praticamente até o fim.[144]

Moldado em uma forma parecida era Fedor von Bock, cuja carreira, ao contrário daquela mais banal de Heinrici, fez que ele alcançasse o posto de marechal de campo. Nascido em 1880 em Küstrin, outra cidade na fronteira leste da Alemanha, vinha de uma família militar, havia lutado nos dois *fronts* na Primeira Guerra Mundial e permanecido no Exército durante todos os anos da República de Weimar. Em 1938, liderara o VIII Exército na marcha sobre a Áustria; então comandou o Grupo de Exércitos do Norte que invadiu a Polônia em 1939. Seu casamento tardio, em 1936, com uma viúva que já tinha filhos, parece ter sido bem-sucedido, embora seu serviço ativo indicasse que ele pouco via a família. Bock admirava Hitler por ter restaurado o orgulho nacional e militar da Alemanha, mas tampouco era um ideólogo nazista. Seus diários de guerra revelam um soldado estritamente profissional, que deixava de lado quase tudo que não se relacionasse à ação militar ou ao planejamento militar. Seu apego à monarquia não era segredo. Na Holanda, em maio de 1940, viajou para Doorn, onde o idoso ex-*Kaiser* Guilherme II continuava a viver em exílio; mas descobriu que as tropas que guardavam a residência haviam sido instruídas a não permitir que ele entrasse para prestar seus respeitos. O profissionalismo militar de Bock deu-lhe uma crença básica nas leis da guerra, no respeito aos civis, no bem-estar dos prisioneiros de guerra, e muito mais. Achava, por exemplo, que áreas ocupadas deveriam ser governadas por militares e não gostava da intromissão da SS. Preocupava-se com as políticas nazistas em relação aos judeus na França e na Bélgica ocupadas, e seus diários não revelam nenhum tipo de antissemitismo declarado ou mesmo implícito. Mas Bock admitia que Hitler iria conseguir o que queria nas áreas conquistadas pelo Exército e, de qualquer modo, todos esses assuntos eram de menor importância para ele, comparados aos ditames da necessidade militar. Seu tempo e suas energias eram devotados quase na totalidade ao comando dos exércitos em campanha ativa, portanto nunca fez nada a respeito dessas violações do decoro militar.[145]

Ao profissionalismo e ao nacionalismo conservador era acrescentado o interesse material para manter os generais na linha. Assim como em outros países, também na Alemanha nazista uma variedade de novas honrarias e de medalhas foi estabelecida para recompensar a bravura em combate durante a guerra, e comandantes de campo bem-sucedidos foram rapidamente promovidos, doze deles para o posto de marechal de campo após a vitória no oeste em 1940. Hitler nunca confiou plenamente no Exército, e via tais promoções como um meio de fazer que os oficiais de alta patente se submetessem a sua vontade, mesmo que desaprovassem a ideologia nazista. Promoções rápidas pouca diferença faziam, contudo, na composição essencialmente aristocrática dos níveis mais elevados dos corpos de oficiais.[146] A promoção acarretava não apenas um aumento no salário, mas também bônus – 4 mil reichsmarks por mês, livres de impostos, para um marechal de campo ou um grande almirante. Hitler não tinha escrúpulos para usar sua própria e considerável fortuna pessoal para encaminhar quantias ainda maiores nessa direção. No dia 24 de abril de 1941, ele deu ao grande almirante Raeder uma doação única de 250 mil reichsmarks, por ocasião de seu aniversário de 65 anos, para ajudar a cobrir os custos da construção de uma nova casa. Tais presentes eram normalmente oferecidos com discrição e às escondidas, assim como aconteceu com outro cheque de 250 mil reichsmarks dado pelo principal ajudante de Hitler, Rudolf Schmundt, ao marechal de campo Wilhelm Ritter von Leeb para marcar o aniversário de 65 anos deste no dia 4 de setembro de 1941. Como Hitler sabia, Leeb estava longe de não ser crítico em seu posicionamento a respeito do modo como ele, Hitler, conduzia a guerra. A soma ajudou a garantir o marechal de campo, e mesmo depois de ter sido aposentado no começo de 1942, depois da derrota em Moscou, ele procurou incessantemente uma propriedade para comprar com seu presente, buscando diversas vezes a ajuda de um sem-número de autoridades civis em sua pesquisa, que finalmente foi bem-sucedida em 1944.

Um pouco antes, Leeb ficara tão desiludido com a proposta de violação da neutralidade da Bélgica em 1940 que sondara o terreno para a oposição militar que estava se cristalizando uma vez mais ao redor do chefe do Estado-Maior Geral do Exército, o general Franz Halder. Mas esse foi o único contato que ele manteve e não se repetiu. Outros oficiais superiores que receberam a mesma quantia em dinheiro ao atingir a idade de 65 anos incluíam os marechais de campo Gerd von Rundstedt, Wilhelm Keitel e Hans-Gunther von Kluge. Alguns, como Guderian ou Kleist, receberam valiosas propriedades, ou dinheiro para comprá-las. A propriedade Deipenhof, que Guderian recebeu, foi avaliada em quase 1 milhão e 250 mil reichsmarks. Anteriormente crítico da conduta de Hitler em relação à guerra, Guderian voltou de uma reclusão forçada na época do fim do conflito como um dos mais determinados defensores de uma luta até o final. Sem dúvida, a esperança de um presente dessa magnitude influenciou a conduta de muitos outros oficiais de alto escalão. No entanto, esses eram os homens que, muitas vezes, faziam questão de deixar clara sua adesão aos tradicionais valores militares prussianos como modéstia, integridade, frugalidade e um profundo sentimento de honra. Como o descontente diplomata Ulrich von Hassell observou: "para a maioria dos generais, uma carreira e o posto de marechal de campo são mais importantes que os grandes exemplos práticos e valores morais que estão em jogo".[147]

No nível de divisão, uma grande parte dos oficiais intermediários dos corpos de oficiais mostrava algumas dessas mesmas características, mas havia também diferenças, surgidas em sua maior parte do fato de que vinham majoritariamente de faixas etárias mais baixas. Por exemplo, na 253ª Divisão de Infantaria, que foi objeto de uma exaustiva análise estatística, apenas 9% dos oficiais tinham nascido antes de 1900, e 8% entre os anos de 1900 e 1909; 65% deles tinham nascido entre 1910 e 1919; os restantes 19% pertenciam à geração pós-1919. O predomínio protestante da elite militar se refletia no fato de que 57% dos oficiais da divisão se apresentavam como protestantes, e apenas 26% como católicos, em contraste agudo com a filiação religiosa das tropas por eles comandadas, nas quais os católicos eram a maioria; a influência do nazismo se fez perceber com grande força no fato de que 12% dos oficiais se descreviam como "deístas", o termo vago e não confessional preferido pelo regime. Os oficiais de divisão eram provenientes majoritariamente da classe média ou média alta educada e profissional, e já haviam servido no Exército durante alguns anos, em alguns casos retrocedendo à época da República de Weimar. Quarenta e três por cento eram membros de um tipo ou outro de organização nazista. Eles tinham maior probabilidade de serem condecorados por bravura que os soldados e melhores perspectivas profissionais, desde que sobrevivessem: quase a metade deles alcançou o comando de um batalhão militar durante a guerra, ou alcançou postos ainda mais altos, e mesmo a maior parte dos oficiais intermediários podia esperar a promoção ao posto de capitão ou major. Entretanto, isso significava que também tinham maiores probabilidades que seus soldados de ser transferidos para outra divisão ou para outros serviços.[148]

Para a grande massa de soldados comuns, o ambiente institucional em que viviam e lutavam permaneceu surpreendentemente estável durante a maior parte dos anos de guerra. Aproximadamente metade de todas as forças alemãs em qualquer período não estava envolvida em tarefas de combate; ou estavam na reserva, ou no serviço de segurança em áreas ocupadas atrás do *front*, ou empregadas em qualquer uma da grande variedade de tarefas administrativas, de suprimento, de apoio ou outras ocupações auxiliares. Para todos os regimentos de tanques, por exemplo, eram necessários não apenas homens que pilotassem os tanques, mas também que os reparassem e os abastecessem com combustível e munição, os transportassem para o *front* e os tirassem de lá, e se mantivessem informados a respeito de sua localização. Além disso, sempre havia um considerável contingente de soldados em treinamento, ou convalescendo depois de terem sido incapacitados por causa de ferimentos ou de doenças de qualquer tipo. Da outra metade, que participava do serviço ativo, cerca de 80% servia nas divisões de infantaria, que poderiam, portanto, ser consideradas a típica unidade de combate das Forças

Armadas. Desde o início da guerra até a invasão da União Soviética, o Exército passou por um longo processo inicial de expansão, treinamento e organização, durante o qual as perdas militares foram relativamente pequenas, cerca de 130 mil entre mortos e desaparecidos, somando na verdade apenas 2,5% do total de perdas militares da Alemanha durante a guerra. Novas divisões eram continuamente formadas com a mistura de tropas experientes de divisões já existentes com recrutas recém-chegados, garantindo desse modo um alto grau de continuidade. Das 90 divisões de infantaria no começo da guerra, o Exército cresceu a ponto de contar com cerca de 175 em junho de 1941. Em sua maior parte, as tropas participavam do serviço ativo apenas de modo intermitente, em esporádicas guerras-relâmpago como a invasão da Polônia, as frentes ocidentais de 1940 e as vitórias nos Bálcãs do ano seguinte. Tudo isso significava que permaneciam relativamente coesas e que um sentimento de estabilidade fortalecia a lealdade dos "camaradas" em cada unidade em relação aos seus colegas.[149]

Essa imagem de relativa estabilidade se alterou de modo drástico com as perdas substanciais que começaram a atingir o Exército após a invasão da União Soviética. A administração militar tentou mitigar os efeitos destrutivos dessas perdas de inúmeros modos: por exemplo, garantindo que novos recrutas viessem da mesma parte da Alemanha que os soldados nas unidades a que eles se juntavam, e que os soldados que haviam se recuperado de seus ferimentos fossem mandados de volta para seus antigos regimentos, de modo que a composição social e cultural de cada regimento permanecesse relativamente homogênea, aumentando desse modo (assim se pensava) sua coesão e seu poder de luta. A insistência das Forças Armadas em treinamento constante continuou a garantir que todos fossem para as batalhas como soldados realmente eficientes. Apesar disso, perdas crescentes significavam que muitos regimentos não conseguiam se recompor com força total, e alguns na verdade deixaram completamente de existir como unidades de combate. O moral também começou a sofrer com a série de grandes derrotas que principiou com Stalingrado. Entretanto, até o fim do verão de 1944, fica claro que as Forças Armadas alemãs permaneceram relativamente intactas em sua organização, estrutura e padrões de recrutamento. A derrota não foi resultado de sua desorganização ou de falta de eficiência, mas sim da superioridade militar e econômica do Exército Vermelho (ou, no norte da África e na Itália, e posteriormente na Normandia, dos britânicos e dos americanos).[150]

Quem eram os homens que lutavam nessas divisões de infantaria? Os soldados e recrutas da 253ª Divisão de Infantaria variavam consideravelmente de idade. Dezenove por cento deles nasceram entre 1901 e 1910 e tinham vivido os anos da República de Weimar como adultos; 68% tinham nascido entre 1911 e 1920 e, portanto, assim como os restantes 11% que nasceram entre 1921 e 1926, foram total ou parcialmente socializados e educados sob o Terceiro Reich. O que chama a atenção, apesar da média de idade decrescente dos soldados ao longo da guerra, é o predomínio da geração nascida logo antes da Primeira Guerra Mundial ou durante. Em outras palavras, o caráter, o comportamento e o estado de espírito desta, assim como com toda a probabilidade de outras divisões de infantaria, foram moldados por um dominante conjunto de homens que estavam entre os 25 e os 29 anos de idade.[151] Como se poderia esperar dessa estrutura etária, a maioria das tropas – 68% no começo da guerra, 60% perto do fim – era composta de homens solteiros. Muitos dos soldados mais velhos já tinham filhos e, por isso, os comandos divisionais tendiam a mantê-los longe das linhas de frente, mandando os homens mais jovens e sem laços de família desse tipo nas situações mais perigosas. Igualmente, casamento e paternidade podem muito bem ter sido fatores que restringiam o comportamento dos soldados mais velhos quando chegava a hora de lidar com as populações civis, especialmente mulheres e crianças, dos territórios conquistados.[152]

Cinquenta e nove por cento dos soldados da divisão nascidos depois do término da Primeira Guerra Mundial haviam feito parte de uma organização nazista. Sessenta e nove por cento dos nascidos entre 1916 e 1919 haviam sido membros da Frente de Trabalho do Reich. Oitenta e três por cento dos nascidos entre 1913 e 1917 já haviam servido nas Forças Armadas antes de 1939. A proporção desses nascidos entre 1910-20 e que haviam passado por uma dessas instituições na época em que a guerra começou alcançava uma média de 75%; na verdade, 43% deles tinham passado por mais de uma. Esses eram precisamente os grupos etários que formavam a parte central da divisão durante a maior parte da guerra.[153] À medida que a guerra continuou, o próprio Exército intensificou a doutrinação política à qual seus oficiais e praças eram submetidos e, por meio deles, os soldados comuns. A ideia de um Exército apolítico, proclamada com tanta insistência e em altos brados pela República de Weimar, tinha há muito tempo deixado de existir. Quando a guerra estourou, as Forças Armadas consideravam o alistamento e o treinamento em suas fileiras como o estágio final e mais alto em um processo de educação ideológica que havia começado muito tempo antes. O soldado era treinado não apenas para lutar nas batalhas, mas também para ser um membro da comunidade racial dos alemães, até mesmo, segundo alguns manuais de treinamento, um novo tipo de homem. Pediam a todos os oficiais que aprendessem a visão de mundo nacional-socialista e se convencessem da sua exatidão. Uma enxurrada de livros, de panfletos e de manuais foi publicada para auxiliá-los a vencer essa empreitada. Em muitas dessas publicações, os oficiais eram informados sobre a conspiração mundial dos judeus contra a Alemanha, e ficavam sabendo que os judeus eram os mais perigosos e mortais dos inimigos com os quais teriam de lutar. Arranjos foram feitos para garantir a contínua "conduta espiritual da guerra" no espírito do nacional-socialismo. Um treinamento ideológico intensivo foi acrescentado à doutrinação que os homens já haviam recebido na escola, da Juventude Hitlerista e da mídia de massas de Goebbels. Não chegou a surpreender o fato de que muitos dos homens entraram em batalha contra os soldados do Exército Vermelho descrevendo-os como "sub-humanos que foram levados à loucura pelos judeus".[154]

Principalmente depois que o sentimento de invencibilidade do Exército começou a enfraquecer, a partir de dezembro de 1941, e então, de modo muito mais drástico, depois de Stalingrado, os oficiais de alto escalão redobraram seus esforços para convencer os soldados de que eles estavam lutando por uma causa justa. O oficial alemão, declarou Hitler em 1943, tinha de ser um oficial político. Especialmente quando as coisas estavam indo mal, era vital que os oficiais mergulhassem profundamente em seu estoque de convicções nacional-socialistas para que lembrassem qual era a finalidade de tudo aquilo. No dia 22 de dezembro de 1943, Hitler ordenou a criação de uma equipe para coordenar a Liderança Nacional-Socialista nas Forças Armadas. A medida, como ele disse em particular a Goebbels e a outras poucas pessoas no começo do mês seguinte, era para garantir que todas as tropas vivessem no mesmo mundo mental, onde teriam o "desejo fanático" de lutar pela causa nazista até o fim. O suprimento de oficiais nazistas que proporcionassem educação política foi centralizado e ampliado. Medidas semelhantes foram tomadas na Marinha e na Força Aérea. Na verdade, os nazistas estavam introduzindo nas Forças Armadas da Alemanha algo análogo aos comissários políticos que eram tão importantes no Exército Vermelho. Seu papel era inculcado em inúmeros cursos especiais de educação política mantidos por trás das linhas de frente e discutido em conferências organizadas pelo Exército. De modo crescente, à medida que o tempo passava e a uma derrota se seguia outra, as ordens e os comandos dos oficiais se tornaram mais nacional-socialistas em conteúdo, em uma tentativa de inspirar os homens a uma resistência cada vez mais fanática a um inimigo avassaladoramente poderoso.[155] Naturalmente, isso ainda deixou um número considerável de oficiais e de soldados indiferentes, ou até mesmo hostis, à ideologia nazista, dependendo de sua idade, de suas circunstâncias e de suas crenças preexistentes. No entanto, de modo geral, não pode haver muita dúvida de que a educação política e a doutrinação realmente surtiram efeito sobre as tropas e desempenharam um papel importante para levá-las a lutar até o fim.

Algumas, na verdade, continuaram a lutar devido a um compromisso antissemita. A propaganda e a doutrinação haviam insuflado nelas a crença inabalável de que, como um soldado que trabalhava no serviço de mensageiros militares do Líder no *front* oriental escreveu no dia 1º de março de 1942, "esta é uma questão de duas grandes visões de mundo. Ou nós, ou os judeus".[156] Essa crença manteve alguns soldados lutando quando a vitória alemã começou a parecer duvidosa. "Mas não pode acontecer de jeito nenhum", escreveu um soldado do Exército estacionado no sul da França no fim de maio de 1942, "que os judeus vençam e governem".[157] Misturado a tal incredulidade havia um sentimento cada vez mais intenso de medo. Se a Alemanha fosse derrotada, escreveu outro soldado em agosto de 1944, "os judeus cairiam sobre nós e exterminariam tudo que é alemão, seria uma carnificina cruel e terrível".[158] Contudo, a ideologia nazista desempenhou um papel insignificante ou mesmo inexistente no compromisso de muitos outros. Por que, por exemplo, um homem como Wilm Hosenfeld continuou a servir no Exército, se ele odiava tanto o nazismo? Não eram apenas os europeus do leste e os judeus que o regime a que ele servia estava perseguindo e matando, mas também, ele se deu conta em dezembro de 1943, os próprios alemães. Vindo da região rural de Hesse, Hosenfeld talvez não tivesse percebido a dimensão dos maus-tratos dos nazistas em relação a seus oponentes internos na década de 1930. Uma conversa com seu novo assistente, um antigo comunista cuja saúde havia sido minada por torturas repetidas nas celas da Gestapo, despiu-o dessa última ilusão. Estava claro, escreveu Hosenfeld, que o homem que conduzia o regime dava sua aprovação a tal comportamento:

> Agora fica claro para mim por que eles só podem continuar a trabalhar por meio do uso de força e das mentiras, e por que as mentiras têm de ser a proteção para todo seu sistema [...] Atitudes ainda mais violentas se seguirão a estas, a guerra é a única continuação lógica de sua política. Agora, todo o povo [alemão], que não exterminou essa úlcera na ocasião oportuna, deve perecer. Esses malfeitores estão sacrificando todos nós [...] As atrocidades aqui no leste, na Polônia, na Iugoslávia e na Rússia estão apenas continuando em uma linha reta o processo que começou com seus oponentes políticos na Alemanha [...] E nós, idiotas, acreditamos que eles poderiam nos proporcionar um futuro melhor. Toda pessoa que deu sua aprovação a este sistema, mesmo da maneira mais ínfima, deve hoje sentir vergonha de tê-lo feito.[159]

Para Hosenfeld, os nazistas eram uma pequena quadrilha de criminosos que não representavam o povo alemão em sua totalidade. Ele continuou a cumprir suas obrigações não por eles, mas pela Alemanha, para protegê-la do bolchevismo. Muitos outros oficiais provavelmente também se sentiam assim. Em julho de 1943, por exemplo, o general Heinrici estava ficando preocupado com o fato de a Alemanha correr o risco de perder a guerra. Ele escreveu, como se fosse para incentivar seu próprio empenho para continuar a lutar, que "estava claro que não pode haver derrota nesta guerra, já que o que se poderia seguir a isso não deve nem ser imaginado. A Alemanha iria afundar, e nós com ela".[160]

Há pouca evidência para sugerir que a ideologia nazista se espalhou pelo Exército para preencher um vazio deixado pela desintegração de valores militares e da lealdade básica dos soldados uns em relação aos outros como "camaradas". A relativa homogeneidade de cada divisão, em muitos aspectos, significava que lealdades básicas de grupo permaneceriam intactas na divisão durante a maior parte da guerra. Não era tanto a desintegração de tais lealdades, mas sim sua persistência, em uma mistura de veteranos experientes e cada vez mais cínicos e brutalizados com um contínuo e, a partir de 1943, sempre crescente fluxo de soldados mais jovens profunda e ideologicamente nazificados, que havia formado a base para a bárbara conduta de guerra das tropas alemãs no leste. Mesmo nos períodos de perdas profundas, como o fim de 1941 e o começo de 1942, a coesão social das companhias da 253ª Divisão de Infantaria foi prejudicada, mas não destruída, e com a volta de soldados convalescentes e a vinda de novos recrutas logo ela foi restaurada.[161] Esses eram grupos de homens unidos entre si por laços mútuos de lealdade forjados no calor da batalha. Até mesmo quando, como fizeram progressivamente depois de Stalingrado, começaram a duvidar se uma vitória seria alcançada, continuaram a lutar devido a um sentimento de camaradagem e de apoio mútuo na adversidade.[162] Aqui eles podiam criar laços emocionais em pequenos grupos, os quais ofereciam uma substituição, pelo menos até certo ponto, dos laços familiares que haviam deixado em casa, cuidando dos feridos, enfeitando seus *bunkers* e alojamentos e, assim como as tropas que investiram tanto capital emocional na comemoração do Natal em Stalingrado, dando algum tipo de sentido para a vida em meio à falta de sentido da guerra. Aqui, talvez de outro modo, se encontrava a comunidade nacional orgânica, a *Volksgemeinschaft*, em miniatura; e, de modo correspondente, toda a masculinidade agressiva dos soldados era exteriorizada na direção do inimigo e de uma população que, pelo menos a leste, eles encaravam como racialmente inferior; na verdade, mal os consideravam humanos.[163]

Os soldados também continuavam a lutar devido ao medo profundo – medo do que poderia acontecer com eles caso se rendessem ao inimigo, medo do que seus superiores poderiam fazer se eles dessem sinais de perder o entusiasmo. As Forças Armadas tinham suas próprias cortes marciais, que eram usadas livremente pelos oficiais em todas as três forças para julgar transgressões que variavam desde o roubo de pacotes de comida mandados para o posto do campo, em um extremo, até a deserção, no outro. Quaisquer dessas transgressões poderiam colocar o contraventor na frente de um pelotão de fuzilamento. Inúmeros julgamentos eram motivados pela transgressão vagamente definida como "debilitar a força militar" (*Wehrkraftzersetzung*), que poderia incluir desde comentários derrotistas até a automutilação na esperança de ser dispensado por invalidez; e, na vida civil, críticas ao regime e a seus líderes também eram transgressões criminosas. Em contraste, como já vimos, havia relativamente poucos julgamentos por crimes cometidos contra populações civis de áreas ocupadas, tais como pilhagem, estupro ou assassinato, e atirar em soldados inimigos capturados em vez de levá-los como prisioneiros era amplamente tolerado, especialmente nos estágios iniciais da Operação Barba Ruiva. As cortes marciais eram, portanto, usadas preponderantemente como meio de reforçar a disciplina e o desejo de lutar. Ao longo de todos os anos de guerra, estima-se que as cortes marciais julgaram o assombroso total de 3 milhões de casos, dos quais cerca de 400 mil foram abertos contra civis e prisioneiros de guerra.[164] De todos esses casos, não menos de 30 mil terminaram com um membro das Forças Armadas alemãs sendo condenado à morte. Tudo isso comparado com meros 48 executados nas forças alemãs durante a Primeira Guerra Mundial. Dessas 30 mil sentenças de morte, algumas foram comutadas e umas poucas decretadas *in absentia*. Mas a grande maioria – pelo menos 21 mil, segundo a estimativa mais acurada – foi executada. Em todos os outros países envolvidos na guerra, com exceção da União Soviética, as sentenças de morte decretadas pelas cortes marciais durante a Segunda Guerra Mundial podem ser contadas em centenas, no máximo, e não em milhares.[165]

Um prisioneiro trazido perante a corte marcial deveria ser julgado por três juízes. Os regulamentos estipulavam que ao acusado fosse dado um advogado de defesa, mas no calor da batalha tais regras eram amplamente ignoradas. Um participante relembra, por exemplo, que em uma parte do *front* de Stalingrado abrangido por quatro divisões do Exército, 364 penas de morte foram decretadas por cortes marciais sumárias no período de pouco mais de uma semana, por transgressões que incluíam covardia, deserção e roubo de pacotes de suprimentos.[166] Agindo em sua condição de comandante-chefe, Hitler emitiu um conjunto de orientações prescrevendo os mais rígidos níveis de punição. "A pena de morte é recomendada", segundo uma das orientações, "se o transgressor agiu devido ao medo de se expor pessoalmente ao perigo, ou se for necessária, nas circunstâncias específicas do caso individual, para a manutenção da disciplina viril".[167] Os juízes militares, de modo geral, compartilhavam da visão do aparato judiciário civil sob o regime nazista de que, como um deles declarou:

> Qualquer coisa que beneficie o povo é justa [...] No sentido mais estrito da lei militar, fica entendido que "qualquer coisa que beneficie as Forças Armadas é justa" [...] Agora fica patente por que não pode existir o "soldado comum". Ser um soldado significa elevar a concepção de honra e de bravura do soldado do nacional-socialismo a um *éthos* profissional.[168]

Isso significava, por exemplo, que 6 mil execuções ocorreram por "debilitar a força militar". A mais comum das transgressões que colocava um soldado na frente do pelotão de fuzilamento era a deserção, o que causou 15 mil execuções. Em muitos casos, a transgressão na verdade era pouco mais do que ausência sem permissão (*unerlaubte Entfernung*). As sentenças, seguindo as ordens dadas pelo Comando Supremo das Forças Armadas Combinadas em dezembro de 1939 e outra vez em julho de 1941, eram executadas o mais depressa possível tão logo fossem decretadas. "Quanto mais rápido uma praga nas Forças Armadas (*Wehrmachtschädling*) receber a punição que lhe é devida, mais fácil vai ser evitar que outros soldados cometam as mesmas ações ou outras semelhantes, e mais fácil vai ser para manter a disciplina entre as tropas."[169]

IV

Aterrorizar as tropas por meio da rígida aplicação da justiça militar pode muito bem tê-las ajudado a continuar a lutar muito tempo depois de saberem que a guerra estava perdida. Porém, o que o regime requeria cada vez mais era uma força militar que lutasse devido a um fanático compromisso nacional-socialista. Na verdade, ela estava disponível, sob a forma da SS Militar (*Waffen-SS*). Sua história data dos primórdios do Terceiro Reich, quando Hitler havia formado um corpo armado de guarda pessoal, que posteriormente se tornou o assim chamado "Guarda de Corpo de Adolf Hitler"

(*Leibstandarte Adolf Hitler*). Concebido em primeiro lugar como unidade cerimonial, foi comandado por um rude nazista da Baviera, Josef ("Sepp") Dietrich, cujos serviços anteriores haviam incluído trabalhar como frentista de posto de gasolina, garçom, trabalhador rural e capataz em uma fábrica de tabaco. Nascido em 1892, ele havia servido em uma unidade de tanques, mas, por outro lado, não tinha grande experiência militar, como salientavam os generais do Exército, repetida e inutilmente. Logo, entretanto, o chefe de Dietrich, Heinrich Himmler, criou outra organização ainda maior e começou a recrutar homens do Exército para oferecer à unidade treinamento militar adequado, que a partir de 1938 foi oferecido para os homens de Dietrich também. No fim de 1939, a essas diversas unidades militares da SS tinham se somado os grupos das Unidades da Caveira, formados por Theodor Eicke para fornecer guardas para os campos de concentração. O contingente da SS aumentou de 18 mil nas vésperas da guerra para 140 mil em novembro de 1941, incluindo regimentos de tanques e infantaria motorizada. Desde o início, eles foram concebidos para ser uma elite, ideologicamente comprometida, altamente treinada e – ao contrário do Exército – incondicionalmente leal a Hitler. Os oficiais de alto escalão eram notavelmente mais jovens que seus colegas do Exército que ocupavam postos semelhantes, a maioria tendo nascido na década de 1890 ou no começo de 1900, estando então na faixa dos quarenta ou cinquenta anos na época da guerra. Os regimentos militares da SS recebiam nomes como O Reich, Alemanha, O Líder, e assim por diante. E, outra vez diferentemente do Exército, a SS Militar era uma instituição não do povo alemão, mas da raça alemã, e seu líder, Gottlob Berg, um nazista de longa data e veterano da Primeira Guerra Mundial que era um dos amigos mais íntimos de Himmler, começou a recrutar oficiais em países "germânicos" como Holanda, Dinamarca, Noruega e na região de Flandres, formando a primeira divisão não alemã (Viking) na primavera de 1941. Recrutamentos posteriores em países do Leste europeu se seguiram, à medida que a quantidade passou a ter prioridade sobre supostas afinidades raciais. Em 1942, a SS Militar contava com 236 mil homens; em 1943, passava de 500 mil; e em 1944 estava se aproximando de um contingente de 600 mil, dos quais 369 mil estavam em serviço ativo em campo.[170]

Comandantes regulares do Exército desdenhavam da SS Militar, cujos comandantes eram por eles considerados desprovidos de profissionalismo e inclinados demais a sacrificar a vida de seus homens. Embora as divisões da SS fossem colocadas sob seu comando, os generais do Exército pouco podiam fazer para refrear seu fanático desejo de autossacrifício. Quando Eicke lhe disse que a vida de seus homens não tinha tido o menor valor em um ataque que ele acabara de perpetrar, o general do Exército Erich Hopner, sob cujo comando Eicke fora colocado, condenou enfaticamente sua atitude: "Esse é o ponto de vista de um açougueiro".[171] Entretanto, os generais mais antigos não eram totalmente contrários aos ataques fulminantes da SS Militar e ao fato de ela ter o maior número de mortes: isso preservava a vida de seus soldados e reduzia o poder de uma força rival de peso. Himmler reclamou em agosto de 1944 que as "pessoas de má vontade" no Exército estavam conspirando para "massacrar essa força que não é vista com bons olhos e se livrar dela para algum projeto futuro".[172] Os comandantes do Exército alegavam que a probabilidade de os membros da SS Militar massacrarem civis inocentes, especialmente judeus, e perpetrarem outros crimes, acima de tudo no *front* oriental, era maior que a de suas próprias tropas. Uma investigação oficial do Exército realizada em agosto de 1943 observou que, de dezoito casos provados de estupro que foram relatados, doze tinham sido cometidos por membros da SS Militar. Quão acurados tais relatórios eram não pode ser averiguado. A SS Militar tendia a oferecer algo parecido com uma desculpa para os comandantes do Exército regular que desejavam esconder, ou deixar de lado, os crimes cometidos por seus próprios homens. Por outro lado, era sabido que até mesmo oficiais de outros setores da SS reclamavam da brutalidade da SS Militar. Quando o comandante da divisão Príncipe Eugênio tentou pedir desculpas a um ministro do governo fantoche da Croácia por algumas atrocidades cometidas por seus homens como se fossem "erros", outro oficial da SS lhe disse: "Desde que vocês chegaram, infelizmente aconteceu um 'erro' depois de outro".[173] As tentativas ocorridas depois de 1945, por parte de alguns antigos oficiais da SS Militar, de retratar suas tropas como nada mais que soldados comuns não foi muito convincente, já que não poderia haver dúvidas a respeito de seu *status* de elite ou de seu fanático compromisso ideológico. Por outro lado, a enorme quantidade de evidências que surgiu desde o começo da década de 1990 a respeito da conduta das tropas regulares no *front* oriental e por trás dele enfraquece as alegações de que a SS Militar era exceção em seu descaso pelas leis e convenções da guerra.

O fanatismo indubitável da SS Militar e igualmente a tendência dos comandantes de colocar suas unidades na linha de frente levaram a perdas substanciais entre suas tropas. Um total de 900 mil homens da SS Militar serviu na guerra, dos quais mais de um terço – 34% – foram mortos.[174] Em 15 de novembro de 1941, a divisão Unidade da Caveira relatou perdas de 60% entre oficiais e soldados. Sua coluna dorsal estava perdida, lamentava um relatório. A visão geral da SS Militar entre o povo alemão era, como o Serviço de Segurança da SS relatou em março de 1942, a de que eles eram mal treinados e seus homens eram, com frequência, "sacrificados de modo negligente". Seus homens eram jogados no campo de batalha porque a SS Militar queria parecer melhor que o Exército.[175] Além do mais, os pais estavam começando a tentar evitar que seus filhos se alistassem nela devido à doutrina anticristã à qual eles seriam submetidos lá. "A influência dos pais e da Igreja é negativa", relatou um centro de recrutamento em fevereiro de 1943. "Os pais normalmente são contra a SS Militar", relatou outro. Em Viena, um homem disse ao oficial de recrutamento: "O padre nos disse que a SS era ateia e que se nós nos tornássemos membros dela iríamos para o inferno".[176] Voluntários de Flandres, da Dinamarca, da Noruega e da Holanda começaram a solicitar dispensa, reclamando do tratamento arrogante e dominador dado aos recrutas estrangeiros por oficiais alemães da SS. Oficiais de recrutamento começaram a ir aos campos de trabalho e a forçar jovens a "ser voluntários". As famílias reclamavam de tais atitudes, ao passo que os oficiais da SS Militar logo se declararam insatisfeitos com os resultados, já que muitos dos novos recrutas eram "intelectualmente abaixo do padrão" e "inclinados à insubordinação e a se fingir de doentes". A SS Militar estava se deteriorando rapidamente na parte final da guerra. Quanto a isso, ela nada mais fazia além de seguir o curso tomado pelas próprias Forças Armadas regulares.[177]

Um novo "tempo de luta"

I

No dia 7 de novembro de 1942, Albert Speer estava viajando com Hitler para Munique no trem particular do Líder. "Nos primeiros anos", relembrou Speer, "Hitler tinha por costume aparecer na janela de seu trem especial onde quer que parasse. Agora, esses contatos com o mundo exterior pareciam indesejáveis para ele; pelo contrário, as cortinas do lado do trem voltado para a estação ficavam abaixadas". À noite, o trem foi parado em um desvio e Hitler e o resto da comitiva do Líder sentaram-se para jantar. Speer relatou o que aconteceu a seguir:

> A mesa estava posta com elegância, com talheres de prata, vidros lapidados, porcelana de qualidade e arranjos de flores. Quando começamos nossa lauta refeição, nenhum de nós a princípio viu que um trem de carga estava parado na linha ao lado. Do vagão reservado ao gado, enlameados, famintos e, em muitos casos, feridos, os soldados alemães que estavam voltando do leste ficaram olhando fixamente os comensais. Com um sobressalto, Hitler se deu conta da cena sombria a dois metros de sua janela. Sem nem sequer fazer um gesto de cumprimento na direção deles, ele peremptoriamente ordenou a seu empregado que fechasse as cortinas. Era assim, então, na segunda metade da guerra, que Hitler conduzia um encontro com soldados comuns da linha de frente, soldados como ele havia sido um dia.[178]

Na verdade, Hitler se retirou progressivamente da cena pública de 1942 em diante. Tanto Goebbels quanto Speer tentaram persuadi-lo a visitar áreas bombardeadas de cidades alemãs para elevar o moral, mas sem sucesso.[179] Corriam rumores de que ele tinha ficado doente ou sido ferido. No entanto, quando ele falava, não surtia mais o efeito que causava antes na opinião popular. Um discurso transmitido em 21 de março de 1943, por exemplo – seu primeiro discurso público desde Stalingrado –, foi tão breve, e feito com tanta pressa e em um tom de voz tão monótono, que as pessoas começaram a se perguntar se ele se apressara a terminá-lo para não ser interrompido por um ataque aéreo, ou se, na verdade, o discurso havia sido feito por um substituto.[180]

Até mesmo com seus amigos íntimos Hitler ficou acentuadamente menos amigável. A partir do outono de 1943, Speer começou a achar que almoçar com ele era "um sofrimento". O cachorro de Hitler, um pastor-alemão, era, Speer observou, "a única criatura viva no quartel-general que despertava uma centelha de sentimento humano em Hitler". Sua falta de gosto por más notícias levava seus subordinados a darem ênfase aos relatórios positivos e a apresentarem sucessos insignificantes e temporários como se fossem vitórias colossais. Ele não visitava o *front* e não mantinha contato com a dura realidade dos combates. Sempre supunha que as divisões marcadas nos mapas que usava para direcionar as estratégias estavam funcionando a pleno vapor. Equipado com a mais atualizada tecnologia, com telefone e rádio que permitiam comunicação bilateral, ele podia manter contato com os generais em terra, mas a comunicação real era toda unilateral; se algum general fizesse objeções, ou tentasse fazê-lo voltar à realidade, Hitler os dispensaria aos gritos e, em alguns casos, os demitiria. Ele amedrontava e intimidava os oficiais do Estado-Maior em seus quartéis-generais, e perdia o controle quando más notícias lhe eram apresentadas. Os generais eram covardes, ele diria enfurecido, "o treinamento do Estado-Maior é uma escola de mentiras e de fraudes", a informação que o Exército estava dando era falsa, "a situação está deliberadamente sendo apresentada como desfavorável – é assim que eles desejam me forçar a autorizar retiradas!".[181]

Por trás de toda essa atitude, Hitler estava ciente de que a situação militar estava se deteriorando, mas sempre apresentava uma fachada de otimismo. Seu desejo havia triunfado antes, ele triunfaria de novo. Com sua concentração de poder em questões militares, ele então, pela primeira vez em sua vida, tinha de trabalhar com todo o afinco, abandonando o estilo de vida casual e caótico de seus primeiros anos como ditador, ouvindo música nos saraus, assistindo a filmes antigos ou brincando com os modelos arquitetônicos criados por Speer. Agora ele passava seu tempo debatendo ou, melhor dizendo, discutindo com seus generais e intimidando-os, analisando mapas militares detalhadamente e concebendo estratégias militares, muitas vezes até o menor dos detalhes. Convencido mais do que nunca de sua genialidade infalível, ficou cada vez mais tomado pela suspeita e pela falta de confiança em seus subordinados, especialmente em questões militares. Nenhuma decisão importante poderia ser tomada sem sua presença. Nunca tendo sido adepto de praticar exercícios físicos, ele confiava cada vez mais em pílulas e remédios que o doutor Theo Morell, seu médico pessoal desde 1936, lhe prescrevia: cerca de 28 comprimidos diferentes por dia no período final da guerra, e tantas injeções que Göring apelidou Morell de "O Mestre das Injeções do Reich". Morell controlava a dieta de Hitler da melhor forma possível, levando em conta o fato de seu paciente ser vegetariano e seu gosto por comidas como sopa de ervilhas, que lhe causava indigestão. Morell era um médico qualificado, não um charlatão, e todos os remédios que prescrevia para Hitler eram clinicamente aprovados. Seu modo de proceder fazia que conseguisse lidar bem com seu paciente, que confiava nele de modo crescente à medida que a guerra prosseguia, e na verdade Morell manteve Hitler em pé praticamente o tempo todo, com exceção de um período de doença no começo de agosto de 1941. A partir de 1941, eletrocardiogramas começaram a indicar uma doença cardíaca progressiva, provavelmente causada pela esclerose das artérias coronárias. A partir da primavera de 1943, Hitler sofreu de indigestão crônica, com periódicas dores de estômago (pelo menos 24 crises até o fim de 1944), que pode ter piorado com o tratamento de Morell. Começou um tremor em sua mão esquerda, que piorou acentuadamente a partir do fim de 1942, acompanhado por uma curvatura crescente dos ombros e movimentos espasmódicos de sua perna esquerda. Em 1944, ele estava arrastando os pés, e não andando, e os sintomas de um caso leve de mal de Parkinson, mas que piorava progressivamente, estavam se tornando claros para todos os observadores com algum conhecimento médico. Até Morell, que dava preferência a diagnósticos psicossomáticos, aceitou o fato no começo de 1945 e começou a aplicar o tratamento padrão disponível na época. De modo mais geral, os observadores começaram a notar quão rapidamente Hitler estava envelhecendo, com seu cabelo ficando grisalho e sua aparência não mais a de um vigoroso e energético homem de meia-idade, mas – o mal de Parkinson não era o menor dos problemas – a de um homem de idade que ficava cada vez mais debilitado. A hesitação quanto a revelar tudo isso para o mundo exterior pode ter sido um fator importante em sua crescente recusa de aparecer em público.[182]

Hitler proferiu nove discursos públicos em 1940, sete em 1941, cinco em 1942 e apenas dois em 1943. Em 30 de janeiro de 1944, décimo primeiro aniversário de sua nomeação como chanceler do Reich, ele proferiu um discurso transmitido pelo rádio, e em 24 de fevereiro, aniversário da promulgação do programa do Partido Nazista, falou em Munique para os Velhos Combatentes do Partido, mas recusou a oferta de Goebbels para transmitir esse pronunciamento por rádio, e ele não foi nem mesmo noticiado pelos jornais. Depois disso, Hitler não mais foi ouvido em público, a não ser brevemente, em circunstâncias especiais (como veremos), em 21 de julho de 1944. A não ser nessas ocasiões, ele não fez nenhuma tentativa de se comunicar diretamente com o povo alemão, e até mesmo seu tradicional pronunciamento em Munique no dia 8 de novembro de 1944 foi lido por Heinrich Himmler para os Velhos Combatentes. Ele passava a maior parte do tempo em seus quartéis-generais, preocupado quase só com a condução da guerra, permanecendo em Berghof, seu retiro na montanha nos Alpes Bávaros, por três meses em 1943 e outra vez do fim de fevereiro até a metade de julho de 1944.[183] Cartas começaram a chegar em número cada vez maior ao Ministério da Propaganda perguntando, como observou Goebbels em 25 de julho de 1943: "por que o Líder nem mesmo se dirige ao povo alemão para explicar a situação atual. Considero", confidenciou o ministro da Propaganda ao seu diário, "algo extremamente necessário que o Líder faça isso". Caso contrário, pensava Goebbels, o povo deixaria de acreditar nele.[184] Os admiradores de Hitler entre os cidadãos alemães comuns ficaram impacientes também. Por que Hitler não se pronunciou sobre a "dramática" situação militar em setembro de 1944?, perguntou um admirador em uma carta para o Ministério da Propaganda.[185] Goebbels começou a ter um posicionamento cada vez mais crítico a respeito da preocupação de Hitler com as questões militares em evidente detrimento da política interna. Sua ausência de Berlim estava criando uma "crise de liderança", ele reclamou. "Não posso influenciá-lo politicamente. Não posso nem mesmo fazer um relato para ele a respeito das medidas mais urgentes na minha área. Tudo passa pelas mãos de Bormann."[186] O poder insidioso de Bormann tornou-se ainda maior quando, em 12 de abril de 1943, lhe foi concedido o título de secretário do Líder. Goebbels começou a sentir que Hitler havia perdido, em grande medida, seu controle sobre as questões domésticas.[187]

Superficialmente pelo menos, parecia que o vácuo poderia ser preenchido pelo "segundo homem no Reich", Hermann Göring. Em 30 de agosto de 1939, Göring havia conseguido persuadir Hitler a instituir um Conselho Ministerial para a Defesa do Reich, cujo papel era o de coordenar a administração civil. Hitler detinha o poder de vetar suas ordens, mas na verdade ele havia delegado, na maior parte, o controle das questões domésticas para Göring, que se tornou o presidente do conselho. A óbvia importância do conselho atraiu uma quantidade de figuras-chave para seus encontros, incluindo Goebbels, Himmler, Ley e Darré, e em fevereiro de 1940 estava começando a parecer um tipo de gabinete substituto. Alarmado, Hitler ordenou que o conselho não deveria se reunir de novo, e ele não se reuniu mais. Göring nem tentou revivê-lo: o direito que havia adquirido de colocar sua assinatura depois da de Hitler em leis e decretos era suficiente para satisfazer sua vaidade. Apesar de seus poderes abrangentes como chefe do Plano de Quatro Anos, Göring estava ficando menos enérgico e decidido, talvez por influência de seu vício em morfina. Ele passava cada vez mais tempo em seus vários chalés de caça e castelos, e dedicava uma boa parte da energia que ainda lhe restava para construir um modo de vida opulento e extravagante para si. Em março de 1943, um visitante que passou o dia com Göring em Carinhall fez um relato sobre o agora "grotesco" estilo de vida do marechal do Reich:

> Ele apareceu logo cedo vestindo uma jaqueta de couro em estilo bávaro, com as mangas da camisa brancas. Trocava de roupa com frequência durante o dia e aparecia para jantar usando um quimono azul ou roxo com chinelos de quarto com bordas de pele. Até mesmo na parte da manhã ele trazia à cintura uma adaga de ouro que também era mudada frequentemente. Em seu alfinete de gravata, usava várias

pedras preciosas, e envolvendo seu corpo gordo um largo corpete, cravejado com muitas pedras – sem deixar de mencionar a quantidade e o esplendor de seus anéis.[188]

Em tais circunstâncias, não havia chance de Göring assumir o controle cotidiano dos assuntos domésticos no Reich. Além do mais, o fraco desempenho da Força Aérea, da qual ele era o líder, causou uma queda abrupta em sua reputação a partir de 1942, não apenas com o público em geral, mas também com o próprio Hitler.

O Terceiro Reich estava, de modo claro, progressivamente se tornando desprovido de líderes no *front* doméstico. No entanto, de algum modo, a maquinaria do governo continuou a funcionar. A administração civil, composta em sua maior parte de burocratas tradicionais, conscienciosos e trabalhadores, continuou a fazer o serviço por conta própria até o fim da guerra; ministros e secretários de Estado implementaram políticas, cujas linhas gerais haviam sido estabelecidas por Hitler antes da guerra, e responderam às mudanças iniciadas por ele quando elas surgiram. Não ousavam criar novas medidas a respeito de assuntos importantes sem a aprovação expressa dele. Assim como antes, as intervenções pessoais de Hitler na política eram intermitentes, arbitrárias e frequentemente contraditórias. Julgando cada vez mais difícil conseguir se aproximar dele, os ministros, a começar por Goebbels, começaram a lhe mandar constantes relatórios a respeito de questões importantes. Hitler às vezes prestava atenção neles, mas, com maior frequência, não; é bastante improvável que ele tenha lido os cerca de quinhentos relatórios que lhe foram mandados pelo Ministério da Propaganda, por exemplo, ou cada um dos 191 que chegaram até ele vindos do Ministério da Justiça do Reich durante a guerra. Consciente, talvez, do fato de que tinha cada vez menos tempo que antes para interferir na condução das questões domésticas, deu ordens em maio de 1942 e outra vez em junho de 1943 de que ele deveria ser conhecido exclusivamente como o "Líder" e não "Líder e Chanceler do Reich", até mesmo na assinatura de leis e decretos oficiais. Hitler era incapaz de oferecer algum tipo de coordenação geral para as questões domésticas, de modo que os departamentos de governo começaram a achar cada vez mais necessário emitir seus próprios regulamentos em questões específicas, muitas vezes sem consultar outros departamentos a respeito de seu conteúdo. Em 1941, por exemplo, doze leis formais foram promulgadas, depois de consultas feitas aos ministros, 33 decretos foram emitidos por Hitler, 27 decretos foram ordenados pelo Conselho Ministerial para a Defesa do Reich e 373 regulamentações e ordens foram emitidas por departamentos individuais do governo. Na ausência de um gabinete formal ou de alguma coordenação consistente por parte de Hitler, o governo estava ficando cada vez mais fragmentado. "Todos fazem e deixam de fazer o que bem entendem", reclamou Goebbels em seu diário no dia 2 de março de 1943, "porque não há nenhuma autoridade forte em lugar nenhum".[189] Um Comitê de Três (Bormann, Keitel e Lammers), com a função de coordenar, como já vimos, foi estabelecido no começo de 1943, mas deparou com a hostilidade de figuras poderosas como Goebbels e Speer, e deixou de se reunir depois de agosto.[190]

À medida que o tempo passava, o Partido Nazista começou a viver no vácuo do poder doméstico. Em 20 de agosto de 1943, Hitler demitiu Frick, ministro do Interior, dando-lhe um título insignificante (Protetor do Reich da Boêmia e Morávia, onde Karl Hermann Frank, agora nomeado ministro de Estado para a Boêmia e Morávia, continuava, na prática, no comando). Goebbels pediu a demissão de Frick por muitos anos. Ele estava velho e desgastado, dizia o ministro da Propaganda, e a queda no moral popular precisava de uma abordagem mais determinada no *front* doméstico. O homem que Hitler escolheu para substituir Frick foi Heinrich Himmler, cuja promoção implicava o aumento de repressão policial para confrontar a possibilidade de a desmoralização se transformar em resistência aberta.[191] Ao mesmo tempo, Martin Bormann usou com eficiência seu controle do acesso a Hitler para afastar a administração civil e muitos de seus ministros. No começo de 1945, Lammers reclamava que não tinha visto Hitler desde setembro do ano anterior, e que ele estava "sendo continuamente pressionado por todos os lados para obter as inúmeras decisões do Líder que estão sendo urgentemente esperadas".[192] O chefe do serviço público estava então reduzido a pedir ao chefe da Chancelaria do Partido que lhe desse permissão para ver o chefe de Estado. O eclipse da administração tradicional do Estado em comparação ao Partido não poderia ter sido apresentado de modo mais explícito. E ele foi ainda mais destacado pelo poder crescente de Goebbels, cuja iniciativa para a "guerra total" em 1943 foi bem-sucedida, entre outras coisas, em fazer que ele ficasse ainda mais próximo do centro da administração econômica do que jamais estivera.[193]

Assim que a guerra começou, os líderes regionais do Partido foram indicados para os novos postos de comissários regionais para a Defesa do Reich, uma posição que lhes permitia agir independentemente dos já existentes governadores civis e autoridades militares regionais. As subsequentes altercações a respeito de competência terminaram em vitória para o Partido no dia 16 de novembro de 1942, ao mesmo tempo que o número de comissários para a Defesa do Reich aumentou de treze para 42 e as regiões abrangidas por eles foram tornadas idênticas às das regiões do Partido. Lutas posteriores pelo poder ocorreram à medida que as tentativas de Bormann para controlá-los a partir da Chancelaria do Partido foram frustradas pelo acesso direto a Hitler de que gozavam. Progressivamente, eles tendiam a usar seus próprios membros para executar suas ordens, em vez de fazer isso por intermédio de administrações regionais do Estado, como era esperado. Depois de março de 1943, eles entraram em confronto com o novo ministro do Interior do Reich, Heinrich Himmler, certamente um oponente mais temível que seu predecessor, Wilhelm Frick, mas Himmler também deparou com a perda de capacidade da administração civil sob o impacto da guerra. Um relatório que ele encomendou a Ernst Kaltenbrunner, sucessor de Heydrich como chefe do Serviço de Segurança da SS, apresentado em 26 de agosto de 1944, confirmou que os líderes regionais estavam passando os administradores do Estado para trás e priorizando suas próprias equipes. Kaltenbrunner observou, já perdendo as esperanças:

> O público não gosta quando, na presente situação, a cooperação amigável nem sempre tem a prioridade e, pelo contrário, as pessoas aproveitam a oportunidade para causar alterações no balanço do poder doméstico. A necessidade constante que os órgãos do governo local têm de defender sua posição causa uma perda de energia, inibe a iniciativa e ocasionalmente produz um sentimento de insegurança.[194]

À medida que a situação militar se deteriorava, os membros do Partido ficaram ainda mais preocupados em elevar o moral e isolar "resmungões" e pessoas que reclamavam. Cada supervisor de quarteirão, segundo um conjunto de instruções emitido por Robert Ley em sua condição de líder da organização do Reich do Partido no dia 1º de junho de 1944, tinha de visitar cada moradia pelo menos uma vez por mês para ter certeza de que os habitantes tinham o nível correto de compromisso político e ideológico. Quanto mais as coisas pioravam, mais o Partido tentava recriar a atmosfera do "tempo de luta" de antes de 1933.[195] O poder crescente do Partido Nazista foi bem recebido por muitos em suas fileiras que até esse momento tinham se considerado sobrepujados pelos militares. "De maneira geral", escreveu Inge Molter, cujo pai se tornara membro do Partido Nazista em Hamburgo em 1942, a seu marido, Alfred, em 7 de agosto de 1944, "esses períodos me fazem lembrar agora com muita força do tempo da luta. Assim como naqueles dias, papai tem de dedicar todos os momentos livres ao Partido".[196]

II

Os níveis mais altos de compromisso ideológico exigidos durante a guerra foram reforçados por uma nova e completa enxurrada de sanções legais. Como Roland Freisler, secretário de Estado no Ministério da Justiça do Reich declarou em setembro de 1939:

> A Alemanha está engajada em uma luta pela honra e pela justiça. Mais do que nunca, o soldado alemão é o modelo de devoção ao dever para cada alemão de hoje. Qualquer pesssoa que, em vez de se espelhar nele, peca contra o povo, não encontra um lugar em nossa comunidade [...] Não aplicar a mais rigorosa severidade a tais pragas seria uma traição ao soldado alemão dotado de espírito de luta![197]

Escondendo-se ameaçadoramente por trás de tais considerações estava o perpétuo espectro de 1918. Outra declaração do Ministério da Justiça do Reich em janeiro de 1940 deixou a questão muito clara:

Durante a guerra, a tarefa do sistema judiciário é eliminar os elementos politicamente maldosos e criminosos que, no momento crítico, possam tentar apunhalar o *front* combatente pelas costas (por exemplo, os Conselhos de Trabalhadores e de Soldados de 1918). Isso é ainda mais importante porque a experiência mostra que o sacrifício das vidas dos melhores no *front* surte o efeito de fortalecer os elementos inferiores que estão por trás das linhas de frente.[198]

O pensamento social darwinista em declarações como essa se refletia em um movimento subsequente na direção do julgamento e da punição dos transgressores por eles serem quem eram, não por causa do que haviam feito. As novas leis, muitas vezes instituídas em termos vagos e repletas de referências às "pragas nacionais" (*Volksschädlinge*), deixavam isso claro. Assim que a guerra começou, a pena de morte era aplicada a qualquer pessoa condenada por "publicamente" tentar "subverter ou perturbar o desejo do alemão ou de um povo aliado de confiar no poder militar".[199] Um Decreto Contra Pragas Nacionais emitido no dia 5 de setembro de 1939 impunha a pena capital para qualquer pessoa condenada por crimes contra a propriedade ou contra pessoas cometidos durante o blecaute, incluindo pilhagem, ou qualquer pessoa que enfraquecesse o desejo do povo alemão de lutar. O uso de armas de fogo ao cometer crimes violentos era punido com a morte a partir de 5 de dezembro de 1939. O Código Criminal do Reich foi corrigido para impor a pena de morte a qualquer pessoa que causasse uma "desvantagem" ao esforço alemão de guerra. Essas transgressões incluíam, por exemplo, fazer comentários "derrotistas". Outro decreto transformou a estocagem ou a ocultação de suprimentos alimentícios punível com a pena de morte. Essa também era a sanção aplicada a qualquer pessoa que fosse flagrada avariando deliberadamente equipamentos militares ou produzindo munições defeituosas. No total, no começo de 1940, mais de 40 transgressões diferentes, algumas delas, como as citadas, definidas de modo extremamente vago, foram punidas com a execução. Em 1941, a pena de morte foi estendida para abranger os "criminosos reincidentes" sérios.[200]

Não chega a ser surpreendente que as execuções por transgressões tenham começado a aumentar. Em 1939, 329 pessoas foram condenadas à morte no Grande Reich Alemão; em 1940, o número subiu para 926, e em

1941 para 1.292, antes de saltar dramaticamente para 4.457 em 1942 e para 5.336 em 1943. No total, as cortes do Terceiro Reich, e especialmente as cortes especiais regionais e o Tribunal Popular nacional, decretaram 16.560 penas de morte, das quais 664 foram emitidas entre 1933-39 e 15.896 durante a guerra. Aproximadamente 12 mil delas foram executadas, as restantes tendo sido comutadas para prisão perpétua. O próprio Tribunal Popular decretou mais de 5 mil sentenças de morte durante toda sua existência, mais de 2 mil apenas em 1944. Desde 1936, as execuções na Alemanha tinham sido feitas por guilhotina, mas em 1942 os carrascos oficiais do Estado também estavam recorrendo ao enforcamento, sob a alegação de que ele era mais rápido, mais simples e causava menos desordem. Tantas execuções estavam acontecendo nas prisões estaduais da Alemanha nessa época que o Ministério da Justiça permitiu que elas acontecessem a qualquer hora do dia, em vez de, como ocorria anteriormente, apenas ao amanhecer. Novos carrascos foram contratados, praticamente todos eles vindos da comunidade estabelecida há muito tempo dos carrascos profissionais, com suas conexões com as antigas profissões de açougueiro e de carniceiro. Em 1944, havia dez carrascos principais trabalhando, com um total de 38 assistentes que os auxiliavam. Um deles, posteriormente, alegou ter despachado mais de 2.800 transgressores durante seu período de serviço de 1924 a 1945. O tempo que então se permitia que decorresse entre a sentença e sua execução era com frequência de não mais que algumas poucas horas, certamente não longo o suficiente para que apelos à clemência fossem preparados e levados em consideração. Não obstante, os corredores da morte nas prisões alemãs começaram a sofrer com um sério problema de superpopulação. Aproximadamente metade das sentenças de morte executadas até o fim de 1942 estava relacionada a cidadãos não alemães; em sua maior parte, eram trabalhadores forçados poloneses ou tchecos, que, como já vimos, eram sujeitos a sanções legais particularmente rigorosas. Na noite de 7-8 de setembro de 1943, o Ministério da Justiça ordenou o enforcamento imediato de 194 prisioneiros na prisão de Plötzensee em Berlim para reduzir a superpopulação, que havia piorado desde que um ataque aéreo destruíra algumas celas na prisão. Depois de 78 terem sido mortos, em grupos de oito, descobriu-se que estavam sendo usados arquivos errados dos escritórios da prisão, e que seis dos prisioneiros executados não haviam sido condenados à pena de morte. De modo bastante característico, os funcionários do ministério se concentraram não em lidar, ainda que em retrospectiva, com tal injustiça, e sim em encontrar os outros seis prisioneiros que deveriam ter sido executados. Na manhã de 8 de setembro, tendo seu pedido de uma pausa de 24 horas no meio do processo sido bruscamente negado, o carrasco havia completado sua tarefa com outros 142 enforcamentos adicionais. Os corpos foram deixados largados a céu aberto, em uma temperatura muito quente, por muitos dias, até serem removidos.[201]

Tais medidas, especialmente quando aplicadas a cidadãos alemães, refletiam, não em menor medida, a crença pessoal mantida há muito por Hitler de que o sistema judiciário alemão era leniente demais. Em 8 de fevereiro de 1942, por exemplo, ele reclamou confidencialmente que assaltantes e ladrões em excesso eram mandados para a prisão, onde eram "sustentados à custa da comunidade". Eles deveriam ser "mandados para um campo de concentração para o resto da vida ou então receber a pena de morte. Em tempos de guerra", ele acrescentou, "esta última penalidade seria a apropriada, nem que fosse apenas para dar o exemplo". Porém, o sistema judiciário ainda estava obcecado em "encontrar circunstâncias atenuantes – tudo isso de acordo com os rituais do tempo de paz. Temos de colocar um ponto-final em tais práticas".[202] Em março de 1942, sentiu-se tão ultrajado ao ler uma notícia de jornal a respeito de uma pena de cinco anos de prisão, decretada por uma corte de justiça em Oldenburg, para um homem que espancara e maltratara sua esposa até ela morrer, que ele telefonou para o secretário de Estado Schlegelberger no Ministério da Justiça "na maior excitação" para reclamar disso.[203] A questão ainda o perturbava quando ele foi fazer um importante discurso no Parlamento em 26 de abril de 1942, transmitido para toda a Alemanha. "A partir de agora", ele declarou, sendo recebido com uma salva de palmas, "vou interferir nesses casos e retirá-los dos juízes encarregados, os quais estão claramente falhando em perceber as exigências de nossa época".[204] Os juízes ficaram escandalizados. Nem mesmo os nazistas tinham, até então, sugerido a violação do princípio há tanto tempo estabelecido de intransferibilidade dos juízes. Tal ameaça fez que todos ficassem mais inclinados a aceitar a pressão que era então feita sobre eles para que impusessem sentenças mais severas para os criminosos. Em muitos casos, ela já havia vindo de Hitler. Ele ordenara que telefonassem ao ministério em cerca de dezoito ocasiões desde o começo da guerra para exigir que os criminosos condenados à prisão, a respeito de quem ele havia lido nos jornais matutinos, fossem "baleados durante tentativa de fuga". O conservador ministro da Justiça, Franz Gurtner, havia tentado impor algum tipo de procedimento regular nessas intervenções, mas em janeiro de 1941 ele havia morrido, e seu cargo foi transmitido para Franz Schlegelberger, o funcionário mais antigo no ministério. Isso fez que o ministério ficasse extremamente vulnerável. No dia 20 de agosto de 1941, Hitler finalmente o substituiu por Otto-Georg Thierack, um nazista de linha dura e presidente do Tribunal Popular; o secretário de Estado no ministério, Roland Freisler, foi transferido para o Tribunal Popular para assumir seu posto.[205]

Na reunião para marcar essa transição, feita na hora do almoço, Hitler deixou clara sua crença de que a Justiça era essencialmente uma questão de eugenia. Na guerra, ele disse, "é sempre o melhor homem que acaba morrendo. Durante esse tempo todo, um imprestável completo é muito bem tratado na prisão, tanto no corpo quanto no espírito". A não ser que alguma coisa fosse feita, haveria "uma mudança gradual no equilíbrio da nação" na direção dos elementos inferiores e criminosos. O juiz, ele concluiu, então tinha de ser o "sustentáculo da autopreservação racial".[206] Thierack entrou em ação imediatamente. No começo de setembro de 1942, ele começou a emitir "Cartas dos Juízes", delineando para as cortes os casos em que sua suposta leniência havia incorrido na crítica de Hitler, da SS ou de elementos do Partido, e instruindo-os sobre como lidar com casos semelhantes no futuro.[207] Deu conselhos sobre princípios gerais também. Em 1º de junho, por exemplo, ele lhes disse que "o propósito de sentenciar se encontra na proteção da comunidade do povo", e que a punição "em nossos tempos tem de levar a efeito a tarefa higiênico-popular de limpar continuamente o corpo da raça com a eliminação sem piedade de criminosos que não são dignos de viver".[208] Para alcançar esse objetivo, Thierack também passou a regular o relacionamento entre o sistema judiciário e a SS, que – não apenas por causa de ordens dadas por Hitler – estava pegando criminosos condenados a penas de encarceramento e baleando-os "durante tentativa de fuga", ou mesmo executando criminosos por iniciativa própria antes mesmo que eles comparecessem perante a corte. O que o ministério chamava com delicadeza de "correção de sentenças judiciais insuficientes por meio de tratamento especial por parte da polícia" deveria acabar; Bormann e Himmler mencionariam tais casos ao ministério, juntamente com os apelos por clemência, de modo que o tempo de Hitler não mais fosse tomado por assuntos tão triviais. Escritórios locais e regionais da SS receberam ordens, a partir daquele momento, de deixar de interferir no processo judiciário. Como uma troca de favores, em seu encontro com Bormann e Himmler em 18 de setembro de 1942, Thierack concordou que os "antissociais" seriam transferidos das prisões estaduais à SS "para o extermínio por meio do trabalho". "Pessoas que estão sob custódia protetora serão entregues sem exceção, tchecos ou alemães com sentenças de mais de oito anos, por recomendação do ministro da Justiça do Reich."[209]

A partir de então, a SS passou a lidar com uma grande quantidade de transgressores que não eram alemães, embora outros continuassem a comparecer perante as cortes. Isso explica em grande parte o fato de o número de sentenças de morte oficialmente registradas no Reich ter caído de 5.336 em 1943 para 4.264 no ano seguinte, embora parte do motivo para essa queda também possa se encontrar no fato de os juízes fanaticamente nazistas da geração mais jovem estarem sendo chamados para o *front*, deixando as cortes nas mãos de juízes mais velhos que mantinham pelo menos alguns resquícios de lealdade para com o processo judiciário.[210] A queda estatística, em outras palavras, marcava um aumento contínuo no número de cidadãos alemães condenados à morte. A esse número eram acrescentados os "antissociais" e os "criminosos reincidentes" enviados por Thierack à SS para "extermínio por meio do trabalho". Depois de Hitler ter aprovado as mortes em 22 de setembro de 1942, a transferência de presos das prisões estaduais e penitenciárias começou. A maior parte deles era dos "mantidos em segurança", criminosos reincidentes que haviam estado na prisão desde os primeiros anos do Terceiro Reich. Judeus e ciganos presos também eram incluídos no processo. Prisioneiros isolados cuja transferência para um campo de concentração tinha de ser recomendada pelo ministério eram examinados em sua prisão por funcionários, geralmente em uma sessão muito breve que não durava mais que poucos minutos. Alguns eram mantidos na prisão até depois da data de soltura, para que pudessem ser examinados desse modo. Os diretores das prisões tentavam, e em muitos casos conseguiam, reter prisioneiros cujo trabalho era

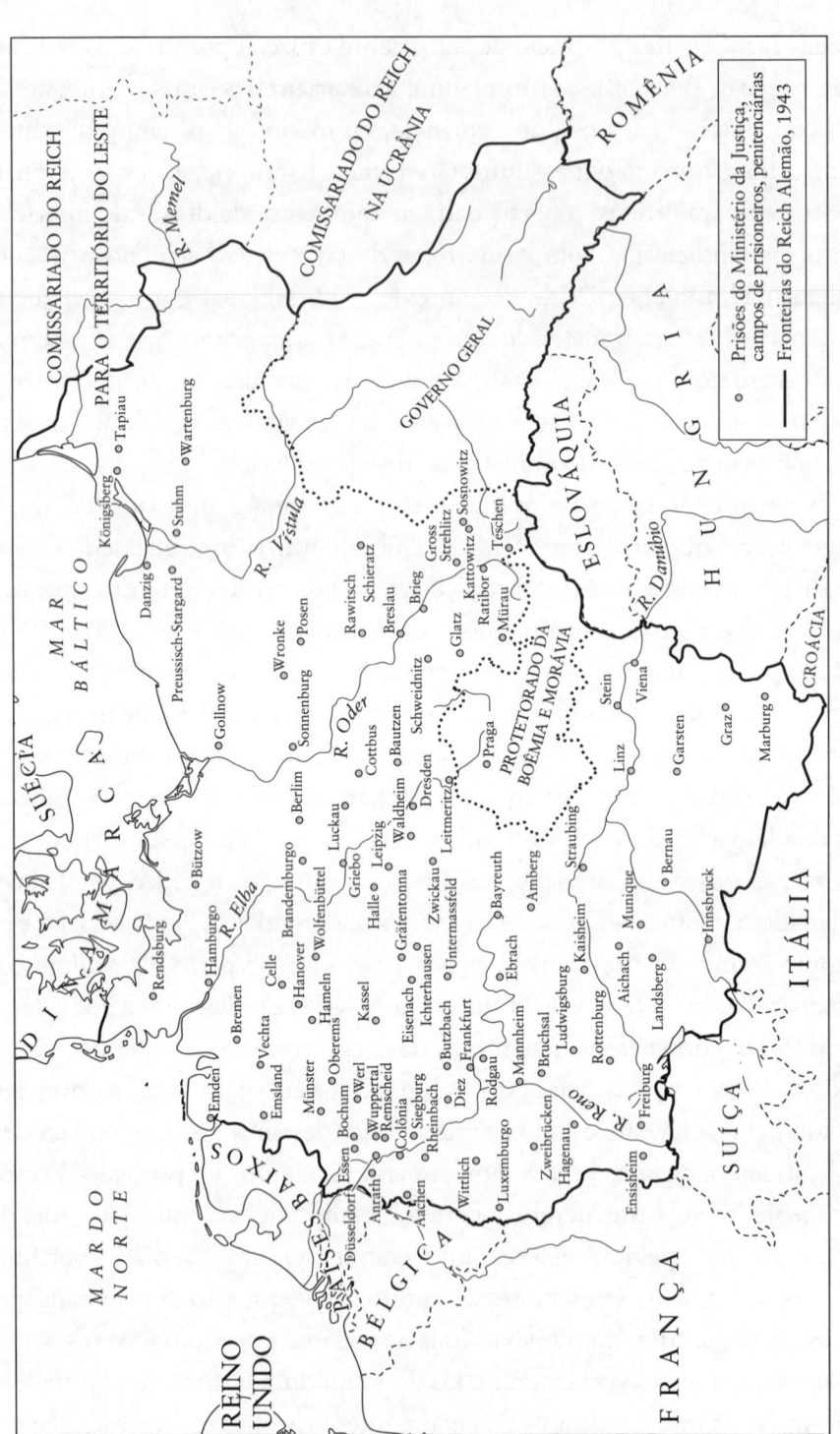

Mapa 17. Prisões e penitenciárias alemãs

economicamente valioso para a prisão. No total, mais de 20 mil prisioneiros foram transferidos. Em sua maior parte, eles eram levados para Mauthausen, onde, ao chegar, eram brutalmente espancados, às vezes até morrer; então, se sobrevivessem a esse ordálio, eram forçados a carregar pedras que pesavam até cinquenta quilos cada uma ao longo dos 186 íngremes degraus da pedreira do campo. Caso se desequilibrassem e caíssem, os prisioneiros eram baleados e mortos pelos guardas da SS, que, às vezes, os jogavam da pedreira de uma altura de trinta ou quarenta metros, ou forçavam-nos a esvaziar caminhões que carregavam pedras sobre os homens que trabalhavam lá embaixo. Uma parte dos prisioneiros acabava com seus sofrimentos pulando lá do alto nas profundezas da pedreira. Até o fim de 1942, a taxa de mortalidade dos prisioneiros transferidos ficava em 35%, muito maior do que a de qualquer outro grupo de prisioneiros dos campos, com exceção dos judeus.[211]

III

Esses prisioneiros que permaneceram nas prisões estaduais da Alemanha enfrentavam condições que se deterioravam progressivamente à medida que a guerra continuava. A necessidade de mão de obra havia aumentado de modo drástico a pressão sobre o Ministério da Justiça para efetuar o que Thierack chamava de "mobilização" dos prisioneiros. Eles eram progressivamente colocados à disposição de fabricantes de armamentos, por uma remuneração adequada, do mesmo modo que os presos dos campos de concentração. Igualmente, com frequência isso envolvia seu envio para subcampos em vez da permanência na prisão. Nas próprias prisões, suprimentos de comida começaram a entrar em declínio, e os presos eram muitas vezes obrigados a comer ração para animais e vegetais embolorados. Desse modo, em 1943, por exemplo, foi relatado que os prisioneiros em Plötzensee estavam catando folhas das árvores no pátio da prisão enquanto faziam sua caminhada nos exercícios diários, para acrescentar um pouco de substância a sua sopa. Perda de peso e deficiências de vitaminas enfraqueciam os prisioneiros, deixando-os suscetíveis a infecções.[212] Os suprimentos de comida não estavam mantendo o ritmo do aumento da população carcerária, particularmente entre as mulheres. O número de mulheres condenadas por transgressões cresceu de 46.500 em 1939 para 117 mil em 1942, e o dos delinquentes juvenis de 17.500 para 52.500. Muitos deles eram condenados por transgressões contra leis e regulamentos dos tempos de guerra, sobretudo aquelas relacionadas à economia, que aumentaram de menos de 3 mil em 1940 para mais de 26.500 dois anos depois. Condenações por associação ilegal com prisioneiros de guerra, um novo tipo de transgressão, alcançaram o número de 10.600 em 1943. Porém, o número de pessoas condenadas por outros crimes também crescia: condenações por roubo aumentaram de 48 mil em 1939 para quase 83 mil em 1943, por exemplo. Contrastando com isso, os crimes sexuais caíram vertiginosamente, com sentenças por cafetinagem tendo uma queda de 50%, por estupro mais de 65% e por crimes sexuais cometidos contra menores mais de 60%. Evidentemente, os policiais estavam tão preocupados com o reforço das restrições por causa da guerra que começaram a negligenciar outras áreas da lei criminal, embora a queda nos crimes sexuais também pudesse ter refletido a partida de milhares de homens para as frentes de batalha.[213]

Como é inevitável nessas circunstâncias, a superpopulação se tornou um sério problema nas instituições penais estaduais alemãs durante a guerra. O total da população carcerária cresceu de um pouco menos de 110 mil na metade de 1939 para 144 mil na metade de 1942 e 197 mil na metade de 1944. No Velho Reich – a área compreendida pelas fronteiras de 1937, com pequenos acréscimos durante a guerra –, o número passou de cerca de 100 mil no começo da guerra para 140 mil em setembro de 1942 e 158 mil dois anos depois. A proporção de detentas aumentou de 9% da população carcerária em 1939 para 23% quatro anos depois, época em que as instituições penais alemãs mantinham mais de 43 mil mulheres atrás das grades. Esses eram números muito superiores aos que as prisões haviam sido criadas para comportar. Sujeira e doenças eram o resultado, já que muitos prisioneiros amontoavam-se em uma cela, as instalações sanitárias eram usadas além de seus limites, e limpeza e banho, particularmente no último ano da guerra, se tornaram praticamente impossíveis. Infestações de sarna e de piolhos se tornaram comuns, e muitas prisões foram atingidas por epidemias de tifo e de outras doenças infecciosas. Os guardas das prisões ficaram cada vez mais enfurecidos e inclinados ao uso da violência para manutenção da ordem, à medida que o número de guardas em relação ao de prisioneiros caía de 1:6 (em 1939) para 1:14 (em 1944). Em alguns casos, os prisioneiros eram acorrentados à parede ou ao chão quando estavam sendo punidos. Espancamentos, relativamente incomuns na década de 1930, passaram a ser usuais nos dois últimos anos da guerra. A decisão das autoridades carcerárias de ajudar na coleta de roupas de inverno para auxiliar as tropas alemãs que estavam congelando nas cercanias de Moscou em dezembro de 1941 arrecadou mais de 55 mil pares de meias e quase 5 mil malhas confiscados dos prisioneiros, expondo-os ao frio e levando a um aumento na mortalidade. As prisões não contavam com abrigos antiaéreos, e as que se localizavam no centro das grandes cidades eram particularmente suscetíveis à destruição em bombardeios, levando a mais mortes e a mais superpopulação, à medida que o número de celas era ainda mais reduzido.[214]

Mesmo depois de 1943, mais alemães eram mantidos em prisões estaduais do que em campos de concentração. Mas as condições nestes últimos também haviam se deteriorado. A partir da metade da década de 1930, os campos começaram a funcionar primordialmente como centros de detenção para "antissociais" e outras minorias, depois de a maior parte dos oponentes políticos do regime, para os quais eles foram originalmente destinados, ter sido liberada devido ao bom comportamento. Assim que a guerra começou, entretanto, os campos voltaram a assumir sua função básica de centros de detenção e de prevenção para a população civil alemã de modo geral, acima de tudo antigos comunistas e social-democratas. No começo da guerra, Hitler deu a Himmler novos poderes para prender e aprisionar, os quais ele usou, com a concordância do Líder, para capturar pessoas suspeitas de oposição ao regime. No dia 26 de outubro de 1939, a Gestapo ordenou que se qualquer trabalhador de uma fábrica de armamentos fosse levado para um campo por comportamento hostil ao Estado ou por ter arruinado o moral da força de trabalho, um aviso teria de ser colocado na fábrica anunciando o fato, acrescentando em casos mais graves que ele fora mandado para uma área de punição. Deveria tomar-se cuidado, acrescentava a ordem, para não anunciar a extensão da sentença ou a data de libertação. Se fosse ordenada punição corporal para o trabalhador no campo de detenção, ela também deveria ser anunciada.[215] Se isso não fosse intimidação suficiente, os campos começaram a funcionar como locais de execução para indivíduos presos pela polícia como "sabotadores" ou "vagabundos". As execuções eram amplamente divulgadas. Enquanto ainda estava em Sachsenhausen, Rudolf Höss relatou posteriormente, um ex-comunista na fábrica de aviões Junkers foi preso depois de se recusar a trabalhar na construção de abrigos antiaéreos; Himmler ordenou pessoalmente sua execução, que deveria acontecer no campo de concentração mais próximo. O homem foi transportado para Sachsenhausen, onde coube a Höss levar a efeito a execução. Ele ordenou que um poste fosse erigido em um buraco cheio de areia perto das oficinas de trabalho do campo, e fez que o homem fosse amarrado a ele. "O homem estava completamente resignado a seu destino", ele relembrou posteriormente, embora "não esperasse ser executado. Ele teve permissão de escrever para sua família, e lhe entregaram cigarros, os quais havia pedido". Um pelotão de fuzilamento o alvejou no coração, e Höss "lhe deu o *coup de grâce*". "Em dias subsequentes", ele acrescentou, "nós passaríamos por muitas experiências semelhantes. Quase todos os dias eu tinha de desfilar com meu pelotão de execução".[216]

Muitos dos alemães mandados para os campos ficaram presos por longo tempo. Desse modo, os prisioneiros "políticos" uma vez mais se transformaram em uma parte importante da população dos campos. Eles tinham de usar um triângulo vermelho em seu uniforme para distingui-los de outras categorias de prisioneiros, tais como os "criminosos", que usavam triângulos verdes. Relatos posteriores de suas experiências nos campos feitos por prisioneiros políticos retratavam os "criminosos" em particular como homens brutos e impiedosos que eram deliberadamente colocados em posições de responsabilidade pela SS com o intuito de intimidar os demais. A realidade era bem diferente. Tanto os "criminosos" como os "políticos" eram usados pela SS para trabalhar com a administração do campo no controle de outros presos porque eles eram alemães e, assim, se encaixavam no critério racial exigido pela SS para posições de responsabilidade. Benedikt Kautsky, filho de um proeminente social-democrata da era do Império, posteriormente recordou, partindo de seu próprio período como prisioneiro em uma variedade de campos de concentração, que uma "luta renhida" era constantemente travada entre os "vermelhos" e os "verdes", na qual cada lado denunciava os membros do outro para a SS, se envolvia em "intrigas desprezíveis" e organizava "revoluções palacianas" contra seus oponentes. Os vencedores podiam conseguir serviços relativamente seguros nos escritórios do campo, comida melhor, vestuário melhor, ter maior liberdade de ação, mais poder e *status* mais elevado. Alcançar o posto de líder do bloco ou *capo* significava maior chance de sobrevivência. Por meio desses estratagemas, os prisioneiros políticos conseguiram, em alguns campos, especialmente Buchenwald e Neuengamme, dominar a autoadministração interna dos presos. Não há evidências convincentes de que os "criminosos" fossem mais brutais ou inescrupulosos que os outros, os *capos* políticos. A sobrevivência deles todos dependia do cumprimento das ordens da SS.[217]

A grande expansão dos campos, à medida que eram convertidos de centros de punição para fornecedores de mão de obra forçada, transformou suas características. Dos 21 mil presos na metade de 1939, quase todos eles alemães, o sistema passou a abrigar 110 mil em setembro de 1942 e quase 715 mil em janeiro de 1945, incluindo mais de 202 mil mulheres. Em Buchenwald, por exemplo, quase 100 mil novos prisioneiros foram admitidos apenas em 1944. O campo acolhia prisioneiros de mais de 30 países diferentes, e os estrangeiros excediam os alemães em um número muitas vezes maior.[218] Nessas circunstâncias, as autoridades do campo não conseguiam manter o ritmo dos programas de construção para atender o influxo maciço de novos prisioneiros; morte e doenças, ajudadas pela brutalidade dos guardas dos campos, passaram a ser ainda mais comuns que antes. Abaixo da aristocracia dos campos, composta por "verdes" e "vermelhos", a grande massa de prisioneiros vivia em um perpétuo estado de medo e de privação. A vida no campo era, com raras exceções, uma guerra de todos contra todos pela sobrevivência dos mais aptos, na qual os piores serviços eram atribuídos àqueles menos preparados para se defender. Judeus e eslavos recebiam as piores rações e a acomodação menos adequada, e a fome, o excesso de trabalho, os espancamentos e as doenças faziam dos mais fracos os "muçulmanos" (*Muselmänner*), designação dos presos para os que haviam desistido. Tais pessoas não mais tentavam se manter limpas ou impedir que outros prisioneiros roubassem sua comida, ou sobreviver aos golpes dados pelos guardas e pelos *capos* e que inevitavelmente caíam sobre elas, até que morressem devido a maus-tratos e exaustão.[219]

A transformação dos campos em centros de fornecimento de mão de obra para a indústria e o influxo de centenas de milhares de novos prisioneiros criaram oportunidades para enriquecer que os comandantes e os funcionários não hesitavam em explorar. Ciente do problema da corrupção, Himmler se dirigiu aos líderes mais antigos da SS em Posen no dia 4 de outubro de 1944, lembrando-os de que tinham tirado dos judeus "toda e qualquer riqueza que eles tinham" e a transferido para o Reich.

> Não pegamos nada dela para nós mesmos. Homens que falharem serão punidos [...] Um número de homens da SS – não há muitos deles – não se comportou de modo adequado, e eles vão morrer sem perdão. Tínhamos o dever moral, tínhamos o dever para com nosso povo, de destruir esse povo que desejava nos destruir. Mas não temos o direito de enriquecer com algo parecido com um casaco de peles, com um relógio de pulso, com um marco, com um cigarro, ou com qualquer outra coisa. Exterminamos uma bactéria porque não desejamos no fim ser infectados por essa bactéria e morrer por causa dela. Não vou admitir que nem uma pequena área de infecção apareça aqui e tome conta. Se ela tomar posse de alguma coisa, vamos cauterizá-la.[220]

Himmler se referia aqui, pelo menos implicitamente, a uma comissão de investigação liderada por um juiz da SS, Konrad Morgen, que revelara amplas evidências de corrupção na administração de alguns campos. Apenas alguns poucos responsáveis foram, na verdade, eliminados; em sua maior parte, foram demitidos ou transferidos para outras ocupações. O mais destacado entre eles era o comandante de Auschwitz, Rudolf Höss, que foi transferido para tarefas administrativas na inspetoria do campo de concentração em 22 de novembro de 1943. Muitos outros comandantes foram punidos da mesma maneira, inclusive, como já vimos, Majdanek e Treblinka. O caso de Karl Otto Koch, demitido como comandante de Buchenwald no fim de 1941, foi incomum em sua severidade. As extensas investigações de Morgen durante os anos de 1942 e 1943 revelaram que Koch não apenas tinha se apropriado de grandes somas de dinheiro da SS, mas também permitido a evasão de alguns prisioneiros, destruído evidências vitais de sua corrupção e mandado matar testemunhas cruciais. Com a aprovação de Himmler, Morgen prendeu Koch em 24 de agosto de 1943, levou-o perante um tribunal da SS e fez que ele fosse condenado à morte: ele foi baleado em Buchenwald, alguns dias antes de o campo ser libertado pelas forças americanas.[221]

IV

À medida que a superpopulação nos campos se tornava pior, doenças começaram a se alastrar, e os prisioneiros mal alimentados e maltratados sucumbiam cada vez mais a infecções, incluindo às vezes mortais epidemias de tifo. Os blocos de hospitais dos campos começaram a sofrer com a pressão. No começo de 1941, portanto, Himmler procurou a unidade T-4 de "eutanásia" em Berlim com um pedido de ajuda. Inicialmente, devido ao fato de estarem muito ocupados matando os deficientes mentais e os doentes dos nervos, os membros da equipe T-4 não foram capazes de prestar ajuda. Mas quando o programa de extermínio foi interrompido em agosto de 1941, depois da intervenção do bispo Von Galen, os dois principais administradores da unidade, Philipp Bouhler e Viktor Brack, começaram a mandar médicos da T-4 para avaliar prisioneiros dos campos que tinham ficado gravemente doentes. Eles agiam sob a designação burocrática de Tratamento Especial 14f13, criada pelo chefe da inspetoria do campo de concentração, em que "Tratamento Especial" significava morte, "14" se referia a mortes relatadas nos campos e "13", à causa da morte, especificamente, morte por gás (outras séries de arquivos eram denominadas "14f6", suicídio; "14f7", morte natural, e assim por diante).[222] Sob ordens do programa 14f13, comissões de médicos da organização de eutanásia visitaram os campos a partir de setembro de 1941. Depois de uma sumária inspeção visual dos prisioneiros que marchavam na sua frente, eles preenchiam formulários do tipo geralmente empregado na Aktion T-4 para as pessoas que haviam sido designadas para a morte. Os formulários iam para o escritório de Brack em Berlim, e de lá eram mandados para um centro de extermínio selecionado (Bernburg, Hartheim ou Sonnenstein), que então pedia que o campo em questão enviasse os prisioneiros designados. Como deixou claro uma carta escrita no campo de concentração de Buchenwald por um dos médicos responsáveis, Friedrich Mennecke, para sua esposa, no dia 26 de novembro de 1941, em muitos casos o processo de seleção era uma "tarefa puramente teórica" que pouca relação tinha com a medicina. Isso se aplicava de modo particular para "o total de 1.200 judeus", ele escreveu, "que não precisam de modo nenhum 'ser examinados', mas cujas razões para terem sido presos (com frequência muito extensas) precisam ser tiradas dos arquivos e copiadas nos formulários". Mennecke diagnosticava os prisioneiros não judeus que ele selecionava para a morte com frases como "psicopata sem laços familiares, compulsivo, mentalidade antialemã" ou "pessoa que sente ódio fanático pelos alemães e psicopata antissocial". Sob o cabeçalho "sintomas", Mennecke colocou descrições como "comunista empedernido, não é digno de se unir às Forças Armadas" ou "degeneração racial contínua".[223]

Aos selecionados para a morte era dito que eles seriam transferidos para condições melhores. Depois da primeira inspeção, os prisioneiros remanescentes já tinham experiência suficiente e diziam a seus companheiros que tirassem os óculos antes da marcha perante os médicos, e não declarassem ferimentos pequenos se pudessem evitá-lo. O fato de dizerem para os presos selecionados que tirassem os óculos, além de membros artificiais e qualquer outro acessório dos inválidos, antes de eles embarcarem para o transporte, era entendido como uma indicação clara do destino para o qual se encaminhavam. O número desses selecionados era considerável. Já na primeira triagem, dos campos no Velho Reich e na antiga Áustria – Buchenwald, Dachau, Flossenbürg, Mauthausen, Neuengamme e Ravensbrück –, os médicos selecionaram nada menos que 12 mil vítimas. Isso não era de jeito nenhum do gosto de Himmler, que instruía os comandantes de campo para que apenas os prisioneiros incapazes para o trabalho fossem mortos; em abril de 1943, isso foi ainda mais reduzido para os doentes mentais. Não obstante, o número total de mortes entre os prisioneiros dos campos nas câmaras de gás no programa T-4 tem sido estimado em cerca de 20 mil. A partir de abril de 1944, o campo de concentração em Mauthausen, onde 10 mil dos cerca de 50 mil prisioneiros foram registrados como doentes, começou a mandar prisioneiros diretamente para as câmaras de gás em Hartheim sem envolver a organização da eutanásia em Berlin; um número desconhecido de prisioneiros acabou morrendo dessa maneira. O programa era importante o suficiente para a planejada demolição da câmara de gás ser postergada até 12 de dezembro de 1944.[224]

Esse não era o único propósito para o qual Hartheim e os demais centros de extermínio do programa T-4 foram usados depois de agosto de 1941. Brack e Bouhler não apenas enviavam seus *experts* para os campos, ou transferiam-nos temporariamente para a Operação Reinhard no leste, mas também os usavam para executar o programa original de extermínio em segredo. O protesto de Galen havia enfraquecido o posicionamento político da organização deles, que se tornou objeto de disputa burocrática interna entre os grupos T-4, situados na Chancelaria do Líder, e o Ministério do Interior, terminando em um compromisso embaraçoso no qual o programa foi colocado sob o controle formal de Herbert Linden, que ocupou o novo posto de comissário do Reich para os Centros de Cura e de Cuidados no Ministério do Interior. Mas o grupo T-4 continuou a fazer seu trabalho. Viktor Brack, seu líder, explicou aos envolvidos "que a 'Aktion' (Ação) não havia sido encerrada por causa da interrupção sofrida em agosto de 1941, mas ela vai continuar".[225] Organizações subsidiárias, como o grupo de transporte que transferia os pacientes para os centros de extermínio, também continuavam a existir. Ficava claro para todos que o extermínio em massa agora dera lugar a mortes individuais, de modo a não estimular a suspeita da população, pois o fechamento das câmaras de gás não tinha diminuído o mal-estar público. No dia 18 de novembro de 1941, por exemplo, no que foi indubitavelmente o mais veemente ataque aberto ao programa feito por qualquer médico em toda a existência do Terceiro Reich, Franz Büchner, um professor de medicina na Universidade de Freiburg, perguntou retoricamente em uma palestra a respeito do juramento de Hipócrates: "Deve o ser humano do futuro ser considerado somente por seu valor biológico?". Sua resposta foi claramente negativa: "Todo médico que pensa segundo Hipócrates vai resistir à ideia de que a vida da pessoa incuravelmente doente deveria ser descrita no sentido de Binding e Hoche como uma vida que não merece ser vivida". Binding e Hoche, autores de um influente tratado que advogava a eutanásia involuntária, estavam então, segundo seu ponto de vista, advogando a violação da ética básica da medicina. "O único mestre a quem o médico deve servir", declarou Büchner, "é a vida".[226]

Mas as equipes médicas nos quartéis-generais da T-4 em Berlim e em instituições psiquiátricas e de cuidados continuaram comprometidas com a ideia de acabar com as "vidas que não mereciam ser vividas". A morte de crianças por meio de injeções fatais ou de inanição deliberada continuou como antes, mas esses métodos eram agora aplicados também em pacientes adultos, e em um conjunto muito mais amplo de instituições que os centros de extermínio originais. Em Kaufbeuren-Irsee, os pacientes que conseguiam trabalhar na fazenda do instituto ou em alguma outra função recebiam uma alimentação categorizada como "dieta normal", e os que não podiam recebiam uma "dieta básica", que consistia de pequenas porções de raízes e de tubérculos cozidos na água. Depois de três meses praticamente sem ingerir gorduras ou proteínas, eles estariam tão fracos que poderiam ser mortos com uma injeção com uma pequena quantidade de sedativos. No fim de 1942, tantos estavam morrendo que o diretor do instituto proibiu que o sino da capela tocasse durante os enterros, caso a frequência do toque alarmasse a população local. Conferências eram mantidas entre os diretores e as equipes de diferentes instituições para determinar o melhor modo de fazer que os prisioneiros morressem de inanição, e ordens eram emitidas, por exemplo, pelo Ministério do Interior da Baviária, determinando que as rações de alimentos dos "improdutivos" fossem cortadas. Em Eglfing-Haar, os pacientes selecionados para morrer eram isolados em pavilhões especiais, logo chamados de "casas da fome". O diretor, Hermann Pfannmüller, era muito sincero a respeito do propósito dessas dietas, e inspecionava as cozinhas do instituto com regularidade para garantir que fossem cumpridas. Ciente do que estava acontecendo, o cozinheiro acrescentava gordura às panelas depois que o diretor partia. Não obstante, de 1943 a 1945, cerca de 429 prisioneiros morreram nas casas da fome. Em Hadamar, os pacientes considerados incapazes para o trabalho recebiam como alimentação sopa de plantas da família das urtigas, apenas três vezes por semana; aos parentes que recebiam cartas deles pedindo comida dizia-se que a sensação de fome era um sintoma da doença dos prisioneiros, e que, de qualquer modo, os soldados e as pessoas que trabalhavam em prol da nação tinham de ter prioridade na distribuição de suprimentos de comida. Foram transportados para Hadamar, entre agosto de 1942 e março de 1945, 4.817 pacientes: nada menos que 4.422 deles morreram.[227]

Nessa época, inanição e injeções letais também estavam sendo usadas para matar pacientes mal comportados e recalcitrantes, assim como qualquer pessoa que os diretores da instituição considerassem que não seria um bom trabalhador, independentemente dos processos de preenchimento de formulário conduzidos pelos quartéis-generais da T-4. Em Kaufbeuren-Irsee, por exemplo, um cigano de quinze anos de idade que roubou estoques do hospital foi morto com uma injeção letal, a qual lhe foi apresentada como vacina contra tifo; em Hadamar, em dezembro de 1942, ao descobrirem que um prisioneiro que trabalhava na propriedade estava contando histórias a respeito do instituto na cidade local, ele foi confinado na instituição e morreu no prazo de três dias. A corrupção também desempenhava seu papel: os pacientes que tinham um bom relógio de pulso ou um par de sapatos resistentes às vezes eram mortos por enfermeiros ansiosos em obter suas posses, enquanto no reformatório psiquiátrico de Kalmenhof a produção dos mil acres da instituição frequentemente era oferecida ao diretor e à equipe em vez de ser dada aos prisioneiros, que tinham de sobreviver com cerca de metade de sua ração estipulada de leite, de carne e de manteiga.[228] O programa de extermínio se tornou ainda mais intenso em 1944-45, e continuou em algumas instituições sem parar até o fim da guerra; em Kaufbeuren-Irsee, na verdade, uma morte foi relatada no dia 29 de maio de 1945, quase um mês depois de a guerra ter oficialmente terminado.[229]

Nesse ínterim, novas categorias de vítimas tinham sido acrescentadas à lista original. Lá pelo fim de 1942, a direção central do programa de eutanásia começou a organizar a matança de trabalhadores forçados estrangeiros, particularmente poloneses, que ficaram mentalmente doentes ou contraíram tuberculose; cerca de cem deles foram mortos em Hadamar entre a metade de 1944 e o fim da guerra, e mais em Hartheim e em outros centros de extermínio que haviam sido criados, bem como em novos campos e instituições designados para esse propósito. As mortes se estendiam a bebês nascidos de trabalhadoras forçadas que resistiram à pressão para que abortassem; 68 crianças menores de três anos de idade foram mortas na instituição de Kelsterbach entre 1943 e 1945 por terem sido classificadas como rebentos racialmente indesejáveis de tais mulheres.[230] Em Hadamar, mais de 40 crianças saudáveis levadas para lá em abril de 1943 foram mortas por terem sido classificadas como "raça mista do primeiro grau", ou seja, um dos pais era judeu. Com frequência, foram internadas porque os pais estavam mortos ou o genitor que era judeu tinha sido morto e o outro fora considerado incapaz de cuidar delas. O médico-chefe em Hadamar, Adolf Wahlmann, justificou essas mortes classificando as vítimas como "congenitamente deficientes intelectuais" ou "difíceis de educar", embora não houvesse nenhuma justificativa médica ou psiquiátrica para tal designação.[231]

O extermínio de pacientes psiquiátricos também se estendeu além do Reich. Já em 1939-40, ele abrangia instituições na Polônia ocupada. A partir do verão de 1941, também funcionou em partes da União Soviética que haviam sido conquistadas e ocupadas pelo Exército alemão durante a Operação Barba Ruiva. Assim como exterminavam um grande número de judeus e de membros do Partido Comunista, as forças-tarefa da SS que seguiam o Exército alemão procuravam hospitais psiquiátricos e matavam sistematicamente os prisioneiros atirando neles, envenenando-os, privando-os de comida ou expondo-os ao frio do inverno para que morressem de hipotermia. A partir de agosto de 1941, segundo instruções de Himmler, as forças-tarefa começaram a procurar outros meios, devido ao estresse que esses métodos diretos causavam nos homens da SS, alguns dos quais começaram a beber ou a sofrer de exaustão nervosa. Com o auxílio de equipamento providenciado por Albert Widmann e pelo Instituto Técnico-Criminal, a SS em primeiro lugar experimentou prender pacientes em um prédio e explodi-lo com explosivos. Isso acabou causando muita confusão para o gosto deles. Então começaram a matá-los com monóxido de carbono em caminhões de gás, como foi sugerido por Widmann. Conduzido dessa maneira, o extermínio de pacientes psiquiátricos pelas forças-tarefa na União Soviética continuou esporadicamente até o fim de 1942. Embora o número exato nunca possa ser conhecido, fontes soviéticas sugerem que cerca de 10 mil pessoas foram exterminadas dessa maneira.[232]

Esforços crescentes foram feitos depois de agosto de 1941 para evitar que tais programas de extermínio atraíssem a atenção do público. O transporte de pacientes era então justificado como um meio de removê-los do perigo oferecido por ataques aéreos, por exemplo. No entanto, as mortes não podiam ser mantidas inteiramente em segredo. No dia 21 de outubro de 1943, Herbert Linden reclamou para o presidente da Universidade de Jena que sua equipe estava começando a ser muito sincera a respeito do programa contínuo de "eutanásia infantil":

Segundo o diretor Kloos em Stadtroda, disseram o seguinte para a mãe de um menininho idiota na clínica em Jena: "Seu menino é um idiota, sem nenhuma perspectiva de desenvolvimento, e ele deve, portanto, ser transferido para o hospital regional em Stadtroda, onde três médicos de Berlim examinam as crianças em certos intervalos de tempo e decidem se elas devem ser mortas".[233]

Essa negligência tinha de ser interrompida, ele disse. "Como o senhor sabe", ele acrescentou em uma segunda carta, "o Líder deseja que toda discussão a respeito da eutanásia seja evitada".[234] Vozes vindas do seio da Igreja Confessional também se ergueram em protesto, de modo mais notável em outubro de 1943, quando um sínodo em Breslau afirmou publicamente: "A aniquilação de seres humanos simplesmente porque eles são parentes de um criminoso, idosos, ou mentalmente doentes, ou pertencem a uma raça estrangeira, não significa brandir a espada do Estado dada por Deus às autoridades".[235] Instituições protestantes dedicadas à assistência social, como o Hospital Bethel em Bodelschwingh, às vezes tentavam retardar o transporte de pacientes para os centros de extermínio, ou mandá-los para um lugar seguro, mas até mesmo Bodelschwingh alcançou um sucesso limitado nessas tentativas.[236] A Igreja Católica a princípio estava hesitante, embora logo percebesse que o programa de extermínio continuava. Uma carta pastoral conjunta a respeito do tópico, esboçada em novembro de 1941 por um grupo de bispos, foi confiscada pelo cardeal Bertram, que relutava em exacerbar ainda mais a situação logo depois do sermão de Galen. Em vez disso, no começo de 1943, os bispos instruíram instituições católicas a não cooperar com o registro de pacientes para o Ministério do Interior do Reich, que ordenara o registro no fim do ano anterior com a óbvia intenção de organizar listas de pessoas que seriam mortas.[237] Em 29 de junho de 1943, o papa Pio XII publicou uma encíclica, *Mystici corporis*, condenando o modo como, na Alemanha, "têm sido privadas da vida as pessoas deformes, dementes e afetadas por doenças hereditárias [...] O sangue desses infelizes tanto mais amados do Redentor quanto mais dignos de compaixão", ele concluiu, "brada a Deus da Terra".[238] Em seguida à encíclica, em 26 de setembro de 1943, uma condenação pública da matança "dos inocentes e indefesos deficientes mentais e doentes mentais, dos enfermos incuráveis e dos mortalmente feridos, dos reféns inocentes e dos prisioneiros de guerra e dos criminosos desarmados, das pessoas de raça ou de ascendência estrangeira" pelos bispos católicos da Alemanha foi lida no púlpito de igrejas por todo o país. A amplidão dos termos na qual ela se baseava era notável. Seus efeitos gerais foram mínimos.[239]

V

Entre as muitas pessoas que os nazistas consideravam racialmente inferiores, uma posição especial era reservada aos ciganos. Himmler os considerava particularmente subversivos por seu estilo de vida errante, sua suposta criminalidade e sua aversão a empregos regulares e convencionais. A mistura racial com os alemães representava uma ameaça à eugenia. Em setembro de 1939, os ciganos alemães tinham sido presos e registrados em um departamento especial em Berlim. Muitos deles estavam em campos especiais. Assim que a guerra começou, a SS aproveitou a oportunidade para colocar em prática o que Himmler já chamara de "solução final para a questão dos ciganos".[240] Restringiram-se seus movimentos, e muitos ciganos foram expulsos de regiões fronteiriças na crença de que suas andanças e sua suposta falta de patriotismo os tornassem adequados para o recrutamento por serviços de informação estrangeiros. Um plano para transferi-los para a Polônia ocupada foi engavetado quando Himmler designou que os alemães étnicos fossem mandados para lá, mas um encontro dos oficiais da SS dirigido por Heydrich em 30 de janeiro de 1940 decidiu que era hora de colocar o plano em ação. Em maio de 1940, cerca de 2.500 ciganos alemães foram presos e deportados para o Governo Geral. Em agosto de 1940, entretanto, foi decidido que deportações ulteriores seriam adiadas até que o problema dos judeus tivesse sido resolvido. Enquanto a SS hesitava, a perseguição a esses ciganos que permaneceram no Reich se intensificou. Soldados ciganos foram dispensados do Exército, crianças ciganas foram expulsas das escolas, homens ciganos foram obrigados a participar de esquemas de trabalhos forçados. No começo de 1942, ciganos na região da Alsácia-Lorena foram presos, e alguns deles levados para campos de concentração na Alemanha como "antissociais".

Dois mil ciganos na Prússia Oriental foram amontoados em carros de boi na mesma época e levados para Bialystok, onde foram colocados em uma prisão, da qual seriam posteriormente removidos para um campo em Brest-Litovsk. Enquanto isso, a equipe de pesquisas do doutor Robert Ritter, com base no Departamento de Saúde do Reich, se empenhava em continuar o registro e a classificação racial de cada cigano e meio-cigano na Alemanha. Em março de 1942, a equipe havia qualificado 13 mil; um ano depois, o total na Alemanha e na Áustria havia alcançado mais de 21 mil; e em março de 1944 o projeto estava finalmente completo, com um total final de precisamente 23.822. Entretanto, nessa época, muitos desses que haviam sido classificados por Ritter e sua equipe já não estavam vivos.[241]

O extermínio começou em 1942. No ano anterior, o Gabinete de Polícia Criminal do Reich, que já havia concentrado ciganos do Burgenland da Áustria em vários campos no interior, persuadira Himmler a permitir a deportação de 5 mil deles para uma seção especialmente isolada do gueto de Lódź. Planos para usar os ciganos adultos em esquemas de trabalho não deram em nada, contudo. Assim que o tifo começou a se alastrar no gueto, atacando particularmente o superpopuloso e insalubre bairro onde ficavam os ciganos, a administração alemã decidiu levar todos eles para Chelmno, onde a grande maioria – mais da metade deles crianças – foi morta em caminhões de gás. Mais ou menos na mesma época, as forças-tarefa da SS na Europa oriental ocupada estavam baleando grande número de ciganos por estes serem "antissociais" e "sabotadores". Em março de 1942, por exemplo, a Força-Tarefa D relatou com evidente satisfação que não havia mais ciganos na Crimeia. O extermínio comumente incluía tanto mulheres e crianças como homens. Eles eram normalmente capturados junto com a população judia local, despidos, alinhados ao longo de fossos e baleados na nuca. Os números alcançavam os milhares, incluindo famílias sedentárias e itinerantes, apesar de Himmler ter estabelecido uma clara distinção entre as duas categorias. Na Sérvia, como já vimos, o comandante regional do Exército, Franz Böhme, incluiu os ciganos em suas prisões e fuzilamentos de "reféns". Uma testemunha de um fuzilamento em massa de judeus e de ciganos por soldados da 704ª Divisão de Infantaria do Exército regular alemão no dia 30 de outubro de 1941 relatou: "O fuzilamento dos judeus é mais simples que o dos ciganos. A gente tem de admitir que os judeus caminham para a morte com

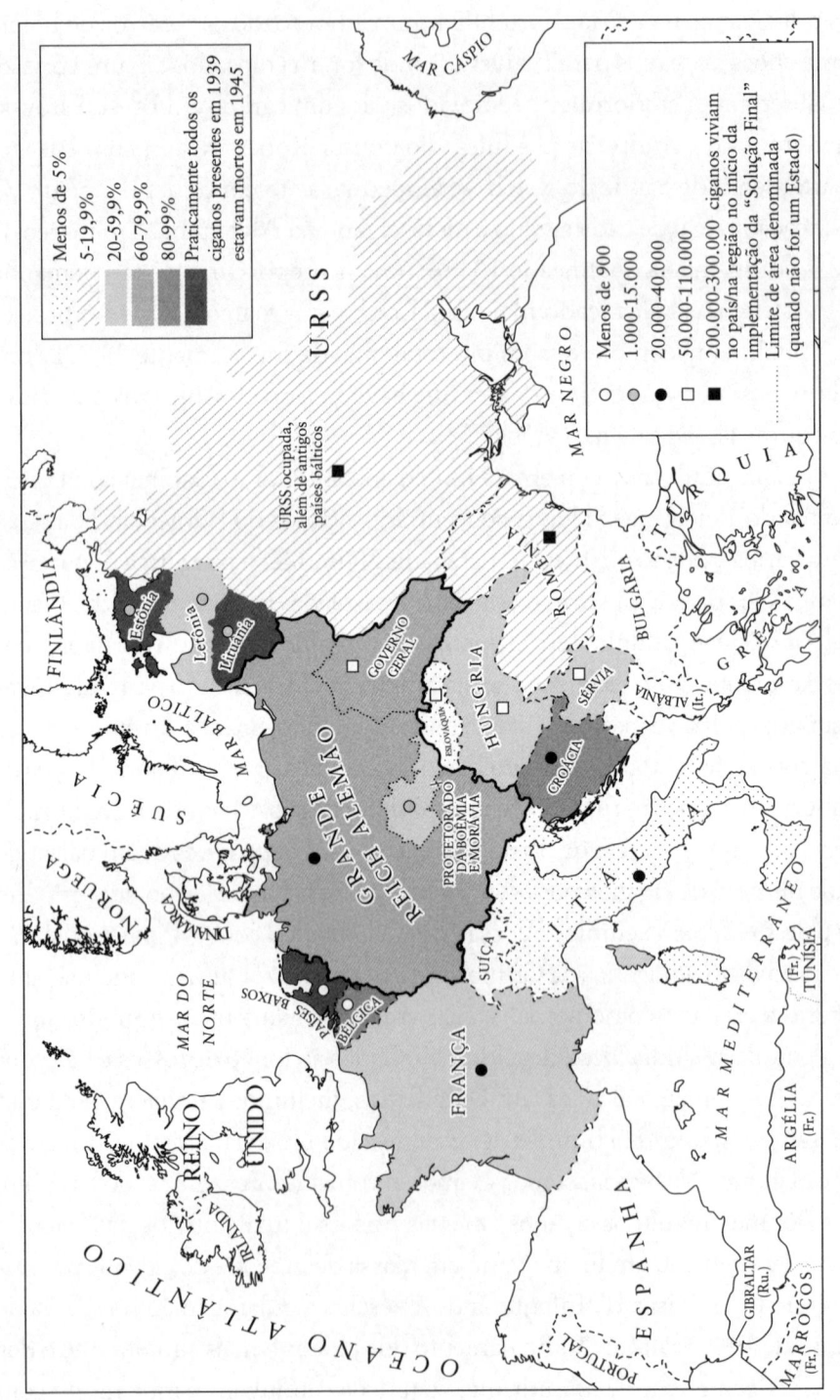

Mapa 18. O extermínio dos ciganos

compostura – eles se mantêm muito calmos –, enquanto os ciganos choram, gritam e se mexem constantemente quando já estão no local do fuzilamento. Muitos até mesmo pulam no fosso e fingem que estão mortos". Harald Turner, chefe da SS na região, alegou (sem nenhuma evidência) que os homens ciganos estavam trabalhando para os judeus em movimentos guerrilheiros e eram responsáveis por inúmeras atrocidades. Muitos milhares deles foram mortos, embora na época em que começou o extermínio por meio de gás dos judeus sérvios remanescentes no campo de Sajmiste, em fevereiro de 1942, mulheres e crianças ciganas que eram mantidas prisioneiras lá foram liberadas.[242]

O extermínio de ciganos também foi perpetrado pelos aliados dos alemães nos Bálcãs. Na Croácia, como já vimos, a Ustasha massacrou grande quantidade de ciganos, assim como de sérvios e de judeus. Igualmente, o regime antissemítico de Ion Antonescu na Romênia ordenou que cerca de 25 mil de um total de 29 mil ciganos romenos fossem deportados para a Transnístria, junto com 2 mil membros de uma seita religiosa, os inocentistas, que se recusavam, alegando objeção de consciência, a prestar serviço militar. Esses que foram capturados eram majoritariamente ciganos itinerantes, os quais em grande parte foram responsabilizados por Antonescu por crimes e por desordem pública na Romênia. Na verdade, as prisões eram com muita frequência essencialmente arbitrárias, e o Exército romeno protestou com sucesso contra a inclusão de alguns veteranos da Primeira Guerra Mundial nas deportações. Em 1942, descreveram que os deportados viviam em condições de "miséria indescritível", sem comida, emagrecidos e cobertos de piolhos. Em número cada vez maior, morriam de fome, de frio e de doenças. O corpo deles era largado em estradas locais; milhares haviam perecido até a primavera de 1943, quando foram transferidos para um alojamento melhor em alguns vilarejos e lhes foi dado emprego em projetos de obras públicas. Apenas metade dos deportados sobreviveu tempo suficiente para voltar à Romênia em 1944, vindos da Transnístria com o Exército romeno em retirada.[243]

Embora esses extermínios acontecessem em larga escala, eram muito menos sistemáticos que os praticados pelos alemães. Em 16 de dezembro de 1942, Himmler ordenou a deportação de mais de 13 mil ciganos alemães para uma seção especial do campo de Auschwitz.[244] O comandante do campo,

Rudolf Höss, relembrou que a prisão dos ciganos era caótica, com muitos veteranos de guerra condecorados e até mesmo membros do Partido Nazista sendo presos simplesmente por terem, em parte, ancestralidade cigana. No caso deles, não havia classificação como tendo metade ou um quarto de sangue cigano; qualquer pessoa que tivesse uma quantidade ainda que mínima de ancestralidade cigana era considerada uma ameaça. Os 13 mil constituíam pouco menos da metade da população do Reich considerada meio-cigana ou parcialmente cigana; muitos dos outros foram excluídos porque trabalhavam em fábricas de armamentos e de munições, então uma proporção considerável dos deportados era de crianças. Outros milhares foram deportados do Protetorado da Boêmia e Morávia para Auschwitz. Em Auschwitz-Birkenau, eles lotaram um campo familiar especial, que chegou a abrigar cerca de 14 mil ciganos da Alemanha e da Áustria, 4.500 da Boêmia e Morávia, e 1.300 da Polônia. A higiene era precária, as instalações, imundas, a desnutrição era algo comum, e os prisioneiros, especialmente as crianças, sucumbiam rapidamente ao tifo e à tuberculose. Os doentes eram selecionados em diversas ocasiões e mandados para as câmaras de gás. Cerca de 1.700 que vieram de Bialystok em 23 de março de 1943 foram mortos logo depois da chegada. No começo de 1944, quase todos os homens e as mulheres do campo familiar cigano foram levados para outros campos na Alemanha e usados como mão de obra forçada. No dia 16 de maio de 1944, a SS cercou o campo familiar com a intenção de mandar os 6 mil prisioneiros restantes para as câmaras de gás. Postos de sobreaviso pelo comandante alemão do campo, os ciganos se armaram com facas, pás, pés de cabra e pedras, e se recusaram a partir. Com medo de causar uma luta violenta, a SS recuou. Ao longo das semanas seguintes, mais ciganos foram levados em pequenos grupos para trabalhar na Alemanha. Em 2 de agosto de 1944, Rudolf Höss, agora já reempossado como comandante principal do campo, ordenou que a SS capturasse os cerca de 3 mil ciganos remanescentes, os quais receberam rações de comida e ficaram sabendo que eles também estavam sendo deportados para outro campo. Sua verdadeira intenção, entretanto, era liberar as acomodações do campo dos ciganos para receber grandes quantidades de novos prisioneiros que estavam chegando. Os ciganos foram levados para os crematórios e mortos. Outros oitocentos, em sua maioria crianças, foram mandados de Buchenwald no começo de outubro de 1944 e igualmente mortos. Isso levou o número total de ciganos que morreram em Auschwitz para mais de 20 mil, dos quais 5.600 foram mortos nas câmaras de gás, e os demais morreram de desnutrição ou por maus-tratos. Em suas memórias, inacreditavelmente, Höss descreveu-os como "meus prisioneiros mais amados", confiantes, afáveis e irresponsáveis, como crianças.[245]

Os ciganos na Alemanha nazista foram presos, enviados para campos de concentração e mortos não pelo fato, como os judeus, de serem considerados uma ameaça tão potente para o esforço de guerra alemão que todos deveriam ser exterminados, mas sim por serem considerados "antissociais", criminosos e inúteis para a "comunidade nacional". Na Alemanha nazista, é claro, essas supostas características eram entendidas como majoritariamente hereditárias e, desse modo, de origem racial. Mas isso não faz que o extermínio em massa de ciganos alemães e europeus seja um genocídio, como o extermínio em massa de judeus alemães e europeus foi. Na maior parte dos campos de concentração, os ciganos eram rotulados como antissociais e obrigados a usar o triângulo negro que os classificava como tais. Às vezes, como veremos no capítulo seguinte, eles eram deliberadamente selecionados para experiências médicas; não há dúvida de que em Buchenwald foram escolhidos para um tratamento particularmente cruel. Pelo menos 5 mil, e possivelmente quase 15 mil, permaneceram na Alemanha durante a guerra e, em janeiro de 1943, a polícia ordenou que deveriam ser esterilizados, caso concordassem com a operação. Receberam como incentivo a permissão de se casar com alemães não ciganos, caso concordassem. Entretanto, os que se recusavam provavelmente seriam muito pressionados a dar seu consentimento. Muitos foram ameaçados com o envio para um campo de concentração. Outros apelaram com sucesso, alegando que a mistura de sangue cigano em suas veias era insignificante. No total, entre 2.000 e 2.500 ciganos foram esterilizados durante a guerra, muitos deles classificados por Ritter e sua equipe como "ciganos antissociais de raça mista". Foram colocados em uma categoria parecida com a dos assim chamados judeus de raça mista, um grupo que causava incerteza perpétua entre os nazistas quanto ao que deveria ser feito com eles. De modo geral, os ciganos não foram alvo de uma campanha conjunta, obsessiva e direcionada de extermínio físico que tivesse por objetivo eliminá-los todos, sem exceção. Porém, o fato de a maioria deles também ter sido classificada como "antissocial" imputou-lhes o duplo fardo de discriminação e de perseguição. É por isso que tantos deles foram mortos, enquanto a maior parte dos assim chamados judeus de raça mista não foi. A longo prazo, é claro, leis raciais e programas de esterilização tinham por objetivo eliminar as duas categorias da cadeia de hereditariedade no que alguns chamaram de "genocídio prolongado".[246]

VI

As várias categorias de prisioneiros dos campos tambem incluíam os homossexuais, designados por um triângulo cor-de-rosa. A homossexualidade masculina era ilegal, e o âmbito de sua definição já fora consideravelmente ampliado antes da guerra. O chefe da SS, Heinrich Himmler, era quase obcecado pela perseguição aos homossexuais, os quais, segundo ele, solapavam a masculinidade da SS e das Forças Armadas; ele era apoiado nessa crença por Hitler, que, em agosto de 1941, declarou que "a homossexualidade é, na verdade, tão infecciosa e perigosa quanto uma praga" e solicitou reiteradamente o uso de "severidade extrema [...] onde quer que sintomas de homossexualidade apareçam entre os jovens".[247] Em 4 de setembro de 1941, a pena de morte foi introduzida para a prática de sexo com um menor de idade.[248] Então, em novembro de 1941, atendendo a um pedido de Himmler, Hitler deu uma ordem confidencial prescrevendo a execução de um integrante da SS que foi flagrado praticando "atos não naturais com outro homem".[249] Ela deveria, decretou Himmler no mês de março seguinte, ser explicada a todos os membros da SS e da polícia, e eles teriam de assinar um documento dizendo que haviam lido e compreendido. Essa política não foi implementada com muito vigor, e relativamente poucos casos compareceram perante a corte; nos últimos meses da guerra, na verdade, Himmler comutava as sentenças de alguns dos membros da SS condenados por comportamento homossexual com a condição de que se juntassem à SS Militar e lutassem no *front*.[250]

As Forças Armadas também se preocupavam com o combate à homossexualidade nas tropas e, depois de muito debate interno, decidiram, em

19 de maio de 1943, punir os casos graves, qualquer que fosse sua definição, com a pena de morte, e outros com uma dispensa desonrosa das forças, com encarceramento em um campo de punição ou com notificação à polícia. Nas Forças Armadas houve pouco mais de 1.100 condenações em 1940 por contravenção à lei contra os atos homossexuais, aumentando para cerca de 1.700 por ano pelo resto da guerra. De modo mais geral, as condenações de civis na Alemanha pela contravenção da seção 175 do Código Criminal do Reich, que tornava a homossexualidade ilegal, caíram de cerca de 8.200 em 1939 para pouco mais de 4 mil em 1940, refletindo o alistamento de milhões de homens nas Forças Armadas. Os transgressores civis foram inicialmente mandados para a prisão depois do julgamento, mas Himmler ordenou em 1940 que todos os homossexuais que tivessem tido mais de um parceiro sexual fossem levados diretamente para um campo de concentração no fim da sua sentença de prisão.[251] Ernst Kaltenbrunner, do Serviço de Segurança da SS, queria ir ainda mais além. Em julho de 1943, pressionou o Ministério da Justiça para emitir um édito de emergência ordenando a castração compulsória dos homossexuais, já que poucos prisioneiros haviam se apresentado para requerê-la voluntariamente. O ministério salientou que a falta de voluntários havia sido causada por sua própria interdição das castrações desde o começo da guerra, mas acrescentou que a interdição fora, então, revogada. Kaltenbrunner ficou satisfeito com essa explicação, mas também deu um jeito de fazer que o Exército revisse cerca de 6 mil processos por homossexualidade que haviam sido abertos contra soldados desde setembro de 1939, com o propósito de dispensar com desonra os "incorrigíveis" (muitos dos quais, sem dúvida, teriam sido presos pela Gestapo e mandados para os campos de concentração).[252]

Isso significava que pelo menos 2.300 homossexuais foram enviados para um ou outro dos principais campos de concentração durante todos os anos de guerra.[253] Eram alojados separadamente de outros prisioneiros e forçados a trabalhar a céu aberto em qualquer temperatura, na esperança de que isso fosse separar os que eram realmente "viris" dos que não eram. Em Sachsenhausen, Rudolf Höss pensou que, tratando-os dessa maneira, os jovens que haviam se prostituído apenas por dinheiro "rapidamente recuperariam a razão por meio do trabalho duro e da rígida disciplina do campo". Os que ele considerava homossexuais genuínos, entretanto, "aos poucos deixavam de resistir fisicamente" sob a pressão.²⁵⁴ Em Dachau, cerca de 31 prisioneiros foram encarcerados por serem homossexuais em 1939, 50 em 1940, 37 em 1941, 113 em 1942, 81 em 1943, 84 em 1944 e 19 em 1945. Cento e nove ainda estavam no campo às vésperas da libertação em 1945.²⁵⁵ Às vezes, os homens comunistas que porventura também fossem homossexuais eram colocados em um campo devido à sua homossexualidade quando a Gestapo não conseguia imputar-lhes um crime político. Desse modo, por exemplo, o funcionário H. D., nascido em 1915, foi preso em 1938 enquanto estava tentando se comunicar com a Embaixada Soviética em Praga. Seu parceiro foi preso e torturado até admitir que tinha um relacionamento sexual com H. D. A Gestapo não podia arranjar uma sentença por traição, mas conseguiu garantir uma condenação nas cortes invocando a lei que bania a homossexualidade, e H. D. foi mandado para uma penitenciária por três anos e meio. Ao ser solto em novembro de 1941, foi imediatamente preso de novo e enviado para Buchenwald, onde foi obrigado a usar o triângulo rosa, colocado para trabalhar na pedreira do campo e selecionado para um tratamento particularmente brutal por um *capo* que era conhecido por seu ódio aos homossexuais. Ele foi salvo apenas pelo fato de o *capo* ter sido mandado embora do campo. O bloco dos homossexuais no campo era impiedosamente explorado pelos guardas da SS, que regularmente roubavam pacotes de comida que alguns de seus prisioneiros recebiam de amigos e de parentes. Os homossexuais também eram selecionados regularmente durante o trabalho na pedreira e "baleados enquanto tentavam escapar". A demanda crescente por mão de obra para os campos a partir do outono de 1942 em diante colocou um fim a essa prática, embora não para a brutalidade cotidiana dos guardas e dos *capos*. H. D. finalmente conseguiu tarefas menos pesadas e sobreviveu. Muitos outros não.²⁵⁶ No total, entre 5 mil e 15 mil homossexuais foram levados para os campos de concentração durante todo o período do Terceiro Reich, dos quais se considera que cerca de metade morreu.²⁵⁷

Restam poucas dúvidas de que a política nazista em relação aos homossexuais estava se tornando mais radical e mais exterminadora durante a guerra; e realmente, de modo mais geral, a grande expansão do sistema de campos de concentração nesse período não era apenas um sintoma da insaciável demanda da economia de guerra por novas fontes de trabalho, mas também refletia o crescente radicalismo de todo o regime nazista. Em fevereiro de 1944, o Ministério da Justiça estava se preparando para introduzir uma lei que permitiria à polícia prender, mandar para a prisão e, de fato, até eliminar qualquer pessoa que considerasse um "estranho à comunidade". Como a definição legal no projeto de lei estabelecia:

> Um "estranho à comunidade" é: (1) qualquer pessoa que, por sua personalidade e estilo de vida [...], demonstre ser incapaz de satisfazer os requisitos mínimos da comunidade nacional por meio de seus próprios esforços; (2) qualquer pessoa que (a) por causa de vagabundagem ou de frivolidade induza a uma vida inútil, perdulária ou tumultuada [...] ou (b) devido a uma tendência ou inclinação a transgressões criminais menores, ou devido a uma tendência à desordem enquanto bêbado, viole de modo evidente seu dever de apoiar a comunidade nacional, ou (c) perturbe de modo persistente a paz geral por meio de irritabilidade ou prazer em brigar; ou (3) qualquer pessoa cuja personalidade e estilo de vida deixem evidente que sua natural tendência é a de cometer crimes graves.[258]

Em um esboço de preâmbulo, o criminologista Edmund Mezger observou que essa lei deveria ser aplicada aos "fracassados" e aos "imorais", bem como aos "criminosos" e aos "vagabundos".[259] A lei nunca foi instituída. Ela teria, considerou Goebbels, causado uma péssima impressão no exterior, em uma época em que a Alemanha necessitava desesperadamente da boa vontade das nações neutras. Outras pessoas dos altos escalões do regime bloquearam-na porque ela teria dado à organização policial de Himmler poderes praticamente ilimitados sobre o conjunto da sociedade alemã, reforçando a ideologia nazista por meio de um reinado de terror desenfreado.[260] Mas ela foi um produto característico de sua época. Exalava o espírito radical do "tempo de luta" que estava ressurgindo nas fases finais da guerra: um espírito que agora tinha todo o aparato do Estado e do Partido a seu dispor.

6 Moral alemã

Medo e culpa

I

Na noite de 10 de março de 1941, uma menina de quinze anos foi repentinamente acordada por um barulho em outra parte do apartamento em que morava com a família em um bairro de trabalhadores de Düsseldorf. "Ouvi meu padrasto brigando com minha mãe", ela disse posteriormente para a Gestapo. "Ele estava bêbado, e eu o ouvi dizer: 'Agora não faz mais diferença. A Inglaterra vai ganhar de qualquer jeito. A Alemanha não tem mais munições disponíveis'. Ao ouvir isso, minha mãe contestou: 'Quando você fala desse jeito, você não é alemão, e vou denunciar você para a polícia'." Naquela altura, a menina tinha se levantado e estava observando a briga através da porta da cozinha. "Eu vi", prosseguiu ela, "que meu padrasto pegou uma faca e a apontou para minha mãe, dizendo: 'Antes que você me traia, vou matar você'. Fui lá para ajudar minha mãe, mas, quando meu padrasto me viu, ele colocou a faca de lado e tentou me atingir com uma cadeira [...] Depois, foi levado pela polícia".[1] Sua esposa disse à Gestapo que ele tinha falado, entre outras coisas: "Hitler é o responsável por estarmos passando fome e pela guerra" e "Hitler queria enforcar os judeus, mas deveriam enforcá-lo em primeiro lugar". O homem negou as acusações e disse que não conseguia se lembrar de ter pronunciado nenhum tipo de afirmação traiçoeira, já que estava completamente bêbado na hora. Assim como em outros incidentes parecidos (talvez não tão emocionantes), havia nele algo além da simples reprovação de uma esposa em relação às opiniões de seu marido. Os membros da Gestapo designados para cuidar do caso perceberam que, como havia dito a enteada, o homem ficava com frequência bêbado e violento, e concluíram que falta de harmonia doméstica, e não uma oposição política acirrada, se encontrava no centro do problema. Decidiram que não havia provas suficientes para abrir um caso e mandaram o homem embora depois de confiscar a faca. Em tais casos, em geral, ficavam do lado do marido: esposas maltratadas não estavam no topo da lista de prioridades da Gestapo.[2]

Em outros casos, a Gestapo acolhia as queixas das mulheres com maior seriedade. Em março de 1944, por exemplo, uma mulher de Düsseldorf que perdeu a casa em um bombardeio foi buscar refúgio na casa da irmã. Esta, *Frau* Hoffmann, era casada com um policial desde 1933 e, na ocasião, não estava em casa, pois visitava a mãe na Bavária. Assim que entrou na casa, a mulher ficou chocada ao descobrir que o policial estava compartilhando o leito conjugal com uma mulher da Estônia. Ela entrou em contato com a irmã na Bavária para lhe contar o que vira. Ao voltar, *Frau* Hoffmann tentou fazer que seu marido terminasse o relacionamento com a amante. Mas foi tudo em vão. O casamento fracassou rapidamente, com frequentes e acaloradas brigas e altercações cheias de gritos. Desesperada, *Frau* Hoffmann descobriu algumas cartas que o marido lhe enviara quando ele estava fora. Nelas, o homem havia escrito, entre outras coisas, que a Alemanha nunca iria vencer a guerra. Ela também relatou que ele andava fazendo afirmações derrotistas no serviço. Seu marido foi devidamente preso e interrogado. Pressionado pela Gestapo, foi incapaz de refutar o conteúdo das cartas e confessou que as acusações de sua esposa eram verdadeiras. Foi julgado por debilitar o estado de espírito da população, condenado à morte no começo de 1945 e executado logo em seguida.[3]

Nesse caso, também, a denúncia surgiu a partir de circunstâncias pessoais, mas o motivo realmente não importava na opinião da Gestapo. Na verdade, apenas cerca de 30% das denúncias apresentadas à polícia eram feitas por mulheres. Na maior parte dos casos, as mulheres tinham sofrido maus-tratos ou violência por parte dos homens. Desde 1933, o Estado nazista havia se intrometido com intensidade cada vez maior na vida familiar e privada, e as mulheres que passavam por dificuldades em seu relacionamento reagiam cruzando as fronteiras entre o privado e o público em outra direção, desse modo permitindo que o regime as cooptasse de modo eficaz no combate aos estados de espírito derrotistas ou de oposição. Com frequência, na atmosfera agressivamente masculina do Terceiro Reich, as mulheres parecem ter sentido que não havia alternativa. Uma trabalhadora que sofresse assédio sexual de seu empregador, ou uma esposa que fosse espancada e maltratada por seu marido, dificilmente conseguiria uma audiência a não ser que ela o denunciasse por algum tipo de crime político.[4] O Estado estava particularmente inclinado a manter a esposa dos soldados na linha quando seus maridos estavam no *front*, e não iriam ouvi-las se elas reclamassem. Na propaganda e na mídia de massas, a esposa dos soldados, dos marinheiros e dos aviadores (*Kriegerfrauen*) era retratada como pura, assexuada, pronta para se sacrificar, trabalhadora e, acima de tudo, fiel. Então, supervisores de quarteirão, membros locais do Partido e empregadores, todos eles mantinham um olhar vigilante quanto à conduta delas. Como resultado, houve inúmeras denúncias de mulheres que não conseguiam alcançar os parâmetros de uma imagem santificada à qual deveriam se adequar. Um caso típico foi relatado pela seção de Düsseldorf da Gestapo em novembro de 1941, quando certa *Frau* Müller foi questionada pelo capataz na fábrica de embalagens onde trabalhava a respeito do relacionamento dela com um trabalhador belga. Uma disputa acalorada aconteceu em seguida, ela esbofeteou o capataz e ele a denunciou à polícia. Interrogada pela Gestapo, ela contou que seu marido, um soldado, se relacionara com outras mulheres e até tivera filhos com algumas delas. Não obstante, a Gestapo admoestou-a oficialmente que ela deveria se comportar e terminar seu relacionamento com o belga, caso contrário seriam tomadas medidas muito mais severas contra ela.[5]

Apesar da pressão exercida sobre as esposas para que seguissem uma vida casta enquanto seu companheiro servia as Forças Armadas, o Estado nazista estava longe de ser o regime sexualmente repressivo e pudico descrito por seguidores exilados da Escola de Frankfurt de sociologia, ou pelos seguidores do marxista freudiano Wilhelm Reich. Durante a guerra, as pessoas, naturalmente, pensavam muito antes de ter filhos. De qualquer maneira, com os maridos no *front*, havia menor oportunidade para a concepção, e muitas mulheres relutavam em se tornar o que era, na verdade, uma mãe solteira. Os nascimentos caíram de mais de 1.413.000 em 1939 para apenas pouco mais de um milhão em média em cada um dos anos posteriores, enquanto o número de novos casamentos caiu de quase 775 mil para menos de 520 mil.⁶ À medida que o número de perdas relacionadas à guerra aumentava, Hitler ficou cada vez mais preocupado com o futuro demográfico da Alemanha. Em 15 de agosto de 1942, emitiu uma ordem chamando das linhas de frente o último filho sobrevivente de cada família em que mais de um filho tivesse morrido, porque, disse, tendo em vista o óbvio forte caráter hereditário de bravura e de sacrifício pessoal em tais famílias, "a nação e o Estado têm interesse na continuidade de sua família".⁷ Heinrich Himmler já havia ordenado aos homens da SS que tivessem filhos, quer dentro dos laços matrimoniais, quer "além dos limites das leis e das convenções burguesas".⁸ Tinham, é claro, de ser relações racialmente puras, e, de fato, as restrições quanto ao casamento para tais fins foram controladas em 1941, talvez como resposta ao grande número de trabalhadores estrangeiros que estavam então na Alemanha.⁹ Também em janeiro de 1944, fazendo referência ao posicionamento pessoal de Hitler a respeito desse tópico, Martin Bormann escreveu um memorando advertindo a respeito da posição "catastrófica" em que a Alemanha se encontraria depois da guerra, com a "perda de sangue" decorrente da morte maciça dos mais bravos dos homens jovens nas linhas de frente. Ele sugeriu uma série de providências, incluindo educar as mulheres quanto aos benefícios da maternidade e abrandando as leis sobre a ilegitimidade em uma situação em que houvesse um número muito maior de mulheres do que de homens.¹⁰

O apoio do regime nazista ao crescimento populacional, que chegava até mesmo a encorajar mulheres racialmente adequadas a ter filhos fora do casamento, levou-o a publicar manuais populares a respeito de como alcançar uma vida sexual feliz. Uma dessas obras foi escrita pelo doutor Johannes Schultz; seu livro *Geschlecht-Liebe-Ehe* [Sexo-amor-casamento], publicado em 1940, dava instruções detalhadas tanto para o homem como para a mulher sobre, entre outras coisas, o melhor modo para alcançar o orgasmo durante a relação sexual. Ao mesmo tempo, a atitude entusiasmada de Schultz no tocante ao sexo heterossexual tinha um lado oposto deprimente, já que ele advogava o extermínio dos deficientes na Aktion T-4 e conduzia "exames" no Instituto Göring de Pesquisa em Psicologia e Psicoterapia, durante os quais homens acusados de homossexualidade eram forçados a ter relações sexuais com prostitutas e mandados para campos de concentração se não conseguissem um desempenho satisfatório. No que diz respeito ao sexo heterossexual, o encorajamento dos nazistas se combinou com as circunstâncias da guerra para produzir o que muitos estudiosos descreveram como um enfraquecimento da moral sexual entre 1939 e 1945.[11] A assistente social de Hamburgo Käthe Petersen reclamou em 1943 que o comportamento das mulheres sofrera uma deterioração acentuada durante a guerra; moral enfraquecida, devassidão e até mesmo a prostituição haviam se tornado comuns:

> Muitas esposas que antes eram respeitáveis tinham ficado cientes da existência de outros homens por irem trabalhar. Em muitas empresas – a empresa de bondes é um exemplo particularmente bom –, os trabalhadores homens parecem ter adquirido o hábito de ir atrás da esposa dos soldados. Em muitas fábricas também, as esposas têm sido desencaminhadas por causa da influência corrosiva de algumas de suas colegas mais grosseiras. As mulheres que antes se dedicavam às tarefas domésticas, e eram boas mães, têm sido levadas por tais influências a negligenciar seu trabalho doméstico e seus filhos, e a se interessar apenas por aventuras noturnas e pela busca de companhia masculina.[12]

O Serviço de Segurança da SS relatou em 13 de abril de 1944 que os soldados no *front* estavam começando a ficar preocupados com as histórias de infidelidade das mulheres casadas que estavam na Alemanha. Havia um crescimento acentuado da imoralidade feminina, afirmava o relatório, e era particularmente preocupante que as mulheres jovens não vissem nada de errado em se satisfazer tendo relações sexuais com trabalhadores estrangeiros ou com prisioneiros de guerra racialmente inferiores. Denúncias frequentemente levavam à prisão de tais mulheres e, como Himmler havia instruído em janeiro de 1940, seu envio para campos de concentração por um período mínimo de um ano se o comportamento delas ofendesse "sentimentos populares".[13]

O relatório do Serviço de Segurança da SS de 1944 responsabilizava a ociosidade feminina, e não o trabalho da mulher, pela imoralidade, particularmente os relativamente *altos benefícios familiares dados às esposas e viúvas dos soldados* [...] Essas mulheres não precisam procurar emprego, já que, em muitos casos, o nível dos benefícios familiares garante a elas um padrão de vida até mais alto do que o que tinham antes da guerra. O tempo e o dinheiro que estão à sua disposição levam-nas a passar as tardes e as noites em cafés e em bares; não precisam pensar duas vezes antes de se regalar com bebidas e vinhos caros e, acima de tudo, têm condições de pagar aos homens – na maior parte, soldados – tudo isso também.[14]

Outros fatores incluíam a erotização da vida pública, por meio de canções de sucesso e de filmes e teatros de revista populares, e o sentimento encontrado entre algumas mulheres de que, se os soldados estavam, como provavelmente era o caso, "pulando a cerca", as mulheres "tinham os mesmos direitos e também podiam se divertir".[15] O sexo estava até mesmo se tornando uma mercadoria, com as mulheres jovens de modo particular trocando-o por alimentos difíceis de encontrar e luxos, como chocolates, meias de seda ou cigarros. Principalmente durante os últimos ataques aéreos, havia um sentimento generalizado de que a vida não valia muita coisa e poderia facilmente ser interrompida, então as mulheres e as moças decidiram vivê-la ao máximo enquanto podiam.[16]

Entretanto, pode ser colocado em dúvida se tudo isso fazia parte de um aumento geral do poder e da liberdade de ação da mulher, como alegaram algumas historiadoras feministas. É certo que, durante a guerra, as mulheres tinham de cuidar de si mesmas, tomar conta de sua família sem a presença controladora de seu marido e ter mais desenvoltura e iniciativa para administrar sua vida cotidiana. Mas fizeram isso em circunstâncias cada vez mais difíceis, com falta de combustível e de alimentos criando preocupações e ansiedades; ataques aéreos ou evacuação forçada virando sua vida de ponta-cabeça e a luta geral para sobreviver levando ao cansaço e à exaustão. As esposas que abandonavam ou denunciavam o marido era a minoria. A maioria mantinha correspondência regular com eles; pedia-lhes conselhos em suas cartas e estava ansiosa pela volta deles: "Ah", como escreveu uma delas para seu marido em 17 de abril de 1945, "se você estivesse aqui conosco, então tudo seria muito, muito melhor e mais fácil".[17] Os homens voltavam para casa em licença em intervalos cada vez mais irregulares na parte final da guerra. As mulheres casadas costumavam manter fotografias do marido em destaque em casa para que as crianças se lembrassem de sua existência, falavam regularmente a respeito dele e tentavam o máximo possível fazer dele uma presença na vida familiar. Por sua vez, os pais, frequentemente, davam conselhos e incentivos, ou mandavam censuras e críticas, do *front*, controlando sua família tanto quanto lhes fosse possível daquela distância. Eles até mesmo discutiam os boletins escolares. "A nota de inglês do Karl caiu por causa da preguiça", escreveu um pai no *front*, reconhecidamente um professor, para sua esposa. "Ele sente falta da influência disciplinadora de um pai."[18] "Estou devolvendo seu livro de exercícios", escreveu outro pai que estava no *front* para seu filho de nove anos, em 1943. "Continue assim tão estudioso e você vai deixar seus pais muito orgulhosos. Seu trabalho sobre a história local está muito bom."[19]

II

Um motivo para a relativa falta de sucesso da tentativa de Himmler de produzir mais crianças para a nação por meio do encorajamento de nascimentos ilegítimos se encontra no fato de que a maioria esmagadora dos alemães ainda regulava sua vida moral sobretudo pelos ditames da religião cristã. Em 1939, 95% dos alemães se descreveram ou como católicos ou como protestantes; 3,5% eram "deístas" (*gottgläubig*) e 1,5% ateus: quase todas as pessoas nas duas últimas categorias eram nazistas convencidos de que haviam abandonado sua Igreja a pedido do Partido, que estava tentando, desde a metade da década de 1930, reduzir a influência do cristianismo na sociedade.[20] Sobretudo nas áreas rurais e entre as gerações mais velhas, a presença predominante do cristianismo encorajava atitudes mais conservadoras em relação à moral sexual, reforçada pela pregação dos pastores e dos padres. Esse fato não era bem recebido pela hierarquia nazista. Durante a década de 1930, Hitler havia limitado, tanto quanto possível, a autonomia da Igreja Católica, que contava com mais seguidores no sul e no oeste da Alemanha, e, como consequência, as relações entre o Terceiro Reich e a Igreja tinham se deteriorado seriamente. No centro e no norte protestante da Alemanha, a tentativa de criar uma fusão da ideologia nazista e de uma Igreja expurgada de seus elementos "judaicos" no movimento cristão alemão tinha falhado claramente, e a oposição ferrenha dos pastores fundamentalistas na assim chamada Igreja Confessional não era a menor das causas. Um ministro da Igreja, Hans Kerrl, entusiasmado defensor dos cristãos alemães, morreu como um homem desapontado aos 54 de idade em 12 de dezembro de 1941. Quando a guerra começou, a situação interna do protestantismo alemão era algo parecido com um beco sem saída, já que nenhum dos lados realmente venceu a batalha, e a grande massa de protestantes comuns tentava encontrar um ponto de equilíbrio entre os dois.[21]

A hostilidade de Hitler em relação ao cristianismo atingiu novas alturas, ou profundidades, durante a guerra. Esse era um tema frequente de seus monólogos na hora das refeições. Depois que a guerra acabasse e a vitória estivesse assegurada, ele dizia em 1942, a Concordata que assinara com a Igreja Católica em 1933 seria formalmente abolida, e a Igreja seria encarada como qualquer outra associação voluntária não nazista. O Terceiro Reich "não admitiria a intervenção de nenhuma influência estrangeira", tal como o papa, e o núncio papal teria de, finalmente, voltar para Roma.[22] Os padres, ele dizia, eram "insetos negros", "aberrações em sotainas".[23] Hitler enfatizava repetidas vezes sua crença de que o nazismo era uma ideologia secular baseada na ciência moderna. A ciência, ele declarou, destruiria com facilidade os últimos vestígios da superstição. "Coloquem um pequeno telescópio em um vilarejo e vocês destruirão um mundo de superstições."[24] "O melhor a fazer", ele declarou em 14 de outubro de 1941, "é deixar o cristianismo morrer de morte natural. Há algo reconfortante em uma morte lenta. O dogma do cristianismo desaparece perante os avanços da ciência".[25] Ele tinha um olhar particularmente crítico em relação ao que considerava uma violação da lei da seleção natural e da sobrevivência do mais apto. "Levado a sua lógica mais extrema, o cristianismo significaria o cultivo sistemático da falha humana."[26] O cristianismo era indelevelmente judaico em sua origem e constituição. Era "um protótipo do bolchevismo: a mobilização, por parte dos judeus, das massas de escravos com o intuito de debilitar a sociedade".[27] O cristianismo era uma droga, um tipo de doença. "Sejamos o único povo que é imune a essa doença."[28] "A longo prazo", ele concluiu, "o nacional-socialismo e a religião não poderão mais existir conjuntamente". Não perseguiria as igrejas: elas simplesmente feneceriam. "Mas, nesse caso, não devemos colocar no lugar da Igreja algo semelhante. Isso seria apavorante!"[29] O futuro era nazista, e o futuro seria secular.

Todavia, quando a guerra eclodiu, Hitler, preocupado com o fato de que uma deterioração nas relações Igreja-Estado pudesse enfraquecer a solidariedade nacional no prosseguimento da guerra, a princípio amenizou sua política anticristã. O regime exerceu pressão sobre os líderes eclesiásticos de ambas as igrejas para que apoiassem publicamente o esforço de guerra, o que eles fizeram. Uma ordem de suspensão de encontros religiosos, estabelecida pela Gestapo nas primeiras semanas da guerra, logo foi cancelada. Capelães militares foram rapidamente designados para as unidades das tropas e demonstraram que eram populares entre os soldados. Mas a trégua não durou muito. À medida que Hitler e os nazistas mais proeminentes ficaram mais confiantes quanto ao futuro da guerra, voltaram a atacar as igrejas. Relatórios de visitas feitas a igrejas protestantes na Francônia na primavera de 1941 começavam afirmando que "a luta contra a Igreja foi retomada de modo marcante". Publicações anticristãs estavam sendo distribuídas pelo Partido uma vez mais.[30] Martin Bormann passou uma circular para os líderes regionais do Partido em junho de 1941, relembrando-os de que o nacional-socialismo era incompatível com o cristianismo e instando-os a fazer tudo que pudessem para reduzir a influência das igrejas.[31] Muitos dos líderes regionais, como Arthur Greiser em Wartheland, por exemplo, já eram furiosamente anticristãos e precisavam de pouco encorajamento para seguir a iniciativa de Bormann. Logo, estavam sendo permanentemente fechadas as igrejas que ficavam muito distantes dos abrigos antiaéreos, os sinos das igrejas eram derretidos para utilizar o metal para a produção de armamentos, jornais das igrejas eram fechados devido à escassez de papel, e Hermann Göring, o líder nazista encarregado geral de um braço das Forças Armadas, baniu os capelães da Força Aérea. Mencionando a necessidade de um esforço de guerra intensificado, o Estado aboliu alguns feriados religiosos e mandou transferir outros dos dias úteis para os domingos. Os últimos vestígios de educação religiosa foram formalmente abolidos na Saxônia. Propriedades da Igreja em todo o território alemão foram confiscadas para serem transformadas em maternidades, em escolas para crianças evacuadas, ou em hospitais para soldados feridos. Em setembro de

1940, foi estabelecida uma proibição geral para que noviços se juntassem a qualquer ordem religiosa. Então, a partir de dezembro de 1940, os mosteiros e conventos foram desapropriados e os monges e freiras, expulsos. Em maio de 1941, cerca de 130 tinham sido apreendidos pelo Partido ou pelo Estado.[32]

Desapropriações desse tipo foram, como já vimos, o estopim para a denúncia feita pelo bispo Von Galen do programa de "eutanásia" em 1941. E, na verdade, tais medidas despertaram grande inquietação entre os fiéis. Em 31 de maio de 1941, por exemplo, relataram no distrito rural de Ebermannstadt, na Bavária, que as pessoas estavam simplesmente ignorando a injunção para trabalhar em feriados religiosos:

> A maior parte da população rural ainda está se mantendo fiel a sua comunidade religiosa. Todas as tentativas para destruir essa lealdade se confrontaram com uma rejeição glacial, e despertaram, parcialmente, descontentamento e ódio. O feriado (legalmente abolido) da Ascensão foi apenas uma séria manifestação contra a interdição do Estado, tanto na comunidade protestante como na católica. A supressão do Dia da Ascensão, assim como a interdição à organização de procissões, de peregrinações etc., em dias úteis, é vista como uma simples desculpa para a gradual e contínua remoção de festas da Igreja de modo geral, bem como parte do extermínio completo das comunidades religiosas cristãs.[33]

Cerca de 59 padres foram presos apenas na Bavária por protestarem contra a supressão dos dias sagrados. Essa oposição era séria o suficiente. Mas nenhuma medida anticristã foi sentida com maior intensidade do que um decreto emitido pelo ministro da Educação da Bavária, Adolf Wagner, em 23 de abril de 1941, ordenando que as orações feitas nas escolas fossem substituídas por canções nazistas e que os crucifixos e as pinturas religiosas fossem removidos das paredes das escolas. Multidões de mães indignadas se reuniram fora das escolas onde os crucifixos tinham sido retirados, exigindo a recolocação deles. Abalado por essa oposição pública, Wagner revogou seu decreto depois de apenas duas semanas. Ele não tornou isso público porque não desejava passar vergonha. Exaltados nazistas locais continuaram com a ação, dando origem com isso a protestos ainda mais generalizados dos pais e a manifestações quando o novo ano escolar começou no outono de 1941. Mulheres recolheram milhares de assinaturas em abaixo-assinados exigindo que os crucifixos fossem recolocados. Como poderiam apoiar o marido na luta contra o bolchevismo ateu, perguntaram retoricamente, se a religião estava sendo atacada na pátria? Tiveram o apoio de uma poderosa carta pastoral escrita pelo cardeal Faulhaber, que foi lida em púlpitos de igrejas em 17 de agosto de 1941. Estava claro que a oposição não iria ceder. Humilhado, Wagner teve de emitir uma revogação pública do decreto, libertar os 59 padres, ordenar que todos os crucifixos fossem recolocados nas escolas e permitir que uma oração (com fraseado oficialmente aprovado) fosse lida em voz alta na assembleia matutina. Hitler repreendeu Wagner depois desse fiasco, e lhe disse que seria mandado para Dachau se fizesse alguma coisa tão idiota outra vez.[34]

O sucesso dos manifestantes era uma prova da profundidade de suas convicções. Ele também foi um produto da natureza gradativa das medidas. Se Wagner as tivesse implementado em uma ação rápida e conjunta, elas teriam maior chance de sucesso. Hitler, Goebbels e até mesmo Bormann perceberam então que a solução final da questão da Igreja teria de esperar até que a guerra terminasse. Era perturbador demais e muito pernicioso para a unidade nacional e para o moral lançar tais ataques, acima de tudo depois que a guerra começou a não dar muito certo. Em 1942, relatórios da Igreja Protestante na Francônia diziam que tudo estava em paz novamente.[35] A pressão exercida sobre membros do Partido para que abandonassem a Igreja continuava, mas poucos prestavam atenção ao comando. Por outro lado, a situação da Alemanha, que se deteriorava durante a guerra, parece não ter levado muita gente a redescobrir a religião. "A seriedade de nossa época", segundo o mesmo relatório, "fez que apenas alguns poucos membros da paróquia que se afastaram da Igreja voltassem aos serviços religiosos. De modo geral, é possível perceber apenas uma apatia generalizada na maior parte da população [...] Lamentavelmente, há entre os jovens uma grande inclinação a considerar a Igreja uma *quantité négligeable*".[36] Isso sugeriu que Hitler tinha certa razão ao pensar que, se o Terceiro Reich tivesse uma longa duração no futuro, o cristianismo iria fenecer. A educação nazista e a doutrinação estavam afastando a geração mais jovem dele.

A perseguição, como foi sofrida acima de tudo em 1941, fez que a hierarquia da Igreja Católica ficasse extremamente receosa de se engajar em protestos públicos contra o regime. Os bispos que se preocupavam com problemas como "a questão dos judeus, o tratamento dos prisioneiros de guerra russos, atrocidades da SS cometidas na Rússia etc.", como dizia um memorando anônimo descoberto posteriormente nos arquivos do cardeal Faulhaber, decidiram se aproximar da liderança nazista para tratar de seus problemas apenas em particular, e se limitando a, publicamente, protestar em termos gerais a respeito da perseguição à Igreja e dos ataques do regime contra os direitos básicos, a propriedade, a liberdade e a vida dos cidadãos alemães. Um protesto público com essa finalidade, datado de 15 de novembro de 1941, foi, entretanto, cancelado por ordem do mais alto membro da hierarquia católica na Alemanha, o cardeal Bertram.[37] Bertram estava mais preocupado do que a maioria em manter a cabeça baixa, mas, durante os anos de guerra, bispos católicos mostraram publicamente pouco interesse em relação ao extermínio em massa dos judeus ou dos prisioneiros de guerra soviéticos. Até mesmo Clemens von Galen permaneceu em silêncio. Em seu famoso sermão de 3 de agosto de 1941, que condenava a campanha da eutanásia, ele também se referiu aos judeus, mas apenas perguntando retoricamente se Jesus havia chorado unicamente por Jerusalém, ou se também chorara pela terra da Vestfália. Era um absurdo pensar, deu a entender, que Jesus se lamentara unicamente pelo povo "que havia rejeitado a verdade de Deus, que repudiou a lei de Deus e, assim, condenou a si próprio à ruína".[38] Embora tivesse realmente sido abordado por pelo menos um judeu na esperança de que fizesse alguma coisa para ajudar os judeus, ele nada disse ou fez, nem mesmo de modo particular.[39]

Conrad, conde Preysing, bispo de Berlim, foi talvez o mais persistente defensor, na Igreja Católica, de uma política que condenasse publicamente os maus-tratos impostos pelo regime aos judeus. Em agosto de 1943, ele tinha o esboço de uma petição ao regime, a qual esperava que fosse assinada por todos os bispos da Alemanha. Condenando a brutal evacuação dos judeus da Alemanha, ela, no entanto, não mencionava o extermínio deles, e apenas solicitava que as deportações fossem conduzidas de modo a respeitar os direitos humanos dos degredados. Mas os bispos católicos rejeitaram a petição, optando, pelo contrário, por uma carta pastoral que pedia a seu rebanho que respeitasse o direito à vida de pessoas de outras raças. Preysing interpelou o núncio papal, apenas para ouvir: "É muito certo e muito bom amar o teu próximo, mas o amor mais fraterno consiste em não causar nenhuma dificuldade para a Igreja".[40] O relativo silêncio da Igreja Católica na Alemanha refletia sobretudo a crescente preocupação do papa Pio XII a respeito da ameaça do comunismo, uma preocupação que se tornou ainda maior quando as forças alemãs ficaram em uma situação difícil no *front* oriental e o Exército Vermelho começou a avançar. O papa nunca conseguira esquecer sua experiência como núncio papal em Munique durante as revoluções comunista e anarquista de 1919, acontecimentos aos quais ele se referiu ao receber o novo embaixador alemão para o Vaticano, Ernst von Weizsäcker, em julho de 1943. À medida que a guerra prosseguia, Pio XII chegou a considerar o Reich alemão como a única defesa da Europa contra o comunismo, sobretudo depois da queda de Mussolini e tendo em vista a força crescente dos grupos guerrilheiros no norte e no centro da Itália, e reservadamente condenou a exigência aliada de uma rendição incondicional. Direcionou seus esforços para usar o *status* de neutralidade internacional do Vaticano para trabalhar por um tratado de paz que deixasse intacta a Alemanha anticomunista. A fim de alcançar seu objetivo, o papa considerou melhor não erguer sua voz contra o extermínio dos judeus, com medo de comprometer a neutralidade do Vaticano. No entanto, isso não o impediu de lançar uma série de condenações contundentes ao programa de "eutanásia" em cartas escritas a seus bispos na Alemanha; e também não o impediu de fazer declarações públicas, em maio e em junho de 1943, manifestando sua solidariedade em relação ao sofrimento do povo polonês, como ele já fizera em dezembro de 1939.[41]

Como demonstrou ao escrever para Preysing em abril de 1943, o papa temia que os protestos públicos levassem a uma perseguição renovada à Igreja na Alemanha. Ele não se sentia inclinado a interferir para ajudar os judeus. Um posicionamento público contra a matança não a interromperia, ele pensou, e na verdade poderia simplesmente torná-la mais rápida. Além disso, com a presença alemã em Roma, críticas abertas poderiam trazer tropas alemãs para o Vaticano. O máximo que poderia fazer, disse ele a Preysing, era rezar pelos "católicos não arianos ou meio-arianos [...] no colapso de sua existência exterior e em sua privação espiritual". Ao contrário do que alguns de seus críticos têm alegado, não há provas convincentes de que Pio XII fosse um antissemita ou de que tivesse concluído, baseado em sua experiência em Munique em 1919, que o comunismo fazia parte de uma conspiração judaica mundial.⁴² Mas, por outro lado, ele tinha plena consciência, em abril de 1943, de que os judeus, incluindo os católicos de origem judaica, não estavam sofrendo apenas espiritual e materialmente, mas estavam sendo mortos em grande quantidade pelos alemães. Pio XII sabia, é claro, que muitos padres católicos na Itália, incluindo alguns na Cidade do Vaticano, estavam acolhendo os judeus, depois que os alemães começaram a ameaçar a existência deles a partir do outono de 1943. Ele nada fez para impedir tais ações, mas não participou delas pessoalmente, nem proferiu uma única palavra que encorajasse os padres a agir. Sempre um cauteloso diplomata de carreira, Pio XII fez o que considerou melhor para os interesses da Igreja Católica, tanto na Itália quanto em outros lugares.⁴³

As coisas estavam apenas um pouco diferentes entre os protestantes alemães. Em 4 de abril de 1939, os cristãos alemães fizeram uma declaração em Bad Godesberg afirmando que a Igreja tinha "responsabilidade em manter nosso povo racialmente puro" e insistindo que não havia "contradição maior" que a existente entre o judaísmo e o cristianismo. No mês seguinte, a Igreja Confessional respondeu com um documento parecido concordando que "a preservação da pureza de nosso povo requer uma política racial enérgica e responsável". Poucas pessoas terão percebido grande diferença entre as duas posições.⁴⁴ Em uma ocasião, a Igreja Confessional realmente ergueu sua voz em protesto. Quando a Chancelaria da Igreja, que era formalmente a liderança da Igreja Evangélica, juntamente com três bispos, lançou uma carta aberta exigindo "que não arianos batizados se afastassem das atividades da Igreja da congregação alemã", os líderes da Igreja Confessional perguntaram diretamente se, nesse caso, Cristo e os apóstolos teriam sido expulsos da Igreja por motivos raciais, caso tivessem vivido no Terceiro Reich. E quando a perseguição se converteu em extermínio em massa, um protestante proeminente tentou parar a perseguição aos judeus. O bispo Theophil Wurm escreveu para Goebbels em novembro de 1941 avisando-o que a campanha contra os judeus estava ajudando a propaganda inimiga. Goebbels jogou a carta em sua cesta de lixo. Outra carta, que Wurm tentou fazer chegar às mãos de Hitler por intermédio de um funcionário público de alto escalão, retomou o assunto mencionando o que ele chamava de "a crescente dureza do tratamento dado aos não arianos".⁴⁵ Em 16 de julho de 1943, Wurm tentou outra vez. Nessa ocasião, como ele observou, havia perdido tanto seu filho quanto seu genro no *front* oriental. Escrevendo pessoalmente para Hitler, declarou que as "medidas de aniquilação" direcionadas contra os "não arianos" eram sustentadas pela "mais contundente contradição ao mandamento de Deus e violavam a base de toda a vida e de todo o pensamento ocidental: o direito fundamental dado por Deus à vida e à dignidade humana em geral". Embora fosse ostensivamente uma carta particular, Wurm mandou fazer cópias dela e as distribuiu na Igreja. Em 20 de dezembro de 1943, Wurm repetiu seus pontos principais em uma carta endereçada a Hans-Heinrich Lammers, chefe da Chancelaria do Reich. "Por meio desta, ponho o senhor de sobreaviso enfaticamente", respondeu Lammers, "e peço-lhe que no futuro seja mais escrupuloso, permanecendo dentro dos limites de sua profissão". Política não era assunto para bispos. Ninguém além de Wurm tentou tamanha intervenção e, logo depois de seu protesto, ele foi proibido de escrever ou de falar em público durante o resto da guerra, embora continuasse a pregar e a conduzir os ritos religiosos apesar da proibição.⁴⁶

III

Se as igrejas não condenavam abertamente o genocídio dos judeus praticado pelo nazismo, ou não tentavam fazer nada para detê-lo, qual era, então, a atitude da massa de alemães comuns a esse respeito? Descobrir algo a respeito da matança não era difícil. Logicamente, as notícias corriam com rapidez aos poucos judeus que permaneciam na Alemanha.⁴⁷ Em janeiro de 1942, Victor Klemperer relatava os boatos de que "os judeus evacuados eram *baleados* em Riga, em grupos, assim que saíam do trem".⁴⁸ Em 16 de março de 1942, seu diário citava pela primeira vez "Auschwitz (ou algo parecido com isso), perto de Königshütte, na Alta Silésia, mencionado como o mais pavoroso dos campos de concentração".⁴⁹ Em outubro de 1942, Klemperer estava se referindo a Auschwitz como um "matadouro que trabalha rápido".[50] "O desejo de exterminar está crescendo o tempo todo", ele observou no fim de agosto de 1942.[51] O extermínio em massa em Auschwitz e em outros lugares estava, notou, "sendo relatado com muita frequência, e por muitas fontes arianas fidedignas, para ser uma lenda".[52] Como essa observação sugere, não era difícil ter conhecimento do extermínio em massa de judeus, de poloneses e de outros no leste. Essa informação poderia ser conseguida em diversas fontes. O Serviço de Segurança da SS relatou em março de 1942 que os soldados que voltavam da Polônia estavam falando abertamente a respeito do modo como os judeus estavam sendo mortos lá em grande quantidade.[53] A Chancelaria do Partido Nazista reclamou em 9 de outubro de 1942 que "discussões" a respeito de "'medidas muito rígidas' contra os judeus, particularmente nos Territórios do Leste" estavam "sendo divulgadas por soldados em licença das diversas unidades estacionadas no leste, os quais tiveram pessoalmente a oportunidade de testemunhar tais medidas".[54] Funcionários públicos de vários escalões da administração central do Reich liam os relatórios das forças-tarefa ou estavam em contato com administradores no leste.[55] Funcionários encarregados dos horários nas ferrovias, maquinistas e condutores de trem, e outros funcionários em estações e em depósitos de mercadorias, todos eles podiam identificar os trens e sabiam para onde se dirigiam. Os policiais que capturavam os judeus ou que lidavam com os arquivos ou com as propriedades deles também sabiam. Funcionários do setor imobiliário que transferiam os imóveis dos judeus para os alemães, administradores que lidavam com as propriedades dos judeus – a lista era quase interminável.

Alguns alemães reagiam com entusiasmo declarado à discriminação contra os judeus. Depois de colocar sua estrela amarela, Victor Klemperer pela primeira vez passou pela experiência de ouvir membros da Juventude Hitlerista gritando com ele nas ruas.[56] Em seu muito minucioso relato da vida cotidiana como judeu na Alemanha nazista durante a guerra, Klemperer anotou uma grande variedade de reações dos alemães comuns na rua quando deparavam com ele usando a estrela amarela. Se uma vez alguém lhe perguntou bruscamente: "Por que você ainda está vivo, seu criminoso?", outros, completos estranhos, se aproximavam dele e lhe apertavam a mão, sussurrando: "Você sabe o motivo!", antes de se afastarem rapidamente.[57] Tais encontros ficaram mais perigosos depois do fim de outubro de 1941, quando o Gabinete Central de Segurança do Reich decretou a prisão de qualquer alemão que demonstrasse algum tipo de atitude amigável em relação a um judeu em público, juntamente com a prisão e o encarceramento em um campo de concentração do judeu em questão.[58] Entretanto, alguns persistiam. Às vezes, Klemperer conseguia identificar trabalhadores amigáveis como "velhos membros do PSD no mínimo, provavelmente antigos membros do Partido Comunista da Alemanha", mas ele era maltratado por outros trabalhadores também.[59] Em uma visita ao Ministério da Saúde, Klemperer ouviu o seguinte de um trabalhador que havia percebido sua estrela de Davi: "Deveriam dar uma injeção neles! Então seria seu fim!".[60] Por outro lado, em abril de 1943, um trabalhador que retirava os pertences de um "evacuado" da Casa dos Judeus em Dresden, onde Victor Klemperer morava, murmurou para ele: "Esses porcos malditos – as coisas que estão fazendo na Polônia –, eles me deixam louco de ódio também".[61] As rações de alimentos dos judeus eram mais que inadequadas, mas, enquanto alguns lojistas aderiam friamente às regras, outros mostravam certa tendência a não as cumprir seriamente.[62]

Quando obrigaram os judeus a usar a estrela amarela em suas roupas, para facilitar sua identificação pelo povo, muitos alemães não judeus não reagiram do modo como Goebbels esperava. Há relatos de judeus sendo cumprimentados nas ruas com educação além do normal, pessoas que se aproximavam deles e lhes pediam desculpas ou lhes ofereciam um assento no bonde. Diplomatas estrangeiros, entre eles o embaixador da Suécia e o cônsul-geral dos Estados Unidos em Berlim, observaram demonstrações de simpatia semelhantes por parte da maioria da população, particularmente das pessoas mais velhas. O anúncio público da condição dos judeus como pessoas perseguidas produziu sentimentos de vergonha e de culpa quando foi atribuído a seres humanos vivos e visíveis.[63] Reações populares à introdução da estrela de Davi foram majoritariamente negativas, e aqueles que a usaram para maltratar e atacar os judeus foram uma minoria.[64] Quando, não muito tempo depois, a polícia começou a capturar judeus nas cidades alemãs e a levá-los até a estação de trem local para serem deportados para o leste, as reações públicas negativas suplantaram as positivas outra vez. Sobretudo os alemães mais idosos consideraram as deportações chocantes. O Serviço de

Segurança da SS relatou, em dezembro de 1941, que as pessoas em Minden estavam dizendo que era "incompreensível como seres humanos podiam ser tratados de modo tão brutal; quer fossem judeus ou arianos, todos eles, no fim das contas, eram pessoas criadas por Deus".[65] As pessoas mais voltadas para a religião tinham uma postura particularmente crítica em relação às deportações.[66] Em Lemgo, uma multidão se reuniu para testemunhar o último transporte de judeus no fim de julho de 1942. Muitos cidadãos, sobretudo os das gerações mais antigas, criticavam, e até membros do Partido Nazista disseram que era muita crueldade com os judeus, que estavam vivendo na cidade por muitas décadas, às vezes, séculos.[67]

"No trem", observou Luise Solmitz em Hamburgo em 7 de novembro de 1941, "as pessoas estão demonstrando muita curiosidade; aparentemente, um novo grupo de não arianos que serão mandados embora está sendo reunido em Logenähs".[68] Não muito tempo depois, ela ouviu um passante comentar, enquanto uma velha judia estava sendo retirada de um lar para idosos judeus, "levados juntos em tamanho sofrimento": "Que bom que a canalha está sendo eliminada!". Mas outra testemunha do acontecido se sentiu incomodada com esse comentário: "O senhor está falando comigo?", ele perguntou. "Faça o favor de calar a boca."[69] Durante todo o verão de 1942, Luise Solmitz testemunhou as repetidas deportações de judeus idosos para Theresienstadt. "Há deportações até mesmo das pessoas mais idosas por toda Hamburgo", ela observou. Uma pessoa conhecida relatou que "crianças haviam acompanhado a remoção fazendo algazarra", embora a própria Solmitz nunca tivesse testemunhado tal comportamento. "Uma vez mais, os judeus foram para Varsóvia", ela comentou em 14 de julho de 1942. "Encontro a confirmação disso nas latas de lixo fora da casa deles, que estavam cheias até as bordas com os ínfimos restos de suas poucas posses, com latas de metal coloridas e velhos abajures, bolsas rasgadas. As crianças estavam vasculhando-as, comemorando, fazendo uma bagunça indescritível".[70]

Um novo e inesperado desafio foi oferecido à família Solmitz quando a filha de Friedrich e Luise, Gisela, se apaixonou por um belga que estava trabalhando em uma fábrica de Hamburgo e eles resolveram se casar. No Registro Civil, um funcionário informou para Luise que o Ministério da Justiça do Reich havia revogado o pedido do casal para o casamento, acrescentando:

"Os pais do jovem sabem que sua filha é uma mestiça de primeiro grau? Tenho certeza de que deram o consentimento, mas, eles sabem disso?" – "A Bélgica não reconhece tais leis ou pontos de vista." – "O que a senhora quer dizer com 'Bélgica'? Atualmente, não usamos nem mais o termo 'Alemanha'. Nós pensamos: 'Europa'. Nenhum judeu deve permanecer na Europa. Este é meu ponto de vista pessoal – não o oficial, mas eu percebo por alguns sinais que os judeus serão tratados com severidade ainda maior do que antes." Ele me disse isso duas vezes. E fiquei lá sentada, indefesa. "Veja", ele continuou a fazer o sermão para mim, "o que os judeus fizeram na Rússia, nos Estados Unidos. Agora nós estamos reparando nisso pela primeira vez".

Quando Luise Solmitz foi ousada a ponto de mencionar seu marido judeu, o funcionário ficou assombrado. "Seu marido ainda está aqui?!", exclamou ele, descrente.[71]

IV

Algumas poucas pessoas tentaram salvar os judeus do jeito que puderam. A história do empresário Oskar Schindler é muito conhecida: tcheco de origem alemã e membro do Partido Nazista, ele se tornou proprietário de uma fábrica de esmalte em Cracóvia quando o dono judeu perdeu a posse dela e empregou 1.100 trabalhadores forçados judeus, além de ter se engajado em inúmeras atividades do mercado negro, comercializando objetos de arte provenientes de saques e se envolvendo em outras formas de corrupção. À medida que o tempo passou, contudo, Schindler começou a se sentir ultrajado pelo tratamento imposto a judeus poloneses e conseguiu usar seu dinheiro e suas conexões para proteger os que estavam trabalhando para ele. Quando o Exército Vermelho começou a se aproximar, Schindler obteve permissão para evacuar seus trabalhadores para uma fábrica de armamentos nos Sudetos, embora ela nunca tivesse produzido nenhuma arma. Os judeus sobreviveram à guerra, mas Schindler havia perdido quase toda sua fortuna para protegê-los e não conseguiu prosperar no mais organizado mundo dos negócios do pós-guerra. Mudou-se para a Argentina em 1948, mas foi obrigado a abrir falência uma década depois, e voltou para a Alemanha, vivendo primeiro em Frankfurt e depois em Hildesheim. Schindler morreu como um homem relativamente pobre em 1974, aos 66 anos de idade.[72]

Outro resgatador, o oficial do Exército alemão, e antigo professor, Wilm Hosenfel, católico, também começou empregando poloneses e judeus na administração da escola de esportes do Exército em Varsóvia, para protegê-los da prisão. "Quantos eu já ajudei!", ele escreveu para sua esposa em 31 de março de 1943, acrescentando uns meses depois: "Não tenho uma consciência tão pesada que deva ter medo de alguma retaliação".[73] Em 17 de novembro de 1944, Hosenfeld deparou com um judeu faminto que havia sobrevivido ao gueto e vivia em uma casa abandonada que Hosenfeld planejava usar como o novo quartel-general do comando do Exército.[74] Ele descobriu que o homem era um conhecido pianista profissional, Wladyslaw Szpilman, cujos recitais de rádio tinham-lhe garantido fama nacional na Polônia antes da guerra. Hosenfeld o escondeu no sótão, enquanto o comando do Exército alemão se mudava para os andares de baixo, e forneceu-lhe comida e roupas de inverno até que os alemães abandonaram a cidade. Nunca disse seu nome para Szpilman, nem, por óbvias questões de segurança, fez nenhuma menção em seu diário ao que havia feito. Não foi senão em 1950 que o pianista, que nessa época tinha retomado sua carreira na Polônia, descobriu a identidade de seu resgatador.[75]

Houve outros, menos conhecidos, que ajudaram a manter um total de muitos milhares de judeus escondidos em Berlim, em Varsóvia, em Amsterdã e em muitas outras cidades ocupadas. Estavam aí incluídos grupos estimulados por crenças socialistas ou religiosas ou às vezes simplesmente humanitárias, como escoteiros, organizações de caridade, clubes de estudantes e uma grande variedade de grupos preexistentes. Muitos judeus, especialmente na França, conseguiram se esconder no interior, com a ajuda de amáveis ou compadecidos fazendeiros e de habitantes dos vilarejos. Um dos muitos grupos dedicados ao salvamento era a Organização para o Resgate de Crianças e Proteção da Saúde de Populações Judias, fundada na Rússia em 1912. Sua seção francesa escondeu centenas de crianças judias, muitas delas refugiadas da Alemanha e da Áustria, dando-lhes documentos de identidade falsos, mandando-as para famílias não judias dispostas a correr o risco, ou levaram-nas às escondidas para a Espanha e para a Suíça. No total, grupos clandestinos como esse conseguiram esconder muitos milhares de judeus ou mandá-los em segurança para fora da Europa ocupada pela Alemanha.[76] Mas, é claro, esses milhares devem ser colocados em contraste com os milhões que não sobreviveram.

Um pequeno número de pessoas também tentava transmitir notícias do extermínio para o mundo além da Europa dominada pela Alemanha. No fim de julho de 1942, o industrial alemão Eduard Schulte, que mantinha bom relacionamento com membros destacados do regime, viajou para Zurique, onde contou a um amigo de negócios judeu que Hitler havia planejado a aniquilação total dos judeus da Europa até o fim do ano. Cerca de 4 milhões de judeus seriam transportados para o leste para serem mortos, provavelmente com uso de ácido sulfúrico, ele disse. A informação chegou até Gerhart Riegner, do Congresso Mundial Judaico, que tomou as providências necessárias nas embaixadas britânica e americana para transmiti-la por telegrama para seu quartel-general em Nova York. Tais relatos eram frequentemente recebidos com ceticismo entre as pessoas às quais eram dirigidos. A monstruosidade do crime parecia inacreditável. O governo dos Estados Unidos aconselhou o Congresso a classificar o relatório de Riegner como confidencial até ser verificado por fontes independentes.[77] Informações mais confiáveis e precisas poderiam ser obtidas apenas por uma testemunha ocular. Uma das mais extraordinárias delas era Kurt Gerstein, um especialista em desinfecção no Instituto de Higiene da SS Militar. Gerstein foi enviado pelo Escritório Central de Segurança do Reich, no verão de 1942, para entregar cem quilos de Zyklon-B em Lublin para um propósito não divulgado. Em 2 de agosto de 1942, ele estava em Belzec e viu quando chegou um trem repleto de judeus vindos de Lvov; eles foram forçados a tirar as roupas e levados por auxiliares ucranianos para as câmaras de gás, onde, segundo lhes disseram, seriam desinfetados. Lá dentro, tiveram de aguardar duas horas e meia, chorando e se lamentando, enquanto os mecânicos que estavam fora tentavam fazer que o motor a diesel funcionasse. Assim que o motor começou a funcionar, Gerstein observou meticulosamente, foram necessários apenas 32 minutos para matar as pessoas que estavam dentro da câmara. Protestante devoto, Gerstein ficou chocado com o que testemunhou. Na viagem de volta de Varsóvia a Berlim, expôs tudo isso a Göran von Otter, um diplomata sueco, que relatou os detalhes em um despacho para o Ministério das Relações Exteriores da Suécia depois de verificar discretamente as credenciais de Gerstein. O despacho ficou parado lá até o fim da guerra, mantido em segredo por funcionários que temiam que ele pudesse ofender os alemães. De volta a Berlim, Gerstein importunou o núncio papal, os líderes da Igreja Confessional e a embaixada da Suécia com sua história, mas sem conseguir nada. Entretanto, Gerstein não pediu demissão ou transferência de seu cargo, como seria de esperar. Continuou a entregar remessas de Zyklon-B para o campo, enquanto redobrava seus inúteis esforços para divulgar informações a respeito do que estava acontecendo. Por fim, escreveu três relatos separados a respeito do que havia visto, acrescentando informações obtidas com outras pessoas envolvidas. Ele os manteve em segredo, contudo, e foi somente no fim da guerra que os tornou públicos, entregando-os aos americanos. Preso como suposto criminoso de guerra, Gerstein se enforcou em sua cela em 25 de julho de 1945, provavelmente por remorso de ter falhado ou por culpa de não ter feito mais.[78]

Foi da Polônia que vieram os esforços mais determinados para contar ao mundo a respeito do programa de extermínio. Membros da resistência mandaram informações sobre as mortes nas câmaras de gás em Treblinka, assim que elas começaram, para o governo polonês exilado em Londres. Em 17 de setembro de 1942, o governo polonês no exílio deu sua aprovação para um protesto público contra os crimes que os alemães estavam cometendo contra os judeus, mas não organizou nenhuma ação concreta, não encorajando os poloneses a abrigar os judeus, nem os judeus a buscar proteção com os poloneses. Chamar muito a atenção para os judeus iria, de acordo com o ponto de vista do governo polonês exilado, desviar a opinião do mundo quanto ao sofrimento dos poloneses, enfraquecendo a tentativa do governo de lutar contra o programa de Stálin de fazer que os aliados reconhecessem a fronteira nazista-soviética estabelecida antes da divisão da Polônia em setembro de 1939. Alguns políticos no governo exilado acreditavam que havia influência judaica não apenas por trás de Stálin, mas também de Churchill e de Roosevelt. Ela poderia ser exercida a favor do reconhecimento da Linha Curzon.[79] A situação se alterou somente quando, em 1942, Jan Karski, membro da clandestinidade polonesa, foi designado pela resistência para ir a Londres e relatar as condições na Polônia. A morte dos judeus ocupava um lugar bem baixo na lista de prioridades que lhe fora dada. Ao saber de sua missão, contudo, dois membros da resistência judaica persuadiram-no a visitar o gueto de Varsóvia e, mais provavelmente, também o campo em Belzec. Karski relatou o que vira quando finalmente chegou a Londres.[80]

Seu relato teve um efeito surpreendente. Em 29 de outubro de 1942, o arcebispo de Canterbury presidiu um grande protesto público no Albert Hall em Londres, com representantes das comunidades judaica e polonesa presentes. Em 27 de novembro de 1942, o governo polonês no exílio em Londres por fim reconheceu oficialmente o fato de que os judeus da Polônia e de outras partes da Europa estavam sendo mortos no território que ele pleiteava ser seu. Representantes do governo informaram Churchill, e, em 14 de dezembro de 1942, o secretário de Estado Eden entregou um relatório oficial a respeito do genocídio para o Gabinete do Reino Unido. Três dias depois, os governos aliados lançaram uma declaração conjunta prometendo a retaliação aos responsáveis pelo extermínio em massa dos judeus na Europa.[81] Os aliados concluíram que o melhor jeito de interromper o genocídio era se concentrar em vencer a guerra o mais rapidamente possível. Bombardear as linhas ferroviárias que conduziam a Auschwitz e a outros campos daria apenas uma folga temporária aos judeus, e desviaria recursos e atenção do propósito maior de derrubar o regime que os estava matando.[82] O que os aliados realmente fizeram, contudo, foi direcionar uma campanha maciça de propaganda contra o regime nazista. Começando em dezembro de 1942, os sistemas de propaganda britânicos e aliados bombardearam os cidadãos alemães com informações escritas e transmitidas via rádio a respeito do genocídio, prometendo retaliação.[83] Em Berlim, confrontados com essas acusações, os propagandistas nazistas nem se deram ao trabalho de emitir uma declaração negando tudo. Em termos de contrapropaganda, disse Goebbels,

> nem se deve pensar em uma negação completa ou parcial dessas alegações de atrocidades contra os judeus, mas simplesmente uma ação alemã que vai se relacionar com atos ingleses e americanos de violência no mundo todo [...] Deve ser assim, que cada grupo acuse cada grupo

de cometer atrocidades. Esse clamor geral vai, no fim, fazer que esse tópico seja removido do programa.[84]

O extermínio em massa dos judeus então se tornou um tipo de segredo conhecido por todos na Alemanha desde o fim de 1942 até o último momento, e Goebbels sabia que seria inútil negá-lo.

A evidência, portanto, não sustenta a alegação feita por muitos alemães imediatamente depois da guerra de que nada tinham sabido a respeito do extermínio dos judeus. Contudo, ela também não sustenta o argumento de que os alemães de modo geral eram defensores fanáticos do antissemitismo assassino do regime, ou a alegação de que o ódio aos judeus era uma força significativa na manutenção de uma "comunidade do povo" ou antes da guerra ou durante.[85] Surpreendentemente, os volumosos relatórios de vigilância do Serviço de Segurança da SS tinham relativamente pouco a dizer a respeito do assunto. Havia boas razões para isso. Como observou um serviço de informações clandestino do Partido Social-Democrata em março de 1940:

> O terror disseminado leva os "camaradas nacionais" a disfarçar seu real estado de espírito, a deixar de expressar suas verdadeiras opiniões e, pelo contrário, a fingir otimismo e aprovação. Na verdade, ele está de modo óbvio forçando cada vez mais pessoas a aceitar as exigências do regime mesmo quanto ao modo de pensar; elas não ousam mais censurar. A camada exterior de lealdade que se forma dessa maneira ainda pode durar muito tempo.[86]

A discussão franca relacionada à perseguição e à matança dos judeus era, então, relativamente rara, e poucas vezes relatada até mesmo pelo Serviço de Segurança da SS.[87] Não obstante, as evidências disponíveis sugerem que, no conjunto, os alemães comuns não as aprovavam. As campanhas de propaganda de Goebbels produzidas na segunda metade de 1941 e outra vez em 1943 não haviam conseguido convertê-los. Mas, se não era possível fazer que as pessoas aprovassem a matança dos judeus, então talvez o evidente conhecimento por parte delas pudesse ser usado para persuadi--las a continuar a lutar por medo do que os judeus poderiam lhes fazer como vingança, particularmente se, como alegava a propaganda nazista, os judeus controlavam os inimigos da Alemanha: Grã-Bretanha, Estados Unidos e União Soviética.[88]

Os dois últimos anos da guerra estavam repletos de propaganda sobre as atrocidades vinda da mídia de massas de Goebbels: o Exército Vermelho, de modo particular, era retratado, e não de modo totalmente incorreto, como determinado a violentar e a matar os alemães à medida que avançava. No entanto, os efeitos dela não foram os projetados por Goebbels. Longe de levar a um fortalecimento da determinação entre os alemães comuns, essa propaganda apenas servia para revelar sentimentos de culpa profundamente enraizados por nada terem feito para impedir que os judeus fossem mortos. Tal sentimento era um subproduto inesperado das persistentes convicções cristãs da grande maioria de cidadãos alemães. Em junho de 1943, por exemplo, relatou-se que "grupos clericais" na Bavária estavam reagindo desse modo à campanha de propaganda de Goebbels centrada no massacre dos oficiais poloneses pelos soviéticos em Katyn. Segundo a Chancelaria do Partido em Munique, eles diziam:

> A SS usou métodos similares de carnificina em sua luta contra os judeus no leste. O tratamento pavoroso e desumano dos judeus pela SS praticamente exige a punição do Senhor Deus para nosso povo. Se esses assassinatos não forem vingados, então não há mais nenhuma justiça divina! O povo alemão fez recair uma culpa tão grande sobre si mesmo que ele não pode contar com nenhum tipo de piedade ou de perdão. Tudo é vingado de modo implacável aqui na Terra. Por causa desses métodos bárbaros não há mais possibilidade de uma condução humana da guerra por parte de nossos inimigos.[89]

Quando a catedral de Colônia foi bombardeada no mês seguinte, as pessoas disseram que isso acontecera como retaliação pelo incêndio de sinagogas em 1938.[90] Em 3 de agosto de 1943, um agente do Serviço de Segurança relatou que as pessoas na Bavária estavam dizendo "que Würzburg não tinha sido atacada por aviação inimiga porque lá nenhuma sinagoga fora incendiada. Outras disseram que os aviadores iriam atacar Würzburg também porque o último judeu deixara Würzburg pouco antes". Em 20 de dezembro de 1943, o bispo protestante de Württemberg, Theophil Wurm, escreveu para Hans-Heinrich Lammers, o funcionário público que era o líder da Chancelaria do Reich de Hitler havia muito tempo, relatando que em muitos casos o povo alemão considerava

> o sofrimento que tinha de enfrentar por causa dos ataques aéreos inimigos uma retaliação pelo que fora feito aos judeus. Incêndios de casas e de igrejas, o som das bombas caindo e despedaçando tudo em noites de bombardeio, a fuga das casas que tinham sido destruídas levando apenas algumas poucas posses escassas, a perplexidade ao buscar um lugar para poder se refugiar, tudo isso fazia que a população se lembrasse da maneira mais dolorosa possível o que os judeus tiveram de sofrer em ocasiões anteriores.[91]

Apenas pouco mais de um ano depois, em 6 de novembro de 1944, um relatório do Serviço de Segurança da SS em Stuttgart disse que a propaganda de Goebbels, que mostrava com clareza os saques, as mortes e os estupros cometidos pelas tropas do Exército Vermelho em Nemmersdorf, na Prússia Oriental,

> em muitos casos produzia um efeito oposto ao pretendido. Compatriotas dizem que é uma vergonha falar tanto deles na imprensa alemã [...] "O que a liderança tenciona com a publicação de fotos como aquelas do Jornal Nacional-Socialista no sábado? Eles deveriam perceber que ver aquelas vítimas vai fazer que toda criatura consciente se lembre das atrocidades que nós temos cometido no território inimigo, até mesmo na própria Alemanha. Nós não matamos milhares de judeus? Os soldados não contam uma vez depois da outra que os judeus na Polônia têm de cavar sua própria cova? E como tratamos os judeus no campo de concentração na Alsácia? Os judeus são seres humanos também. Fazendo tudo isso, mostramos ao inimigo o que eles podem fazer conosco se vencerem". (Opinião de inúmeras pessoas de todas as camadas da população.)[92]

"Os próprios judeus vão se vingar de nós pelos crimes que cometemos contra eles", predisse uma carta anônima enviada ao editor de notícias no Ministério da Propaganda em 4 de julho de 1944.[93] O temor e a culpa estavam levando a maioria dos alemães a temer a retaliação dos aliados. A partir de 1943, eles estavam se preparando mentalmente para evitar essa retaliação tanto quanto lhes fosse possível, negando completamente ter conhecimento do genocídio assim que a guerra fosse perdida.

Culturas da destruição

I

Durante a Segunda Guerra Mundial, assim como antes dela, a propaganda nazista poderia parecer muito insinuante e impossível de ser ignorada, encurralando uma nação indolente em uma adulação irrefletida de Hitler, entusiasmo incondicional pela ideologia nazista e apoio indiscutível à conquista militar e à supremacia racial que eram os objetivos primordiais do esforço de guerra alemão. Essa, pelo menos, era a impressão que Goebbels gostava de transmitir. Contudo, ela era falsa.[94] Para começar, a propaganda estava longe de ser muito insinuante. Até mesmo Goebbels percebeu que ela precisava ter seus limites. Entretenimento e diversão também tinham um papel a desempenhar. "É importante para a guerra manter nosso povo de bom humor", ele observou em seu diário no dia 26 de fevereiro de 1942. "Erramos ao não fazer isso durante a [Primeira] Guerra Mundial, e tivemos de pagar por isso com uma catástrofe terrível. Esse exemplo não pode de maneira nenhuma ser repetido."[95] Ao adotar esse ponto de vista, Goebbels estava, entre outras coisas, aprendendo a partir da experiência concreta, já que a falta de gosto do povo pela mídia excessivamente politizada e por uma dieta constante de discursos e de exortações já havia levado a uma indiferença generalizada pela propaganda nazista antes da guerra.[96] Em 1939, portanto, o ministro da Propaganda nazista sabia muito bem que sua ambição inicial de conseguir uma completa mobilização espiritual e emocional do povo alemão não poderia ser satisfeita. O propósito da propaganda nazista durante a guerra era, então, mais modesto: manter o povo lutando e garantir que ele obedecesse, ainda que apenas exteriormente, às exigências que o regime lhe fazia.[97]

Como ministro da Propaganda, Goebbels tinha um imenso controle sobre as artes, a cultura e a mídia, mas não conseguia fazer tudo do jeito que queria. Seu grande rival era Otto Dietrich, o qual Hitler havia designado chefe do Escritório de Imprensa do Partido Nazista em 1931. Em 1938, Hitler também o nomeou presidente da Câmara de Imprensa do Reich. Ao contrário de Goebbels, Dietrich trabalhava no escritório de Hitler e estava, portanto, em condições de receber as ordens diretas do Líder praticamente todos os dias. Uma das funções de Dietrich era apresentar a Hitler um resumo das notícias da mídia internacional todas as manhãs. A partir de 1938, Dietrich e sua equipe também organizavam coletivas de imprensa diárias ao meio-dia, nas quais emitiam instruções aos editores dos jornais alemães. Com o intuito de frustrar a crescente influência de Dietrich, Goebbels marcava sua própria Coletiva do Ministro diária para as onze da manhã. Isso apenas piorou as coisas. Em 1940, Dietrich começou a levar vantagem sobre Goebbels emitindo os "Slogans diários do chefe da Imprensa do Reich" no quartel-general de Hitler. O relacionamento entre os dois homens se deteriorou ainda mais. Em uma ocasião, enquanto estavam sentados à mesa do almoço com Hitler, Dietrich disse: "Meu Líder, hoje de manhã, enquanto tomava banho, tive uma boa ideia". Tão rápido quanto um raio, Goebbels o interrompeu: "Sr. Dietrich, o senhor deveria tomar mais banhos".[98]

Uma briga particularmente séria aconteceu em outubro de 1941, quando Hitler enviou Dietrich a Berlim para anunciar em uma conferência internacional de imprensa que a União Soviética havia sido derrotada. Embora isso refletisse uma concepção generalizada dos mais altos escalões da liderança nazista, Goebbels ficou furioso: tais declarações excessivamente otimistas eram, segundo seu ponto de vista, reféns do destino.[99] Ele tinha razão, como se viu depois. Em 23 de agosto de 1942, a tensão entre Goebbels e Dietrich era tão grande que o próprio Hitler julgou necessário ordenar que todas as instruções de imprensa, incluindo as de Goebbels, fossem canalizadas através do escritório de Dietrich, determinando que as coletivas de imprensa feitas ao meio-dia por Dietrich eram as únicas que representavam de modo legítimo as opiniões do Líder. Não muito depois, Dietrich conseguiu que um de seus homens fosse nomeado vice-diretor da Imprensa do Reich, com um escritório no Ministério da Propaganda. Goebbels reclamou com Bormann, cujo poder já era então considerável. Essa jogada perigosa levou a uma ameaça de demissão por parte de Dietrich, que foi bruscamente negada por Hitler. Foi somente perto do fim da guerra que Goebbels finalmente conseguiu virar o jogo, ganhando o poder de vetar as instruções de imprensa diárias de Dietrich em junho de 1944 e, finalmente, persuadindo Hitler a demitir o chefe de imprensa em 30 de março de 1945, tarde demais para fazer qualquer diferença.[100] Nessa época, o Ministério da Propaganda também havia posto de lado com sucesso outros rivais. Eles iam desde a divisão de imprensa do Ministério das Relações Exteriores de Ribbentrop até as "companhias de propaganda" formadas pelas Forças Armadas. A administração da propaganda sempre fora abalada por rivalidades, mas, nos dois últimos anos da guerra, Goebbels finalmente conseguiu obter um controle quase total sobre ela.[101]

Enquanto tais brigas aconteciam nos bastidores, o Ministério da Propaganda despejava uma imensa quantidade de material em todos os meios de comunicação como parte de seu esforço para elevar o moral. Um relatório oficial do Ministério da Propaganda observou que, no período de um ano que se iniciou em setembro de 1939, ele produzira nove mostras de *slides* que foram vistas por 4,3 milhões de pessoas em entretenimentos noturnos organizados pelos escritórios regionais do Partido. Os temas incluíam "Políticas raciais da Alemanha" e "Inglaterra, pirata mundial". Nos primeiros 16 meses da guerra, o Partido organizou cerca de 200 mil reuniões políticas, acima de tudo com intenção de elevar o moral. Cartazes para serem afixados às paredes eram impressos em grandes quantidades (um milhão para "Abaixo os inimigos da Alemanha", por exemplo); folhetos apareciam em edições de até 500 mil cópias. O Ministério imprimiu 32,5 milhões de cópias da "Palavra da semana" do Partido Nazista, e produziu nada menos de 65 milhões de cópias de folhetos que abrangiam diversos assuntos. Não deve ser esquecido também que 700 mil fotografias de Hitler haviam sido distribuídas até o fim de 1940. Os jornalistas não eram mais simplesmente repórteres, mas também "soldados do povo alemão", disse Otto Dietrich aos representantes da imprensa em 3 de setembro de 1939.[102] Em 1944, o Partido Nazista controlava quase a totalidade da imprensa alemã, um meio que era muito mais propaganda do que entretenimento. A necessidade de racionar fornecimento de papel levou a Câmara de Imprensa do Reich a fechar quinhentos jornais em maio de 1941, e outros 950 dois anos depois (incluindo a anteriormente respeitável *Gazeta de Frankfurt (Frankfurter Zeitung)*. No entanto, as pessoas sentiam avidez por notícias durante a guerra, e a circulação dos principais jornais aumentou substancialmente à medida que a quantidade deles diminuiu. A circulação de jornais diários aumentou de 20,5 para 26,5 milhões entre 1939 e 1944. O carro-chefe diário do Partido, o *Observatório Racial*, estava vendendo 1.192.500 cópias em 1941; a ele se somaram outros semanários significativos, acima de tudo *O Reich*, fundado por Goebbels em 1940 e que imprimia 1,5 milhão de cópias de cada edição três anos depois. O tamanho e a importância crescentes da SS se refletiam no fato de que seu próprio semanário, *As Tropas Negras*, era o segundo em vendagem semanal nessa época, com uma circulação de 750 mil cópias. Contudo, as pessoas não somente liam os jornais para obter informações ou para ficar sabendo das últimas notícias do Partido ou da SS. Elas também os liam para se entreter e relaxar e, desse modo, as vendas de revistas ilustradas e de semanários aumentaram de 11,9 para 20,8 milhões entre 1939 e 1944.[103]

O regime dava uma ênfase considerável à literatura como estímulo para o compromisso patriótico, revivendo e divulgando clássicos adequados, como *Guilherme Tell*, de Schiller, com novo entusiasmo. Quarenta e cinco mil bibliotecas nas linhas de frente forneciam material de leitura para as tropas em seus momentos de descanso, caso tivessem algum. Os alemães doaram nada menos de 43 milhões de livros para estocá-las. Vinte e cinco mil bibliotecas públicas na Alemanha atendiam às necessidades de leitura dos civis. O que, então, as pessoas liam durante a guerra? William L. Shirer relatou em outubro de 1939 que os romances que mais vendiam na Alemanha nessa época eram [...] *E o vento levou*, de Margaret Mitchell, e *A cidadela*, de A. J. Cronin. O livro *Cinquenta anos de Alemanha*, do explorador sueco Sven Hedin, estava atraindo leitores que desejassem se certificar de que a Alemanha não era completamente desprezada no mundo não fascista.[104] Essa situação obviamente não poderia perdurar. A guerra ofereceu à Câmara de Literatura do Reich oportunidades cada vez maiores de exercer controle sobre escritores e editores. A censura foi reforçada em 1940, e a necessidade de racionar papel ofereceu uma desculpa para, depois desse período, pedir que os editores notificassem com antecedência sobre novos livros e seus autores para que o fornecimento de papel fosse aprovado. Todos os livros e periódicos de países inimigos foram banidos, exceto os puramente científicos e os de autores que tivessem morrido antes de 1904 (desde que não fossem judeus). Autores vivos alemães ainda interessados em publicar durante o Terceiro Reich deparavam com um futuro incerto, a não ser que produzissem obras com títulos como *Nós voamos contra a Inglaterra*, o item mais procurado, segundo as estatísticas de empréstimo das bibliotecas de Hamburgo em 1940-41. William L. Shirer relatou que livros antissoviéticos ainda vendiam bem em 1939-40, apesar do pacto entre Hitler e Stálin, e romances policiais também eram muito populares. Livros históricos sobre guerras também eram bastante procurados, incluindo *A guerra total*, um celebrado tratado a respeito da Primeira Guerra Mundial escrito pelo então – para sua própria segurança – já falecido Erich Ludendorff, e relatos da propaganda a respeito da Inglaterra e da Polônia também estavam vendendo bem. O mais vendido de todos ainda era *Minha luta*, que havia suprido seu autor com os direitos autorais de nada menos que 6 milhões de cópias até 1940.[105]

Literatura escapista de vários tipos tinha se tornado mais importante do que nunca. Goebbels encorajava a publicação de literatura erótica e de pornografia leve, especialmente para as tropas, enquanto a ficção de humor e as coleções de piadas também vendiam bem. As histórias do Velho Oeste escritas por Karl May – amplamente conhecido como o autor favorito do próprio Hitler – desfrutaram de uma revitalização, fazendo que alguns leitores militares refletissem que elas lhes haviam ensinado muita coisa a respeito de como lutar contra os guerrilheiros soviéticos por trás do *front* oriental. Nessas circunstâncias, escritores literários se refugiaram em uma "migração interna", ou permanecendo em silêncio ou produzindo romances históricos. Werner Bergengruen, cuja produção antes de 1939 fora considerada pelo público leitor uma crítica velada ao regime nazista, vendeu 60 mil cópias de seu romance de 1940, *Am Himmel wie auf Erden* [Assim na terra como no céu], antes de ser banido no ano seguinte. Privado da oportunidade de entrar em contato com seu público por meios convencionais, escreveu poemas anônimos e fez que fossem distribuídos secreta e, na verdade, ilegalmente. *Das Reich der Dämonen* [O reino dos demônios], de Frank Thiess, também foi banido depois de sua primeira edição ter se esgotado em 1941.

Seu romance seguinte, *Neapolitanische Legende* [A lenda de Nápoles], foi recebido com maior tolerância, devido à sua aplicabilidade menos óbvia aos tempos presentes. O problema dessas obras de "migração interna" era que sua mensagem voltada para o presente poderia ser descoberta apenas por uma diligente leitura nas entrelinhas, muitas vezes encontrando nelas coisas que o leitor desejava ver e não o que o autor desejava que fosse entendido. Depois de a guerra ter terminado, Thiess declararia, em uma discussão acalorada com o exilado Thomas Mann, que apenas os escritores que haviam permanecido na Alemanha para fazer oposição ao regime poderiam reivindicar que eram os fundadores espirituais da democracia pós-guerra. Mas suas obras, assim como aquelas de outros escritores tolerados, surtiam tanto efeito em afastar os leitores da realidade dos tempos de guerra no Terceiro Reich como em expressar um desejo bastante generalizado de conquistar um distanciamento interno do regime.[106]

II

De todos os meios de comunicação de massas usados pelo Ministério da Propaganda, talvez, surpreendentemente, tenha sido ao teatro que o ministério deu mais dinheiro, encaminhando para ele mais de 26% dos subsídios destinados às artes, em comparação, por exemplo, com menos de 12% para o cinema. No começo da guerra, havia nada menos de 240 teatros na Alemanha, administrados por autoridades estaduais ou regionais, locais ou municipais, com um total de 220 mil lugares, juntamente com cerca de outros 120 teatros com financiamento privado de um tipo ou de outro. Em 1940, cerca de 40 milhões de ingressos haviam sido vendidos; aproximadamente um quarto dos ingressos era de reservas feitas para grupos de soldados ou de trabalhadores de fábricas de munição. A demanda era alta, encorajada pelo fechamento de muitas outras fontes de entretenimento e de diversão.[107] Embora o turismo particular e individual continuasse até certo ponto durante a guerra, o programa da Frente de Trabalho Alemã "Força pela Alegria" foi drasticamente reduzido, suas operações de turismo doméstico e no exterior reduzidas, seus navios e instalações para o transporte foram convertidos para o uso das tropas e seus fundos de entretenimento direcionados para o atendimento aos membros das Forças Armadas.[108] O teatro se tornou um importante substituto.

O Serviço de Segurança da SS observou no começo de 1942 que, "durante a guerra, muitos teatros registram visitantes em números que raramente foram vistos antes. Nas grandes cidades é praticamente impossível conseguir ingressos para o teatro por meio de vendas regulares nas bilheterias".[109] Goebbels declarou no começo da guerra que o repertório deveria a partir de então evitar "o exagero e a falta de estilo que são contrários à seriedade de nossa época e ao sentimento nacional do povo".[110] Entretanto, ele estava ciente de que a maioria das pessoas que iam a teatros, sobretudo as que haviam começado a frequentá-los, estavam buscando, acima de tudo, entretenimento. Diretores de teatro foram avisados de que peças pessimistas ou deprimentes não deveriam ser apresentadas. Também havia uma interdição para a apresentação de peças de autores que pertencessem a nações inimigas (embora exceções ocasionais fossem feitas para Shakespeare). Tchekhov era permitido antes de 22 de junho de 1941, mas não depois disso. Os diretores de teatro tinham de fazer tudo o que podiam para contornar tais regulamentos. Montavam novas produções de clássicos alemães, incluindo tragédias, e assim criaram, muitos deles alegaram posteriormente, um oásis teatral no deserto cultural nazista. Nada disso conseguia disfarçar o fato de que a interdição de muitos autores estrangeiros empobrecia o repertório. A resposta à exigência do público pelas comédias e pelo entretenimento ligeiro rebaixou ainda mais o padrão do que os palcos alemães ofereciam naqueles anos. E, naturalmente, assim como em outras áreas da cultura na Alemanha dos tempos de guerra, o que se encontrava no teatro era acima de tudo a fuga da realidade.[111] A partir de 1943, essa forma de fuga se tornou progressivamente mais difícil, à medida que um teatro depois do outro foi destruído por bombardeios, fato que, não com pouca frequência, fazia que os atores e o pessoal da produção fossem recrutados pelas Forças Armadas ou pelas fábricas de armamentos. Em agosto de 1944, quando, em sua nova condição de plenipotenciário do Reich para o Esforço de Guerra Total, Goebbels ordenou o fechamento de todos os teatros, casas de espetáculos e cabarés, ele não estava mais do que fazendo da necessidade uma virtude.[112]

Assim como aconteceu com o teatro, o cinema teve um aumento drástico em sua popularidade no começo da guerra.[113] Em 1942, mais de 1 bilhão de ingressos foram vendidos, mais de cinco vezes o total de 1933. Todos os alemães iam ao cinema em uma média de treze ou catorze vezes por ano. A frequência entre os mais jovens era particularmente alta – em 1943, uma amostragem apontou que mais de 70% dos jovens entre dez e dezessete anos de idade iam ao cinema pelo menos uma vez por mês, e que 22% iam pelo menos uma vez por semana. Os frequentadores de cinema eram atendidos não apenas por mais de 7 mil salas de exibição, mas também por uma grande quantidade de cinemas ambulantes que viajavam pelas regiões do interior e também acharam seu caminho para as frentes de batalha para entreter as tropas. Todos os anos desde 1939 até 1944, os estúdios alemães produziram entre sessenta e setenta novos filmes, mostrados em todos os países da Europa onde tropas alemãs estivessem estacionadas.[114] Os estúdios eram propriedade do Estado, tinham uma organização central a partir de 1942, e eram equipados para usar as mais modernas técnicas. No cinema, cada programação tinha, por ordem do Ministério da Propaganda, de conter um "filme cultural" educativo, que falasse sobre história natural, mostrasse o "trabalho cultural" alemão na Polônia, ou, a partir de 1943, desse instruções para proteção contra ataques aéreos.[115]

Consta que as audiências achavam tudo isso muito cansativo. O que elas realmente queriam ver era o mais recente cinejornal. A partir de 7 de setembro de 1940, todos os cinejornais existentes foram reunidos em um, intitulado, a partir de novembro de 1940, *Deutsche Wochenschau* [O Noticiário Alemão], que era parte compulsória de cada programação de cinema. Os produtores eram capazes de mostrar um cinejornal de 40 minutos duas semanas depois de o filme ter sido feito por cinegrafistas e jornalistas "infiltrados" nos regimentos que serviam no *front*. Isso dava aos cinejornais um imediatismo e uma autenticidade que os tornaram muito populares. Até 3 mil cópias foram feitas de cada edição, e cada uma delas foi vista por cerca de 20 milhões de pessoas somente na Alemanha. O cinejornal satisfazia a necessidade do público de informações de primeira mão a respeito do progresso da guerra, e muitas pessoas iam ao cinema para assisti-los, e não ao filme principal. O uso astucioso da música, o foco nas imagens e não em palavras e uma edição cuidadosa lhes conferiam um apelo poderoso e, até certo ponto, estético. Naturalmente, os soldados sempre apareciam sob uma luz heroica, combatendo inimigos demoníacos determinados a destruir a Alemanha, as descrições da situação estratégica eram geralmente vagas e sempre otimistas, e sangue ou entranhas, corpos mortos ou qualquer coisa que fosse capaz de produzir horror ou repulsa eram banidos da tela. O pedido pessoal de Hitler ao Ministério da Propaganda, feito em 10 de julho de 1942, para que imagens das atrocidades dos russos fossem incluídas no cinejornal ("Ele solicitou especificamente que tais atrocidades deveriam incluir genitais sendo extirpados e a colocação de granadas de mão nas calças dos prisioneiros")[116] não parece ter sido atendido, talvez para a sorte das audiências do cinema. Não obstante, os espectadores ficavam envolvidos pela ação quase como se fossem participantes, muitas vezes irrompendo espontaneamente em aplausos e gritos de *Heil!* durante os relatos de vitórias nos dois primeiros anos da guerra.[117]

Goebbels reforçou o impacto informativo e de propaganda do cinejornal com uma série de longas-metragens que tinham por objetivo popularizar conceitos-chave da ideologia nazista. Em 1941, ele solicitou quatro filmes antibolchevistas, incluindo *GPU*, que estreou em 14 de agosto do ano seguinte. Seu título já era antiquado: a polícia política russa, nessa época, era conhecida pelas iniciais NKVD. De modo previsível, a ênfase no filme era dada às maquinações da suposta conspiração judaica por trás das atividades assassinas da polícia soviética. A intenção de Goebbels era conquistar a audiência colocando uma história de amor no centro do drama, mas o filme não foi um sucesso: sua representação dos russos como sádicos torturadores era excessivamente cheia de clichês e muito tosca, e, depois de ele ter sido lançado, Goebbels barrou outros longas-metragens antissoviéticos. Igualmente problemático foi o destino dos filmes por ele solicitados que eram dirigidos contra os britânicos, os quais ele desejava que fossem retratados como controlados por judeus e dirigidos por plutocratas. Em 1940, *As ações dos Rotschild em Waterloo* escarnecia das imaginárias manipulações financeiras de um banco judeu durante a Batalha de Waterloo em 1815 (a qual foi mostrada, naturalmente, como tendo sido vencida pelos prussianos, sob o comando do general Blücher). O filme foi um fracasso de público, já que não ficou claro se ele fora concebido para ser antibritânico ou antissemita, e foi recolhido em 1940 e reeditado. Outros filmes, como *Minha vida pela Irlanda*, *Carl Peters* e *Tio Kruger*, todos lançados em 1941, atacaram a história colonial britânica. *Tio Kruger* era particularmente impressionante. Um filme a respeito da Guerra dos Bôeres, foi bem interpretado (era estrelado por Emil Jannings) e tinha um alto custo de produção. Entretanto, muitas das personagens do filme eram caricaturas grotescas – a rainha Vitória era mostrada como uma viciada em uísque com finalidades medicinais; Cecil Rhodes era um decadente, servido por escravos e obcecado por ouro; Austen Chamberlain, usando seu monóculo, era fraco e hipócrita; o general Kitchener era impiedoso e desumano, e o jovem Winston Churchill, um comandante de campo de concentração, um assassino sádico que alimentava seu buldogue com bifes e atirava em presos famintos se reclamassem da falta de comida. Tio Kruger, o líder bôer, era retratado como um herói nacional honesto e simples que liderou uma resistência bem-sucedida contra todas as expectativas – uma lição que, na opinião de Goebbels, fazia valer a pena mandar relançar o filme em 1944.[118] Críticos da exibição original foram na verdade uma minoria, e os que julgavam que algumas das cenas não eram "historicamente genuínas" foram superados por aqueles que viam o filme como "um tipo de documento histórico". Entre a audiência, quem tinha maior conhecimento ficava pensando, entretanto, se era sensato retratar o "povo bôer" sob uma luz tão heroica. "O caráter desse povo híbrido é ambíguo e não pode ser apresentado como uma imagem ideal da raça alemã nem que seja tendo em vista as empreitadas coloniais com que a Grande Alemanha deparará depois da vitória final."[119]

Quase na mesma época em que a guerra começou, Goebbels ordenou que dois importantes filmes antissemitas fossem feitos: *O judeu Süss* e *O eterno judeu*, ambos com o propósito de conquistar o apoio do público alemão para a intensificação das medidas antijudaicas da liderança nazista assim que a guerra começou, particularmente na Polônia. *O judeu Süss*, dirigido por Veit Harlan e lançado em 24 de setembro de 1940, era um filme histórico baseado no romance de mesmo nome do (agora exilado) escritor judeu Lion Feuchtwanger. Mas, se Feuchtwanger tinha desejado destacar o papel do judeu como um bode expiatório, Harlan transformou a personagem Süss, um agiota do século XVIII enforcado por seus supostos crimes, em um vilão que não apenas extorquia dinheiro de honestos alemães, mas também sequestrou e violentou uma bela jovem alemã. Harlan contrastava Süss, socialmente integrado e com seu aspecto civilizado, não apenas com alemães louros, mas também com todas as outras personagens judias do filme, retratadas como feias e sujas. O enforcamento de Süss no fim do filme mandava a mensagem mais clara possível quanto ao destino que os judeus mereciam no presente. As elogiadas interpretações dos atores principais eram tão poderosas que um deles conseguiu fazer que Goebbels anunciasse em público que ele não era judeu, porque muitos espectadores estavam convencidos de que ele era. Himmler ficou tão entusiasmado com o filme que ordenou que todos os membros da SS o assistissem, e ele foi especialmente mostrado para plateias não judias na Europa oriental na proximidade dos campos de concentração e de extermínio, e em cidades alemãs para as quais uma nova deportação havia sido marcada.[120]

O eterno judeu, dirigido por Fritz Hippler sob a supervisão pessoal de Goebbels, era um documentário de longa-metragem que também tinha o objetivo de mostrar como os judeus realmente eram. Imagens dos judeus nas ruas de cidades polonesas eram intercaladas com sequências de filmes de "ratos, que", segundo dizia a sinopse, "são os parasitas e os portadores de bacilos entre os animais, e os judeus ocupam a mesma posição entre a humanidade". Um filme sobre a matança *kosher*, feito na Polônia logo depois da invasão de 1939, foi editado para sugerir a brutalidade dos judeus, enquanto cenários caricaturais de lares judeus mostravam sujeira, negligência e infestações com parasitas. Assim como os ratos, os judeus migraram por todo o mundo. Em todos os lugares, alegava o filme, citando uma série de estatísticas forjadas, os judeus cometiam crimes, disseminavam revoluções e subversão e debilitavam os valores e os padrões culturais. Tão radical era o antissemitismo do filme que o Ministério da Propaganda tinha dúvidas quanto a mostrá-lo ao público, e certamente ele fazia maior sucesso entre os ativistas do Partido; o público geral ficava menos impressionado. Relatos contam que muitos abandonaram a sessão pela metade, e outros o consideraram "cansativo". A maior parte das pessoas preferia as imagens mais sutis e dramaticamente mais interessantes retratadas em um drama como O *judeu Süss*, que causou um impacto tão grande em seus espectadores que as pessoas espontaneamente ficavam em pé durante as projeções, sobretudo na cena do estupro, e xingavam a tela. Em Berlim, os espectadores gritaram: "Tirem os últimos judeus da Alemanha!".[121]

O que o sucesso de *O judeu Süss* e o relativo fracasso de *O eterno judeu* mostraram foi que os alemães não queriam uma mera propaganda. Com a guerra, as pessoas precisavam mais do que nunca de distração de suas preocupações diárias. William L. Shirer comentou em outubro de 1939 que, "no mundo do cinema, o maior sucesso no momento é Clark Gable em *Abenteuer im gelben Meer* [Aventura no mar Amarelo], como o filme foi chamado aqui. Ele é sucesso de audiência há quatro semanas no Marble House. Um filme alemão", ele acrescentou, "tem sorte se consegue ficar em cartaz por uma semana".[122] Shirer estava exagerando: nem todos os filmes alemães eram fracassos. Goebbels tinha pleno conhecimento da popularidade de filmes como *Wunschkonzert* [Concerto do desejo] e *Die grosse Liebe* [O grande amor], cada um dos quais atraiu mais de 20 milhões de espectadores ao cinema. Ambos tinham um conteúdo ideológico implícito, mostrando casais separados pela guerra e que realizavam seus desejos pessoais a serviço da comunidade geral, e ficavam juntos de novo no fim do filme. Ao mesmo tempo que mostrava cenas de ação militar, eles deixavam de lado os aspectos mais violentos e destrutivos da guerra, apresentando para as audiências uma visão mais amena do conflito que elas deveriam considerar tranquilizadora.[123] O imenso sucesso desses filmes persuadiu Goebbels a ordenar que quatro entre cinco filmes produzidos fossem "um bom entretenimento, com qualidade garantida". E, de fato, nada menos que 41 filmes dos 74 filmes feitos na Alemanha em 1943 eram comédias.[124] Nessa época, grandes grupos de pessoas iam assistir a operetas com figurinos sofisticados, revistas, filmes policiais e melodramas. E, ao mesmo tempo que Goebbels estava pronunciando seu discurso sobre a "guerra total" aos fiéis do Partido no Palácio de Esportes, os alemães comuns estavam se acomodando nos cinemas de Berlim para assistir a *Duas pessoas felizes*, *Queira-me bem* e *O grande número*. No ano seguinte, o escapismo atingiu níveis mais altos com *Der weisse Traum* [O sonho branco], um espetáculo no gelo que incluía uma canção que avisava o público: "Compre um balão colorido/ Segure-o firmemente em suas mãos/ Veja-o sair voando com você/ rumo a uma distante terra da fantasia".[125]

Em 1943, nem a proliferação dos filmes de entretenimento nem o tom arrogante da voz em *off* do narrador nos cinejornais semanais conseguiam disfarçar o fato de que a guerra estava indo mal. Como relatou o Serviço de Segurança da SS em 4 de março de 1943, estava claro que "o povo não está mais indo ao cinema só por causa do cinejornal e não deseja mais passar por todos os contratempos que uma ida ao cinema frequentemente acarreta, como fazer fila para comprar ingressos".[126] Quanto mais a propaganda perdia contato com a realidade, mais a insistência repetitiva dos cinejornais quanto à inevitabilidade da vitória final era recebida com ceticismo entre os espectadores. Na metade de 1943, Goebbels tentou contrabalançar esse desencantamento ordenando a produção de um filme em cores a Veit Harlan a respeito do cerco à cidade alemã de Kolberg, no Báltico, pelas tropas de Napoleão em 1806. Depois dos estrondosos fracassos militares de Jena e de Austerlitz, a guarnição havia decidido entregar a cidade, mas o prefeito instigara os cidadãos a fazer uma última defesa nas trincheiras. Muitos temas da propaganda nazista da segunda metade da guerra se associaram nesse filme: a falta de confiança que o Partido sentia no Exército; o apelo populista para que os alemães comuns se juntassem em defesa da pátria; a crença no sacrifício; o estoicismo do povo diante da morte e da destruição. "A morte está entrelaçada à vitória", como diz o prefeito em certo momento. "Os maiores sucessos sempre nascem da dor." "Das cinzas e dos detritos", diz outra personagem, antecipando a derrota e implicitamente incitando a audiência a continuar a lutar, "um novo povo vai nascer como uma fênix, um novo Reich".

Muitos dos discursos feitos no filme eram escritos não por Harlan, mas pelo próprio Goebbels. Ele destinou ao filme um orçamento de 8,5 milhões de reichsmarks, duas vezes os custos de uma produção normal de um longa-metragem. Em uma clara demonstração da prioridade que dava à propaganda, Goebbels requisitou que 4 mil marinheiros e 187 mil soldados do Exército fizessem as cenas de batalha, em uma época em que eles eram extremamente necessários no *front*. O incidente que o filme retratava era obscuro o suficiente para que a maioria das pessoas não soubesse que Kolberg havia, na verdade, sido tomada por Napoleão: o roteiro mostrava o imperador francês batendo em retirada atemorizado, surpreendido pela resistência inflexível dos cidadãos. Mas era tarde demais. O filme só ficou pronto em janeiro de 1945, quando foi exibido em Berlim no aniversário da nomeação de Hitler como chanceler do Reich doze anos antes. Nessa época, muitos cinemas haviam sido destruídos – 237 deles já em agosto de 1943. Em Hanover, apenas doze dos 31 cinemas ainda estavam funcionando. O colapso das linhas ferroviárias significava que a possibilidade de enviar cópias de *Kolberg* para o resto do país era mais ou menos inexistente. Poucas pessoas o assistiram. A própria cidade de Kolberg fora tomada pelo Exército Vermelho pouco menos de dois meses antes da estreia. "Vou garantir", escreveu Goebbels em seu diário, "que a evacuação de Kolberg não seja mencionada no relatório do Supremo Comando das Forças Armadas Conjuntas".[127]

III

Joseph Goebbels ambicionava levar a mensagem nazista a todos os lares da Alemanha, e para esse propósito nenhuma instituição era mais adequada que o rádio.[128] Em agosto de 1939, o Ministério da Propaganda do Reich assumiu o controle de todas as estações de rádio na Alemanha e, a partir de julho de 1942, a Sociedade de Rádio do Reich (a principal emissora) foi controlada diretamente pelo ministério. As emissões eram usadas, assim como em outros países em guerra, para dar conselhos práticos aos ouvintes sobre como fazer seus suprimentos de alimentos durar, como economizar em seu modo de viver e, de modo geral, como enfrentar as condições de um tempo de guerra. Reportagens feitas nas linhas de frente transmitiam uma imagem positiva do heroísmo das tropas, e nos últimos períodos da guerra as emissões começaram a instar os ouvintes a continuar na luta, independentemente das más notícias vindas do *front*. O rádio foi afetado pela convocação de seu pessoal para as Forças Armadas, contudo, e programas inteiros e até mesmo frequências eram destinados à propaganda feita em línguas estrangeiras voltadas para as audiências no exterior. Assim como antes, Goebbels insistia que a propaganda de guerra estava longe de ser a única ou até mesmo a principal função do rádio alemão. Em 1944, por exemplo, das 190 horas de transmissão semanais, 71 eram dedicadas à música popular, 55 ao entretenimento de maneira geral e 24 à música clássica, deixando 32 horas por semana para emissões políticas, 5 horas para uma mistura de fala e de música e 3 horas semanais para "cultura". Alguns ouvintes consideravam que a música popular não deveria ser transmitida em tempos tão difíceis, e, particularmente no interior, os "programas modernos" de *crooners* e de música para dançar eram vistos, em geral, com maus olhos. Mas as emissoras insistiam (com alguma justificativa) que tais programas eram populares entre as tropas e os alemães que participavam da Frente de Trabalho, então eram mantidos. O Serviço de Segurança da SS registrou que programas que misturavam humor e música popular eram particularmente bem-sucedidos. Os locutores tomavam cuidado para atender gostos regionais e consta que os ouvintes da Bavária gostavam da emissão de músicas locais, tais como a "canção *steam-noodle* dos músicos de Tegernsee".[129]

Algumas músicas, contudo, transcendiam as fronteiras regionais e faziam muito sucesso tanto entre as tropas como entre os civis. Músicas sentimentais como "Ich weiss es wird einmal ein wunder geschehn" [Eu sei que um dia um milagre vai acontecer], de Zarah Leander, ofereciam conforto às pessoas em tempos difíceis e implicitamente prometiam um futuro melhor. Como já vimos, as tropas em Stalingrado se amontoavam ao redor de seus rádios para ouvir a popular *chanteuse* Lale Andersen cantar "Logo tudo estará acabado/ Um dia vai acabar". Assim como outras canções semelhantes, esta tinha por objetivo reforçar os laços emocionais entre os casais e as famílias separadas pela guerra. O grande sucesso de Andersen de 1939, "Lili Marlene", deixou em seus ouvintes um sentimento de nostalgia, já que descrevia um soldado dizendo adeus para sua namorada à luz do poste de iluminação fora de seu alojamento. Será que algum dia se veriam de novo? Será que ela encontraria outra pessoa? Será que ele sobreviveria à guerra? E, se ele não sobrevivesse, quem então ficaria ao lado de Lili à luz do poste de iluminação? A canção englobava a ansiedade pessoal bem como as perenes esperanças dos homens que estavam longe de sua amada. Um toque picante era acrescentado pelo fato de, embora as palavras terem sido ditas por um homem, eram cantadas por uma mulher atraente. Entretanto, Goebbels não gostava de seu tom pessimista e nostálgico. No fim de setembro de 1942, ele fez que Andersen fosse presa por debilitar o estado de espírito das tropas. Sua correspondência com amigos da Suíça, incluindo judeus exilados, foi interceptada, e sua recusa em aceitar o pedido de Goebbels para que visitasse o gueto de Varsóvia com fins publicitários foi usada contra ela. Goebbels proibiu-a de fazer qualquer outra apresentação pública. Finalmente, a partir do meio do ano de 1943, ela recebeu permissão para cantar em público de novo, desde que não colocasse "Lili Marlene" no programa. Em sua primeira apresentação depois de a proibição ter sido suspensa, a audiência pediu aos berros que ela cantasse a música, e quando ficou claro que ela não iria cantar, as próprias pessoas cantaram. Em agosto de 1944, "Lili Marlene" finalmente foi banida por completo. Muito antes disso, as tropas britânicas e americanas haviam começado a ouvir essa canção, já que ela era transmitida pelo potente transmissor de rádio das forças alemãs em Belgrado. As autoridades militares aliadas fizeram que ela fosse traduzida em inglês, e "Minha Lili do Poste de Luz" foi cantada por Marlene Dietrich, por Vera Lynn e (em francês) por Edith Piaf e, perto do fim da guerra, as forças britânicas transmitiam a versão alemã através das linhas inimigas para as tropas alemãs com o objetivo de deixá-las deprimidas, desse modo confirmando, inadvertidamente, a crença de Goebbels de que ela era prejudicial para o estado de espírito.[130]

Nessa época, estava ficando cada vez mais difícil para os alemães escutar não apenas "Lili Marlene", mas qualquer outra coisa no rádio. Os baratos "receptores do povo" quebravam com frequência, e pilhas e partes sobressalentes eram difíceis de conseguir. Um florescente mercado negro ligado ao rádio logo se desenvolveu. Ataques aéreos interrompiam o fornecimento de energia nas cidades, às vezes por dias consecutivos. Assim que a guerra começou a não ter bons resultados para a Alemanha, as notícias a seu respeito eram recebidas com descrédito crescente pelos ouvintes.[131] Já no começo de janeiro de 1942, o Serviço de Segurança da SS lamentava o fato de que as pessoas recebiam os noticiários políticos com indiferença. No entanto, elas também estavam preocupadas com a falta de notícias detalhadas a respeito do progresso da guerra no *front* oriental e na África. Elas sentiam que não sabiam o que estava acontecendo. "Um pronunciamento sincero a respeito desse assunto, que emociona e oprime a todos, daria um fim ao atual sentimento de incerteza."[132] Buscando informações confiáveis, os ouvintes alemães recorriam às estações de rádio estrangeiras, acima de tudo a BBC. Os populares "receptores do povo", vendidos por um preço muito baixo antes da guerra, apenas recebiam emissões de ondas curtas, e isso tornava difícil ouvir as estações estrangeiras. Entretanto, eles representavam menos de 40% dos rádios na Alemanha. A maior parte das pessoas que tinham um rádio recebia a emissão da BBC em língua alemã sem grandes dificuldades, e até mesmo os "receptores do povo" às vezes conseguiam captá-las. Em agosto de 1944, a BBC se deu conta de que até uns 15 milhões de alemães estavam ouvindo suas transmissões diariamente.[133]

Os alemães ouviam a BBC e outras emissoras estrangeiras expondo-se a um risco considerável. Assim que a guerra começou, sintonizar emissoras estrangeiras foi considerado uma infração passível de pena de morte. Em prédios de apartamento com pouco isolamento acústico, era bem possível que os ouvintes tivessem de enfrentar uma denúncia feita para as autoridades por vizinhos fanáticos ou mal-intencionados que ouviam os sonoros timbres dos locutores de notícias da BBC através das paredes. Cerca de 4 mil pessoas foram presas e processadas por "crimes de rádio" no primeiro ano de vigor da lei, e a primeira execução de um infrator aconteceu em 1941.[134] Um caso típico foi o de um trabalhador de Krefeld, condenado a um ano de prisão em dezembro por ouvir a BBC e contar o que ouvia para seus colegas de trabalho. Assim como a maior parte das pessoas punidas por essa infração, ele anteriormente estivera envolvido em política de esquerda. Infratores comuns não costumavam ser punidos com severidade, e as sentenças a partir de 1941 se tornaram relativamente raras. Em 1943, por exemplo, apenas 11 sentenças de morte foram promulgadas em todo o Grande Reich Alemão devido a "crimes de rádio", ou 0,2% do total.[135] Não obstante, as pessoas faziam de tudo para não serem flagradas ouvindo a BBC, se trancando no banheiro ou entrando com o rádio debaixo de uma coberta, ou mandando outras pessoas da família para fora do cômodo. Não muito depois de a guerra ter começado, William L. Shirer observou, com certo exagero: "Muitas penas longas de prisão estão sendo decretadas para os alemães que ouvem estações de rádio estrangeiras, e mesmo assim muitos continuam a ouvi-las", incluindo a família com quem havia recentemente passado uma tarde. "Eles estavam um pouco apreensivos quando sintonizaram no noticiário das 18h na BBC", relatou. O porteiro era "o espião nazista oficial do prédio", e havia outros também. "Eles colocaram o rádio em um volume tão baixo que eu mal consegui ouvir as notícias", escreveu Shirer, "e uma das filhas ficou vigiando a porta da frente"[136]

Tais precauções não eram necessárias na Grã-Bretanha ou em outros países quando a questão era ouvir transmissões de propaganda vindas da Alemanha. Goebbels garantiu que recursos cada vez maiores fossem destinados às emissões em língua inglesa, e empregava para fazê-las pessoal britânico e americano pró-Alemanha, que frequentemente era partidário do fascismo: o mais conhecido deles era William Joyce, cuja pronúncia sofisticada fez que seus ouvintes ingleses lhe dessem o apelido de *Lord* Haw-Haw. Esses locutores de propaganda tinham uma audiência não apenas por seu estilo ser mais íntimo e tranquilo que o cerimoniosamente formal da BBC; mas, acima de tudo, seu efeito no moral era mínimo e, à medida que o tempo foi passando, as pessoas começaram a se cansar do perpétuo sarcasmo e desprezo de Joyce. Talvez as mais surpreendentes dessas transmissões tenham sido criadas por Goebbels, que desafiou todas as crenças mais prezadas pelos nazistas a respeito da degeneração racial do *jazz*, quando uma banda de *swing* alemã, liderada pelo *crooner* Karl ("Charlie") Schwedler, foi ao ar tocando conhecidas canções britânicas e americanas, adaptando a letra delas com paródias do original tendo por objetivo a propaganda. Um tema favorito era a falta de credibilidade da BBC ("falando o que tem vontade", como dizia a paródia de "Lambert Walk").[137]

Jazz e *swing* não eram usados pelo regime apenas para seu interesse; eles se tornaram um modo de expressar oposição a ele também. Em Hamburgo, a abastada "Juventude do *Swing*" dos anos anteriores à guerra não foi impedida de organizar bailes e festas por causa do mero começo de uma guerra. No começo de 1940, a Gestapo flagrou quinhentos deles dançando *swing* em um salão de baile em um hotel de Altona ao som de música americana, até mesmo com letras em inglês. Quando isso aconteceu outra vez, a polícia estava preparada. Em 2 de março de 1940, quarenta agentes da Gestapo invadiram outro baile, na Curio-Haus no *campus* universitário da cidade, trancaram as portas e pegaram as impressões digitais de 408 participantes, todos eles, com a exceção de dezessete, menores de 21 anos de idade. Bailes públicos posteriores tiveram de ser cancelados, mas a juventude endinheirada de Hamburgo continuou a dar suas festas em locais privados. Até dezembro de 1941, ela se reuniu no cinema Waterloo perto da estação ferroviária de Dammtor para assistir a filmes americanos, com o jovem Axel Springer, um futuro editor de jornais, desempenhando o papel de projecionista. À medida que a polícia ficou mais intrusiva, a Juventude do *Swing* se retirou para as confortáveis mansões de seus pais que ficavam nos bairros mais distantes, onde eles festejavam nos porões, no que a Gestapo descrevia de modo reprovador como um "ambiente erótico". Em junho de 1942, uma festa de verão em uma dessas mansões incluía um cabaré com imitações de Hitler e de Goebbels. A Juventude Hitlerista, que temia a Juventude do *Swing*, considerando-a sua rival em popularidade, mandou espiões para a festa e o *cabaretier* foi preso.

A arrogância e a despreocupação dos membros da Juventude do *Swing*, suas roupas provocativas, como o terno cinza, o colete masculino e o paletó aberto e com ombreiras de Hannelore Evers ("um arraso total", como um veterano do grupo relembrou posteriormente), ou o hábito de Kurt-Rudolf Hoffmann de usar a bandeira americana na lapela do casaco, combinando com sua admiração declarada pelo estilo britânico, foram finalmente referidos a Himmler e Heydrich, que, em 26 de janeiro de 1942, fizeram que eles fossem presos, espancados e colocados para trabalhar. Seus pais deveriam ser interrogados e mandados para um campo de concentração se fosse descoberto que haviam encorajado as "tendências anglófilas" de seus rebentos. Em um período de poucas semanas, cerca de setenta membros da Juventude do *Swing* haviam sido presos e mandados para campos, incluindo Ravensbrück e Sachsenhausen. Eles foram classificados como prisioneiros políticos, embora muitos negassem que houvessem agido por convicções políticas. "Tínhamos cabelos longos e cérebros pequenos", confessou um deles posteriormente; e, quanto a seu costume de vaiar na hora do cinejornal quando iam ao cinema, um deles disse que faziam isso porque "íamos mostrar para aqueles cretinos desgraçados que éramos diferentes, só isso". Entretanto, a falta de deferência pelo racismo do regime que havia levado muitos dos rapazes da Juventude do *Swing* a manter relações sexuais com moças judias, o ódio pela guerra que alguns deles mostravam em suas cartas (interceptadas pela Gestapo) e seu evidente desprezo pelos líderes nazistas e pela Juventude Hitlerista deram à Gestapo alguma razão para considerá-los políticos. Muitos dos rapazes mais jovens da Juventude do *Swing* foram mandados para servir no Exército depois de cumprir a pena em um campo para jovens, mas pelo menos três deles, segundo seus relatos posteriores, conseguiram evitar até mesmo atirar no inimigo, e dois deles cruzaram as linhas de batalha e se entregaram.[138]

IV

Como sugere a popularidade dos filmes musicais e das emissões de rádio, a vida musical foi, a princípio, relativamente pouco afetada pela guerra.[139] Óperas escapistas foram populares tanto no palco quanto nas telas de cinema: a mais famosa escrita durante esses anos foi *Capriccio*, de Richard Strauss (1942). O próprio Hitler desenvolvera, pouco tempo antes, uma paixão pela música de Anton Bruckner, cujos manuscritos ele planejava colecionar na magnífica biblioteca no vasto mosteiro austríaco de S. Florian, onde Bruckner tocara órgão e seu corpo estava enterrado. O mosteiro estava localizado perto da cidade favorita de Hitler, Linz. Hitler fez que os monges fossem sumariamente expulsos para a conversão do edifício a sua nova função. Ele pagou a restauração do órgão com dinheiro de seus fundos pessoais e também ofereceu subsídios para a publicação da edição de Haas da obra completa de Bruckner. Comprou vários itens adicionais para a biblioteca e criou um centro para o estudo de Bruckner no mosteiro, dando-lhe apoio também com dinheiro de seu próprio bolso; futuramente, o mosteiro deveria ser o centro de um importante conservatório musical. Hitler incentivou a fundação de uma Orquestra Sinfônica de Bruckner, que começou a fazer concertos no outono de 1943. Seu projeto para um sino de igreja que ficaria em Linz e tocaria um tema da *Quarta Sinfonia* de Bruckner, a *Romântica*, entretanto, nunca foi realizado.[140]

Apesar disso tudo, no final das contas, não havia, segundo o ponto de vista de Hitler, um substituto para Wagner. Em 1940, no caminho de volta de sua rápida visita a Paris, ele parou em Bayreuth para assistir a uma apresentação de *O crepúsculo dos deuses*. Essa seria a última. Imerso na condução da guerra, e relutando cada vez mais em aparecer em público, ele não mais frequentou apresentações musicais ao vivo depois dessa ocasião. Contudo, nunca perdeu sua crença no poder da música. Nesse mesmo ano, ele criou um Festival de Guerra em Bayreuth, para o qual chamou convidados especialmente selecionados – ou obrigou-os a comparecer –, 142 mil deles em todos os cinco anos do Festival. "A guerra", ele rememorou em janeiro de 1942, "me deu a oportunidade de realizar um sonho muito caro ao coração de Wagner: que homens escolhidos entre o povo – trabalhadores e soldados – pudessem participar desse Festival sem pagar nada".[141] Em 1943, *O crepúsculo dos deuses* não parecia mais apropriada, levando em consideração a situação militar que se deteriorava rapidamente, e, depois de consultar Winifred Wagner, Hitler fez que a ópera fosse substituída por *Os mestres cantores de Nurembergue* nos dois últimos festivais. Em seus quartéis-generais, ele havia parado de ouvir Wagner completamente depois de Stalingrado, e buscou refúgio em *A viúva alegre*, sua opereta favorita escrita por Franz Lehár, convenientemente deixando de lado o fato de que o libretista era judeu, como, na verdade, era a própria esposa de Lehár.[142]

Bayreuth e seus festivais sempre ocuparam algo parecido com uma posição anômala no Terceiro Reich, não apenas pelo fato de serem, na prática, dirigidos pela família Wagner em contato direto com Hitler, mas também por outros aspectos da vida musical na Alemanha estarem todos sob a égide da Câmara de Música do Reich e, consequentemente, do Ministério da Propaganda de Joseph Goebbels. Em 1940, o ministério alegou que havia 181 orquestras permanentes em funcionamento no Reich, empregando um total de 8.918 músicos.[143] Elas tinham de se adaptar às condições de guerra, tocando em fábricas de munições e aparecendo em eventos beneficentes para as tropas. Considerações políticas continuavam a suplantar a hostilidade geral do regime para com a modernidade musical; o fato de a Hungria ser aliada da Alemanha, por exemplo, tornou possível que a Filarmônica de Munique, sob a regência de Osvald Kabasta, tocasse a *Música para cordas, percussão e celesta*, de Béla Bartók, em um concerto em 1942, embora o compositor pessoalmente nunca tivesse desejado que sua música fosse executada na Alemanha nazista (nessa época, ele havia partido para o exílio nos Estados Unidos). Mas considerações políticas também implicavam turnês em países ocupados – ou ofereciam uma oportunidade para que as orquestras fizessem as turnês – com a divulgação da cultura alemã e a possibilidade de cativar o público com a música alemã. O repertório era fundamentalmente alemão, e as composições de Richard Strauss e de Hans Pfitzner orgulhosamente ocupavam um lugar entre os compositores vivos. Regentes como Eugen Jochum, Hans Knap-pertsbusch e homens mais jovens como Herbert von Karajan e Karl Böhm garantiam que os padrões fossem mantidos até que a destruição das salas de concerto e dos teatros de ópera, e a convocação de músicos e de administradores para as Forças Armadas começaram a causar seus danos a partir de 1943. Böhm não prejudicou sua carreira ao fazer a saudação nazista do pódio no começo de seus concertos, enquanto Karajan, membro do Partido Nazista desde 1933, se beneficiou do fato de ser considerado politicamente mais confiável que o figurão com quem ele começou a dividir a afeição das pessoas que iam assistir aos concertos durante a guerra, Wilhelm Furtwängler.[144]

Hitler continuou, contudo, fã de Furtwängler ("o único regente cujos gestos não parecem ridículos", ele disse em 1942, "é Furtwängler").[145] Tal aprovação consolidou ainda mais o compromisso de Furtwängler para com o Terceiro Reich: na verdade, em 13 de janeiro de 1944, Goebbels escreveu em seu diário: "Para minha satisfação, descubro que, com Furtwängler, quanto mais as coisas ficam ruins para nós, mais ele apoia nosso regime".[146] Durante a guerra, Furtwängler se tornou um tipo de regente da elite nazista. Ele levou uma orquestra para a Noruega uma semana antes da invasão alemã, um acontecimento descrito pela embaixada alemã em Oslo, que sabia que as forças alemãs estavam prontas para desencadear um ataque ao país, como "muito adequado para despertar e animar a simpatia pela arte alemã e pela Alemanha". Em 1942, ele regeu uma apresentação da *Nona Sinfonia* de Beethoven no aniversário de Hitler. Tudo isso voluntariamente. Seu nacionalismo conservador o manteve no Reich até janeiro de 1945, quando ele se encontrou com Albert Speer no intervalo de um concerto. "O senhor parece tão cansado, maestro", disse Speer com um olhar significativo: talvez, ele sugeriu, fosse uma boa ideia permanecer na Suíça depois de um concerto que aconteceria em breve e não voltar para casa. Furtwängler acatou a sugestão e não retornou.[147]

Muitas pessoas que frequentavam seus concertos ou ouviam música no rádio eram, desse modo, como Furtwängler salientou depois da guerra, capazes de se refugiar por um espaço de tempo em um mundo de valores espirituais mais altos que os oferecidos pelos nazistas. No entanto, o significado da música podia variar drasticamente de acordo com quem a estava tocando ou ouvindo. "Quando ouço Beethoven", escreveu um jornalista em uma revista de rádio em 1942, por exemplo, "eu fico valente".[148] Uma mulher que frequentou o Festival de Guerra em Bayreuth em 1943 relatou que a apresentação lhe havia dado "uma nova coragem e força para o trabalho vindouro".[149]

Contrastando com isso, habitantes de Bayreuth consideravam a opulência do festival repugnante. Ao ver um grupo de convidados do Festival de Guerra bebendo conhaque, um grupo de soldados concordou: "E dá para ver mais uma vez: nós somos sempre os idiotas".[150] O espetáculo era particularmente irritante para as pessoas que tinham tido de sair de casa por causa dos bombardeios. "Esses desgraçados", disse um deles, observando os convidados no restaurante do teatro, "se matam de comer e de beber aqui, enquanto nós, que perdemos tudo, não temos uma gota de vinho para tomar".[151] Até mesmo fora de Bayreuth dizia-se que as pessoas estavam reclamando a respeito dos recursos destinados ao festival em uma época em que se pedia a todos que vivessem frugalmente: o já sobrecarregado serviço ferroviário foi forçado a transportar 30 mil pessoas até Bayreuth; muitas delas receberam licença de seu trabalho em fábricas de munição pela maior parte de uma semana.[152] Para os participantes, contudo, o festival parecia um presente de uma generosidade quase incrível da parte de Hitler. Suas manifestações de gratidão eram devidamente anotadas no relatório do Serviço de Segurança. No entanto, para a maior parte delas, esse era apenas um intervalo rápido, ainda que bem-vindo. Considerada de modo abstrato, a música tinha pouco a ver com a vida; e, ao ouvi-la, os espectadores de ópera e os frequentadores de concertos estavam trilhando exatamente a rota de escapismo que Goebbels preparara para eles. Como um dos trabalhadores das fábricas de munição que participou do Festival de Bayreuth de 1943 confessou: "Depois de a cortina ter descido, nós não conseguíamos achar um jeito de voltar para a realidade rapidamente".[153] Muitas outras pessoas devem ter sentido o mesmo.

A afirmação do Terceiro Reich de produzir sua própria música nova estava longe de ser convincente. Richard Strauss era indubitavelmente o mais famoso compositor alemão durante o Terceiro Reich, mas os nazistas se sentiam particularmente ofendidos com o fato de que seu filho havia se casado com uma mulher a quem eles consideravam judia. Em 1938, quando a Áustria, onde ele e sua família moravam, foi incorporada ao Reich, as tropas de assalto visaram especificamente sua nora Alice no *pogrom* de 9-10 de novembro de 1938, importunando-a impiedosamente e invadindo sua casa. Os protestos de Strauss e seu bom relacionamento com Baldur von Schirach, líder regional de Viena, amigo pessoal da família Strauss devido ao fato de ele ter crescido como filho de um diretor de teatro em Weimar, produziu alguns resultados, mas o compositor não conseguiu evitar que a avó de Alice fosse deportada para Theresienstadt. Strauss foi com sua limusine até os portões do campo de concentração, onde anunciou com imponência: "Eu sou o compositor Richard Strauss". Guardas céticos mandaram-no embora. A avó de Alice morreu, juntamente com outros 25 parentes judeus da nora de Strauss. Enquanto isso, incitada por Goebbels, a Gestapo invadiu a casa de Alice e levou-a para ser interrogada com seu marido, a quem pressionaram para que se divorciasse dela. Ele manteve-se firme. Inúmeras cartas do compositor para Himmler e outros não conseguiram acertar com clareza assuntos relativos à herança que ele desejava transmitir a seus netos meio-judeus. Strauss ainda era o compositor de óperas vivo tocado com mais frequência na Alemanha em 1942, mas vivia em circunstâncias difíceis; já não era – ao contrário de outros músicos de destaque – privilegiado pelo regime, e teve de lutar com a constante ameaça à vida de sua nora e de seus netos.[154]

A verdadeira natureza do relacionamento do compositor com o regime foi revelada de modo brutal em um encontro de compositores de destaque com Goebbels em 28 de fevereiro de 1941, durante o qual Strauss tentou persuadir o ministro da Propaganda a revogar uma recente decisão de reduzir o pagamento de direitos autorais – em algo próximo do pagamento total – a compositores de renome para favorecer os escritores de músicas ligeiras tocadas com maior frequência, como a do favorito de Hitler, Franz Lehár, cujo trabalho Strauss rejeitava categoricamente. Goebbels fez que uma frase incriminadora de uma carta de Strauss a seu libretista Stefan Zweig, datada de 17 de junho de 1933, criticando o regime, fosse lida em voz alta, e então gritou: "Fique quieto e veja bem, o senhor não tem a menor ideia a respeito de quem é e de quem sou eu! O povo gosta de Lehár, não do senhor! Pare de tagarelar sobre a importância da música séria! Isso não vai fazer que seu pagamento seja reavaliado! A cultura do amanhã é diferente daquela de ontem! Senhor Strauss, o senhor é coisa do passado!".[155] Em 1943, Strauss teve ainda mais problemas por ter se recusado a receber pessoas evacuadas em sua casa. Quando ele se recusou novamente no ano seguinte, Goebbels tentou banir suas óperas e Hitler não aceitou a decisão dele. Mas o aniversário de 80 anos do compositor em junho foi deliberadamente ignorado pelo regime e pelo Partido. Ele havia se tornado algo parecido com uma "não pessoa".

O segundo compositor alemão mais popular nas salas de concertos, Hans Pfitzner, teve sorte um pouco melhor. Irritadiço e inclinado à autopiedade, ele reclamou em março de 1942 que o regime se comportava como se ele não existisse, "e não é bom sinal para esta Alemanha que posições importantes sejam ocupadas por homens de caráter e inteligência definitivamente inferiores e ninguém me considere para uma delas nem ao menos uma vez".[156] Ele encontrou simpatia não na Alemanha, mas na Polônia ocupada, onde o líder regional Greiser lhe concedeu o Prêmio Wartheland, no valor de 20 mil reichsmarks, e o governador geral Frank convidou Pfitzner para reger um concerto especial de composições de sua própria autoria e outras peças musicais em Cracóvia em maio de 1942. Convidado novamente no ano seguinte, ele ficou tão feliz que escreveu uma "Saudação a Cracóvia" de seis minutos de duração especialmente para a ocasião. Pfitzner sobreviveu à guerra, morrendo em um lar para idosos em Salzburgo em 1949, aos 80 anos de idade.[157] Muito mais sucesso teve Werner Egk, que havia conquistado a aprovação de Hitler durante a década de 1930 por seu trabalho que ecoava os temas da ideologia nazista, mesmo sendo escrito em um estilo bastante moderno. Sua ópera *Peer Gynt* foi executada em diversos teatros de ópera em 1939-40, em Praga em 1941 e na Opera de Paris em 1943. Nessa época, Egk liderava a divisão de compositores da Câmara de Música do Reich e ganhava 40 mil reichsmarks por ano. Uma nova encenação, *Colombo*, poderia ser perfeitamente compreendida como um paralelo entre a conquista da América pelos europeus e a criação do império alemão no leste. Em fevereiro de 1943, ele escreveu no *Observatório Racial* que tinha certeza de que a Alemanha iria vencer a guerra, alcançando, depois que ela tivesse terminado, uma "aliança entre política idealista e arte realista".[158] Em contraste, a reputação de Carl Orff, cuja *Carmina Burana* tivera um imenso sucesso em sua estreia em 1937, decaiu durante a guerra. Sua ópera *A mulher sábia*, executada pela primeira vez em fevereiro de 1943, foi recebida com muito menos entusiasmo. Era por esse tipo de cultura, perguntou um crítico depois de a obra ter estreado em Graz em março de 1944, que os soldados alemães estavam se sacrificando no *front*? Na segunda apresentação, os nazistas locais apareceram e receberam a peça com um coro de assobios. Mas não eram plausíveis as alegações posteriores de Orff de que a ópera era um corajoso ato de resistência contra a tirania nazista: a denúncia feita no libreto a respeito de tirania e de injustiça era colocada na boca não das figuras heroicas, mas de um coro de vilões e de inúteis, e estava claro que deveria ser entendida ironicamente.[159]

Resumindo, pouca música de valor foi composta na Alemanha durante os anos da guerra. As composições mais tocantes vieram de uma fonte inteiramente diferente: os compositores judeus presos em Theresienstadt. Além de Viktor Ullmann e de Kurt Gerron, muitos outros prisioneiros compuseram e executaram música de diversos gêneros durante os poucos anos da existência do campo. Algumas das mais comoventes dessas composições eram de autoria de Ilse Weber, que escrevia tanto a música quanto as letras, e as cantava, com o acompanhamento de um violão, enquanto fazia a ronda na ala das crianças do hospital do campo, fazendo seu serviço de enfermeira. Nascida em 1903, Weber havia trabalhado como escritora e produtora de rádio em Praga antes de ser deportada em 1942. Seu marido e seu filho mais novo estavam com ela no campo; eles haviam conseguido mandar o filho mais velho para um local seguro na Suécia. As canções populares de Zarah Leander e Lale Andersen falavam sobre a época em que amigos, parentes, parceiros e amantes se encontrariam de novo. As canções de Weber não agasalhavam tais ilusões:

> Adeus, meu amigo, nós chegamos ao fim
> Da jornada que fizemos juntos.
> Arrumaram para mim um lugar no expresso da Polônia,
> E agora devo deixar você para sempre.
> Você foi leal e sincero, você me ajudou a sobreviver,
> Você ficou a meu lado em todas as horas.
> Só sentir você a meu lado acalmava qualquer temor,
> Carregamos nossos fardos juntos.
> Adeus, é o fim; vou sentir sua falta, meu amigo,
> E das horas que passamos juntos.
> Eu lhe dei meu coração; seja forte quando nos separarmos,
> Pois agora nosso adeus é para sempre.[160]

A afetuosa simplicidade de suas músicas nunca foi mais comovente do que em sua canção de ninar "Wiegala", que dizem que ela cantou para as crianças do campo, incluindo seu filho Tommy, quando voluntariamente as acompanhou até a câmara de gás em Auschwitz em 6 de outubro de 1944: "Wiegala, Wiegala, wille: agora o mundo está tão quieto! Nenhum som perturba essa paz adorável: meu filhinho, agora você vai dormir".[161]

V

Theresienstadt e outros campos e guetos, assim se pensava, não ofereciam temas adequados para pintores e escultores alemães que estavam trabalhando durante os anos de guerra. Guerra heroica era o que Goebbels e a Câmara de Cultura do Reich desejavam que os artistas representassem.[162] A quarta Grande Exposição de Arte Alemã, inaugurada pelo ministro da Propaganda em 1940, dedicou várias salas à arte sobre a guerra, e cenas de batalha então ocupavam lugar orgulhosamente entre 1.397 trabalhos de 751 artistas expostos na exibição. A guerra, como um comentarista observou, "é um grande desafio. As artes visuais na Alemanha fizeram frente ao desafio".[163] Ao abrir a mostra de 1942, Hitler relembrou a seus ouvintes que "os artistas alemães também foram convocados a servir a pátria e o *front*".[164] As pessoas que visitavam as mostras organizadas durante os anos de guerra ou assistiam aos noticiários dos cinejornais a respeito delas podiam admirar quadros como *Die Flammenwerfer* [Os lança-chamas], de Rudolf Liepus; *Atirador apontando uma arma*, de Gisbert Palmié, ou *Observação em um submarino*, de Rudolf Hausknecht. Quarenta e cinco artistas de guerra oficiais foram designados por um comitê sob a direção de Luitpold Adam, que já servira como um artista de guerra em 1914-18; em 1944 havia 80 artistas em sua equipe. Os artistas eram vinculados a unidades das Forças Armadas, recebiam um salário e suas pinturas e desenhos passavam a ser propriedade do governo. Mostras itinerantes especiais de seus trabalhos eram enviadas para toda a Alemanha para demonstrar que a criatividade da cultura alemã não diminuía nem em tempos de guerra. Os próprios artistas, na verdade, eram vistos como soldados: "Apenas alguém com características de um soldado", como um comentarista observou em 1942, "e cheio de sentimentos intensos, é capaz de transmitir a experiência da guerra sob forma artística".[165]

Os artistas da guerra empregavam técnicas variadas, e alguns deles pintaram paisagens que estavam bem além da realidade da guerra. O *Pôr do sol no rio Duna* (1942), de Franz Junghans, por exemplo, era quase abstrato em seu uso de cores que se misturavam umas com as outras sobre a paisagem plana e inexpressiva. *Dois prisioneiros russos*, de Olaf Jordan, retratou seu tema com alguma simpatia e compaixão, enquanto o desenho de Wolfgang Willrich de um habitante de um vilarejo na Bavária servindo no *front* oriental mostrava mais do camponês que do soldado em suas feições rústicas e bem-humoradas. Mas a grande maioria das pinturas dos artistas de guerra representava cenas otimistas de soldados heroicos encarando desafiadoramente o inimigo, fortificando sua casamata, ou incitando as tropas a ir avante com gestos que implicitamente incluíam o espectador e, desse modo, todo o povo alemão, em seu convite para que se juntassem ao ataque. Os quadros de um dos mais populares artistas da guerra, Elk Eber, cujo trabalho era incessantemente reproduzido nas revistas de propaganda, "tinha", como um obituário do *Observatório Racial* observou em 1941, "basicamente um único tema: a masculinidade heroica e característica de um soldado, típica da nossa época".[166] O quadro de Eber *O mensageiro* era um dos mais estimados, com frequência reproduzido em cartões-postais: ele mostrava um soldado com capacete de aço, seu rifle pendurado horizontalmente em suas costas, saindo correndo heroicamente de um abrigo escavado no solo, uma mescla de determinação e de prazer de desempenhar seu papel estampados em suas feições. O que quer que eles representassem, contudo, os artistas de guerra faziam o possível para evitar mostrar os horrores da guerra. Não havia feridos, nem corpos mortos, nem soldados com membros perdidos, nem sangue, nem sofrimento; na verdade, quase não havia violência real em seus trabalhos. O contraste com os dilacerantes quadros pintados por artistas alemães contrários à guerra em 1914-18 era observado com aprovação. O novo trabalho era extremamente adequado para o uso em escolas, todos concordavam. "Mostrem aos alunos os retratos dos soldados pintados por Erler ou Spiegel", observou um comentarista, "compare-os com os trabalhos vulgares e horríveis de Dix ou Grosz. Todos os alunos reconhecerão imediatamente o que é a arte decadente [...] A força do verdadeiro artista está em seu sangue, o que o leva ao heroísmo".[167]

O artista alemão dos anos de guerra de maior destaque, contudo, não foi um pintor, mas um escultor. Arno Breker já havia criado uma série de figuras militaristas, agressivas e monumentais antes da guerra.[168] Sua reputação na

Europa era considerável. Em 1941, Hitler convenceu um grupo de artistas franceses, incluindo André Derain, Kees van Dongen e Maurice Vlaminck, a visitá-lo em seu estúdio. Um dos membros do grupo, o diretor da École des Beaux-Arts, escreveu ao voltar em termos muito elogiosos sobre como "um grande país honra seus artistas e o trabalho deles, sua cultura intelectual e a dignidade da existência humana".[169] Breker parecia o tema ideal para uma grande retrospectiva, que foi feita em abril de 1942, não em Berlim, mas na Paris ocupada. Jean Cocteau escreveu uma extensa introdução para o catálogo, elogiando-o como um digno sucessor de Michelangelo.[170] Conhecendo a posição que ele ocupava na estima de Hitler, nazistas proeminentes competiam por sua amizade, e Breker tinha um bom relacionamento não apenas com Hermann Göring e Joseph Goebbels, mas também com Heinrich Himmler, que discutiu com ele encomendas para enfeitar várias propriedades da SS com seu trabalho. Em abril de 1941, Breker foi designado vice-presidente da Câmara do Reich para as Artes Visuais. Ele desempenhou um papel importante nos planos de Speer para a reconstrução de Berlim, e este o equipou com o que era praticamente uma fábrica para produzir suas esculturas, baixos-relevos e outros objetos tridimensionais, patrocinando-a com grandes somas. Uma noite, durante o jantar, Hitler disse a seus companheiros que Breker merecia um salário de um milhão de reichsmarks por ano, e Martin Bormann lhe deu um prêmio de 250 mil reichsmarks livre de impostos em abril de 1942. Hitler e Speer pagaram pela reforma de seu castelo perto do rio Oder, onde Breker proclamava seu *status* privilegiado expondo nas paredes sua coleção de pinturas de Léger, de Picasso e de outros artistas oficialmente considerados "degenerados". O embaixador alemão em Paris colocou a casa confiscada da cosmetóloga judia Helena Rubinstein a seu dispor, e Breker gastou uma boa parte de seu dinheiro comprando peças de Rodin e de outros artistas, bem como uma quantidade de livros, de perfumes e de vinhos caros.[171]

Breker não estava sozinho em sua ávida procura por pinturas, esculturas e outros objetos culturais nos países ocupados. Na verdade, ele foi deixado muito para trás nesse aspecto por Hitler e Göring. Ambos eram homens ricos na época em que a guerra começou.[172] Hermann Göring era proprietário de dez casas, castelos e chalés de caça, todos abastecidos e mantidos à custa dos impostos dos contribuintes. Em todos esses lugares, e particularmente em seu principal, vasto e sempre em expansão chalé de caça em Carinhall, que tinha o nome de sua primeira esposa, Göring desejava exibir peças de arte, tapeçarias, pinturas, esculturas e muito mais, para enfatizar seu *status* de segundo homem do Reich. Göring gastou muito para comprar objetos culturais de todos os tipos, lançando mão dos recursos disponíveis.[173] Em contraste, o próprio Hitler fazia questão de evitar exibições ostensivas de riqueza pessoal, preferindo, ao invés disso, acumular uma coleção de arte para uso público. Hitler havia por muito tempo planejado transformar sua cidade natal, Linz, na Áustria, na capital cultural do novo Reich, fazendo até mesmo esboços de projetos para novos edifícios públicos e museus que esperava construir lá. Linz se tornaria a Florença alemã, com uma vasta coleção, acima de tudo, de arte alemã abrigada em diversos museus e galerias construídos para esse propósito. Berlim também deveria ter museus de arte adequados a seu novo *status* de futura capital mundial. Em 26 de junho de 1939, Hitler contratou os serviços de um historiador de arte, Hans Posse, diretor de um museu em Dresden, para reunir a coleção de que ele precisava para esse propósito. Posse recebeu subsídios quase ilimitados e, quando a guerra estava mais ou menos na metade, ele estava adquirindo objetos de arte em toda a Europa ocupada pela Alemanha, reunindo um total quase inacreditável de mais de 8 mil peças em 1945. Tendo a seu favor os poderes totais dados por Hitler, pôde dar lances maiores ou derrotar outros agentes, como Kajetan Mühlmann, que trabalhavam para Göring, ou para outros grandes museus alemães, ou mesmo para si próprios. Em dezembro de 1944, Posse e o homem que o sucedeu logo depois de sua morte por câncer em dezembro de 1942, Hermann Voss, diretor do Museu de Wiesbaden, haviam despendido um total de 70 milhões de reichsmarks fazendo compras para a coleção de Linz. Não chega a surpreender que negociantes usados por Hitler e por Posse, como Karl Haberstock, tenham obtido lucros consideráveis com seus negócios.[174]

Esses gastos desenfreados não aconteceram em condições normais no mercado de arte. Muitos países, por exemplo, tinham regras e regulamentos que controlavam a exportação de tesouros artísticos, mas, durante a guerra, Hitler os ignorou com facilidade ou deixou-os de lado. Além do mais, os altos preços oferecidos em muitos casos pelos antigos mestres alemães que ele desejava para colocar no Museu de Linz não eram exatamente o que pareciam, pelo menos não de 1940 em diante, já que os alemães fixavam taxas de câmbio com o franco francês e com outras moedas em países ocupados em cotações que eram extraordinariamente favoráveis ao reichsmark alemão. Mas, em muitos casos, não era necessário gastar dinheiro. Obras de arte já haviam sido confiscadas de colecionadores judaico-alemães em grandes quantidades, sobretudo depois do *pogrom* de 9-10 de novembro de 1938, supostamente por "questões de segurança"; elas foram registradas e subsequentemente apropriadas pelo Estado alemão. Um precedente havia sido estabelecido em março de 1938 com a invasão da Áustria. Aqui, como em outros países ocupados, imigrantes judeus tinham de deixar seus bens para trás se imigrassem, para que o Reich os controlasse. Os pertences de cidadãos que haviam fugido do país também foram confiscados pelo Reich alemão depois da conquista da França em 1940; o mesmo princípio se aplicava a todos os judeus dos países ocupados na Europa deportados para Auschwitz e para outros campos de extermínio no leste, oferecendo oportunidades ilimitadas para a pilhagem.[175]

O saque ia muito além da desapropriação dos judeus quando os nazistas invadiam países habitados por povos que consideravam eslavos sub-humanos e iletrados. Já durante a invasão da Polônia, as tropas alemãs esquadrinharam casas de campo e palácios procurando todos os tipos de objetos de arte. Logo, entretanto, a espoliação da herança cultural da Polônia foi organizada de modo regular. Kajetan Mühlmann, que anteriormente realizara tarefas semelhantes em Viena, foi colocado na direção do procedimento. No fim de novembro de 1940, o registro estava completo, e Posse chegou para selecionar peças de primeira linha para o Líder. Foi seguido em seu devido tempo por diretores de museus de arte da Alemanha, ansiosos por sua parte nos espólios. Brigas aconteceram, pois Hermann Göring tentava obter quadros para si, enquanto Hans Frank se opunha à remoção da parte principal do saque de seus quartéis-generais. Talvez esta não tenha sido uma ideia assim tão ruim, entretanto, já que Frank não tinha a menor ideia a respeito da exposição ou da conservação dos Velhos Mestres, e uma vez foi repreendido por Mühlmann por pendurar um quadro de Leonardo da Vinci em cima de um aquecedor. Colecionadores particulares foram revistados, assim como museus que pertenciam ao Estado, e a grande coleção reunida pela família Czartoryski, incluindo um Rembrandt e um Rafael, foi sistematicamente espoliada.[176] Nesse ínterim, Hans Frank estava muito ocupado decorando seus quartéis-generais com objetos de arte saqueados e enviando troféus para sua casa na Bavária. Quando as tropas americanas chegaram lá em 1945, encontraram um Rembrandt, um Leonardo, uma Madona de Cracóvia do século XIV e paramentos e cálices saqueados de igrejas polonesas.[177]

O processo de saque e de expropriação foi repetido em uma escala ainda maior quando a Alemanha invadiu a União Soviética em 22 de junho de 1941. Assim como na Polônia, a limpeza étnica foi acompanhada por uma limpeza cultural. Unidades especiais foram anexadas às forças da SS que estavam chegando, armadas com listas de arte "alemã" para que fossem confiscadas e enviadas para o Reich. Entre os mais famosos desses itens se encontrava o celebrado Quarto de Âmbar dado a Pedro, o Grande, pelo rei Frederico Guilherme I da Prússia e posteriormente ampliado por presentes dados por seu sucessor. Os soviéticos haviam levado toda a mobília e os itens que podiam ser retirados, mas deixaram os painéis de âmbar no local, e o quarto, instalado no Palácio Catarina na cidade de Púchkin, foi desmontado e levado de volta para Königsberg na Prússia Oriental, onde foi colocado em exibição até ser guardado para proteção contra ataques aéreos. Os soviéticos, naturalmente, haviam colocado muitos tesouros culturais fora do alcance das forças invasoras, e não havia grandes coleções particulares na União Soviética, já que todas tinham sido confiscadas pelo Estado comunista, e os alemães nunca conseguiram conquistar Moscou ou São Petersburgo; mas ainda havia muita coisa para ser saqueada; 279 pinturas foram retiradas somente de Kharkov, por exemplo, e Himmler requisitou um considerável número quantia de peças de arte para decorar e equipar os quartéis-generais da SS em Wewelsburg. Com frequência, as pessoas podiam obter tesouros a preços irrisórios: um oficial da SS enviou para Himmler uma coleção de joias antigas que comprara da viúva de um arqueólogo soviético que estava morrendo de fome na Kiev destruída pela guerra, pagando com 8 quilos de painço.[178]

Os maiores tesouros artísticos, contudo, seriam encontrados em países conquistados da Europa ocidental. Em 5 de julho de 1940, Hitler encarregou uma subseção do Serviço de Política Externa do Partido Nazista, dirigido por Alfred Rosenberg, a equipe do líder do Reich Rosenberg, de coletar obras de arte de proprietários judeus e confiscar material antialemão junto com quaisquer documentos que pudessem ser valiosos para o Reich. Com base inicialmente em Paris, e respaldada pela autoridade do próprio Hitler, a unidade de

Rosenberg rapidamente assumiu a liderança na corrida pela aquisição de objetos culturais para o Museu de Linz e para outras coleções. Em 1º de março de 1941, ela foi transferida para Berlim, de onde mandou emissários para supervisionar a espoliação de museus e de bibliotecas no leste após Operação Barba Ruiva. Na época em que a equipe de Rosenberg chegou à Holanda, entretanto, Kajetan Mühlmann já estava lá, assim como o curador de arte de Göring, Walter Andreas Hofer. Hitler autorizou Hans Posse a ir para a Holanda em 13 de junho de 1940, e Hermann Göring viajou pessoalmente para Amsterdã. Um frenesi de aquisições competitivas aconteceu em seguida, e uma grande quantidade de objetos artísticos alemães, ou supostamente alemães, saiu das mãos de colecionadores, de negociantes e de museus holandeses e foi levada para depósitos no Reich. A equipe de Mühlmann localizou coleções levadas para a Holanda por proprietários judeus alemães que haviam fugido da perseguição da década de 1930, e as confiscou. Um autorretrato de 1669 de Rembrandt estava entre as inúmeras obras mandadas para a Alemanha sob a alegação de que haviam sido ilegalmente exportadas: nenhuma compensação foi dada aos proprietários judeus de tais obras. Além do mais, as obras de arte dos judeus que haviam deixado o país para se refugiar na Inglaterra foram confiscadas, e contêineres de objetos de arte que estavam prontos para ser enviados ao exterior foram abertos e o conteúdo removido e confiscado.[179]

Achados ainda mais preciosos seriam obtidos na França. Em 30 de junho de 1940, Hitler ordenou que objetos de arte que fossem propriedade do Estado francês deveriam ser colocados sob custódia dos alemães. O embaixador Abetz se preparou para se apoderar de objetos de arte em larga escala, dizendo para os militares que Hitler ou Ribbentrop decidiriam o que deveria ser levado para a Alemanha. Esta última categoria incluía objetos saqueados por Napoleão da Renânia, já listados em um documento de trezentas páginas preparado por historiadores de arte alemães que visitaram museus e bibliotecas franceses na década de 1930 se fazendo passar por pesquisadores acadêmicos. Mas o comando do Exército havia empregado seu próprio historiador de arte, o francófilo conde Franz Wolff-Metternich, que persuadiu as autoridades militares a não cooperar sob a alegação de que a Convenção de Haia de 1907 proibia o saque. Persuadindo o comandante-chefe do Exército, Brauchitsch, a ajudá-lo, ele frustrou todas as tentativas de Abetz de sequestrar obras de arte que eram propriedade do Estado francês. As coisas foram diferentes com os negociantes e colecionadores judeus, cujas propriedades Hitler também determinara que fossem confiscadas. As propriedades de quinze grandes negociantes judeus foram apreendidas, junto com as de colecionadores judeus como os Rothschild, que estavam guardadas no Jeu de Paumes, uma pequena galeria usada pelo Louvre para mostras temporárias. A equipe de Rosenberg chegou para administrar a coleção, e logo Hermann Göring também apareceu no museu, passando dois dias lá selecionando 27 obras de Rembrandt, Van Dyck e outros para sua coleção particular. Prudente, entretanto, ele concordou que Hitler deveria ter a primazia na escolha das peças do Jeu de Paumes. Rosenberg e os museus alemães poderiam ficar com a maior parte do restante. Tudo teria de ser pago, e os lucros revertidos para um fundo para os órfãos de guerra franceses. Enquanto Hans Posse, inspecionando uma lista de obras empilhadas no museu, fez que 53 peças fossem despachadas para a Alemanha para uma futura inclusão no Museu de Linz, Göring escolheu cerca de seiscentos quadros, peças de mobiliário e outros itens, que avaliou por preços muito baixos se fosse para serem exibidos em Carinhall, ou por preços altos se desejasse vendê-los. Göring rapidamente ignorou as objeções de Wolff-Metternich, e o Exército formalmente se eximiu de qualquer responsabilidade em relação às obras de arte.[180]

No fim da guerra, a coleção particular de Hitler incluía 75 Lenbachs, 58 Stucks, 58 Kaulbachs, 52 Menzels e 44 Spitzwegs. Além de pintores alemães e austríacos do século XIX, ele também tinha 15 Rembrandts, 23 Breughels, 2 Vermeers, 15 Canalettos e quadros de Ticiano, Leonardo, Botticelli, Holbein, Cranach, Rubens e muitos outros. Sua própria raridade havia impedido Hitler de comprar obras de Bosch, Grunewald e Dürer. Ele se referia com frequência às obras que havia obtido, mas raramente as via; elas estavam todas guardadas.[181] Ele estava tão obcecado com a ideia do Museu de Linz que iria deixar instruções para sua fundação em seu testamento. "Nunca comprei os quadros que estão nas coleções que reuni ao longo dos anos para benefício próprio", declarou ele, "mas somente para a fundação de uma galeria em minha cidade natal de Linz". No fim, entretanto, a fantasia de Hitler quanto a um centro mundial para a arte alemã era, na verdade, pouco mais que a satisfação inconsciente de sua própria reabilitação como artista, depois dos fracassos e das humilhações de seus anos em Viena antes da Primeira Guerra Mundial.[182]

Ciência mortífera

I

Em março de 1940, William Guertler, professor de metalurgia na Universidade Técnica de Berlim e nazista de longa data, escreveu um requerimento pessoal para Hitler. Havia muitos requerimentos desse tipo, e, em geral, a equipe de Hitler se encarregava deles. Não há provas de que Hitler jamais haja lido o que Guertler tinha a dizer. Mas o pedido foi considerado importante o suficiente para ser enviado a Hans-Heinrich Lammers, chefe da Chancelaria do Reich, que mandou que ele fosse copiado e distribuído para alguns ministros, incluindo Hermann Göring. O que preocupava Guertler, sete meses depois do começo da guerra, era um acelerado declínio nos parâmetros educacionais que estava conduzindo, em sua opinião, a uma catástrofe. Assim que a guerra começara, o Ministério de Educação havia decretado, tendo em vista o uso mais eficiente do tempo dos alunos, que o tradicional ano de dois semestres letivos na universidade deveria ser substituído por um ano de três períodos, sem nenhuma diminuição na duração do período. O ano universitário havia então aumentado de sete meses e meio para dez meses e meio. Assim, reclamou Guertler,

> nós, professores, recebemos ordens para garantir que os alunos aprendam em um ano tanto quanto eles costumavam aprender em um ano e meio. Fizemos o melhor possível. Foi completamente em vão. A capacidade de aprendizagem dos alunos já havia sido por muito tempo sobrecarregada. Mesmo antes disso, não tínhamos sido capazes de manter o nível de treinamento, mas agora cada exame nos aponta uma queda

catastrófica no conhecimento adquirido pelos estudantes. Os alunos mais jovens já há muito tempo foram forçados a abrir mão dos prazeres mesmo dos mais laboriosos anos de estudo, que em uma época foram tão celebrados – e tão merecidos. Eles se atormentavam de forma vergonhosa – era algo acima das forças deles.[183]

Nem Lammers nem nenhum outro dos leitores do requerimento discordou. Até o ministro da Educação, Bernhard Rust, aceitou o alarmante diagnóstico do professor.[184]

O declínio nos níveis de educação começara muito antes da guerra e afetou tanto as escolas quanto as universidades. Em 1937, os nove anos de educação secundária haviam sido reduzidos a oito. A influência da Juventude Hitlerista diminuíra a autoridade de muitos professores, e a ênfase da educação nazista no esporte e nos exercícios físicos reduzira o tempo disponível para o estudo acadêmico. Mesmo que tivessem conseguido adquirir um conhecimento razoável nessa situação, os alunos das escolas eram propensos a esquecer muito nos cerca de dois anos e meio que eram obrigados a passar fazendo serviço obrigatório e servindo nas Forças Armadas antes que lhes fosse permitido se matricular na universidade.[185] A guerra testemunhou um aumento ainda maior no conteúdo ideológico do currículo; mais de 150 panfletos lançados às pressas, por exemplo, substituíram os antigos manuais a respeito da história da Inglaterra e das instituições inglesas com propaganda hostil que qualificava a Grã-Bretanha como um país governado por judeus e que havia cometido atrocidades em seu passado tenebroso. Estava cada vez mais difícil obter manuais de estudo, e prédios escolares em muitas cidades grandes e pequenas foram ou requisitados para uso como hospitais militares ou, particularmente a partir de 1942, destruídos por ataques aéreos.[186] Os professores foram mandados para o *front* sem ser substituídos, tanto que, em fevereiro de 1943, a Liga dos Professores Nacional-Socialistas foi fechada por falta de atividades e de fundos. Os alunos mais velhos foram forçados a passar cada vez mais tempo ajudando em tarefas relacionadas a ataques aéreos, coletando roupas, trapos, ossos, papel e metal para a economia de guerra, ou, no verão, indo para o interior ajudar na colheita por períodos ininterruptos de até quatro meses. A partir de fevereiro de 1943, as aulas nas escolas de Berlim aconteciam apenas no período matutino, já que todas as crianças passavam a tarde ou fazendo exercícios militares ou recebendo educação militar, ou indo guarnecer baterias antiataques aéreos se tivessem 15 anos de idade ou mais. Os últimos exames escolares foram feitos em 1943, e nos últimos meses da guerra a maior parte das escolas havia deixado de funcionar por completo.[187]

As escolas da elite nazista haviam sido igualmente afetadas. A Ordem do Castelo em Vogelsang, por exemplo, perdeu quase todos os seus alunos e professores para o serviço militar assim que a guerra começou, e suas instalações foram usadas para alojar tropas e depois para oferecer cursos de doutrinação aos convalescentes de guerra.[188] As Instituições Político-Educacionais Nacionais, conhecidas por Napolas, outro tipo de escola de elite, também passaram por problemas semelhantes. Os alunos fanaticamente nazistas viam a guerra como uma oportunidade para mostrar seu empenho, demonstrar sua bravura e ganhar medalhas. Em março de 1944, cerca de 143 estudantes das Napolas, ou alunos já formados, tinham sido condecorados por bravura; 1.266 tinham sido mortos. O número de alunos, assim, tinha caído drasticamente e, no fim de 1944, as Napolas estavam sendo usadas para treinar cadetes do Exército e membros da SS Militar. Não obstante, alguma educação ainda era oferecida, e em uma ocasião na escola em Oranienstein, perto do fim da guerra, os estudantes se encontraram na incongruente situação de receber aulas de iatismo enquanto bombardeiros americanos sobrevoavam, "uma cena completamente maluca em um mundo completamente maluco", como recordou posteriormente um dos alunos.[189]

Nessas circunstâncias, não chegava a surpreender que os padrões de educação nas universidades também fossem afetados. E elas tinham seus próprios problemas também. Todas as universidades alemãs foram fechadas no dia 1º de setembro de 1939, e quando foram reabertas, dez dias depois, registraram uma queda impressionante no número de estudantes, de 41 mil para 29 mil, refletindo o alistamento de muitos deles nas Forças Armadas. O número de estudantes começou lentamente a se recuperar a partir dessa data – para 38 mil em 1942 e 52 mil em 1943; em instituições de ensino superior de todos os tipos houve um aumento de 52 mil em 1940 para 65 mil em 1944. Os alunos que compunham esses quadros agora incluíam soldados feridos na guerra, homens declarados incapazes para o serviço militar por um motivo ou outro, soldados em licença (muitos dos quais tinham perdido sua vaga na universidade na hora do alistamento), alunos estrangeiros, estudantes de medicina que haviam sido requisitados por suas unidades do Exército a continuar os estudos e, cada vez mais, mulheres – 14% do corpo discente em todas as instituições de ensino superior em 1939, 30% em 1941, e 48% em 1943. Assim como antes da guerra, a medicina tinha uma posição de predomínio absoluto nas universidades alemãs. Sessenta e dois por cento de todos os estudantes estavam inscritos em faculdades de medicina em 1940; todos eles tiveram de servir por seis meses no *front* como soldados comuns, pois esse era o preparo para o serviço como médicos do Exército quando se formassem. Assim, a percepção entre alguns (tipicamente anti-intelectuais) ativistas nazistas de que as pessoas que frequentavam a universidade durante a guerra eram "folgados" que tentavam fugir do serviço militar era incorreta; quase todos os alunos homens, na verdade, eram membros das Forças Armadas em uma função ou em outra.[190]

O nível nas universidades não caiu durante a guerra apenas como consequência de um declínio no padrão educacional das escolas. Os alunos eram obrigados a passar cada vez mais tempo em vários tipos de serviço, ajudando durante a colheita ou trabalhando em fábricas nas férias. O Ministério da Educação reconheceu em 1941 que o ano de três semestres, juntamente com o serviço obrigatório durante as férias, estava impondo aos alunos uma pressão intolerável, e restabeleceu o ano tradicional de dois semestres.[191] Mas houve reclamações generalizadas de professores dizendo que os alunos estavam ou muito cansados para trabalhar, ou com muita preguiça e apáticos. O desprezo declarado do Partido Nazista pelo estudo imposto aos alunos em seus anos de formação diminuiu o respeito deles por seus professores. Depois da guerra, haveria uma grande demanda por advogados e médicos, eles pensavam, então, por que se preocupar com o trabalho de qualquer jeito? Como foi relatado pelo Serviço de Segurança da SS em 5 de outubro de 1942:

> Notícia-se com unanimidade em todas as cidades universitárias no Reich *que o nível de desempenho dos alunos está em queda contínua.* Seu trabalho escrito, sua participação nas aulas e nos seminários, assim como os resultados finais de seus exames, alcançaram um ponto realmente muito

baixo [...] Muitos alunos *não têm nem mesmo o conhecimento mais simples, mais elementar*. Erros de ortografia, de concordância e de estilo são encontrados com frequência cada vez maior em trabalhos escritos.[192]

O conhecimento de línguas estrangeiras, acrescentava o relatório, era tão fraco que os alunos eram incapazes de acompanhar uma leitura que usasse palavras em latim para designar diferentes partes do corpo humano. Os alunos começaram a solicitar aos professores que evitassem usar palavras estrangeiras, e os professores começaram a baixar o padrão, tornando os exames mais fáceis para aprovação e reduzindo as exigências quanto a seu próprio tempo corrigindo os trabalhos acadêmicos com menos rigor.[193]

O corpo discente, já desprezado por muitos nazistas ativos por ser politicamente apático antes da guerra, não viu nenhuma nova razão para se comprometer com o nacional-socialismo quando a guerra começou. Se se comprometesse com o conflito, seria tanto em favor da Alemanha quanto pela causa do nacional-socialismo. A Liga dos Estudantes Nacional-Socialistas Alemães entrou em declínio, embora tenha sido bem-sucedida em persuadir os membros que faziam parte dela e eram remanescentes das tradicionais fraternidades a abandonar a prática do duelo sob a alegação de que não era mais necessário para alguém demonstrar sua masculinidade ficar impassível enquanto um oponente fazia uma cicatriz na sua face com um sabre: a pessoa agora poderia provar seu valor lutando em uma verdadeira batalha.[194] A guerra, entretanto, chegou com intensidade cada vez maior às universidades, especialmente naquelas localizadas em cidades grandes. Em julho de 1944, 25 das 61 instituições de ensino superior no Grande Reich Alemão haviam sido danificadas em bombardeios aéreos. A descontinuidade do ensino foi considerável, pois tempo foi gasto para encontrar novas salas de aula e auditórios para palestras, e eles também eram com frequência avariados por bombardeios. Alarmes falsos frequentes causaram uma interrupção ainda maior. No fim da guerra, em 1945, bombardeios haviam acabado com o ensino superior em quase todas as partes da Alemanha: apenas Erlangen, Göttingen, Halle, Heidelberg, Marburg e Tübingen não foram afetadas. Muitas outras universidades tinham sido completamente destruídas. Muito antes disso, estudar ficara mais difícil devido à compreensível decisão de muitas bibliotecas universitárias de remover suas preciosas coleções para minas de carvão ou outros locais semelhantes para que ficassem em segurança. Livrarias foram igualmente afetadas por ataques aéreos e, desse modo, os jornais e os livros de estudo tornaram-se cada vez mais difíceis de encontrar.[195]

Quando Goebbels foi nomeado Plenipotenciário do Reich para o Esforço de Guerra Total em 1944, a educação superior realmente chegou ao fim. Dezesseis mil estudantes foram levados para o *front* e 31 mil foram convocados para trabalhar nas indústrias relacionadas à guerra. Goebbels pretendera fechar todas as universidades, mas fora impedido de fazê-lo por Himmler sob a alegação de que pelo menos algumas de suas atividades beneficiavam diretamente o esforço de guerra. Portanto, os únicos alunos que tiveram permissão de continuar seus estudos foram ou aqueles que estavam perto de fazer os exames finais ou os matriculados em cursos como física, matemática, balística e eletrônica. Ainda havia 38 mil alunos universitários na Alemanha no fim de 1944, embora esse número fosse muito inferior ao dos alunos do ano anterior. Mas eles não conseguiam mais estudar, mesmo que desejassem. A desilusão em relação ao regime era disseminada. Consta que o uso da "saudação hitlerista" havia praticamente acabado muitos meses antes. Contudo, a oposição aberta ao regime ainda era rara. A apatia pura e simples era muito mais comum.[196]

II

Em tais circunstâncias, continuar a fazer pesquisa e a publicar era extremamente difícil para professores universitários. Na verdade, o ano letivo mais longo em 1939 e 1940 tornou isso praticamente impossível para muitos. Apenas se a pesquisa fosse vista como um benefício direto para o esforço de guerra, ou para projetos a ele associados, ela teria algum tipo de prioridade. Publicações na área de artes ou de humanidades foram reduzidas a pouco mais que propaganda. Para a maior parte dos professores, nacionalistas conservadores como eram, a guerra apresentava um chamado espiritual para pegar em armas e lutar pela Alemanha, por mais que desaprovassem o nazismo e suas ideias. Um bom exemplo disso foi o historiador de Freiburg Gerhard Ritter, cujos trabalhos dos anos de guerra, públicos e pessoais, estavam divididos entre sua repulsa moral pelo nazismo e seu comprometimento patriótico com a causa alemã. Assim como muitos outros em sua posição, ele se entusiasmou com as vitórias de 1939 e 1940, mas ficou cada vez mais desiludido com os retrocessos e desastres militares dos anos seguintes. Seu comportamento foi fortemente influenciado pela morte de seu filho no *front* oriental. Em suas palestras públicas e publicações, ele fez o possível para incentivar os ânimos tanto na pátria quanto no *front*; viajou pela França e por outros países ocupados e fez palestras para as Forças Armadas, bem como continuou a lecionar em sua universidade. Progressivamente, entretanto, entremeava suas palestras e seus artigos com apelos pela moderação e críticas implícitas ao que via como extremismo nazista. Ao fazer uma introdução para o relançamento de sua biografia de Martinho Lutero em 1943, por exemplo, insistiu na importância de manter uma consciência pura e uma forte ordem legal. Ritter se opunha violentamente às tentativas dos cristãos alemães de nazificar o protestantismo alemão, e começou a escrever memorandos pessoais a respeito da necessidade de restabelecer uma ordem moral depois que a guerra terminasse. Em novembro de 1944, ele foi finalmente preso pela Gestapo, mas não recebeu maus-tratos na prisão; sobreviveu à guerra e se tornou um destacado membro da histórica reconstrução da Alemanha Ocidental na década de 1950. Seu posicionamento complexo e muitas vezes contraditório durante o Terceiro Reich caracterizou o de muitos outros acadêmicos da área de humanas, e ele não foi o único cujos pontos de vista passaram gradualmente de um apoio positivo, embora sempre condicional, ao regime para uma oposição crescente baseada nos valores cristãos, conservadores e patrióticos que julgava que o regime estava violando.[197]

Outros historiadores e sociólogos, entretanto, especialmente os mais jovens, estavam com muita vontade de participar da guerra tendo em vista o benefício nem tanto da Alemanha, mas sim da ideologia nazista. Especialistas em história da Europa centro-oriental, como o jovem Theodor Schieder e seu colega Werner Conze, declararam que grandes partes da região eram historicamente alemãs e solicitaram reiteradamente a remoção da população judaica a fim de abrir espaço para colonos alemães. Em um memorando apresentado a Himmler, Schieder defendeu a deportação dos judeus para além-mar e a remoção de parte da população polonesa mais para o leste. Outros historiadores mais antigos, incluindo Hermann Aubin e Albert Brackmann, ofereceram seus serviços para a identificação de partes historicamente "alemãs" da região como um prelúdio para a expulsão do resto da população. Estatísticos calcularam a proporção de judeus na região; demógrafos discutiram os detalhes de um possível crescimento populacional futuro que se seguiria à germanização; economistas se dedicaram a análises de custo/benefício da deportação e do extermínio; geógrafos mapearam os territórios que deveriam ser colonizados e desenvolvidos outra vez. Tudo isso, por fim, foi incluído no Plano Geral para o Leste, com sua ambição praticamente ilimitada de reordenamento e de extermínio racial.[198] Essas inúmeras contribuições entusiásticas refletiam a solicitude de vários estudiosos e de instituições para exercer uma influência na reconstrução da Europa sob o domínio nazista, ou ao menos fazer parte dela. Além disso, eles se apressaram em participar dos grandes esquemas desenvolvidos pela liderança nazista para a remodelação de toda a estrutura econômica, social e racial da Europa. "A pesquisa acadêmica não pode simplesmente ficar esperando até ser chamada", escreveu Aubin para Brackmann em 18 de setembro de 1939. "Ela deve se fazer ouvir."[199]

Alguns desses pesquisadores e cientistas ainda estavam trabalhando em universidades durante a guerra, porém, muito mais do que ocorrera durante os anos de paz, a atividade de pesquisa, particularmente nas ciências naturais e físicas, estava concentrada em institutos não ligados à universidade subsidiados por importantes organizações nacionais, de modo mais notável a Sociedade Alemã de Pesquisa e a Sociedade Kaiser Guilherme. Estas sobreviveram na primeira parte da guerra com seus recursos financeiros substanciais, e um dos principais motivos foi por ninguém que estava no poder prestar muita atenção a elas. As vitórias militares alemãs geraram um sentimento generalizado de complacência. As vitórias no oeste em 1940 e o rápido avanço através da União Soviética no ano seguinte demonstraram não apenas a superioridade do armamento alemão, mas também a estatura imbatível da ciência e da tecnologia alemãs. Somente quando as coisas começaram a ir mal os líderes nazistas se voltaram para os cientistas pedindo ajuda. De modo particular, Albert Speer tinha muito interesse em coordenar a pesquisa científica e dirigí-la para projetos bélicos relevantes. No verão de 1943, um Conselho de Pesquisa do Reich foi estabelecido para coordenar e concentrar esforços científicos através de vários institutos de pesquisa e instituições financeiras que competiam entre si no esforço de entregar novos armamentos e novas tecnologias. Mas isso ainda deixava muitas instituições rivais de fora, já que a Força Aérea e o Exército insistiam em administrar seus próprios centros de pesquisa, e a descentralização e a dispersão de pesquisas relacionadas à área militar desafiaram todas as tentativas do Conselho de Pesquisa do Reich de desenvolver uma estratégia de pesquisa coerente que evitasse que as mesmas áreas fossem abordadas por grupos paralelos de pesquisadores.[200]

A pesquisa científica durante a guerra abarcava uma grande variedade de planos e de ambições nazistas. Cientistas em um instituto especialmente criado em Atenas desenvolviam uma pesquisa para aumentar a produção agrícola e de suprimento de alimentos para uso futuro pelos colonos alemães no leste, enquanto uma unidade de botânica da SS coletava espécimes de plantas além do *front* oriental para ver se algum deles tinha valor nutricional.[201] Esse tipo de trabalho envolvia uma dupla troca de favores: os cientistas não estavam apenas sendo cooptados pelo regime, mas também de bom grado usavam as oportunidades de pesquisa que ele oferecia para construir sua carreira de pesquisador e levar adiante seu trabalho científico. Na verdade, era tão intensa a colaboração que algumas pessoas falavam ironicamente a respeito da "guerra a serviço da ciência".[202] Em 1942, a criação de um Instituto de Pesquisa em Psicologia e Psicoterapia do Reich deu o aval definitivo aos esforços de Matthias Göring (um primo do marechal do Reich, cujo nome foi de grande ajuda para a campanha dele) para granjear reconhecimento a uma profissão há muito associada pelos nazistas a médicos judeus como Freud. O instituto pesquisava assuntos relevantes relacionados à guerra, como os motivos para neuroses e colapsos entre as tropas; mas também, como já vimos, fez pesquisas sobre a homossexualidade, que o Exército e a SS viam como uma genuína ameaça à bravura do valente soldado alemão.[203]

A pesquisa racial-biológica foi feita não apenas no Instituto Kaiser Guilherme, mas também na organização de Himmler, a Herança Ancestral, o braço de pesquisas da SS.[204] Os homens de Himmler viajaram para todos os lados, tanto antes quanto durante a guerra, buscando provas para suas frequentemente insensatas teorias raciais e antropológicas. A entidade organizou expedições na Escandinávia, na Grécia, na Líbia e no Iraque buscando restos pré-históricos, e dois pesquisadores exploraram inúmeros sítios no Oriente Médio, enviando relatórios para o serviço de informações alemão à medida que viajavam. Mais surpreendente de tudo, os membros da Herança Ancestral Ernst Schäfer e Bruno Beger conduziram uma expedição da SS ao remoto Tibete, onde fotografaram cerca de 2 mil habitantes, mediram 376 pessoas e fizeram moldes plásticos de dezessete faces tibetanas. Heinrich Harrer, já muito conhecido por ter conquistado a montanha Eiger, conquistou fama ainda maior em outra expedição enviada por Himmler ao Himalaia. Preso pelos britânicos no começo da guerra, ele escapou e passou sete anos no Tibete, tendo posteriormente escrito um *best-seller* no qual relatava suas experiências. Sentindo dificuldades para identificar quem era judeu e quem não era nas étnica e culturalmente misturadas regiões da Crimeia e do Cáucaso quando estas foram dominadas por forças alemãs, Himmler despachou Schäfer e Beger ao local para tentar esclarecer as coisas, de modo que os judeus pudessem ser separados e mortos. Não muito tempo depois, Beger foi envolvido em um estudo em larga escala de supostas características raciais judaicas. Incapaz de continuar seu trabalho por causa do avanço do Exército Vermelho em 1943, ele se transferiu para Auschwitz, onde selecionou e mediu prisioneiros judeus e fez moldes da face deles, sabendo muito bem qual era o iminente destino deles. Depois foi para o campo de concentração em Natzweiler. Lá foi assistido pelo desumano anatomista August Hirt, cujas feições haviam sido severamente desfiguradas por um ferimento no maxilar superior e inferior durante a Primeira Guerra Mundial. Em Natzweiler, os dois começaram uma coleção de crânios judeus, em primeiro lugar fazendo chapas de raios X dos presos, e então, depois de fazê-los morrer com gás, macerando sua carne com uma solução química antes de acrescentar os esqueletos aos arquivos da Herança Ancestral no Castelo de Mittersill. Essas atividades macabras só foram interrompidas com a chegada das tropas aliadas.[205]

III

A ciência médica também foi colocada a serviço da guerra. Civis e militares especialistas em planejamento necessitavam urgentemente de respostas médicas para uma grande variedade de perguntas. Algumas tinham grande importância para a guerra: como combater o tifo com mais eficiência; como evitar que os ferimentos infeccionem; como aumentar as chances de sobrevivência de marinheiros à deriva em barcos salva-vidas depois de seu navio ter sido afundado. Todas as nações em guerra deparavam com tais problemas. Na Alemanha, a ciência médica achou que poderia fazer experimentos em prisioneiros dos campos de concentração em busca de respostas para esses problemas. Ninguém forçava os médicos a fazer esse trabalho; pelo contrário, eles participavam espontaneamente, ou até mesmo pediam para participar. Que isso acontecesse não deveria ser surpreendente: durante alguns anos, os médicos tinham estado entre os mais empenhados defensores da causa nazista.[206] Segundo esse ponto de vista, os prisioneiros dos campos de concentração eram todos ou sub-humanos racialmente inferiores, ou criminosos violentos, ou traidores da causa alemã, ou estavam em mais de uma dessas categorias ao mesmo tempo. Fossem o que fossem, para os médicos nazistas – dois terços da categoria médica no Terceiro Reich –, eles não pareciam ter direito à vida ou ao bem-estar, e, portanto, eram escolhas óbvias para experimentos médicos que na verdade poderiam, e em muitos casos sem dúvida iriam, causar dor, sofrimento, doenças e morte.

O uso de prisioneiros dos campos para experimentos médicos aconteceu pela primeira vez em Dachau, onde a figura de maior destaque era um ambicioso jovem médico da SS, Sigmund Rascher. Nascido em 1909, Rascher filiara-se ao Partido Nazista em 1933 e, no começo da guerra, estava trabalhando para a organização de pesquisas de Himmler, a Herança Ancestral. A companheira de Rascher, Karoline Diehl, uma antiga cantora 16 anos mais velha, era uma antiga amiga pessoal de Himmler e, por isso, o líder da SS reagiu de modo positivo quando o médico lhe apresentou um projeto para o diagnóstico precoce do câncer. Rascher mencionou a perspectiva de se criar uma forma infecciosa de câncer que poderia ser usada como veneno para ratos. A fim de realizar a pesquisa, ele obteve permissão de Himmler para fazer exames de sangue nos prisioneiros que estavam no campo de concentração de Dachau havia muitos anos. Em 1941, Rascher, que nesse ínterim fora nomeado médico oficial de reserva nas Forças Armadas, também persuadiu o líder da SS a permitir que ele conduzisse experimentos em prisioneiros de Dachau destinados a testar as reações do corpo humano à rápida descompressão e à falta de oxigênio em altitudes extremas, com o objetivo de descobrir como manter um piloto vivo quando ele era forçado a saltar de paraquedas de uma cabine pressurizada a dezoito ou 21 quilômetros de altitude. Quase trezentos experimentos foram feitos em dez ou quinze prisioneiros políticos em uma câmara de descompressão móvel em Dachau de fevereiro a maio de 1942. O sofrimento infligido aos prisioneiros foi considerável, e sabe-se que pelo menos três deles morreram durante os testes. Quando o colega mais velho, que tinha o apoio da Força Aérea, estava ausente, Rascher fazia "experimentos terminais" adicionais, como os chamava, nos quais a morte da pessoa era planejada desde o início: estes consistiam em ver quanto tempo alguém conseguiria permanecer vivo quando o suprimento de ar era gradualmente diminuído. Alguns dos indivíduos, descritos por Rascher como "criminosos profissionais judeus que enfraqueciam a raça", eram deixados inconscientes em um salto simulado de paraquedas sem oxigênio de uma altura equivalente a catorze quilômetros acima da superfície terrestre, e então eram mortos por afogamento antes de recobrarem os sentidos. Rascher relatou esses experimentos diretamente a Himmler, que visitou Dachau com o intuito de observá-los. Os experimentos também foram filmados, e os resultados mostrados em uma reunião da equipe médica das Forças Armadas no Ministério da Aviação em 11 de setembro de 1942. Entre setenta e oitenta prisioneiros foram mortos durante esse projeto.[207]

Himmler ficou tão satisfeito com o trabalho de Rascher que, no verão de 1942, ele criou um Instituto de Pesquisas Aplicadas às Ciências Bélicas, como parte da divisão da SS Herança Ancestral, com o objetivo expresso de fazer pesquisas médicas nos campos de concentração. As atividades de Rascher em Dachau tornaram-se parte dessa organização. Já em junho, Himmler, estimulado pela Força Aérea, havia nomeado Rascher para realizar experimentos em prisioneiros a fim de determinar a melhor maneira de garantir a sobrevivência dos pilotos que caíam nas águas geladas do mar do Norte. Enquanto eles flutuavam em grandes tanques cheios de água em temperaturas variadas (mas sempre baixas), vestidos com uniformes da Força Aérea e coletes salva-vidas, o corpo dos prisioneiros era monitorado atentamente enquanto diversas simulações de tentativas de resgate eram realizadas. Em outubro de 1942, entre quinze e dezoito dos cinquenta ou sessenta prisioneiros submetidos a esse tratamento haviam morrido. A média de tempo antes da morte era de setenta minutos. A remoção e a imersão em um banho quente não causavam um choque ao sistema, como Rascher havia esperado, mas acarretavam melhora imediata. Ele apresentou os resultados em uma grande conferência com 95 pesquisadores médicos em Nuremberg nos dias 26 e 27 de outubro de 1942; nenhum deles levantou nenhuma objeção quanto ao uso de prisioneiros como cobaias, ou quanto ao fato de muitos deles terem morrido devido aos experimentos.[208]

Isso marcou, talvez, o auge da carreira de Rascher. O progresso dela sempre dependera quase exclusivamente da simpatia que Himmler lhe demonstrava. Quando o chefe da SS inicialmente objetou ao seu casamento com Karoline Diehl alegando que ela era velha demais para ter filhos, o casal provou que ele estava errado anunciando que ela estava grávida. Quando Rascher informou a Himmler que sua noiva tinha dado à luz dois filhos, o casamento foi aprovado, e Himmler chegou mesmo a mandar ao casal um buquê de flores com seus mais calorosos parabéns. Contudo, o líder da SS estava sendo enganado, e quando Karoline Rascher anunciou que tinha dado à luz outro bebê no começo de 1944, até mesmo Himmler ficou desconfiado: certamente, aos 52 anos, uma mulher era velha demais para ter filhos. Uma investigação revelou que ela roubara um bebê de sua mãe na principal estação ferroviária de Munique e que obtivera seus outros filhos mais ou menos da mesma maneira. Himmler, furioso por ter feito papel de bobo, mandou prendê-la, confiná-la em Ravensbrück e executá-la. Rascher foi demitido de todos os seus cargos e aprisionado em Buchenwald; no fim da guerra, foi transferido de volta para Dachau e lá foi morto com um tiro três dias antes da libertação do campo.[209]

Contudo, a desgraça de Rascher não encerrou os experimentos médicos dessa natureza. A Força Aérea e a Marinha da Alemanha também estavam preocupadas com a sobrevivência de aviadores e de marinheiros que conseguissem entrar em um bote ou em um salva-vidas, mas não tivessem água para beber. A tripulação dos aviões deparava particularmente com esse problema, já que os suprimentos de água em qualquer quantidade eram pesados demais para carregar a bordo de seus aviões. Como uma série de experimentos para a conversão de água do mar em água potável foi ineficaz, por envolver indivíduos cuja saúde não poderia ser comprometida por serem voluntários genuínos, o professor Oskar Schröder, um proeminente médico da Força Aérea, solicitou a Himmler, em 7 de junho, 40 indivíduos saudáveis de campos de concentração. Os jovens foram selecionados entre mil ciganos transferidos de Auschwitz para Buchenwald e lhes foi dito que, se fossem voluntários para tarefas especiais em Dachau, seriam bem alimentados e que os experimentos não seriam perigosos: o médico encarregado dos experimentos, Wilhelm Beiglböck, lhes disse que ele mesmo havia bebido água do mar sem efeitos prejudiciais. Depois de terem sido alimentados com a comida das Forças Armadas por uma semana, os indivíduos eram submetidos a uma dieta de água marinha tratada de diferentes maneiras ou, em alguns casos, sem nenhum tratamento. Logo todos estavam sofrendo com uma sede insuportável. Caso se recusassem a beber mais água do mar, eram forçados a isso. Um homem foi levado à loucura por causa do desespero e teve de ser colocado em uma camisa de força, e outro foi amarrado a sua cama. Outros ficaram prostrados, apáticos ou gritavam de dor. Quando o chão foi limpo, os homens se jogaram nele para lamber os vestígios de água deixados pelo esfregão. E mesmo que ninguém tenha morrido por causa desses experimentos, a dor e o sofrimento que eles causaram foram tão grandes quanto foram insignificantes os resultados.[210]

Outros experimentos foram conduzidos por pesquisadores médicos interessados no tratamento dos ferimentos sofridos em batalha. Depois da morte de Reinhard Heydrich por septicemia, Himmler, agindo segundo as instruções de Hitler, ordenou que experimentos fossem feitos sob a supervisão do médico do Reich Ernst-Robert Grawitz, para verificar se, e em quais condições, uma série de sulfonamidas poderia ser eficaz contra infecções desse tipo. Sulfonamidas eram antibacterianos, os antecessores dos antibióticos, e tinham sido desenvolvidos pela companhia farmacêutica Bayer com algum sucesso; o patologista Gerhard Domagk recebeu o Prêmio Nobel de Medicina por seu papel no desenvolvimento de uma variedade comercial conhecida como Prontasil em 1939, embora Hitler o tenha impedido de receber o prêmio. Em julho de 1942, Karl Gebhardt, médico particular de Himmler, começou a fazer experimentos no campo de Ravensbrück com jovens prisioneiros poloneses, quinze rapazes e 42 moças, a maioria deles estudantes. A reputação de Gebhardt, seriamente afetada pela falha de suas sulfonamidas em salvar a vida de Heydrich, dependia do sucesso desse trabalho. Gebhardt se dedicou a ele com entusiasmo e empenho. Em primeiro lugar, simulou ferimentos de guerra cortando as panturrilhas dos indivíduos, esmagando os músculos e costurando material infeccioso nos ferimentos, juntamente, em alguns casos, com cacos de vidro e lascas de madeira ou pedaços de gaze infectados com diversas culturas bacterianas. Gebhardt tratava os pacientes com sulfonamidas e então reabria os ferimentos depois de quatro dias para avaliar o efeito do remédio. Nenhum efeito era percebido. Experimentos semelhantes foram realizados na mesma época em Dachau, onde dez pessoas morreram de gangrena causada por infecções provocadas artificialmente. Entretanto, Grawitz não considerava que os experimentos em Ravensbrück tivessem sido conclusivos, já que os ferimentos haviam sido leves; então, Gebhardt selecionou outras 24 mulheres e injetou tecido gangrenoso nelas; três morreram, mas as demais sobreviveram, muito provavelmente devido ao tratamento com sulfonamida. Gebhardt fez outros experimentos no campo, chegando a esmagar ossos de mulheres com um machado para simular ferimentos de guerra. O tratamento com sulfonamida foi eficaz o suficiente para Himmler reabilitar Gebhardt e permitir que ele retomasse sua carreira. Em Dachau, médicos da SS fizeram um trabalho semelhante, injetando pus em 40 padres católicos, em sua maioria poloneses, e tratando uns mas outros não, e não somente anotaram os efeitos mas também os fotografaram. Doze morreram, e todos sofreram demasiadamente. Muitos dos experimentos com sulfonamida deixaram os indivíduos com sérios problemas de saúde ou com deficiências físicas para o resto da vida.[211] Em maio de 1943, os resultados dos experimentos foram apresentados em uma conferência médica na qual nenhuma tentativa foi feita para ocultar o fato de que os indivíduos não haviam dado seu consentimento para a pesquisa feita com eles.[212]

Não apenas ferimentos, mas também doenças eram o tema de experimentos médicos nos campos. Ocupando um lugar de destaque entre elas estava o tifo, doença que pesquisas realizadas pouco antes da Primeira Guerra Mundial tinham demonstrado ser transmitida pelo piolho do corpo humano. Com a exceção de matar os piolhos, não havia um meio de evitar a doença até que pesquisadores poloneses desenvolveram uma vacina no começo da década de 1930; mas sua produção era difícil, cara e muito demorada. O Exército alemão começou a fabricá-la, mas não tinha condições de produzir as quantidades necessárias. O temor de que os soldados alemães pudessem pegar piolhos por meio do contato com militares e com a população civil no leste levou a uma intensificação da pesquisa alemã, incluindo os laboratórios da I. G. Farben. Uma quantidade de vacinas foi produzida, mas a dosagem de que os militares precisavam era incerta, e sua eficácia, questionável. Fazer experimentos em humanos parecia aos pesquisadores médicos alemães o método óbvio de responder a essas perguntas. Depois de ser aprovados em 29 de dezembro de 1941 em um encontro de representantes de várias partes interessadas, incluindo a Inspetoria Sanitária do Exército, a SS Militar, o líder da saúde do Reich e o Instituto Robert Koch (o centro de maior destaque em pesquisas bacteriológicas), experimentos foram iniciados no campo de concentração de Buchenwald. No primeiro experimento, foi dada a 145 presos uma série de vacinas, ou não (se fossem do grupo de controle), e cerca de uma quinzena depois da dose final, o sangue de um paciente infectado com a forma mais virulenta de tifo lhes foi injetado. O experimento foi repetido outras oito vezes com diferentes vacinas. O resultado foi fatal para 127 dos 537 prisioneiros dos campos submetidos a esses procedimentos.[213]

A batalha de Stalingrado, na qual tropas alemãs haviam morrido aos milhares de desnutrição, tinha sugerido a Hitler que tinham de ser encontradas novas maneiras para alimentar os soldados. O médico de Hitler, Karl Brandt, o chefe da SS, Heirich Himmler, e muitos especialistas em nutrição debateram o que poderia ser feito. Finalmente, um tipo de patê artificial chamado Nutrição Oriental (*Östliche Kostform*), feito de sobras de celulose, foi desenvolvido e dado a 450 prisioneiros aparentemente saudáveis em Mauthausen em 1943. A perspectiva de poder usá-lo para toda a população dos prisioneiros dos campos de concentração era particularmente atraente. Os prisioneiros acharam a pasta nojenta, mas não tinham alternativa. Em um segundo experimento feito em Mauthausen, 150 prisioneiros foram obrigados a se alimentar com essa pasta por seis meses. Cento e dezesseis morreram, porém, dadas as condições nas quais eram mantidos, não era possível dizer até que ponto a dieta contribuiu para seu falecimento.[214] Quase tão séria em Stalingrado fora a alta taxa de infecções causadas por icterícia epidêmica, ou hepatite, que afetou cerca de 6 milhões de soldados no *front* oriental entre junho de 1941 e o fim de 1942, segundo estimativas do Exército. Kurt Gutzeit, professor de medicina em Breslau e conselheiro do Exército que era especialista na doença, queria demonstrar que ela era infecciosa, e obteve permissão da SS para conduzir experimentos em prisioneiros dos campos. Em junho de 1943, com o apoio de Karl Brandt e de Heinrich Himmler, o assistente de Gutzeit, Arnold Dohmen, foi para Auschwitz, onde selecionou um grupo de jovens judeus no campo de chegada. Em 10 de agosto, levou dez deles, vestidos com roupas civis e viajando em trens especiais para passageiros, até Berlim, e de lá para Sachsenhausen. Depois de uma licença para se casar e viajar em lua de mel, Dohmen chegou ao campo em outubro, mas começou a ficar em dúvida quanto à ética do experimento, e não foi senão um ano depois que, tendo sido submetido a uma forte pressão por parte de seus superiores, ele injetou hepatite nos indivíduos e fez punções do fígado em dois deles para ver se haviam contraído a doença. Não se sabe de nenhum que tenha sofrido sequelas físicas muito tempo depois disso, mas a hepatite infecciosa normalmente não os causa. A angústia que sentiram, particularmente por terem sido separados de seus pais, cujo destino era mantido em segredo para eles, foi considerável.[215]

Experimentos também foram realizados com o intuito de tentar descobrir um modo de tratar queimaduras de fósforo causadas por dispositivos incendiários. Com a aprovação de Himmler, Ernst Grawitz fez que um médico da SS passasse fósforo nos braços de cinco presos do campo de Buchenwald em 1943, e então ateasse fogo neles. A dor, segundo os sobreviventes, era dilacerante. A pomada colocada nos ferimentos parece ter causado pouco efeito, e alguns dos indivíduos morreram.[216] Em Sachsenhausen e em Natzweiler, gás mostarda, que causara tanto sofrimento durante a Primeira Guerra Mundial, e que, assim eles temiam, pudesse ser usado em bombardeios aliados, foi injetado em alguns prisioneiros, enquanto outros foram obrigados a bebê-lo na forma de líquido, ou forçados a inalá-lo. Em alguns fizeram-se ferimentos que depois foram contaminados com o gás. Três prisioneiros haviam morrido durante os experimentos no começo de 1943, mas os cientistas que trabalhavam para a organização Herança Ancestral relataram um certo sucesso com o tratamento. Em experimentos subsequentes que envolviam o gás fosgênio, quatro prisioneiros russos foram mortos, e houve outras mortes de prisioneiros, em dezembro de 1944, com experimentos feitos com gás mostarda no campo de Neuengamme. Realizados sob os auspícios de Karl Brandt e da SS, em muitos casos com o conhecimento pessoal de Hitler, esses experimentos perigosos, frequentemente dolorosos, e muitas vezes fatais, eram infligidos a pessoas que não tinham escolha quanto a se submeter a eles. Nenhuma dessas pesquisas jamais trouxe algum proveito para os soldados, os marinheiros e os aviadores alemães que elas tencionavam ajudar.[217]

IV

Prisioneiros dos campos também foram usados para pesquisas que não tinham uma implicação prática óbvia ou imediata. A figura mais destacada era a do doutor Josef Mengele, médico do campo em Auschwitz. Mengele era assistente científico do proeminente higienista racial barão Otmar von Verschuer, na Universidade de Frankfurt am Main. Mengele havia publicado artigos científicos defendendo diferenças raciais na estrutura do maxilar inferior, na fissura labiopalatal e em uma deformidade da orelha conhecida como *fistulæ auris*. Era membro do Partido Nazista e da SS, e se juntou à SS Militar em 1940, onde serviu como oficial médico no *front* oriental. Lá ganhou a Cruz de Ferro, primeira classe, e foi ferido em ação. Em maio de 1943, foi transferido para o Escritório Central de Economia e Administração da SS e no fim do mês enviado para Auschwitz, onde causou uma impressão imediata entre os presos com sua jovem e bela aparência, seu uniforme bem talhado e as botas muito polidas, sua educação e elegância. Tudo isso o afastou da forma mais drástica possível da massa de esfarrapados e desnutridos prisioneiros. Ele viu em Auschwitz a oportunidade de retomar sua carreira como pesquisador científico depois de uma interrupção no *front*. Um de seus projetos de pesquisa se voltava para a noma, uma doença em que a desnutrição severa fazia que a bochecha se atrofiasse e uma úlcera gangrenosa se abrisse, expondo os dentes e a mandíbula. Buscando supostos fatores hereditários para a doença, que ele julgava poderia afetar ciganos mais que outros grupos, Mengele tratou um grande grupo de crianças que sofriam dessa doença em Auschwitz, dando-lhes vitaminas e sulfonamidas e causando uma melhora considerável na condição delas.[218]

Para Mengele, entretanto, tal tratamento era um meio para um fim científico, não um fim em si mesmo. Assim que o tratamento causou uma melhora suficiente para fornecer provas convincentes de sua eficácia, ele o suspendeu, e as crianças voltaram a seu estado anterior e foram atacadas pela doença de novo. Para ele, elas eram indivíduos envolvidos em um experimento médico, não pacientes médicos. Energético e trabalhador incansável, Mengele desenvolveu outros projetos de pesquisa, alguns dos quais receberam o apoio do Instituto Kaiser Guilherme de Antropologia em Berlim, onde seu professor, Verschuer, recebia relatórios regulares a respeito de seu trabalho no campo.[219] Mengele achava que seu projeto mais importante seria o desenvolvido a partir da proposta de Verschuer de que as influências hereditárias poderiam ser estudadas em pesquisas com gêmeos. Auschwitz ofereceu a Mengele uma oportunidade única para conseguir indivíduos para sua pesquisa. Ele podia ser visto com frequência inspecionando novas chegadas na rampa de seleção mesmo quando não estava em serviço, procurando novos pares de gêmeos. Rodeado pela massa de judeus que chegavam, gritando "gêmeos, fora!", ele retirava gêmeos de qualquer idade da massa de famílias apavoradas e os levava para um dos três prédios que usava para o projeto. Mandava que cada um deles fosse tatuado com um número de prisioneiro especial e os colocava em alojamentos separados do resto do campo. Era-lhes permitido conservar suas próprias roupas e não tinham de raspar a cabeça. Se fossem muito novos, a mãe era poupada da câmara de gás para tomar conta deles.

Mengele não permitia que os gêmeos fossem espancados ou maltratados, caso isso pudesse interferir em seus experimentos. Mandava medi-los minuciosamente antes de injetar-lhes, às vezes na coluna, inúmeros produtos químicos para ver se reagiam de modo diferente, ou aplicando produtos químicos na pele deles para observar o efeito. Tais experimentos causavam surdez, desmaios ou até mesmo, se as crianças fossem muito pequenas, morte. Às vezes, se os gêmeos ficassem doentes e houvesse diagnóstico conflitante, Mengele lhes daria uma injeção fatal e faria uma autópsia para determinar a natureza de sua doença. No geral, entretanto, ele mantinha os gêmeos vivos. Os mais velhos foram evacuados de Auschwitz em janeiro de 1945, e seu destino é incerto. Uma estimativa calcula a proporção dos que morreram em consequência de experimentos em torno de 15%. Embora Mengele tencionasse que sua pesquisa fosse a base para sua habilitação, o segundo doutorado requerido na Alemanha para qualificação a uma carreira acadêmica, o valor dela era duvidoso em termos científicos. Ele era, por exemplo, incapaz de determinar se os gêmeos que obtinha eram idênticos ou não, e na verdade alguns irmãos que eram próximos em idade e aparência conseguiram se salvar das câmaras de gás se fazendo passar por gêmeos, mesmo que não o fossem.[220]

Mengele conquistou notoriedade entre os sobreviventes dos campos não tanto por suas experiências, mas por seu papel na seleção dos prisioneiros para extermínio. Geralmente sozinho, com sua aparência imaculada, parado na rampa e com um chicote nas mãos, ele olhava rapidamente cada chegada antes de pronunciar "esquerda" ou "direita", segundo o que julgasse fosse a condição física e a utilidade (ou não) dos recém-chegados para os programas de trabalho do campo. Ele estava lá com tanta frequência que muitos prisioneiros assumiam, erroneamente, que ele era o único médico dos campos a se dedicar a tal tarefa. Alguns achavam que ele se parecia com um astro de Hollywood. Somente quando deparava com resistência perdia sua pose elegante, açoitando as pessoas com o chicote se elas se recusassem a ser separadas de sua família, ou, em uma ocasião, sacando seu revólver e baleando uma mãe que atacou fisicamente um homem da SS que tentava separá-la de sua filha. Mengele baleou a filha também e então, como punição, mandou todas as pessoas para o transporte para a câmara de gás, gritando: "Acabem com essa merda!". Fazendo a inspeção das alas no hospital do campo, com um imaculado casaco branco sobre seu uniforme da SS, cheirando a água-de-colônia e assobiando trechos de Wagner, ele indicava com o polegar para cima ou para baixo quais pacientes deveriam ser selecionados para a câmara de gás. Com frequência, selecionava-os apenas por razões estéticas, destinando-os à morte se tivessem uma cicatriz feia ou uma erupção no corpo. Em uma ocasião, riscou uma linha horizontal na parede do bloco infantil e mandou todas as crianças cuja cabeça não alcançava a linha para a câmara de gás. Às vezes, ele não esperava e injetava pessoalmente nos presos uma solução mortal de ácido fênico. O que chocava os presos era o evidente prazer com que Mengele fazia seu trabalho. Eis um homem que estava completamente à vontade com o poder que tinha sobre a vida e a morte.[221]

Mengele não limitou suas pesquisas sobre a hereditariedade aos gêmeos. Também selecionou pessoas com anormalidades físicas, corcundas, transexuais e outros semelhantes, em alguns dos quais ele havia dado um tiro, de modo a poder anatomizar seu corpo na mesa de autópsia. Tinha um entusiasmo particular em sua busca por anões, os quais mantinha no alojamento dos gêmeos, para fazer experimentos em busca de causas hereditárias para sua condição física. Mengele também usou sua posição para suprir com olhos de prisioneiros mortos um projeto de pesquisa de seu instituto em Berlim, onde cientistas estavam estudando o fenômeno da heterocromia (os dois olhos de uma mesma pessoa terem cores diferentes). Se Mengele descobrisse quaisquer prisioneiros com essa condição, ordenava que fossem mortos. Em uma ocasião, quando seu assistente prisioneiro colocou os olhos de todos os oito membros de uma família cigana depois da morte deles para serem enviados a Berlim, o funcionário encarregado do envio descobriu que havia apenas sete pares de olhos; o assistente, apavorado com o que Mengele poderia fazer caso descobrisse, vasculhou o necrotério atrás de corpos de ciganos, retirou um olho azul de um e um olho preto de outro, e fez que fossem colocados no pacote com os demais. Nesse caso, também, o trabalho científico não era nem um pouco confiável. De modo muito característico, Mengele deu um passo adiante e tentou criar espécimes arianos perfeitos a partir de crianças com cabelo loiro e olhos castanhos injetando nos olhos delas azul de metileno. O procedimento, é claro, não teve êxito para causar uma mudança permanente na cor dos olhos, mas causou uma dor considerável, em alguns casos prejudicou a visão das crianças e, pelo menos em um caso relatado, causou a morte. Em todos esses projetos, Mengele via a si mesmo como um cientista comum, e chegou mesmo a realizar seminários de pesquisa regulares com seus assistentes, que incluíam prisioneiros dos campos que eram médicos. Mengele presidia o encontro e pedia aos médicos-prisioneiros que discutissem casos específicos. A liberdade de debate era, naturalmente, restrita, devido ao fato de, como um deles salientou posteriormente, eles terem medo de discordar de Mengele porque ele mandaria matar qualquer um a qualquer hora, e pelo menor dos motivos.[222]

Josef Mengele acabou se tornando nas décadas posteriores ao Terceiro Reich um símbolo para a perversão da ciência médica. No entanto, seus experimentos foram apenas uns poucos entre uma quantidade muito maior realizada por diversos médicos nos prisioneiros dos campos. Eles incluíam a pesquisa dirigida pelo doutor Kurt Heissmeyer no campo de concentração de Neuengamme, na qual vinte crianças judias com idades entre cinco e doze anos, trazidas de Auschwitz, foram infectadas com tuberculose virulenta e tratadas de muitas maneiras, incluindo a remoção cirúrgica de nódulos linfáticos inchados. No fim da guerra, em 20 de abril de 1945, com o intuito de destruir as evidências desses experimentos, as crianças sobreviventes foram levadas por um dos médicos para o subcampo em Bullenhuser Damm e receberam uma injeção de morfina; depois, um membro da SS que o acompanhava enforcou as crianças adormecidas uma por uma, puxando o corpo delas para ter certeza de que morreriam. Outros experimentos médicos foram feitos por solicitação especial de Himmler, por razões políticas em vez de científicas. Em Auschwitz, por exemplo, médicos que trabalhavam para Himmler conduziram experimentos em prisioneiras com injeções e tratamentos com raios X procurando um método simples e rápido de esterilização em massa, e que em muitos casos resultou na perda dos cabelos e dos dentes, no desaparecimento completo de desejo sexual ou, nos casos mais sérios, no começo de câncer. Os homens eram bombardeados com raios X dirigidos a seus testículos, o que muitas vezes causava impotência ou sérias sequelas físicas que faziam que tivessem dificuldade para urinar. Oficiais de alto escalão da SS sonhavam com tais métodos sendo aplicados a 10 milhões de pessoas racialmente inferiores, ou em homens judeus que seriam necessários para o trabalho, mas eles nunca passaram do estágio experimental.[223] Cientistas da área médica no Instituto Kaiser Guilherme também fizeram pesquisas no cérebro de centenas de pacientes mortos na ação de "eutanásia", para verificar se eles exibiam algum sinal consistente de degeneração.[224] E, em novembro de 1942, reclamações feitas nos institutos de anatomia das universidades alemãs de que não tinham cadáveres em quantidade suficiente para dissecação para o ensino e a pesquisa levou a uma lei do Ministério da Justiça de que eles poderiam ficar com os restos mortais dos criminosos executados em prisões alemãs sem precisar da permissão de seus familiares, uma lei que em menos de um ano levou a outras reclamações feitas pelos institutos, dessa vez de que "as entregas maciças de corpos de criminosos executados durante os últimos meses levaram a uma total lotação de nossas instalações de conservação".[225]

Houve algum experimento médico feito nos campos que tivesse certo valor científico? Alguns, como os de Mengele, eram claramente falhos no tocante à ciência. Outros, obviamente, não tinham uma aplicação médica defensável. Foi o que aconteceu, por exemplo, no hospital de Hohlenlynchen, onde foi desenvolvido um método de injetar bacilos vivos de tuberculose nas pessoas e que as mataria com rapidez, permitindo aos médicos relatar tuberculose como *causa mortis*; isso foi necessário porque o método habitual de matar as pessoas injetando-lhes fenol ou gasolina fazia que os cadáveres exalassem um cheiro suspeito. As pequenas cápsulas de cianureto de potássio para suicídio, invenção de Sigmund Rascher, teriam uma grande aplicação no fim da guerra, mas dificilmente poderiam ser consideradas úteis para fins médicos ou científicos. Entretanto, outros experimentos feitos em prisioneiros dos campos de concentração na Alemanha eram vistos no país como ciência comum, seus resultados apresentados em conferências e publicados em revistas de medicina com boa reputação. Procedimentos experimentais padrão eram usados na avaliação dos experimentos realizados, por exemplo, pela Companhia Farmacêutica Bayer em prisioneiras de Auschwitz, as quais ela tinha adquirido para esses fins da SS pela quantia de setecentos reichsmarks cada. Quando Karl Gebhardt e Fritz Fischer ordenaram que as prisioneiras recebessem uma injeção de bactérias causadoras de gangrena gasosa, estafilococos ou edema maligno em Ravensbrück, e depois novas drogas fossem testadas nelas, os resultados foram discutidos em uma conferência posterior, e com médicos proeminentes, como o famoso cirurgião Ferdinand Sauerbruch. Contudo, sugerir que tal trabalho estava de acordo com os procedimentos científicos normais da época não legitima de jeito nenhum os métodos por ele empregados. A pesquisa médica nesses casos não era ética, porque as pessoas não tinham escolha a não ser participar dela, e causava dor, e muitas vezes a morte: na verdade, ela não seria ética nem se as pessoas participassem voluntariamente, dado o compromisso moral fundamental da medicina de preservar a vida, e não acabar com ela.[226]

Resistência

I

Em 4 de outubro de 1943, em Posen, Heinrich Himmler fez um discurso para membros do alto escalão da SS, e o repetiu quase da mesma forma dois dias depois para os líderes regionais do Partido e outras figuras proeminentes, incluindo Joseph Goebbels e Albert Speer.[227] O discurso continha o que se tornou desde então um de seus mais famosos pronunciamentos. "A evacuação dos judeus", declarou ele, "[...] é uma página digna de louvor da nossa história que nunca será escrita". Os judeus eram uma ameaça ao Reich, declarou ele. Portanto, estavam sendo mortos, e não somente os homens:

> Fomos confrontados com essa questão, e quanto às mulheres e às crianças? – Decidi encontrar uma solução totalmente clara para esse ponto também. Por isso, não senti que tinha o direito de exterminar os homens – vamos dizer então, de matá-los ou fazer que eles fossem mortos – se permitisse que seus vingadores, sob a forma de seus filhos, crescessem e se vingassem em nossos filhos e netos. A decisão realmente difícil tinha de ser tomada para fazer que esse povo desaparecesse da face da Terra. Para a organização que tinha de realizar a tarefa, essa era a decisão mais difícil que tivemos de tomar.[228]

Muitos meses depois, em 5 de maio de 1944 e outra vez em 24 de maio de 1944, ele repetiu esses sentimentos em pronunciamentos para oficiais do alto escalão em Sonthofen, descrevendo quão difícil tinha sido para ele "o cumprimento dessa ordem própria de um soldado e que foi dada a mim" para exterminar os judeus. Matar as mulheres e as crianças assim como os homens, ele deu a entender, foi sua interpretação pessoal da ordem de Hitler; a referência à "ordem própria de um soldado" poderia ser apenas uma referência a Hitler, já que não havia ninguém mais de quem Himmler tivesse de aceitar ordens de qualquer tipo. O próprio Hitler, entretanto, foi claro o bastante a respeito de sua responsabilidade geral. Como ele disse para os oficiais militares de alto escalão em 26 de maio de 1944: "Ao remover os judeus, removi da Alemanha a possibilidade de construção de qualquer tipo de células ou de núcleos revolucionários [...] O humanitarismo significaria a maior crueldade para com seu próprio povo, aqui, bem como, de modo geral, em qualquer lugar".[229] Era uma batalha de vida ou morte. Se os judeus não fossem eliminados, eles exterminariam todo o povo alemão. Não apenas os generais e os funcionários subordinados do Partido, mas também o próprio Himmler, pareciam compartilhar da visão de que o extermínio dos judeus era um crime, um crime necessário de acordo com seu ponto de vista, mas, apesar disso, um crime: por que, se não fosse assim, os livros de história que seriam escritos no futuro nunca ousariam mencionar isso? Tal crime seria motivo para uma retaliação, caso a Alemanha perdesse a guerra. Então, esses discursos, feitos em uma época em que a situação militar da Alemanha estava se tornando progressivamente mais desesperada, tinham como um de seus maiores propósitos relembrar aos membros do alto escalão do Partido e aos generais sua cumplicidade nesse genocídio, com o intuito de garantir que eles continuariam a lutar até o fim, um ponto muito bem compreendido por Goebbels, que escreveu em seu diário, em 9 de outubro de 1944, que Himmler em seu discurso "urgiu a solução mais radical e a mais dura, a saber, exterminar a judiaria, com armas e bagagem. Essa é com certeza a solução mais consistente, mesmo que seja brutal. Pois temos de assumir a responsabilidade de solucionar por completo essa questão para nossos tempos".[230]

Para os líderes da SS, em 4 de maio de 1944, Himmler enviara uma mensagem ainda mais explícita. Não tinha dúvidas de que eles continuariam a lutar até o fim. Queria relembrá-los, contudo, de que o extermínio dos judeus tinha de ser feito onde e do modo que fosse possível, e sem exceções:

"O povo judeu será exterminado", diz cada camarada do Partido. "É claro, está em nosso programa. A eliminação dos judeus, extermínio, e faremos isso." E então eles aparecem, os valorosos 80 milhões de alemães, cada um com seu judeu decente. É claro que outros são porcos, mas este é um bom judeu. Nenhum daqueles que fala desse jeito viu isso acontecer, nenhum deles passou por isso. A maioria de vocês vai entender o que isso significa quando uma centena de corpos estiver deitada lado a lado, ou quinhentos, ou mil, estiverem postos lá. Ficar firme em seus postos e – a não ser por algumas exceções devido à fraqueza humana – ter permanecido decente, isso é o que nos tornou fortes.[231]

Até mesmo os membros da SS que eram responsáveis pelas mortes, portanto, ouviam de Himmler que o que eles estavam fazendo ia contra a vontade da maior parte dos alemães.

A maior parte dos judeus da Europa já havia sido morta nessa época; mas uma grande comunidade judaica permanecera mais ou menos intocada, especificamente, os judeus da Hungria, e fazia certo tempo que Hitler solicitava ao regime de Hórty que eles lhe fossem entregues. Com a situação militar se deteriorando rapidamente, sinais de que Hórty estava se preparando para mudar de lado começaram a se multiplicar. A Hungria, ainda a maior fonte de petróleo para o Reich, não poderia escapar do controle alemão. Hitler convocou Hórty para que fosse encontrá-lo no dia 18 de março de 1944 e lhe disse que as forças alemãs iriam ocupar seu país imediatamente. A única questão era se isso seria feito sem derramamento de sangue. Hórty não tinha escolha a não ser aceitar o ultimato, e concordar em colocar o embaixador em Berlim, Döme Sztójay, que era favorável à Alemanha, como primeiro-ministro. Uma das queixas de Hitler quanto a Hórty, e não a menor delas, era a de que, como ele disse ao regente húngaro em seu encontro, "a Hungria nada fez em relação à questão judaica, e não estava preparada para acertar as contas com a grande população judia na Hungria". Agora, tudo isso estava prestes a mudar.[232]

Tropas alemãs entraram na Hungria em 19 de março de 1944. No mesmo dia, Adolf Eichmann chegou a Budapeste, e foi seguido pouco depois por uma unidade especial liderada por Theodor Dannecker, encarregado da prisão e da deportação de judeus húngaros. Dois antissemitas radicais, László Endre e

László Bary, foram nomeados os mais altos funcionários públicos no Ministério do Interior, para auxiliar na captura. Como era costumeiro, um conselho judaico foi estabelecido, e em 7 de abril de 1944 o uso compulsório da estrela de Davi foi introduzido. As primeiras prisões de judeus começaram então na Transilvânia húngara e na Cárpato-Ucrânia, onde guetos e campos foram rapidamente construídos, tudo com a cooperação total da polícia húngara. Enquanto isso, a Gestapo prendeu milhares de profissionais, intelectuais, jornalistas, membros da esquerda ou políticos liberais judeus, e outras figuras de destaque, a maior parte em Budapeste, e os mandou para campos na Áustria. Seu destino posterior permanecia, no momento, incerto. O mesmo não acontecia com os judeus do interior do país, que agora estavam sendo agrupados em novos campos temporários e guetos na Hungria. Embora o conselho e também muitos judeus soubessem muito bem, devido a contatos pessoais, ao serviço húngaro da BBC e a muitas outras fontes qual era o destino que esperava os judeus deportados que pegavam os trens com destino a Auschwitz, nenhuma medida foi tomada para avisar os judeus que moravam fora de Budapeste para não embarcar neles. Relatos de quatro presos que conseguiram escapar do campo, impressos e distribuídos amplamente, não alteraram a situação. Provavelmente, o conselho judaico não desejava causar tumultos, e hesitou antes de incitar o povo a desrespeitar a lei. Ao mesmo tempo, contudo, muitos membros do conselho usaram seus contatos com a SS para permitir que eles, sua família e seus amigos fugissem para a Romênia ou, em alguns casos, para outros países vizinhos. Cerca de 8 mil judeus conseguiram escapar dessa maneira.[233] Enquanto isso, em Berlim, o Ministério da Propaganda começou a direcionar a imprensa alemã a publicar histórias a respeito da "judeização" da Hungria, que estava agora sendo corrigida pelas medidas tomadas após a invasão alemã.[234]

Os primeiros grupos de judeus partiram para Auschwitz em 14 de maio de 1944. A partir dessa data, entre 12 mil e 14 mil eram amontoados todos os dias em vagões para gado e mandados para os campos. Quatro câmaras de gás e crematórios foram reativados e trabalhavam 24 horas por dia ininterruptamente. Novos Destacamentos Especiais eram recrutados para tirar os corpos das câmaras de gás o mais rapidamente possível, para possibilitar que o próximo contingente de vítimas fosse levado para lá. Um prisioneiro na fábrica de borracha nas vizinhanças viu chamas que se erguiam com estrépito a dez metros de altura das chaminés dos crematórios à noite, enquanto o cheiro de carne queimada chegava até à própria fábrica. Um crematório quebrou devido ao uso excessivo, e os destacamentos especiais começaram a enterrar os corpos em fossas. Ao visitar Hitler em 7 de junho de 1944, o primeiro-ministro Sztójay tentou convencer o Líder de que as deportações estavam causando ressentimentos na Hungria, porque estavam sendo vistas como intervenção estrangeira em assuntos domésticos. Hitler respondeu com uma invectiva contra os judeus. Ele havia avisado Hórthy, disse, de que os judeus exerciam muita influência, mas o regente nada havia feito. Os judeus eram responsáveis pela morte de dezenas de milhares de alemães em bombardeios aliados, alegou Hitler. Por esse motivo, "ninguém poderia exigir dele que tivesse um pingo de piedade por essa praga global, e ele agora estava se atendo ao velho ditado judeu: 'Olho por olho, dente por dente'".[235] Nessa época, tanto o rei da Suécia quanto o presidente dos Estados Unidos, Franklin D. Roosevelt, haviam protestado com Hórthy e lhe pedido que pusesse fim às deportações. Contudo, a intervenção de Pio XII, em 25 de junho de 1944, nem mencionou nominalmente os judeus, nem especificou o destino a que eles estavam sendo mandados. As figuras proeminentes na hierarquia da Igreja Católica húngara se recusaram a condenar publicamente as deportações; um deles, o arcebispo de Eger, considerou que "o que está acontecendo atualmente com os judeus não é nada mais que uma punição apropriada aos seus delitos do passado".[236] Em 7 de julho de 1944, finalmente superando a oposição da maioria dos membros pró-nazistas do governo húngaro, Hórthy ordenou que as deportações fossem interrompidas. Mesmo assim, Eichmann conseguiu mandar mais dois trens carregados de judeus húngaros para Auschwitz nos dias 19 e 24 de julho de 1944. Nessa época, em pouco mais de dois meses, nada menos que 438 mil judeus húngaros tinham sido levados para Auschwitz, onde cerca de 394 mil deles foram mandados para a câmara de gás logo depois da chegada.[237]

II

Esses acontecimentos trágicos e desesperados aconteceram em meio a uma situação militar do Terceiro Reich que se deteriorava rapidamente. Em 3 de novembro de 1943, Hitler emitiu uma instrução geral para a condução da guerra nos meses seguintes. O Exército Vermelho poderia estar avançando no leste, mas as forças alemãs ainda estavam bem avançadas no território soviético, então, no momento, não havia uma ameaça direta para a sobrevivência do Reich. O perigo representado pela iminente invasão aliada da Europa ocidental, por outro lado, era muito maior, dada a relativa pouca distância que as tropas anglo-americanas teriam de atravessar antes de chegarem à fronteira da Alemanha assim que conseguissem desembarcar no continente. Sendo assim, a prioridade fora dada à construção de defesas no oeste; o leste poderia, por enquanto, cuidar de si mesmo. Ao mesmo tempo, contudo, Hitler não desejava sacrificar territórios no leste que tinham fornecido à Alemanha importantes suprimentos de cereais, de matéria-prima e de mão de obra. E o Exército Vermelho estava pressionando incessantemente, forçando o Grupo de Exércitos do Sul, sob a liderança de Manstein, de volta para oeste de Kiev e forçando o Grupo de Exércitos A de Kleist a sair da curva do rio Dnieper. Ao longo de toda a fronteira, dos pântanos de Pripet até o mar Negro, as divisões blindadas soviéticas estavam avançando através dos exércitos alemães, então reduzidos pela transferência de mais forças e equipamentos para o oeste, flanqueando suas defesas e avançando na direção das fronteiras da Hungria e da Romênia. Os 120 mil soldados alemães e romenos isolados na Crimeia foram aniquilados por um movimento de pinça soviético em abril e em maio de 1944. Como já acontecera antes, Hitler culpou seus generais por essas derrotas, demitindo Manstein e Kleist em 28 de março de 1944 e substituindo-os por dois de seus oficiais de alta patente favoritos, Ferdinand Schörner e Walter Model.[238]

Essas derrotas mostraram que o Exército Vermelho havia então tomado a iniciativa por completo. Contra-ataques alemães em qualquer escala estavam definitivamente fora de questão. Tudo que Schörner, Model e outros comandantes de campo podiam fazer era tentar adivinhar onde o Exército Vermelho atacaria em seguida. Mas adivinhar não era fácil. Stálin, Jukov e os generais soviéticos que estavam na liderança decidiram fazer que seus oponentes alemães pensassem que o ataque aconteceria na Ucrânia, com base nas vitórias alcançadas na primavera. Model persuadiu Hitler a mandar reforços substanciais e equipamentos para apoiar suas próprias forças (agora renomeadas Grupo de Exércitos do Norte da Ucrânia), tirando reservas do

Mapa 19. A longa retirada, 1942-44

Grupo de Exércitos do Centro na Bielorrússia sob a liderança do marechal de campo Ernst Busch. O setor central do *front* estava então se projetando para o leste depois do êxito obtido na primavera pelo Exército Vermelho ao norte e ao sul. Tentativas anteriores feitas pelas forças soviéticas para reduzir a saliência não tinham sido bem-sucedidas. Em segredo, Stálin e seus comandantes enviaram reforços maciços de homens, tanques e armamentos para essa área, concentrando-se em uma grande ofensiva – cujo codinome era Operação Bagration – em vez de dispersar suas forças em setores separados no *front*. Sentindo-se tranquilo por causa dos repetidos e deliberados engodos transmitidos ao serviço de informações alemão pelos russos, Busch saiu de cena por alguns dias, ignorando o significativo aumento da atividade dos guerrilheiros na retaguarda de suas forças. Da noite de 19-20 de junho de 1944 em diante, guerrilheiros pró-soviéticos dinamitaram centenas de linhas ferroviárias e de estradas para dificultar o envio de reforços aos alemães. Um milhão e meio de soldados soviéticos, equipados com imensas quantidades de tanques, blindados e artilharia, começou uma gigantesca manobra de envolvimento, do tipo executado com tanto sucesso pelos alemães no começo da guerra, com uma série de ataques usando blindados. Busch voltou para o *front*, mas Hitler recusou seus apelos para bater em retirada. Em menos de duas semanas, 300 mil soldados alemães haviam sido mortos ou capturados enquanto o Exército Vermelho continuava a avançar. Em meados de julho, as forças soviéticas haviam avançado uns trezentos quilômetros no setor central do *front*, e tiveram de parar para se reagrupar. Em 17 de julho de 1944, cerca de 57 mil prisioneiros alemães tiveram de desfilar em Moscou em uma espécie de triunfo romano. Muitos deles haviam simplesmente se rendido. Não estavam preparados para enfrentar uma nova Stalingrado. Foi uma das maiores e mais espetaculares vitórias da guerra.[239]

A Operação Bagration abriu caminho para vitórias posteriores ao longo da linha. Ao norte, tropas soviéticas avançaram até o Báltico, a oeste de Riga; enviado para salvar a situação, Schörner conseguiu combater e recapturar o suficiente da linha costeira para restaurar as comunicações, mas suas forças ainda tinham de se retirar da Estônia e da maior parte da Letônia para não ficarem isoladas das demais. Entre 5 e 9 de outubro de 1944, tropas soviéticas avançaram outra vez na direção do mar. As forças alemãs não tinham recursos para um contra-ataque, mas os suprimentos e reforços chegavam por mar. Um novo matiz de desespero caracterizou a luta delas ao defenderem o território alemão da Prússia Oriental. As linhas de comunicação soviéticas estavam então muito estendidas. As forças alemãs conseguiram tornar lento o avanço soviético até que este cessou. Contudo, o Exército Vermelho também havia desencadeado um ataque na Finlândia em junho de 1944, completando a liberação de Leningrado e convencendo os finlandeses de que não havia alternativa a não ser pedir a paz. Em 4 de setembro de 1944, um novo governo sob a direção do marechal Mannerheim assinou um armistício, segundo o qual as fronteiras de 1940 deveriam ser restabelecidas e quaisquer tropas alemãs no país seriam capturadas e aprisionadas. Mais ao sul, o Grupo de Exércitos do Norte da Ucrânia de Model, enfraquecido pela transferência de tropas e de equipamento para o Grupo de Exércitos do Centro, foi alvo de uma série de investidas violentas dos blindados que fez que ele voltasse cambaleando para as montanhas dos Cárpatos. Os comandantes do Exército Vermelho foram auxiliados por uma maciça superioridade em armas e em equipamentos, e pela supremacia aérea depois de a Força Aérea alemã ter sido transferida para enfrentar os bombardeios aéreos no oeste. A artilharia soviética estava sendo produzida em grandes quantidades para pulverizar o inimigo antes que os tanques atacassem. Especialmente temido era o lança-foguetes Katiusha, usado pela primeira vez em Smolensk em 1941. Ele havia sido mantido sob sigilo absoluto; então, ao entrar em ação pela primeira vez, lançando com estrondo dúzias de foguetes contra o inimigo, não apenas as tropas alemãs, mas também os soldados do Exército Vermelho fugiram em pânico. Inicialmente bastante ineficaz, com um alcance de menos de quinze quilômetros, em 1944 o equipamento fora aperfeiçoado e estava sendo fabricado em massa. Os soldados alemães apelidaram-no de Órgão de Stálin, por causa da aparência de seus tubos de lançamento de foguetes colocados muito juntos uns dos outros. Eles não tinham nada equivalente para revidar.[240]

No outono de 1944, as forças soviéticas estavam se aproximando rapidamente de Varsóvia. Stálin anunciou a nomeação de um governo fantoche polonês, um rival para o regime polonês exilado em Londres. O clandestino Exército Nacional do regime exilado, uma organização nacionalista que se opunha ao comunismo, estava sendo arrasado pelo Exército Vermelho à medida que este avançava pelo território polonês. Não obstante, quando Stálin convocou os cidadãos de Varsóvia para um levante contra seus opressores alemães, na expectativa de que as forças soviéticas entrariam na cidade em pouco tempo, o Exército Nacional na cidade decidiu desencadear uma insurreição no dia 1º de agosto de 1944, temendo que, caso não tomasse essa atitude, Stálin os classificasse como pró-alemães, e esperando, em qualquer caso, ter influência política assumindo o controle da tradicional capital polonesa. O Exército Nacional em Varsóvia estava pobremente equipado, já que a maior parte de suas armas e munições estava sendo usada em atividades dos guerrilheiros no interior do país, e estava mal preparado. Seus comandantes tinham dado pouca importância ao levante no gueto no ano anterior, e não tinham aprendido nada com o que acontecera lá. Equipados com coquetéis molotov, pistolas e rifles, os poloneses iniciaram uma luta obstinada contra tanques, artilharia, metralhadoras e lança-chamas. Por dois meses, as terríveis cenas de 1943 se repetiram em larga escala, enquanto as unidades policiais e da SS alemã, comandadas por Erich von dem Bach-Zelewski confinaram os insurgentes em áreas isoladas, então os reduziram a bolsões de resistência, e finalmente eliminaram todos, destruindo a maior parte da cidade no processo. Vinte e seis mil soldados alemães morreram, foram feridos ou desapareceram, mas os mortos poloneses, entre homens, mulheres e crianças, alcançaram mais de 200 mil. Bach-Zelewski, empregando ucranianos, renegados soviéticos e prisioneiros tirados de campos de concentração, massacrou todas as pessoas que conseguiu encontrar. Uma enfermeira insurgente descreveu uma típica cena quando as tropas alemãs e ucranianas entraram no hospital em que ela trabalhava,

> chutando e espancando os feridos que estavam deitados no chão e chamando-os de filhos da puta e de bandidos poloneses. Eles chutavam a cabeça das pessoas que estavam deitadas no chão com suas botas, gritando horrivelmente enquanto faziam isso. Sangue e matéria cerebral se espalhavam em todas as direções [...] Um contingente de soldados alemães com um oficial na liderança apareceu. "O que está acontecendo aqui?", perguntou o oficial. Depois de afastar os assassinos, ele deu ordens para a retirada dos mortos, e calmamente solicitou que os sobre-

viventes que conseguiam andar se levantassem e fossem para o pátio. Nós tínhamos certeza de que eles levariam tiros. Depois de uma hora ou duas, outra horda de alemães-ucranianos chegou, carregando palha. Um deles derramou petróleo sobre ela [...] Houve uma explosão, e um grito terrível – o fogo estava bem atrás de nós. Os alemães haviam ateado fogo ao hospital e estavam atirando nos feridos.[241]

Incidentes semelhantes ou piores se repetiram em toda a capital polonesa durante essas semanas. Himmler havia ordenado que toda a cidade e sua população fossem destruídas. O centro da cultura polonesa não mais existiria. Se a insurreição fosse vista em uma perspectiva histórica, ele disse a Hitler, "é uma bênção que os poloneses estejam fazendo isso". Isso possibilitaria que a Alemanha levasse o "problema polonês" a um fim decisivo.[242]

Stálin manteve o Exército Vermelho na defensiva enquanto as tropas se concentravam em construir cabeças de ponte nos rios Vístula e Narva. Ele nada fez para ajudar os poucos aviões anglo-americanos que tentavam transportar suprimentos para os insurgentes. A maior parte dos carregamentos caiu em território dominado pelos alemães, e a recusa de Stálin em permitir que os aviões usassem os campos de pouso soviéticos, juntamente com a relutância dos comandantes das forças aéreas, garantiu que o transporte não surtisse efeito. Do ponto de vista de Stálin, a insurreição foi um sucesso: ela infligiu perdas consideráveis aos alemães e também eliminou por completo o politicamente inconveniente Exército Nacional polonês. Assim que os últimos resistentes se entregaram, em 2 de outubro de 1944, ele enviou suas forças para que assumissem o controle da cidade devastada.[243] "Você tem de fechar os olhos e o coração", escreveu o comandante do Exército alemão estacionado em Varsóvia, Wilm Hosenfeld, à medida que a luta desigual continuava. "A população está sendo impiedosamente exterminada."[244] Depois de a insurreição de Varsóvia ter sido finalmente derrotada, ele observou as "infindáveis colunas de rebeldes capturados. Ficamos absolutamente assombrados com o porte orgulhoso que eles mostravam ao sair". As mulheres impressionaram-no particularmente, marchando, de cabeça erguida, cantando hinos patrióticos.[245] Sua tentativa de fazer que os insurgentes capturados fossem vistos como combatentes inimigos e, desse modo, pelo menos teoricamente, sujeitos às leis de guerra, foi, como era de prever, rejeitada por seus superiores. Hosenfeld recebeu ordens de interrogar os sobreviventes. "Tento resgatar todos", ele escreveu, "que possam ser salvos".²⁴⁶

A resistência também estava crescendo no oeste, sobretudo na França, onde os maquis eram então milhares de homens e de mulheres engajados em sabotar instalações militares alemãs como preparativo para a invasão da França pelo canal da Mancha. Elaborados estratagemas criados pelos serviços de informação britânicos e americanos persuadiram os comandantes alemães de que a invasão aconteceria na Noruega ou em Calais ou em outro porto marítimo. Cerca de um milhão de soldados britânicos, americanos, franceses e canadenses e outras tropas aliadas foram reunidos no sul da Inglaterra sob o comando geral do general americano Dwight D. Eisenhower. Na noite de 5-6 de junho de 1944, mais de 4 mil lanchas de desembarque e mais de mil navios de guerra transportaram as tropas através do canal da Mancha, enquanto três divisões transportadas por aviões começaram a saltar de paraquedas por trás das defesas alemãs. Com a Marinha alemã definitivamente fora de combate, a Força Aérea alemã seriamente enfraquecida por perdas nos meses precedentes e as tropas alemãs dispersas em outras áreas e sem contar com as divisões especiais concentradas no *front* oriental, a resistência foi mais fraca do que o esperado. Pulverizadas por bombardeios navais e aéreos, as defesas alemãs foram sobrepujadas pela força dos desembarques e, a não ser na praia de Omaha, a resistência foi rapidamente vencida. No fim do dia 6 de junho de 1944, 155 mil soldados e 16 mil veículos tinham sido desembarcados em segurança na operação aliada. "Portos Mulberry" pré-fabricados foram rebocados e montados, e mais forças aliadas desembarcaram vindas das cinco cabeças de praia e se juntaram a eles, antes que o Exército alemão pudesse enviar reforços suficientes para repeli-las. A captura de Cherbourg em 27 de junho de 1944 garantiu-lhes um porto marítimo, e grande quantidade de soldados e de equipamentos começou a chegar. Reforços alemães foram transferidos às pressas para o *front* e começaram a oferecer uma resistência acirrada, mas os comandantes alemães, Rundstedt e seu subordinado Rommel, não dispunham de um plano estratégico para lidar com as forças invasoras, que agora começavam a abrir caminho combatendo através da Normandia. Essa era então uma guerra travada em duas linhas de frente.²⁴⁷

Hitler reagiu de modo previsível, pondo a culpa da situação em seus generais. Eles estavam constantemente lhe apresentando avaliações pessimistas da situação, vociferava Hitler, e exigindo permissão para bater em retirada e recuar ao invés de ficar no local e lutar até o fim. No dia 1º de julho de 1944, esgotado pelas discussões constantes com o Líder, Kurt Zeitzler, chefe do Estado-Maior do Exército, teve uma crise de nervos e simplesmente abandonou seu posto. Hitler fez que ele fosse expulso do Exército em janeiro de 1945 e lhe negou o direito de usar um uniforme. O general Heinz Guderian foi designado para substituí-lo em 21 de julho de 1944. No oeste, o marechal de campo Von Rundstedt foi demitido dois dias depois, junto com Hugo Sperrle, o comandante da Força Aérea que conquistara sua reputação no bombardeio de Guernica durante a Guerra Civil Espanhola, mas agora estava sendo responsabilizado por seu Líder pela falha em organizar uma defesa aérea eficaz contra a invasão aliada. O marechal de campo Günther von Kluge foi nomeado para substituir Rundstedt. No *front* oriental, o marechal de campo Ernst Busch foi demitido por causa da catastrófica derrota de seu Grupo de Exércitos do Centro na Operação Bagration, e substituído pelo marechal de campo Walter Model, um dos raros oficiais do alto escalão por quem Hitler ainda tinha muita consideração. Assim que deixou Berghof pela última vez, em 14 de julho de 1944, para voltar a seu quartel-general na Toca do Lobo, em Rastenburg, o desprezo de Hitler por muitos de seus generais estava se tornando ainda mais visível do que antes.[248]

III

As catástrofes militares da primavera e do começo do verão de 1944 levaram a um súbito aumento da resistência não apenas na Europa ocupada, mas também no próprio Reich alemão. As derrotas do ano anterior já haviam disseminado a desilusão em relação ao regime. Os efeitos devastadores dos bombardeios enfraqueceram ainda mais a autoridade do regime. Mesmo assim, atos abertos de resistência ou de desafio ainda eram raros. Ações individuais de desafio eram combatidas com prisão, julgamento e, muito frequentemente, execução. A resistência coletiva era extremamente difícil. As organizações de resistência social-democratas e comunistas tinham sido esmagadas pela Gestapo na metade da década de 1930, e os líderes dos dois partidos estavam ou exilados ou na prisão ou em campos de concentração. Não apenas as medidas mais restritivas adotadas pelo regime durante os anos de guerra, mas também o Pacto Nazi-Soviético, causaram um efeito inibidor no desejo dos antigos movimentos ativistas de organizar qualquer tipo de atividade de oposição antes de junho de 1941. E a euforia causada pelas assombrosas vitórias de 1939 e 1940 foi compartilhada por muitas pessoas das classes trabalhadoras, incluindo antigos social-democratas. Como precaução, também, a Gestapo prendeu e encarcerou inúmeros antigos funcionários comunistas na invasão da União Soviética, para evitar que começassem uma campanha de subversão. Foi apenas em 1942, depois da derrota do Exército alemão em Moscou, que grupos de resistência comunista clandestinos começaram a emergir outra vez, em bastiões da classe trabalhadora industrial, como Saxônia, Turíngia, Berlim e região do Ruhr. Alguns deles foram capazes de estabelecer contato com a liderança exilada do partido em Moscou, mas esse contato ocorreu de modo intermitente, e de modo geral havia pouca coordenação central. Os comunistas conseguiram afixar alguns cartazes incitando a oposição aos nazistas e até mesmo defendendo atos de sabotagem, mas em geral alcançaram muito pouco antes de também serem esmagados pela Gestapo. A ação mais espetacular foi, sem dúvida, a organizada por um grupo de judeus comunistas e seus simpatizantes, liderada por Herbert Baum que, como já vimos, conseguiu incendiar parte de uma exposição antissoviética planejada por Goebbels em Berlim, embora sem causar nenhum prejuízo sério ou alguma morte. Eles também logo foram traídos e entregues para a Gestapo; trinta membros foram presos e julgados pelo Tribunal do Povo; quinze foram executados.[249]

Desde a metade da década de 1930, a linha oficial do Partido Comunista em Moscou havia enfatizado a necessidade, por parte dos comunistas, de colaborar com os social-democratas em uma "frente popular". Mas essa tática deparou com dificuldades imensas em ambos os lados. Os social-democratas justificadamente suspeitavam que os grupos clandestinos comunistas estavam sob uma vigilância muito mais intensiva do que eles, e os perigos da colaboração foram ilustrados de modo intenso em 22 de junho de 1944, quando um encontro em Berlim entre os social-democratas Julius Leber e Adolf Reichwein e um grupo de funcionários comunistas resultou na prisão de quase todos os envolvidos. Do ponto de vista dos comunistas, era mais do que provável que, quando a guerra terminasse, os social-democratas ressurgissem como seus maiores rivais pela lealdade da classe trabalhadora das indústrias, de modo que qualquer cooperação poderia ser apenas tática e temporária e não deveria envolver concessões a um possível inimigo político no futuro. Nos campos de concentração, e acima de tudo em Buchenwald, os comunistas formaram seus próprios grupos, que às vezes conseguiam alcançar um grau limitado de autoadministração dos prisioneiros. A designação de comunistas como *capos* e líderes de bloco foi encorajada pela administração dos campos da SS, que os viam como confiáveis e eficientes nesse papel. Por seu lado, os prisioneiros comunistas tentavam manter a solidariedade entre si e proteger seus camaradas, incumbindo às outras categorias de prisioneiros, como os "antissociais" e os criminosos, o trabalho difícil e perigoso. Com a manutenção de boas relações com a SS, eles também esperavam melhorar as condições gerais do campo e, desse modo, beneficiar em um tempo futuro todos os prisioneiros. Em tais circunstâncias, havia apenas uma perspectiva limitada de cooperação significativa com os social-democratas ou outros prisioneiros políticos. A solidariedade no grupo comunista foi da maior importância. Essa estratégia precária, de tentar alcançar o equilíbrio entre a pureza ideológica, de um lado, e a autoproteção por meio da colaboração com a SS, de outro, iria levar a uma controvérsia generalizada, e às vezes furiosa, depois da guerra.[250]

Um grupo excepcional com conexões comunistas, embora não se submetesse nem à disciplina comunista nem à ideologia stalinista, conseguira sobreviver desde o começo do Terceiro Reich. Era conhecido pela Gestapo como Orquestra Vermelha (*Rote Kapelle*), embora fosse, de fato, uma série de grupos clandestinos que se sobrepunham uns aos outros e tinham um funcionamento bastante diferente. A partir do fim de 1941, a contraespionagem alemã em Bruxelas e em Paris começou a expor uma extensa rede de agentes do serviço de informação soviético. Ela tinha ligações com o grupo da resistência em Berlim, formado ao redor de um funcionário público no Ministério da Economia do Reich, Arvid Harnack, e de um adido no Ministério da Aviação, Harro Schulze-Boysen. Harnack era um economista marxista que acreditava em uma Alemanha pacífica e socialista, ao passo que Schulze-

-Boysen era um revolucionário nacionalista radical que tinha sido preso e torturado pelos nazistas em 1933, mas depois libertado por bom comportamento. Alguns de seus seguidores eram membros do Partido Comunista, mas o grupo era, em essência, independente de qualquer supervisão de Moscou. As mulheres desempenhavam um papel particularmente importante nele, sobretudo a esposa americana de Harnack, Mildred Harnack-Fish, uma crítica literária, e a esposa de Schulze-Boysen, Libertas, que passou a ter um olhar crítico a respeito da propaganda nazista por causa de seu trabalho na seção de filmes do Ministério da Propaganda. Com o intuito de dar a si uma "cobertura", Harnack se uniu ao Partido Comunista em 1937. O grupo ajudava fugitivos políticos a escapar da Alemanha, distribuía folhetos não apenas para alemães, mas também para trabalhadores forçados estrangeiros, e entrou em contato tanto com a embaixada americana quanto com a soviética, as quais mantinha informadas a respeito dos crimes do nazismo. Os soviéticos ficaram impressionados o suficiente para lhes dar um equipamento de rádio, e eles conseguiram transmitir algumas informações a respeito da economia de guerra aos russos, mas Stálin se recusou a acreditar nos avisos do grupo a respeito de uma invasão iminente em junho de 1941. Os folhetos do grupo ficaram maiores e mais ambiciosos, incluindo um escrito por Schulze--Boysen avisando de modo muito perspicaz que Hitler iria sofrer os mesmos reveses na Rússia que Napoleão. Entretanto, suas mensagens clandestinas de rádio para os russos foram interceptadas pelo serviço de contrainformação militar alemão. Esse fato levou à prisão de Schulze-Boysen em 30 de agosto de 1942, e à de Harnack em 7 de setembro de 1942. Outras prisões se seguiram, chegando a mais de 130. Depois de uma série de julgamentos sumários, mais de cinquenta membros do grupo foram executados, incluindo os casais Harnack e Schulze-Boysen. Por insistência pessoal de Hitler, a sentença de morte foi executada por enforcamento.[251]

A assim chamada Orquestra Vermelha não era um círculo de espiões soviéticos, como foi retratada pela propaganda nazista posteriormente, mas um movimento de resistência interno, cujos contatos com o serviço de informações soviético eram feitos segundo seus próprios termos. Ela estava longe de ser o único grupo de esquerda desse tipo, embora fosse maior que a maioria. Um dos mais notáveis era uma organização minúscula e pouco conhecida, mas muito bem estruturada, chamada Liga: Comunidade pela Vida Socialista. Formada no começo da década de 1920 pelo professor de educação para adultos Artur Jacobs, ela estabeleceu uma série de centros onde mantinha discussões, oferecia cursos de dança e de movimento, e tentou construir um estilo de vida que atravessasse as fronteiras de classe e transcendesse o egotismo do indivíduo. Alguns de seus membros eram comunistas; outros, social-democratas; muitos deles não tinham nenhuma afiliação partidária. De qualquer modo, seus membros, por assim dizer, deixavam seus cartões do partido na porta ao entrarem nas dependências da Liga. Desde o início, identificaram o antissemitismo como o âmago da ideologia nazista, e em 1933 a Liga e seus membros entraram na clandestinidade e começaram a ajudar os judeus a evitar a captura e, a partir de 1941, a deportação. Nesse caso, seu pequeno tamanho – nunca houve mais que umas poucas centenas de membros mesmo no auge de sua popularidade, na década de 1920 – e os profundos laços pessoais que haviam crescido entre seus membros ajudaram a Liga a permanecer intacta e a continuar seu trabalho sem ser detectada pela Gestapo. Seus membros preparavam documentos de identificação falsos para os judeus que estavam escondidos, transportavam-nos secretamente de um lugar para outro, e ajudavam-nos a fugir das atenções da Gestapo. Do ponto de vista dos membros da Liga, esse era o modo de manter vivo o espírito de igualdade racial e social no contexto da perseguição nazista. Assim, ofereciam uma alternativa prática para as atividades costumeiras dos grupos de resistência de esquerda, que tinham como foco a tentativa em grande parte fútil de tentar incitar a opinião popular contra os nazistas.[252]

O meio em que a Liga surgiu na década de 1920, no qual pequenos grupos de várias tendências políticas tentavam criar novos estilos de vida, de um tipo ou de outro, também fez surgir, em uma distância muito maior, um movimento de resistência bem mais conhecido, que se denominava Rosa Branca, e alguns de seus membros tinham estado envolvidos no movimento juvenil autônomo dos anos da República de Weimar. Qualquer entusiasmo inicial que pudessem ter sentido pelo regime nazista foi rapidamente extinto por causa de seu racismo e antissemitismo, suas restrições à liberdade pessoal e, acima de tudo, pela violência extrema que desencadeou no *front* oriental em 1941-42. Enquanto estudavam medicina na Universidade de Munique, alguns dos rapazes que desempenharam um papel importante na formação do grupo tinham sido mandados para trabalhar no serviço de medicina do Exército no *front* oriental. O grupo gradualmente se expandiu para incluir não somente Kurt Huber, um professor de Munique que agia como um tipo de mentor para muitos de seus membros, mas também amigos, colegas e estudantes em outras cidades universitárias, de Freiburg a Stuttgart, e especialmente Hamburgo. Os membros que estavam na liderança incluíam os irmãos Scholl, Hans e Sophie, bem como muitos outros estudantes de Munique, Alexander Schmorell, Christoph Probst e Willi Graf. Alguns deles tentaram entrar em contato com Falk Harnack, irmão da figura central na rede da Orquestra Vermelha, embora ele não tenha respondido às manifestações deles. À medida que se expandiu, o grupo tornou-se mais ousado, datilografando, mimeografando e enviando para um grupo maior e mais ou menos variado de destinatários uma série de seis folhetos em quantidades que variavam de apenas uma centena até muitos milhares. Seu objetivo, assim como o de grupos tradicionais de resistência da esquerda, era incitar a opinião popular, de modo que as massas se sublevassem e acabassem com a guerra derrubando Hitler e seu regime. Eles condenavam peremptoriamente o extermínio em massa dos judeus e das elites polonesas, e criticavam a apatia do povo alemão perante os crimes nazistas. Depois de Stalingrado, começaram a grafitar nas paredes dos edifícios públicos de Munique ("Hitler, exterminador de massas", "Liberdade", e assim por diante). Em 18 de fevereiro de 1943, contudo, Hans e Sophie Scholl foram vistos por um porteiro da universidade enquanto distribuíam cópias de seu último folheto no pátio. Ele os delatou para a Gestapo, e os irmãos foram capturados. Apesar de se recusarem, sob tortura, a trair os demais membros do grupo, a polícia logo identificou e capturou Probst e os outros ativistas da Rosa Branca. Hitler desejava um julgamento sumário. Probst e os irmãos Scholl foram levados perante o Tribunal Popular em 22 de fevereiro de 1943, julgados culpados por traição e decapitados; Huber, Schmorell e Graf foram condenados em 19 de abril e também executados. Outros dez membros foram sentenciados à prisão. O grupo de Hamburgo continuou a distribuir os folhetos, mas também acabou sendo descoberto pela Gestapo; o último de seus membros foi preso em junho de 1944. Cópias do último folheto chegaram às mãos dos britânicos via Suécia, e a Real Força Aérea jogou centenas de milhares de cópias sobre a Alemanha na primavera de 1943.[253] Desse modo, a mensagem da Rosa Branca não ficou sem ser lida.

Contudo, a maior parte dos críticos da moral e do regime ficou quieta, esperando tempos melhores e mantendo suas crenças para si mesmos. É impossível dizer com certeza quão disseminado era tal comportamento. Um exemplo pode ser encontrado no diário de Erika S., nascida em Hamburgo em 1926, em uma família que fora social-democrata. Seu diário trazia uma mescla inconsciente de suas preocupações cotidianas e sua indignação moral em relação ao grande estrago que achava que a guerra estava causando. "Ah", ela escreveu em 4 de junho de 1942, "se esta guerra sacrílega acabasse logo! Nada para comer, e todos esses assassinatos cruéis, é horrível demais, sobretudo quando a gente pensa em todas essas vítimas e naqueles que foram deixados para trás. Ninguém sabe quantos jovens mais já tiveram de sacrificar sua vida pela causa diabólica de Hitler, isso não é nada mais que uma imensa campanha de assassinato".[254] Tais sentimentos eram, sem dúvida, compartilhados por seu pai, que foi levado para a prisão pela Gestapo em mais de uma ocasião, a última vez em 23 de agosto de 1944. Sem se atemorizar diante dessa última prisão, Erika sentou-se e escreveu uma carta para Himmler, garantindo-lhe que seus pais tinham "educado a mim, e a meu irmão de 14 anos de idade, de um modo absolutamente nacional-socialista". Lembrou ao chefe da SS que ela era membro da Liga das Moças Alemãs e tinha se filiado ao Partido Nazista no mês de abril anterior. Então, não podia entender por que seu pai fora levado à prisão. Depois de esperar em vão por uma resposta, ela foi ao escritório da Gestapo mais próximo para continuar sua busca. Os funcionários foram educados, mas não fizeram concessões. "Não dá para aguentar mais", ela escreveu em seu diário, "o modo como somos tratados na Alemanha. E, mesmo assim, fazemos de tudo para não chamar a atenção".[255]

IV

Nenhum desses movimentos jamais conseguiria derrubar o regime nazista. Apenas um grupo tinha condições de fazer isso, o da resistência militar que havia surgido originalmente em 1938 entre os oficiais de alto escalão do

Exército preocupados com o que viam como imprudência de Hitler ao arriscar um conflito que envolveria toda a Europa com a invasão da Tchecoslováquia, sem que a Alemanha estivesse preparada para ele. As vitórias de 1939-40 pareceram provar que eles estavam errados.[256] Apenas uns poucos, como o antigo embaixador na Itália, Ulrich von Hassell, continuaram convencidos daquilo que ele chamava de irresponsabilidade criminosa do regime e ficaram chocados com a destruição que o regime estava infligindo à Europa oriental. Hassell achava intolerável, como escreveu em seu diário 8 de outubro de 1940, que "os judeus estejam sendo sistematicamente exterminados, e que uma campanha diabólica esteja sendo lançada contra a intelectualidade polonesa com o propósito expresso de aniquilá-la".[257] Outros membros do Ministério do Exterior, incluindo o secretário de Estado Ernst von Weizsäcker, Adam von Trott zu Solz e Hans-Bernd von Haeften, compartilhavam havia muito tempo a opinião de Hassell. Hassell discutia com regularidade esse e outros assuntos com um pequeno grupo de civis que tinham as mesmas ideias e haviam ocupado posições importantes no governo e na administração, principalmente Carl Goerdeler, antigo Comissário de Controle de Preços e ex-prefeito de Leipzig, e o prussiano Johannes Popitz, ministro das Finanças. O grupo incluía o antigo chefe do Estado-Maior Geral do Exército Ludwig Beck, um dos poucos militares do alto escalão que não ficara impressionado com os triunfos militares da primeira fase da guerra; outros que haviam chegado a pensar em prender Hitler e instalar um regime militar, como Franz Halder, não faziam mais do que resmungar a respeito do modo como Hitler conduzia a guerra mesmo quando a situação começou a ficar complicada em 1941, como já vimos. Assim como a maioria dos oficiais do alto escalão, Halder apoiava a ideia de uma cruzada contra a União Soviética e considerava as medidas mais duras justificáveis. O círculo ao redor do chefe do serviço de espionagem militar, almirante Wilhelm von Canaris, e seu secretário, Hans Oster, também se preocupara por algum tempo com a irrefletida ambição militar de Hitler. Mas ficaram esperando por uma boa oportunidade, achando que era inútil tentar fazer alguma coisa enquanto o apoio popular a Hitler fosse tão grande. O grupo também incluía o jovem teólogo Dietrich Bonhoeffer, que havia sido uma figura inspiradora na Igreja Confessional, mas perdeu sua batalha maior contra o regime nazista na metade da década de 1930 porque estava servindo como pastor em Londres. Bonhoeffer fora convocado para o Serviço de Informações Militar em 1940, e logo começou a trabalhar com o grupo de oposição lá.[258]

Entretanto, um pequeno grupo de oficiais da geração mais jovem, em sua maioria aristocratas, como Fabian von Schlabrendorff e Henning von Tresckow, na equipe do Grupo de Exércitos do Centro, sentia-se tão ultrajado com as atrocidades que estavam sendo cometidas no leste que resolveram entrar em ação. Tresckow, particularmente, embora de início tivesse apoiado Hitler, logo ficara chocado com a brutalidade do regime e sua falta de respeito às leis. Oficial prussiano de linhagem tradicional, ele achava que os soldados inimigos deveriam ser tratados de acordo com as leis de guerra, e tentou não obedecer às ordens que recebera de atirar imediatamente em comissários políticos soviéticos. Seu oficial comandante, o marechal de campo Günther von Kluge, expressou interesse em se unir à oposição militar, mas era cauteloso demais para se comprometer. Objeções morais quanto ao nazismo eram também o fundamento da oposição crescente manifestada (confidencialmente) pelo Círculo de Kreisau (um nome que lhe foi dado posteriormente pela Gestapo). Era um grupo não muito estruturado de intelectuais que chegou a alcançar mais de uma centena de membros, os quais se encontravam em uma propriedade do conde Helmuth von Moltke em Kreisau, na Baixa Silésia, para discutir a situação. Em três ocasiões em 1942-43, o grupo manteve grandes conferências que incluíam teólogos, advogados e antigos políticos social-democratas, e outras pessoas de uma grande variedade de procedências. Muitos dos membros do círculo ocupavam postos não muito importantes no governo, entre eles o conde Peter Yorck von Wartenburg (um funcionário público no escritório do comissário do Controle de Preços) e o conde Fritz-Dietlof von der Schulenburg, vice-presidente da Polícia de Berlim. O próprio Moltke trabalhou no departamento de prisioneiros de guerra no Comando Supremo das Forças Armadas Combinadas. Alguns dos membros do Círculo de Kreisau conheciam outros países, o que reforçava sua perspectiva crítica a respeito do nazismo. Seus pontos de vista eram extremamente idealistas. Em 9 de agosto de 1943, eles estabeleceram um conjunto de princípios que seriam implementados depois do colapso do nazismo, os quais enfatizavam o cristianismo como a base para a regeneração moral do povo alemão. Liberdades básicas tinham de ser restauradas. Politicamente, a Alemanha se tornaria um Estado federativo com um poder central fraco. Ela seria dividida em províncias que teriam entre 3 e 5 milhões de habitantes cada uma, e essas províncias seriam subdivididas em comunidades que se autogovernariam, organizadas em distritos. As regiões teriam parlamentos eleitos por assembleias distritais, e um Parlamento (*Reichstag*) nacional seria eleito pelos parlamentos regionais. A idade mínima para votar seria 27 anos. O Círculo de Kreisau também desejava um tipo de comunidade internacional de países, para reduzir o risco de uma guerra acontecer outra vez. Todas essas ideias expressavam um tipo de idealismo radical-conservador, baseado na desconfiança quanto à moderna "sociedade de massas" e tinham por objetivo recriar um sentimento de arraigamento e de pertencimento baseado em valores cristãos e em identidades locais. Os membros do Círculo de Kreisau desconfiavam do capitalismo e desejavam tanto a propriedade comum de indústrias vitais quanto a "corresponsabilidade" na iniciativa individual. O que viam como um excesso de urbanismo seria suplantado pelo Estado, que garantiria que todas as famílias teriam um jardim.[259]

O Círculo de Kreisau e seus membros estabeleceram contatos esporádicos e múltiplos com membros da resistência civil e militar, e em 8 de janeiro de 1943 houve um encontro entre representantes dos dois grupos. A reunião não correu bem. Moltke achou que Goerdeler era um reacionário, ao passo que homens com maior experiência política, como Hassell, julgaram que muitos dos "jovens" não eram realistas.[260] Várias tentativas por parte de Moltke, de Trott e de outros de estabelecer contatos com os aliados no Ocidente e persuadi-los a trabalhar com eles na reconstrução da Alemanha depois da vitória não deram em nada.[261] Os aliados tinham seus próprios planos. A falta de confiança nos modelos de democracia parlamentar do Ocidente, que o Círculo de Kreisau considerava que tinham falhado durante a República de Weimar, era quase universal nas inúmeras ramificações da resistência alemã, e só isso já fazia que seus planos constitucionais fossem pouco recomendáveis para os britânicos ou os americanos. Goerdeler e os conspiradores militares tinham ainda menor probabilidade de merecer a aprovação dos aliados. A liderança do grupo havia discutido longamente e revisava repetidas vezes um conjunto de objetivos que ficavam cada vez mais modestos à medida que a situação militar piorava, mas até mesmo em maio de 1944 eles incluíam uma negociação de paz tendo como base as fronteiras alemãs de 1914 mais a Áustria, os Sudetos e a parte sul do Tirol, autonomia para a Alsácia-Lorena e a retenção de uma força de defesa efetiva no leste.[262]

As ideias constitucionais dos conspiradores variavam de um Estado autoritário, quase corporativista, como sugerido por Hassell, a um modelo mais parlamentarista defendido por Goerdeler em uma tentativa, entre outras coisas, de satisfazer os social-democratas do grupo, como Julius Leber. Até mesmo nesse ponto, entretanto, Goerdeler desejava um forte elemento corporativista, com candidatos vindos de grupos com interesses econômicos e eleições indiretas para o Parlamento, que teria sua influência limitada ao receber apenas poderes consultivos e ser subordinado a uma segunda câmara nomeada pelo chefe de Estado. Votos extras seriam dados aos pais de família. Assim como o Círculo de Kreisau, Goerdeler e os conspiradores militares estavam determinados a evitar as animosidades político-partidárias que tanto haviam debilitado a República de Weimar; então a campanha eleitoral aberta não deveria acontecer no Estado que eles desejavam fundar. E, assim como o Círculo de Kreisau, a resistência militar-conservadora via os valores cristãos como fundamento muito importante para o ressurgimento de uma Alemanha moralmente honrada, embora Leber e os social-democratas não estivessem felizes com essa ideia. A influência dos social-democratas, que aumentou com o tempo, poderia ser vista em uma certa coincidência de pontos, como a ênfase dada pelo Círculo de Kreisau à necessidade de controlar a economia capitalista. Contudo, a visão de Goerdeler e de seu grupo, de uma Alemanha em que antagonismos de classe seriam vencidos pela criação de uma legítima comunidade nacional dominada pela aristocracia tradicional (o "estrato que carrega o Estado", como dizia Schulenburg), não tinha muitas chances de ser aceita pelos membros das classes trabalhadoras dos social-democratas. A hostilidade da resistência militar-conservadora a uma constituição parlamentarista e a uma sociedade aberta e diversificada demonstrava seu caráter retrógrado e sua falta de potencial para atrair as massas. Na verdade, dada a participação de oficiais prussianos e de políticos prussianos conservadores no grupo, não chegava a surpreender que eles se voltassem, assim como muitos membros do Círculo de Kreisau também faziam, para as reformas prussianas do barão Karl vom Stein no começo do século XIX como um modelo para o futuro desenvolvimento da Alemanha. Também nesse ponto, a falta de realismo era palpável.[263]

Um dos fatores que motivaram a resistência foi, sem dúvida, a afronta e a vergonha decorrentes do tratamento que o regime dispensava aos judeus. Já no fim de agosto de 1941, Helmuth von Moltke escrevia para sua esposa a respeito do extermínio em massa de judeus e de prisioneiros de guerra soviéticos no leste. Isso estava, disse ele, marcando o povo alemão "com uma culpa que nunca será aniquilada de nossa vida e nunca será esquecida".[264] Em tom semelhante, Ulrich von Hassell confiou a seu diário, em 4 de outubro de 1941, que o general Georg Thomas, o chefe do abastecimento das Forças Armadas, falara, ao voltar do *front* oriental, a respeito "da continuidade de crueldades repulsivas, particularmente contra os judeus, que estavam sendo vergonhosamente mortos às bateladas".[265] "Centenas de milhares de pessoas foram sistematicamente assassinadas apenas por causa de sua ascendência judaica", observou um exaltado memorando escrito por Goerdeler e outros sobre o futuro pós-guerra da Alemanha em novembro de 1942. Depois da queda do nazismo, os autores prometiam que as Leis de Nuremberg e as leis que afetavam especificamente os judeus seriam abolidas. No entanto, a razão que davam não era o fato de elas serem injustas, mas sim de que eram desnecessárias, porque o número muito pequeno de judeus sobreviventes não mais constituiria um "perigo para a raça alemã". Nem, de modo significativo, isso evitou que os membros da resistência esboçassem planos para classificar os judeus sobreviventes tendo como base não somente a sua etnia, mas também sua religião.[266]

Além do mais, alguns dos participantes militares da conspiração haviam, eles próprios, ordenado medidas contra os judeus, incluindo, por exemplo, Karl-Heinrich von Stülpnagel, comandante do Exército em Paris. Como oficial mais graduado na Silésia administrada pelo líder regional Wagner, Fritz--Dietlof von der Schulenburg implementara políticas antissemitas e antipolonesas com entusiasmo, incluindo convocação para o trabalho forçado ou deportação de poloneses e de judeus. Acima de tudo, foi a derrota militar alemã em Stalingrado, que ele considerou uma evidência da incompetência militar de Hitler, que levou Schulenburg à oposição; e de fato, para muitas das figuras militares que estavam entre os membros da resistência, a crença de que Hitler era o responsável pela piora da situação da Alemanha na guerra também foi crucial.²⁶⁷ Wolf Heinrich, conde Helldorf, presidente da Polícia de Berlim, também envolvido na conspiração, desempenhara um papel importante na perseguição aos judeus da capital na década de 1930.²⁶⁸ O plano incluía entre seus defensores e informantes até mesmo Arthur Nebe, comandante da Força-Tarefa B da SS na União Soviética, responsável pela morte de milhares de judeus; seus motivos para se unir à oposição eram particularmente obscuros. Alguns dos conspiradores, incluindo Johannes Popitz, desaprovavam os métodos usados pelos nazistas para lidar com a "questão judaica" por serem muito drásticos, e não porque a ideia de discriminação contra os judeus fosse em si errada. Como isso sugere, não chegava a surpreender que muitos deles tivessem inicialmente apoiado os nazistas em suas políticas raciais, bem como por outras razões. Muito antes de 1944, contudo, tais ideias haviam sido praticamente anuladas pela noção de que, como dizia Goerdeler, "a perseguição aos judeus [...] tomou as formas mais desumanas, impiedosas e profundamente vergonhosas, para as quais não há compensação adequada".²⁶⁹

Havia uma diferença essencial entre os conspiradores militares e o Círculo de Kreisau. Moltke e a maior parte de seus amigos eram contrários à tentativa de assassinato de Hitler por motivos religiosos, preferindo esperar o colapso militar do Terceiro Reich antes de colocar seus planos em ação. Até certo ponto, essa perspectiva era compartilhada por outros membros da resistência civil. Os militares não tinham tais escrúpulos. Henning von Tresckow, sobretudo, estava convencido de que Hitler teria de ser morto para que o regime nazista pudesse ser derrubado. Ele começou a organizar uma série de tentativas de assassinato pouco depois de Stalingrado. Em 13 de março de 1943, tentou explodir o avião de Hitler em um voo entre seus quartéis-generais com explosivos fornecidos pelo almirante Canaris e o serviço de contrainformações militar, e introduzidos no compartimento de bagagens do avião. Mas a tentativa falhou porque o detonador não funcionou nas temperaturas extremamente baixas do compartimento de bagagens a grande altitude. A bomba, disfarçada como um pacote contendo duas garrafas de conhaque, ainda estava no compartimento de bagagens quando o avião aterrissou. Em cima da hora, o coconspirador de Tresckow, Fabian von Schlabrendorff, conseguiu ir de avião até o local, se apoderar do pacote e desarmar a bomba. Em 21 de março de 1943, outro jovem conspirador, o coronel Rudolf-Christoph, barão Von Gersdorff, levou uma sacola de explosivos a uma exposição de equipamentos soviéticos capturados em Berlim, esperando matar Hitler durante a visita planejada. Mas o Líder nazista percorreu o prédio com tanta pressa que a oportunidade não se apresentou. Como uma tentativa depois de outra não dava resultado, Goerdeler pressionou os militares para que agissem rapidamente; caso contrário, outros milhões de vidas seriam perdidas e a Alemanha seria derrotada de tal modo que o novo regime por ele idealizado não teria condições de negociar com os aliados. O fato de ele acreditar que isso ainda seria possível apesar da decisão tomada pelos líderes aliados em Casablanca, no começo de 1943, de não aceitar nada além da rendição incondicional da Alemanha, mostra a falta de realismo político dos conspiradores; e mesmo que Churchill e Roosevelt estivessem dispostos a negociar, não havia chance de que aceitassem os termos que Goerdeler e seus coconspiradores estavam oferecendo.[270]

Além do mais, a conspiração passou a enfrentar problemas graves quando seus membros começaram, por um motivo ou outro, a chamar a atenção da Gestapo. O Serviço de Espionagem Militar, sob a direção de Canaris e de Oster, que os conspiradores viam como o principal centro logístico de sua operação, estava sendo cada vez mais ameaçado pelas ambições do departamento de informações no exterior do Serviço de Segurança da SS dirigido por Walter Schellenberg. Isso levou a uma vigilância ainda maior por parte da Gestapo. Na primavera de 1943, Oster e alguns de seus funcionários mais importantes, incluindo Bonhoeffer, foram capturados sob acusações de crimes financeiros. Em janeiro de 1944, as suspeitas de Hitler haviam feito que ordenasse que o controle do serviço de espionagem militar no exterior, que Oster tinha dirigido até sua prisão, fosse exercido pelo Serviço de Segurança da SS. Canaris, uma figura enigmática que alguns suspeitavam que tivesse entregue segredos militares aos aliados, foi preso. Em um golpe subsequente, Moltke foi capturado em janeiro de 1944. Enquanto isso, Popitz, em um extraordinário ato de falta de realismo político, se aproximou de Himmler com o intuito de convencê-lo da ideia de derrubar Hitler por sua própria iniciativa. A ideia foi recebida com uma vaga expressão de interesse por parte do chefe da SS, e nada mais. Horrorizados, Goerdeler e outros conspiradores civis fizeram o possível para evitar contato com Popitz depois disso. Figuras importantes caíram fora – Kluge ficou seriamente ferido em um acidente de carro, o social-democrata Mierendorff e o chefe aposentado do Exército, Hammerstein, morreram de causas naturais. Tudo isso atrasou a conspiração por muitos meses, e reduziu a possível coerência e a eficácia do complô.[271]

Os conspiradores depararam com problemas mais profundos quando tentaram reviver seus planos de assassinato. Para que o complô fosse bem-sucedido, tinham de persuadir unidades cruciais da reserva do Exército a se transferir para Berlim e assumir o controle das principais instituições do governo, mas, embora tivessem conseguido alguns avanços com as delicadas negociações, ainda havia muitas incertezas. Se, por um lado, o general Friedrich Olbricht, que liderava a seção de reserva das Forças Armadas em Berlim, os apoiava, planejando ativamente o movimento das tropas que assumiriam o poder quando Hitler estivesse morto, seu chefe, o general Friedrich Fromm, comandante da reserva do Exército, um homem que estava de olho em uma melhor oportunidade, decidiu ficar esperando quando foi informado a respeito da conspiração, embora naquele momento não traísse os conspiradores. Com o antigo chefe do Estado-Maior Geral do Exército Ludwig Beck e Tresckow, Olbricht esboçou os planos para a Operação Valquíria, um golpe militar que seria desencadeado imediatamente depois de a morte de Hitler ser declarada. Mas quem mataria o Líder? Esse era o problema final a ser resolvido. Ele requeria alguém que combinasse o acesso pessoal a Hitler com a dedicação à resistência – uma combinação difícil, se não impossível, de encontrar. Em mais de uma ocasião, uma tentativa tivera de ser abortada porque o homem que concordara em se encarregar dela não conseguiu se aproximar do alvo. Mas, no fim do verão de 1943, uma nova figura que entrou na conspiração preenchia todos esses requisitos. Claus Schenk, conde Von Stauffenberg, era um tenente-coronel que fora seriamente ferido no norte da África, perdendo a mão direita e os dedos anular e mínimo da mão esquerda. Ele usava um tapa-olho. Estava prestes a assumir sua nomeação como secretário do Estado-Maior Geral do Exército no dia 1º de outubro de 1943. Um oficial capaz e extremamente enérgico, Stauffenberg tinha, como alguns outros na hierarquia militar, apoiado o nazismo de início e ficado entusiasmado com as vitórias dos exércitos alemães na Polônia e na França. Porém, ficara desiludido com a irresponsabilidade de Hitler no *front* oriental e pensava, sobretudo depois de Stalingrado, que essa atitude estava levando a Alemanha para o abismo. Stauffenberg também tinha um tipo de comprometimento moral e patriótico pouco comum, cuja origem era sua participação, quando jovem, no grupo que rodeava o poeta Stefan George. O que o levou definitivamente a se voltar contra Hitler foram as atrocidades cometidas pela SS contra eslavos e judeus no *front* oriental e por trás das linhas de frente, e sua crença de que elas tinham de ser interrompidas antes que ficassem ainda maiores. Junto com Tresckow, Stauffenberg se tornou a figura central na organização e no incentivo ao complô. Os conspiradores planejaram uma tentativa de assassinato depois da outra, apenas para vê-las falhar, muitas vezes por puro acaso. Um dia, Stauffenberg resolveu ele mesmo matar Hitler.[272]

À medida que a Gestapo começou a se aproximar dos conspiradores, descobrir um jeito de se aproximar de Hitler tornou-se um ponto ainda mais urgente. Em 1º de julho de 1944, ele se apresentou inesperadamente quando Stauffenberg foi promovido a coronel e nomeado secretário pessoal de Fromm, chefe da reserva do Exército. Essa circunstância lhe deu acesso a Hitler na condição de emissário de Fromm. Ao mesmo tempo, o objetivo do assassinato estava mudando por causa das grandes alterações da situação militar. Depois dos desembarques na Normandia, Stauffenberg começou a se perguntar se matar Hitler serviria a algum propósito político útil. Certamente não havia mais esperança, se é que tinha existido, de chegar a um acordo nas negociações com os aliados e resgatar das ruínas uma parte da Alemanha. Porém, como lhe disse Tresckow: "O assassinato deve ser tentado a qualquer preço. Mesmo que ele falhe, a tentativa de assumir o poder na capital deve ser levada adiante. Devemos provar para o mundo e para as gerações posteriores que os homens do movimento de resistência alemã ousaram dar o passo decisivo e arriscar nele sua vida. Comparado a esse objetivo, nada mais importa".[273] Em 20 de julho de 1944, Stauffenberg visitou os quartéis-generais de Hitler em Rastenburg, levando uma maleta que continha duas bombas. Com apenas o polegar e dois dedos a seu dispor, ele não conseguiu agir rapidamente ao ativar o detonador controlado por um relógio, e só teve tempo para preparar uma das bombas antes de ser levado ao alojamento onde Hitler estava dirigindo uma revisão da situação militar com seu pessoal; a outra bomba ele deixou com seu companheiro Werner von Haeften, que posteriormente a atirou para fora de seu carro. Colocando a maleta perto da grande mesa de conferência sobre a qual Hitler se debruçava, Stauffenberg saiu da sala, dizendo que tinha de dar um telefonema. Ele observou de certa distância a explosão da bomba, que destruiu os alojamentos. Então, deu um jeito de abrir caminho pelos cordões de segurança da SS, entrou em um avião e voou de volta para Berlim.[274]

Tendo recebido por telefone a garantia de Stauffenberg de que Hitler não poderia ter sobrevivido à explosão, Olbricht e os líderes da conspiração no quartel-general do Exército em Berlim iniciaram o golpe militar. Mas logo as coisas começaram a dar errado. Se Stauffenberg tivesse conseguido ativar as duas bombas, ou mesmo deixado a desativada em sua maleta com a outra, não há dúvidas de que Hitler teria sido morto. Mas a força da explosão não foi suficiente. A detonação não foi contida pelas frágeis paredes de madeira do alojamento e atirou-as longe, juntamente com as janelas, enquanto a pesada mesa de conferências protegeu Hitler, que estava parado do outro lado. Mesmo assim, quatro dos presentes, que estavam parados perto do local onde a bomba explodiu, morreram na hora ou posteriormente devido aos ferimentos. Hitler cambaleou porta afora, apagando as chamas que estavam queimando suas calças. Ele deparou com Keitel, o bajulador chefe do Comando Supremo das Forças Armadas, que começou a chorar, exclamando: "Meu Líder, o senhor está vivo, o senhor está vivo!". A roupa de Hitler estava rasgada e ele tinha queimaduras e escoriações em seus braços e pernas, e algumas farpas de madeira em suas pernas. Assim como todos no barracão, com exceção de Keitel, ele tinha os tímpanos perfurados. Mas não sofreu ferimentos graves. Esse foi um acontecimento decisivo. Quase tão nefasto para os conspiradores era o fato de, mesmo tendo conseguido interromper algumas comunicações com o quartel-general de campo de Rastenburg, eles não terem sido capazes de interromper todas elas. Em pouco tempo, membros da equipe de Hitler conseguiram telefonar para Berlim e transmitir a notícia de que Hitler ainda estava vivo.

Em Berlim, o cauteloso general Fromm, que havia recebido dos conspiradores a ordem para colocar o golpe militar em andamento, telefonou para Rastenburg para ver se a alegação deles de que Hitler estava morto era correta, e lhe disseram que não. Tentando prender Olbricht e os demais conspiradores no quartel-general do Exército, ele próprio foi preso quando eles tentaram dar continuidade ao golpe. No meio da crescente confusão, algumas unidades do Exército agiram de acordo com a planejada Operação Valquíria, mas outros foram impedidos quando Hitler fez que suas instruções fossem transmitidas de Rastenburg cancelando as ordens dos conspiradores. Apanhado no fogo cruzado de informações contraditórias, o major Ernst Remer, comandante de um batalhão de guardas na capital, e nazista fanático, obedecera às ordens para cercar a área do governo com suas tropas, na crença de que Hitler estava morto. Com soldados equipados com metralhadoras assumindo posições perto do Portão de Brandemburgo, a situação pareceu ruim para ministros, como Goebbels, que foram apanhados na armadilha. Temendo o pior, Goebbels apanhou um suprimento de pílulas de cianureto antes de entrar em ação. Ele persuadiu Remer a ir discutir com ele a situação, na presença de Albert Speer, que posteriormente relembrou o nervosismo do ministro da Propaganda assim que o major entrou em sua sala. Hitler não havia morrido, Goebbels garantiu para Remer: e com certeza o Líder teria condições de contradizer as ordens de qualquer general. Ele telefonou para a linha direta de Hitler em Rastenburg. Hitler falou pessoalmente com Remer e o mandou restaurar a ordem. Remer retirou suas tropas dos ministérios do governo. Os subordinados de Olbricht que não estavam a par do assunto agora uniram forças com Remer. Um tiroteio começou no quartel-general do Exército, e Stauffenberg foi ferido. Fromm foi libertado, e por sua vez prendeu Olbricht, Stauffenberg e os demais conspiradores. Beck conseguiu um revólver e atirou em si próprio duas vezes; quando ele estava caído no chão, ferido, Fromm ordenou a um sargento que o levasse para o cômodo ao lado e acabasse com ele. Então, rapidamente, condenou os demais conspiradores à morte. Se fossem deixados vivos para falar com a Gestapo, sua cumplicidade prévia no complô teria sido revelada. Um pelotão de fuzilamento colocou lado a lado Olbricht, Stauffenberg, Haeften e o companheiro de conspiração deles coronel Albrecht Mertz von Quirnheim no pátio e atirou neles um por um. Quando estava para ser morto, Stauffenberg gritou: "Longa vida para a santa Alemanha!".[275]

V

A notícia de que Hitler havia sobrevivido torpedeou o complô não apenas em Berlim, mas também em Praga e em Viena, onde alguns dos conspiradores também tinham tentado organizar um golpe. Em Paris, o comandante militar da França ocupada, o general Karl-Heinrich von Stülpnagel, deu início ao golpe assim que Stauffenberg telefonou para dizer que Hitler estava morto. Cerca de mil oficiais da SS foram presos, incluindo os principais comandantes da SS e de seu Serviço de Segurança em Paris, Carl-Albrecht Oberg e Helmut Knochen. Mas, antes que algo mais pudesse ser feito, o hesitante marechal de campo Kluge descobriu que Hitler ainda estava vivo, e rapidamente cancelou as medidas. Os homens da SS foram libertados. Para Oberg e Knochen, sua prisão e sua falha em tomar alguma medida contra a conspiração foram profundamente vergonhosas e potencialmente perigosas. O representante de Kluge em Paris, o general Günther Blumentritt, se aproveitou de seu evidente embaraço para fazer um acordo regado com diversas garrafas de champanhe no Salon Bleu do Hotel Raphaël. Ele transformou os principais acontecimentos em um mal-entendido e evitou que a cumplicidade da maior parte dos conspiradores em Paris fosse descoberta. Para Stülpnagel, entretanto, não houve atenuantes. "Então, *Herr* general", Oberg havia dito a Stülpnagel ao entrar no hotel, "parece que o senhor apostou no cavalo errado". Na verdade, Kluge já havia feito um relato das atividades de Stülpnagel para Berlim. Adivinhando o futuro que o aguardava, o general saiu de Paris e se dirigiu a Verdun, o local da batalha da Primeira Guerra Mundial, onde parou o carro, desceu e atirou na própria cabeça. Assim como Beck, contudo, não conseguiu se matar. Cego e muito desfigurado, foi levado para Berlim como prisioneiro.[276]

Notícias a respeito do atentado a bomba contra Hitler e do fato de ele ter sobrevivido já haviam sido transmitidas pelo rádio nessa altura dos acontecimentos. Abalado, mas não seriamente ferido, Hitler conseguiu encontrar tempo para um encontro já agendado com Mussolini em seus quartéis-generais de campo, conduzindo-o com orgulho a uma visita ao local da explosão, antes de falar à nação pouco antes de uma hora da madrugada de 21 de julho de

1944. Garantindo aos alemães que estava são e salvo, declarou que "uma pequena quadrilha de oficiais ambiciosos, inescrupulosos e, ao mesmo tempo, criminalmente estúpidos elaborou um complô para me afastar e, junto comigo, praticamente exterminar todo o pessoal do Supremo Comando alemão". A providência, continuou ele de modo previsível, havia preservado sua vida. Em particular, criticou veementemente os conspiradores, vociferando que iria "aniquilar e exterminar" cada um deles. Designou Himmler como substituto de Fromm, cuja tentativa de encobrir sua própria cumplicidade não havia enganado ninguém. Guderian se tornou chefe do Estado-Maior Geral do Exército. Todos os alemães, disse Hitler, tinham de se unir na caçada aos responsáveis. Nesse momento, Remer e Ernst Kaltenbrunner, chefe do Serviço de Segurança da SS, tinham chegado ao quartel-general do Exército em Berlim, e Otto Skorzeny, que resgatara Mussolini do cativeiro um ano antes, apareceu com um pelotão de homens da SS. Eles impediram que quaisquer outras execuções acontecessem. Enquanto isso, Fromm tentou telefonar para Hitler do escritório de Goebbels, mas o desconfiado ministro da Propaganda deu o telefonema ele próprio, e recebeu ordens para prender o general. Goebbels instruiu a mídia a enfatizar uma vez mais que apenas um pequeno grupo de aristocratas reacionários estivera envolvido. Manifestações públicas deveriam ser organizadas para celebrar o fracasso do golpe.[277]

Enquanto isso, Himmler e a Gestapo entraram em ação para identificar e prender os conspiradores sobreviventes. À medida que a investigação prosseguia, ficou claro que estava errada a estimativa feita por Hitler de que o complô era obra de não mais que um punhado de oficiais reacionários. Logo Canaris, Oster e o grupo do Serviço de Espionagem Militar foram trazidos para interrogatório, junto com muitos outros oficiais envolvidos na conspiração. A prisão de civis aconteceu em seguida, incluindo Hjalmar Schacht, que já fora quem ditara as regras da economia do Terceiro Reich. Schacht estivera em contato com os conspiradores, mas, mesmo antes de ficar sabendo disso, Hitler ordenou que fosse capturado porque, ele ainda achava, Schacht sabotara o rearmamento na década de 1930. Hess também teria de ser preso quando a Inglaterra fosse finalmente derrotada, ele vociferava. Ele seria "enforcado sem piedade", porque dera a outros um "exemplo da traição". Johannes Popitz e os participantes e simpatizantes social-democratas, incluindo Gustav

Noske e Wilhelm Leuschner, também foram presos. Carl Goerdeler passou à clandestinidade, e então se dirigiu para o leste, acampando em florestas, até ser finalmente reconhecido, denunciado e preso. Exausto, desmoralizado e submetido a privação de sono por seus capturadores e, assim como alguns dos outros membros da resistência, sob a influência de uma convicção moral de que não apenas a verdade tinha de ser dita, mas também de que ela teria um efeito persuasivo sobre aqueles que fossem ouvi-la, ele deu à Gestapo o nome de outros membros da conspiração, deixando claro que ela era muito mais que um complô elaborado por um punhado de militares descontentes. Ele nunca vacilou em sua convicção, que agora expressava abertamente, de que Hitler era um "vampiro" e de que "o assassinato bestial de um milhão de judeus" era um crime que conspurcava o nome da Alemanha.[278]

Himmler organizou uma gigantesca operação de captura de opositores conhecidos do regime, prendendo no fim quase 5 mil pessoas. Até o dia 23 de setembro de 1944, vieram à luz documentos que implicavam os antigos conspiradores, incluindo oficiais de alto escalão do Exército como Halder, Brauchitsch e o chefe do abastecimento das Forças Armadas, general Georg Thomas. Muitos outros já haviam se entregado, como Ulrich von Hassel, ou enfrentado a morte por resistir à prisão, ou se suicidado. Henning von Tresckow, ainda no *front* oriental, se dirigiu às linhas inimigas no dia 21 de julho e se matou detonando uma granada depois de saber que o complô tinha falhado. Preocupado com o fato de que a tortura o forçasse a denunciar pessoas, ele disse a Fabian von Schlabrendorff antes de partir: "Hitler é o arqui-inimigo não apenas da Alemanha, mas do mundo todo".[279] Outros ingeriram veneno, ou atiraram em si. Um oficial do Exército que havia se unido à tentativa de golpe em Berlim colocou uma granada em sua boca e puxou o pino quando estava para ser levado pela Gestapo. Alguns conspiradores foram selvagemente espancados. Agulhas de metal foram introduzidas sob suas unhas para forçá-los a falar. Mas eles não revelaram o nome de outros participantes. A crescente suspeita de Hitler em relação a Kluge, que ele temia que fosse negociar uma rendição com os invasores aliados, levou-o a, em 17 de agosto de 1944, designar o sempre fiel Model para seu lugar. Sabendo que o jogo estava acabado, Kluge foi para o leste e, perto do local onde Stülpnagel tentara se matar, parou o carro e engoliu um frasco de veneno. O popular marechal de campo Erwin Rommel, que soubera da conspiração mas não a aprovara, tinha, não obstante, dito pessoalmente para Hitler que ele deveria acabar com a guerra. Rommel ainda estava convalescendo de ferimentos de guerra quando Hitler lhe apresentou as alternativas de um suicídio disfarçado como morte resultante de seus ferimentos e seguida por um enterro honroso, ou prisão, julgamento e humilhação pública. Quando a SS cercou a vila onde estava descansando, Rommel percebeu que nunca chegaria vivo a Berlim, e ingeriu veneno. O enterro honroso aconteceu como combinado. Outros 22 conspiradores militares foram demitidos com desonra do Exército por uma corte marcial apressadamente convocada por ordem de Hitler e presidida pelo marechal de campo Von Rundstedt.[280]

Em 7 de agosto de 1944, o julgamento dos oito primeiros conspiradores, incluindo o general Erwin von Witzleben, que estava envolvido em conspirações militares contra Hitler desde 1938, e Yorck von Wartenburg, foi iniciado em Berlim no Tribunal Popular. Outros julgamentos foram realizados nas semanas seguintes, envolvendo muitos outros conspiradores, como Schulenburg, Trott, Goerdeler, Leuschner, Hassel e o cego Stülpnagel. O julgamento de Leber, de Popitz e do antigo presidente do estado de Württemberg, Eugen Bolz, e dos membros do Círculo de Kreisau, incluindo Moltke, aconteceu bem depois, em janeiro de 1945. Muitos dos conspiradores tinham a esperança de que um julgamento lhes permitisse expor seus pontos de vista, e na verdade Hassell, entre outros, provavelmente se rendera com essa expectativa. Mas o presidente do Tribunal Popular, Roland Freisler, atormentou e afrontou os acusados, dirigindo-lhes inúmeros insultos grosseiros, e não lhes permitiu dizer mais que poucas palavras de cada vez. A conduta dele era tão ultrajante que até mesmo o nazista ministro da Justiça, Otto-Georg Thierack, reclamou a respeito dela. A maior parte dos advogados nomeados para defender os acusados prudentemente aceitou o caso da procuradoria desde o começo e não fez nenhuma tentativa de pedir que a pena fosse abrandada. Para garantir que eles teriam uma aparência tão patética e indigna quanto possível, os acusados tinham sido previamente maltratados fisicamente, proibidos de usar gravatas, e não lhes permitiram usar cintos ou suspensórios para segurar suas calças. Não obstante, alguns conseguiram um jeito de dizer alguma coisa. Quando Freisler disse a um deles que logo ele iria queimar no inferno, o réu fez uma reverência e respondeu rapidamente: "Vou esperar sua chegada iminente, meritíssimo!". Outro disse a Freisler que, embora seu pescoço logo fosse estar no cepo, "em um ano vai ser o seu!". Mas Hitler havia pessoalmente ordenado que eles fossem enforcados, uma punição desonrosa, geralmente reservada nessa época para os trabalhadores estrangeiros, embora também tivesse sido aplicada aos membros da Orquestra Vermelha. O primeiro grupo de homens foi enforcado em ganchos grosseiros presos no teto em um anexo na prisão de Plötzensee em Berlim. Uma corda especialmente fina foi usada para que eles morressem de uma estrangulação lenta. Enquanto estavam morrendo, suas calças foram abaixadas em um último ato de humilhação. Hitler fez que as execuções fossem filmadas e assistiu a elas em seu quartel-general à noite.[281]

Alguns dos conspiradores escaparam da morte e viveram depois do término do Terceiro Reich, para contar sua história para a posteridade. Entre eles, Fabian von Schlabrendorff, que estava abrigado no porão do Tribunal Popular com o juiz e alguns funcionários do Legislativo em 3 de fevereiro de 1945 quando um bombardeio aliado demoliu o tribunal. Uma viga despencou pelo piso caindo no porão. Freisler morreu na hora. Ele foi o único ferido, mas o julgamento teve de ser adiado; quando foi reiniciado, no meio do mês de março, o tribunal estava começando a contemporizar por causa da possibilidade da derrota iminente, e o absolveu por ele ter sido ilegalmente torturado, um escrúpulo que não tinha causado à corte nenhuma perturbação nos meses anteriores. No total, talvez mil pessoas tenham sido mortas ou cometido suicídio após o frustrado golpe de Estado. Além disso, Himmler, declarando que qualquer pessoa envolvida em um crime tão hediondo contra a Alemanha deveria ter sangue ruim, lançou mão do que ele dizia ser a antiga tradição alemã de punir também a família dos criminosos, e prendeu a esposa e os filhos, e, em alguns casos, irmãos e irmãs, pais, primos, tios e tias de diversos conspiradores. A esposa de Stauffenberg foi mandada para o campo de Ravensbrück, e seus filhos receberam uma nova identidade e foram colocados em um orfanato. A família de Goerdeler, Hammerstein, Oster, Popitz, Tresckow, Trott e outros foram tratadas de modo semelhante. A propriedade e os bens dos conspiradores e de sua família foram confiscados pelo Estado.[282]

O complô, a mais séria e abrangente tentativa de derrubar Hitler desde que ele assumira o poder em 1933, havia falhado, com as consequências mais desastrosas possíveis para quase todos os envolvidos, por diversas razões, tanto específicas quanto gerais. Os conspiradores não tinham conseguido matar Hitler, nem evitar que o fato de ele ter sobrevivido fosse divulgado de seu quartel-general para o mundo exterior. Seus preparativos foram descuidados e não prestaram muita atenção a detalhes. Embora estivesse diminuindo rapidamente, a carismática autoridade de Hitler, apoiada por Goebbels, Göring, Himmler e Bormann, ainda era suficiente para evitar que hesitantes oficiais de alto escalão, como Fromm e Kluge, jogassem todo seu peso em uma tentativa de golpe. Goebbels, Hitler, Himmler e a SS agiram de modo rápido e decisivo, enquanto os conspiradores foram lentos. Os conspiradores não haviam conseguido persuadir comandantes militares importantes em número suficiente para apoiar o golpe; embora a maioria dos oficiais de alto escalão soubesse naquele momento que havia pouca esperança de que a Alemanha vencesse a guerra, a maioria deles ainda estava enclausurada em uma mentalidade militar rígida em que as ordens vindas de seus superiores tinham de ser obedecidas, o juramento que haviam feito a Hitler era sacrossanto e matar o chefe de Estado era um ato de traição. Atitude típica foi a tomada pelo general Gotthard Heinrici, que em seu diário insistia na natureza sagrada do juramento de lealdade que havia feito a Hitler, assim como todos os outros soldados alemães, e desaprovava com firmeza o complô com a bomba de julho de 1944.[283]

Os que apoiavam a tentativa de golpe estavam sempre em minoria. Alguns oficiais importantes eram, sem dúvida, influenciados pelas grandes somas de dinheiro que Hitler lhes dava. Muitos oficiais foram impedidos pelo medo de que poderiam ser responsabilizados pela derrota da Alemanha no estilo "punhalada nas costas" que muitos deles julgavam ter sido a responsável pela derrota da Alemanha na Primeira Guerra Mundial. De modo mais geral, as ideias dos conspiradores eram retrógradas, e, apesar de todas as suas tentativas de criar um programa unificado, eram profundamente divididas em muitas questões centrais. Como os mais realistas deles já haviam percebido em junho de 1944, a tentativa de assassinato era mais um gesto moral do que um ato político. Se tivessem sido bem-sucedidos em suas tentativas anteriores de matar Hitler, em 1943, poderiam ter feito uma diferença maior. Mas, o que os atrapalhou desde o começo foi a falta de sorte. Se Stauffenberg tivesse conseguido matar Hitler, o resultado teria sido, com maior probabilidade, uma guerra civil entre unidades do Exército a favor dos conspiradores e as que se opunham a eles, apoiados pela SS. Mesmo então, parece difícil que os conspiradores pudessem ter vencido: as forças a seu dispor simplesmente não eram fortes ou em número suficiente. Os aliados não tinham a menor intenção de negociar com eles, e, na verdade, quando as notícias do atentado alcançaram Londres e Nova York, foram rapidamente deixadas de lado como uma briguinha sem importância na hierarquia nazista. Alguns dos conspiradores tinham esperanças de que o golpe lhes permitisse negociar separadamente com os aliados ocidentais um tratado de paz, mas os britânicos e os americanos tinham consciência disso, e estavam preocupados com o prejuízo que isso causaria a sua aliança com a União Soviética se dessem algum tipo de resposta positiva à conspiração. Um tratado de paz separado teria criado a perspectiva alarmante de um conflito com a União Soviética, e isso era algo que Churchill e Roosevelt não estavam preparados para considerar.[284]

O objetivo dos conspiradores era organizar um golpe militar, e, apesar das tentativas de Stauffenberg de conseguir um apoio mais amplo negociando com social-democratas como Leber, a resistência dos militares conservadores tinha muito pouco apoio na população alemã de modo geral.[285] No entanto, a morte de Hitler poderia muito bem ter apressado a desintegração do regime, enfraquecido os laços de lealdade que haviam unido tantos alemães a ele até meados de 1944 e encurtado a guerra em alguns meses, salvando milhões de vidas de todos os lados com isso. Só esse fato já era justificativa mais do que suficiente para a tentativa. Não foi fácil para os conspiradores chegar às conclusões a que chegaram ou tomar as atitudes que tomaram. No fim, contudo, eles agiram. O conde Peter Yorck von Wartenburg implicitamente falou em nome deles todos quando escreveu em sua última carta para a mãe, pouco antes de sua execução: "não foi ambição ou desejo pelo poder que determinou minhas ações. Minhas ações foram influenciadas unicamente pelo meu sentimento de patriotismo, minha preocupação com a minha Alemanha como ela tinha se desenvolvido ao longo dos dois últimos anos".[286] A Alemanha dele, assim como a dos outros conspiradores, era a Alemanha do passado, acima de tudo do passado prussiano, e ele acabou reconhecendo que Hitler, em uma miríade de modos diferentes, a estava destruindo.

7

A queda

"Uma última centelha de esperança"

I

No fim de julho de 1943, quando as equipes de limpeza estavam vasculhando as ruínas de Hamburgo depois de os bombardeiros aliados terem partido, resgataram dos destroços um estudante de quinze anos de idade vivo e ileso. Agradecendo a seus salvadores, Ulrich S. se juntou a uma coluna de refugiados que tentava sair da cidade e, depois de alguns dias, conseguiu encontrar abrigo na casa de um tio que vivia em um local afastado da cidade. Filho de pais social-democratas fervorosos, Ulrich não queria ter mais nada com a guerra e se escondeu no sótão da casa do tio no meio do bosque para escapar do controle da Juventude Hitlerista. Ele seguia os acontecimentos ouvindo a BBC no rádio e manteve um diário para se preservar do inevitável sentimento de isolamento, dando-lhe como título: "O inimigo fala!". A entrada em seu diário relativa à fracassada tentativa de assassinato de 20 de julho de 1944 era característica do tom geral do escrito: "Infelizmente, como por um milagre, o cão pastor não foi ferido [...] Hitler pode ter escapado de sua merecida punição desta vez, mas o exterminador em massa vai ter o que merece antes que muito tempo se passe".[1] Depois dos primeiros julgamentos, ele escreveu a respeito dos conspiradores condenados: "No fim, a tarefa deles será levada a cabo. Os nazistas desejam sacrificar todo um povo apenas para adiar um pouco mais sua própria queda".[2]

As reações do garoto eram extremas, para dizer pouco. Naturalmente, é impossível dizer até que ponto eram compartilhadas de forma mais branda por outros membros de famílias social-democratas e comunistas. Para muitos homens oriundos de tais ambientes, entretanto, o atentado era algo próximo de uma traição; pois, se o aprovassem, por que motivo então estariam eles lutando? "Nós sabemos", escreveu um soldado em 7 de agosto de 1944, "que esses desgraçados são todos maçons e, portanto, estão em conluio com a judiaria internacional, ou, melhor dizendo, sob o domínio dela. É uma pena que eu não tenha podido tomar parte na ação contra esses bandidos".[3] Nazistas convictos estavam profundamente chocados. Alfred Molter, um austríaco que era camisa-parda havia muito tempo, e que trabalhava na equipe administrativa em terra da Força Aérea alemã, escreveu de Viena, onde estava visitando a mãe, para sua esposa Inge em 20 de julho de 1944:

> Querida, você ouviu as notícias a respeito da tentativa de assassinar o Líder? Querida, eu tinha a sensação de que deveria correr para qualquer lugar e rezar. Sejam dadas graças aos céus por o Líder ter sido mantido a salvo para nós. Inge, se o Líder tivesse sido morto, então a guerra estaria perdida, e Göring certamente seria morto também. E é isso que os bandidos estão querendo. Que criatura infame deve ter erguido sua mão para fazer isso! Quando soube a respeito, não consegui ficar sozinho. Então, fui correndo para a SA.[4]

Lá, rememorando com um antigo companheiro camisa-parda os dias em que haviam lutado juntos contra o ditador austríaco Schuschnigg, ele encontrou apoio: "Nada pode abalar nossa crença no Líder".[5] No entanto, muitas tropas mesclavam sentimentos de espanto e de ultraje com outros sentimentos. O paraquedista Martin Pöppel, então promovido de soldado raso para o corpo de oficiais, não aprovou a tentativa de assassinato. Os soldados tinham o dever de continuar a lutar. Mas, pensava então, Hitler os tinha desapontado profundamente. Ele deveria ter deixado a condução da guerra nas mãos dos profissionais. À medida que as tropas aliadas avançavam, a situação da unidade de Pöppel no norte da França ficava mais desesperadora. Mas, quando ele disse a seus soldados que teriam de se entregar, muitos deles ficaram envergonhados com a perspectiva. "Como paraquedistas", eles perguntaram, "como poderemos olhar nos olhos da nossa esposa caso nos entreguemos voluntariamente?" Finalmente, Pöppel conseguiu persuadi-los de que não tinham outra alternativa. Mas a pergunta angustiada indicava o poder do sentimento de dever militar e da honra viril que estavam entre os fatores que mantiveram muitos soldados alemães lutando no *front* ocidental até os últimos momentos.⁶

Reações no *front* doméstico foram igualmente contraditórias. Em 28 de julho de 1944, o Serviço de Segurança da SS conscienciosamente relatou o alívio geral do povo por Hitler ter escapado com vida, e a determinação do povo alemão de continuar a lutar. "Ouvimos seguidamente o ponto de vista de que, se a tentativa tivesse sido bem-sucedida, o único resultado seria a criação de um outro 1918." As pessoas estavam ansiosas para saber mais. Por quanto tempo a conspiração fora tramada? Quem estava por trás dela? Os agentes secretos britânicos estavam envolvidos? Para alguns, a liderança assumida pelos aristocratas prussianos era motivo para raiva. Relatou-se que as pessoas diziam "que a aristocracia deveria ser completamente exterminada". O envolvimento de tantos oficiais do Exército oferecia para muitos uma explicação para as contínuas derrotas da Alemanha – durante meses eles tinham sabotado o esforço alemão para a guerra ocultando tropas e munições. Alguns até alegavam que os problemas da economia de guerra eram decorrentes de sabotagem.⁷ Esses pontos de vista eram profundamente encorajados por Goebbels, que disse aos membros do Partido Nazista, em 8 de agosto de 1944, que o complô com a bomba explicava por que os exércitos alemães tiveram um desempenho tão ruim nos últimos meses. Estava claro que generais traidores não tinham desejado vencer. Eles estavam mancomunados com os aliados para causar a derrota da Alemanha.⁸ As manifestações públicas que Goebbels organizou atraíam grandes multidões, ansiosas para ouvir mais detalhes a respeito do atentado. Elas foram, de fato, descritas em um relatório como um implícito endosso plebiscitário de Hitler e de seu regime. O próprio Goebbels tinha concluído que o complô fracassado tivera um efeito purificador, causando mais bem que mal para o regime.⁹

Não chega a ser surpreendente, entretanto, o fato de nazistas convictos e agentes do regime se apressarem a declarar sua fé em Hitler, em uma situação em que qualquer um que demonstrasse a menor simpatia pelos conspiradores tinha uma grande probabilidade de ser preso, torturado, julgado e executado. Uma reação franca ao atentado não era possível. Como a polícia no distrito rural de Bad Aibling e Rosenheim, na Bavária, relatou em 23 de julho de 1944:

Quando o noticiário noturno foi transmitido às oito horas na quinta-feira, dia 20 de julho de 1944, e antes disso foi feito o anúncio especial do violento ataque, havia, entre outros, uns 12 fazendeiros da área acima mencionada sentados em um bar local. Quietos e com profunda atenção, eles ouviram o anúncio especial. Depois do anúncio, ninguém ousou dizer uma palavra, e todos ficaram sentados à mesa em silêncio.[10]

Em Berchtesgaden, o Serviço de Segurança da SS relatou que as mulheres estavam particularmente desesperadas para que a guerra chegasse ao fim, e que algumas achavam que a morte de Hitler poderia fazer que isso acontecesse. "Em um *bunker* antiaéreo, depois de o alarme ter soado, deu para ouvir uma voz de mulher no escuro: 'Bom, se pelo menos isso o tivesse atingido'."[11] As pessoas podiam se arriscar a dizer tais coisas apenas sob o véu do anonimato. Em geral, apesar de um temporário aumento do sentimento de alívio, a tentativa de assassinato não causou um efeito *geral* no ânimo popular. "Ninguém mais acredita", o relato da polícia continuava, "que possamos vencer a guerra". E o estado de espírito popular era "o pior possível".[12] A maioria das pessoas tinha coisas mais importantes com que se preocupar do que o complô. Dois dias depois de Stauffenberg explodir sua bomba, o Serviço de Segurança da SS relatou que o declínio da situação militar estava causando uma deterioração contínua do moral. E, ainda pior, "um tipo de sentimento de pânico sub-reptício se apoderou de inúmeros camaradas nacionais, sobretudo de um grande número de mulheres. Os comentários que temos anotado refletem predominantemente desalento, perplexidade e infelicidade".[13]

Mesmo na região oeste da Alemanha, diziam que os eventos do *front* oriental estavam eclipsando todo o resto. Na melhor das hipóteses, as pessoas ainda manifestavam sua confiança em Hitler; na pior, elas estavam dizendo que a situação militar era mais desesperadora do que poderiam imaginar – "e", um relatório apontou, "os pessimistas são a maioria".[14] Cartas de soldados no *front* oriental, e relatos dos que haviam voltado por causa de invalidez, deixavam claro que as forças alemãs não estavam fazendo um recuo tático, e sim uma retirada completa. Unidades inteiras estavam fugindo ou se entregando aos inimigos, e as tropas "já não têm mais vontade de lutar".[15] "Soldados que saíam em licença diziam que o estado de espírito em muitas unidades era até mesmo pior do que o das pessoas que estavam em casa, porque a grande maioria dos soldados não acreditava mais na vitória."[16] A deterioração do ânimo popular perdurou durante os meses restantes da guerra e sem ser afetado pelas notícias do complô com a bomba. As pessoas estavam começando a fugir dos territórios que se situavam no caminho do Exército Vermelho, levando com elas seu dinheiro e suas posses. Em 10 de agosto de 1944, o Serviço de Segurança da SS relatava "o cansaço da guerra entre a maioria dos camaradas nacionais", juntamente com uma prontidão (o agente talvez tenha se sentido obrigado a acrescentar) para continuar a lutar naquela que ele, de modo bastante revelador, chamava de "a batalha final".[17] Hitler e Goebbels podem ter culpado os generais por estes terem sistematicamente prejudicado o esforço de guerra por anos, mas, se esse tivesse sido o caso, alguns pensavam, então os líderes nazistas haviam sido extremamente ignorantes ou descuidados ao permitir que isso acontecesse, ou tinham consciência disso, mas resolveram deixar o povo alemão de fora da situação. A consequência, como relatou o Serviço de Segurança da SS de Stuttgart no começo de agosto de 1944, era "que a maioria dos camaradas nacionais, até mesmo aqueles que, até este momento, eram inabaláveis em sua crença, agora perderam toda a fé no Líder".[18] Em novembro de 1944, o mesmo escritório relatava que a reputação de Hitler tinha, se fosse possível, caído ainda mais. Um cidadão declarou: "Sempre se disse que o Líder tinha sido mandado do céu para nós por Deus. Não duvido disso. O Líder nos foi mandado por Deus, não para salvar a Alemanha, mas para destruí-la. A providência tinha resolvido aniquilar o povo alemão, e Hitler é seu carrasco".[19]

Relatórios sucessivos apenas apontavam para um maior declínio no moral à medida que o Exército Vermelho avançava na direção da Alemanha e, depois, em seu território. Uma série aparentemente infindável de derrotas contra os exércitos aliados invasores no oeste apenas acrescentou um toque à crescente melancolia. Também diplomaticamente, o Reich estava ficando cada vez mais isolado. A Turquia rompeu relações diplomáticas com a Alemanha em 2 de agosto de 1944, e a Bulgária declarou guerra à Alemanha quando as tropas soviéticas entraram no país, em 8 de setembro de 1944. Depois de os remanescentes do Exército romeno se desintegrarem frente ao avanço soviético, levando à aniquilação de 18 divisões alemãs na Romênia pelo Exército Vermelho, o marechal Antonescu foi afastado do poder, em 23 de agosto de 1944, e a Romênia passou para o lado dos aliados, esperando recuperar o território que perdera para a Hungria em 1940. Tudo isso ameaçava isolar as forças alemãs na Grécia, e, com autorização de Hitler, elas recuaram para a Macedônia em outubro, também evacuando a Albânia e o sul da Iugoslávia. A defecção da Turquia, de modo particular, causou uma desmoralização ainda maior na própria Alemanha.[20] A perda da Romênia levou o Exército Vermelho para as fronteiras da Hungria, onde o regente, almirante Hórthy, organizou uma resistência acirrada contra os invasores. Hórthy percebeu, contudo, que o jogo estava perdido e escreveu para Stálin alegando, de modo um tanto implausível, que havia entrado na guerra do lado dos alemães em 1941 como resultado de um equívoco. Em 15 de outubro de 1944, ele anunciou que a Hungria não era mais aliada do Reich.[21]

Hitler já havia planejado seu contra-ataque para essa defecção há tanto tempo prevista. No mesmo dia em que a Hungria abandonou a coalizão, Otto Skorzeny, agindo sob ordens de Hitler, penetrou na fortaleza em Budapeste, onde o almirante Hórthy e seu governo se refugiavam, e sequestrou o filho do líder húngaro, também chamado Miklós, enrolando-o em um cobertor e levando-o rapidamente do prédio para um caminhão que estava à espera. Em pouco tempo, o jovem Hórthy estava preso no campo de concentração de Mauthausen. Hitler então informou Hórthy que seu filho seria morto a tiros e que a fortaleza seria atacada a não ser que ele se entregasse. O almirante cedeu, renunciou e foi levado para um exílio relativamente confortável em um castelo na Baviera. Nesse ínterim, Ferenc Szálasi, líder do fascista Partido da Cruz Flechada, assumiu o poder com o apoio dos alemães. Szálasi não perdeu tempo para aprovar novas leis que reconstituíssem o Estado segundo as linhas corporativas de estilo fascista. Seus soldados começaram a matar os judeus sobreviventes por toda a Budapeste, auxiliados em alguns casos por padres católicos, um dos quais, o padre Kun, adquiriu o hábito de gritar "Em nome de Cristo, atirem!", enquanto os paramilitares da Cruz Flechada apontavam suas armas na direção de suas vítimas judias. Quando os 35 mil homens judeus que haviam sido capturados e enviados para batalhões de trabalho com o objetivo de construir fortificações ao redor da capital húngara começaram a cruzar o Danúbio em uma volta apressada para a cidade à frente do Exército

Vermelho que se aproximava, as unidades da Cruz Flechada bloquearam seu caminho, mataram-nos às margens do rio ou nas pontes e jogaram os corpos na água. Tantos corpos foram encontrados nas ruas que até mesmo a polícia reclamou. Em 18 de outubro de 1944, Adolf Eichmann chegou a Budapeste e organizou a prisão de outros 50 mil judeus, que foram obrigados a ir caminhando na direção de Viena, com o propósito de trabalhar nas fortificações de lá: sua alimentação era insuficiente e receberam maus-tratos brutais, e muitos milhares morreram na fútil marcha – tantos, na verdade, que Szálasi interrompeu as deportações no meio de novembro, talvez temendo então, com muita justificativa, que teria de responder por elas. Em Budapeste mesmo, os judeus restantes foram confinados aos guetos. Em janeiro de 1945, havia 60 mil morando em apenas 4.500 habitações, às vezes catorze pessoas em um só cômodo. Sujeitos a repetidos ataques dos esquadrões da morte da Cruz Flechada, em pouco tempo os habitantes estavam passando fome, tomados por doenças e sujeitos a taxas de mortalidade que aumentavam rapidamente. Um pequeno grupo de diplomatas internacionais na capital húngara, entre os quais Raoul Wallenberg, o representante da Suécia, tinha grande destaque, e fez esforços consideráveis e parcialmente bem-sucedidos para proteger os judeus. Conseguiram quase 40 mil passaportes de proteção – muitos dos quais forjados – reconhecidos pela Cruz Flechada.[22]

Esse não foi realmente o último grande extermínio de judeus em um país europeu. Em agosto de 1944, ficou claro que os militares eslovacos, liderados pelo ministro da Defesa, estavam conspirando para derrubar o governo fantoche que dirigira o país sob tutela alemã desde 1939 e passar para o lado dos aliados. Como consequência, tropas alemãs ocuparam a Eslováquia em 29 de agosto de 1944. Um levante nacional aconteceu em seguida. Entretanto, os insurgentes nacionalistas e pró-soviéticos não conseguiram coordenar suas atividades. Os aliados ocidentais acharam que não seria necessário ir lá dar seu apoio, já que o Exército Vermelho já estava na fronteira. As forças soviéticas não conseguiram se mover com rapidez suficiente para ir ajudar os revoltosos. Em outubro de 1944, o levante havia sido brutalmente reprimido. Enquanto isso, os ocupantes alemães não tinham perdido tempo em ordenar a retomada da deportação dos judeus remanescentes do país, interrompida pelo regime colaboracionista eslovaco em outubro de 1942 depois de cerca de 58 mil pessoas terem sido levadas para campos de extermínio. Os primeiros trens lotados partiram em setembro de 1944 e continuaram a partir até março de 1945. Nessa época, quase 8 mil judeus eslovacos haviam sido capturados e deportados para Auschwitz, mais de 2.700 para Sachsenhausen e mais de 1.600 para Theresienstadt.[23] Não apenas a SS de Himmler, mas também as autoridades civis e militares alemãs continuaram a perseguir os judeus muito tempo depois de ter ficado claro para a maior parte delas que a guerra estava perdida. A vingança pelo imaginário papel desempenhado na derrota iminente tinha se tornado sua motivação principal, e eles levaram-na adiante até o último instante.

II

Uma popular piada contada no verão de 1944 dizia que mostraram a um jovem inocente um globo, no qual, foi-lhe explicado, a imensa área verde era a União Soviética; a grande área vermelha era o Império Britânico, a gigantesca área arroxeada eram os Estados Unidos e a vasta área amarela, a China. "E aquela manchinha azul?", ele pergunta, apontando para o meio da Europa. "Essa é a Alemanha!" "Oh! O Líder sabe como ela é pequenininha?"[24] A rápida deterioração da situação militar do Reich em 1943-44 era óbvia para todos. Como autodeclarado maior líder militar de todos os tempos, Hitler sentia instintivamente que a Alemanha ainda estaria vencendo se os generais não solapassem constantemente sua estratégia, desobedecendo às suas ordens e deliberadamente batendo em retirada ao se defrontar com um inimigo que só ele, Hitler, sabia como derrotar. Apenas um último esforço, e tudo ficaria bem. Ele designou Goebbels plenipotenciário do Reich para o Esforço de Guerra Total em 18 de julho de 1944, uma iniciativa cuja origem fora o próprio Goebbels, que reivindicava sua recompensa pela lealdade e presença de espírito durante a tentativa de golpe. O rival de Goebbels, Göring, se sentiu deixado de lado, e ficou amuado em sua propriedade em Romintem por muitas semanas depois disso. Agora aliado de Martin Bormann, Goebbels lançou uma torrente de medidas, muitas das quais seriam implantadas não pela ineficiente burocracia do Estado, mas pelos líderes regionais do Partido no interior do país. Elas se concentravam particularmente na tentativa de levar ainda mais homens para as Forças Armadas. Isso o colocou contra Speer, que desejava mais homens para suas indústrias de guerra. Porém, Hitler ficou contra seu antigo favorito. Com o apoio do Líder, Goebbels e Bormann convocaram o ministro dos Armamentos e lhe disseram com franqueza que ele estava sob as ordens deles, e não deveria mais tentar influenciar Hitler diretamente.[25]

A renovada determinação de Goebbels para a "guerra total" ocasionou uma série de medidas voltadas para a economia, já que três quartos da equipe da Câmara de Cultura do Reich foram demitidos, e teatros, orquestras, editoras, jornais e outras instituições consideradas não essenciais para o esforço de guerra tiveram suas despesas reduzidas ou foram fechadas. Houve uma nova restrição quanto ao consumo de bens industriais. O próprio Hitler vetou a sugestão de Goebbels de parar de enviar jornais e revistas para os soldados no *front* alegando que isso prejudicaria o estado de espírito deles, mas outros cortes no serviço postal tiveram prosseguimento, e demissões nos governos e nas administrações locais promoveram maior eficiência das contas públicas. O limite máximo de idade para as mulheres serem convocadas para as indústrias de guerra foi aumentado de 45 para 55 anos, e cerca de 400 mil mulheres, na maior parte estrangeiras, foram transferidas do serviço doméstico para áreas da economia relevantes para a guerra. A tentativa de fundir o Ministério das Finanças prussiano, que fora dirigido por um dos conspiradores do complô com a bomba, Popitz, com o Ministério das Finanças do Reich demonstrou ser complexa demais, mas, de modo geral, as medidas liberaram mais de 450 mil homens adicionais para a guerra. Com mais homens tirados de serviços essenciais em indústrias de guerra, foi possível mandar mais de 1 milhão de homens para o *front* a partir de agosto até o fim de dezembro de 1944. No entanto, no mesmo período, mais de um milhão de soldados foram mortos, capturados ou feridos, e a área ocupada pelo Reich e, consequentemente, o número de pessoas que ele poderia convocar foi diminuindo rapidamente. O Reich estava correndo cada vez mais para tentar se manter no mesmo lugar.[26]

Em 20 de novembro de 1944, o Exército Vermelho havia se aproximado bastante do quartel-general de campo de Hitler em Rastenburg, e Hitler, cedendo a súplicas de Martin Bormann, deixou-o para sempre, fazendo o percurso de volta para a Chancelaria do Reich em Berlim. No entanto, o avanço do Exército Vermelho diminuiu quando alcançou a própria Alemanha, onde o *front* ficava menor entre o Báltico e os montes Cárpatos, e as forças alemãs tinham linhas internas de comunicação. As forças soviéticas estavam exaustas depois de seus avanços rápidos, e tinham de se reagrupar e se reorganizar, além de ter levado algum tempo para solucionar os problemas de suprimento causados pela bitola mais estreita das linhas ferroviárias nas áreas em que as tropas estavam entrando, comparada à bitola larga usada na União Soviética e nos Bálcãs. A pausa permitiu a Hitler fazer uma última tentativa de reverter a situação no oeste, onde dificuldades relacionadas à reposição de suprimentos e de tropas também retardaram o avanço aliado. No começo de dezembro, os exércitos alemães tinham sido forçados para trás das fortificações da Linha Siegfried. Hitler planejava irromper com 30 divisões recém-formadas e equipadas, lideradas por um ataque dos blindados através das defesas dos americanos, por cujas habilidades de luta ele não sentia nada além de desprezo. Essa seria, de inúmeras maneiras, uma repetição da campanha de 1940, dividindo as forças inimigas, imobilizando-as no litoral e destruindo-as em uma maciça manobra de envolvimento. O golpe dado por essa manobra tinha por objetivo manter os aliados ocidentais a distância enquanto era desenvolvida uma nova geração de "armas maravilhosas" que iriam mudar o destino da guerra decididamente a favor de Hitler. Se a ofensiva fosse realmente bem-sucedida, de fato, e conseguisse capturar a Antuérpia, Hitler e Jodl pensavam que ela poderia até mesmo levar os aliados para a mesa de negociações. Os generais e comandantes a quem Jodl apresentou os planos em 3 de novembro de 1944 rejeitaram-nos como totalmente irreais. Um rápido avanço rumo ao litoral em 1940, contra um inimigo confuso e despreparado, era uma coisa; nas condições de dezembro de 1944, com uma força maciçamente superior organizada contra eles, e prejudicados por falta de homens, de munições e, acima de tudo, de combustível, era outra coisa completamente diferente. Mas Jodl lhes disse que não havia alternativa. Uma mera vitória tática como a reconquista de Aachen não seria suficiente.[27]

Em 11 de dezembro de 1944, Hitler chegou a seu novo quartel-general de campo próximo a Bad Nauheim, perto do ponto de onde a ofensiva seria desencadeada. Em 16 de dezembro de 1944, o ataque começou. Auxiliados tanto pelo fator surpresa como pelo mau tempo que impediu os aviões aliados de voar, duzentos mil soldados alemães e seiscentos tanques com 1.900 peças de artilharia adentraram as linhas americanas, que eram defendidas por 80 mil soldados e quatrocentos tanques, e avançaram cerca de cem quilômetros na direção do rio Meuse. Mas logo os alemães ficaram com falta de combustível e, na véspera de Natal, os blindados americanos combateram-nos até fazer que parassem, apoiados pelo bombardeio contínuo das linhas alemãs por 5 mil aviões aliados assim que o tempo melhorou. Embora os britânicos, sob a liderança do sempre muito cauteloso Bernard Montgomery, não conseguissem reagir com rapidez suficiente para isolar as forças alemãs que então ocupavam um grande saliente [bulge] que deu seu nome ao confronto – Battle of the Bulge [Batalha de Ardenas] –, os americanos, liderados por George Patton, organizaram um bem-sucedido contra-ataque blindado a partir do sul. A Força Aérea alemã tentou neutralizar a supremacia aérea aliada lançando uma série de ataques com oitocentos caças e bombardeiros em campos de aviação aliados no dia 1º de janeiro de 1945, mas essa operação custou tantos aviões alemães quantos aliados – cerca de 280 – e não conseguiu alcançar seu objetivo. Um ataque secundário alemão na Alsácia também não teve resultados. Frustrados por seu fracasso em dar o golpe decisivo, os homens da Primeira Divisão Panzer da SS massacraram grande quantidade de prisioneiros de guerra americanos em Malmédy no dia 17 de dezembro de 1944. Isso apenas serviu para enfurecer as forças americanas, que agora estavam retomando seu avanço na direção da Alemanha. No total, cerca de 80 mil soldados alemães e 70 mil americanos foram mortos, feridos ou dados como desaparecidos na batalha, e cada lado perdeu cerca de setecentos tanques e veículos blindados. Para os alemães, as perdas foram insubstituíveis. Os americanos superaram com facilidade suas perdas devido à grande quantidade de homens e de equipamentos que eram continuamente transportados através do canal da Mancha para a zona de combate. O último grande contra-ataque de Hitler havia falhado. Em 3 de janeiro de 1945, ele admitiu a realidade e retirou suas forças principais do campo de batalha para posições defensivas mais a leste.[28] A derrota agora parecia inevitável. Em 15 de janeiro de 1945, Hitler embarcou em seu trem especial e voltou para Berlim.[29]

Progressivamente, Hitler e a liderança nazista voltaram seus pensamentos não para a vitória, mas para a vingança. Em particular, Hitler esperava desenvolver os meios para pagar a campanha de bombardeio aliada na mesma moeda, e um pouco mais. Embora tivesse desde o começo de sua carreira encarado o terror como um fator decisivo para combater seus inimigos, não havia considerado os bombardeios em Roterdã, em Londres e em outras cidades como o que a propaganda aliada definia como "ataques de terror". Até mesmo a *Blitz* em Londres tinha por objetivo, acima de tudo, os estaleiros, ao passo que o célebre ataque a Coventry foi organizado devido ao papel majoritário da cidade na produção de armamentos. O propósito de tais ataques era enfraquecer a economia de guerra britânica e levar Churchill à mesa de negociações, e não, como Hitler observou explicitamente, aterrorizar a população civil. Em abril de 1942, depois do ataque britânico a Lübeck, Hitler ordenou o começo dos "ataques de terror" à Grã-Bretanha. Por muitos meses, contudo, não existiam os meios para executá-los de modo que surtissem efeito. Enquanto isso, os ataques anglo-americanos a cidades alemãs grandes e pequenas se intensificavam rapidamente; durante esses ataques – em 1943 –, até 70% de bombas altamente explosivas e 90% dos dispositivos incendiários caíram em áreas residenciais, e com isso criaram um generalizado desejo popular de retaliação, não com o intuito de se vingar dos britânicos, e sim de fazer que eles parassem com a destruição. O ministro da Propaganda, Goebbels, estava particularmente preocupado com os efeitos dos ataques no moral popular. Se Göring ("um desastre", na opinião de Goebbels) fracassara em providenciar uma proteção adequada contra os ataques, então algo tinha de ser feito para convencer a população de que o regime não falhara completamente. Hitler, no início, tinha uma opinião um tanto insensível, achando que a destruição ofereceria a oportunidade para melhorias urbanas ("De um ponto de vista estético", ele opinou, "as cidades não oferecem um panorama muito bom. Muitas cidades industriais são mal-arranjadas, antiquadas e construídas de modo abominável. Agora, o bombardeio aéreo britânico nos proporciona espaço").[30] Não obstante, ele também ficou cada vez mais enfurecido com a destruição, e declarou que "os britânicos vão parar apenas se suas cidades forem destruídas [...] O terror é aniquilado pelo terror".[31]

De modo muito característico, Goebbels era a favor de bombardear partes de cidades britânicas "onde vivem os plutocratas".[32] Exigir tal grau de precisão, entretanto, era claramente irreal. Além do mais, a Força Aérea alemã não dispunha de bombardeiros com quatro motores, nem de bombardeiros de grandes altitudes, nem de bombardeiros noturnos especializados. Oficiais de alto escalão estavam postergando a produção de novos modelos alegando que seriam capazes de atacar a infantaria e os tanques inimigos com bombardeiros de mergulho. Göring declarou em setembro de 1942 que a falta de bombardeiros de longa distância nas forças alemãs o fazia "chorar".[33] Não obstante, a Força Aérea conseguiu com certa dificuldade obter cerca de 440 bombardeiros, muitos dos quais modelos mais antigos, como o Ju88, para um ataque aéreo a Londres na noite de 21-22 de janeiro de 1944, ironicamente chamado de "Baby-Blitz" pelos britânicos. Cerca de 60% das 475 toneladas de bombas que eles carregavam eram incendiárias: esse seria um ataque de retaliação, para causar o máximo de estrago nas residências da capital inglesa. Durante o ataque, entretanto, apenas 30 toneladas caíram sobre os alvos, e na verdade apenas metade das bombas conseguiu alcançar o território britânico. Outro ataque aéreo, uma semana mais tarde, não teve resultados melhores. Mais de cem aviões sofreram avarias mecânicas e tiveram de voltar. Metade dos novos Heinkell 177 foi perdida, quatro deles quando os motores pegaram fogo. O avião ainda não havia sido propriamente testado e posto à prova. Hitler chamou-o de "uma droga de avião [...] provavelmente o pior avião que jamais foi produzido".[34] Duas dúzias ou mais de ataques aéreos subsequentes se seguiram em alvos variados, de Portsmouth a Torquay, cada um deles envolvendo cerca de duzentos aviões, até que as perdas e as falhas mecânicas reduziram a quantidade a pouco mais de cem perto do fim da campanha, em abril e maio de 1944. O prejuízo causado não foi muito significativo. A não ser pelos bem-sucedidos ataques aéreos a Londres nos dias 18, 20 e 24 de fevereiro e 21 de março de 1944, a maior parte das bombas não conseguiu alcançar seus objetivos, e o total de toneladas lançadas era ínfimo se comparado ao que estava atingindo a Alemanha. Muito antes de a ofensiva chegar ao fim em maio de 1944, estava claro que algo novo era necessário. Uma variedade de "armas maravilhosas" ou "milagrosas" já estava sendo desenvolvida. Hitler e Goebbels mantiveram a promessa de que logo iriam reverter o destino da guerra e arrancar a vitória das garras da derrota.[35]

III

A primeira dessas armas a ser usada era uma "bomba voadora" sem piloto. Com a aprovação imediata de Hitler, ela foi batizada de V-1 por Hans Schwarz van Berkl, um jornalista do periódico de Goebbels, *O Reich*, no dia 17 de junho de 1944. O nome indicava sua função como um meio de retaliação contra os aliados, uma vingança pela destruição das cidades alemãs por bombas aliadas, numa situação em que ataques liderados por bombardeiros pilotados claramente não tinham um efeito significativo. A letra "V" era a abreviação de *Vergeltung*, represália, um nome que já traía a suposição silenciosa de que seu objetivo moral era maior do que sua eficácia militar. A V-1 era um resultado de projetos experimentais desenvolvidos na metade da década de 1930, quando o engenheiro Paul Schmidt começara a trabalhar em um sistema de pulsorreatores que funcionaria por meio de rápidas explosões intermitentes. Para acelerar os resultados, o Ministério da Aviação solicitara à companhia fabricante de motores aéreos Argus que assumisse o projeto em 1939; o motor pulsorreator foi testado em um pequeno caça em 1941-42. Entretanto, o barulho extremo que ele fazia e as vibrações por ele causadas impossibilitaram seu uso em aviões pilotados. A alternativa era um "torpedo aéreo", ou o que agora seria chamado de míssil de cruzeiro, e em junho de 1942 o Ministério da Aviação deu sua aprovação formal para que um programa completo de desenvolvimento fosse conduzido pela empresa construtora de aviões Fieseler. Foram necessários outros dois anos para alcançar o estágio de produção. Em 13 de junho de 1944, devido à ordem de urgência dada por Hitler, as dez primeiras bombas voadoras V-1 foram lançadas de suas rampas de lançamento costeiras na direção de Londres. O combustível delas foi calculado para acabar sobre a capital inglesa, quando elas cairiam e explodiriam. Os londrinos ouviram o pulsar dos motores à medida que as V-1 se aproximaram, esperando ansiosamente que parassem de funcionar, e então contando os segundos até a explosão. O efeito psicológico foi considerável. Hitler ordenou um aumento maciço na produção no fim de junho de 1944. Um total de 22.384 mísseis foi lançado (1.600 de aviões, os demais, das rampas de lançamento), mas entre um terço e a metade deles não conseguiu alcançar seu alvo. Alguns ficaram logo sem combustível, enquanto outros foram abatidos por artilharia antiaérea ou por caças que conseguiam voar mais rápido que os lentos mísseis, cuja velocidade de cerca de 460 km/h era facilmente ultrapassada por eles. Speer posteriormente pensou que Hitler e seu *entourage*, incluindo ele próprio, haviam "superestimado o efeito deles". Quando os aliados ocuparam os locais de lançamento, um número cada vez maior de V-1 foi lançado da Alemanha na direção da Bélgica, particularmente Antuérpia, o que dificilmente poderia ser encaixado no propósito que levara à sua criação. Em setembro de 1944, estava claro que a V-1 havia falhado em sua tentativa de abater o ânimo dos britânicos, e o programa foi colocado em segundo plano; as poucas que foram lançadas da própria Alemanha na direção de Londres em 1945 tinham de carregar ogivas muito menores para permitir que cobrissem maior distância, e causaram pouco efeito.[36]

A segunda, e tecnicamente mais sofisticada, das duas armas "V" era um míssil balístico desenvolvido pelo Exército como um rival para a V-1 da Força Aérea. No fim da década de 1920, inspirados, em parte, pelo filme de Fritz Lang *A mulher na Lua*, os cientistas haviam começado a trabalhar com foguetes propelidos a combustível líquido. Diversos grupos, alguns apoiados por fabricantes de aviões como Hugo Junkers, fizeram experiências com vários tipos de combustível, alguns deles perigosamente voláteis. No fim da década de 1930, um jovem e rico aristocrata, Wernher von Braun, se destacara como o mais importante dos pioneiros no desenvolvimento dos foguetes. Nascido em 1912, o jovem Von Braun cresceu em uma família nacionalista e conservadora; seu pai perdera seu emprego como funcionário público por ter apoiado o golpe de Kapp em 1920 e, posteriormente, tornou-se um banqueiro. Em 1932, Von Braun pai havia se tornado ministro da Agricultura no governo reacionário de Franz von Papen, mas também havia perdido seu emprego quando Hitler assumiu o poder. As ideias de direita do Von Braun mais velho, contudo, proporcionaram a seu filho uma série de comportamentos que facilitaram sua entrada no serviço do governo nazista. Depois de estudar engenharia mecânica na Universidade Técnica de Berlim, e de fazer seu doutorado em física aplicada, sobre motores propelidos a combustível líquido, Wernher von Braun conseguiu financiamento do Exército e da Força Aérea, e criou um centro de experimentos em Peenemünde, um remoto e selvagem conjunto de praias, pântanos e dunas no extremo norte da ilha de Usedom, na costa do Báltico, onde, muitos anos antes, seu avô passara as férias caçando patos. Membro do Partido Nazista a partir de 1937, e da SS três anos depois, Von Braun tinha as credenciais, as conexões, o charme e o carisma necessários para persuadir os militares a aumentar os fundos para seu improvável projeto. Os problemas que Von Braun e sua sempre crescente equipe precisavam resolver eram colossais: o combustível tinha de ser estável, bem como potente; a aerodinâmica dos foguetes, confiável; os sistemas de navegação, eficientes. Von Braun lutou para obter fundos para equipamentos imprescindíveis como aço e componentes indispensáveis como giroscópios, transmissores e turbo-bombas, e conseguiu especialistas em ciência e trabalhadores especializados competindo com áreas da economia de guerra que tinham uma prioridade muito maior que o teste e o desenvolvimento de foguetes experimentais.[37]

Um ponto crucial, entretanto, foi Von Braun ter conseguido convencer Albert Speer da importância do projeto. "Eu gostava de me misturar com aquele círculo de cientistas e inventores jovens e apolíticos liderados por Wernher von Braun – 27 anos de idade, determinado, um homem que se sentia à vontade no futuro", relembrou posteriormente Speer.[38] Ao visitar Peenemünde pouco depois de sua nomeação como ministro dos Armamentos, ao lado do general Fromm, o marechal de campo Milch e um representante da Marinha, Speer observou o primeiro lançamento de um foguete controlado por controle remoto. "Com o rugir de um gigante liberto do cativeiro", ele relembrou mais tarde, "o foguete subiu lentamente de sua plataforma de lançamento, pareceu se equilibrar em sua esteira de chamas por uma fração de segundo, então desapareceu com um clamor entre as nuvens baixas. Wernher von Braun estava resplandecente". Profundamente impressionado com essa magia técnica, Speer ouvia explicações dos especialistas a respeito das "incríveis distâncias que o projétil estava percorrendo, quando, um minuto e meio depois do lançamento, um rugir crescente rapidamente indicou que o foguete estava caindo na vizinhança. Todos ficamos imóveis onde nos encontrávamos. O foguete se espatifou no solo a apenas oitocentos metros de distância".[39] Ninguém se surpreendeu quando, ao ouvir notícias a respeito da tentativa, Hitler não se convenceu do futuro do projeto. Mas seu ceticismo inicial foi sobrepujado depois de Speer ter feito o relato da primeira tentativa bem-sucedida, no dia 14 de outubro de 1942, quando um dos foguetes percorreu 190 quilômetros, caindo a quatro quilômetros do seu alvo. Então, foi a vez de Hitler ficar entusiasmado. Com um descaso pela realidade que estava se tornando óbvio em outras áreas também, ele declarou que 5 mil mísseis tinham de ser produzidos para que fossem lançados contra a capital do Reino Unido. Um documentário feito por Von Braun convenceu Hitler de que o foguete se tornaria "a arma decisiva da guerra".[40]

Com esse apoio, o programa do foguete então prosperou. Antes que se passasse muito tempo, entretanto, foi necessário transferir a produção de Peenemünde para um local mais seguro. O serviço de informação dos aliados e os voos de reconhecimento haviam revelado informações alarmantes a respeito desse e de outros locais onde eram desenvolvidas armas secretas, e uma esquadrilha de quase seiscentos bombardeiros fora enviada para o complexo onde se desenvolvia o foguete, em Peenemünde, para destruí-lo. O local sobreviveu ao ataque de 18 de agosto de 1943, mas um estrago considerável havia sido causado. Desejando exercer seu próprio poder sobre o programa, Himmler persuadiu Hitler de que a produção deveria ser transferida para um local subterrâneo bem longe da atenção destruidora dos bombardeiros aliados. Himmler indicou um oficial de alto escalão da SS, Hans Kammler, para estabelecer esse novo centro de produção. Kammler tinha experiência como engenheiro e desempenhara um papel significativo no Ministério da Aviação antes de se transferir para supervisionar a construção dos campos de extermínio em Auschwitz-Birkenau, Majdanek e Belzec. A partir do começo de 1942, ele era responsável pelo departamento de construção do Escritório Central de Economia e Administração da SS.[41] Speer achava que ele tinha uma estranha semelhança com Reinhard Heydrich, "louro, olhos azuis, rosto longo, sempre muito bem-vestido, e muito educado", mas também era "um maquinador frio, impiedoso, fanático ao perseguir um objetivo, e tão cuidadosamente calculista como inescrupuloso". Contudo, a princípio, Speer se deu bem com Kammler, descrevendo-o como, "de muitas maneiras, um reflexo meu", um homem da classe média formado na universidade que "tinha ido longe e rapidamente em campos para os quais ele não recebera treinamento", um homem cuja "frieza objetiva" ele considerava atraente.[42] Depois de avaliar várias possibilidades, Speer, Kammler e a equipe do foguete se decidiram por um complexo de antigas minas de gipsita perto da cidade de Nordhausen, nas montanhas Harz, na Turíngia. Kammler rapidamente começou a providenciar a conversão das minas em um novo centro para a produção de foguetes, conhecido como a Fábrica Central (*Mittelwerk*), em uma vaga alusão a sua localização geográfica, e organizou a transferência do equipamento e dos papéis que poderiam ser recuperados de Peenemünde.[43]

Para o projeto de construção, a SS estabeleceu um subcampo de Buchenwald, conhecido como Campo de Concentração de Mittelbau-Dora, no local. Em outubro de 1943, 4 mil prisioneiros estavam trabalhando na mina, a maior parte deles russos, poloneses e franceses, explodindo, cavando, misturando e despejando concreto; no fim de novembro de 1943, o número deles havia dobrado. "Não prestem atenção nos custos humanos", declarou Kammler. "O trabalho deve prosseguir, e no prazo mais curto possível."[44] Em vez de gastar tempo e dinheiro na construção de alojamentos para abrigar os prisioneiros fora das minas, como se pensara inicialmente, Kammler fez que a SS dividisse com paredes os túneis transversais 43 a 46 e mandou os prisioneiros armarem beliches de madeira, cada um dos quais com quatro camas. A atmosfera úmida dos túneis frios, onde a temperatura nunca ultrapassava os 15° Celsius (59° Fahrenheit), ficou ainda pior com o pó constante vindo do trabalho de explosão. Não havia instalações sanitárias adequadas, o suprimento de água não era suficiente e os prisioneiros não podiam se lavar. Banheiros improvisados consistiam de dois grandes tambores de óleo serrados ao meio, e sobre eles eram colocadas tábuas de madeira. Uma das brincadeiras favoritas dos guardas da SS era se aproximar dos trabalhadores por trás, enquanto eles estavam sentados nas tábuas, e empurrá-los para dentro. Os prisioneiros, que dormiam dois ou mais em uma única cama, rapidamente ficaram sujos, mal arrumados e infestados de piolhos.[45] Um prisioneiro francês descreveu sua chegada ao local em 14 de outubro de 1943:

> Os *capos* e a SS nos levaram até lá em uma velocidade infernal, gritando e despejando golpes em nós, ameaçando-nos com a execução [...] O barulho penetra no cérebro e acaba com os nervos. O ritmo insano dura quinze horas. Ao chegar ao dormitório [...] nós nem tentamos chegar aos beliches. Entorpecidos pela exaustão, caímos nas pedras, no chão. Atrás, os *capos* nos pressionam. Os que vêm atrás tropeçam em seus

amigos. Logo, mais de mil homens desesperados, no limite de sua existência e atormentados pela sede, jazem lá esperando um sono que nunca chega; pois os gritos dos guardas, o barulho das máquinas, as explosões e o soar do sino os alcançam até lá.[46]

Os prisioneiros foram mantidos nos túneis o tempo todo, apenas vendo a luz do dia uma vez por semana, quando tinham de permanecer ao ar livre horas a fio durante a chamada semanal. Muitos tinham disenteria; os que estavam fracos demais para ir até o local da chamada eram impiedosamente espancados pelos guardas da SS, muitas vezes até a morte.[47]

Em seu julgamento posterior em Nuremberg, Speer negou ter visitado um campo de trabalhos forçados de qualquer tipo, e nem mencionou o complexo Dora-Fábrica Central.[48] Entretanto, como revelam os registros de seu ministério, Speer visitou de fato o novo centro de produção do V-2 em 10 de dezembro de 1943. Posteriormente, disse ter ficado chocado com as condições em que os prisioneiros trabalhavam. Segundo suas memórias, ele ordenou imediatamente a construção de acomodações apropriadas para os prisioneiros, a melhoria das instalações sanitárias e o aumento de sua ração de comida.[49] Mas seu relato administrativo não apresentou nenhum tipo de protesto; pelo contrário, em 17 de dezembro de 1943, Speer escreveu para Kammler dando-lhe os parabéns por ter conseguido estabelecer o novo centro de produção em dois meses, um feito "que excede sobremaneira qualquer outra coisa já feita na Europa, e é insuperável até mesmo de acordo com padrões americanos".[50] Não foi senão no dia 13 de janeiro de 1944 que o médico-chefe do Ministério dos Armamentos relatou as terríveis condições de saúde no campo, o que levou a uma investigação do ministério. As mortes passaram de 18 em outubro de 1943 para 172 em novembro de 1943, e 670 em dezembro de 1943; no prazo de seis meses de abertura do campo, 2.882 prisioneiros haviam morrido. Em março de 1944, um crematório fora instalado para resolver o problema dos corpos. Apenas com a chegada do tempo mais quente e a conclusão dos dormitórios externos em maio de 1944 o número de mortes começou a cair.[51] No fim, 20 mil dos 60 mil forçados a trabalhar no centro de produção do V-2 e viver em Dora, ou em um dos nada menos de trinta subcampos espalhados ao redor do local, morreram devido a doenças, à fome e aos maus-tratos.[52]

Enquanto isso, assim que Speer adoeceu, em 18 de janeiro de 1944, Himmler apareceu, tentando assumir o controle completo do empreendimento e transformá-lo em uma outra divisão do florescente império econômico da SS. Apenas dois meses depois, tendo falhado em convencer Wernher von Braun a se unir a ele em seus planos, Himmler fez que o cientista, seu irmão e dois de seus colaboradores mais próximos fossem presos sob a acusação de pertencer a um (absolutamente fictício) movimento de resistência da esquerda e de tentar sabotar o programa do foguete. Em pouco tempo, entretanto, Speer havia suplicado a Hitler, durante a visita do Líder ao seu leito de doente, que ordenasse a soltura deles. Uma grande pressão foi também exercida sobre o Líder nazista por Walter Dornberger, o oficial do Exército que assumira a responsabilidade geral do programa V-2. Himmler foi obrigado a ordenar a soltura dos membros da equipe do foguete, com a alegação de que seus conhecimentos científicos e técnicos eram indispensáveis, e a tentativa dele de assumir o empreendimento deu em nada. A prisão de Von Braun se tornou útil depois da guerra quando ele foi defender sua folha corrida durante os anos do nazismo, apresentando-se como um especialista técnico apolítico. Seu conhecimento foi duramente colocado à prova nos meses seguintes, enquanto os foguetes continuavam a explodir durante os testes de voo, e a primeira produção dos modelos, tirados às pressas da linha de montagem na Fábrica Central, mostrou ser igualmente insatisfatória. Logicamente, a péssima condição física, os maus-tratos e a falta de experiência dos trabalhadores-escravos teve como decorrência uma mão de obra de pouca qualidade. Ajustes e aperfeiçoamentos constantes significaram que nada menos de 65 mil mudanças tiveram de ser feitas no projeto até o fim da guerra. Mesmo quando as condições em Dora melhoraram com novos alojamentos e outras instalações, o tratamento cruel e brutal imposto aos prisioneiros pelos guardas e supervisores continuou no mesmo ritmo, e não há evidências de que ou Dornberger ou Von Braun, ou, para falar no assunto, Speer, jamais tenham feito alguma tentativa para melhorar a situação. Apenas em setembro de 1944, quando os problemas iniciais foram finalmente solucionados, os primeiros foguetes foram lançados contra Londres. Logo a fábrica estava produzindo mais de vinte por dia, até setecentos por mês.[53]

Nessa época, a administração do programa de produção tinha sido retirada do Exército, que perdera muito poder e influência depois do complô da bomba em julho de 1944, e transferida para uma companhia limitada criada pelos cientistas da equipe do foguete com o objetivo de tentar evitar a crescente influência de Kammler e da SS. As condições no campo em Dora ficaram ainda piores com a chegada, em 1º de fevereiro de 1945, de um novo comandante, Richard Baer, que anteriormente trabalhara como último comandante de Auschwitz, com ordens para reprimir o então ativo movimento de resistência entre os presos. Baer mandara espancar antigos comunistas alemães até a morte, bem como supervisionara grande quantidade de execuções em massa, incluindo uma de 162 presos em março de 1945, a qual os demais prisioneiros foram forçados a testemunhar. Logo depois, o campo foi evacuado. Apenas seiscentos trabalhadores, doentes demais para serem removidos, haviam sido deixados em Dora quando as forças aliadas chegaram, juntamente com outros 405 em um subcampo das redondezas. A fábrica, assim como as instalações em Peenemünde, tinha conseguido construir cerca de 6 mil foguetes nessa época; a Fábrica Central também construiu milhares de bombas voadoras V-1. No total, 3.200 foguetes V-2 foram lançados com sucesso, grande parte deles não na direção da Grã-Bretanha, mas em alvos na Bélgica. Não havia defesa contra eles: eles se aproximavam do solo quase em linha vertical, em uma velocidade que não podia ser refreada, algo próximo de 2.800 quilômetros por hora. Mas não podiam carregar mais que uma carga pequena e convencional de uma tonelada de altos explosivos, e não conseguiram, portanto, causar estragos consideráveis. O número total de pessoas mortas pelo foguete não ultrapassou 5 mil. O V-2 foi, por isso, como seu historiador Michael Neufeld observou, "uma arma ímpar: mais pessoas morreram fabricando-a do que morreram sendo atingidas por ela".[54]

IV

Logo no começo da primavera de 1942, como já vimos, o general Fromm, que seria preso dois anos mais tarde por sua cumplicidade no complô da bomba, já estava pessimista quanto ao desenrolar da guerra. Mas Fromm não perdeu as esperanças por completo. Estava convencido de que a única coisa que poderia vencer a guerra diante dos maciços programas de armamento postos em prática pela Grã-Bretanha, pelos Estados Unidos e pela União Soviética seria uma superbomba que estava sendo desenvolvida por um grupo de físicos sob a liderança dos físicos teóricos Otto Hahn e Werner Heisenberg. A tentativa feita por alguns cientistas nazistas radicais na década de 1930 de considerar a física teórica, e especialmente a Teoria da Relatividade, como "judaicas" fora rejeitada com sucesso pela comunidade dos físicos em um confronto emocionante em Munique em 15 de novembro de 1940.[55] A teoria, a comunidade decidiu, não era judaica, mas perfeitamente alemã. Um estrago significativo tinha sido causado nesse ínterim, entretanto. Os físicos destacaram que, enquanto, em 1927, cientistas alemães haviam publicado 47 artigos a respeito de física nuclear, cientistas americanos e britânicos, juntos, tinham conseguido produzir apenas 35. Em 1939, contudo, a proporção havia sido alterada de modo significativo. Os alemães produziram apenas 166 artigos contra 471 dos anglo-americanos. Nessa época, também, havia 30 aceleradores de partículas nos Estados Unidos, contra apenas um na Alemanha.[56] As possíveis consequências militares eram sérias. Como Hahn descobrira em 1938, se o urânio fosse bombardeado por nêutrons, liberaria energia suficiente para desencadear uma reação em cadeia cujo poder destrutivo era quase incalculável. No entanto, a Alemanha havia claramente ficado para trás na corrida para transformar essa descoberta em algo que tivesse uso militar prático.[57]

Não obstante, Heisenberg persistiu na tentativa de desenvolver uma bomba nuclear. Nessa tentativa, contudo, ele deparou com problemas insuperáveis. Embora o cientista dinamarquês Niels Bohr tivesse descoberto antes da guerra que o urânio-235 era o melhor material para alcançar esse propósito, Heisenberg e Hahn nunca conseguiram calcular a quantidade necessária para a bomba, nem como manter o processo de fissão sob controle durante a produção. Eles estavam certos ao pensar que "água pesada" (um isótopo da água comum) era necessária para alcançar o último objetivo, e as coisas pareciam estar no caminho para o sucesso quando a única fábrica do mundo que podia produzir grandes quantidades dessa água foi capturada na Noruega em abril de 1940. Porém, o serviço de informações dos aliados percebeu a importância da fábrica e destruiu-a em uma série de ataques com comandos e bombardeiros em 1943. Mesmo sem esse contratempo, a equipe de

Heisenberg não conseguiu perceber que a grafite era tão importante quanto a água pesada para controlar a fissão nuclear. E mesmo com um investimento maciço de dinheiro e de recursos ainda seriam necessários dois, ou mesmo três anos, antes que uma "bomba atômica" pudesse ficar pronta. Speer sabia, assim como os generais do Exército, que o Terceiro Reich não podia se dar ao luxo de esperar. O investimento necessário desviaria recursos extremamente necessários para atender às necessidades imediatas da economia de guerra: aviões, armas, tanques, munições, submarinos, soldados e suprimentos que eram necessários para infligir a derrota total ao Exército Vermelho nos meses seguintes, destruir as linhas britânicas de suprimentos do Atlântico, e se preparar para enfrentar o ataque violento que estava, sem sombra de dúvidas, sendo preparado pelos americanos. Procurado por Heisenberg para discutir o assunto, Speer ficou impressionado com a ideia e destinou-lhe um pouco de recursos financeiros. Estes, porém, não eram suficientes. No começo do verão de 1942, havia sido tomada a decisão básica de permitir o desenvolvimento apenas em escala relativamente pequena, porque Hitler e os principais economistas alemães não esperavam que a guerra fosse durar mais que uns poucos meses, então a bomba atômica teria de esperar até que a guerra tivesse terminado. O Exército, que em 1940 assumira o controle do principal centro de pesquisas dessa área, o Instituto Kaiser Guilherme de Física, onde Heisenberg tinha seu laboratório, devolveu-o para o Conselho de Pesquisa do Reich, já que ele não parecia ter relevância militar direta.[58]

Caso tal bomba tivesse existido, Speer pensou mais tarde, Hitler não teria tido a menor dúvida ou hesitação quanto a usá-la. Ao assistir a um cinejornal sobre o bombardeio de Varsóvia em setembro de 1939, que terminava com uma montagem mostrando um avião mergulhando na direção de um mapa das ilhas Britânicas, que eram então explodidas, Hitler observara para Speer: "Isso é o que vai acontecer com eles! É assim que vamos aniquilá-los!". Usando fundos fornecidos por Speer, Heisenberg e sua equipe construíram um cíclotron que conseguiu partir um núcleo atômico no verão de 1944. Porém, não havia urânio em quantidade suficiente disponível para prosseguir com a pesquisa, principalmente tendo em vista que os estoques alemães do elemento eram necessários para fabricar núcleos de munição sólida depois de os suprimentos de volframita de Portugal terem sido cortados em 1943.⁵⁹ Além do mais, de qualquer modo, a habitual luta interna no regime militava contra a necessária concentração de esforços, pois havia outra equipe além da de Heisenberg. Esta era liderada pelo jovem físico Manfred von Ardenne, com o apoio um tanto improvável do ministro dos Correios do Reich, Wilhelm Ohnesorge. O amigo deste, o fotógrafo Heinrich Hoffmann, persuadiu Hitler a ter um interesse pessoal na pesquisa. Ardenne era assistido por Kurt Diebner, um físico do Exército, e por uma equipe de cerca de cem outros pesquisadores espalhados em 17 instituições diferentes. Eles fizeram algum progresso no desenvolvimento de uma arma tática nuclear de um tipo diferente da superbomba de Heisenberg, usando plutônio enriquecido. Afirmações posteriores de que a equipe de Ardenne havia conseguido realizar testes com explosões em Rügen, uma ilha do Báltico, em outubro de 1944, e depois na Turíngia, em 3 e 12 de março de 1945, contudo, foram recebidas com certo ceticismo por alguns historiadores. Aqui também foram usados prisioneiros dos campos de concentração nos trabalhos de construção, e centenas deles morreram enquanto construíam o local para os testes em março de 1945. Se Ardenne e Diebner foram bem-sucedidos ou não, era tarde demais para fazer qualquer diferença. Nessas circunstâncias, não era possível obter os suprimentos necessários de urânio e de plutônio.⁶⁰ O apoio de Hitler também não era muito entusiasmado, porque, no fundo, ele ainda acreditava que a física nuclear era uma disciplina judaica, e assim também pensava o ministro da Educação, que nada fez para apoiar as pesquisas nessa área. De qualquer modo, mesmo que o dinheiro, o pessoal e o material estivessem disponíveis, o tempo não estava. A Alemanha carecia dos recursos que os Estados Unidos dedicaram à criação da bomba atômica; e, mesmo lá, não foi antes de 1945 que o Projeto Manhattan, com seus bilhões de dólares, um número imenso de cientistas e um suprimento ilimitado de material, conseguiu apresentar uma arma que pudesse ser usada.⁶¹

Potencialmente tão destrutivos eram os agentes nervosos que estavam sendo desenvolvidos pelas indústrias I. G. Farben. Em 1938, Schrader, Ambros, Rüdiger e Van der Linde, cientistas da I. G. Farben, haviam sintetizado um composto organofosforado extremamente mortal ao qual deram o nome de Sarin, pegando letras de seus sobrenomes. Como diretor da I. G. Farben e também chefe do comitê especial no ministério de Speer responsável por gases venenosos, Ambros estava em uma posição particularmente firme para desenvolver tais agentes químicos, dos quais havia outro, chamado Tabun, pronto para ser fabricado, e um terceiro, chamado Soman, sintetizado por cientistas no Instituto Kaiser Guilherme de Química, chefiado por Richard Kuhn, no começo de 1944. Em 1942, a produção industrial do Sarin e do Tabun havia começado em um local ao norte de Breslau. Doze mil toneladas do Tabun foram produzidas até junho de 1944. Esses agentes nervosos foram testados em animais, e há suposições de que tenham sido também testados em prisioneiros de campos de concentração, embora não haja provas sólidas a esse respeito. Porém, alguns problemas sérios teriam de ser superados antes de os agentes poderem ser usados. Durante o estágio de desenvolvimento, os agentes nervosos, que eram letais mesmo se uma dose ínfima entrasse em contato com a pele, causaram convulsões ou outros problemas em cerca de trezentos trabalhadores (muitos deles trabalhadores forçados) e pelo menos dez mortes. O líder nazista da Frente de Trabalho Alemã, Robert Ley, um químico de formação, estava entusiasmado, mesmo assim, com as novas armas químicas: Albert Speer lembrou-se posteriormente de ele ter dito nessa época, acompanhado pelos inevitáveis copos de vinho forte, mal pronunciando as palavras de tanta excitação: "O senhor sabe que temos esse novo gás venenoso – ouvi falar a respeito dele. O Líder deve mandar produzi-lo. O Líder deve usá-lo. Agora ele tem de fazer isso! Ou quando mais? Esta é a última ocasião. O senhor também deve perceber que esta é a hora". Hitler, na verdade, chegou a pensar em usar o agente nervoso contra o Exército Vermelho. Mas Speer sabia que as fábricas produtoras dos ingredientes básicos haviam sofrido estragos tão grandes por causa dos bombardeios aliados que a ideia não podia ser colocada em prática.[62]

De qualquer modo, não era conhecida uma proteção eficaz contra os gases. Era perigoso demais transportá-los para o campo de batalha. E se o vento virasse e o soprasse de volta para as tropas alemãs? Colocá-lo em bombas ou em mísseis era quase tão perigoso. Erros sempre aconteciam, e ninguém poderia saber com certeza que direção a nuvem de gás poderia tomar quando uma bomba de gás explodisse. O plenipotenciário para a Guerra Química de Hitler, Karl Brandt (que também era seu médico pessoal), estava convencido, assim como outros cientistas, de que, por seus recursos superiores, os aliados, sem dúvida, estariam mais adiantados no desenvolvimento e na produção dos agentes nervosos. Se a Alemanha começasse a usá-los, ele raciocinava, e os aliados resolvessem retaliar, então a supremacia aérea dos inimigos tornaria impossível a defesa por parte dos alemães. No outono de 1944, refletindo essa linha de pensamento, a produção de máscaras antigás na Alemanha aumentou rapidamente, e milhões de máscaras foram produzidas no espaço de poucos meses. Na verdade, os aliados não tinham agentes nervosos modernos, embora tivessem estoques de fosgênio e de gás mostarda. Eles também estavam bem equipados com máscaras antigás, que foram distribuídas aos milhões entre a população britânica até mesmo antes de a guerra começar. Contudo, se tais equipamentos simples teriam oferecido alguma proteção contra o Sarin ou o Tabun, é algo extremamente duvidoso.[63]

Bombas voadoras, foguetes, bombas atômicas e agentes nervosos estavam longe de ser os únicos equipamentos tecnologicamente avançados em desenvolvimento na Alemanha durante a guerra. Como Speer observou, em 1944 havia uma grande variedade de armas maravilhosas em preparação:

> Tínhamos uma bomba voadora operada por controle remoto, um avião-foguete que era ainda mais rápido que o avião a jato, um projétil-foguete que mirava um avião inimigo rastreando os jatos de calor de seus motores e um torpedo que reagia ao som e conseguiria, portanto, seguir e atingir um navio avançando em ziguezague. O desenvolvimento de um míssil terra-ar havia sido concluído. O projetista Lippisch tinha em sua prancheta projetos de aviões a jato muito mais sofisticados do que qualquer outra coisa até então conhecida [...] Nós sofríamos literalmente com um excesso de projetos em desenvolvimento. Se tivéssemos nos concentrado em apenas poucos modelos, teríamos concluido, com certeza, alguns deles mais cedo.[64]

Mas nenhum deles produziu resultados. A incapacidade do regime de estabelecer prioridades, decorrente em parte das lutas entre diferentes agências, em parte em uma superestimação de sua capacidade de financiar e de desenvolver tais programas, e em parte por subestimar o tempo e os recursos necessários para passar da etapa de pesquisa e de desenvolvimento para a produção, condenou-os ao fracasso. Em vez de se concentrar no míssil terra-ar Catarata, por exemplo, que, na visão de Speer, teria desempenhado um papel crucial na redução do impacto dos bombardeios anglo-americanos, Hitler ordenou a concentração de recursos na bomba voadora V-1 e depois no foguete V-2. Isso fez que o programa dos mísseis prosseguisse com dificuldade, indo de um problema a outro, diminuiu a força de trabalho e o equipamento que poderiam ter acelerado seu desenvolvimento até o ponto em que pudessem ter entrado em operação.[65] Speer e outras pessoas estavam cientes da falta de coordenação; alguns projetos estavam sendo levados adiante apesar de sua óbvia falta de relevância militar prática. Contudo, a luta perpétua pelo poder no regime significava que ninguém poderia fazer nada a respeito disso. Os custos desses projetos eram imensos: havia mais pessoal empregado na fábrica do V-2 em Peenemünde, por exemplo, do que no Projeto Manhattan em Los Alamos. No fim, todos esses planos impuseram um imenso fardo financeiro à Alemanha sem causar o menor efeito nos resultados da guerra.[66]

Algo parecido aconteceu com o caça a jato, que também poderia ter ajudado a defender as cidades alemãs. O conhecimento científico e tecnológico certamente estava disponível. Em 1941, Ernst Heinkel conseguira desenvolver e testar um motor a jato que deveria ser colocado em um novo e revolucionário caça, o Me262 de dois motores, dando-lhe uma velocidade de mais de oitocentos quilômetros por hora. Ele voou pela primeira vez em julho de 1943. Speer estava entusiasmado com o novo avião, e culpou as repetidas intervenções de Hitler – de início, ele ordenou a interrupção, então mudou de ideia, mas declarou que teria de ser um bombardeio no lugar de um caça – pelo fracasso posterior para colocá-lo na linha de produção em massa. Speer e muitas outras pessoas, incluindo os líderes da Força Aérea, tentaram convencer Hitler de que o Me262 poderia causar danos imensos aos bombardeiros britânicos e americanos que estavam então devastando as cidades alemãs se ele fosse desenvolvido e usado como caça. Mas Hitler considerou que isso era uma crítica a seu conhecimento militar e técnico e ficou tão irritado com as repetidas tentativas para fazê-lo mudar de ideia que proibiu todas as discussões sobre o Me262 do outono de 1944 em diante. De qualquer modo, os bombardeios aliados estavam causando estragos no desenvolvimento do avião e nas fábricas onde ele seria produzido muito antes de a situação chegar a esse ponto. Portanto, poucos foram produzidos. Suprimentos de combustível estavam sendo destruídos, os suprimentos necessários de ligas metálicas para construir os aviões em grandes quantidades estavam em falta, e o tempo e as instalações para treinar os pilotos para pilotar o avião eram inexistentes. Mais importante de tudo, entretanto, muito mais tempo seria necessário para testar e deixar o projeto mais sofisticado até que os inevitáveis problemas iniciais fossem solucionados e o avião pudesse voar em segurança e com eficiência. O Ministério da Aviação prometeu todo o empenho para desenvolver o avião; a Messerschmitt simplesmente não tinha o tempo e os recursos para fazer que o projeto se transformasse em realidade.[67]

Grandes esperanças eram depositadas em uma nova geração de submarinos, equipados com potentes baterias que lhes permitiriam permanecer submersos por longos períodos, de modo que não fossem detectados por radar. Os novos modelos eram construídos tendo em vista a rapidez, de modo que pudessem ultrapassar comboios e afundá-los antes que os destróieres que os escoltavam pudessem entrar em ação. O primeiro dos novos submarinos foi entregue em junho de 1944, e cerca de 150 tinham sido construídos até fevereiro de 1945. Porém, tinham sido mandados para a linha de produção às pressas, antes de serem adequadamente testados e postos à prova, e muitos deles foram vitimados quase imediatamente por problemas iniciais. De qualquer modo, sem o reconhecimento aéreo, eles teriam tido dificuldades para localizar seus alvos. Um projeto de emergência para a construção de um avião de reconhecimento para longas distâncias, o Ju290, teve de ser interrompido no verão de 1944 depois de os estragos infligidos pelos ataques aéreos aliados nos centros de produção terem evidenciado a futilidade do projeto. Logo em seguida, as bases de submarinos na costa francesa caíram nas mãos dos aliados. Os novos submarinos não conseguiram afundar um único navio, embora a prioridade dada ao programa de construção e as esperanças quanto a seu sucesso tenham convencido Hitler de que o comandante da matilha de submarinos, almirante Dönitz, era um dos poucos líderes remanescentes nas Forças Armadas que ainda tinham o desejo de vitória que ele requeria.[68]

Outra arma maravilhosa, chamada de V-3, foi concebida somente como um meio de vingança contra os britânicos. Era um enorme canhão com um cano de mais de 150 metros de comprimento que deveria lançar ogivas do continente até o centro de Londres, aumentando o impulso delas com pequenas explosões à medida que elas percorriam o cano, desse modo progressivamente aumentando sua velocidade. Ele ainda estava em fase de desenvolvimento quando os aliados destruíram o local de lançamento e, na época em que as instalações foram consertadas, a guerra já estava irremediavelmente perdida.[69] No entanto, outra arma maravilhosa, um foguete de quatro estágios que usava pólvora em vez de combustível líquido, acabaria levando aos foguetes de múltiplos estágios movidos a combustível sólido do pós-guerra, mas o Exército nunca conseguiu produzir mais do que poucos deles, que foram lançados a partir do fim de 1944 contra Antuérpia, mas ultrapassaram seu alvo e caíram no mar. O único estrago causado por essa arma ocorreu quando um teste de lançamento fez que um foguete fosse zunindo na direção de uma fazenda nas vizinhanças, matando diversas galinhas e um cachorro e ferindo duas vacas.[70] A lista das armas maravilhosas era aparentemente interminável. No começo de abril de 1945, Albert Speer deparou com o líder da Frente de Trabalho, Robert Ley, Martin Bormann e outros em profunda discussão:

> Ley veio correndo até mim com a novidade: "Os raios da morte foram inventados! Um simples aparato que podemos produzir em grande quantidade. Eu estudei a papelada; não há dúvidas a respeito do assunto. Esta vai ser a arma decisiva!". Enquanto Bormann acenava em concordância, Ley prosseguiu, gaguejando como sempre, para botar a culpa em mim. "Mas, é claro, seu ministério rejeitou o inventor. Felizmente para nós, ele me escreveu. Mas agora o senhor deve pessoalmente fazer que o projeto vá adiante. Imediatamente. No momento, não há nada mais importante".[71]

A equipe de Speer logo descobriu que o inventor era um amador excêntrico que estava solicitando equipamento tão defasado que ele não era produzido havia mais de quarenta anos.[72]

No fim das contas, o significado maior das armas maravilhosas foi seu uso como instrumento de propaganda que deu esperanças para as pessoas que ainda desejavam que o nazismo vencesse. A mídia alemã divulgou histórias chocantes sobre a devastação causada pelos V-1 e V-2, tentando satisfazer a necessidade que as pessoas sentiam de uma ação de represália eficiente contra os britânicos que acabasse com os bombardeios. Muitas delas foram inventadas. No total, menos de 6 mil V-1s caíram na Grã-Bretanha e pouco mais de mil V-2s. Foram destruídas 31.600 casas, a maior parte em Londres, e aproximadamente 9 mil pessoas foram mortas pelas duas armas, com 24 mil ficando feridas. Esse estrago não pode ser comparado à devastação infligida pelos bombardeios aliados na Alemanha, e de modo nenhum satisfez a demanda por uma retaliação maciça. As pessoas chamavam a V-1 de *Volksverdummer Nr 1* (Escarnecedor do Povo Nº 1) ou *Versager Nr 1* (Fracasso Nº 1). O Ministério da Propaganda de Goebbels estava ciente desse ceticismo. Então, uma campanha coordenada em vários meios de comunicação lançou inúmeras promessas vagas de novas e ainda não especificadas armas maravilhosas cujo poder de destruição seria muito maior. Em 19 de fevereiro de 1943, Hitler se pronunciou publicamente a respeito de "armas inigualáveis, até então desconhecidas" que estavam a caminho e mudariam os rumos da guerra.[73] No entanto, tais promessas logo perderam qualquer potencial que pudessem ter. Até em novembro do mesmo ano, uma piada a respeito delas estava correndo entre o povo. Ela mostrava quão bem as pessoas sabiam que a falta de recursos da Alemanha estava fazendo que perdesse a guerra. "1950", dizia o imaginário relato. "Encontro nos quartéis-generais do Líder a respeito da data fixada para a Vingança. Ela foi adiada uma vez mais porque não há consenso se os dois aviões devem voar lado a lado ou se um deve voar na frente do outro."[74]

Perto do fim da guerra, até mesmo os mais otimistas e convictos seguidores do nazismo estavam começando a ter dúvidas a respeito das armas maravilhosas. Em 3 de setembro de 1944, Inge Molter escreveu para seu marido Alfred:

> Fred, querido, temos de continuar lutando até que as novas armas fiquem prontas, não é possível que o inimigo vá fazer que fiquemos de joelhos antes de isso acontecer. Querido, não posso mesmo acreditar nisso. Tudo isso terá sido em vão, não existirá mais a Alemanha? Não,

querido, não posso acreditar nisso. Mas, infelizmente, esse ponto de vista está gradativamente se insinuando nas lojas e em todos os lugares onde a gente vê pessoas reunidas.[75]

No dia 12 de novembro de 1944, um preocupado ouvinte de rádio mandou uma carta para o chefe do serviço de notícias do Ministério da Propaganda, Hans Fritzsche, perguntando: "Por que não colocamos ao menos algumas das novas armas em ação, quando o inimigo está estacionado tão perto de nossas fronteiras a oeste e a leste?". Ele não recebeu resposta.[76] Em março de 1945, a situação da Alemanha, escreveu a estudante universitária Lore Walb, era "indescritivelmente triste":

> E, na presente situação, o governo ainda fala em vitória! No mais fundo do meu coração, eu também não quero acreditar que nosso povo esteja condenado à derrota. Mas, se a gente pensar só um pouco, a situação está muito complicada. Não dá para ver nem mais um raio de luz. As novas armas não apareceram, e provavelmente nunca aparecerão. Eu certamente acredito que elas foram planejadas, e que a construção delas começou, mas neste ponto eles não vão conseguir mais terminá-las.[77]

"Até os últimos dias", relatou o Serviço de Segurança da SS no fim de março de 1945, "as pessoas tinham um pouco de crença em um milagre que foi alimentado com tanta maestria e com tanta determinação pela propaganda a respeito das novas armas". Mas esse resquício de esperança tinha de ser visto como um tipo de mecanismo psicológico de defesa para lidar com o desespero que estava então dominando o povo alemão. O relato concluía: "Ninguém acredita que ainda possamos evitar a catástrofe com os métodos e as possibilidades de conduzir a guerra que existiram até agora. A última centelha de esperança permanece sendo o auxílio vindo de fora, ou um conjunto de circunstâncias absolutamente excepcionais, ou uma arma secreta cujo poder é imenso. Essa esperança também está se extinguindo".[78]

V

Se novas armas não poderiam salvar a Alemanha, então talvez novos soldados fossem capazes de fazê-lo. Já no fim de 1943, a convocação de grupos de homens cada vez mais velhos para as Forças Armadas estava motivando uma variedade de piadas populares. "A vingança vai acontecer", dizia uma delas, "quando você vir avisos nos asilos para idosos: 'Fechado por causa da convocação'".[79] Em 26 de setembro de 1944, em uma tentativa desesperada de enfrentar a falta de pessoal militar, Hitler ordenou a criação da Força de Ataque do Povo (*Volkssturm*), na qual homens de todas as idades entre 16 e 60 anos foram convocados a pegar em armas, e a fazer treinamento para uma luta final. Eles deveriam ser organizados pelo Partido, com o intuito, disse Hitler, de defender o povo alemão da tentativa de seus "inimigos judaico-internacionais" de aniquilá-los. Todos eles tinham de fazer um juramento pessoal de lealdade para com Hitler, lealdade até a morte. A data oficial para o lançamento da Força de Ataque do Povo foi escolhida por Himmler para 18 de outubro, o aniversário da derrota do exército de Napoleão na Batalha das Nações em Leipzig em 1813. Esse deveria ser um levante assim como aquele, que – na história popular – havia acabado com o domínio francês sobre a Alemanha apenas 130 anos antes. Mas a realidade ficou muito aquém da retórica. Os homens da Força de Ataque do Povo nunca seriam uma força de combate eficaz. Eles não tinham uniformes – não havia possibilidade de fornecê-los naquela altura – e deveriam vir com suas próprias roupas, trazendo uma mochila, um cobertor e equipamento para cozinhar. As armas e as munições de que precisavam nunca estiveram disponíveis na quantidade necessária, e nas últimas etapas da guerra eles eram pouco mais do que uma deplorável imitação de um exército. Um dia, ao se afastar um pouco de seu esconderijo no meio do bosque, o estudante social-democrata Ulrich S. observou quatrocentos homens da Força de Ataque do Povo se aproximando da cidadezinha nas proximidades. "Cansados e exaustos, muitos deles estavam usando uniformes emprestados ou roubados da Força Aérea. Alguns deles tinham somente suas roupas civis. Vi apenas cinco soldados entre eles que estavam carregando armas, os demais não tinham nem mesmo uma baioneta."

Com o desprezo característico da adolescência pelas pessoas de meia-idade, ele acrescentou: "A maior parte deles estava entre 45 e sessenta anos de idade. A tropa toda causou uma impressão lamentável em nós. Eles quase pareciam um grupo de um asilo para idosos em um passeio".[80] Esse ponto de vista era generalizado. "Dois homens com pás estão andando por um cemitério", dizia uma piada popular na época. "Um velho grita na direção deles: 'Então vocês estão pensando em desenterrar reforços para a Força de Ataque do Povo?'"[81] Para os homens da Força de Ataque do Povo, entretanto, o recrutamento era mais que uma piada. Nada menos que 175 mil foram mortos na luta contra os exércitos profissionais dos russos e dos aliados ocidentais.[82]

A convocação para a Força de Ataque do Povo era profundamente impopular. As pessoas estavam cientes da sua inutilidade militar, e os sacrifícios que lhes pediam que fizessem causavam um amargo ressentimento. Em Stuttgart, os pôsteres vermelhos espalhados por toda a cidade em 20 de outubro de 1944 notificando a criação da Força de Ataque do Povo faziam as pessoas se lembrar dos painéis vermelhos usados para anunciar as execuções. "Também estão anunciando uma execução", consta que as pessoas diziam, "ou, mais precisamente, a execução do povo alemão".[83] O recrutamento era completamente indiscriminado. A convocação para a Força de Ataque do Povo, então, pegou muitos homens desprevenidos e relutantes em sua rede. Uma de suas vítimas foi o crítico teatral, escritor e pseudoaristocrata fantasista Friedrich Reck-Malleczewen. Quando a Força de Ataque do Povo foi criada, ele estava pacificamente vivendo em sua pequena propriedade nos montes da Bavária com sua segunda esposa, Irmgard, com quem havia se casado em março de 1934, e suas três filhas, nascidas em 1939, 1941 e 1943. Naquela época, sua própria história de mentiras e de embustes voltou para perturbá-lo. Reck se vangloriara em demasia de ter tido uma carreira militar heroica durante a Primeira Guerra Mundial como oficial prussiano; então, não foi surpresa para ninguém que a liderança da Força de Ataque do Povo na cidade mais perto, Seebruck, lhe pedisse para se alistar. Reck, que, na verdade, nunca participara de serviço ativo e nunca dera um tiro em ninguém durante toda sua vida, ignorou a solicitação. Quatro dias depois, em 13 de outubro de 1944, foi preso por ordens do escritório de recrutamento militar em Traunstein por debilitar o esforço militar alemão e mantido preso por uma semana. A Gestapo agora estava de olho em Reck. A organização sabia que ele era, além de qualquer outra coisa, o autor de livros cuja essência era inegavelmente antinazista, tal como seu estudo do reinado de terror dos nabatistas em Münster, no século XVI (cujo subtítulo era "História de uma ilusão em massa"), e seu relato do assassinato do revolucionário francês Jean--Paul Marat por Charlotte Corday, ambos publicados em 1937.

Incapaz de capturá-lo tendo como motivo tais livros subversivos porque, afinal de contas, foram legitimamente publicados na Alemanha com a aprovação do aparato de censura de Goebbels, a Gestapo agiu baseada em uma denúncia do diretor da editora Knorr e Hirth, em Munique, Alfred Salat, que vira uma carta mandada por Reck a seu colega Fritz Hasinger em 10 de julho de 1944, a respeito de seus direitos autorais. Um comentário na carta que se referia ao "marco de hoje" valendo "apenas metade do que você ganha em outros lugares com uma moeda mais poderosa", combinado com reclamações gerais, ainda que vagas, a respeito do modo como os editores tinham tratado seus autores desde 1933, foi o suficiente para fazer Reck ser preso em 29 de dezembro de 1944 sob a acusação de "insultos à moeda alemã" e "afirmações que denegriam o Estado". Quando a prisão em que ele estava sendo mantido em Munique foi destruída por um bombardeio em 7-8 de janeiro de 1945, Reck foi transferido com outros prisioneiros para o campo de concentração em Dachau, onde a Gestapo ordenou que fosse mantido para interrogatórios posteriores. As condições no campo se deterioraram rapidamente nos últimos meses da guerra e Reck logo ficou doente. Foi transferido para o bloco destinado aos enfermos e, embora se recuperasse o suficiente para chegar a ser mandado de volta para custódia normal no campo, adoeceu novamente e morreu às 8h30 da manhã de 16 de fevereiro de 1945. O atestado de óbito diz que a *causa mortis* foi enterocolite, mas inúmeras testemunhas, incluindo o vizinho de Reck na ala do hospital, o médico do campo que o atendeu nos últimos dias e o viu morrer e o ajudante médico no campo disseram, posteriormente, que ele morrera de tifo, uma doença cuja existência no campo os oficiais até mesmo nos estágios finais da guerra negavam com prontidão.[84]

Não apenas os civis mais velhos como Reck, mas também meninos e, cada vez mais, meninas foram convocados para ajudar na artilharia antiaérea e nos holofotes durante ataques aéreos e fazer parte do esforço de guerra de outros modos. Até mesmo os membros do Partido estavam reclamando, em outubro de 1944, do "recrutamento de grupos que mal conseguem fazer qualquer tarefa prática", já que adolescentes da Juventude Hitlerista estavam sendo chamados para trabalhar na construção de defesas "em quase todas as fronteiras do Reich".[85] Em 17 de março de 1945, por exemplo, todos os alunos entre 14 e 16 anos de idade da escola secundária de elite da Napola em Oranienstein foram alistados para ajudar nas defesas ocidentais. Cinco dias depois, um instrutor chegou para ensinar aos outros alunos como usar artilharia antitanque manual.[86] As mulheres também estavam sendo convocadas para as Forças Armadas como auxiliares e estavam sujeitas à disciplina militar. Uma jovem da Prússia Oriental contou como sua unidade de recrutas inexperientes estivera junta por três semanas, aprendendo a usar uma pistola, quando caças inimigos atacaram seu campo de treinamento. Uma menina que estava no posto de vigia correu para fora do campo para se abrigar. Por isso, ela foi condenada à morte:

> Todas fomos forçadas a ficar perto da cerca e ver nossa companheira levar um tiro [...] Muitas meninas desmaiaram. Então fomos levadas de volta para o campo [...] A impressão que essa execução causou em nós era indescritível. Nós não conseguíamos fazer mais nada a não ser ficar na cama e chorar o dia todo. Nenhuma de nós foi trabalhar. Por isso, fomos todas trancadas em celas [...] Tivemos de ficar lá por quatro dias, a pão e água. Permitiram que levássemos ou uma cópia de *Minha luta* ou da Bíblia conosco, mas eu recusei o oferecimento.[87]

A futilidade desse alistamento final de moças nas Forças Armadas não poderia ser mais clara do que no caso da jovem de 23 anos de idade, Rita H., uma costureira, cujas tarefas consistiam em pouco mais do que auxiliar na evacuação de membros da administração do Exército, incluindo a queima de documentos incriminatórios. Enquanto as mulheres tentavam acender o fogo sob uma chuva torrencial, "os papéis e arquivos chamuscados ficaram espalhados por todo o local, pois o vento estava continuamente se insinuando em nossas pequenas pilhas de papel. Era estranho", ela acrescentou, escrevendo como uma católica piedosa, "e ao mesmo tempo maravilhoso ficar lá daquele jeito e de uma maneira em que fosse possível testemunhar a queda de um governo ateu".[88]

"Vamos arrastar o mundo conosco"

I

O último discurso de Hitler, transmitido em 30 de janeiro de 1945, décimo segundo aniversário de sua indicação a chanceler do Reich, suscitou mais pena que entusiasmo entre seus ouvintes. Ele nem se deu ao trabalho de manter a esperança de que "armas maravilhosas" iriam virar o jogo. Pelo contrário, vociferou como sempre contra a "conspiração mundial judaico--internacional" que estava determinada a aniquilar a Europa. Os alemães, disse, tinham de continuar a resistir até que a vitória fosse alcançada. Não haveria uma punhalada pelas costas como acontecera na Primeira Guerra Mundial. Nem mesmo os nazistas convictos acharam que o discurso era inspirador. Como Melita Maschmann escreveu posteriormente:

> Durante os últimos meses da guerra eu sempre tinha de conter as lágrimas quando ouvia a voz de Hitler no rádio ou via sua imagem nos cinejornais. Nossa mente consciente poderia se recusar a reconhecer os sinais de um colapso iminente, que estavam se tornando cada vez mais óbvios, mas as impressões imediatas que recebíamos por meio dos olhos e dos ouvidos não poderiam ser falsificadas, e nosso coração estava repleto de medo por causa da verdade aterradora: os cinejornais mostravam um homem envelhecido, que caminhava com os ombros encurvados e ficava olhando ansioso ao seu redor. Sua voz soava aguda por causa do

desespero. Estaria ele, então, destinado a fracassar? Para nós, ele incorporava o esforço sem precedentes que havia feito a nação alemã assumir o controle do governo do continente. Ao olhar para ele nós víamos a soma total de todos os incontáveis sacrifícios de vidas, de saúde e de propriedades que tal esforço havia requerido. Teria tudo isso sido em vão?[89]

Muitos dos nazistas mais fervorosos, ou dos mais inocentes, continuavam a esperar contra todas as evidências de que não tivesse sido. Uma menina de 15 anos de idade, cuja educação inteira tivera como um de seus propósitos fazer de Hitler uma figura paterna, foi capaz de escrever em seu diário, depois de anotar os últimos desastres militares: "Nosso pobre, pobre Líder, ele não deve estar mais conseguindo dormir à noite, e, no entanto, ele tinha em mente o bem da Alemanha".[90]

O tom de suas observações não era nada excepcional em tais círculos. Tendo recebido o treinamento para ser membro da Força Aérea, Albert Molter se juntou a um grupo que estava reunido para ouvir o discurso de Hitler na sala de reuniões de seu comandante. Cantaram-se hinos patrióticos e trechos da peça *Schlageter*, de Hanns Johst, foram apresentados.[91] O rádio então foi ligado e todos se acomodaram para ouvir. "Como sempre", escreveu Albert para sua esposa Inge, "foi maravilhoso ouvir a voz do Líder. Quão pesado deve ser o fardo que ele carrega. Vendo dessa perspectiva, é quase mesquinharia ouvir as palavras do Líder na esperança de que elas tragam uma decisão. Mas, na verdade, uma decisão já foi tomada. Nenhum milagre vai nos salvar, a não ser o da determinação da Alemanha".[92] Como resposta, sua esposa comparou a causa do nacional-socialismo com a do cristianismo, e os supostos sofrimentos de Hitler com os de Jesus. A vida de Cristo, ela relembrou, havia terminado com a crucificação. "Fred, querido", perguntou Inge para seu marido, "será que pedirão a nós semelhante sacrifício, para que nossa ideia possa viver para sempre?"[93] A identificação deles com Hitler era completa. "Devemos ficar ao lado da Alemanha, ao lado do Líder", escreveu Alfred para sua esposa em 9 de março de 1945, "somente desse jeito ficaremos ao lado de nós mesmos".[94]

Pouco tempo depois, sua unidade foi enviada a Berlim para lutar ao lado da infantaria que defendia a capital alemã. Em poucas semanas, os britânicos ocuparam Nienburg, onde Inge estava então vivendo, e prenderam o pai dela, um nazista. "Nossa bela e amada Alemanha", escreveu ela em desespero para seu marido, "todos os sacrifícios dela, todo o heroísmo dela foram em vão".[95] Alfred nunca respondeu. Na época em que Inge escreveu essa carta, ele havia desaparecido em uma missão. Seu corpo nunca foi encontrado.[96]

Enquanto os mais fiéis de seus seguidores mergulhavam em piedade excessiva pela triste situação do Líder, os pensamentos de Hitler se voltavam de maneira cada vez mais intensa para o suicídio. Protegido de um ataque aéreo no *bunker* sob a Chancelaria do Reich logo depois da derrota alemã na Batalha de Ardenas, Hitler se entregou momentaneamente ao desespero. O Exército o havia traído, ele disse; a Força Aérea era um junco partido. "Sei que a guerra está perdida", disse ele a seu secretário, Nicolaus von Below, e continuou: "Acima de tudo, eu gostaria de colocar uma bala em minha cabeça". Mas, se ele perecesse, então a Alemanha também pereceria. "Não iremos capitular. Nunca. Podemos cair. Mas vamos arrastar um mundo conosco."[97] Quando o assunto era a propaganda pública, Hitler e Goebbels se voltavam então cada vez mais para a ameaça de aniquilação que eles viam vindo do leste. O medo deveria instigar os alemães a continuar lutando. No dia 21 de janeiro de 1945, em um editorial para *O Reich*, Goebbels protestava desesperadamente contra "a conspiração mundial de uma raça parasitária", os judeus, que tinham conseguido mobilizar o mundo todo contra o nacional-socialismo. Apesar de tudo, ele proclamou, desafiador, "não a Europa, mas os próprios judeus vão perecer".[98]

Apesar de tal tirada, estava claro para a maioria dos alemães que a guerra se aproximava rapidamente do fim, à medida que o Exército Vermelho, então reagrupado e reequipado depois de seus rápidos avanços dos meses anteriores, retomava os ataques. Depois da perda dos campos de petróleo da Romênia, o Exército alemão precisava desesperadamente se agarrar a sua fonte de suprimentos na Hungria, ou então não haveria praticamente mais combustível para mover seus tanques, caminhões, artilharia autopropulsada e veículos de transporte que ainda restavam. Hitler se recusou a permitir que as forças alemãs em Budapeste recuassem, e a capital húngara logo foi cercada por forças soviéticas. Uma grande ofensiva com o objetivo de romper o cerco falhou em fevereiro de 1945, com a perda de cerca de 30 mil homens mortos ou capturados. Um ataque dos blindados desencadeado pela Sexta Divisão Panzer do Exército, retirada da Batalha de Ardenas, falhou de modo também decisivo, e no fim de março o Exército Vermelho havia ocupado praticamente toda a Hungria. No norte, as forças alemãs na Letônia resistiram, mas estavam completamente isoladas. O ataque soviético principal aconteceu no setor central, no meio de janeiro, quando formações blindadas do Exército Vermelho se aproveitaram da transferência de cruciais unidades alemãs para a campanha da Hungria para pulverizar o *front* alemão e esmagar o que restava dos blindados alemães. No fim de janeiro, o Exército Vermelho tinha ocupado quase todo o território polonês do período pré-guerra. Alguns bolsões de resistência permaneciam, o mais notável deles era a cidade de Breslau, que resistiu até maio. Mas o Exército Vermelho estava então às margens do rio Oder, na fronteira do Reich Alemão. Havia capturado a grande área industrial da Silésia e assumido o controle dos campos petrolíferos da Hungria, e estava se aproximando de Viena. Seus comandantes fizeram uma pausa para reagrupar e reforçar as munições e os suprimentos para a ofensiva final.[99]

No oeste, depois do fracasso da contraofensiva alemã na Batalha de Ardenas, 1,5 milhão de americanos, mais de 400 mil britânicos e canadenses e 100 mil soldados da França Livre se reuniram no fim de janeiro para um ataque à região do Reno. Eles fizeram mais de 50 mil prisioneiros enquanto avançavam, empurrando as forças alemãs para o outro lado do rio. Em 7 de março de 1945, quando as tropas americanas chegaram a Remagen, viram soldados alemães tentando desesperadamente explodir a ponte sobre o rio, a última que restava. Apressando a vinda de reforços, elas atravessaram o rio e fizeram uma cabeça de ponte no outro lado, permitindo que muitas tropas atravessassem a ponte antes que esta finalmente caísse. Quando o Reno foi cruzado, mais 30 mil soldados alemães tinham sido capturados e outros 60 mil mortos ou feridos. Os americanos avançaram na direção leste, rumo à Saxônia, enquanto as forças canadenses avançavam na Holanda. Forças britânicas se dirigiram para o nordeste, na direção de Bremen e de Hamburgo, e ainda mais divisões americanas organizaram uma grande operação de envolvimento na região do Ruhr, capturando mais de 300 mil prisioneiros alemães. Em 25 de abril de 1945, as tropas americanas encontraram o Exército Vermelho para um aperto de mãos cerimonial na cidadezinha de Torgau, no rio Mulde, um tributário do Elba. Outras tropas se dirigiam para o sudeste, na direção de Munique, com o objetivo de encontrar as forças aliadas que avançavam na direção do passo do Brennero vindas do norte da Itália, onde um ataque final começara em 9 de abril de 1945. O Exército Vermelho já entrara em Viena no dia 3 de abril de 1945, enquanto as tropas americanas estavam avançando pela Áustria vindas do oeste. Entre negociações constantes, as forças invasoras concordaram em uma divisão aproximada do território entre elas, já que o acerto de contas final se aproximava. Apesar de algumas dúvidas do lado dos britânicos, a capital alemã foi deixada para ser conquistada pelo Exército Vermelho. Forças soviéticas haviam então assumido controle total dos céus e tinham em terra uma imensa superioridade em blindados, em artilharia, em munições e em soldados. Em uma luta acirrada em março e no começo de abril de 1945, elas destruíram praticamente todo o resto do Exército alemão e as fortalezas em que Hitler depositava tantas esperanças, na Prússia Oriental e na Pomerânia, enquanto Rokossovskii desencadeava um ataque maciço em Mecklenburg no norte. No meio de abril de 1945, 2,5 milhões de soldados estavam então posicionados para o ataque final à capital de Hitler.

As Forças Armadas alemãs pouco tinham com que atacar o inimigo. Em março de 1945, cerca de 58 mil jovens entre 16 e 17 anos de idade foram mandados para o campo de batalha: o treinamento deles fora mínimo, e, por mais que tivessem sido doutrinados pela causa nazista, não eram páreo para os duros veteranos do Exército Vermelho ou para os bem equipados batalhões de britânicos e de americanos e seus aliados.[100] As baixas alemãs no *front* oriental haviam aumentado de 812 mil em 1943 para 1,8 milhão em 1944. No fim do ano, mais de 3,5 milhões de soldados alemães haviam sido mortos ou capturados pelo Exército Vermelho. No total, mais de 450 mil membros das Forças Armadas alemãs foram mortos em janeiro de 1945; 295 mil em fevereiro; 284 mil em março e 281 mil em abril: na verdade, mais de um terço de todos os soldados alemães mortos durante a guerra o foram nos últimos quatro meses e meio do conflito. No fim de 1944, cerca de 800 mil soldados alemães estavam sob custódia dos aliados ocidentais, um número que aumentara para mais de 1 milhão em abril e 4 milhões na época em que a guerra terminou. Setecentos mil membros das Forças Armadas alemãs estavam em campos soviéticos. Em abril de 1945, havia 600 mil soldados, aviadores e marinheiros doentes e feridos em hospitais.[101] Somente no segundo semestre de 1944, a Força Aérea perdeu mais de 20 mil aviões. O controle dos céus passou para os bombardeiros aliados, para o Exército Vermelho e as forças invasoras no oeste.[102] Speer estava redobrando seus esforços para aumentar a produção de armamentos, e em setembro de 1944 quase 3 mil caças haviam sido concluídos. Mas, quanto mais território a Alemanha perdia, mais rapidamente a economia de guerra encolhia. De modo especial, a perda para o Exército Vermelho das grandes áreas industriais ao leste, principalmente a Alta Silésia, privou o Reich de recursos econômicos vitais. Não era mais possível recrutar mão de obra forçada nas áreas ocupadas. As fontes de combustível da Alemanha na Romênia e na Hungria tinham acabado. A tentativa de conseguir um substituto produzindo combustível sintético fora em vão. Não havia mais defesas contra a destruição que caía do céu continuamente nas cidades alemãs. O Exército alemão não era mais composto por forças disciplinadas, eficientes e motivadas, mas, rapidamente diminuindo em quantidade, desmoralizado e desorganizado, era pouco mais do que um grupo armado.[103]

II

A propaganda nazista se concentrava então cada vez mais em incutir no povo alemão o medo ao invasor. A mensagem escrita por Hitler, lida no rádio em 24 de fevereiro de 1945, aniversário da promulgação do programa do Partido Nazista em 1920, advertia que os alemães seriam despachados para a Sibéria como escravos se o Exército Vermelho triunfasse.[104] No dia seguinte, 25 de fevereiro de 1945, Goebbels advertia, em um artigo em *O Reich*, que, se a Alemanha se rendesse, Stálin ocuparia imediatamente a região sudeste da Europa, e "uma cortina de ferro cairia imediatamente sobre esse imenso território, junto com a vastidão da União Soviética, e nações seriam massacradas por trás dela".[105] O apelo final de Hitler para as tropas no *front* oriental, lançado para todos os escalões em 15 de abril de 1945, usava o medo como sua arma principal ao convocar até o último homem para a resistência: "O mortal inimigo judaico-bolchevista, junto com suas multidões, está começando seu ataque final. Ele está tentando destruir a Alemanha e exterminar nosso povo [...] Velhos e crianças serão assassinados, mulheres e crianças serão rebaixadas a prostitutas de alojamentos. O restante irá marchar para a Sibéria". Porém, a Alemanha seria poupada desse destino se o povo permanecesse firme. "Os bolcheviques [...] irão sangrar às portas da capital do Reich Alemão."[106] Goebbels fez questão de repetir tais advertências em detalhes nessas semanas finais. Ele desencavou uma vez mais a alegação de que os aliados tencionavam exterminar a raça alemã. Suas advertências eram ecoadas por Heinz Guderian, chefe do Estado-Maior do Exército, que declarou que tudo que o Exército Vermelho desejava fazer na Alemanha era roubar, estuprar e matar.[107]

Contudo, essas advertências sérias tiveram, por certo tempo, tanto a possibilidade de dar em nada como de alcançar sucesso. Muitos alemães, como já vimos, sentiam que não podiam criticar o Exército Vermelho tendo em vista as atrocidades que a própria Alemanha cometera. Não eram apenas os maus-tratos contra os judeus que suscitavam tais sentimentos de culpa. Relatou-se que um membro do Partido na região de Stuttgart havia perguntado retoricamente: "Não foram os nossos membros da SS com tanta frequência até mesmo mais cruéis em relação aos alemães, seus concidadãos, do que os russos foram em relação aos prussianos orientais? Nós mostramos aos outros como lidar com inimigos políticos".[108] Exortações públicas para continuar a lutar tinham igualmente pouco efeito. Em 24 de fevereiro de 1945, Bormann fez um apelo no aniversário da proclamação do programa do Partido Nazista em 1920. Qualquer pessoa que pensasse em recuar ou em se render, ele disse, seria um traidor da nação. O autossacrifício seria recompensado com a vitória. Só se o povo alemão permanecesse firme, a Alemanha triunfaria.[109] Não muito tempo depois, em Berlim, três mulheres foram vistas olhando um pôster colocado na vitrine da loja de departamentos KdW, que dizia: "Berlim está trabalhando, lutando e ficando em pé". Mais alguns bombardeios como o do dia anterior, ouviram uma das mulheres dizer, "e a única coisa que vai ficar em pé serão ruínas [...] Não deu para ver muitas provas de Berlim estar lutando no último domingo. Os americanos jogaram suas bombas onde eles quiseram. Elas voaram pelo céu sem oposição, sem nenhuma luta".[110] Nas áreas invadidas, as pessoas começaram a buscar um modo de se render. Suas tentativas não foram bem-vistas por fanáticos nazistas. "Em uma sessão do conselho municipal", notou Lore Walb, que havia partido de Munique para sua cidade natal de Alzey, na região da Renânia, "o doutor

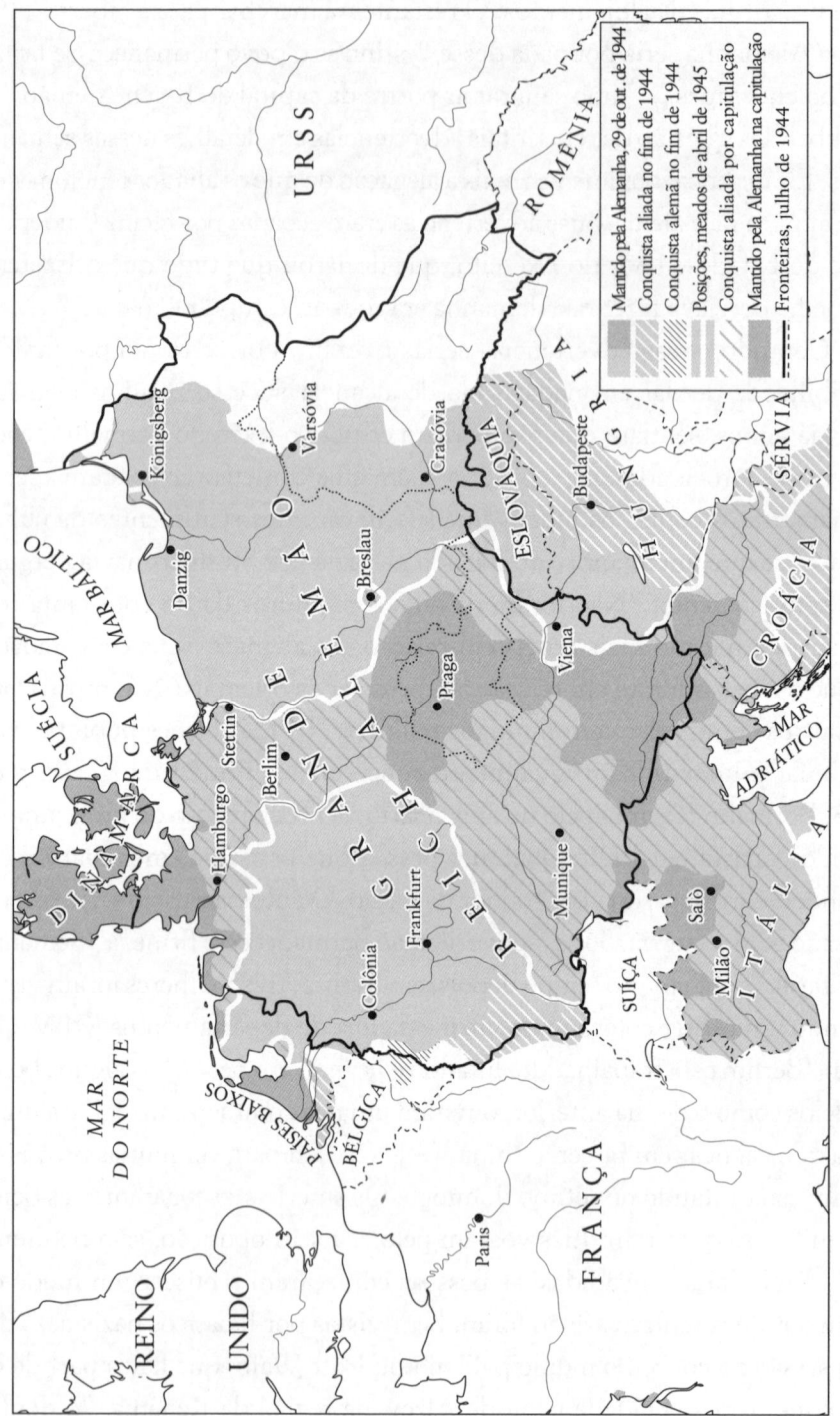

Mapa 20. O fim da guerra

Sch. também pediu pela rendição da cidade, já que continuar a lutar é inútil, e também para preservar o pouco que ainda existe. O líder distrital [do Partido Nazista], é claro, foi favorável a lutar até o fim".[111] Em uma zona rural do oeste da Alemanha, soldados que tentaram ativar cargas explosivas na frente das tropas americanas que avançavam foram atacados por habitantes locais com forcados.[112]

Quando a propaganda fracassou, o terror começou a ocupar seu lugar. Em 15 de fevereiro de 1945, o ministro da Justiça do Reich, Otto-Georg Thierack, ordenou que qualquer pessoa que tentasse evitar seu dever de continuar a lutar, desse modo pondo em risco a determinação da Alemanha em vencer, seria julgada por uma corte marcial convocada às pressas, que consistiria de um juiz da corte criminal, de um membro do Partido Nazista e de um membro das Forças Armadas, da SS Militar ou da polícia, e, se fosse considerada culpada, seria executada no local.[113] Quando essas cortes temporárias entraram em ação, os mais fanáticos e energéticos membros do Partido Nazista deixaram de lado as regras com rapidez ainda maior. Em 18 de março de 1945, o marechal de campo Model ordenou à polícia militar que atirasse em quaisquer soldados ou civis engajados em atos de sabotagem. "Quando uma bandeira branca aparecer", Himmler instruiu seus oficiais da SS e da polícia, "todos os homens da casa em questão deverão ser baleados. Não deve haver", acrescentou ele, "a menor hesitação em tomar essas medidas".[114] E, em suas últimas ordens para os soldados do *front* oriental na metade do mês de abril de 1945, Hitler repetiu que não deveria haver nem retirada nem rendição: "Qualquer pessoa que lhes dê ordens para a retirada deve ser presa imediatamente se vocês não souberem exatamente quem ela é, e, se for necessário, ela deverá ser morta imediatamente, não importando a posição que possa ocupar".[115] "Força pelo Medo" tornou-se o *slogan* do momento, substituindo o "Força pela Alegria" – em alemão, as iniciais, Kdf, eram as mesmas.

Cerca de 10 mil pessoas foram sumariamente executadas nessa fase final de terror e de repressão.[116] Elas incluíam uma parte significativa dos 190 mil criminosos, ou mais, que então superlotavam as prisões e as penitenciárias estaduais, muitos dos quais mandados para lá pela repressão política, ou pelas regulamentações dos tempos de guerra quanto ao saque, ao roubo ou por "debilitar o estado de ânimo". À medida que as forças aliadas avançavam, as autoridades penitenciárias começaram a evacuar as prisões. O administrador da penitenciária feminina em Fordon, perto de Bromberg, retirou as 565 prisioneiras que estavam lá sob custódia em 21 de janeiro de 1945 e fez que caminhassem para outra penitenciária feminina em Krone, a 36 quilômetros de distância. Apenas quarenta delas chegaram a seu destino. "A temperatura era de 12° negativos", relatou o administrador, "e tudo estava coberto de gelo. Por isso, as prisioneiras, assim como os guardas, estavam caindo o tempo todo [...] Durante a caminhada", prosseguiu ele, "eu vi inúmeras prisioneiras que foram deixadas para trás lutando para seguir em frente. Muitas estavam sentadas ou caídas ao lado da estrada, e nada podia convencê-las a se levantar de novo".[117] Quando foi a vez de as prisioneiras de Krone serem evacuadas, as mesmas cenas se repetiram. Ao deparar com a coluna, uma unidade da SS que recuava atirou em um grupo de prisioneiras, enquanto outras foram violentamente tiradas da coluna por soldados alemães que passavam e foram estupradas.[118]

Por toda a Alemanha e nos territórios incorporados, prisioneiros sob custódia do Estado estavam sendo forçados a partir de modo semelhante, alguns deles mandados para campos de concentração. Alguns, classificados pelos oficiais penais como corrigíveis, foram liberados para se juntar a uma formação especial da SS Militar. Milhares dos assim considerados incorrigíveis, por outro lado, simplesmente foram retirados e baleados. Em Sonnenberg, uma penitenciária localizada a leste de Berlim, o promotor regional do estado, Kurt-Walter Hanssen, antigo assistente pessoal de Martin Bormann, em 30 de janeiro ordenou que uma unidade da SS e os oficiais de polícia levados para lá com esse propósito matassem a maior parte dos prisioneiros. Estes foram obrigados a se ajoelhar em grupos de dez e então foram baleados na nuca; os prisioneiros doentes foram baleados em sua cama na enfermaria da prisão. Mais de oitocentos presos foram mortos no intervalo de poucas horas, a maior parte deles trabalhadores forçados estrangeiros que haviam sido encarcerados por infringir as duras leis sob as quais eles tinham sido obrigados a viver e a trabalhar. Os demais – míseros 150 –, que haviam sido classificados como "úteis", tiveram de ir caminhando na direção de Berlim. Para os deixados para trás, as condições pioraram drasticamente com a chegada de prisioneiros evacuados de outros locais;

suprimentos de comida ficaram ainda mais escassos, as doenças se tornaram comuns e as mortes aumentaram subitamente. Thierack, ministro da Justiça do Reich, ordenou pessoalmente grande número de execuções nas prisões até mesmo em abril de 1945. Também ordenaram execuções os comandantes do Exército que viam os prisioneiros como uma ameaça militar: o marechal de campo Model, cercado pelos americanos na região do Ruhr, ordenou que os prisioneiros das penitenciárias fossem selecionados e executados se fossem considerados "perigosos": entre estes estavam muitos prisioneiros políticos alemães bem como trabalhadores estrangeiros. No total, duzentos prisioneiros, incluindo alguns que estavam apenas sob custódia, foram baleados nessa região na semana seguinte.[119]

As cruéis ações de Model se assemelhavam às do próprio Hitler e refletiam uma mentalidade parecida. Quanto mais desesperadora ficava a situação militar, mais vital parecia para tais homens eliminar qualquer pessoa que pudesse ser uma ameaça interna ao regime. Obcecado até o fim com o imaginário precedente de 1918, Hitler não desejava outra "punhalada pelas costas". "Dei ordens para Himmler, caso algum dia haja razão para temer problemas na pátria", ele dissera alguns anos antes, na noite de 14-15 de setembro de 1941, "para liquidar tudo que encontre nos campos de concentração. Assim, com um só golpe, a revolução seria destituída de seus líderes".[120] Isso incluía estrangeiros, como os 141 trabalhadores da Resistência Francesa que foram baleados em Natzweiler um dia antes de o campo ser evacuado devido ao avanço das tropas aliadas. Acima de tudo, entretanto, a atenção cruel de Hitler estava voltada para seus inimigos internos.[121] O julgamento e as execuções dos envolvidos no complô com a bomba de 20 de julho de 1944 continuaram praticamente até o fim. Em 4 de abril de 1945, a falta de sorte levou à descoberta dos diários pessoais do almirante Canaris. Lendo-os em seu *bunker* de Berlim, Hitler se convenceu de que Canaris e seus coconspiradores tinham trabalhado contra ele desde o início. Todos os inimigos restantes deveriam ser mortos, decidiu. Ele começou ordenando que o chefe do Serviço de Segurança da SS, Ernst Kaltenbrunner, acabasse com os conspiradores sobreviventes. No dia 9 de abril de 1945, Canaris, Oster, Bonhoeffer e outros dois prisioneiros políticos do campo de concentração de Flossenbürg foram despidos e enforcados com cordas grosseiras penduradas em ganchos de madeira no pátio. Os corpos foram imediatamente cremados. A sede de vingança de Hitler foi incrementada pela determinação de Himmler de que oponentes destacados do nazismo não deveriam sobreviver no pós-guerra. Como o chefe da Gestapo, Heinrich Müller, disse a Helmuth von Moltke: "Não vamos cometer o mesmo erro de 1918. Não vamos deixar inimigos internos da Alemanha vivos".[122] No mesmo dia em que Canaris e os demais foram executados, quando o Exército Vermelho estava se aproximando do campo de concentração de Sachsenhausen, um dos prisioneiros, Georg Elser, que por pouco não conseguira matar Hitler com uma bomba caseira acionada por relógio em novembro de 1939, foi transferido de seu alojamento no campo para Dachau, onde o comandante o entrevistou rapidamente antes de fazer que ele fosse levado para fora e baleado na nuca. Himmler dera ordens para a execução e instruíra as autoridades do campo a atribuir a morte a um ataque aéreo britânico. Uma semana mais tarde, ela foi zelosamente anunciada como tal na imprensa.[123] Outras execuções aconteceram entre os dias 20 e 24 de abril em Berlim, onde a SS atirou em mais pessoas envolvidas no complô com a bomba de julho de 1944.[124]

Esse era o tipo de conclusão a que Hitler chegara anteriormente, quando aproveitara a oportunidade da eliminação das tropas de assalto de Ernst Röhm no fim de junho de 1934 para acertar velhas contas e eliminar possíveis membros de um governo alternativo. Mas agora isso estava sendo feito em uma escala muito maior. Entre as vítimas estava o antigo líder comunista Ernst Thälmann. Encarcerado em diversas prisões e campos desde 1933, Thälmann tinha poucas ilusões a respeito de seu destino caso o Exército Vermelho conseguisse entrar na Alemanha. Em agosto de 1943, ele foi transferido para a prisão estadual em Bautzen; poucos meses depois, sua esposa e sua filha foram presas e levadas para o campo de concentração de Ravensbrück. "Thälmann", rabiscou Himmler em suas anotações para uma reunião com Hitler em 14 de agosto de 1944, "deve ser executado". Hitler assinou a ordem e, três dias mais tarde, Thälmann foi retirado de sua cela e levado para o campo de concentração em Buchenwald. Antes de sua chegada, os prisioneiros, que incluíam muitos antigos comunistas, foram trancados no alojamento. Um prisioneiro polonês conseguiu, no entanto, se esconder perto da entrada da área do crematório, onde os fornos estavam sendo alimentados e deixados prontos para receber o cadáver de Thälmann. Ele viu um grande automóvel chegar, e um homem de ombros largos descer, ladeado por dois membros da Gestapo. Empurrado pela Gestapo, o homem passou pela entrada do crematório, que estava ladeada por homens da SS. Imediatamente, três tiros foram ouvidos, e logo em seguida mais um. A porta então foi fechada e, uns 25 minutos depois, elas foram reabertas e os homens da SS saíram. O polonês entreouviu a conversa deles. "Sabe quem era aquele?", perguntou um membro da SS para seu companheiro. "Era o líder comunista, Thälmann", foi a resposta. O anúncio oficial de sua morte colocou a culpa em um ataque aéreo britânico.[125]

Destino parecido claramente aguardava outros importantes prisioneiros do regime, incluindo o ex-chefe do Estado-Maior Geral do Exército, o general Franz Halder; o antigo ministro da Economia Hjalmar Schacht; o chefe demitido do abastecimento das Forças Armadas, general Georg Thomas (todos os três presos depois do complô com a bomba); o último chanceler austríaco Kurt Schuschnigg; o político francês e ex-primeiro-ministro Léon Blum; o líder da Igreja Confessional Martin Niemöller; o antigo primeiro-ministro da Hungria, Miklós Kalláy; o participante do complô da bomba, Fabian von Schlabrendorff; e a família de muitos de seus companheiros na conspiração, incluindo os Stauffenberg, Goerdeler e Von Hassell, junto com um sobrinho do ministro do Exterior da União Soviética, Molotov, diversos agentes britânicos e comandantes do Exército de países antes aliados da Alemanha. Umas 160 pessoas no total foram reunidas em um comboio da SS e levadas para uma área do Tirol do Sul em 28 de abril de 1945. Fora decidido que lá todas elas deveriam ser baleadas e seu corpo teria de desaparecer. Quando um guarda acidentalmente deixou escapar qual era o destino deles, um dos prisioneiros conseguiu entrar em contato com o comandante local do Exército alemão, que mandou um oficial subordinado, o capitão Wichard von Alvensleben, investigar: reunindo um grupo de soldados armados, o capitão chegou ao local e, antes que alguma coisa pudesse acontecer, usou seu *hauteur* aristocrático para intimidar os membros da SS e fazê-los liberar os prisioneiros. Todos saíram ilesos, mas tinham escapado por pouco.[126]

III

Ainda havia uns 700 mil prisioneiros nos campos de concentração no começo de 1945. Além dos campos principais, havia pelo menos 662 subcampos espalhados por todo o Reich e nos territórios incorporados nessa época. Nesse momento, eles retinham um total maior de prisioneiros do que os mantidos em centros principais como Auschwitz, Buchenwald, Sachsenhausen e Ravensbrück. À medida que o Exército Vermelho avançava, Himmler ordenava que os campos que estivessem no caminho das tropas fossem evacuados. Precisamente quando e como isso seria feito foi deixado, de modo geral, a critério dos próprios comandantes. O maior dos complexos de campos, em Auschwitz, obrigava nada menos que 155 mil prisioneiros, a maior parte deles poloneses e russos. Aproximadamente metade foi transportada para campos mais ao oeste. Grande quantidade de material, de equipamentos e de objetos pessoais foi levada com os evacuados de Auschwitz. Enquanto a evacuação acontecia, o trabalho de construção de novos prédios foi mantido, incluindo um grande grupo de instalações adicionais em Birkenau, apelidado de "México" pelos prisioneiros. Somente em outubro de 1944 o trabalho de construção foi interrompido. No mesmo mês, cerca de 40 mil pessoas morreram nas câmaras de gás existentes em Birkenau. Em novembro, entretanto, Himmler ordenou que todas as câmaras de gás em todos os campos fossem fechadas e desmontadas. Em Auschwitz, as trincheiras usadas para incinerar cadáveres foram aplainadas, áreas onde ocorriam sepultamentos coletivos foram preenchidas com terra e cobertas com grama, os fornos e os crematórios foram desmontados, e as câmaras de gás, destruídas ou convertidas em *bunkers* antiaéreos.[127]

Agora trabalhando para a inspetoria dos campos de concentração, o antigo comandante de Auschwitz, Rudolf Höss, foi mandado por Oswald Pohl para o campo, quase no fim de 1944, "na esperança de chegar em Auschwitz a tempo de garantir que a ordem de destruir tudo que fosse importante tivesse sido devidamente executada", como ele relembrou mais tarde. Höss dirigiu por um certo tempo pela Silésia, mas não conseguiu chegar ao campo por causa do implacável avanço do Exército Vermelho. "Em todos os caminhos e estradas da Alta Silésia a oeste do rio Oder", relatou, "eu deparava com colunas de prisioneiros lutando para caminhar pela neve funda. Eles não tinham comida. Muitos dos soldados encarregados dessas cambaleantes colunas de cadáveres não tinham ideia do local para onde deveriam ir". Eles requisitavam comida nas cidadezinhas por onde passavam, mas "nem se pensava em passar a noite em celeiros ou em escolas, já que todos esses locais estavam repletos de refugiados". Höss viu "caminhões abertos usados para o transporte de carvão lotados de corpos congelados, trens lotados de prisioneiros que haviam sido transferidos para desvios abertos, e deixados lá sem comida ou abrigo". Havia refugiados alemães, também, fugindo rapidamente dos russos que avançavam, mulheres "empurrando carrinhos de bebê lotados com seus pertences". A trajetória seguida pelas "desgraçadas colunas" de prisioneiros evacuados era fácil de acompanhar, ele acrescentou, "já que mais ou menos a cada cem metros jazia o corpo dos prisioneiros que haviam caído ou sido baleados". Parando o carro ao lado de um cadáver, ele desceu para investigar tiros que ouviu nas proximidades, "e vi um soldado parando sua motocicleta e atirando em um prisioneiro que se apoiava em uma árvore. Gritei na direção dele, perguntando-lhe o que achava que estava fazendo, e que mal o prisioneiro lhe tinha feito. Ele riu de modo impertinente bem na minha cara e me perguntou o que eu pretendia fazer a respeito". A reação de Höss ao fato de sua autoridade de oficial de alto escalão da SS ser desafiada foi clara: "Saquei minha pistola e atirei nele imediatamente".[128]

Em 19 de janeiro de 1945, apesar de Höss não ter conseguido chegar ao campo, 58 mil prisioneiros começaram a partir lentamente de Auschwitz na direção oeste, a maior parte deles a pé, poucos de trem. Guardas da SS atiraram em retardatários e deixaram os corpos largados na estrada. Quinze mil prisioneiros morreram de fome ou de frio ou foram mortos pelos homens da SS. Alguns poucos poloneses desafiaram as ameaças dos homens da SS e ofereceram comida ou abrigo aos prisioneiros; alemães étnicos permaneceram dentro de casa. No fim, cerca de 43 mil prisioneiros chegaram aos campos no oeste. Apenas os muito doentes permaneceram em Auschwitz, onde membros da SS estavam desesperadamente tentando explodir as instalações remanescentes e queimar documentos incriminatórios antes da chegada do Exército Vermelho. Os arquivos relativos ao prédio, à administração e ao departamento político do campo foram levados para o oeste; muitos acabaram ficando em Gross-Rosen. Equipamentos médicos usados em experimentos foram desmontados ou destruídos. Em meio ao caos, prisioneiros dos destacamentos especiais, testemunhas-chave do extermínio em massa, conseguiram se misturar às multidões que saíam do campo e escapar da SS, que havia planejado matá-los. O médico do campo, Josef Mengele, também fugiu, levando suas anotações de pesquisa e papéis. Em 20-21 de janeiro de 1945, os guardas da SS abandonaram as torres de vigia, explodiram o que restava do crematório principal e incendiaram a imensa quantidade de objetos pessoais conhecida pelos prisioneiros como Canadá. As execuções continuaram até o último instante, até que o Crematório V, onde elas aconteciam, também foi explodido, em 25-26 de janeiro de 1945. A SS matou cerca de setecentos prisioneiros nos vários campos e subcampos que faziam parte do complexo de Auschwitz antes de partir, mas não teve tempo de matar todos eles. Em 27 de janeiro de 1945, o Exército Vermelho entrou no campo. Seiscentos corpos estavam caídos no terreno do lado de fora dos prédios, mas cerca de 7 mil prisioneiros ainda estavam vivos, muitos deles em um estado de saúde muito precário. Nos depósitos que não haviam sido incendiados, os soldados russos laboriosamente catalogaram 837 mil casacos de mulher e vestidos, 44 mil pares de sapatos e 7,7 toneladas de cabelo humano.[129]

Prisioneiros judeus eram um alvo particular das marchas forçadas para fora de Auschwitz e de outros campos. Quando os prisioneiros empregados na produção de veículos blindados de transporte pessoal nas Indústrias Adler em Frankfurt foram evacuados em 1945, enquanto os americanos se aproximavam da cidade, a SS tirou os prisioneiros judeus da coluna que marchava e atirou neles; algumas das vítimas foram identificadas por seus companheiros de prisão poloneses.[130] Na Prússia Oriental, cerca de 5 mil prisioneiros judeus, na maioria mulheres, foram obrigados a marchar para fora dos vários subcampos que pertenciam a Stutthof até pararem na vila de pescadores de Palmnicken, onde seu caminho estava bloqueado; o líder regional da Prússia Oriental, juntamente com os comandantes dos subcampos e com membros da SS local e da Organização Todt, decidiram matá-los, e atiraram em todos, com exceção de duzentos ou trezentos.[131] Em um subcampo de Flossenbürg, Helmbrechts, perto da cidade de Hof, na Francônia, que abrigava em sua maior parte mulheres polonesas e russas que trabalhavam em fábricas de armamentos, pouco mais de 1.100 prisioneiros foram obrigados a partir em três grupos em 13 de abril de 1945, acompanhados por 47 guardas armados, homens e mulheres. Caminhando sem destino certo, eles haviam percorrido cerca de trezentos quilômetros até o dia 3 de maio. Deixando os não judeus para trás depois da primeira semana, os guardas prosseguiram rumo ao sul, espancando e baleando os retardatários e os doentes, e privando os prisioneiros de comida e de água. Mais espancamentos ocorreram quando, em uma ocasião, habitantes locais sentiram pena dos prisioneiros e tentaram jogar bocados de comida na direção deles. Em 4 de maio, chegando perto da cidade tcheca fronteiriça de Prachtice, a coluna foi atacada por um avião americano, matando um dos guardas; os demais guardas abriram fogo indiscriminadamente contra os prisioneiros. Alguns dos sobreviventes foram obrigados a caminhar até o alto de um morro coberto de árvores nas redondezas e mortos a tiros um por um quando desmaiaram de exaustão. Antes de fugir, os guardas obrigaram os demais prisioneiros a entrar na cidade, onde os habitantes tchecos deram-lhes comida e abrigo. Para muitos, isso aconteceu tarde demais; 26 morreram antes ou pouco depois da chegada das tropas americanas, em 6 de maio de 1945. No total, pelo menos 178 prisioneiros judeus morreram na marcha; um médico do Exército americano afirmou posteriormente que metade dos sobreviventes foi salva unicamente pelo pronto atendimento dispensado por sua equipe médica. Não foi sem motivo que tais inúteis e mortais caminhadas foram chamadas pelos prisioneiros de "marchas da morte". Muitas não tinham destino certo. Algumas das marchas, na verdade, perambularam pela região, até mesmo voltando sobre seus próprios passos; uma marcha da morte que saiu de Flossenbürg percorreu uns quatrocentos quilômetros, indo na direção norte por um terço do caminho, então voltando para o sul, passando não muito longe do campo, antes de continuar para Regensburg.[132]

A evacuação do campo de concentração de Neuengamme, que, com seus 57 subcampos, mantinha cerca de 50 mil prisioneiros, foi executada em cooperação com Karl Kaufmann, líder regional de Hamburgo, cidade que ficava nas proximidades. A maior parte dos prisioneiros dos subcampos foi levada em "marchas da morte" criminosas e exaustivas para "campos de passagem", incluindo Bergen-Belsen, na metade de abril. Mesmo com as

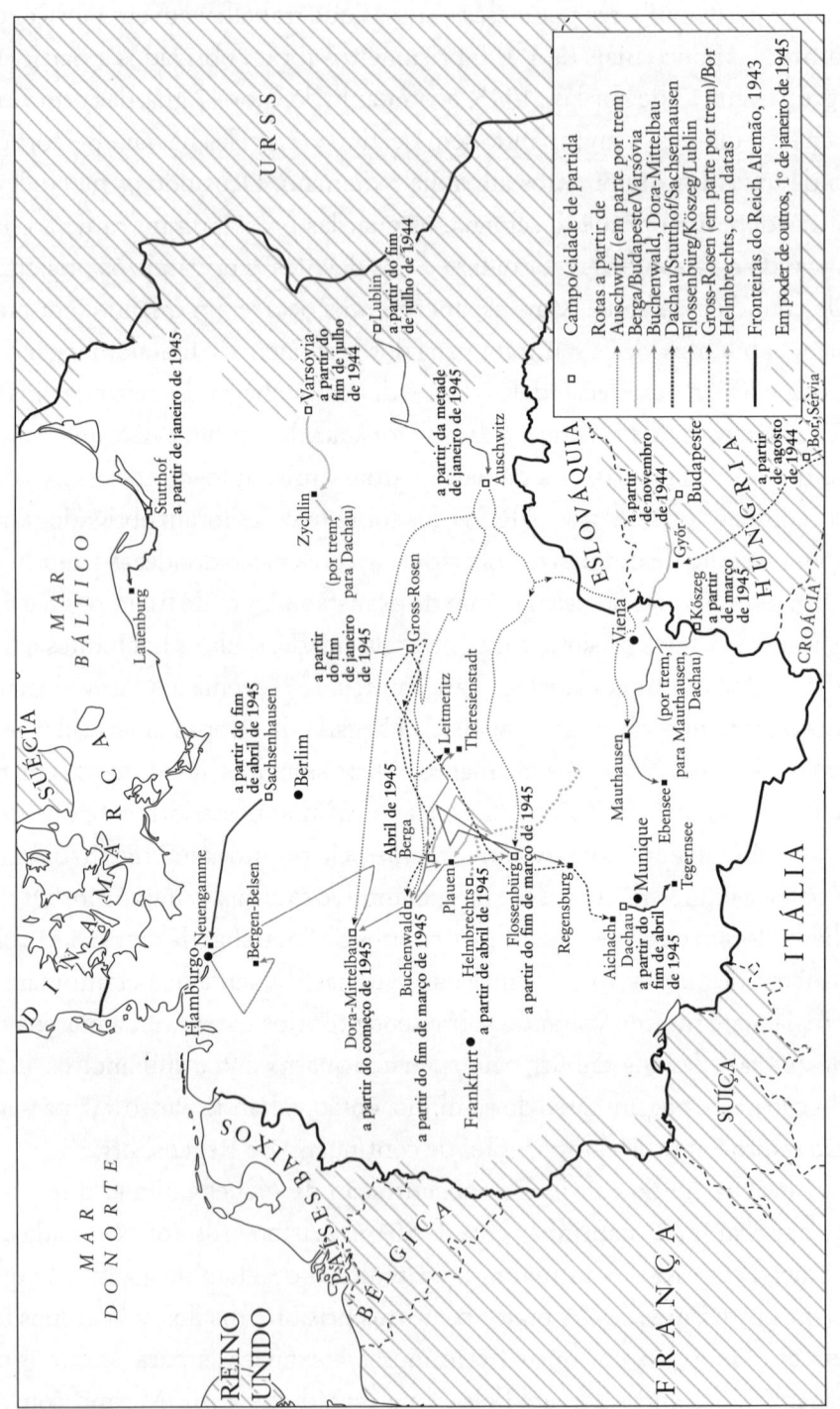

Mapa 21. As marchas da morte

marchas, ainda restaram 14 mil prisioneiros no campo principal. Kaufmann já resolvera, depois de solicitações de líderes de negócios e militares, entregar a cidade aos aliados. Kaufmann temia que, se libertasse os presos, estes se encaminhassem para a cidade procurando comida e abrigo. Nessa época, não havia outros campos no lado alemão das linhas de frente para os quais pudessem ser evacuados, então Kaufmann decidiu colocá-los a bordo de navios. Quatro mil prisioneiros dinamarqueses e noruegueses já haviam sido levados para a Suécia em março de 1945 por ordens de Heinrich Himmler, com a concordância do conde Bernadotte, chefe da Cruz Vermelha sueca. Himmler esperava com isso ganhar a confiança da família real sueca, da qual Bernadotte era membro, para que ela fosse intermediária nas negociações que ele, Himmler, achava (de modo totalmente injustificado) que poderia manter com os britânicos. Os restantes 10 mil prisioneiros do campo principal em Neuengamme foram obrigados a marchar para Lübeck entre 21 e 26 de abril de 1945 e colocados em três navios que Kaufmann havia solicitado como "campos de concentração flutuantes" – os navios cargueiros *Atenas* e *Thielbeck* e um luxuoso transatlântico, o *Cap Arcona*. Nenhum suprimento havia sido providenciado para os prisioneiros, que foram amontoados nos porões, sem instalações sanitárias e sem água. Caldeirões de sopa eram mandados para baixo quando a SS abria as escotilhas, mas não havia tigelas ou colheres, e grande parte da comida caía sobre o piso do porão, se misturando com o excremento que então se acumulava rapidamente. A SS retirou os coletes salva-vidas para evitar fugas. Todos os dias, um rebocador trazia água potável e voltava para a costa com o corpo dos prisioneiros que haviam morrido durante a noite. Em 3 de maio de 1945, caças-bombardeiros britânicos localizaram os navios. Pensaram tratar-se de transporte de tropas e atacaram-nos com seus foguetes. O *Thielbeck* e o *Cap Arcona* foram seriamente atingidos. O *Thielback* afundou, afogando todos os 2.800 prisioneiros a bordo, com exceção de cinquenta. O *Cap Arcona* pegou fogo. A maior parte de seus barcos salva-vidas foi destruída no incêndio. Enquanto os prisioneiros se jogavam nas águas geladas do Báltico, suas roupas em chamas, uma gigantesca explosão destruiu o navio. Ele adernou a bombordo e encalhou na parte rasa da baía, com metade do casco ainda acima da linha d'água. Dos prisioneiros a bordo, 4.250 se afogaram, morreram queimados ou foram atingidos pelas balas que enchiam o ar enquanto os aviões trocavam tiros com um grupo de submarinos no porto mais próximo; 350 foram resgatados depois de ficarem agarrados ao casco por muitas horas. Dos quinhentos membros da SS a bordo, quatrocentos sobreviveram.[133]

Outros evacuados dos campos foram mortos em massa pela SS. Uma coluna de cerca de mil prisioneiros evacuados do campo de Dora foi confinada em um celeiro na cidade de Gardelegen para passar a noite; quando as paredes do celeiro caíram devido à pressão exercida pelos corpos, a polícia e a Juventude Hitlerista derramaram petróleo no teto e queimaram vivos os que estavam lá dentro. Apenas alguns prisioneiros conseguiram escapar. Os corpos ainda queimavam quando os americanos chegaram no dia seguinte.[134] Em determinadas ocasiões, a população local nas áreas pelas quais os prisioneiros eram forçados a caminhar se unia à matança. Em 8 de abril de 1945, por exemplo, quando uma coluna de prisioneiros se dispersou durante um ataque aéreo à cidade de Celle, no norte da Alemanha, ex-policiais e outras pessoas, incluindo adolescentes, ajudaram a persegui-los. Apesar de todo o particular sadismo e da violência dirigidos pela SS contra os prisioneiros judeus, as marchas da morte não foram, como às vezes tem sido alegado, simplesmente o último capítulo da "Solução Final"; muitos milhares de prisioneiros dos campos que não eram judeus, pessoas encarceradas nas prisões estaduais, trabalhadores forçados e outros tiveram de enfrentá-las, e elas podem ser vistas como o último ato na brutal e violenta história do sistema de repressão do Terceiro Reich de modo geral, em vez de uma ação de extermínio dirigida exclusivamente contra os judeus.[135]

Para os que sobreviveram e chegaram a seu destino, mais horrores os aguardavam. Os campos na região central do Reich ficaram extremamente superlotados, como resultado da chegada de esfarrapadas colunas de evacuados: a população de Buchenwald, por exemplo, aumentou de 37 mil em 1943 para 100 mil em janeiro de 1945. Em tais condições, a taxa de mortalidade aumentou de modo drástico, e cerca de 14 mil pessoas morreram no campo entre janeiro e abril de 1945; metade delas eram judeus. Em Mauthausen, a chegada de milhares de prisioneiros vindos de subcampos na região levou a uma deterioração tão drástica das condições que 45 mil prisioneiros morreram entre outubro de 1944 e maio de 1945. As condições nos subcampos que foram mantidos até o fim da guerra não eram melhores. Ohrdruf, um subcampo de Buchenwald perto de Gotha, foi o primeiro a ser descoberto pelo Exército americano quando avançava pela Turíngia. Ele tinha alojado 10 mil prisioneiros empregados nos trabalhos de escavação de *bunkers* subterrâneos. A SS havia levado alguns dos prisioneiros poucos dias antes e atirado em muitos deles. Os soldados que descobriram o campo em 5 de abril de 1945 ficaram tão chocados com o que viram que seu comandante convidou os generais Patton, Bradley e Eisenhower a visitá-lo. "Mais de 3.200 corpos nus e emagrecidos", relembrou Bradley posteriormente, "tinham sido jogados nas covas rasas. Os piolhos rastejavam sobre a pele amarelada de seus corpos finos e ossudos". Os generais depararam com um abrigo repleto de cadáveres. Bradley ficou tão abalado que adoeceu. Eisenhower reagiu ordenando que todas as suas tropas que estavam na área fizessem a ronda do campo. Cenas semelhantes se repetiram em muitos outros lugares enquanto as tropas americanas avançavam. Alguns dos antigos guardas ainda estavam no campo, disfarçados de prisioneiros; presos sobreviventes identificaram os antigos guardas para os soldados aliados, que, repugnados, às vezes baleavam os membros da SS; outros guardas já haviam sido mortos por prisioneiros revoltados que se vingavam.[136]

As condições terríveis que predominavam nos campos nos últimos meses da guerra eram mais evidentes no local que passou a simbolizar, mais do que qualquer outro, a falta de humanidade da SS para os britânicos, que o liberaram no fim da guerra: Belsen. O campo de concentração em Bergen--Belsen fora criado a partir de um campo para prisioneiros de guerra no começo de 1943. Sua função especial era servir de local para acomodação temporária a um grupo relativamente pequeno de judeus vindos de vários países europeus, e particularmente dos Países Baixos, que Himmler e seus aliados no Serviço de Relações Exteriores achavam que poderiam ser usados como moeda de troca ou como reféns em negociações internacionais. Quando ficou evidente que seria difícil fazer as trocas de tais prisioneiros, a SS decidiu, em março de 1944, usar Bergen-Belsen como "campo para convalescentes", ou, para dizer de modo mais realista, um depósito para prisioneiros doentes e exaustos de outros campos, cuja fraqueza tornava-os incapazes de trabalhar. Até o fim de 1944, cerca de 4 mil desses prisioneiros tinham sido enviados para o campo, mas, como não dispunham de instalações médicas adequadas, a taxa de mortalidade aumentou rapidamente para mais de 50%. Em agosto de 1944, o campo foi ampliado para incluir mulheres judias, muitas delas vindas de Auschwitz. Em dezembro de 1944, havia mais de 15 mil pessoas no campo, incluindo 8 mil na ala das mulheres. Uma delas era a jovem holandesa Anne Frank, que fora mandada para lá no fim de outubro como evacuada de Auschwitz; ela morreu de tifo no mês de março seguinte. O comandante, Josef Kramer, designado em 2 de dezembro de 1944, era membro da SS havia muito tempo. Trabalhara anteriormente em Auschwitz-Birkenau, onde havia pouco supervisionara o extermínio de centenas de milhares de judeus húngaros nas câmaras de gás. Um grupo de oficiais, incluindo mulheres que trabalhavam como guardas, acompanhou-o. Kramer imediatamente revogou os poucos privilégios de que desfrutavam os cerca de 6 mil "judeus para troca" que ainda restavam do contingente original do campo e começou um regime de caos e de brutalidade que aumentou rapidamente.[137]

Quando Bergen-Belsen se tornou o destino para prisioneiros evacuados de outros campos devido à aproximação do Exército Vermelho, ficou ainda mais lotado. O número de presos aumentara para mais de 44 mil na metade de março. Tentativas de evacuar alguns deles para Theresienstadt se defrontaram com bombardeios, e dois trens foram obrigados a parar em uma área rural no meio do trajeto, quando os guardas fugiram e as tropas aliadas chegaram para libertar os famintos prisioneiros que ainda estavam vivos. Enquanto isso, outros milhares de prisioneiros ainda estavam sendo enviados para Bergen-Belsen, incluindo um grande grupo vindo do Dora-Fábrica Central, de modo que o número total de prisioneiros alcançou 60 mil em abril de 1945. Kramer não havia feito preparativos adequados ou satisfatórios relativos às instalações sanitárias para recebê-los, então essas 60 mil pessoas tinham de contar com exatamente o mesmo número de banheiros, de chuveiros e de latrinas que havia sido providenciado um ano antes para uma população do campo que não passava de 2 mil prisioneiros. Em pouco tempo, o excremento se acumulava no chão dos alojamentos até um metro de altura. Os suprimentos de alimentos eram absolutamente inadequados; eles acabaram completamente quando a guerra interrompeu as últimas linhas de comunicação. O suprimento de água acabou quando uma bomba atingiu a estação de bombeamento, fazendo que fosse impossível manter as cozinhas em operação. Kramer não se deu ao trabalho de tentar dar um jeito na situação; contudo, depois de os britânicos assumirem o controle do campo em 15 de abril, em poucos dias conseguiram restabelecer os suprimentos de água e de alimentos e consertar as instalações da cozinha. Um médico que trabalhava entre os prisioneiros posteriormente relatou que havia testemunhado bem mais de duzentos casos de canibalismo entre eles. Kramer tornou as coisas ainda piores ao organizar constantemente demoradas conferências de presença a céu aberto, não importando quão frio ou chuvoso estivesse o tempo. Epidemias começaram a grassar. O tifo matou milhares de pessoas. Se não fosse pelos esforços dos médicos entre os prisioneiros, a situação teria sido ainda pior. Não obstante, entre o começo de 1945 e meados de maio, cerca de 35 mil pessoas morreram em Bergen-Belsen. Os britânicos, que assumiram o controle do campo em 15 de maio de 1945, não conseguiram salvar outras 14 mil, que estavam muito fracas, doentes ou desnutridas demais para se recuperar.[138] Estima-se que, no total, por toda a Alemanha, entre 200 mil e 350 mil prisioneiros de campos de concentração morreram nas "marchas da morte" e nos campos para onde foram levados nesses últimos meses: em outras palavras, até metade dos prisioneiros mantidos no sistema de campos em janeiro de 1945 estava morta quatro meses depois.[139]

IV

As fases finais da guerra testemunharam alguns dos mais devastadores ataques aéreos. O bombardeio era quase diário, às vezes com tal intensidade que foram criadas tempestades de fogo semelhantes àquela que havia causado tamanha destruição em Hamburgo no verão de 1943. Em Magdeburgo, em 16 de janeiro de 1945, uma tempestade de fogo matou 4 mil pessoas e arrasou completamente um terço da cidade; ela ficou ainda pior por causa de um ataque liderado por 72 Mosquitos na noite seguinte, que jogaram minas e explosivos para interromper o trabalho das brigadas antifogo e das equipes de limpeza. Cada vez mais, também, eram lançadas bombas de efeito retardado, para deixar a situação ainda mais perigosa. Pequenas esquadrilhas de velozes caça-bombardeiros Mosquito de longo alcance sobrevoavam cidades alemãs grandes e pequenas sem serem impedidos, causando perturbação maciça ao provocar repetidos alarmes e mobilizações defensivas na expectativa de que um ataque aéreo maior iria acontecer. Em 21 de fevereiro de 1945, mais de 2 mil bombardeiros atacaram Nuremberg, arrasando grandes áreas da cidade e interrompendo os suprimentos de água e de eletricidade. Dois dias depois, na noite de 23-24 de fevereiro de 1945, 360 bombardeiros britânicos fizeram o único ataque durante a guerra à cidade de Pforzheim, no sudoeste da Alemanha, a qual foi bombardeada de modo tão intenso durante um período de 22 minutos que se criou uma tempestade de fogo que destruiu o centro da cidade e matou cerca de 17 mil de seus 79 mil habitantes. Berlim também sofreu seu maior e mais destrutivo ataque nessa época. Cerca de mil bombardeiros americanos atacaram a capital à luz do dia em 3 de março de 1945, pulverizando grande parte do centro da cidade, deixando mais de 100 mil pessoas desabrigadas, privando os habitantes de fornecimento de água e de eletricidade, e matando cerca de 3 mil pessoas. A pedido da Força Aérea soviética, em 12 de março, mais de 650 bombardeiros americanos devastaram o porto de Swinemünde, onde muitos refugiados alemães que fugiam do avanço do Exército Vermelho haviam se abrigado. Cerca de 5 mil pessoas foram mortas, embora o mito popular logo afirmasse que a quantidade de mortos havia sido muitas vezes maior. A esse ataque se seguiu outro em Dortmund, que, como muitos desses outros ataques recentes, tinha por objetivo destruir centros de transporte e de comunicações. Em 16-17 de março, foi a vez de Würzburg, onde 225 bombardeiros britânicos destruíram mais de 80% da área construída da cidade e mataram mais de 5 mil de seus habitantes. O último ataque aéreo noturno significativo dos britânicos durante a guerra foi o desencadeado contra Potsdam em 14-15 de abril de 1945, matando pelo menos 3.500 pessoas.[140]

O ataque aéreo mais devastador da fase final da guerra foi perpetrado em Dresden. Até esse momento, a cidade barroca às margens do Elba tinha sido poupada dos horrores dos bombardeios aéreos. Entretanto, ela não era apenas um monumento cultural, mas também um importante centro de comunicações e de produção de armamentos. O avanço soviético, agora se aproximando do Elba, seria auxiliado pelos bombardeios aéreos aliados, que tinham por objetivo interromper as comunicações rodoviárias e ferroviárias alemãs dentro e ao redor da cidade. E a vontade de resistir dos alemães deveria ser ainda mais combalida. Em 13 de fevereiro de 1945, duas ondas de bombardeiros britânicos atacaram o centro da cidade indiscriminadamente, sem serem impedidas por baterias antiaéreas, que haviam sido removidas mais para o leste para fortificar defesas contra o avanço do Exército Vermelho, ou por caças alemães, que permaneceram no solo por não disporem de combustível. O tempo estava claro, e a tarefa dos aviões *pathfinder* foi fácil. Os ataques britânicos foram seguidos por dois ataques aéreos diurnos realizados por bombardeiros americanos. A sucessão prolongada e concentrada de ataques criou uma tempestade de fogo que destruiu todo o centro da cidade e grandes áreas dos bairros mais afastados. A cidade, escreveu um habitante, "era um único mar de chamas que resultavam das ruas estreitas e dos prédios construídos perto uns dos outros. O céu noturno tinha um fulgor vermelho como sangue".[141] Morreram 35 mil pessoas.[142] Entre os habitantes da cidade naqueles dias fatais estava Victor Klemperer. Como um dos poucos judeus remanescentes na Alemanha, com sua vida até então salvaguardada pela lealdade de sua esposa não judia, Eva, Klemperer tinha outras coisas com que se preocupar além da possibilidade de ataques aéreos. Na própria manhã do primeiro ataque, uma ordem chegou à Casa dos Judeus, onde ele estava sendo obrigado a viver, anunciando que os judeus remanescentes de Dresden deveriam ser evacuados no dia 16. A ordem dizia que seriam requisitados para trabalhar, mas, como crianças também eram nomeadas na lista que a acompanhava, ninguém tinha dúvidas quanto ao seu verdadeiro significado. O próprio Klemperer teve de entregar cópias da circular para as pessoas afetadas. Ele mesmo não estava na lista, mas não tinha ilusões quanto ao fato de que poderia constar da próxima. Mesmo nos últimos meses da guerra, os nazistas faziam que a máquina do extermínio triturasse ainda mais fino.[143]

Naquela noite, enquanto Klemperer ainda estava pensando em seu provável e iminente destino, a primeira onda de bombardeiros sobrevoou a cidade e começou a lançar sua carga mortal. A princípio, Klemperer se escondeu no porão da Casa dos Judeus. Então, a casa foi atingida pelo deslocamento de ar causado pela explosão de uma bomba. Ele foi para o andar de cima. As janelas tinham sido destruídas, e havia vidro por todos os lados. "Do lado de fora, estava claro como dia." Ventos fortes, causados pela imensa tempestade de fogo no centro da cidade, sopravam pelas ruas, e havia contínuas explosões de bombas. "Então houve uma explosão na janela perto de mim. Algo duro e incandescente atingiu o lado direito do meu rosto. Toquei--o com minha mão, ele estava coberto de sangue. Toquei meu olho. Ele ainda estava lá." Na confusão, Klemperer foi separado de sua esposa. Levando as joias dela e seus manuscritos em uma mochila, ele se precipitou para fora da casa, passou pelo porão semidestruído e por uma cratera feita por uma bomba, e foi para a rua, se unindo a um grupo de pessoas que estavam abrindo caminho ao longo dos jardins públicos para um terraço com vista para a cidade, onde achavam que seria mais fácil respirar. A cidade inteira estava em chamas. "Onde quer que as inúmeras centelhas fossem excessivas em um lado, eu ia rapidamente para o outro." Começou a chover. Klemperer se enrolou em um cobertor e observou torres e edifícios na cidade a seus pés que luziam, brancos, e então ruíam em montes de cinzas. Caminhando até a borda do terraço, ele por sorte deparou com sua esposa. Ela ainda estava viva. Escapara da morte porque alguém a havia tirado da Casa dos Judeus e levado para um porão nas redondezas que era reservado para arianos. Com vontade de acender um cigarro para aliviar a tensão, mas sem ter fósforos, ela percebeu que "algo estava brilhando no chão e quis usá-lo – era um corpo que queimava".[144] Assim como muitas outras pessoas, ela conseguira abrir caminho para fora do incêndio até o parque.

Nesse momento, o amigo de Klemperer, Eisenmann, outro judeu sobrevivente, se aproximou do casal, carregando um de seus filhos; o resto de sua família desaparecera. Eisenmann deu alguns conselhos úteis. "Eu deveria tirar minha estrela de Davi", Klemperer contou que ele disse, "assim como ele já havia tirado a dele. Imediatamente, Eva tirou a estrela de meu casaco com um canivete". Com essa atitude, os Klemperer haviam definitivamente entrado para a clandestinidade. No caos da destruição, a Gestapo e outras autoridades teriam, pelo menos por um tempo, outras coisas para fazer do que capturar os judeus que permaneciam em Dresden; de qualquer modo, provavelmente todas as suas listas tinham sido destruídas. Klemperer e sua esposa caminharam lentamente pela margem do rio:

Acima de nós, um edifício depois do outro era uma ruína incendiada. Aqui embaixo, no rio, onde muitas pessoas estavam caminhando ou deitadas no chão, os montes dos revestimentos retangulares e vazios dos dispositivos incendiários sobressaíam da terra revolta. O fogo ainda estava incandescente em muitos dos edifícios na rua acima. Às vezes, os mortos, pequenos, não mais que um monte de roupas, estavam espalhados ao longo de nosso caminho. O crânio de um deles havia sido arrancado, o topo da cabeça era uma bola de um tom vermelho-escuro. Às vezes, um braço jazia por lá, com uma mão pálida e delicada, como um modelo feito de cera, assim como vemos em janelas de barbearia. Carcaças de metal de veículos destruídos, abrigos incendiados. Mais longe do centro, algumas pessoas tinham conseguido salvar poucas coisas, elas empurravam carrinhos de mão com roupas de cama ou algo parecido, ou se sentavam em caixas e pacotes. Multidões se moviam incessantemente entre essas ilhas, passando pelos corpos e pelos veículos esmagados, acima e abaixo ao longo do Elba, uma procissão silenciosa e agitada.[145]

Abrindo caminho através da cidade que ainda ardia, eles chegaram à Casa dos Judeus, e a encontraram completamente destruída. A equipe de uma ambulância cuidou do olho de Klemperer, e então o casal chegou a um centro médico, onde puderam dormir e conseguir algo para comer, embora não fosse nada muito além disso. Finalmente, todos foram levados para uma base aérea fora da cidade, onde receberam mais comida. Lá, Klemperer recebeu cuidados médicos adicionais. Registrou-se com seu nome verdadeiro, mas deixou de fora o denunciador "Israel" que tinha sido forçado por lei a carregar desde o começo de 1939. Saindo de Dresden rumo ao norte, por trem – proibido para os judeus sob pena de morte –, os Klemperer chegaram a Piskowitz, onde sua antiga doméstica, Agnes, vivia; ela lhes garantiu que não tinha contado para ninguém que trabalhara para um casal judeu, e lhes deu abrigo. Klemperer respondeu à inevitável pergunta feita pelo prefeito local ("O senhor não é descendente de judeus ou de raça misturada?") com um "não" decidido.[146] Para eles, assim como para um pequeno número de outros judeus, o caos e a destruição dos últimos meses da guerra ofereceram uma chance de sobrevivência. Eles a aproveitaram com alegria.

Apenas os nazistas mais convictos viram os ataques aéreos como um incentivo para um subsequente desafio aos aliados. Logo depois do bombardeio aliado a Dresden, Luise Solmitz se encontrou com um conhecido que trabalhava para o Ministério da Propaganda:

> Quando eu disse que 99% dos habitantes de Hamburgo queriam que os bombardeios cessassem, e que teríamos de suportar o que acontecesse depois, X gritou: "Mas isso é com certeza uma loucura, esse é o ponto de vista da plebe estúpida! Nós temos de nos posicionar perante a História com honra. Não é possível pintar as consequências de uma derrota com cores que são, de algum modo, inadequadas" [...] Para ele, Dresden é "o maior extermínio em massa organizado de toda a História".[147]

Durante os últimos meses da guerra, ela passou a maior parte do tempo simplesmente tentando manter a família viva. Embora não fosse fumante, solicitou um cartão de racionamento para cigarros, pois, como observou, "cigarros são uma moeda, uma moeda forte". Assim, ela podia trocá-los por cartões de comida para seu neto, que era bebê. A tubulação de gás da sua casa havia sido destruída nos ataques aéreos do fim de julho de 1943, e não fora consertada até janeiro de 1944; mas, de qualquer modo, no começo de 1945, tanto os suprimentos de gás como de eletricidade estavam sendo regularmente interrompidos devido aos chamados "dias de racionamento de gás" e "dias de racionamento de energia". Nessa época, também, cartões de racionamento para quatro semanas tinham de durar cinco semanas. No fim de 1944, suprimentos oficiais de comida começaram a ser cortados a níveis com os quais ninguém conseguiria sobreviver. Na segunda semana de janeiro de 1945, a ração mensal de pão foi cortada de 10,5 quilos para 8,75 quilos, e em meados de abril caíra para 3,6 quilos; a ração de carne foi reduzida de 1,9 quilos para 550 gramas no mesmo período; e a ração de gordura de 875 gramas para 325 gramas.[148] A infraestrutura do país estava ruindo rapidamente. "Estou no fim das minhas forças, do meu ânimo; completamente exausta e acabada", escreveu, desesperada, Luise Solmitz em 9 de abril de 1945.[149]

Sob o impacto da derrota e da retirada, e esgotada pelos constantes bombardeios em sua cidade natal, Hamburgo, Luise Solmitz finalmente começou a perder a fé em Hitler, embora fosse cautelosa demais para dizer isso de modo explícito até mesmo na intimidade de seu diário. Organizando seus pensamentos a respeito dos alemães e de sua situação atual em 8 de setembro de 1942, ela escreveu:

> Para mim, um grande homem é somente aquele que sabe como se controlar, porque não é apenas no momento presente que a vingança pode ser experimentada, mas também em um futuro em que a retaliação acontecerá. Bismarck conseguiu se controlar, um dos poucos que resistiu e não foi destroçado pelo poder do sucesso, um homem que opôs sua própria lei interna ao tipo de lei da natureza que arrebatou o conquistador. O destino inescapável de muitos conquistadores é a autodestruição.[150]

Mas foi somente depois de sua filha Gisela deixar o filho recém-nascido, Richard, sob sua custódia que Luise Solmitz realmente se voltou contra Hitler. Já era ruim demais pensar que ela e seu marido, Friedrich, poderiam morrer em um bombardeio, mas a ameaça que isso representava para seu neto, o inocente sustentáculo do futuro da Alemanha, a revoltava. Nessa época, ela tinha apenas "ódio" e "maldições" para Hitler. "Peguei o costume de acompanhar cada bomba com um 'Que Hitler tenha uma morte infeliz' quando estávamos entre nós", escreveu ela.[151] A família começou a se referir aos nazistas como "*Herr* Jaspers", se permitindo discutir o declínio e o fim próximo do sistema nazista sem medo de ir para a prisão caso alguém os ouvisse. Cada vez que Goebbels ou outro líder nazista se pronunciava no rádio, eles corriam para desligá-lo.[152] O bombardeio constante estava destruindo o pouco que restava da crença popular em Hitler e do apoio ao regime nazista.

À medida que a situação começou a ficar mais desesperadora, roubo e transações ilegais no mercado negro se tornaram os únicos meios de sobrevivência. O saque se tornou mais generalizado, sobretudo do verão de 1944 em diante. Em Essen, por exemplo, mais de 90 mercearias foram saqueadas em apenas duas semanas no outono de 1944. As pessoas se aproveitavam da ausência dos donos durante os ataques aéreos noturnos. Estragos causados por bombas lhes ofereciam ainda mais oportunidades. Geralmente, levavam pequenas quantidades de alimentos e de roupas. Patrulhamentos da polícia foram aumentados, e a Gestapo expandiu sua rede de informantes nas comunidades de trabalhadores estrangeiros. Em setembro de 1944, os membros da Gestapo foram autorizados a fazer execuções sumárias de saqueadores, uma ordem oficializada pelo Escritório Central de Segurança do Reich no começo de novembro de 1944, inicialmente apenas em relação aos trabalhadores orientais, e depois valendo para todos. Autoridades locais da polícia e da administração foram então, na verdade, encorajadas a resolver o assunto com suas próprias mãos. Membros da Força de Ataque do Povo foram usados para montar guarda em prédios avariados por bombas a fim de prender trabalhadores orientais que fossem flagrados com produto de saque de locais bombardeados e, até mesmo, para atirar neles. Em outubro de 1944, um membro da Gestapo em Dalheim, cidade do oeste da Alemanha, que não se localizava longe de Colônia, ao se encontrar com alguns trabalhadores orientais, em sua maioria mulheres, carregando o que pareciam ser produtos saqueados, fez que seus homens prendessem sete deles; eles confessaram durante o interrogatório e ele ordenou que os trabalhadores fossem mortos a tiros no dia seguinte. Às vezes, habitantes locais se juntavam a eles. No começo de abril de 1945, por exemplo, em Oberhausen, um telefonista que estava a caminho de casa, vindo do trabalho, percebeu quatro trabalhadores orientais saindo de uma casa cujos moradores tinham claramente se refugiado em um abrigo antiaéreo; ele reuniu outros homens e prenderam um dos trabalhadores, que os homens começaram a espancar. O trabalhador confessou que havia roubado algumas batatas, e foi levado a um escritório das Forças Armadas, onde o telefonista recebeu um revólver. Levando seu prisioneiro a um campo de esportes, a ele se juntou uma multidão, que também começou a espancar o homem com tacos de golfe e tábuas. O telefonista então atirou no homem, mas ele não morreu imediatamente; enquanto jazia no chão, gemendo, a multidão se reuniu e o espancou até a morte.[153]

Em tais circunstâncias, não chega a surpreender que um número cada vez maior de trabalhadores estrangeiros fugisse ou entrasse para a clandestinidade. Trabalhadores franceses que recebiam licença para visitar a família em casa muitas vezes simplesmente deixavam de voltar – na I. G. Farben em Ludwigshafen, por exemplo, 68% dos trabalhadores da Europa ocidental que receberam licença para visitar a família em maio e em junho de 1943 nunca voltaram. Proibir a licença para visitar a família, entretanto, teria causado insatisfação generalizada entre esses trabalhadores, e medidas disciplinares não eram possíveis porque eles vinham de países "amigos". Metade ou mais dos trabalhadores que desertaram de seu emprego vinha do leste, e esses homens e mulheres estavam, sem dúvida, agindo de modo ilegal. As chances de realmente conseguirem voltar para casa eram remotas, mas muitos deles conseguiram encontrar trabalho em outros lugares, especialmente se exigisse menos que o emprego que haviam abandonado. A maioria fazia o possível para ser transferida para áreas que não seriam ameaçadas por ataques aéreos. A Gestapo localizou e prendeu muitos deles, organizando caçadas humanas abrangentes e intensificando seus procedimentos de controle em estações de trem, em bares e em locais públicos. Em 1944, o número de fugas havia chegado ao impressionante total de meio milhão por ano, pelo menos segundo Albert Speer, que insistia que, por causa de sua importância para a economia de guerra, o máximo que poderia ser feito aos trabalhadores fugitivos quando fossem presos seria levá-los de volta para seu local original de trabalho. Cada vez mais trabalhadores estrangeiros se afastavam por motivo de doença, ou simplesmente trabalhavam mais devagar. A polícia descobriu a seguinte carta-corrente no bolso de um trabalhador francês em maio de 1944: "Os Dez Mandamentos de um Perfeito Trabalhador Francês: 1. Caminhar lentamente no local de trabalho; 2. Caminhar depressa depois de sair do trabalho; 3. Ir ao banheiro com frequência; 4. Não trabalhar com empenho; 5. Aborrecer o capataz; 6. Flertar com as moças bonitas; 7. Ir sempre ao consultório médico; 8. Não contar com as férias; 9. Prezar a limpeza; 10. Ter esperança, sempre".[154] Alguns trabalhadores sabotavam deliberadamente as armas que estavam sendo obrigados a produzir. Outros simplesmente faziam o trabalho malfeito porque estavam cansados e mal alimentados.

Resistência ou insubmissão desse tipo acontecia quase sempre em uma esfera de ação individual. Em alguns lugares, trabalhadores estrangeiros comunistas organizaram movimentos clandestinos de resistência, mas estes raramente conseguiam ir além de preparar fugas ou de identificar informantes e dar um jeito neles. Muito mais comuns eram as gangues de trabalhadores estrangeiros foragidos que se escondiam em edifícios bombardeados e sobreviviam à custa de sua esperteza, muitas vezes junto com jovens alemães. Em geral, seu maior recurso para sobreviver era o mercado negro. Com a comida sendo oferecida em suprimentos cada vez menores, o tabaco, como Luise Solmitz havia percebido, se tornou um tipo de moeda, para ser trocado por pão ou por roupas, quando necessário. Trabalhadores ocidentais, sobretudo os franceses, recebiam um salário melhor que os orientais, e muitas vezes recebiam pacotes de comida de sua família que estava em casa, então podiam se aproveitar dessa situação vantajosa para estabelecer um florescente mercado clandestino de comida, que era tão desesperadamente necessária para trabalhadores soviéticos e italianos. Sem poder de compra, prisioneiros de guerra russos e trabalhadores forçados civis começaram a fabricar pequenos brinquedos e outras quinquilharias com lixo industrial e a vendê-los nas ruas ou nas fábricas, embora isso logo fosse proibido sob a alegação de que o material usado por eles era importante para a economia de guerra.[155] Grandes gangues começaram a surgir, afirmando seu papel em tais transações, frequentemente perigosas. Em setembro de 1944, encorajadas pela aproximação dos exércitos aliados, essas gangues estavam aumentando em quantidade, sobretudo em cidades arruinadas do oeste da Alemanha como Colônia. Frequentemente estavam armadas, e não tinham medo de morrer em tiroteios com a polícia. Em Colônia, disseram que uma gangue de cerca de trinta membros, em sua maior parte trabalhadores orientais, vivia de comida roubada e saqueada, e quando a Gestapo a desbaratou depois de um tiroteio no qual um policial foi morto, o líder, Mishka Finn, encontrou lugar em outra gangue, liderada por um alemão que era antigo prisioneiro de um campo de concentração. A maior parte dos membros era de desertores do Exército e prisioneiros foragidos. Essa gangue trabalhava alternadamente com um grupo mais politizado de jovens das classes trabalhadoras conhecidos como os Piratas de Edelweiss, que estavam atacando membros da Juventude Hitlerista e roubando mercearias e outros estabelecimentos. Quando o grupo ficou mais ambicioso e começou a planejar explodir os quartéis-generais da Gestapo na cidade, a polícia localizou e prendeu seus membros. Seis deles, todos trabalhadores orientais, foram enforcados em público, perante uma grande multidão, no dia 25 de outubro de 1944, acontecimento seguido pela execução pública de treze membros da gangue alemã em 10 de novembro de 1944.[156]

Contudo, isso não colocou um ponto-final em tais atividades na cidade; na verdade, o chefe da Gestapo em Colônia foi morto logo em seguida em um tiroteio com outra gangue de trabalhadores orientais. Uma gangue em Duisburg tinha cem membros e arrombava imóveis quase todos os dias. A Gestapo reagiu a esse caos crescente com uma política de prisões em massa e de execuções em uma escala ainda maior. Em Duisburg, 24 membros da gangue dos trabalhadores orientais foram mortos a tiros em fevereiro de 1945, seguidos em março por mais 67 pessoas, muitos deles alemães suspeitos de dar abrigo a membros da gangue. Em Essen, o chefe da Gestapo, junto com seu oficial superior de Düsseldorf, fez que 35 prisioneiros, a maior parte deles mandados para a prisão por suspeita de saque ou roubo, fossem tirados da cadeia da polícia e baleados. Outros trinta trabalhadores orientais foram executados em 20 de março de 1945 perto de Wuppertal; 23 em Bochum, onze em Gelsenkirchen. Em Dortmund, a Gestapo eliminou cerca de 240 homens e mulheres em março e em abril de 1945, prosseguindo com as execuções até o momento em que as tropas aliadas entraram na cidade. Suas vítimas eram pessoas presas por suspeita de saque, roubo, atividades de resistência ligadas ao comunismo, espionagem e diversas outras infrações. A raiva pela derrota iminente da Alemanha atiçou o espírito de vingança e o desejo de restaurar um sentimento de ordem nazista em um mundo que estava rapidamente se tornando caótico, onde as pessoas que a Gestapo considerava racialmente inferiores estavam perambulando praticamente sem controle pelas maiores cidades industriais do oeste da Alemanha. A atividade das gangues nessa região era motivada mais por uma necessidade de sobrevivência do que por qualquer desejo de oferecer resistência aberta ao regime nazista; mas, como acontecia com tanta frequência, a resposta do regime era política em sua própria essência, ideológica até o último instante.[157]

V

Segundo as estimativas da própria União Soviética, as perdas do Exército Vermelho na guerra totalizaram mais de 11 milhões de soldados, mais de 100 mil aviões, mais de 300 mil peças de artilharia e cerca de 100 mil tanques e de obuses autopropulsados. Outras autoridades estimaram que as perdas de pessoal militar foram ainda mais altas, alcançando, de fato, 26 milhões de mortes. As tropas do Exército Vermelho eram destreinadas, pouco educadas e muitas vezes despreparadas. As perdas continuaram na mesma escala até o fim da guerra; na verdade, mais tanques foram perdidos a cada dia na batalha final para a conquista de Berlim do que até mesmo na Batalha de Kursk. Stálin queria a vitória a qualquer preço, e o preço que seus homens pagaram foi astronomicamente alto. Diziam para os oficiais e soldados do Exército Vermelho que eles deveriam obedecer às ordens sem questionar e evitar fazer qualquer coisa sob iniciativa própria. Em vez de organizar ataques taticamente sofisticados, muitas vezes atacavam as linhas inimigas em assaltos frontais, incorrendo em perdas tão grandes que era preciso tempo para substituí-los, mesmo com os grandes recursos à disposição do Exército Vermelho. Como resultado, foi mais demorado vencer a guerra no *front* oriental do que ocorreria se ela fosse conduzida por uma liderança militar mais inteligente e menos perdulária.[158] Acima de tudo, entretanto, o sofrimento que as tropas tiveram de suportar e as perdas colossais que sofreram instilaram o comprometimento dos soldados soviéticos com a vitória com uma forte dose de amargura e ódio pelo inimigo. Esse fato ficou visível assim que eles alcançaram as fronteiras da Alemanha.

Em julho de 1944, tropas soviéticas entraram em Majdanek, o primeiro campo de extermínio descoberto pelas tropas aliadas. Os alojamentos e os pátios estavam lotados de corpos – russos, poloneses e muitos outros, bem como judeus. Repórteres chocados percorreram as câmaras de gás que os alemães não tinham conseguido destruir em tempo. Milhares de soldados do Exército Vermelho foram levados pelo campo de Majdanek para ver pessoalmente. O *Pravda* ("Verdade"), maior jornal diário soviético, publicou relatos vívidos, que foram acrescentados às já tão conhecidas histórias de milhões de prisioneiros soviéticos que haviam sido deliberadamente privados de alimentos e deixados para morrer pelos alemães. Enquanto prosseguiam na direção oeste pela Alemanha, as forças soviéticas descobriram outros centros de extermínio, não apenas Auschwitz, mas lugares menores como Klooga, perto de Tallinn, onde foram tiradas fotos dos corpos dos judeus mortos empilhados com achas de madeira prontos para uma cremação em massa que os alemães não tiveram tempo de iniciar. A profunda impressão que tais visões causaram atiçaram ainda mais a raiva contra os alemães, alimentada ao longo dos anos de sofrimentos nas mãos deles. As lembranças de cidades incendiadas e saqueadas, como Kiev ou Smolensk, se intensificaram à medida que as tropas entraram em um país cujo padrão de vida parecia inimaginavelmente alto se comparado ao delas. Se a Alemanha era tão rica, por que os alemães tinham começado a guerra? O contraste parecia apenas aumentar a fúria dos soldados russos. "Vamos nos vingar", escreveu um deles enquanto atravessava a Prússia Oriental em janeiro de 1945, "nos vingar de todo nosso sofrimento [...] Partindo de tudo que vemos, é óbvio que Hitler roubou toda a Europa para agradar seus Fritzes manchados de sangue [...] Suas lojas estão repletas de mercadorias vindas de todas as lojas e fábricas da Europa".[159] "Nós odiamos profundamente a Alemanha e os alemães", escreveu outro. "Dá para ver com frequência civis caídos, mortos, na rua [...] Mas os alemães merecem as atrocidades que eles desencadearam. Nós só precisamos pensar em Majdanek."[160] Os comissários políticos, eles próprios alvos de uma ordem de morte especial emitida para as forças alemãs em 1941, insistiam com suas tropas para que elas se vingassem. "A ira dos soldados na batalha deve ser terrível", dizia um *slogan* político soviético muito comum na época. "O senhor disse que poderíamos fazer na Alemanha as mesmas coisas que os alemães fizeram conosco", escreveu outro soldado para seu pai. "O julgamento já começou: eles vão relembrar esta marcha do nosso Exército pelo território alemão por muito, muito tempo."[161]

As autoridades militares e civis soviéticas ordenaram que as partes ocupadas da Alemanha fossem espoliadas. Tropas levaram grandes quantidades de trilhos de trem, de locomotivas e de vagões, de armas e de munições, e muitas outras coisas mais, para reabastecer tanto quanto possível a indústria e os equipamentos soviéticos destruídos durante a guerra. Os americanos descobriram que 80% da maquinaria industrial de Berlim fora removida para a União Soviética na época em que eles chegaram à cidade em 1945. Obras de arte também eram parte da pilhagem oficialmente sancionada. Em sua retirada apressada, os alemães foram obrigados a deixar para trás inúmeras coleções, assim como outras em toda a Europa que estavam nessa época guardadas por questão de segurança em porões, em minas e em outros esconderijos longe do calor da batalha e da destruição dos bombardeios. Unidades especiais soviéticas para recuperação de arte percorreram o interior do país buscando esses tesouros, e os que elas conseguiram encontrar foram levados para um depósito especial em Moscou. Em um profundo túnel em uma pedreira na vila de Groscotta, perto de Dresden, eles encontraram inúmeros quadros guardados pelos museus de Dresden, incluindo a *Madonna Sistina*, de Rafael, e o *Rapto de Ganimedes*, de Rembrandt. O imenso Altar de Pérgamo foi desmontado e levado. Um milhão e meio de objetos culturais foram, finalmente, devolvidos para a Alemanha Oriental depois de 1949, mas uma boa parte se perdeu. O prefeito de Bremen, por exemplo, havia mandado a coleção de arte da cidade para ficar guardada em segurança em um castelo não muito longe de Berlim, onde as tropas do Exército Vermelho a encontraram. Chegando para inspecionar a coleção, Viktor Baldin, um arquiteto russo que se alistara no Exército Vermelho, encontrou obras valiosas espalhadas pela região, e fez o máximo possível para recuperá-las, em um caso trocando com um soldado russo um par de botas por uma água-forte de Albrecht Dürer. Enquanto Baldin mantinha as centenas de desenhos que ele descobrira em um local seguro, esperando uma oportunidade para devolver sua coleção a Bremen, outros itens da mesma coleção começaram a surgir no mercado de arte posteriormente; um negociante deu a uma mulher de Berlim 150 marcos e um quarto de quilo de pó de café em troca de um Cranach em 1956. Os russos mantiveram muitos de seus "troféus de arte" mesmo depois de 1990, perguntando ardilosamente por que deveriam devolver objetos de arte que haviam sido saqueados da Alemanha quando tantos de seus próprios tesouros culturais haviam desaparecido ou sido destruídos como resultado das ações das tropas invasoras alemãs.[162]

Soldados rasos do Exército Vermelho saqueavam a seu bel-prazer. A agressividade do combate nos últimos meses da guerra apenas intensificou a fúria dos soldados soviéticos. Talvez, também, eles estivessem liberando a raiva e a frustração acumuladas durante tantos anos de sofrimentos infligidos não apenas por Hitler, mas também por Stálin antes dele. Assim como os soldados alemães que entraram na Rússia em 1941, eles lutavam em grupos unidos por um *éthos* comum de agressividade masculina. As atrocidades que cometeram eram um sintoma não da diminuição da disciplina e do moral, mas da coesão do grupo e da mentalidade coletiva formadas no calor da batalha. Os alemães haviam pilhado e destruído, então, por que não poderiam fazer o mesmo? Soldados rasos soviéticos se apropriavam de qualquer coisa que pudessem encontrar, ignorando os regulamentos militares. Comida era o mais importante: soldados pilharam lojas militares alemãs, arrombaram adegas e beberam até perder os sentidos, e mandaram pacotes de comida para sua família em grandes quantidades. Oficiais pegaram livros raros, pinturas, rifles de caça, máquinas de escrever, bicicletas, roupas de cama, roupas, sapatos, instrumentos musicais e sobretudo rádios, algo muito raro e muito valioso na Rússia. Todos eles roubaram relógios de pulso. No depósito ferroviário em Kursk, o total mensal de pacotes que chegava dos soldados na Alemanha saltou de trezentos em janeiro para 50 mil em abril. Na metade de maio de 1945, cerca de 20 mil vagões ferroviários carregados de produtos saqueados estavam esperando para ser descarregados ou mandados para seu destino. Mas havia violência e destruição sem sentido também.[163] Soldados do Exército Vermelho incendiaram casas, fazendas e até mesmo cidadezinhas e vilarejos inteiros; atiraram em milhares de civis, homens, mulheres e crianças. "O coração fica feliz", escreveu um soldado para seus pais em fevereiro de 1945, "quando passamos por uma cidade alemã que está pegando fogo. Estamos nos vingando de tudo, e nossa vingança é justa. Fogo por fogo, sangue por sangue, morte por morte".[164]

Movidas pelo ódio, pela vingança e pelas aparentemente infindáveis quantidades de álcool, as tropas se permitiram fazer uma campanha sistemática de estupro e de violência sexual contra mulheres alemãs. Na verdade, isso quase não tinha relação com a liberação de meses e de anos de frustração sexual e de desejo acumulado; outros fatores, principalmente ódio e agressão, eram muito mais importantes. As mulheres compunham a maior parte dos civis adultos que as tropas do Exército Vermelho encontraram na Alemanha: os homens estavam mortos, ainda lutando ou trabalhando em fábricas de munição. Foram as mulheres que se tornaram objeto da ira dos soldados soviéticos contra os alemães. Posteriormente, ao serem entrevistadas, as mulheres alemãs tipicamente relembravam que, quando tentavam protestar, elas não eram contestadas com histórias de soldados alemães que violentavam mulheres russas, mas com "a imagem de um soldado alemão atirando um bebê, arrancado dos braços de sua mãe, contra uma parede – a mãe grita, o cérebro do bebê se espalha pela parede, os soldados riem".[165] Afinal, eram os alemães que, sem terem sido provocados, tinham invadido a Rússia e causado um nível quase inimaginável de morte, de sofrimento e de destruição. Eles receberiam uma lição que duraria mil anos. Como escreveu um soldado do Exército Vermelho: "É absolutamente claro que, se agora nós não os deixarmos apavorados mesmo, não vai haver jeito de evitar outra guerra no futuro".[166]

Um jovem oficial que deparou com uma unidade que ultrapassara uma coluna de refugiados alemães rumo a oeste relembrou posteriormente: "Mulheres, mães e seus filhos jazem à direita e à esquerda ao longo da estrada, e na frente de cada uma delas está parada uma fila barulhenta de homens com suas calças abaixadas. As mulheres que estão sangrando ou perdendo consciência são empurradas para um lado, e nossos homens atiram naquelas que tentam salvar seus filhos". Um grupo de oficiais "sorridentes" estava parado por perto, para garantir "que cada soldado, sem exceção, tomasse parte".[167] Mulheres e moças eram vítimas de estupros em série onde quer que fossem encontradas. O estupro era com frequência seguido pela tortura e pela mutilação e muitas vezes acabava com a vítima sendo baleada ou espancada até a morte. A violência crescente era indiscriminada. Frequentemente, sobretudo em Berlim, as mulheres eram estupradas na presença do marido, para ressaltar a humilhação. Em geral, os homens eram mortos se tentassem intervir. Na Prússia Oriental, na Pomerânia e na Silésia, acreditam que cerca de 1,4 milhão de mulheres tenham sido estupradas, muitas delas diversas vezes. Estupros em grupo eram a regra, e não a exceção. Os dois maiores hospitais de Berlim estimaram que pelo menos 100 mil mulheres tenham sido estupradas na capital alemã. Muitas contraíram doenças sexualmente transmissíveis, e não poucas ficaram grávidas; a maior parte destas conseguiu fazer aborto, ou, se deram à luz, abandonaram o bebê no hospital. A violência sexual prosseguiu por muitas semanas, até mesmo depois de a guerra ter formalmente acabado. As mulheres alemãs aprenderam a se esconder, sobretudo depois de escurecer; ou, se fossem jovens, a pegar um soldado soviético, de preferência um oficial, como amante e protetor. Em 4 de maio de 1945, uma mulher anônima de Berlim escreveu em seu diário: "Lenta, mas definitivamente, estamos começando a encarar todos esses estupros com senso de humor – humor sardônico".[168] Ela observou com certa satisfação que os soldados russos tendiam a preferir mulheres gordinhas e bem alimentadas como suas vítimas depois de a fúria inicial ter acabado, e que, compreensivelmente, essas eram geralmente as viúvas de membros do Partido Nazista.[169]

Temerosos, e com razão, do que poderia lhes acontecer quando o Exército Vermelho chegasse, milhares de alemães fugiram antes do avanço das tropas soviéticas. Colunas patéticas como aquelas das mulheres, das crianças e das pessoas idosas que pegaram as estradas europeias da Bélgica para a Bielorrússia temendo por sua vida quando o Exército alemão entrou em seus países em 1940 e 1941 agora podiam ser vistas fazendo o percurso contrário na direção da Alemanha em 1944 e em 1945: mas, agora, elas eram compostas por alemães. Os felizardos carregavam suas posses pessoais em um carro ou em uma carroça puxada a cavalo, os menos felizes acompanhavam-nos lentamente a pé. Muitas crianças morreram congeladas no trajeto. Alguns refugiados ainda conseguiram encontrar uma linha ferroviária não danificada e um lugar em um trem. Membros do Partido Nazista em algumas cidades amontoavam pessoas tremendo, e sem comida ou bebida, em vagões abertos destinados ao transporte de mercadoria. Na ocasião em que um desses trens carregados chegou a Schleswig-Holstein, relatou-se que os refugiados se encontravam "em estado deplorável. Eles estavam infestados de piolhos e tinham muitas doenças, como sarna. Depois da longa viagem, havia muitos mortos caídos nos vagões".[170] Perto do fim de janeiro de 1945, quase 50 mil refugiados estavam chegando a Berlim por trem todos os dias. As autoridades nazistas avaliaram que, na metade de fevereiro de 1945, mais de 8 milhões de pessoas estavam fugindo para oeste, para a parte mais central do Reich. Ao longo da costa do Báltico, cerca de 500 mil refugiados estavam cercados em Danzig, e pacotes de suprimentos levados por via aérea ou marítima eram frequentemente saqueados por soldados alemães famintos. Outros 200 mil foram encurralados pela batalha no pequeno porto de Pillau. Autoridades regionais e locais começaram a organizar a evacuação deles por mar. O navio transatlântico da Força pela Alegria *Wilhelm Gustloff* levou cerca de 6.600 deles de Gdynia para o Báltico: um submarino soviético o encontrou casualmente, atirou três torpedos e o afundou com a perda de 5.300 vidas. Esse não foi o único navio de refugiados que afundou de tal modo. Confrontada

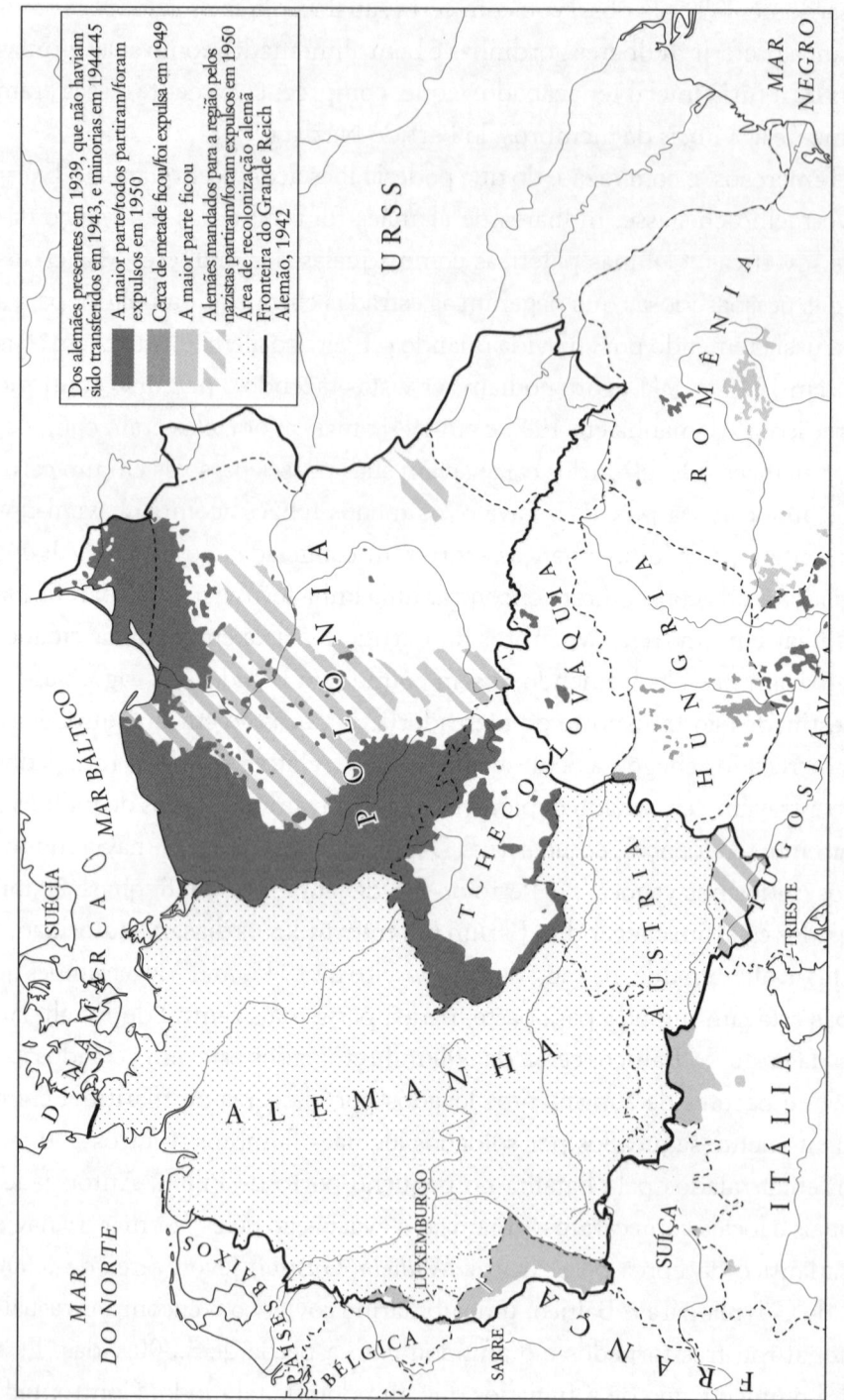

Mapa 22. Refugiados e expatriados alemães, 1944-50

com recriminações enfurecidas por ter cometido uma imensa atrocidade, a Marinha soviética alegou que o navio estava cheio de membros da tripulação de submarinos. Ela sabia que, por ordens do grande almirante Dönitz, a evacuação dos membros das Forças Armadas tinha prioridade sobre a dos civis. Nesse caso, entretanto, havia cometido um erro terrível. Não obstante, o capitão do submarino que afundou o navio foi recompensado, sendo poupado da sentença de prisão que enfrentaria devido à descoberta de seu longo relacionamento amoroso com uma mulher estrangeira; em 1990, foi postumamente agraciado com o título de Herói da União Soviética.[171]

Os alemães que permaneceram nos territórios ocupados e conquistados no leste enfrentaram uma situação difícil. Durante a guerra, tinham feito parte da muitas vezes brutal e violenta elite étnica dominante. Agora eram os conquistados. Ao longo dos meses seguintes, tchecos, poloneses e outros governos restabelecidos organizaram a expulsão forçada e a expropriação de praticamente toda a população alemã étnica de seu país, que foi mandada embora para se juntar aos milhões que já haviam fugido. No total, talvez 11 milhões de refugiados e de expatriados alemães chegaram ao "Velho Reich" entre 1944 e 1947. Pessoas fugiam em grande número à frente das tropas aliadas que avançavam no oeste também. De volta a sua cidade natal de Alzey, na Renânia, Lore Walb viu pessoas fazendo as malas quando os americanos se aproximaram. "As filas de carros estão passando por nossa casinha a noite inteira em uma procissão ininterrupta", escreveu ela em 26 de março de 1945. "Estão todos vindo do *front* e se dirigindo para o leste." Um quarto da população da cidade, ela calculou, se juntou às colunas de refugiados.[172] Por toda a Alemanha, nos primeiros meses de 1945, as pessoas estavam circulando, vivendo sob o medo permanente da violência e da morte, esperando o fim com uma mistura de temor e de esperança.

A derrota final

I

Em meio ao caos e à destruição crescentes dos últimos meses da guerra, a influência de Hitler sobre a população alemã finalmente desapareceu. Até mesmo os defensores do regime, observou o Serviço de Segurança da SS em 28 de março de 1945, o estavam criticando. Ninguém mais acreditava em suas garantias de vitória.[173] Dizem que se ouviu algumas pessoas dizendo: "Então você acredita que o povo alemão parou de pensar completamente? Você acredita, então, que o povo alemão pode ser incentivado a continuar na luta por muito mais tempo com promessas e frases vazias?". Em 1941, Hitler anunciara que as últimas divisões russas preparadas para a batalha haviam sido destruídas. Com os russos batendo à sua porta, "quem pode achar errado se não mais acreditamos na palavra do Líder?".[174] "Dúvidas a respeito de nossa liderança", o Serviço de Segurança foi forçado a admitir, "não estão deixando de lado nem a figura do Líder". Quando a declaração de Hitler de 24 de fevereiro de 1945 foi lida no rádio, não causou uma impressão favorável em seus ouvintes. "O Líder está fazendo outra profecia", caçoou um membro do baixo escalão do Partido Nazista em Lüneburg. "É o mesmo disquinho velho tocado de novo", disse outro.[175] A raiva contra a liderança nazista tinha se tornado generalizada. As pessoas agora temiam a ameaça da SS e dos fervorosos ativistas nazistas mais do que a derrota.[176] Entre os alemães comuns, dos quais sua identidade como judeu era cuidadosamente escondida, Victor Klemperer começou a ouvir expressões de simpatia espontâneas, e na maior parte retrospectivas, pelos judeus, "essas pobres pessoas".[177] Somente umas poucas pessoas ainda diziam acreditar em Hitler, culpando outros pela derrota da Alemanha.[178] A população começou a remover suásticas de prédios e a destruir outras insígnias nazistas expostas em lugares públicos.[179]

Havia uma raiva cada vez maior, também, dirigida ao fracasso da liderança nazista em optar pela rendição quando era tão claro que tudo estava perdido. Lembrava-se que na, Primeira Guerra Mundial, os líderes militares haviam desistido de tudo quando perceberam que estavam a ponto de ser derrotados, desse modo salvando muitas vidas. "Que pessoas decentes eram Hindenburg e Ludendorff comparados com eles", disse alguém. "Quando viram que o jogo estava perdido, puseram um ponto-final na situação e não permitiram que continuássemos sendo mortos. Mas *essas pessoas*! Assim elas podem continuar governando por mais umas semanas [...]"[180] Na verdade, milhões de pessoas estavam morrendo na fase final da guerra. Lore Walb refletiu com amargura a respeito da "culpa tão grande" de Hitler. "Por que", ela perguntou em 23 de abril de 1945, "ele finalmente não desiste da luta – e por que ele também está nos encaminhando para uma guerra civil no fim?" Ela estava com muita raiva daquilo que chamava de "irracionalidade dos fanáticos", entre os quais então claramente incluía o próprio Hitler.[181] E na verdade, longe de decidir colocar um ponto-final na morte e na destruição, Hitler estava determinado, se possível, a deixar tudo ainda pior. Confrontado com uma invasão do território alemão no outono de 1944, e talvez seguindo o exemplo de Stálin, ele incentivou a política da "terra queimada", negando aos exércitos inimigos os meios de sobreviver da terra, assim como os russos tinham tentado fazer anteriormente, na invasão alemã à União Soviética. Essa ideia era totalmente irreal. As forças aliadas dispunham de amplo suprimento vindo de suas próprias bases, e as únicas vítimas teriam sido os civis alemães. Ministérios do governo concordaram que a ideia era impraticável, e Speer persuadiu Hitler a desmantelar a indústria na zona de batalha com a remoção de componentes vitais em vez de explodir fábricas ou inundar minas. O ministro dos Armamentos ainda achava que seria possível reocupar os territórios conquistados em um futuro próximo e desejava que instalações essenciais para a produção estivessem prontas para ser reutilizadas. Porém, depois da Batalha de Ardenas e da retomada do avanço soviético no início de 1945, Speer acabou por reconhecer a inevitabilidade da derrota. Ele percebeu que o povo alemão precisaria tanto quanto fosse possível herdar uma economia que funcionasse depois de a guerra ter acabado, e começou, sem dúvida, a ficar preocupado com sua própria reputação perante os aliados. A principal pessoa que estava então no caminho de uma rendição negociada era o próprio Hitler. Em meados de fevereiro de 1945, segundo seus relatos posteriores, Speer concebeu a ideia de jogar gás venenoso por um tubo de ventilação no *bunker* de Hitler sob a Chancelaria do Reich. Ele mandou remover o sistema de filtros de ar como resposta às reclamações de Hitler de que o ar lá embaixo estava abafado. Mas ainda estava procurando um produto químico conveniente quando Hitler, obcecado com a segurança depois do complô com a bomba de julho, lembrou que gás venenoso era mais pesado que o ar. Então fez que uma chaminé de três metros fosse construída sobre a tubulação de ar do *bunker* e colocou sentinelas da SS ao redor de todo o telhado, que estava então equipado com holofotes para identificar qualquer pessoa espreitando por lá à noite. Speer rapidamente abandonou o projeto; se realmente existiu além de suas fantasias particulares nunca foi esclarecido.[182]

Em 18 de março de 1945, Speer enviou um memorando para Hitler esboçando planos para a preservação da infraestrutura da economia alemã de modo a permitir a reconstrução depois do fim da guerra. Na reunião militar daquela noite, Hitler disse que não havia razão para tomar tais medidas. A nação alemã falhara na batalha pela sobrevivência do mais apto. O futuro pertencia aos vencedores. Os alemães que sobrassem depois do término da batalha seriam uma pobre estirpe porque os melhores tinham sido mortos. Então, não seria necessário proporcionar-lhes o básico para sua existência futura, mesmo em um nível primitivo. Depois, direcionou sua raiva para o memorando de Speer. Sua resposta a ele foi destituir o ministro dos Armamentos da maior parte de seu poder. Em 19 de março de 1945, Hitler emitiu o que rapidamente passaria a ser conhecido como seu "Decreto Nero", por causa do imperador romano que supostamente ordenara a destruição da cidade de Roma com um incêndio. Todas as instalações militares, de transporte, de comunicações, industriais e de suprimentos dentro do Reich que pudessem cair nas mãos dos inimigos deveriam ser destruídas. "É um erro", disse Hitler, "acreditar que, depois de áreas perdidas terem sido recapturadas, será possível utilizar novamente meios de transporte, de comunicação e instalações industriais e de suprimentos que não foram avariados, ou foram apenas temporariamente paralisados, para propósitos particulares". Quando o inimigo finalmente fosse conquistado, ele deixaria "apenas a terra calcinada atrás dele e [...] abandonaria todas as preocupações em relação à população".¹⁸³ Esta era uma fantasia em vários níveis diferentes, é claro. Mas poderia causar sofrimento imenso se fosse implementada. Albert Speer se determinou a impedi--la. Ele percorreu frentes de batalha e fez um acordo com comandantes do Exército compreensivos para que a ordem de Hitler de destruir tudo fosse ignorada. Speer ficou sabendo que os líderes regionais estavam se preparando para inundar as minas de carvão, explodir os elevadores e bloquear os canais. Speer e sua equipe discretamente se desfizeram dos explosivos e de outros equipamentos necessários para levar o plano adiante, se encontraram com os líderes regionais e fizeram um esforço para persuadi-los a respeito da impraticabilidade da ideia. Ele já havia feito planos com Heinrici, Model e Guderian para preservar a infraestrutura física das áreas invadidas, no leste e no oeste, tanto quanto fosse possível nas condições da guerra.¹⁸⁴

Em Berlim, Hitler acusou seu ministro dos Armamentos de tentar persuadir os líderes regionais a ignorar suas ordens, e lhe disse que ele apenas manteria seu emprego se conseguisse se convencer de que a guerra ainda poderia ser vencida. Speer objetou. Não havia a menor dúvida de que a guerra tinha sido perdida, disse. Hitler perguntou-lhe de novo, em "um tom quase suplicante, e, por um momento", relembrou Speer posteriormente, "eu achei que, em seu estado lamentável, ele era mais convincente do que em suas poses grandiosas. Em outras circunstâncias, eu provavelmente teria fraquejado e cedido. Naquela ocasião, o que me impediu de me submeter a seu charme era a lembrança de suas ideias de destruição".¹⁸⁵ Hitler deu--lhe 24 horas para aparecer com uma resposta. Speer esboçou uma carta de demissão, mas os secretários de Hitler informaram-no de que eles tinham sido proibidos de datilografá-la na máquina de escrever especial com tipos graúdos usada para os documentos que teriam de ser lidos pelo míope Líder, então Hitler não teria condições de lê-la. Speer cedeu. De volta à Chancelaria, ele disse a Hitler: "Meu Líder, eu fico totalmente a seu lado". Os olhos de Hitler se encheram de lágrimas de afeição e de alívio. Speer evitara a demissão. E, de fato, ele conseguiu a autorização de Hitler para implementar o Decreto Nero pessoalmente e obteve de novo a maior parte de seu poder. Em 30 de março de 1945, depois dessa entrevista, Speer persuadiu Hitler a emitir uma especificação do Decreto Nero, estabelecendo que a destruição deveria acontecer apenas a fim de impedir que o inimigo usasse as instalações industriais para dar mais poder a sua própria força militar. Seria possível fazer isso avariando as instalações em vez de destruí-las. Speer continuou a trabalhar contra os fanáticos do Partido que desejavam destruir tudo. Na realidade, também, nessa época, tanto as indústrias como seus trabalhadores tinham todo o incentivo para proteger suas fábricas e minas da destruição, e muitos deles o fizeram.[186] De qualquer modo, tais discussões estavam se tornando cada vez mais acadêmicas à medida que as tropas aliadas avançavam ainda mais pelo território da Alemanha.

O estado de espírito de derrotismo apocalíptico de Hitler durante essas semanas finais se alternava com visíveis demonstrações exteriores de confiança desafiadora em sua capacidade de virar o jogo. Ele continuava a esperar por um rompimento na aliança entre a União Soviética e as forças ocidentais. Algumas pessoas, como o chefe do Estado-Maior Geral do Exército, Heinz Guderian, defendiam a rendição no oeste, com a remoção de todas as tropas e recursos da Alemanha para a defesa de Berlim contra o Exército Vermelho, na esperança de que isso pudesse persuadir a Grã-Bretanha e os Estados Unidos a se juntar a eles em uma nova luta contra o domínio soviético da Europa central. Porém, Hitler não queria nem ouvir falar em algum tipo de rendição, nem mesmo uma que fosse parcial, e acusou Guderian de cometer alta traição. Por uns tempos, ele não tomou nenhuma medida, mas, a partir do fim de janeiro de 1945, suas reuniões com o chefe do Estado-Maior Geral do Exército foram realizadas com a presença de Ernst Kaltenbrunner, chefe do Serviço de Segurança da SS, uma testemunha silenciosamente ameaçadora. Entretanto, outras pessoas também pensaram em seguir uma linha de ação parecida, incluindo Ribbentrop e Göring. Contudo, eles não desejavam tomar nenhuma medida relativa a uma paz negociada no oeste tendo em vista a intransigência de Hitler. O próprio Hitler culpava o amor que Churchill tinha pela guerra pela persistência da Grã-Bretanha em colocá-lo como oponente, mas também achava que seria mais fácil fazer um acordo de paz com Stálin, que não teria de lidar com o tipo de opinião pública independente que tolhia os líderes ocidentais. Ao mesmo tempo, entretanto, não achava que Stálin pudesse ser levado para a mesa de negociações a não ser que o Exército Vermelho fosse derrotado de modo tão definitivo às portas de Berlim que ele não visse alternativa; então, o resultado final seria o mesmo nesse caso também: a Alemanha não tinha outra alternativa a não ser lutar.[187]

Hitler não havia sobrevivido à tentativa de assassinato do dia 20 de julho de 1944 totalmente incólume. Embora a explosão momentaneamente curasse seu tremor causado pelo mal de Parkinson, mais visível em sua mão esquerda e no antebraço, ele voltou na metade de setembro de 1944, e a ele foram acrescentadas tontura, a incapacidade de permanecer em pé por muito tempo e uma séria lesão no ouvido que levou muitas semanas para ser curada. Em 23 de setembro de 1944, ele estava sentindo fortes dores de estômago e, quatro dias depois, sintomas de icterícia. Estava exausto, ficou com febre alta e foi mandado para a cama. Apenas em 2 de outubro de 1944 ele havia começado a se recuperar; nessa época, tinha perdido uns 7,5 quilos de peso. O médico que tratava dele por causa de seu problema no ouvido tentou colocar a culpa dos sintomas que ele apresentava nas pílulas que Morell estava lhe receitando, e tinha conquistado o apoio de outros médicos que atendiam Hitler, incluindo Karl Brandt, mas a reação de Hitler tinha sido a de simplesmente demitir todos eles e reafirmar sua fé no conhecimento de Morell. Na verdade, o fato de Hitler ter se recuperado enquanto continuava a tomar as pílulas mostrou que era errada a afirmação deles de que Morell estava tentando envenenar o Líder nazista.[188] Não obstante, nos últimos meses de sua vida, segundo Albert Speer, a saúde de Hitler continuou a se deteriorar. No começo de 1945, Hitler estava, escreveu Speer,

> ficando enrugado como um homem velho. Seus membros tremiam; ele caminhava encurvado, com passos arrastados. Até mesmo sua voz ficou trêmula e perdeu seu antigo tom de comando. Sua força tinha cedido lugar a um jeito hesitante e monótono de falar. Quando Hitler ficava excitado, o que ocorria com frequência, de um modo senil, a voz dele começava a falhar [...] Sua pele estava amarelada, sua face, inchada; seu uniforme, que no passado ele mantinha escrupulosamente limpo, foi com frequência negligenciado nesse último período de vida e manchado com a comida que ele havia comido com mãos trêmulas.[189]

Talvez fosse pena dele, pensou Speer, que impedia seu *entourage* de fazer objeções "quando, na situação há tanto tempo desesperadora, ele continuava a solicitar divisões inexistentes ou a ordenar que unidades fossem supridas por aviões que não podiam mais voar por falta de combustível".[190] Ouviram em silêncio quando ele lhes disse que Stálin e o oeste certamente brigariam entre si antes que tivessem vencido a guerra ou alegou que, nessa situação, o oeste perceberia que seria impossível prosseguir sem ele, Hitler. O próprio Speer ainda se sentia feliz o suficiente em passar tempo com ele, estudando os planos que haviam feito para a reconstrução de Linz depois da guerra. Contudo, o carisma de Hitler estava então desaparecendo até mesmo entre seus seguidores mais próximos. Posteriormente, Speer comentou que, se antes todos se levantavam quando Hitler entrava em um cômodo, "agora as conversas continuavam, as pessoas continuavam sentadas, os empregados recebiam ordens dos convidados, comensais que haviam bebido em excesso caíam no sono na cadeira, e outros falavam em voz alta e sem inibição".[191]

Hitler então passava cada vez mais tempo em seu complexo de *bunkers* sob a Chancelaria do Reich. Inicialmente, ele ainda fazia as refeições na parte não avariada da Chancelaria, mas seu apartamento havia sido destruído, junto com muitas outras coisas, no ataque aéreo de 3 de fevereiro de 1945, e ele trabalhava e dormia no subterrâneo, subindo apenas para levar seu cachorro Blondi para se exercitar no jardim da Chancelaria, rodeado por montes de escombros. Ele se levantava ao meio-dia, ou pouco depois, se barbeava e se vestia, e então almoçava antes de dirigir uma reunião a respeito da situação militar, à qual compareciam não somente os comandantes de alto escalão, mas também Himmler, Bormann, Kaltenbrunner e, às vezes, Ribbentrop. Depois do jantar, perto das oito horas, havia outra reunião militar, depois da qual ele se retirava para seu estúdio e ficava fazendo preleções para seu *entourage* como era seu costume até ir para a cama, com frequência às cinco ou seis horas da manhã.[192] No dia 24 de fevereiro de 1945, no aniversário da promulgação do programa do Partido Nazista em 1920, Hitler presidiu uma reunião final com os líderes regionais do Partido em um salão que ainda se mantinha em pé na Chancelaria do Reich. Vindos de toda a Alemanha, os "Velhos Combatentes", muitos dos quais não o haviam visto por vários meses, ficaram chocados com o tanto que ele envelhecera. Ele arrastava os pés em vez de entrar andando na sala, seus olhos estavam injetados de sangue, sua mão esquerda e o braço tremiam visivelmente e teve de desistir da tentativa de erguer um copo d'água até a boca para matar a sede. Um participante observou que ele ocasionalmente babava ao falar. Tentando incentivá-los a um último esforço, uma vez mais prometeu a chegada de armas maravilhosas que iriam alterar os rumos da guerra. Eles tinham de fazer que as pessoas de seus distritos lutassem até que as novas armas fossem enviadas, disse Hitler. Caso contrário, se o povo alemão fosse derrotado, ficaria claro que não merecia vencer. A fé que ele manifestava nas armas maravilhosas visivelmente não era sincera. Mas sua crença no julgamento darwiniano que estava na iminência de recair sobre o povo alemão certamente era.[193]

II

Naquela época, de fato, Hitler se voltava principalmente para o que imaginava que seria seu lugar na História. Ao fazer um pronunciamento para as Forças Armadas em 11 de março de 1945 (Dia da Recordação dos Heróis), ele anunciou que decidira dar ao mundo um exemplo: cair, deu a entender, lutando, ao invés de se render de modo covarde como fora o caso em 1918. Goebbels também decidiu que, se a derrota deveria acontecer, então que fosse uma derrota heroica. Ele dedicaria suas últimas semanas a criar imagens inspiradoras do autossacrifício nazista para as gerações vindouras. Goebbels tentou persuadir Hitler a fazer um pronunciamento para a nação outra vez, mas o Líder replicou lúgubre que não tinha nada de novo a oferecer, e que estava ciente por meio de relatos feitos pelo Serviço de Segurança da SS de que seu pronunciamento de 24 de fevereiro de 1945 não fora recebido de modo positivo. Goebbels ficou profundamente frustrado. Mas Hitler sabia que a propaganda finalmente tinha falhado diante da evidência incontestável da invasão e da derrota. Em outro nível, enquanto transferia exércitos cada vez mais reduzidos e, em alguns casos, inexistentes, em seu mapa na sala de conferências do *bunker*, Hitler estava então vivendo uma vida quase totalmente afastada da realidade. Tais ilusões eram compartilhadas de modo absoluto por Martin Bormann, que exercia seu poder sobre o Partido Nazista emitindo uma torrente de instruções, de decretos e de advertências a respeito de um grande número de assuntos. Goebbels reclamou que ele estava fazendo da Chancelaria do Partido uma chancelaria do papel. Os líderes regionais, ele pensava, não teriam tempo para ler os decretos, quanto mais os meios para pô-los em prática. Nos ministérios do governo, funcionários públicos continuavam a trabalhar apesar de sua esfera de influência estar cada vez menor, como personagens de desenho animado correndo a partir da borda de um despenhadeiro e continuando a correr apesar do abismo que se escancarava a seus pés.[194]

No quartel-general da Juventude Hitlerista nessa época, Melita Maschmann escreveu:

> Cada um de nós trabalhava com energia redobrada. Inúmeros projetos foram iniciados, arruinados por causa dos efeitos da guerra, abandonados, aceitos de novo, cancelados, alterados, rejeitados uma vez mais, e assim por diante. Durante os últimos meses desse período, apoderou-se de nós o sentimento de que toda essa atividade febril por parte da liderança da Juventude Hitlerista não estava produzindo a menor reação no país. Nosso escritório era como um formigueiro, gradualmente imbuído de uma sensação de ruína iminente, sem que uma só pessoa ousasse murmurar uma sílaba a esse respeito [...] Nossos cérebros criaram planos e ainda mais planos, caso contrário teríamos um momento para parar e pensar, e então teríamos de reconhecer que toda essa agitação já estava começando a se parecer com as convulsões de uma dança mortal.[195]

Nas últimas semanas da guerra, ela abandonou tudo a não ser a ida ocasional ao escritório, e se ocupou ajudando os refugiados que fugiam do Exército Vermelho. Ao deparar com um grupo de feridos que auxiliava na defesa antiaérea, todos alunos de escola, muitos chorando depois de uma bomba ter destruído a posição deles e matado muitos de seus companheiros, ela ouviu um deles responder quando lhe perguntaram se estava sentindo dor: "Sim, mas não importa, porque a Alemanha deve triunfar".[196] "De todas essas semanas que precederam o colapso da Alemanha", ela recordou, "eu não consigo me lembrar de uma única conversa na qual a possibilidade de nossa derrota tenha sido mencionada".[197] Porém, ela andava nos círculos das pessoas que verdadeiramente acreditavam no nazismo, é claro. Contudo, mesmo neles, a atmosfera começou a adquirir as características estranhas dos últimos dias de um império em ruínas. Enquanto Berlim ardia em chamas, o chefe de Maschmann, o líder da Juventude Hitlerista, Arthur Axmann, um homem que se vangloriava com frequência de suas origens nas classes trabalhadoras, mantinha reuniões sociais no bar da Liderança da Juventude em Gatow, a oeste de Berlim, onde, de acordo com a puritana Maschmann, que se descrevia como uma participante relutante, "a comida e a bebida eram, com frequência, pura gula", e os participantes das reuniões incluíam atrizes de cinema, "charlatães e egoístas que se achavam muito importantes".[198]

A morte do presidente americano, Franklin D. Roosevelt, em 12 de abril de 1945, dissipou momentaneamente a tristeza no *bunker* de Hitler em Berlim. Para Hitler, que balançava um recorte de jornal na direção de Speer, aquilo era "o milagre que eu sempre previ. Quem tinha razão? A guerra não foi perdida. Leia! Roosevelt está morto!".[199] Por um breve período, planos fantásticos circularam pelos corredores do *bunker*. Speer deveria pegar um voo para se encontrar com Harry S. Truman, sucessor de Roosevelt, e um acordo de paz seria assinado. No estúdio de Hitler havia uma foto de Frederico, o Grande, na parede; o rei da Prússia tinha se recuperado durante a Guerra dos Sete Anos mesmo depois de os russos terem ocupado Berlim, e Hitler se inspirou em seu exemplo: na verdade, Goebbels sabia de cor o trecho da biografia do rei, escrita por Thomas Carlyle, na qual o autor, dirigindo-se diretamente ao monarca, garantiu-lhe que, no fim, ele iria vencer, e então a declamou para o Líder nazista como encorajamento.[200] Hitler achou que a morte do presidente americano era exatamente como o ponto decisivo nas guerras de Frederico, o Grande, quando a tsarina Elizabeth havia morrido, e a Rússia subitamente abandonara a coalizão contra a Prússia. Entretanto, antes que se passasse muito tempo, quando ficou claro que Truman não tinha intenção de rejeitar as medidas de seu predecessor, a euforia se extinguiu.[201] Em 20 de abril de 1945, o Exército Vermelho iniciou seu ataque a Berlim. Era o 56º aniversário de Hitler.

Em anos anteriores, o aniversário do Líder tinha sido motivo para festejos em todo o país. Lembrar-se deles em meio às ruínas de Berlim era doloroso demais, e Hitler proibiu as costumeiras celebrações em seu escritório, embora sua equipe, mesmo assim, se perfilasse no *bunker* para dar-lhe os parabéns. Hitler saiu ao ar livre rapidamente para vistoriar um pequeno destacamento da Juventude Hitlerista nos jardins da Chancelaria, onde os membros haviam se reunido com representantes do Exército e da SS. Ele deu parabéns aos meninos, nenhum dos quais tinha mais de catorze anos de idade, por sua bravura, deu uns tapinhas amigáveis em um ou dois deles e então desapareceu outra vez no subterrâneo. Foi sua última aparição pública, e a última vez em que foi formalmente registrado por uma máquina fotográfica. Nos dias seguintes, a maior parte dos membros do alto escalão do regime abandonou o centro de Berlim, dirigindo para fora da cidade através dos destroços incandescentes nas poucas estradas ainda deixadas abertas antes de os russos fecharem o círculo. Speer, Dönitz, Himmler, Kaltenbrunner, Ribbentrop, Rosenberg e um grupo de ministros do governo estavam entre eles. Hitler enviou a maior parte de seus pertences pessoais por avião para Berchtesgaden. Hermann Göring já despachara em um comboio de caminhões grande parte de sua enorme coleção de arte do chalé de caça em Carinhall, no norte de Berlim, para o sul, antes de se despedir de Hitler e partir para a Baviera. Apenas poucas pessoas ficaram, sobretudo Bormann, Julius Schaub, o factótum de Hitler de tantos anos, e os membros do alto escalão do Exército, incluindo Keitel e Jodl. Hitler então se entregou à histeria. Ameaçou mandar matar seu médico, Morell, por tentativa de drogá-lo com morfina. Em 22 de abril de 1945, ele vociferou com os generais. Todos o tinham traído, gritou, até mesmo a SS. Perdendo o controle, desesperado, ele lhes disse francamente pela primeira vez que sabia que a guerra estava perdida. Ficaria ali e iria atirar em si mesmo. Todas as tentativas para dissuadi-lo falharam. Finalmente, Goebbels, com quem ele havia vociferado de modo parecido por telefone, chegou e o acalmou. Concordaram que o ministro da Propaganda, sua esposa e seus seis filhos pequenos ficariam no *bunker* nos últimos dias. Os dois últimos secretários de Hitler também se ofereceram para ficar. Enquanto isso, Schaub queimou os documentos pessoais de Hitler e partiu para Berchtesgaden para garantir que a mesma coisa fosse feita lá.[202]

Dois dias mais tarde, Speer voltou para falar com Hitler pela última vez. A alegação de Speer de que havia confessado sua desobediência para Hitler em um extravasamento de emoção foi uma invenção posterior. Os dois homens não discutiram de modo algum seu relacionamento, apesar de todos os anos de amizade. Hitler simplesmente lhe perguntou se deveria ceder aos apelos de seu *entourage* e partir de Berlim para Berchtesgaden. A resposta de Speer confirmou as intenções do próprio Hitler: ele ficaria na capital do Reich e se mataria para evitar ser capturado pelos russos. Eva Braun, sua companheira de tantos anos, que chegara ao *bunker* algumas semanas antes, morreria com ele. O corpo deles deveria ser queimado para evitar a profanação. Depois de uma permanência de oito horas, Speer partiu novamente, dessa vez para sempre.[203] Logo em seguida, a resolução de Hitler foi fortalecida quando soube do destino que se abatera sobre Mussolini e sua amante, Clara Petacci. O casal havia sido capturado por guerrilheiros em 27 de abril de 1945 em uma coluna de carros, caminhões e veículos blindados cheios de tropas alemãs e de fascistas italianos a caminho da fronteira norte da Itália, perto do lago de Como. Um destacamento armado liderado pelo guerrilheiro comunista coronel Valerio, que ficara cinco anos preso na década de 1930 por atividades antifascistas, colocou os dois contra uma parede e atirou neles com uma submetralhadora em um ato de "justiça do povo italiano". Depois de executar outros quinze prisioneiros na cidadezinha de Dongo, Valerio e seu pelotão levaram todos os corpos para Milão, onde os jogaram na Piazzale Loreto. Uma multidão se juntou e profanou os corpos de todas as maneiras possíveis, cuspindo e urinando neles e gritando insultos. Finalmente, Mussolini, Petacci e alguns dos outros foram pendurados de cabeça para baixo no pórtico de um posto de gasolina, onde ficaram expostos a outros insultos.[204] Se havia alguma coisa que pudesse confirmar a decisão de Hitler de se matar, certamente era essa.

Só então, nos últimos momentos, as pessoas mais íntimas de Hitler começaram a abandoná-lo. Informado das intenções de Hitler por um dos generais presentes na manifestação histérica do Líder em 22 de abril, Hermann Göring supôs que o decreto de 1941 que o nomeava chefe de Estado caso Hitler ficasse incapacitado de exercer suas funções passaria então a vigorar. Ele enviou um telegrama para o *bunker* anunciando que assumiria o poder se não recebesse notícias até as 10 horas da manhã do dia 24 de abril. Persuadido pelo arqui-inimigo de Göring, Bormann, de que isso era um ato de traição, Hitler enviou uma resposta revogando o decreto de 1941 e exigindo que o marechal do Reich se demitisse de todos os seus cargos por questões de saúde. Göring fez o que lhe foi ordenado. Em poucas horas, ele estava em prisão domiciliar em Obersalzberg. Himmler foi o próximo a partir. Durante muitas semanas, o chefe da SS mantivera negociações secretas com a Cruz Vermelha sueca para a libertação dos prisioneiros escandinavos dos campos de concentração remanescentes. Em 23 de abril de 1945, ao ficar sabendo da decisão de Hitler de se matar, ele se encontrou com seu intermediário, conde Bernadotte. Com muita pompa, Himmler declarou ser então realmente o líder da Alemanha, e esboçou um documento de rendição para ser entregue aos aliados ocidentais. Uma vez mais, Hitler explodiu ao ter notícia do que chamou de "o mais vergonhoso ato de traição na história da humanidade". Descontou sua fúria em um dos subordinados de Himmler que teve a infelicidade de estar no *bunker* na ocasião: Hermann Fegelein, um corrupto membro da SS que entrara no *entourage* de Hitler ao se casar com a irmã de Eva Braun. No começo da semana, Fegelein havia partido do *bunker* sem avisar e desapareceu. Foi descoberto posteriormente, em seu apartamento, bêbado, usando roupas civis em companhia de uma jovem que não era sua esposa. Ao redor dele havia sacolas cheias de dinheiro, prontas para sua fuga. Fegelein foi preso e levado à presença de Hitler, que lhe dirigiu acusações furiosas. Ele estava trabalhando para Himmler, havia desaparecido do *bunker* para planejar a prisão ou o assassinato de Hitler, era um traidor. Hitler convocou uma corte marcial às pressas, que sentenciou Fegelein à pena de morte. O culpado foi levado ao ar livre e executado por um pelotão de fuzilamento.[205]

Enquanto isso, Hitler ainda estava convocando suas reuniões militares e organizando a defesa de Berlim. Mas os exércitos que ele mandava avançar através das linhas soviéticas ou, vindos de fora, penetrar na área que estava sendo sitiada praticamente não mais existiam como unidades coesas. Não eram mais do que uns poucos milhares, dificilmente o número suficiente para repelir mais de 2 milhões de soldados soviéticos que estavam então avançando para o ataque final. Em 25 de abril de 1945, os generais soviéticos Jukov e Konev haviam fechado o círculo ao redor de Berlim e começado a avançar pelos bairros mais distantes na direção do centro da cidade. Assim como em Stalingrado, a guerra degenerou em uma batalha feroz e sem coordenação nas ruas. O general Gotthard Heinrici, cuja reputação como hábil comandante de operações defensivas o levara ao comando do Grupo do Exército que defendia a capital, mantivera uma aparência de ordem simplesmente ao ignorar as instruções de Hitler para manter-se firme, mas, em 29 de abril, finalmente se demitiu de seu posto, incapaz de lidar por mais tempo com os comandos cada vez mais sem sentido do Líder.[206] As convicções patrióticas de Heinrici, junto com os hábitos da disciplina militar e o temor a respeito do que poderia acontecer se ele se entregasse aos russos, ainda eram compartilhados por muitos soldados alemães, que continuavam a lutar mesmo com as claras evidências de que tudo estava perdido. Os milhares de membros da Força de Ataque do Povo que haviam sido convocados para defender a capital não tinham tanta determinação; muitos deles desertaram com o intuito de voltar para sua família sempre que a oportunidade se apresentasse.[207]

Em 29 de abril de 1945, tropas soviéticas estavam entrando na área do governo ao redor da Potsdam Platz no coração de Berlim. Sem dúvida, o fim estava apenas a poucas horas. Hitler fez seus últimos preparativos. Convocou um tabelião, Walter Wagner, ao *bunker*. Agora que não havia mais nenhuma necessidade de manter segredo, ele disse, iria se casar com Eva Braun. Enquanto bombas e ogivas caíam do lado de fora do *bunker*, Wagner celebrou a cerimônia, com Goebbels e Bormann como testemunhas. Uma pequena recepção regada a champanhe aconteceu em seguida. Às três da manhã, Hitler soube, por intermédio de Keitel, que a última tentativa de libertar Berlim com uma manobra iniciada fora da cidade havia falhado. Quando o dia começou a clarear, canhões soviéticos começaram a bombardear a Chancelaria do Reich. Os comandantes militares disseram a Hitler que tudo estaria acabado ao fim do dia. Depois do almoço, Hitler se despediu de seus secretários. Todos os demais habitantes do *bunker* tinham recebido cápsulas de ácido cianídrico, mas Hitler não confiava inteiramente na eficácia delas, embora no dia anterior tivesse sido bem-sucedido ao sacrificar seu cachorro Blondi com uma delas. Ele se retirou para seu estúdio com Eva Braun às três e meia da tarde. Abrindo a porta uns dez minutos depois, o secretário de Hitler, Heinz Linge, na companhia de Bormann, encontrou o corpo de Hitler no sofá, sangue correndo de um buraco na sua têmpora direita, a pistola a seus pés; o corpo de Eva Braun estava ao lado do dele, exalando um forte cheiro de amêndoas amargas. Ela havia ingerido veneno. Seguindo as instruções anteriormente dadas por Hitler, seu ajudante pessoal, Otto Günsche, auxiliado por Linge e três homens da SS, levou os corpos, embrulhados em cobertores, ao jardim da Chancelaria do

Reich, onde, observados por Bormann, Goebbels e dois oficiais de alto escalão remanescentes, Krebs e Burgdorf, eles foram encharcados com uma grande quantidade de gasolina e queimados. Observando a cena macabra por trás de uma porta do *bunker* parcialmente aberta, os membros do funeral ergueram o braço em um último *"Heil,* Hitler!", e voltaram para o subterrâneo. Não muito depois das seis horas da tarde, Günsche mandou dois membros da SS enterrar os restos calcinados. Tudo que restou deles para identificá-los quando investigadores soviéticos encontraram-nos poucos dias depois foram as próteses dentárias. O protético que havia trabalhado para o dentista de Hitler desde 1938 certificou terem pertencido ao antigo líder nazista e sua companheira.[208]

Hitler deixou um breve testamento particular, dispondo suas posses pessoais, e um "Testamento Político" muito mais longo, ditado a seu secretário em 29 de abril de 1945, no qual negava ter causado a guerra que começara em 1939. O documento era notável por sua mal disfarçada confissão – ou melhor, jactância – de que ele, Hitler, mandara matar os judeus como vingança pela parte que achava que eles tinham desempenhado ao dar início à guerra. Aquela guerra, Hitler reafirmava, "foi desejada e incitada exclusivamente pelos chefes de Estado internacionais que ou tinham ascendência judia ou trabalhavam para interesses judeus". Relembrando uma vez mais sua profecia de 30 de janeiro de 1939, e pensando na Primeira Guerra Mundial e, talvez, na Depressão, que havia sido tão crucial para levá-lo ao poder, ele relembrou a seus futuros leitores que não tinha deixado ninguém com a menor dúvida de que

> as únicas pessoas a serem culpadas por essa guerra cruel seriam os judeus! Eu, além do mais, não deixei que ninguém duvidasse que, desta vez, não somente milhões de [...] homens adultos se defrontariam com a morte, e não somente centenas de milhares de mulheres e de crianças seriam incineradas nas cidades e bombardeadas até a morte, mas também que os grupos verdadeiramente responsáveis teriam de expiar sua culpa, ainda que fosse por meios mais humanos.

Ele encerrou o documento convocando a Alemanha e os alemães "a seguir as leis raciais com precisão e a lutar sem piedade contra o envenenador mundial de todos os povos, a judiaria internacional".[209]

III

Depois da conclusão do testamento de Hitler, Goebbels ditara um codicilo de sua própria autoria ao secretário. Chorando copiosamente, ele disse que, pela primeira vez, iria desobedecer a uma ordem direta de seu Líder. Hitler dissera-lhe para partir de Berlim. Mas ele ficaria "ao lado do Líder, para terminar uma vida que, para mim, não tem mais valor se não puder ser usada a serviço do Líder e ao lado dele".[210] No dia anterior, Magda Goebbels escrevera para o filho de seu primeiro casamento, informando-o de que ela iria se matar juntamente com seu marido e seus filhos:

> Não vai valer a pena viver no mundo que surgirá depois do Líder e do nacional-socialismo, e por isso levei meus filhos. Eles são muito preciosos para suportar o que vai acontecer em seguida, e um Deus misericordioso compreenderá minhas intenções ao libertá-los dele. Agora temos somente um objetivo: lealdade até a morte para com o Líder. O fato de podermos terminar nossa vida com ele é uma misericórdia do destino pela qual não ousávamos esperar.[211]

Faltando vinte minutos para as nove horas da manhã do dia 30 de abril de 1945, Helmut Kunz, um médico da SS, deu a cada um dos filhos de Goebbels uma injeção de morfina para fazê-los dormir, então Ludwig Stumpfegger, médico de Hitler no fim de sua vida, colocou uma cápsula de ácido cianídrico na boca de cada um deles e esmagou-a, causando morte instantânea. Goebbels e sua esposa subiram as escadas para o jardim da Chancelaria do Reich e engoliram suas cápsulas. Um membro da SS atirou em cada corpo duas vezes, somente para garantir sua morte. Depois ateou fogo aos corpos, mas sobrara pouca gasolina da incineração dos cadáveres de Hitler e de Eva Braun, então os corpos de Joseph e Magda Goebbels foram facilmente identificados pelas tropas do Exército Vermelho quando entraram no jardim no dia seguinte.[212] Os dois generais restantes, Wilhelm Burgdorf e Hans Krebs (o último chefe do Estado-Maior Geral do Exército) também se mataram, juntamente com o comandante da escolta militar de Hitler, Franz

Schädle. Os demais habitantes do *bunker* abriram caminho por um túnel ferroviário subterrâneo em uma tentativa desesperada de escapar. Saindo ao ar livre na estação da Friedrichstrasse, defrontaram-se com uma cena de incrível devastação, com ogivas caindo em todos os lugares, os prédios reduzidos a destroços fumegantes e as tropas soviéticas enfrentando pequenos grupos de soldados alemães no ataque final. Entre o barulho e a confusão, os secretários e algumas poucas pessoas de algum modo conseguiram evitar a captura e partir para o oeste; outros, incluindo Günsche e Linge, foram feitos prisioneiros; muitos foram mortos por balas perdidas ou por desconfiados soldados soviéticos. Bormann e Stumpfegger conseguiram chegar até a Invalidenstrasse, mas descobriram que seu caminho estava bloqueado pelas tropas do Exército Vermelho e ingeriram veneno para evitar a captura.[213]

As mortes no *bunker* e as ruas incendiadas acima dele foram apenas o remate de uma imensa onda de suicídios sem precedentes na história moderna. Assim como Hitler, alguns membros nazistas de alto escalão se mataram, motivados por um distorcido sentimento de honra, temendo a indignidade de serem submetidos a um julgamento, a vergonha pública de serem condenados por seus crimes e os insultos que provavelmente seriam dirigidos a seu corpo. Hermann Göring era o mais destacado entre eles. Quando as tropas americanas invadiram seu esconderijo na Bavária, perto de Berchtesgaden, em 9 de maio de 1945, ele se entregou voluntariamente, sem dúvida pensando que seria considerado um membro importante de um regime derrotado que poderia ser usado para negociar os termos de rendição. O comandante americano apertou-lhe a mão e lhe deu comida, e depois disso permitiram que repórteres lhe fizessem perguntas a respeito de seu papel no Terceiro Reich e de seus pontos de vista a respeito do que aconteceria a seguir ("Vejo um futuro negro para a Alemanha e para o mundo todo"). Um furioso Eisenhower embargou as reportagens e fez que Göring fosse mandado para a prisão, colocado sob dieta, desintoxicado por causa de seu vício em drogas e submetido a um interrogatório gentil, mas persistente. Recuperando em grande parte sua antiga energia, o ex-marechal do Reich encantou seus interrogadores e impressionou seus captores pelo fato de rapidamente passar a dominar os companheiros de prisão. Sem mostrar arrependimento e ainda orgulhoso do que havia feito, foi condenado à morte por enforcamento, e quando seu pedido para ter a morte honrosa de um soldado perante um pelotão de fuzilamento foi negado, conseguiu uma cápsula de veneno, provavelmente por intermédio de um dos guardas, e se matou em 15 de outubro de 1946.[214]

Quase um ano antes desses fatos, o antigo líder da Frente de Trabalho Alemã, Robert Ley, se enforcou na cela da prisão onde esperava pelo julgamento. O declínio do estado mental de Ley, causado pela combinação de um acidente aéreo durante a Primeira Guerra Mundial e por excesso de bebida depois disso, se intensificou por causa das condições do confinamento, e ele se manteve ocupado principalmente escrevendo longas cartas para sua esposa, Inge, que havia cometido suicídio em 1942. Ele também escreveu as imaginárias respostas da falecida Inge a suas cartas ("Você retratou o Líder como ele realmente é com muita coragem: *O maior alemão de todos os tempos*") e tentou entrar em contato com o fabricante de automóveis Henry Ford, que ele considerava, não de todo injustificadamente, um companheiro antissemita. Ao receber sua acusação por crimes de guerra, Ley exclamou: "Coloquem-nos contra uma parede e atirem em nós! Vocês são os vencedores!". Ele rejeitou as acusações que lhe foram imputadas e se matou, como escreveu em seu bilhete de suicídio, porque não conseguia suportar a humilhação de ser tratado como criminoso de guerra sem ser nada disso.[215] Heinrich Himmler também se matou. Partindo de Flensburg disfarçado com um tapa-olho e usando um passaporte falso, e acompanhado por um punhado de ajudantes, incluindo Otto Ohlendorf, Himmler conseguiu cruzar o rio Elba antes de deparar com um posto de controle britânico, onde ele e seus companheiros foram presos. Ao chegarem ao campo de confinamento perto de Lüneburg, o comandante mandou as outras pessoas para suas celas e deteve Himmler (um homem "pequeno, com aparência infeliz e malvestido") para um interrogatório posterior. Percebendo que o jogo estava perdido, Himmler retirou o tapa-olho e colocou um par de óculos. Imediatamente sua identidade se tornou óbvia, antes mesmo que ele murmurasse o nome "Heinrich Himmler". Foi revistado, um frasco de veneno foi tirado dele, mas seus interrogadores ainda não estavam satisfeitos e pediram um exame médico. Quando o médico ordenou a Himmler que abrisse a boca, notou um pequeno objeto negro entre os dentes do líder da SS. Quando segurou a cabeça de Himmler para virá-la na direção da luz e assim poder ver melhor, Himmler fez um movimento rápido com a mandíbula. O som de mastigação foi ouvido, e ele caiu no chão. Havia mordido uma cápsula de vidro de cianureto e em poucos segundos estava morto. Tinha 44 anos de idade. Outros membros de destaque da SS seguiram seu exemplo, incluindo Odilo Globocnik, que também ingeriu veneno; Ernst Grawitz, o médico-chefe da SS e entusiasta experimentador em prisioneiros do campo de concentração, que explodiu a si próprio e a sua família detonando duas granadas de mão; e Friedrich Wilhelm Krüger, chefe da SS e da polícia, que causara tantos problemas a Hans Frank no Governo Geral polonês.[216]

Hans Kammler, o membro de alto escalão da SS que fora a figura central no recrutamento e na exploração do trabalho forçado na fábrica de foguetes do Dora-Fábrica Central, tinha recebido uma última promoção dada por um agradecido Hitler, que, pouco antes do fim da guerra, lhe concedera o título – inteiramente destituído de significado – de Plenipotenciário do Líder para a Aviação a Jato. Depois de viajar pela Alemanha tentando incitar as forças da SS para uma última batalha, Kammler finalmente chegou a Praga, onde, desesperado para não cair nas mãos dos guerrilheiros tchecos, foi baleado por seu assistente, a seu pedido, bem no fim da guerra.[217] Theodor Dannecker, o nômade embaixador da morte, responsável pela deportação de muitos judeus de diferentes países para Auschwitz, fugiu para a casa de parentes na cidade de Celle, no norte da Alemanha, no fim da guerra, mas foi preso ao visitar sua esposa em 9 de dezembro de 1945 em Berlim, onde foi denunciado por vizinhos dela. No dia seguinte, enforcou-se na prisão. Ao saber da morte de Dannecker, sua esposa decidiu se matar também, juntamente com seus dois filhos pequenos, mas, enquanto estava tentando matar o filho mais velho, os gritos dele despertaram o caçula, e ela não conseguiu fazer o que queria. Foi presa e julgada, mas liberada sob a alegação de circunstâncias atenuantes, e emigrou para a Austrália.[218] Outro membro do alto escalão da SS, Philipp Bouhler, chefe da Chancelaria pessoal de Hitler e organizador do programa de "eutanásia" de pessoas deficientes e doentes mentais, se matou, com a esposa, em 19 de maio de 1945.[219]

O ministro da Educação do Reich, Bernhard Rust, se suicidou em 8 de maio de 1945, finalmente desmentindo a reputação de indeciso que adquirira durante seus anos de serviço. O ministro da Justiça do Reich, Otto-Georg

Thierack, foi preso pelos britânicos e se matou em um campo de confinamento em 2 de novembro de 1946. O presidente da Suprema Corte do Reich, Erwin Bumke, também se suicidou, e o líder dos Médicos do Reich, Leonardo Conti, capturado e preso por sua participação na morte de pacientes doentes mentais, se enforcou em sua cela em 6 de outubro de 1945. Konrad Henlein, líder dos Nazistas Alemães dos Sudetos, se matou depois de ter sido capturado pelos americanos. No total, oito dos 41 líderes regionais, sete dos 47 chefes superiores da SS e da polícia, 53 dos 554 generais do Exército, catorze dos 98 generais da Força Aérea e onze dos 53 almirantes se mataram. O marechal de campo Walter Model, o oficial do Exército favorito de Hitler, se matou com um tiro em uma floresta perto de Düsseldorf no fim de abril de 1945, para evitar a vergonha de se render, segundo a instrução que o próprio Hitler havia emitido para todas as tropas alemãs. Outro general, Johannes Blaskowitz, que não fora promovido depois de ter condenado as atrocidades cometidas pelos alemães na Polônia em 1939, foi, mesmo assim, preso por crimes de guerra e acabou se matando ao pular da janela de sua cela em Nuremberg em 5 de fevereiro de 1948. O líder regional Jakob Sprenger, de Hesse-Nassau, cometeu suicídio junto com a esposa assim que ficou sabendo da morte de Hitler.[220]

Muitos outros pensaram em suicídio. Rudolf Höss, antigo comandante de Auschwitz, pensou que a morte seria uma opção em 1945. "Com a morte do Líder, nosso mundo morreu. Havia algum sentido em continuar a viver?" Por fim, depois de muito discutir o assunto, Höss e a esposa decidiram continuar a viver "por causa das crianças". Mais tarde, ele chegou a lamentar a decisão. "Nós estávamos presos e ligados àquele outro mundo, e deveríamos ter desaparecido com ele."[221]

Sua atitude foi compartilhada por muitos outros nazistas, sobretudo os jovens cuja vida adulta havia sido completamente absorvida pelo regime. Como disse Melita Maschmann,

> eu tinha plena convicção de que não iria sobreviver ao "Terceiro Reich". Se ele fosse condenado a desaparecer, então eu também seria. Uma coisa se seguiria à outra automaticamente, sem que eu tivesse de tomar nenhuma atitude a esse respeito. Eu não vislumbrava minha morte

como um sacrifício final que deveria ter feito. Nem pensei em suicídio. Eu estava tomada por uma impressão indistinta de que "meu mundo" seria afastado de seu rumo, como uma constelação em uma catástrofe cósmica, e iria me arrastar com ele – como uma minúscula partícula de pó – para a escuridão lá fora.[222]

Ela e seus amigos, confessou, "não desejavam que nada sobrevivesse ao Terceiro Reich".[223] Afinal, ela também decidiu continuar a viver e enfrentar os terrores desconhecidos de um futuro sem o nazismo. Outros foram mais determinados. Entrevistado por Gitta Sereny em 1991, o filho de Martin Bormann contou como fora levado para o Obersalzberg quando sua escola, a Escola do Reich do Partido Nazista em Feldafing, foi fechada no dia 23 de abril de 1945, e ele estava sentado com muitos membros da equipe de seu pai e de Berghof em um bar das redondezas quando foi anunciada no rádio a morte de Hitler. Todos ficaram parados e em silêncio por algum tempo, ele recordou, "mas logo em seguida as pessoas começaram a ir para fora, primeiro uma – então se ouviu um tiro. E depois outra, e mais outra. Nem uma palavra dita lá dentro, nenhum outro som, a não ser o dos tiros lá fora, mas sentíamos que aquilo era tudo, que todos teríamos de morrer". Então, o jovem Bormann, de quinze anos de idade, saiu, levando sua arma. "Meu mundo estava despedaçado; eu não conseguia vislumbrar nenhum tipo de futuro." Mas, no fundo do pátio do bar, "onde os corpos já estavam caídos em toda a extensão do pequeno jardim", ele viu outro jovem, de dezoito anos de idade, sentado em um tronco de árvore, e ele "me disse para me sentar com ele. O ar tinha um cheiro bom, os pássaros cantavam, e conversamos até desistir da ideia de morrer".[224]

Das muitas pessoas que pensaram em suicídio nessa época, contudo, inúmeras realmente deram o passo decisivo. A onda de suicídios foi muito além das fileiras de nazistas convictos. Em um relatório dedicado ao comportamento popular e ao moral redigido no fim de março de 1945, o Serviço de Segurança da SS relatou uma atmosfera como a que poderia ser encontrada no fim do mundo:

> Grande parte das pessoas se acostumou a viver apenas o dia presente. Qualquer tipo de prazer que se apresente é aproveitado. Até a ocasião

mais irrelevante é vista como uma oportunidade para beber até a última garrafa, originalmente reservada para a celebração da vitória, do fim do blecaute, da volta do marido e do filho. As pessoas estão se acostumando com a ideia de dar um fim a si próprias. Em todos os lugares há uma grande procura por veneno, por uma pistola e por outros meios de acabar com a vida. Os suicídios cometidos por desespero genuíno por causa de uma catástrofe que está sendo aguardada certamente fazem parte da agenda.[225]

No começo do mesmo mês, o pastor da Igreja Memorial Kaiser Guilherme em Berlim tinha sentido a necessidade de fazer um sermão contra o suicídio. Mas não deram atenção a suas palavras. As estatísticas oficiais registraram um salto de 238 suicídios na capital em março de 1945 para nada menos que 3.881 no mês seguinte, com uma queda para 977 em maio. Os cidadãos comuns estavam desorientados, desesperados, incapazes de ver um futuro depois do colapso do Terceiro Reich. Os bilhetes de suicídio descobertos pela polícia mencionavam "a situação atual" ou o "medo da invasão russa" como motivo para se matar, sem entrar em detalhes. Como disse alguém, "a vida não tem mais sentido" depois do fim do Terceiro Reich. Muitos pais evidenciaram sua falta de perspectiva para o futuro matando os filhos antes de se suicidarem.[226]

As taxas de suicídio aumentaram em todos os lugares, incluindo regiões católicas, embora, nesse caso, é provável que elas tenham sido afetadas por um influxo de refugiados de áreas protestantes, onde o tabu de se matar não era tão forte. Na Alta Bavária, por exemplo, ocorreram 421 suicídios em abril e em maio de 1945, em comparação com um número de apenas três e cinco nos mesmos meses em anos anteriores. Mas tal aumento era pequeno se comparado aos registrados nas áreas invadidas pelo Exército Vermelho, incluindo Berlim. No bairro de Friedrichshain, uma estudante da escola secundária relatou que mais de cem pessoas se mataram no dia em que os russos chegaram. "É uma bênção não ter gás", ela acrescentou, "caso contrário, muitas outras pessoas teriam se matado; talvez nós também estivéssemos mortos".[227] Na cidadezinha de Schivelbein, na Pomerânia, um clérigo protestante relatou que "famílias boas, que frequentavam a igreja, se mataram, se afogaram, se enforcaram, cortaram os pulsos ou se deixaram morrer em sua casa incendiada" assim que o Exército Vermelho chegou. Suicídios em massa foram registrados em outras cidadezinhas da Pomerânia – quinhentos em Schönlanke, por exemplo, e setecentos em Demmin, depois da chegada do Exército Vermelho. O registro de enterros da cidade de Teterow, onde cerca de 10 mil pessoas viviam em 1946, mencionou 120 suicídios no começo de maio. Estupros cometidos por soldados russos foram, sem dúvida, uma das maiores razões para esse aumento. Em Teterow, a vergonha e a masculinidade ferida depois de tais incidentes levaram pais de família a matar a esposa e os filhos, muitas vezes com o consentimento da esposa. Nos Sudetos, foi registrado que "famílias inteiras se vestiam com suas melhores roupas de domingo, rodeadas por flores, por cruzes e por álbuns de família, e se matavam por enforcamento ou com veneno".[228]

Contudo, o suicídio sempre foi a ação de uma minoria. Muitos nazistas convictos se sentiram completamente perdidos sem sucumbir ao desespero. Charlotte L., nascida em 1921, e que trabalhava na assistência social da Força de Trabalho do Reich, era uma nazista convicta que parece não ter pensado em se matar. A doutrinação política havia inspirado um comprometimento fervoroso nela. Ao escrever em seu diário, em 5 de fevereiro de 1940, ela relembrou o "prazer" com que assistira a uma aula sobre "as consequências da judiaria".[229] Em 22 de abril de 1945, os americanos haviam ocupado a cidade natal dela, Helmstedt, mas Charlotte ainda se recusava a aceitar que a guerra estava perdida. "Acredito firmemente em nosso Líder", ela escreveu, "e que a Alemanha tem um futuro que nós, alemães, merecemos". Seu mundo se despedaçou quando soube que Hitler estava morto. "Nosso amado Líder, que fez tudo por nós, pela Alemanha." Ela estava revoltada ao ver quantas pessoas estavam então mudando de ponto de vista. "Por mais maravilhosa que fosse a situação sob a liderança de Adolf Hitler", escreveu em 3 de junho de 1945, "ela não pode durar por muito mais tempo. Os jornais estão dizendo mentiras e distorcendo sua propaganda de modo inacreditável. Por trás disso tudo estão os judeus. Quando o mundo vai entender que o judeu representa o mal para todos nós?", perguntou ela. Inge Molter, filha de um ativo nazista, também continuou a esperar pela vitória até o último instante. Mas, gradualmente, tais pessoas também começaram a se afastar da liderança nazista.

Depois de seu marido Alfred, antigo membro das tropas de assalto, ter desaparecido em missão na última batalha pelo controle de Berlim, ela conseguiu emprego como enfermeira em um hospital, onde um médico lhe contou em detalhes as atrocidades que os nazistas haviam cometido. "Com frequência eu não sei mais", escreveu para seu esposo ausente, em cuja morte ela ainda se recusava a acreditar, "como encarar tais coisas. Agora, eu, às vezes, realmente tenho de pensar que não teria sido bom se tivéssemos vencido a guerra".[230]

IV

Em 5 de maio de 1945, o soldado e antigo membro das tropas de assalto Gerhard M. encontrou de novo tempo para escrever em seu diário. "Nosso Líder Adolf Hitler", ele começou, "partiu". Mas, continuou, com evidente espanto, "tal fato não nos destruiu como esperaríamos". Ao lado de seus camaradas, ele relembrou as aventuras dos últimos vinte anos. "Então, entretanto, a vida cotidiana continuou de qualquer jeito, e nós nos reconciliamos com esse fato. A vida continua, mesmo que o último Líder do Grande Reich Alemão não exista mais."[231] Reações semelhantes foram registradas por outras pessoas. O povo alemão tinha sido oficialmente avisado por uma emissão de rádio, pouco antes das 10h30 da noite de 1º de maio de 1945, que Hitler havia morrido heroicamente lutando para defender a capital do Reich contra as hordas bolcheviques. A verdade teria acabado com qualquer desejo de continuar a lutar e, com isso, destruído qualquer possibilidade remanescente de um acordo negociado – uma possibilidade que, na verdade, existia somente na imaginação dos novos líderes do Reich. De fato, quando o comandante alemão em Berlim ordenou que suas tropas depusessem as armas, em 2 de maio de 1945, ele justificou sua ordem dizendo-lhes que Hitler os abandonara ao se matar.[232] Muitas pessoas se recusaram a acreditar no que lhes parecia ser uma história improvável e especularam que Hitler havia ingerido veneno. De qualquer modo, com a morte dele, a última razão que restava para apoiar o nazismo havia se evaporado. Não houve cenas de pesar. Cidadãos tristes não choraram em público, como fariam os russos oito anos mais tarde na morte de Stálin. A jovem de dezoito anos Erika S. saiu para as ruas de Hamburgo logo depois do anúncio da morte de Hitler para ver como as pessoas estavam reagindo. "É estranho", relatou ela, "ninguém chorava e nem mesmo parecia estar triste, embora o amado e honrado Líder, a quem os idiotas completos viam quase como um Deus, não esteja mais vivo [...] Estranho [...]" Somente na escola ela viu algumas meninas chorando depois do anúncio na reunião matinal.[233]

Lore Walb, cuja admiração por Hitler havia sido ilimitada cinco anos antes, escreveu então em 2 de maio de 1945:

> Hitler *acabado*, agora ele descansa, certamente é a melhor coisa para ele. Mas e nós? Fomos abandonados e entregues a todos eles e em nosso tempo de vida não poderemos mais reconstruir o que esta guerra destruiu. No começo, as ideias que Hitler desejava pôr em prática eram positivas, e na política interna algumas coisas boas aconteceram. Porém, ele falhou totalmente em relação à política externa e, particularmente, como senhor da guerra. "A trajetória de uma ideia". E que trajetória! E as pessoas agora devem pagar por isso [...] Que fim amargo [...] Hitler agora está morto. Mas nós, e os que virão no futuro, carregaremos por toda nossa vida o fardo que ele depositou sobre nós.[234]

"Agora é o fim", escreveu um funcionário de escritório de 23 anos de idade em Hamburgo, no dia 2 de maio de 1945. "Nosso Líder, que tanto nos prometeu, conseguiu o que ninguém que deteve o poder na Alemanha jamais conseguiu, deixou atrás de si uma Alemanha que está totalmente destruída, desapossou a todos de sua casa e lar, expulsou-os de sua terra natal, fez que milhões fossem mortos, resumindo, ele conseguiu um caos apavorante."[235]

Tendo testemunhado o bombardeio de sua cidade natal de Siegen e, depois, o combate corpo a corpo entre tropas alemãs e americanas enquanto se encolhia em um porão, uma garota de quinze anos de idade, que acreditara na promessa de que a Alemanha venceria a guerra no último minuto com armas novas e secretas, teve a oportunidade de ver que tudo estava perdido. "Eu tive de ir para a sala de jantar sozinha, e lá me joguei no sofá e chorei amargamente." Tudo fora destruído. "A princípio, não senti raiva do Líder [...] mas agora, agora eu pensei bastante e vi que o Líder não merece que tenhamos pena dele." Ela se sentiu traída por Hitler e pelos outros líderes nazistas, que estavam então cometendo suicídio um depois do outro. Agora, de fato, ela conseguia ver sentido na tentativa de assassinato de 20 de julho de 1944, que condenara com tanta severidade na época. "Os homens de 20 de julho tinham percebido que a morte do Líder era a única salvação da Alemanha."[236] Em Hamburgo, em 30 de abril de 1945, ao saber da morte de Hitler, que ela acreditava ter sido causada por ele ter ingerido veneno, Luise Solmitz finalmente se sentiu livre para liberar o ódio que estava acumulando em relação a ele nos meses anteriores. Hitler era, escreveu ela em seu diário, "o fracasso mais inaceitável de nossa história". Ele era "irredutível, irrefreável, irresponsável", qualidades que, a princípio, o haviam levado ao sucesso mas haviam depois conduzido à catástrofe. "O nacional-socialismo", pensava então Luise, "trouxe todos os crimes e atrocidades dos séculos". Doze anos antes, ela havia pensado de modo diferente, mas "Hitler me transformou de uma criatura submissa e tranquila em uma oponente da guerra". Goebbels também estava morto: mas "nenhuma morte pode expurgar tais crimes". E quanto a Hitler: "Agora que, assim esperamos, ficaram para trás seus crimes, suas mentiras e sua mesquinharia inimagináveis, seus estragos e sua incompetência, seus cinco anos e oito meses de guerra, a maior parte dos alemães está dizendo: o melhor dia de nossa vida!". Ela observou: "A promessa de Hitler 'Dêem-me dez anos e vocês vão ver o que terei feito da Alemanha' tem, por muitos meses, sido sua fala mais citada, por amargura". Em 5 de maio de 1945, os Solmitz queimaram sua bandeira nazista. Mas não era apenas o nazismo que tinha sido derrotado. "Nunca um povo deu seu apoio a uma causa tão ruim com tanto entusiasmo", ela escreveu em 8 de maio de 1945, talvez pensando em suas atitudes prévias, "nunca se condenou assim ao autoextermínio". Os alemães eram "lemingues" correndo para a autodestruição. Não somente os nazistas, mas também os alemães, ela concluiu, tinham sido derrotados.[237]

A vida continuou, e uma das causas principais foi o fato de muitas pessoas estarem ocupadas demais tentando se manter vivas entre as ruínas do Reich para se preocupar com a morte de Hitler, seu significado ou suas possíveis consequências. As medidas tomadas por Hitler em seu testamento político para a continuação do governo eram irrelevantes em uma situação em que a maior parte do Reich estava nas mãos dos aliados. Ele recompensou o grande almirante

Karl Dönitz por sua lealdade designando-o presidente do Reich, um cargo que Hitler uma vez dissera estar tão impregnado com as lembranças de seu ocupante anterior, Paul von Hindenburg, que nunca deveria ser retomado. Obviamente, a inconsistência não iria se colocar no caminho da luta particular de Hitler pelo título de Líder. Dönitz também deveria ser designado chefe das Forças Armadas. Goebbels foi nomeado chanceler do Reich, e Bormann, ministro do Partido. Goebbels finalmente conseguira garantir a demissão de seu odiado e desprezado rival, Joachim von Ribbentrop, do cargo de ministro das Relações Exteriores, e sua substituição por Arthur Seyss-Inquart, enquanto Karl Hanke, um líder regional que ainda enfrentava o Exército Vermelho na sitiada Breslau, foi nomeado sucessor de Himmler como líder do Reich da SS. O desleal Speer foi substituído como ministro dos Armamentos por Karl-Otto Saur, e o secretário de Estado de Goebbels, Werner Naumann, foi promovido ao cargo de ministro da Propaganda. Alguns poucos ministros, como Backe, Funk, Schwerin von Krosigk e Thierack, tiveram permissão para continuar no governo. Mas, no momento, eles não tinham praticamente nada para governar. Em seu quartel-general em Flensburg, perto da fronteira dinamarquesa em Schleswig-Holstein, Dönitz tentou arranjar tempo para permitir que as tropas que ainda estavam lutando contra o Exército Vermelho se retirassem para o oeste concordando com a rendição das forças alemãs no norte da Itália, no noroeste da Alemanha, na Dinamarca e nos Países Baixos. Os exércitos alemães na Áustria e na Bavária também capitularam, sob ordens de seu comandante, Albert Kesselring. A tática de Dönitz foi parcialmente bem-sucedida, permitindo que cerca de 1,7 milhão de soldados alemães se rendessem aos americanos e aos britânicos em vez de aos soviéticos, cujo número de prisioneiros alcançava menos de um terço do total. Mas seu pedido para negociar uma rendição geral separada com os aliados ocidentais foi rejeitado rispidamente. Sob a ameaça de continuação dos ataques aéreos, Jodl concordou com uma rendição total e incondicional que seria formalizada a partir do fim de 8 de maio de 1945, autorizada com relutância por Dönitz e assinada nas primeiras horas da manhã de 7 de maio de 1945. O ato foi repetido com o texto completo redigido anteriormente por todos os quatro aliados nos quartéis-generais do marechal Jukov, situados fora de Berlim, dois dias depois, com data do dia anterior. A guerra havia acabado.[238]

Consequências

I

Para a grande maioria dos alemães, o dia 8 de maio de 1945 não foi recebido como uma libertação, por mais que possa parecer como tal em retrospectiva. A derrota da Alemanha era evidente. As pessoas estavam lutando para adaptar suas ideias à nova situação, e para se libertar do fardo mental e moral do nazismo. Muitos já haviam dado os primeiros passos nessa direção. O fim da guerra para os alemães não foi um acontecimento único, mas um processo, que afetou diferentes pessoas em ocasiões distintas, por um período de meses, à medida que os exércitos aliados avançavam lentamente através do Reich. Onde e como quer que o Reich tenha sido ocupado pelos exércitos aliados, entretanto, o povo alemão se submeteu pacificamente a seus conquistadores. O movimento de guerrilha que Himmler e Bormann tinham esperado organizar contra a ocupação aliada, uma imitação dos guerrilheiros soviéticos que haviam causado tanta desordem na retaguarda alemã durante os anos anteriores, foi criado tarde demais para que tivesse alguma consequência real. Conhecido como o movimento Lobisomem, ele tentou recrutar fanáticos da geração da Juventude Hitlerista para continuar a resistência por trás das linhas. Poucas unidades foram formadas, e em 25 de março de 1945 uma delas conseguiu assassinar Franz Oppenhoff, que havia sido designado prefeito de Aachen pelos invasores aliados.[239] Em Penzberg, uma cidade mineradora na Bavária, os trabalhadores depuseram o prefeito nazista para que as tropas americanas que avançavam entrassem na região de forma pacífica, mas uma unidade local do Exército os prendeu e executou sob ordens do líder regional do Partido de Munique, e outras execuções aconteceram quando uma unidade Lobisomem chegou ao local.[240] Porém, tais ações eram isoladas e não tinham consequências abrangentes, e houve muitas razões para que isso acontecesse.

Para começar, o Partido Nazista, assim como a SS, as Forças Armadas e praticamente todas as outras organizações do Terceiro Reich, estavam em um estado de total desintegração e colapso. Um grande número de pessoas que poderiam, em outras circunstâncias, ter sido capazes de liderar um movimento de resistência estavam mortas ou haviam sido capturadas. A comunicação era difícil, se não impossível. A morte de Hitler havia, de qualquer modo, destruído o fator que cimentara a lealdade de muitas pessoas para com a causa nazista. Muitos haviam acreditado que estavam lutando por Hitler tanto quanto pela Alemanha; parecia haver poucos motivos para continuar a lutar agora que ele estava morto. De modo mais geral, o dogma nazista, repetido em inúmeras ocasiões ao longo da história do Terceiro Reich, proclamava que "ter poder é ter razão", que o sucesso trazia consigo sua própria justificativa. A derrota completa da Alemanha parecia, portanto, confirmar que os aliados, afinal, estavam do lado da razão, uma crença reforçada pelo forte sentimento de culpa relativo ao extermínio dos judeus que começara a atormentar a consciência de muitos alemães bem antes do fim da guerra. De qualquer modo, tão completa era a derrota, tão abrangente a devastação da Alemanha, que muitos patriotas culpavam Hitler e os nazistas pela situação. Ninguém poderia apresentar argumentos contrários. Além do mais, a presença aliada na Alemanha era disseminada, e as forças ocupantes estavam muito atentas para a ameaça de movimentos guerrilheiros ou de resistência graças à propaganda divulgada pela mídia de Goebbels que instava os jovens alemães a se juntarem a eles. Por outro lado, as forças aliadas, incluindo depois das primeiras semanas mesmo os russos e os franceses, se mostraram menos vingativas e mais compreensivas do que os alemães comuns haviam temido. A profecia de Goebbels de que milhões de alemães seriam levados para a Sibéria mostrou-se infundada, até mesmo no leste. Os movimentos de resistência, na verdade, tinham surgido contra a ocupação alemã de outros países europeus (com exceção da Iugoslávia) somente depois de um período inicial de dois ou três anos; até então, a grande maioria da população estava esperando ver que rumo a guerra iria tomar, e aceitou a ocupação pelo menos por algum tempo. A mesma coisa acontecia com a Alemanha. E, para completar, os nazistas nunca tinham obtido mais de 37,5% dos votos em uma eleição livre nacional. Em certas ocasiões, principalmente depois das vitórias de 1940, a popularidade deles havia sido muito maior. Mas a opinião popular na Alemanha, assim como em todos os outros lugares, era geralmente inconstante e sujeita a mudanças, e, no começo de 1945, o apoio aos nazistas, como já vimos, caíra para níveis nunca vistos desde a metade da década de 1920.

Não obstante, havia, naturalmente, grande quantidade de nazistas convictos ainda livres na Alemanha no fim da guerra, apesar de todos os suicídios e mortes. Para lidar com eles e, especialmente, para acertar as contas com os líderes nazistas remanescentes, os aliados estabeleceram um Tribunal Militar Internacional em Nuremberg. Em uma série de julgamentos, a começar com os dos maiores criminosos de guerra (de novembro de 1945 a outubro de 1946), os promotores aliados apresentaram um grande número de provas dos crimes nazistas, acusando Göring, Ribbentrop e outros de organizar uma agressiva guerra de conquista, promover a matança em massa de civis inocentes e de perpetrar uma grande gama de atrocidades e de crimes contra a humanidade e em violação às leis de guerra internacionalmente estabelecidas. A legitimidade dos procedimentos foi, até certo ponto, diminuída pela participação de juízes soviéticos e pelo bombardeio intensivo das cidades alemãs conduzido pelos aliados. Foi difícil fazer que algumas acusações fossem convincentes, principalmente a acusação de conspiração. Não obstante, o tribunal estabeleceu um precedente crucial para o futuro. Ele também recebeu ampla cobertura da imprensa. Os repórteres presentes incluíam William L. Shirer, que havia saído da Alemanha em dezembro de 1940, possivelmente por ter sido avisado de que a Gestapo estava compilando um dossiê a respeito de suas atividades. Posteriormente, Shirer usou a prova documental reunida para o julgamento como uma importante fonte para seu *best-seller* sobre a história da Alemanha nazista, *Ascensão e queda do Terceiro Reich*, que ele publicou em 1960 e ainda era reimpresso na época de sua morte, 33 anos depois. Para a multidão de alemães comuns, contudo – e pelo menos alguns deles tinham sido convocados pelas tropas aliadas para ajudar a retirar os cadáveres dos prisioneiros dos campos de concentração no fim da guerra –, os julgamentos foram uma prova a mais, junto com os bombardeios e a expulsão dos alemães étnicos da Europa oriental, de que eles estavam sendo escolhidos

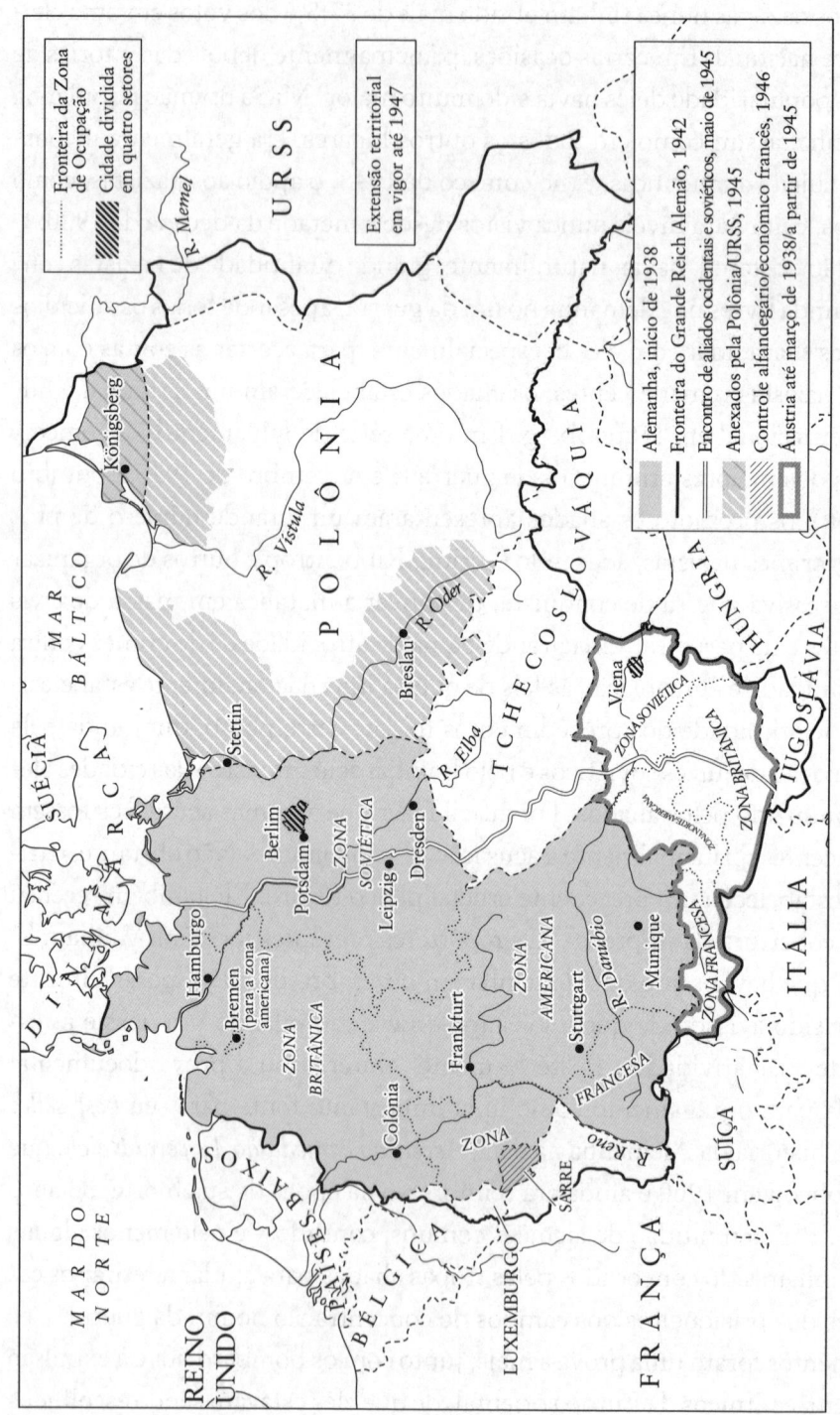

Mapa 23. Acordos pós-guerra na Europa central

como vítimas em uma guerra em que a justiça estava inevitavelmente sendo administrada pelos vitoriosos.²⁴¹

O julgamento em Nuremberg dos maiores criminosos de guerra teve como resultado o decreto de uma série de penas de morte, uma delas (Bormann) *in absentia*. Hans Frank (governador-geral da Polônia), Wilhelm Frick (ministro do Interior do Reich e Protetor do Reich da Boêmia e Morávia desde 1943), Hermann Göring, general Alfred Jodl (chefe das operações do Comando Supremo das Forças Armadas Combinadas), Ernst Kaltenbrunner (chefe do Serviço de Segurança da SS a partir de 1943), Wilhelm Keitel (chefe de Jodl), Joachim von Ribbentrop, Alfred Rosenberg, Fritz Sauckel, Arthur Seyss-Inquart e Julius Streicher foram condenados à morte; todos foram executados, com exceção de Göring, que, como já vimos, cometeu suicídio na noite anterior ao dia em que deveria ser enforcado. Rudolf Hess foi condenado à prisão perpétua. Ele passou seus últimos anos de vida como um prisioneiro solitário na prisão de Spandau e se enforcou em 1987 aos 93 anos de idade, o último dos suicidas nazistas. Hans Fritzsche, chefe da divisão de notícias no Ministério da Propaganda e comentarista de rádio muito conhecido, foi julgado como substituto de Goebbels, mas ficou claro que os crimes dele não eram, de jeito nenhum, comparáveis aos de seu chefe, e ele foi absolvido. Hjalmar Schacht, o diretor da economia na década de 1930, que providenciara amplos fundos para o rearmamento antes da guerra, também foi absolvido; ele, afinal, se aposentara algum tempo antes de a guerra começar. Schacht escreveu suas memórias e morreu na década de 1970 aos 93 anos de idade. Walther Funk, seu sucessor, foi sentenciado à prisão perpétua, mas libertado por motivos de saúde em 1957, e morreu três anos depois. Karl Dönitz foi sentenciado a dez anos de prisão, cumpriu toda a pena e morreu em 1980; seu antecessor como líder da Marinha, Erich Raeder, foi condenado à prisão perpétua, mas libertado por motivos de saúde em 1955, morrendo em 1960. Konstantin von Neurath recebeu uma pena de quinze anos de prisão, mas foi solto por problemas de saúde em 1954; morreu dois anos depois. Seu companheiro aristocrata Franz von Papen, vice-chanceler de Hitler em 1933-34 e posteriormente embaixador na Áustria e depois na Turquia, conseguiu a absolvição, mas foi preso novamente e sentenciado a oito anos de prisão por crimes de guerra por uma corte alemã em 1947; foi libertado devido a uma apelação dois anos depois e morreu em 1969. Baldur von Schirach, líder da Juventude Hitlerista e depois líder regional de Viena, foi condenado a vinte anos de prisão; libertado em 1º de outubro de 1966, morreu em 8 de agosto de 1974.[242]

Albert Speer também foi condenado a vinte anos de prisão em Nuremberg. Ele escapou da pena de morte ao apresentar uma sutil e sofisticada mistura de justificativas e de recriminações a seu comportamento. Disse que não tivera conhecimento de Auschwitz – uma mentira palpável –, mas deveria ter tido. Algumas pessoas acharam que seu comportamento gentil e profissional de membro da classe média havia conquistado os juízes, e que ele era tão culpado pela mortal exploração de trabalho forçado quanto Fritz Sauckel, cuja imagem rude, pelo contrário, lhe garantiu o laço da forca. Durante sua permanência na prisão de Spandau, Speer lutou contra o tédio e a lassitude medindo, durante seu banho de sol diário, uma imaginária viagem ao redor do globo, e escrevendo um diário secreto (em papel toalha), bem como mais de 25 mil cartas, contrabandeadas para fora da prisão por visitantes simpatizantes. Foi libertado em 1966, e publicou um livro de memórias muito aclamado. O livro era notável pela franca avaliação de seu relacionamento com Hitler e por seus perspicazes julgamentos do sistema nazista de governo. Mas, à medida que o tempo passava, também ficou claro que as memórias eram pouco honestas. Speer embelezou ou editou muitos incidentes, geralmente em benefício próprio, e escondeu o conhecimento que tinha do extermínio dos judeus. Perto do fim da vida, em uma notável série de entrevistas com a jornalista Gitta Sereny, Speer foi forçado a se retratar do posicionamento que havia adotado em suas memórias a respeito de muitos detalhes, mas, apesar de Sereny alegar o contrário, ele não admitiu a ela ter conhecimento de Auschwitz mais do que havia admitido na corte em Nuremberg. Speer morreu em consequência de um derrame durante uma visita a Londres em agosto de 1981.[243]

Houve outros julgamentos além desses realizados em Nuremberg. Muitos deles ocorreram na Polônia, entre eles o de Rudolf Höss, antigo comandante de Auschwitz. No fim da guerra, Höss partiu para a ilha de veraneio de Sylt, sendo admitido na Escola da Marinha com uma identidade falsa. Ele conseguiu arranjar emprego em uma fazenda com nome falso, mas finalmente foi localizado e preso em 11 de março de 1946. Ele havia quebrado, acidentalmente, seu vidrinho de veneno dois dias antes. Foi maltratado, reclamou de ter sido espancado e assinou confissões que não eram completamente exatas. Os interrogadores, alegou, eram todos judeus. Höss não abandonou suas convicções nazistas. Antes da guerra, ele pensava, os campos de concentração tinham sido necessários e servido a um propósito válido como centros para reeducação. No entanto, o extermínio dos judeus tinha sido "fundamentalmente errado" porque não apenas atraíra para a Alemanha "o ódio do mundo inteiro", como também "de jeito nenhum serviu à causa do antissemitismo, mas, pelo contrário, deixou os judeus mais próximos de seu objetivo final".[244] Höss foi levado ao Tribunal Militar Internacional de Nuremberg em inúmeras ocasiões como testemunha, sobretudo para a defesa de Ernst Kaltenbrunner, mas a maior parte do tempo ficou preso em Cracóvia, onde escreveu uma longa autobiografia, inexata em muitos detalhes, mas inconscientemente revelando as atitudes e as crenças que haviam feito dele o comandante da maior fábrica de mortes da história. Em 11 de março de 1947, Höss foi levado ao banco dos réus em um julgamento presenciado por inúmeros observadores internacionais; foi considerado culpado de assassinato, condenado à morte e enforcado no campo principal de Auschwitz, perto do prédio da administração do campo da SS, em 16 de abril de 1947.[245]

No fim de 1947, em novembro, a Suprema Corte de Cracóvia julgou quarenta membros da SS e guardas do campo. Vinte e três foram condenados à morte, incluindo o líder do campo, Hans Aumeier, e outro antigo comandante, Arthur Liebehenschel. Outros receberam sentenças de prisão de duração variada; um deles, o médico da SS Hans Münch, que pesquisara a desnutrição entre os prisioneiros, foi absolvido devido a muitos depoimentos a seu favor prestados por antigos prisioneiros. O engenheiro Kurt Prüfer, que havia concebido as câmaras de gás, foi preso em Erfurt em 1946 e mandado para um campo de trabalho na União Soviética, onde morreu em 1952. Ludwig Topf, coproprietário da empresa para a qual Prüfer havia trabalhado, Topf & Filhos, cometeu suicídio, mas seu irmão, Ernst Wolfgang Topf, escapou ileso e iniciou um novo negócio em Wiesbaden fabricando fornos para crematórios. Dos fabricantes do gás venenoso Zyklon-B, dois, o dono e o diretor-executivo da firma de Hamburgo, Tesch e Stabenow, foram condenados à morte por uma corte militar britânica, mas outros, incluindo o diretor-

-geral de Degesch, Gerhard Peters, foram absolvidos.[246] Entre os executados depois de julgados por seus crimes em várias cortes europeias estão Friedrich Jeckeln, o comandante da SS responsável pelo massacre de judeus em Riga e em outros lugares; Otto Ohlendorf e Werner Naumann, que haviam liderado as mortais forças-tarefa da SS no leste; o chefe de polícia Kurt Daluege; o comandante da SS que havia aniquilado o levante do gueto de Varsóvia, Jürgen Stroop; o chefe da organização do campo de concentração, Oswald Pohl; e os líderes regionais do Partido Arthur Greiser e Albert Forster, que haviam governado os territórios incorporados na Polônia. Erich Koch, líder regional da Prússia Oriental, foi condenado à morte pelos poloneses, mas sua sentença foi comutada para prisão perpétua devido a problemas de saúde. Muitos outros foram condenados a longos períodos de prisão.[247] Felix Landau, um austríaco que escreveu um diário da guerra e foi responsável por execuções em massa como parte de uma unidade das forças-tarefa no leste da Polônia ocupada em 1941, e por outras mortes executadas durante seu exercício de organizador da força de trabalho judaica no distrito de Lemberg, foi reconhecido em Linz por um de seus antigos trabalhadores em 1946 e colocado em um campo de detenção pelos americanos, mas, no ano seguinte, escapou. Viveu com uma identidade falsa como decorador de interiores perto de Nördlingen até sua prisão em 1959, seguida por seu julgamento e pela condenação à prisão perpétua em 1962; morreu em 1983.[248]

II

Além do julgamento dos "grandes criminosos de guerra", outros doze julgamentos em Nuremberg, envolvendo 184 acusados, foram realizados pelas autoridades americanas de ocupação para cuidar de inúmeros criminosos menores. No primeiro deles, médicos foram julgados por fazer experimentos cruéis em seres humanos sem o consentimento destes, por matar pessoas mentalmente doentes ou deficientes no programa de "eutanásia", e por outros crimes. Entre eles estavam Viktor Brack e Karl Brandt: ambos estavam convencidos de que não haviam feito nada de errado ao ordenar a morte dos deficientes; ambos foram condenados à morte. Em outros julgamentos, membros das equipes dos centros de "eutanásia" foram julgados por seus crimes. Hermann Pfannmüller foi condenado a cinco anos de prisão em 1951, e Friedrich Mennecke se suicidou enquanto aguardava a execução de sua pena de morte.[249] Os dois médicos pesquisadores que haviam deliberadamente contaminado os Pântanos Pontinos com a malária, em 1943, fazendo que, muito provavelmente, 100 mil italianos contraíssem a doença e causando um número desconhecido de mortes, tiveram destinos diferentes depois da guerra. Ernst Rodenwaldt, denunciado por seus alunos pelas ligações com o nazismo, perdeu sua cátedra, mas teve o apoio de grande parte de seus colegas e foi convocado pelos aliados a fazer um relato a respeito da higiene no Terceiro Reich (do qual ele omitiu, com muito tato, sua área especial de higiene racial). Ele publicou um atlas epidemiológico mundial, alguns trabalhos a respeito da história da medicina e um adequadamente discreto volume de memórias. O Instituto de Medicina Militar e de Higiene do Exército da Alemanha Ocidental, situado em Coblença, recebeu o nome dele em 1967.[250] Martini também continuou a publicar, embora não pudesse voltar a assumir seu posto em Hamburgo. Em 1952, publicou uma quarta edição de seu manual de entomologia médica. Morreu em 1960.[251]

O doutor Josef Mengele, cujas seleções na rampa em Auschwitz haviam mandado tantas pessoas para a morte, abandonou o campo antes de sua dissolução e trabalhou por um breve período em Gross-Rosen, antes de se juntar a uma unidade do Exército liderada por um antigo colega. Capturado pelos americanos, deu um nome falso e foi libertado em julho de 1945, começando a trabalhar em uma fazenda perto de Rosenheim, na Bavária. Temendo ser descoberto, conseguiu ajuda de outro antigo colega para fugir, via Suíça e norte da Itália, para a Argentina, onde se estabeleceu, comprando metade das ações de uma companhia farmacêutica em 1955. Em 1959, mudou-se para uma colônia alemã no Paraguai, mas partiu para o Brasil no ano seguinte. Nesse ínterim, ele havia se divorciado e se casado de novo, duas ações legais que pela primeira vez chamaram a atenção para o fato de ele ainda estar vivo. Sua fuga e esconderijo deviam-se, em grande parte, à ajuda de redes clandestinas de antigos nazistas. Ele continuou a evitar a prisão e morreu em 1979, depois de sofrer um ataque cardíaco enquanto estava nadando. Somente em 1985 seu túmulo foi localizado, e o corpo exumado e identificado por meio da arcada dentária.²⁵² Em contraste, o mentor de Mengele, Otmar von Verschuer, retomou sua carreira depois da guerra. Foi eleito presidente da Sociedade Alemã de Antropologia em 1952 e, dois anos depois, se tornou diretor da Faculdade de Medicina da Universidade de Münster, de onde fora professor de genética desde 1951. Em 1954, publicou o livro *Genética humana*, que se baseou em seu *Patologia hereditária*, publicado vinte anos antes. Acabou morrendo em um acidente de carro em 1969.²⁵³

Não apenas Josef Mengele, mas também Franz Stangl e Adolf Eichmann fugiram para a América Latina. Stangl foi transferido para o norte da Itália quando o campo de extermínio em Treblinka, de onde ele fora comandante, foi fechado. Recebeu ordens para supervisionar a construção de fortificações defensivas e a supressão de movimentos guerrilheiros. No fim da guerra, fugiu para a Áustria, mas foi capturado pelas tropas americanas e preso. Enquanto as investigações sobre os crimes de guerra prosseguiam, seu papel no programa de eutanásia foi revelado e parece que, a certo ponto, os americanos descobriram que ele fora comandante de um campo de extermínio. Nessa época, contudo, muitos tribunais de crimes de guerra haviam deixado de funcionar, e ele foi transferido para as autoridades austríacas, que o colocaram em uma prisão aberta em Linz. Em 30 de maio de 1948, ele fugiu e, usando uma identidade falsa que obtivera na prisão, conseguiu atravessar os Alpes e entrar na Itália, onde estabelecera muitos contatos úteis. Chegando em Roma, entrou em contato no Vaticano com o bispo Alois Hudal, um padre e parte do círculo de clérigos austríacos e alemães dos quais o papa Pio XII se cercava. Hudal era o chefe da comunidade católica alemã na capital italiana. Como austríaco, ele se esforçou muito para ajudar seu compatriota a fugir da justiça. Encontrou um lugar para Stangl ficar, deu-lhe dinheiro e forneceu-lhe um passaporte da Cruz Vermelha antes de comprar-lhe uma passagem de navio para a Síria. A família de Stangl se juntou a ele lá, e em 1951 emigraram para o Brasil. Muitos outros antigos nazistas e membros da SS descobriram a mesma estrada para a segurança. No Brasil, os Stangl, sem mencionar o passado de Franz, conseguiram emprego e uma vida social na comunidade alemã expatriada. Mantiveram seu nome e não fizeram esforço para se esconder, mas, embora Franz estivesse na lista oficial das pessoas procuradas pelos governos alemão e austríaco, só foi localizado devido aos esforços de Simon Wiesenthal, que havia criado um centro de informações dedicado a localizar e a garantir a prisão de antigos líderes nazistas que ainda estavam livres. Em 28 de fevereiro de 1967, Stangl foi preso pela polícia brasileira e deportado para a Alemanha, onde foi julgado pelas 900 mil mortes que havia ordenado em Treblinka. Aparentemente, foi apenas nessa época que sua esposa, que viajara do Brasil para presenciar o julgamento, ficou sabendo o que seu marido realmente tinha feito no campo. Ele foi condenado à prisão perpétua em 22 de dezembro de 1970 e morreu na prisão em 28 de junho do ano seguinte.[254]

Perto do fim da guerra, Adolf Eichmann havia formado um pequeno movimento guerrilheiro de resistência nos Alpes austríacos sob as ordens de Ernst Kaltenbrunner, com a assistência de Otto Skorzeny e do antigo líder romeno da Guarda de Ferro, Horia Sima. Porém, Himmler logo colocou um ponto-final no movimento, e Eichmann entrou na clandestinidade, usando uma identidade falsa. Temendo ser descoberto, ele também se aproveitou da política do Vaticano de auxílio a "combatentes anticomunistas" para fugir para a América Latina e chegou à Argentina, onde a ditadura quase fascista de Juan Perón ofereceu refúgio para uma grande quantidade de antigos nazistas e membros da SS. Um deles foi Otto Skorzeny, que fugira de um campo de prisioneiros na Alemanha em 1948 e vivera em diversas localidades, incluindo Espanha e Irlanda (ele morreu na Alemanha em 1975). A identidade e a localização de Eichmann foram descobertas pelo antinazista procurador do Estado em Hesse, Fritz Bauer, um judeu alemão que passara a guerra em exílio na Suécia. Solicitado por Bauer, o serviço secreto israelense sequestrou Eichmann em Buenos Aires em maio de 1960 e o transportou em segredo para Jerusalém, onde foi julgado por extermínio em massa no ano seguinte, em meio a intensa publicidade. Eichmann foi condenado à morte e enforcado à meia-noite de 31 de maio de 1962.[255]

III

Do fim da década de 1940 até o fim da década de 1950, o clima político da Guerra Fria conspirou contra quaisquer grandes julgamentos de criminosos de guerra na Alemanha Ocidental. Havia uma impressão generalizada, tanto entre os aliados da Otan como no governo da Alemanha Ocidental, que tais julgamentos iriam alimentar as acusações da Alemanha Oriental de que o país estava repleto de criminosos nazistas, e talvez também desestabilizar a incipiente democracia da República Federal ao afastar grande quantidade de antigos nazistas que temiam ser também levados ao banco dos réus. Em 1958, contudo, havia sinais de que a situação estava começando a mudar. O estabelecimento de um Escritório Central de Administração da Justiça Provincial em Ludwigsburg criou as bases para uma coordenação nacional dos julgamentos. Mas foi o julgamento de Eichmann que realmente exerceu pressão sobre os alemães ocidentais para agir. Uma vez mais, Fritz Bauer foi a força motora por trás das investigações. Elas culminaram com o julgamento de diversos membros e guardas da SS em Frankfurt am Main em 1964. O último comandante de Auschwitz, Richard Baer, que foi preso em 1960 depois de ter vivido por muitos anos como trabalhador florestal com uma identidade falsa, deveria ter sido um dos acusados, mas morreu antes de o julgamento começar. No banco dos réus havia 22 homens, incluindo líderes de bloco, guardas do campo da SS e outros que foram acusados de atos específicos de violência individual e física contra prisioneiros. Mais de 350 antigos prisioneiros viajaram para o julgamento para fornecer evidências. Em agosto de 1965, dezessete dos acusados receberam longas sentenças de prisão. O julgamento foi um ponto decisivo e crucial ao voltar a atenção de uma geração mais jovem de alemães ocidentais para os crimes do Terceiro Reich; ele foi seguido por quatro julgamentos menores na Alemanha Ocidental, nos quais mais guardas e líderes de bloco em Auschwitz foram condenados à prisão. Os alemães orientais responderam rapidamente com um julgamento próprio, prendendo e executando o médico de campo Hort Fischer em 1966. Ele exercera a medicina abertamente no Estado comunista, com seu próprio nome, sem empecilhos, por mais de vinte anos antes de sua prisão.[256]

A sobrevivência de homens como Fischer em cargos de responsabilidade na Alemanha do pós-guerra sugeria intensamente para muitos observadores que o processo de "desnazificação" conduzido pelos aliados não havia sido completo. Nos anos imediatamente posteriores ao fim da guerra, foi solicitado a milhões de alemães que preenchessem e entregassem longos relatórios a respeito de suas atividades e crenças durante o Terceiro Reich.

Eles foram então trazidos perante os tribunais, que ouviram evidências de partes interessadas e classificaram o indivíduo em questão como nazista, envolvido com o nazismo, um simpatizante ou não envolvido. O processo foi abrangente. Mais de 3,6 milhões de pessoas nas zonas ocidentais foram afetadas, das quais 1.677 foram classificadas como "principais responsáveis", mais de 23 mil como "incriminadas" e pouco mais de 150 mil como "menos incriminadas". Assim, menos de 5% foram consideradas nazistas convictos. Novecentos e noventa e seis mil foram categorizadas como apenas membros nominais do Partido Nazista (27%) e 1.214.000 foram isentadas de qualquer ligação significativa com o nazismo (33%). Na época em que o processo foi encerrado, em 1948, 783 mil pessoas não foram acusadas, 358 mil foram anistiadas e 125 mil permaneceram sem classificação. Em um processo semelhante executado na zona soviética, mais de 300 mil pessoas foram demitidas de seu emprego e 83 mil foram completamente impedidas de ter outro emprego. Obviamente, a desnazificação não podia impedir todos os 6,5 milhões de membros do partido de ter emprego em cargos de responsabilidade. A necessidade do conhecimento de juízes, de médicos, de advogados, de cientistas, de engenheiros, de banqueiros e de muitos outros profissionais era grande demais. Muitos daqueles que haviam condenado criminosos políticos nas cortes, participado das mortes nos programas de "eutanásia" nos hospitais, pregado a doutrina nazista nas escolas e nas universidades ou participado de "assassinatos oficiais" no serviço civil retomaram seu emprego. As categorias profissionais se uniram e afastaram as críticas quanto a seu comportamento no Terceiro Reich, e sobre sua cumplicidade desceu um véu de silêncio, que não seria erguido até depois de os principais participantes se aposentarem, perto do fim do século.[257]

O fato de a ação ser tão explícita afastou os alemães, que, acima de tudo, queriam esquecer. O apoio popular à desnazificação, como foi revelado em pesquisas de opinião, caiu de 57% em março de 1946 para 17% em maio de 1949. A superficialidade do processo de desnazificação não conseguiu alterar muitos dos pontos de vista mantidos por aqueles a quem afetava. Apesar de tudo, a ação foi, de modo geral, um sucesso. A manifestação pública de opiniões nazistas se tornou um tabu, e quem as expressava em geral era forçado a se demitir do emprego. A prisão, o exame minucioso e o julgamento em tribunais de desnazificação de dezenas de milhares de nazistas convictos abriram caminho para o ressurgimento de antinazistas – social-democratas, católicos, liberais – e de outros que não participaram do regime para ocupar posições importantes na política, na administração pública, na cultura e na imprensa. Tentativas de reviver o nazismo sob a forma de movimentos políticos neonazistas como o Partido Socialista do Reich ou, posteriormente, o Partido Nacional Democrata nunca conseguiram mais do que um apoio popular marginal; se fossem muito evidentes, como o antigo, então eram proibidos por meio da lei. Uma carreira no pós-guerra como a de Werner Best, que sobreviveu a mais de um julgamento e condenação para passar o resto de sua longa vida – morreu em 1989 – organizando ajuda para antigos nazistas e fazendo campanha para uma anistia geral, foi incomum. Com tudo isso, pesquisas de opinião pública revelaram que a maioria continuou até mais da metade da década de 1950 a considerar o nazismo "uma boa ideia, mal conduzida", e uma preocupante grande proporção da população considerava que a Alemanha estava bem melhor sem os judeus. Só mesmo depois do surgimento em cena de uma nova geração, simbolizada pelo ano de 1968, que um confronto real com o passado começou. Não obstante, a política cultural das Alemanhas, tanto a Oriental como a Ocidental, foi, desde o começo, baseada em um vigoroso repúdio da ideologia e dos valores nazistas, incluindo a longa tradição do nacionalismo e do militarismo alemães que havia persuadido tantas pessoas a apoiá-los. A realidade da derrota total e a prosperidade gerada pelo "milagre econômico" nas décadas de 1950 e 1960 persuadiram a grande maioria de alemães a adotar a cultura da democracia parlamentarista, a integração europeia e a paz internacional com crescentes entusiasmo e comprometimento.[258]

Poucos alemães consideraram fácil a adaptação a esse novo mundo. Muitos ainda lamentavam o fracasso do Terceiro Reich. Quando os antigos comandantes militares de Hitler escreveram suas memórias, aproveitaram a oportunidade para apresentar a irreal, mas, por muitos anos, amplamente aceita ideia de que, se Hitler tivesse deixado que fizessem o trabalho deles, poderiam ter vencido a guerra. A condução do Exército alemão no *front* oriental ficou sem ser criticada nesses trabalhos, e por décadas, portanto, sem ser questionada. O general Gotthard Heinrici foi finalmente capturado em 28 de maio de 1945 e não voltou para a Alemanha até 1948. Durante o resto de sua vida, continuou convencido de que havia lutado por uma boa causa – a causa alemã. Morreu pacificamente em 13 de dezembro de 1971.[259] O marechal de campo Fedor von Bock não teve tanta sorte. No dia 3 de maio de 1945, em aposentadoria compulsória desde o verão de 1942, ele estava sendo levado com sua esposa, sua enteada e um amigo pelo interior, na direção de Oldenburg, esperando encontrar seu amigo marechal de campo Manstein para discutir o fim da guerra. O carro foi avistado por um caça britânico, que fez um voo rasante sobre ele e o atacou a tiros. O carro se incendiou; Bock se arrastou para fora dele, o único sobrevivente; foi pego e levado para o hospital, mas morreu em decorrência dos ferimentos no dia seguinte.[260] Entre outros comandantes militares de alto escalão, Walther von Brauchitsch morreu em uma prisão britânica em 1948; Gerd von Rundstedt foi capturado e interrogado pelos britânicos, mas nunca foi levado a julgamento por causa de seus problemas cardíacos, e morreu em 1953; Friedrich Paulus, que se rendera em Stalingrado, viveu na Alemanha Oriental até sua morte em 1957, aparentemente sempre comprometido com a causa comunista que havia abraçado em cativeiro; Erich von Manstein foi condenado a 15 anos de prisão por uma corte militar britânica em 1949 por crimes contra não combatentes; libertado em 1953, tornou-se conselheiro militar do governo da Alemanha Ocidental, morrendo em 1973. Assim como o comandante da divisão de tanques Heinz Guderian, que foi encarcerado por um curto período depois da guerra e morreu em 1954, Manstein era muito respeitado por sua capacidade de liderança; na maior parte, perguntas a respeito de seu envolvimento com o nazismo e com seus crimes permaneceram sem resposta.

Bem mais abaixo na hierarquia militar, o autor de diários e cartas Wilm Hosenfeld foi feito prisioneiro por uma unidade do Exército Vermelho quando se retirava de Varsóvia no dia 17 de janeiro de 1945 e colocado em um campo de prisioneiros. Seu estado de saúde se deteriorou, e ele sofreu um derrame em 27 de julho de 1947. Nessa época, conseguia escrever cartas para amigos e para a família, e fazia desesperadamente listas, tanto quanto podia se lembrar, dos poloneses e dos judeus que havia resgatado, tentando fazer que eles intercedessem a favor de sua libertação. Alguns o fizeram. Mas a ação não foi bem-sucedida. Como membro da administração militar alemã durante o levante de Varsóvia em 1944, ele foi acusado de crimes de guerra, levado a julgamento e condenado a 25 anos de prisão. Em 13 de agosto de 1952, sofreu outro derrame, este fatal.[261] Muitos outros prisioneiros de guerra alemães foram mantidos em campos de trabalho soviéticos por uma década inteira depois da guerra, até sua libertação na metade da década de 1950. Adaptar-se à vida civil também demonstrou ser difícil para muitos deles. Gerhard M., soldado e membro das tropas de assalto de longa data, achou que a coisa mais difícil de aguentar a respeito do novo mundo político em que entrou no dia 8 de maio de 1945 foi o fato de não mais poder usar um uniforme. "Sempre gostei de usar uniforme", confidenciou ele a seu diário, "e, de fato, não apenas por causa das muitas insígnias de prata [...] mas, acima de tudo, por causa da aparência de força dos calções e do caimento melhor das roupas".[262] Não entendia por que não lhe permitiam retomar as funções de bombeiro que exercia antes da guerra. "É", o novo chefe do corpo de bombeiros lhe disse, "vocês, nazistas, se achavam os maiorais até agora, mas tudo isso é passado". Gerhard M. achou que sua demissão era incompreensível. "Eu não conseguia, de jeito nenhum, me controlar." Amargurado, refletiu a respeito da guerra: "nossos líderes, que haviam estruturado a Alemanha de modo tão exemplar, desencadearam uma guerra que abalou o mundo e, com isso, permitiram a destruição do que não somente eles, mas também gerações anteriores, haviam criado, simplesmente porque desejavam passar para a história como grandes líderes militares".[263] Foram necessários outros nove anos para que pudesse retomar sua carreira no corpo de bombeiros.[264]

Outras pessoas acharam igualmente difícil se conciliar com sua nova situação e alcançar um distanciamento autocrítico de seu passado nazista. Como antigo membro da liderança da Liga das Moças Alemãs, e com medo de uma retaliação dos aliados, assim como muitas pessoas, Melita Maschmann se escondeu nos vales alpinos na Áustria, usando documentos falsificados e sobrevivendo à custa de roubo ou de troca de comida, até a metade de junho de 1945, quando finalmente foi presa e identificada. A prisão finalmente a fez compreender que o Terceiro Reich tinha acabado. A melhor coisa a respeito da prisão, ela relembrou mais tarde, era a ociosidade forçada, que lhe deu tempo para refletir e se recuperar dos anos de esforço árduo e incessante que havia dedicado à causa nazista. A limitada quantia de "reeducação" a que foi submetida era, disse, lamentável, e as reeducadoras eram com frequência menos educadas que mulheres de classe média como ela, que frequentemente levava vantagem sobre elas em discussões. Melita Maschmann se recusou a acreditar nas histórias dos campos de extermínio e considerou falsas as fotos que lhe mostraram. Quando ouviu uma transmissão de rádio do pronunciamento final do chefe da Juventude Hitlerista, Baldur von Schirach, no julgamento de Nuremberg em 1946, ela se sentiu traída por ele ter admitido a culpa, e considerou que isso se devia ao estresse causado pela prisão. Ela permaneceu convencida, como escreveu em suas anotações na época, de que "o nacional-socialismo como a ideia de renovação racial, do Grande Reich Alemão e de uma Europa unida [...] era uma das maiores concepções políticas dos tempos modernos". Achava que era mais honroso passar pelo processo de desnazificação como nazista convicto do que ser deixado de lado como simpatizante. E por alguns anos depois, idealista como sempre, ela se dedicou a ajudar antigos nazistas que estavam em situação difícil, gastando grande parte de seus rendimentos durante o processo. Foram necessários uns doze anos para que alcançasse um certo distanciamento do passado nazista, ajudada pela religião e, de modo particular, por sua amizade com um pastor evangélico. Ela se matriculou em uma universidade e se esforçou para conhecer estudantes estrangeiros de outras etnias. A etapa final de sua libertação da ideologia que a havia consumido por grande parte de sua vida anterior foi a aceitação de que os relatos que ela começara a ler a respeito do destino dos judeus em Varsóvia e nos campos eram verdadeiros. O nazismo, concluiu, tivera a habilidade de atrair muitos jovens bons e idealistas, que estavam tão empolgados com seu entusiasmo e dedicação à causa que ficaram cegos em relação ao que realmente estava acontecendo. Ela própria, contudo, permaneceu suscetível ao apelo de ideologias, e em um período posterior de sua vida ficou seriamente interessada pela espiritualidade indiana.[265]

IV

A vida cultural alemã foi retomada de modo relativamente rápido depois da guerra, encorajada pelos aliados. Mas as pessoas que tinham estado muito envolvidas com a propaganda nazista não conseguiram dar continuidade a sua carreira. No mundo do cinema, Emil Jannings foi forçado a partir para sua fazenda na Áustria, morrendo em 1950; Leni Riefenstahl percebeu que era impossível fazer filmes outra vez e se dedicou à fotografia, celebrando a vida das tribos núbias e fazendo filmagens submarinas da vida nos recifes de corais; morreu em 2003, aos 101 anos de idade. Riefenstahl sempre alegou que nunca se envolvera com a política, mas poucos que haviam assistido a *O triunfo da vontade* conseguiram acreditar nela. Em contraste, Veit Harlan defendeu com sucesso sua produção em um julgamento de desnazificação com a alegação de que ele era um artista, e que o conteúdo propagandista de seus filmes havia sido imposto a ele por Goebbels. Ele fez mais alguns filmes antes de morrer em 1964.[266] Werner Egk, o mais destacado compositor modernista do Terceiro Reich, conseguiu retomar sua carreira, tornando-se diretor de um conservatório e desempenhando um papel central na reconstrução da vida musical alemã na Alemanha Ocidental; morreu repleto de honras, em 1983, um ano depois de Carl Orff, cuja carreira no pós-guerra foi igualmente bem-sucedida. O antigo diretor da Câmara de Música de Goebbels, o compositor Richard Strauss, talvez fosse famoso demais para ser perturbado com processos de desnazificação; vivendo tranquilamente em Viena, ele sobreviveu à guerra para produzir uma sequência final de trabalhos límpidos e mozartianos que estão entres seus melhores, das *Metamorfoses* para orquestra ao concerto para oboé; morreu em 1949 antes de poder ouvir a primeira apresentação de sua última obra-prima, *Quatro últimas canções*.[267]

A carreira no pós-guerra do regente Wilhelm Furtwängler foi mais longa, mas também mais controversa. Um tribunal de desnazificação o inocentou de todas as acusações, e ele continuou a reger e a fazer gravações como *freelance* até sua morte em 1954, mas a oferta de um posto como regente principal da Orquestra Sinfônica de Chicago foi rescindida em 1949 depois de protestos de iminentes músicos judeus, como Vladimir Horowitz e Arthur Rubinstein. Seu companheiro de regência, Bruno Walter, forçado a se exilar durante o regime nazista devido à sua ascendência judaica, disse-lhe francamente que durante os anos do nazismo

> sua arte foi usada como um meio eficiente e bastante visível de propaganda para o Regime do Mal, que o senhor prestou grandes tributos a esse regime por meio de sua destacada imagem e grande talento, que

a presença e a performance de um artista de sua estatura encorajaram cada crime hediondo contra a cultura e a moral, ou, pelo menos, lhe deram apoio considerável.²⁶⁸

Furtwängler alegou ter interferido a favor de vítimas judias do regime, o que realmente fizera em alguns poucos casos individuais no começo do Terceiro Reich. Mas, destacou Walter, nunca estivera em perigo, e continuara sua carreira como o regente mais importante da Alemanha durante todo o período. "Tendo em vista isso tudo", ele concluiu, "o que significa sua assistência isolada em alguns poucos casos de judeus?"²⁶⁹

O escultor favorito de Hitler, Arno Breker, também foi levado a um tribunal de desnazificação, mas conseguiu alegar, como fator atenuante para sua associação íntima com Hitler, que em várias ocasiões ajudara pessoas em situação difícil, incluindo uma mulher judia que havia trabalhado como modelo de Maillol, Dina Vierny. Breker visitara Heinrich Müller, chefe da Gestapo, e garantira a libertação dela de um campo de trânsito francês, do qual ela seria levada para Auschwitz. Ele também havia ajudado Picasso a escapar das atenções da Gestapo em Paris. As esculturas de Breker eram admiradas não somente por Hitler, mas também por Stálin, que lhe ofereceu um serviço em 1946 (Breker recusou, dizendo: "uma ditadura é suficiente para mim"). Tudo isso, reforçado por 160 testemunhos escritos comprovando a probidade de sua conduta durante o Terceiro Reich, conseguiu fazer que fosse classificado apenas como "simpatizante", com uma multa de cem marcos alemães mais os custos do julgamento (que ele nunca pagou). Posteriormente, Breker refez sua carreira, em parte com a ajuda de arquitetos do antigo escritório de Speer, e seus admiradores organizaram mostras de seu trabalho, mas sua campanha pela reabilitação não alcançou sucesso no mundo da arte dominante, que continuou a considerá-lo basicamente o escultor oficial do Terceiro Reich o tempo todo até sua morte em 1991. Um comentário feito em um importante jornal conservador alemão por ocasião de seu nonagésimo aniversário no ano anterior descreveu-o como o "clássico exemplo de talento seduzido, iludido e também dominador".²⁷⁰

Depois da guerra, mais interessantes para os aliados do que artistas e compositores eram os cientistas e engenheiros que haviam trabalhado com tanto conhecimento, e com tão pouco sucesso, nas armas maravilhosas como os V-1 e V-2. Equipes especiais foram organizadas pelas autoridades soviéticas e americanas para localizar e levar equipamento tecnológico militar para desenvolvimentos posteriores. Os inventores dos agentes nervosos Sarin e Tabun foram presos e interrogados; motores a jato, submarinos avançados, aviões-foguete e muitos mais foram desmanchados e levados para estudo. Os soviéticos levaram milhares de cientistas e de engenheiros para trabalhar na atualização de seus equipamentos e tecnologia militares, enquanto os britânicos e os americanos voltaram sua atenção para a equipe do foguete V-2. Com Wernher von Braun e algumas pessoas de sua equipe, supervisionaram o lançamento de três mísseis V-2 da costa alemã no mar do Norte em outubro de 1945. Cento e vinte membros do programa do foguete, incluindo Von Braun, foram levados para uma nova base perto de El Paso, no Texas, para trabalhar no desenvolvimento de foguetes; eles não ficaram disponíveis para o julgamento dos responsáveis pelos crimes cometidos no Campo Dora. Em 1950, o programa fora transferido para Huntsville, Alabama, onde se transformou no centro mais importante para o desenvolvimento de mísseis nos Estados Unidos, sobrepujando instituições anteriores como o Laboratório de Propulsão a Jato em Pasadena, Califórnia. Dez anos mais tarde, baseado na experiência com o V-2, Von Braun e a equipe de Huntsville construíram o poderoso foguete Saturno, que foi usado para levar o homem ao espaço e, no intervalo de uma década, para levá-lo até a Lua. Não apenas os americanos, mas também os soviéticos, os britânicos e os franceses usaram o conhecimento de membros da equipe de Peenemünde onde quer que conseguissem encontrá-los, no desenvolvimento e na construção de uma nova geração de mísseis balísticos intercontinentais, tornados infinitamente mais perigosos que seu predecessor alemão pela invenção da bomba atômica.[271]

Outros cientistas, sobretudo os pioneiros da pesquisa da bomba atômica, Otto Hahn e Werner Heisenberg, permaneceram na Alemanha e retomaram a carreira. Hahn assumiu a direção da Sociedade Kaiser Guilherme em 1946, opondo-se em vão à mudança de seu nome para Sociedade Max Planck a pedido das autoridades britânicas de ocupação após a morte do grande cientista em 1947. O que Hahn conseguiu fazer com sucesso, entretanto, foi distanciar a sociedade de seu envolvimento em pesquisa nazista, um tópico que permaneceu sem ser discutido até praticamente o fim do século XX. Hahn foi a Estocolmo para receber seu Prêmio Nobel pela descoberta da fissão nuclear, e morreu em Göttingen em 1968. Werner Heisenberg se tornou diretor do Instituto de Física Max Planck e voltou a se unir à comunidade científica internacional, morrendo em 1971. Seus rivais, os defensores da "física alemã", não prosperaram. Heisenberg teve o prazer de testemunhar contra Johannes Stark no julgamento deste em 1947. A sentença dada a Stark, de quatro anos de prisão, acabou não sendo executada, e ele morreu, esquecido por quase todos, em 1957. Dez anos antes, seu mentor, Philipp Lenard, havia morrido aos 85 anos de idade. Outras figuras menores no movimento da física alemã foram sistematicamente afastadas da vida acadêmica quando ela foi retomada outra vez depois da guerra.[272]

V

Os cidadãos comuns e despretensiosos, cujos diários volumosos e cuidadosamente mantidos compõem um relato tão vital da vida cotidiana sob os nazistas, tiveram diferentes destinos depois da guerra. O doutor Zygmunt Klukowski publicou uma obra em cinco volumes sobre crimes de guerra alemães e a resistência clandestina na área de Zamość. Isso fez que fosse chamado como uma das testemunhas em um dos Julgamentos dos Crimes de Guerra em Nuremberg. Contudo, Klukowski logo percebeu que estava vivendo em outra ditadura, já que as tropas de ocupação soviéticas suprimiram o movimento nacionalista polonês e instalaram um regime comunista no poder. Klukowski então ajudou a resistência clandestina polonesa contra os comunistas e manteve um diário a respeito do terror comunista, assim como fizera com o nazismo. Ele foi preso pela polícia política soviética duas vezes e, embora não tenha sido mandado para a prisão, foi rebaixado de seu cargo de chefe, mantido por tanto tempo, para o posto de simples médico de uma das alas do hospital. Em 1952, foi preso de novo, enquanto tentava – sem sucesso – evitar que seu filho Tadeusz fosse executado por participar de atividades de resistência, e passou quatro anos na prisão de Wronki. Em um período mais tranquilo, em 1956, foi perdoado e reabilitado e se mudou para Lublin, onde publicou seus diários de guerra dois anos depois. Estes fizeram dele um homem famoso: o livro foi rapidamente reeditado e ganhou um importante prêmio literário, para se somar a outros prêmios nacionais poloneses. Nessa época, contudo, Klukowski já sofria de câncer. Morreu em 23 de novembro de 1959, e foi enterrado em Szczebrzeszyn, junto com outros soldados do Exército Nacional: em 1986, a cidade erigiu um monumento dedicado a ele na praça principal. Seus diários alcançaram um público leitor maior com sua publicação em inglês em 1993, por iniciativa de seu filho sobrevivente e de seu neto, e permanece o mais vívido e detalhado relato que temos da vida na Polônia sob a ocupação alemã.[273]

Viktor Klemperer e sua esposa Eva voltaram para a casa no bairro de Dölzschen em Dresden, da qual haviam sido expulsos em 1939, e gradualmente colocaram-na em ordem. Aos 63 anos, ele não tinha a intenção de levar a vida tranquila de um aposentado. Seus ex-colegas da Universidade Técnica em Dresden, que o evitaram durante o período nazista por ele ser judeu, agora conversavam com ele como se nada tivesse acontecido em todos aqueles anos. Antigos amigos e vizinhos, conhecidos e até mesmo desconhecidos se aproximavam dele para que ele os apoiasse em suas alegações de que eram inocentes dos crimes cometidos pelo Terceiro Reich. Klemperer aproveitou seu novo *status* como uma das pessoas perseguidas pelo Terceiro Reich. Foi readmitido como professor na universidade, embora não voltasse a lecionar lá, e então foi nomeado sucessivamente para cátedras mais prestigiosas em Greifswald, Halle e Berlim. Recuperou seus manuscritos de sua amiga não judia Annemarie Köhler e publicou um estudo sobre a língua nazista, *LTI*, que foi imediatamente reconhecido como um clássico. Voltou a trabalhar em seu estudo de literatura francesa do século XVIII, e este também foi publicado. Dresden ficava na zona de ocupação soviética e, depois de alguma hesitação, Klemperer se filiou ao Partido Comunista, que ele via como o único meio convincente de retribuição e reconstrução; para ele, nada além disso poderia lhe dar qualquer garantia de que o rompimento com o nazismo fora completo. Sua filiação abriu-lhe um amplo leque de trabalho cultural e educacional e, depois de a República Democrática Alemã ter sido fundada em 1949, Klemperer se tornou deputado no Parlamento do país, uma posição para a qual não tinha maior obrigação de fazer campanha ou se colocar contra um oponente do que qualquer outro membro teria. A crescente stalinização da Alemanha Oriental fez que se tornasse mais cético; começou a receber críticas por seu trabalho, e secretamente concluiu que, no fundo, ele era mesmo um liberal.[274]

Em 1951, a esposa de Klemperer, Eva, cujo amor dedicado o havia mantido vivo durante o Terceiro Reich, morreu de um ataque cardíaco durante o sono pouco antes de seu 69º aniversário. "Estou tão sozinho", escreveu ele em seu diário, "nada tem valor para mim agora".[275] Inicialmente, encontrou consolo em seu trabalho, mas, depois de poucos meses, começou um relacionamento com uma jovem de 25 anos, Hadwig Kirchner, uma de suas alunas; apesar de sentir que poderia fazer papel de bobo, ele se apaixonou, seus sentimentos foram correspondidos e o casal se casou em 23 de maio de 1952. Ele continuou a lecionar literatura francesa até ter mais de setenta anos de idade. Em 1959, ficou seriamente doente e morreu em 11 de fevereiro de 1960, aos 78 anos de idade. Não havia possibilidade de publicar seus volumosos diários sob a ditadura da Alemanha Oriental, dado o completo fracasso deles em seguir a linha do Partido Comunista tanto na República de Weimar como no Terceiro Reich e na época do pós-guerra; porém, depois da queda do Muro de Berlim, sua viúva disponibilizou-os para publicação, e eles apareceram em forma seriada durante a década de 1990, imediatamente se estabelecendo como o mais meticuloso, vívido e honesto relato da vida de um judeu na Alemanha nas seis primeiras décadas do século XX.[276]

Luise Solmitz e seu marido judeu Friedrich também escaparam ilesos da guerra. Viveram de maneira discreta em Hamburgo. Luise continuou a manter um diário de sua vida, como havia feito desde 1905, preenchendo a cada ano um caderno de setecentas páginas e linhas estreitas com uma escrita miúda e difícil de entender. Em dezembro de 1953, doou seus diários para o Arquivo Estadual de Hamburgo como um relato histórico, mas um ano depois descobriu que não conseguia ficar sem eles e recuperou-os para seu uso particular. Doou-os novamente em 1967, mas levou-os de volta para casa uma vez mais três meses depois, mantendo-os até sua morte, em 1973, aos 84 anos de idade. Na década de 1960, o Centro de Pesquisa para a História do Nacional-Socialismo em Hamburgo conseguiu dela a garantia de ir todos os dias e ditar seus diários dos anos 1918-45 para um estenógrafo. Enquanto os percorria, ela ocasionalmente se espantava com os pontos de vista que expressara no começo da década de 1930, pontos de vista que haviam se alterado tão radicalmente em 1945. Ao deparar com sua descrição de janeiro de 1933 de nazistas cantando sobre sangue judeu jorrando de uma faca, ela acrescentou um comentário: "Mas quem levou aquilo a sério?".²⁷⁷

VI

A incapacidade de Luise Solmitz em reconhecer, na década de 1930, a violência que se encontrava no âmago do nazismo era compartilhada por muitas pessoas. Até 1939, a grande maioria dos alemães acreditava com todas as forças que não haveria uma guerra geral europeia; e uma grande parte da euforia que se apoderou do país depois da vitória sobre a França no ano seguinte expressava o alívio pela derrota do tradicional inimigo e pela humilhação do Tratado de Paz de 1919 ter sido vingada com o que parecia ser um derramamento de sangue mínimo. No entanto, o nazismo foi, desde o início, um conjunto de princípios baseado na violência e no ódio, nascido da amargura e do desespero. A profundidade e o radicalismo das crises política, social e econômica que vitimaram a Alemanha sob a República de Weimar deram origem também a uma resposta profunda e radical. Os inimigos da Alemanha dentro e fora deveriam ser completamente destruídos de modo que a Alemanha pudesse se reerguer, mas dessa vez a alturas nunca antes vistas de poder e de domínio. Mesmo as promessas de reconstrução econômica e de coesão social que conquistaram tantos alemães para a causa nazista na década de 1930 estavam subordinadas, no fim, ao movimento que levava à guerra. Ao tentar recriar a atmosfera de agosto de 1914 – ou o que os nazistas imaginavam que ela fora –, o conflito interno deveria ser abolido e as divisões sociais e políticas precisariam ser subordinadas ao abrangente mito da comunidade nacional orgânica e racial de todos os alemães. A subversão, que supostamente havia feito que o Exército alemão fosse apunhalado pelas costas por revolucionários judeus que se alimentavam do descontentamento interno em 1918, deveria ser evitada com a garantia de que os judeus fossem removidos da Alemanha de todos os modos possíveis, e de que os próprios alemães fossem todos bem nutridos, racialmente puros e politicamente comprometidos. Esses eram objetivos que somente poderiam ser alcançados com o uso da violência em sua forma mais impiedosa e extremada.

A guerra que começou em setembro de 1939 desencadeou com ela uma força que havia até então sido aparente apenas em ocasiões específicas, como os maus-tratos aos judeus em Viena depois da anexação da Áustria em março de 1938, ou o *pogrom* nacional da Noite dos Cristais no mês de novembro seguinte. As medidas postas em prática na Polônia nos meses iniciais da guerra estabeleceram o tom para a ocupação nazista de outras partes da Europa oriental a partir de meados de 1941 em diante: expropriação, deportação forçada, aprisionamento, assassinatos em massa, mortes em uma escala até então inimaginável. Tais medidas foram aplicadas a todas as pessoas que viviam na região, com exceção dos alemães étnicos, mas com ódio particular aos judeus, que foram submetidos a humilhações e torturas sádicas e sistemáticas, confinação em guetos e extermínio por gás venenoso em instalações criadas especificamente para esse propósito. Outros grupos, sobretudo, embora em muitos casos não exclusivamente alemães, também foram mortos em grande quantidade: os mentalmente doentes e deficientes, os ciganos, os homossexuais, as Testemunhas de Jeová, os "antissociais", criminosos comuns, pessoas politicamente insubmissas e as socialmente marginalizadas. Prisioneiros de guerra soviéticos foram mortos aos milhões, e pessoas de muitas nacionalidades foram levadas à força para a Alemanha e obrigadas a trabalhar e a viver em condições que resultaram fatais para uma grande parte delas. Algumas pessoas que pertenciam a esses outros grupos foram, assim como muitos judeus, mortos nas câmaras de gás; mas só os judeus foram classificados como "inimigos mundiais", uma ameaça global à existência da Alemanha que teria de ser exterminada onde quer que fosse encontrada.

Essas medidas foram colocadas em ação em um nível ou outro por centenas de milhares, até mesmo milhões, de alemães que estavam comprometidos com a causa nazista, ou que – especialmente se pertenciam à geração mais jovem – haviam sido doutrinados desde 1933 com a crença de que os eslavos eram sub-humanos; os judeus eram o mal; os ciganos, criminosos; os marginais e as pessoas cujo comportamento não era considerado normal eram, na melhor das hipóteses, um estorvo, na pior, uma ameaça. O encorajamento dado pelo nazismo à violência assassina, ao roubo, ao saque e à destruição arbitrária não deixou de causar efeitos no comportamento das tropas alemãs na Polônia, na União Soviética, na Sérvia e em outras partes da Europa. Apenas poucas pessoas, em sua maior parte impelidas por uma forte consciência cristã, ergueram sua voz para criticar. No entanto, a maioria dos alemães se sentia desconfortável com o extermínio em massa de judeus e de eslavos, e culpada por estar com medo demais para fazer algo que pusesse um ponto-final na situação. No caso das pessoas mentalmente doentes ou deficientes, que em muitos casos faziam parte de sua própria família e comunidade, eles estavam suficientemente preocupados para protestar, a princípio indiretamente, e então, canalizando sua raiva e seu desespero por meio das igrejas cristãs, abertamente e com alguns resultados.

Ao desencadear uma guerra que seria travada em escala europeia com o objetivo a longo prazo de dominar o mundo, Hitler e os nazistas estavam vivendo as fantasias que os haviam levado à política em primeiro lugar: fantasias de uma Alemanha grandiosa e mais poderosa, expurgando a mácula da derrota em 1918 ao estabelecer um domínio imperial em uma escala jamais vista anteriormente no mundo. Essas fantasias eram compartilhadas em um nível bastante significativo por setores cruciais do *establishment* alemão, incluindo o serviço civil, classes profissionais e os generais mais importantes do Exército. Apesar de suas dúvidas, todos eles acabaram aderindo a essas fantasias. Porém, os recursos econômicos da Alemanha nunca foram suficientes para transformá-las em realidade, nem mesmo quando os recursos de uma grande parte do resto da Europa foram acrescentados a eles. Nenhum grau de "mobilização para a guerra total" e de maior eficiência econômica conseguiriam alterar esses fatos fundamentais da vida. Inicialmente, as Forças Armadas alemãs conseguiram garantir uma série de vitórias rápidas usando táticas que derrotaram seus inimigos ou pela surpresa, ou por outro motivo. Porém, elas não conseguiram derrotar a Grã-Bretanha em 1940, e um impasse aconteceu em seguida. Esse foi o primeiro grande ponto decisivo da guerra.

A invasão da União Soviética no ano seguinte foi em parte uma tentativa de acabar com esse impasse. Mas esta também foi a implementação acelerada de um desejo muito antigo de Hitler e dos líderes nazistas: a conquista da Europa oriental, a aquisição de seus supostamente vastos recursos naturais, e a subjugação e o extermínio racial de grande parte de seus habitantes, com o intuito de abrir caminho para uma nova e permanente hegemonia alemã. A Operação Barba Ruiva deu início a uma guerra de desgaste que o Terceiro Reich não conseguiu vencer. O esforço realizado no norte da África para garantir o petróleo do Oriente Médio não poderia ser bem-sucedido, mesmo com todo o brilho de Rommel; a tentativa de interromper os suprimentos enviados para a Grã-Bretanha e a União Soviética em quantidades cada vez maiores pelos Estados Unidos fracassou porque não havia submarinos em número suficiente para mantê-la. Um segundo ponto decisivo na guerra aconteceu no fim de 1941, quando os exércitos alemães não conseguiram conquistar Moscou, e os Estados Unidos colocaram recursos imensos no conflito do lado dos aliados. Um terceiro ponto decisivo aconteceu um ano mais tarde, na catastrófica derrota alemã em Stalingrado.

De modo cada vez mais intenso, a guerra se voltou para a Alemanha, à medida que os esquadrões de bombardeiros aliados ganhavam o domínio dos céus e devastavam as cidades alemãs. Até que a situação começasse a ficar realmente muito complicada na guerra, os nazistas conseguiram levar a grande massa da população alemã com eles. O nacionalismo alemão, a crença na grandeza da Alemanha e o ressentimento por causa do Tratado de Paz de 1919 estavam presentes em todas as camadas da população. Eles estavam por trás da euforia maciça e sem dúvida genuína que acolheu os impressionantes sucessos militares alemães em 1939-40 e, de modo mais implacável, sustentaram grande parte da resistência alemã à invasão soviética em 1944-45. Até o verão de 1944, as instituições culturais e a mídia de massas continuaram a oferecer uma mistura de encorajamento para os ânimos e de escapismo reconfortante para os alemães que estavam em casa, enquanto suprimentos alimentícios e os itens essenciais para a vida cotidiana foram mantidos praticamente até o fim. Mas a destruição em massa das cidades alemãs grandes ou pequenas que começou para valer em 1943 fez que o povo se voltasse contra o regime nazista até mais do que a consciência, depois de Stalingrado, de que a guerra estava perdida. O regime nazista respondeu à desilusão doméstica e ao declínio do ânimo nas Forças Armadas intensificando a repressão e o terror que haviam sido sempre uma parte central de seu regime. O elemento de martírio e de autossacrifício na ideologia nazista também foi intensificado. Pequenos grupos de alemães começaram a resistir, mas o único capaz de derrubar Hitler, a resistência militar, fracassou na tentativa em julho de 1944, dando início a uma intensificação ainda maior do terror e da destruição que foram encerrados com a queda do Terceiro Reich apenas nove meses mais tarde.

A violência existente no âmago do nazismo tinha, no fim, se voltado contra a própria Alemanha. Quando o povo alemão – sobretudo as mulheres – limpou o resto dos escombros, começou a viver algo parecido com uma volta à normalidade, refletido na atmosfera política e social da década de 1950, com sua ênfase nos valores familiares, na prosperidade material, na ordem social, na estabilidade política e na amnésia seletiva a respeito do passado nazista. Para muitos alemães de meia-idade ou mais velhos, não houvera uma normalidade real desde antes da Primeira Guerra Mundial. Conflitos militares e falta de recursos materiais foram sucedidos pela revolução, pela hiperinflação, pela violência política, pela depressão econômica, pela ditadura e pela guerra outra vez. Porém, a normalidade da década de 1950 também foi um novo tipo de normalidade. O Terceiro Reich e a guerra por ele desencadeada haviam mudado muitas coisas. A promessa nazista de igualdade social foi implantada, por modos que não haviam sido previstos, durante a guerra e depois dela: os ataques ferozes que ela desencadeou à aristocracia alemã depois de julho de 1944, juntamente com a divisão das grandes propriedades privadas pelos aliados depois de 1945 e a supressão da tradição militar prussiana na mesma época, acabaram com o que ainda restava do poder social e político da nobreza.

No outro ponto da escala social, o nazismo havia destruído as longevas tradições do movimento trabalhista, severamente enfraquecidas pela Depressão de 1929-33. Trabalhadores mais velhos rapidamente se reorganizaram em sindicatos, reformaram os partidos Comunista e Social-Democrata e iniciaram uma série de greves em 1947, exigindo a socialização dos meios de produção; mas contaram com pouco apoio das gerações mais jovens de trabalhadores, que nunca haviam pertencido a um sindicato ou a um partido de esquerda e apenas desejavam a paz social e a prosperidade material. As greves fracassaram, o Partido Comunista na Alemanha Ocidental perdeu praticamente todo seu apoio e foi, por fim, banido; os social-democratas abandonaram sua herança marxista em 1959, e o declínio da indústria pesada e a ascensão de uma sociedade de consumo completaram o processo. Na Alemanha Oriental, a fuga de milhões de profissionais para o lado ocidental e as políticas igualitárias do regime comunista causaram o mesmo efeito, ainda que num nível menor de prosperidade material. O conflito de classes à moda antiga que o nazismo se empenhara tanto em acabar havia finalmente desaparecido. A Alemanha havia se tornado uma sociedade nivelada de classe média, diferente em suas naturezas oriental e ocidental, mas compartilhando um afastamento comum das tradicionais estruturas de classe.

O poder do nacionalismo também fora destruído, de modo tão completo, que, quando os alemães mais velhos começaram, perto do fim do século, a olhar em retrospectiva para o Terceiro Reich e a se perguntar por que eles haviam lhe dado seu apoio, não conseguiam se lembrar de que uma das razões principais tinha sido por eles terem pensado que o Reich faria que a Alemanha fosse grande novamente.[278] A Alemanha, como as comemorações públicas que acompanharam sua reunificação em 1989-90 mostraram, pode não ter se tornado uma sociedade totalmente pós-nacional. O grande apoio dado pela maioria dos alemães à integração europeia pode ter sido atenuado por uma contínua autoidentificação como alemães. Mas ser alemão na segunda metade do século XI significava algo muito diferente do que representara na primeira metade: queria dizer, entre outras coisas, amar a paz, ser democrático, próspero e estável, e também ter uma atitude crítica em relação ao passado alemão, com um sentimento de responsabilidade pela morte e pela destruição causadas pelo nazismo, e até mesmo sentir-se culpado por elas.[279]

Essas questões continuam a ser amplamente debatidas, é claro, e pelo menos algumas pessoas também consideraram os próprios alemães vítimas da Segunda Guerra Mundial. Contudo, neste início do século XI, a capital alemã tem um grande memorial público para as vítimas judias do nazismo em seu próprio centro, os campos de concentração alemães se tornaram museus públicos das atrocidades nazistas, e nas ruas de uma quantidade cada vez maior de cidades alemãs placas de metal foram colocadas nas calçadas diante das residências e das lojas que pertenceram a judeus antes de 1933, com o nome de seus antigos donos inscritos nelas. Historiadores alemães expuseram o envolvimento, por tanto tempo negado, de muitos setores da população alemã nos crimes do Terceiro Reich, de oficiais e membros do Exército a médicos e cientistas que trabalhavam em hospitais e institutos de pesquisa alemães. Antigos trabalhadores forçados iniciaram ações bem-sucedidas para ter reconhecimento e uma pequena compensação por seus sofrimentos, e os negócios e empresas que lucraram com o regime nazista e suas políticas abriram seus arquivos e admitiram sua cumplicidade. Objetos de arte ou culturais expropriados de seus donos judeus sob o Terceiro Reich foram catalogados, e galerias, museus e autoridades estaduais abriram o caminho para a restituição daqueles que ainda não foram devolvidos.

Não apenas o conhecimento histórico sobre o Terceiro Reich, mas também a consciência pública do que ele fez, tem aumentado com o distanciamento temporal do regime nazista; contudo, o regime não perdeu nem um pouco de seu poder em excitar o debate moral, pelo contrário. Não muito tempo depois de a Segunda Guerra Mundial ter terminado, o historiador Alan Bullock concluiu sua grande biografia de Hitler citando as palavras inscritas no túmulo do arquiteto *Sir* Christopher Wren na igreja que ele construiu em Londres, a Catedral de St. Paul: "*Si monumentum requiris, circumspice*" – "Se necessitas de um memorial, olha ao redor de ti".[280] Em 1952, quando Bullock publicou seu livro, a destruição ocasionada pela guerra ainda poderia ser vista em quase todas as partes da Europa. Mais de meio século depois, não é mais o caso. Locais bombardeados foram limpos, campos de batalha foram nivelados, divisões foram cicatrizadas, a paz e a prosperidade voltaram à Europa. A maior parte das pessoas que viveram durante o Terceiro Reich e lutaram em suas guerras não está mais entre nós. Dentro de poucas décadas, não haverá mais ninguém que se lembre desses fatos em primeira mão. Contudo, seu legado ainda está vivo de muitos modos. A História não se repete: não haverá um Quarto Reich. O neonazismo ainda tem seus defensores, mas em nenhum lugar ele deu sinais de sequer ter alcançado um poder político significativo. O legado do Terceiro Reich é muito maior. Ele se estende muito além da Alemanha e da Europa. O Terceiro Reich suscita da forma mais drástica as possibilidades e as consequências do ódio humano e da destruição que existem, ainda que em pequena escala, dentro de cada um de nós. Ele demonstra, com uma clareza terrível, as cruciais possíveis consequências do racismo, do militarismo e do autoritarismo.

Mostra o que pode acontecer se algumas pessoas forem tratadas como menos humanas do que outras. Expõe da forma mais drástica possível os dilemas morais com que todos nós deparamos em um momento ou outro de nossa vida, conformidade ou resistência, ação ou inação em situações específicas com as quais somos confrontados. É por isso que o Terceiro Reich não vai desaparecer, mas continuará a chamar a atenção de pessoas conscientes em todo o mundo muito tempo depois de ele ter passado para a História.

Notas

Parte 1 – "BESTAS EM FORMA HUMANA"

1. Informações básicas de Paul Latawski, "Polish Campaign", em Ian C. B. Dear (ed.), *The Oxford Companion to World War II* (Oxford, 2005 [1995]), p. 705-8; e Ian C. B. Dear, "Animals", em ibid., p. 28-9; relato detalhado em Horst Rohde, "Hitler's First Blitzkrieg and Its Consequences for North-eastern Europe", em Militärgeschichtliches Forschungsamt (ed.), *Germany and the Second World War* (10 vols., Oxford, 1990-; daqui em diante *GSWW*), II, p. 67-150 (tabela das disposições de tropas alemãs na p. 92). Para as ordens de Hitler, ver Walther Hubatsch (ed.), *Hitlers Weisungen für die Kriegführung 1939--1945. Dokumente des Oberkommandos der Wehrmacht* (Frankfurt am Main, 1962), p. 17-19.
2. Latawski, "Polish Campaign"; Rohde, "Hitler's First Blitzkrieg", p. 101-18; relato vigoroso em Gerhard L. Weinberg, *A World at Arms: A Global History of World War II* (Cambridge, 2005 [1994]), p. 48-64; também Józef Garlinski, *Poland in the Second World War* (Londres, 1985), p. 11-24; Wolfgang Jacobmeyer, "Der Überfall auf Polen und der neue Charakter des Krieges", em Christoph Klessmann (ed.), *September 1939: Krieg, Besatzung, Widerstand in Polen: Acht Beiträge* (Göttingen, 1989), p. 16-37, nas p. 19-20; para as supostas investidas da cavalaria polonesa, ver Patrick Wright, *Tank: The Progress of a Monstrous War Machine* (Londres, 2000), p. 231-7.
3. William L. Shirer, *Berlin Diary* (Londres, 1970 [1941]), p. 167-8.
4. Detalhes contemporâneos em Alcuin (pseud.), *I Saw Poland Suffer, by a Polish Doctor Who Held an Official Position in Warsaw under German Occupation* (Londres, 1941), p. 15; relatos de testemunhos oculares em Dieter Bach e Wieslaw Lesiuk, *Ich sah in das Gesicht eines Menschen: Deutsch-polnische Begegnungen vor und nach 1945* (Wuppertal, 1995), p. 81-104.
5. Chaim A. Kaplan, *Scroll of Agony: The Warsaw Diary of Chaim A. Kaplan* (Londres, 1966), p. 20 (28 de setembro de 1939); as mesmas cenas também foram registradas por Adam Czerniakow, *The Warsaw Diary of Adam Czerniakow: Prelude to Doom* (Nova York, 1979 [1968]), p. 77 (28 de setembro de 1939).

6. Zygmunt Klukowski, *Diary from the Years of Occupation 1939-44* (Urbana, Ill., 1993 [1958]), p. vii-x, 16-7 (sem a marcação de parágrafos).
7. Ibid., p. 17.
8. Ibid., p. 22.
9. Richard J. Evans, *The Third Reich in Power 1933-1939* (Londres, 2005), p. 689-95.
10. Rohde, "Hitler's First Blitzkrieg", p. 118-26; Weinberg, *A World at Arms*, p. 60-3, detalha os ajustes de fronteira e as negociações que os precederam.
11. Rohde, "Hitler's First Blitzkrieg", p. 122-6; Garlinski, *Poland*, p. 25.
12. Ian Kershaw, *Hitler*, II: *1936-1945: Nemesis* (Londres, 2000), p. 235-9.
13. Shirer, *Berlin Diary*, p. 173.
14. Klaus Behnken (ed.), *Deutschland-Berichte der Sozialdemokratischen Partei Deutschlands (Sopade) 1934-1940* (7 vols., Frankfurt am Main, 1980), VI: 1939, p. 980-2.
15. Heinz Boberach (ed.), *Meldungen aus dem Reich: Die geheimen Lageberichte des Sicherheitsdienstes der SS 1938-1945* (17 vols., Herrsching, 1984), II, p. 339 (Bericht zur innenpolitischen Lage (Nr. 2), 11 de outubro de 1939); Shirer, *Berlin Diary*, p. 182-4.
16. Martin Broszat, *Nationalsozialistische Polenpolitik* (Frankfurt am Main, 1965), p. 46-8.
17. Melita Maschmann, *Account Rendered: A Dossier on my Former Self* (Londres, 1964), p. 58-60.
18. Helmut Krausnick, *Hitlers Einsatzgruppen: Die Truppen des Weltanschauungskrieges 1938--1942* (Frankfurt am Main, 1985 [1981]), p. 267, nota 140; Broszat, *Nationalsozialistische Polenpolitik*, p. 51.
19. Kershaw, *Hitler*, II, p. 241-3; Wlodzimierz Jastrzebski, *Der Bromberger Blutsonntag: Legende und Wirklichkeit* (Pozna, 1990); Günter Schubert, *Das Unternehmen "Bromberger Blutsonntag": Tod einer Legende* (Colônia, 1989). A publicação oficial do Ministério de Relações Exteriores alemão sobre as supostas atrocidades polonesas forneceu um total de 5.437 assassinatos de alemães pelos poloneses: Auswärtiges Amt (ed.), *Die polnischen Greueltaten an den Volksdeutschen in Polen* (Berlim, 1940), p. 5.
20. Ver o material compilado por dois promotores poloneses de crimes de guerra, Tadeusz Cyprian e Jerzy Sawicki, *Nazi Rule in Poland 1939-1945* (Varsóvia, 1961), p. 11-70.
21. Evans, *The Third Reich in Power*, p. 614-5, 652-3, 678-88.
22. Günter Berndt e Reinhard Strecker (eds.), *Polen – ein Schauermärchen oder Gehirnwäsche für Generationen: Geschichtsschreibung und Schulbücher: Beiträge zum Polenbild der Deutschen* (Reinbek, 1971); Jacobmeyer, "Der Überfall", p. 18. Ver também Antony Polonsky, "The German Occupation of Poland during the First and Second World Wars", em Roy A. Prete e A. Hamish Ion (eds.), *Armies of Occupation* (Waterloo, Ontário, 1984), p. 97-142.
23. Broszat, *Nationalsozialistische Polenpolitik*, p. 9-13; Evans, *The Third Reich in Power*, p. 619, 689-92; Christoph Klessmann, *Die Selbstbehauptung einer Nation: Nationalsozialistische Kulturpolitik und polnische Widerstandsbewegung im Generalgouvernement 1939-1945* (Düsseldorf, 1971), p. 27-32.
24. Citado em Jacobmeyer, "Der Überfall", p. 16-7; ver também Winfried Baumgart, "Zur Ansprache Hitlers vor den Führern der Wehrmacht am 22. August 1939", *Vierteljahrshefte für Zeitgeschichte* (daqui em diante *VfZ*) 16 (1968), p. 120-49, e idem e Hermann Boehm, "Zur Ansprache Hitlers vor den Führern der Wehrmacht am 22. August 1939", *VfZ* 19 (1971), p. 294-304.
25. Elke Fröhlich (ed.), *Die Tagebücher von Joseph Goebbels* I: *Aufzeichnungen 1923-1941* (9 vols.); II: *Diktate 1941-1945* (15 vols.) (Munique, 1993-2000), I/VII, p. 147 (10 de outubro de 1939).

26. Hans-Günter Seraphim (ed.), *Das Politische Tagebuch Alfred Rosenbergs aus den Jahren 1934/35 und 1939/40* (Munique, 1964), p. 98-100; ver, mais genericamente, Tomasz Szarota, "Poland and Poles in German Eyes during World War II", *Polish Western Affairs*, 19 (1978), p. 229-54, e Alexander B. Rossino, *Hitler Strikes Poland: Blitzkrieg, Ideology, and Atrocity* (Lawrence, Kans., 2003), p. 1-28.
27. Helmut Krausnick, "Hitler und die Morde in Polen: Ein Beitrag zum Konflikt zwischen Heer und SS um die Verwaltung der besetzten Gebiete (Dokumentation)", *VfZ* 11 (1963), p. 196-209.
28. Broszat, *Nationalsozialistische Polenpolitik*, p. 13-37; para a administração dessas áreas, ver ibid., p. 49-60; para o *status* do Governo Geral e a natureza de sua administração, ibid., p. 68-74; mais detalhes em Czeslaw Madajczyk, *Die Okkupationspolitik Nazideutschlands in Polen 1939-1945* (Colônia, 1988 [1970]), p. 18-29, 30-44; para Frank, ver Richard J. Evans, *The Coming of the Third Reich* (Londres, 2003), p. 179; Christoph Klessmann, "Der Generalgouverneur Hans Frank", *VfZ* 19 (1971), p. 245-60; e Martyn Housden, *Hans Frank: Lebensraum and the Holocaust* (Londres, 2003), p. 1-76 (prejudicado pela moralização gratuita); para Forster, ver Dieter Schenk, *Hitlers Mann in Danzig: Gauleiter Forster und die NS-Verbrechen in Danzig-Westpreussen* (Bonn, 2000). Para um bom relato recente, ver Mark Mazower, *Hitler's Empire: Nazi Rule in Occupied Europe* (Londres, 2008), p. 63-77.
29. Jan T. Gross, *Polish Society under German Occupation: The Generalgouvernement 1939--1944* (Princeton, N. J., 1979), p. 45-53; Frank retransmitiu essas ideias em 21 de outubro de 1939: ver Werner Präg e Wolfgang Jacobmeyer (eds.), *Das Diensttagebuch des deutschen Generalgouverneurs in Polen 1939-1945* (Stuttgart, 1975), p. 52-3; ver também o relatório em Franz Halder, *Kriegstagebuch* (ed. Hans-Adolf Jacobsen, 3 vols., Stuttgart, 1962-4), I, p. 107.
30. Christian Jansen e Arno Weckbecker, "Eine Miliz im 'Weltanschauungskrieg': Der 'Volksdeutsche Selbstschutz' in Polen 1939/40", em Wolfgang Michalka (ed.), *Der Zweite Weltkrieg: Analysen – Grundzüge – Forschungsbilanz* (Munique, 1989), p. 482-500, na p. 490, citado em Kershaw, *Hitler*, II, p. 242-3.
31. Jansen e Weckbecker, "Eine Miliz"; mais detalhes pelos mesmos autores em *Der "Volksdeutsche Selbstschutz" in Polen 1939/40* (Munique, 1992); Broszat, *Nationalsozialistische Polenpolitik*, p. 60-2; e Hans Umbreit, *Deutsche Militärverwaltungen 1938/39: Die militärische Besetzung der Tschechoslowakei und Polens* (Stuttgart, 1977), p. 176-8.
32. Michael Wildt, *Generation des Unbedingten: Das Führungskorps des Reichssicherheitshauptamtes* (Hamburgo, 2002), p. 209-415; Saul Friedländer, *The Years of Extermination: The Third Reich and the Jews 1939-1945* (Nova York, 2007), p. 679-81 nota 23.
33. Helmut Groscurth, *Tagebücher eines Abwehroffiziers 1938-1940* (ed. Helmut Krausnick e Harold C. Deutsch, Stuttgart, 1970), p. 201 (8 de setembro de 1939).
34. Kershaw, *Hitler*, II, p. 243; Groscurth, *Tagebücher*, p. 202 (9 de setembro de 1939).
35. Halder, *Kriegstagebuch*, I, p. 79 (19 de setembro de 1939), p. 81 (20 de setembro de 1939), p. 107 (18 de outubro de 1939); Rossino, *Hitler Strikes Poland*, p. 14-6; ver também referência posterior de Heydrich à ordem de Hitler para exterminar os intelectuais poloneses em Krausnick, "Hitler und die Morde in Polen".
36. Broszat, *Nationalsozialistische Polenpolitik*, p. 221-2.
37. Krausnick, *Hitlers Einsatzgruppen*, p. 13-25; Wildt, *Generation des Unbedingten*, p. 420-8; Evans, *The Third Reich in Power*, p. 656-61, 678-9, 685 para Áustria e Tchecoslováquia.

38. Evans, *The Coming of the Third Reich*, p. 274; idem, *The Third Reich in Power*, p. 44, 52, 116; Rossino, *Hitler Strikes Poland*, p. 10-6.
39. Ibid., p. 29-57; ver também Jens Banach, *Heydrichs Elite: Das Führerkorps der Sicherheitspolizei und des SD, 1936-1945* (Paderborn, 1998).
40. Rossino, *Hitler Strikes Poland*, p. 29-57; para von Woyrsch, ver Evans, *The Third Reich in Power*, p. 36.
41. Citado em Krausnick, *Hitlers Einsatzgruppen*, p. 29; também Kurt Pätzold (ed.), *Verfolgung, Vertreibung, Vernichtung: Dokumente des faschistischen Antisemitismus 1933 bis 1942* (Frankfurt am Main, 1984), p. 234.
42. Krausnick, *Hitlers Einsatzgruppen*, p. 31-4; Umbreit, *Deutsche Militärverwaltungen*, p. 162-73.
43. Krausnick, *Hitlers Einsatzgruppen*, p. 35-51; Rossino, *Hitler Strikes Poland*, p. 59-74; Jastrzebski, *Der Bromberger Blutsonntag*.
44. Klukowski, *Diary*, p. 68.
45. Ibid., p. 90-9 (21 de junho de 1940).
46. Alcuin (pseud.), *I Saw Poland Suffer*, p. 73.
47. Broszat, *Nationalsozialistische Polenpolitik*, p. 44.
48. Jon Evans, *The Nazi New Order in Poland* (Londres, 1941), p. 51; o mesmo incidente também em Francis Aldor, *Germany's "Death Space": The Polish Tragedy* (Londres, 1940), p. 187-92, baseado em relatos de exilados poloneses em Paris.
49. Rossino, *Hitler Strikes Poland*, p. 87.
50. A obsessão com franco-atiradores é um tema central em Jochen Böhler, *Auftakt zum Vernichtungskrieg: Die Wehrmacht in Polen 1939* (Frankfurt am Main, 2006), p. 54-168. Para o terror em termos mais gerais, ver Madajczyk, *Die Okkupationspolitik*, p. 186-215.
51. Citado em Krausnick, *Hitlers Einsatzgruppen*, p. 271, nota 177.
52. Keith Sword, "Poland", em Dear (ed.), *The Oxford Companion to World War II*, p. 696; ver Szymon Datner, "Crimes Committed by the Wehrmacht during the September Campaign and the Period of Military Government (1 Sept. 1939-25 Oct. 1939)", *Polish Western Affairs*, 3 (1962), p. 294-328; e Umbreit, *Deutsche Militärverwaltungen*, p. 197-9.
53. Karl Malthes, em *IR 309 marchiert an den Feind: Erlebnisberichte aus dem Polenfeldzuge 1939* (ed. Oberst Dr. Hoffmann, Berlim, 1940), p. 158.
54. Heinrich Breloer (ed.), *Geheime Welten: Deutsche Tagebücher aus den Jahren 1939 bis 1947* (Colônia, 1999 [1984]), p. 27.
55. Ibid., p. 30.
56. Klukowski, *Diary*, p. 75, 77, 80-2; Evans, *The Nazi New Order*, p. 66-82; Broszat, *Nationalsozialistische Polenpolitik*, p. 102-10; Adam Tooze, *The Wages of Destruction: The Making and Breaking of the Nazi Economy* (Londres, 2006), p. 361-2.
57. Klukowski, *Diary*, p. 86-7 (19 de maio de 1940); Wolfgang Jacobmeyer, *Heimat und Exil: Die Anfänge der polnischen Untergrundbewegung im Zweiten Weltkrieg (September 1939 bis Mitte 1941)* (Hamburgo, 1973).
58. Housden, *Hans Frank*, p. 120-1; Gross, *Polish Society*, p. 87.
59. Ulrich Herbert, *Hitler's Foreign Workers: Enforced Foreign Labor in Germany under the Third Reich* (Cambridge, 1997 [1985]), p. 79-94; Broszat, *Nationalsozialistische Polenpolitik*, p. 102-17; Gross, *Polish Society*, p. 78-81; Madajczyk, *Die Okkupationspolitik*, p. 216-32.
60. Klukowski, *Diary*, p. 31.
61. Böhler, *Auftakt*, p. 181-5.
62. Breloer (ed.), *Geheime Welten*, p. 27.

63. Housden, *Hans Frank*, p. 84-6; Madajczyk, *Die Okkupationspolitik*, p. 334-8.
64. Robert L. Koehl, *RKFDV: German Resettlement and Population Policy 1939-1945: A History of the Reich Commission for the Strengthening of Germandom* (Cambridge, Mass., 1957), p. 58; (Anon.), *The German New Order in Poland* (Londres, 1942), p. 262; Aldor, *Germany's "Death Space"*, p. 147; Umbreit, *Deutsche Militärverwaltungen*, p. 222-72; Werner Röhr, "Zur Wirtschaftspolitik der deutschen Okkupanten in Polen 1939-1945", em Dietrich Eichholtz (ed.), *Krieg und Wirtschaft: Studien zur deutschen Wirtschaftsgeschichte 1939-1945* (Berlim, 1999); Ryszard Kaczmarek, "Die deutsche wirtschaftliche Penetration in Polen (Oberschlesien)", em Richard Overy et al. (eds.), *Die "Neuordnung" Europas: NS-Wirtschaftspolitik in den besetzten Gebieten* (Berlim, 1997), p. 257-72.
65. Evans, *The Nazi New Order*, p. 83-96; Klukowski, *Diary*, p. 85; Alder, *Germany's 'Death Space'*, p. 147.
66. Martin Pöppel, *Heaven and Hell: The War Diary of a German Paratrooper* (Staplehurst, 1988), p. 21.
67. Alcuin (pseud.), *I Saw Poland Suffer*, p. 52-6.
68. Ibid., p. 69.
69. Ibid., p. 72-3; estudo geral em Madajczyk, *Die Okkupationspolitik*, p. 548-63. A questão a respeito de a conduta alemã em relação aos poloneses poder ser chamada de genocida é tratada com sensibilidade em Gerhard Eitel, "Genozid auch an Polen? Kein Thema für einen 'Historikerstreit'", *Zeitgeschichte*, 18 (1990), p. 22-39.
70. Halder, *Kriegstagebuch*, I, p. 68 (10 de setembro de 1939).
71. Jansen e Weckbecker, *Der "Volksdeutsche Selbstschutz"*, p. 175-80.
72. Citado em Krausnick, *Hitlers Einsatzgruppen*, p. 63.
73. Ibid., p. 63-4.
74. Ibid., p. 55-6.
75. Ibid., p. 56-67; Rossino, *Hitler Strikes Poland*, p. 88-120, 174-85; Hans Meier-Welcker, *Aufzeichnungen eines Generalstabsoffiziers 1939-1942* (Freiburg im Breisgau, 1982), p. 39 (Colônia, 10 de dezembro de 1939).
76. Hans-Adolf Jacobsen (ed.), *Misstrauische Nachbarn: Deutsche Ostpolitik 1919/1970* (Düsseldorf, 1970), p. 137-41.
77. Ibid., p. 138.
78. Krausnick, *Hitlers Einsatzgruppen*, p. 78-88; Kershaw, *Hitler*, II, p. 247-8; Broszat, *Nationalsozialistische Polenpolitik*, p. 40-1.
79. Para a colaboração do Exército com a SS e os paramilitares alemães étnicos, ver Böhler, *Auftakt*, p. 201-40.
80. Leon Poliakov e Josef Wulf (eds.), *Das Dritte Reich und seine Diener* (Frankfurt am Main, 1959), p. 385-6; Christopher Browning, *The Origins of the Final Solution: The Evolution of Nazi Jewish Policy, September 1939-March 1942* (Lincoln, Nebr., 2004), p. 16-24, 72-80.
81. Rossino, *Hitler Strikes Poland*, p. 174-85; Szymon Datner, *Crimes Committed by the Wehrmacht during the September Campaign and the Period of Military Government* (Posen, 1962); Janusz Gumkowski e Kazimierz Leszczynski, *Poland under Nazi Occupation* (Varsóvia, 1961), p. 53-5.
82. Rossino, *Hitler Strikes Poland*, p. 263, nota 129; Böhler, *Auftakt*, p. 169-80. Ver também Mazower, *Hitler's Empire*, p. 78-96.
83. Koehl, *RKFDV*, p. 14-52; para os planos de Darré, ver Evans, *The Third Reich in Power*, p. 421-5. Essas políticas foram colocadas no contexto da política do pós-guerra polonesa por

Michael G. Esch, *"Gesunde Verhältnisse"*: *Die deutsche und polnische Bevölkerungspolitik in Ostmitteleuropa 1939-1950* (Marburg, 1998); a obra fundamental aqui permanece sendo Koehl, *RKFDV*, que primeiro deixa claras a natureza e as dimensões dos planos nazistas para a reordenação étnica da Europa centro-oriental. Mais recentemente, ver Czeslaw Madajczyk et al. (eds.), *Vom Generalplan Ost zum Generalsiedlungsplan: Dokumente* (Munique, 1994); Götz Aly, *"Final Solution": Nazi Population Policy and the Murder of the European Jews* I (Londres, 1999 [1995]); e Isabel Heinemann, *"Rasse, Siedlung, deutsches Blut": DasRasse-und Siedlungshauptamt der SS und die rassenpolitische Neuordnung Europas* (Göttingen, 2003).
84. Discurso de Hitler em Max Domarus (ed.), *Hitler: Speeches and Proclamations 1932-1945: The Chronicle of a Dictatorship* (4 vols., Londres, 1990- [1962-63]), III: *The Years 1939 to 1940*, p. 1836.
85. Koehl, *RKFDV*, p. 49-58, 247-9.
86. Ibid., p. 49-65; Broszat, *Nationalsozialistische Polenpolitik*, p. 62-5; Götz Aly e Susanne Heim, *Architects of Annihilation: Auschwitz and the Logic of Destruction* (Princeton, N. J., 2002), p. 73-114 (reducionista em termos econômicos); ver também Michael G. Esch, "'Ohne Rücksicht auf historisch Gewordenes': Raumplanung und Raumordnung im besetzten Polen 1939-1944", em Götz Aly et al. (eds.), *Modelle für ein deutsches Europa: Ökonomie und Herrschaft im Grosswirtschaftsraum* (Berlim, 1992), p. 77-123; Philip T. Rutherford, *Prelude to the Final Solution: The Nazi Program for Deporting Ethnic Poles, 1939-1941* (Lawrence, Kans., 2007).
87. Broszat, *Nationalsozialistische Polenpolitik*, p. 43.
88. Klukowski, *Diary*, p. 60 (11 de dezembro de 1939); Broszat, *Nationalsozialistische Polenpolitik*, p. 42-3.
89. Klukowski, *Diary*, p. 88; também p. 120-1 (14 de outubro de 1940).
90. Jacobmeyer, "Der Überfall", p. 23-9; Klukowski, *Diary*, p. 104 (26 de julho de 1940); Koehl, *RKFDV*, p. 126-60; panorama geral e cronologia em Aly, *"Final Solution"*, p. 14--52, e em Madajczyk, *Die Okkupationspolitik*, p. 233-58.
91. Wilm Hosenfeld, *"Ich versuche jeden zu retten": Das Leben eines deutschen Offiziers in Briefen und Tagebüchern* (ed. Thomas Vogel, Munique, 2004), p. 3, 302 (notas, 14 de dezembro de 1939).
92. Ibid., p. 303 (nota de 15 de dezembro de 1939).
93. Koehl, *RKFDV*, p. 49-70; Broszat, *Nationalsozialistische Polenpolitik*, p. 118-37. Para a documentação da política racial alemã, ver Georg Hansen (ed.), *Schulpolitik als Volkstumspolitik: Quellen zur Schulpolitik der Besatzer in Polen 1939-1945* (Münster, 1994), p. 23-80.
94. Wolfgang Michalka (ed.), *Das Dritte Reich* (2 vols., Munique, 1985), II: *Weltmachtanspruch und nationaler Zusammenbruch 1939-1945*, p. 163-6.
95. Clarissa Henry e Marc Hillel, *Children of the SS* (Londres, 1976 [1975]), p. 182-90; Koehl, *RKFDV*, p. 143-5, p. 219-21; Cyprian e Sawicki, *Nazi Rule*, p. 83-91. Para o esquema da "Fonte da Vida", ver Evans, *The Third Reich in Power*, p. 521.
96. Koehl, *RKFDV*, p. 140-2.
97. Citado em Broszat, *Nationalsozialistische Polenpolitik*, p. 129-30 (notas de rodapé).
98. Klukowski, *Diary*, p. 240 (29 de janeiro de 1943).
99. Präg e Jacobmeyer (eds.), *Das Diensttagebuch*, p. 53; ver, em termos mais gerais, Madajczyk, *Die Okkupationspolitik*, p. 42-146.
100. Koehl, *RKFDV*, p. 70-88, 125-40; Präg e Jacobmeyer (eds.), *Das Diensttagebuch*, p. 209--10, 251, 296-7, 303-4.

101. Broszat, *Nationalsozialistische Polenpolitik*, p. 137-57; (Anon.), *The German New Order*, p. 410-1; Aly e Heim, *Architects*, p. 130-59; Cyprian e Sawicki, *Nazi Rule*, p. 92-105; Boguslaw Drewniak, "Die deutsche Verwaltung und die rechtliche Stellung der Polen in den besetzten polnischen Gebieten 1939-1945", *Deutsch-Polnisches Jahrbuch 1979-80*, p. 151-70.
102. Georg Hansen, "'Damit wurde der Warthegau zum Exerzierplatz des praktischen Nationalsozialismus': Eine Fallstudie zur Politik der Einverleibung", em Klessmann (ed.), *September 1939*, p. 55-72; Klessmann, *Die Selbstbehauptung*, p. 19-26; Broszat, *Nationalsozialistische Polenpolitik*, p. 157-76; Georg Hansen, *Ethnische Schulpolitik im besetzten Polen: Der Mustergau Wartheland* (Münster, 1995). Documentação sobre a política para o idioma em Georg Hansen (ed.), *Schulpolitik*, p. 81-106. Para Jäger, ver Evans, *The Third Reich in Power*, p. 224. Ver também Präg e Jacobmeyer (eds.), *Das Diensttagebuch*, p. 314, para a crescente hostilidade de Frank à Igreja Católica no Governo Geral (19 de dezembro de 1940).
103. Jochen August (ed.), *"Sonderaktion Krakau": Die Verhaftung der Krakauer Wissenschaftler am 6. November 1939* (Hamburgo, 1997).
104. Klessmann, *Die Selbstbehauptung*, p. 54-61, 78-107; idem e Wazlaw Dlugoborski, "Nationalsozialistische Bildungspolitik und polnische Hochschulen 1939-1945", *Geschichte und Gesellschaft*, 23 (1997), p. 535-59.
105. Präg e Jacobmeyer (eds.), *Das Diensttagebuch*, p. 53.
106. Hans-Christian Harten, *De-Kulturation und Germanisierung: Die nationalsozialistische Rassen- und Erziehungspolitik in Polen 1939-1945* (Frankfurt am Main, 1996), p. 170-87 (para política cultural) e p. 188-264 (para educação); Evans, *The Nazi New Order*, p. 113--37; Gross, *Polish Society*, p. 75-8.
107. Sword, "Poland", p. 696-7; Gertrude M. Godden, *Murder of a Nation: German Destruction of Polish Culture* (Londres, 1943), p. 7-56.
108. Klukowski, *Diary*, p. 54, 72; ver, em termos mais gerais, Christoph Klessmann, "Die kulturelle Selbstbehauptung der polnischen Nation", em idem (ed.), *September 1939*, p. 117-38; idem, *Die Selbstbehauptung*, p. 108-82; idem, "Die Zerstörung des Schulwesens als Bestandteil deutscher Okkupationspolitik im Osten am Beispiel Polens", em Manfred Heinemann (ed.), *Erziehung und Schulung im Dritten Reich*, I: *Kindergarten, Schule, Jugend, Berufserziehung* (Stuttgart, 1980), p. 176-92; e extensiva documentação em Hansen (ed.), *Schulpolitik*, p. 107-411.
109. Klukowski, *Diary*, p. 146 (18 de abril de 1941).
110. Ibid., p. 126 (25 de novembro de 1940); Madajczyk, *Die Okkupationspolitik*, p. 333-64. Para os efeitos a longo prazo, ver Waclaw Dlugoborski, "Die deutsche Besatzungspolitik und die Veränderungen der sozialen Struktur Polens 1939-1945", em idem (ed.), *Zweiter Weltkrieg und sozialer Wandel: Achsenmächte und besetzte Länder* (Göttingen, 1981), p. 303-63.
111. Koehl, *RKFDV*, p. 49, 76, 89-100, 254; Aly, *"Final Solution"*, p. 59-81.
112. Matthias Hamann, "Erwünscht und unerwünscht: Die rassenpsychologische Selektion der Ausländer", em Götz Aly et al. (eds.), *Herrenmensch und Arbeitsvölker: Ausländische Arbeiter und Deutsche 1939-1945* (Berlim, 1986), p. 143-80; Koehl, *RKFDV*, p. 100-10.
113. Ibid., p. 209-37.
114. Ibid., p. 129, 160-1.
115. Klukowski, *Diary*, p. 253-4 (17 de maio de 1943).
116. Ibid., p. 264-9 (2-11 de julho de 1943), p. 274-5 (1º de agosto de 1943); contexto mais amplo em Michael Hartenstein, *Neue Dorflandschaften: Nationalsozialistische Siedlungsplanung in den "eingegliederten Ostgebieten": 1939 und 1944* (Berlim, 1998).

117. Aly e Heim, *Architects*, p. 275-9 (de novo enfatizando excessivamente as motivações econômicas); Henry e Hillel, *Children*, p. 180-1; Housden, *Hans Frank*, p. 187-9, 203; Madajczyk, *Die Okkupationspolitik*, p. 422-30.
118. Klukowski, *Diary*, p. 271 (15 de julho de 1943), p. 289 (28 de novembro de 1943).
119. Ibid., p. 277-8 (18-27 de agosto de 1943).
120. Götz Aly, "The Posen Diaries of the Anatomist Hermann Voss", em Götz Aly *et al.*, *Cleansing the Fatherland: Nazi Medicine and Racial Hygiene* (Baltimore, Md., 1994), p. 99--155, na p. 127 (24 de maio de 1941), p. 128 (2 de junho de 1941), p. 130 (15 de junho de 1941).
121. Jost Hermand, *Als Pimpf in Polen: Erweiterte Kinderlandverschickung 1940-1945* (Frankfurt am Main, 1993), p. 78-118.
122. Maschmann, *Account Rendered*, p. 110-9.
123. Ibid., p. 127-9.
124. Elizabeth Harvey, *Women and the Nazi East: Agents and Witnesses of Germanization* (Londres, 2003), esp. p. 78-118 (recrutamento) e p. 119-90; mais genericamente, para as várias atitudes dos alemães em relação aos poloneses, ver Madajczyk, *Die Okkupationspolitik*, p. 166-85.
125. Alcuin (pseud.), *I Saw Poland Suffer*, p. 62-8.
126. Broszat, *Nationalsozialistische Polenpolitik*, p. 80-4; Joachim C. Fest, *The Face of the Third Reich* (Londres, 1979 [1963]), p. 322-31; Gross, *Polish Society*, p. 45-62, 145-59; Housden, *Hans Frank*, p. 154-76.
127. Citado em Gross, *Polish Society*, p. 110; preocupação sobre o mercado negro registrada em Präg e Jacobmeyer (eds.), *Das Diensttagebuch*, p. 88 (16 de janeiro de 1940).
128. Madajczyk, *Die Okkupationspolitik*, p. 596-602.
129. Klukowski, *Diary*, p. 70.
130. Ibid., p. 74.
131. Ibid., p. 119 (1º de outubro de 1940); ver também Tomasz Szarota, *Warschau unter dem Hakenkreuz: Leben und Alltag im besetzten Warschau 1.10.1939 bis 31.7.1944* (Paderborn, 1985 [1973]), p. 80-1, 113-4.
132. Jacobmeyer, "Der Überfall", p. 29-31.
133. Sword, "Poland", p. 697; Czeslaw Luczak, "Landwirtschaft und Ernährung in Polen während der deutschen Besatzungszeit 1939-1945", em Bernd Märtin e Alan S. Milward (eds.), *Agriculture and Food Supply in the Second World War* (Ostfildern, 1985), p. 117-27.
134. Natalija Decker, "Die Auswirkungen der faschistischen Okkupation auf das Gesundheitswesen Polens und den Gesundheitszustand des polnischen Volkes", em Achim Thom e Genadij Caregorodcev (eds.), *Medizin unterm Hakenkreuz* (Berlim, 1989), p. 401-16; também Madajczyk, *Die Okkupationspolitik*, p. 261-307, para a vida cotidiana sob os alemães.
135. Klukowski, *Diary*, p. 77 (19 de fevereiro de 1940), p. 105-6 (1º de agosto de 1940), p. 126 (23 de novembro de 1940), p. 132 (4 de janeiro de 1941). Para informantes, ver Wlodzimierz Borodziej, *Terror und Politik: Die deutsche Polizei und die polnische Widerstandsbewegung im Generalgouvernement 1939-1944* (Mainz, 1999), p. 136-61.
136. Klukowski, *Diary*, p. 85 (25 de abril de 1940).
137. Para comparações, ver Waclaw Dlugoborski, "Deutsche und sowjetische Herrschaftssysteme in Ostmitteleuropa im Vergleich", em Gerhard Otto e Johannes Houwink ten Cate (eds.), *Das organisierte Chaos: "Ämterdarwinismus" und "Gesinnungsethik": Determinanten nationalsozialistischer Besatzungsherrschaft* (Berlim, 1999), p. 93-121; idem

e Czeslaw Madajczyk, "Ausbeutungssysteme in den besetzten Gebieten Polens und der UdSSR", em Friedrich Forstmeier e Hans-Erich Volkmann (eds.), *Kriegswirtschaft und Rüstung 1939-1945* (Düsseldorf, 1977), p. 375-416.

138. Janusz K. Zawodny, *Death in the Forest: The Story of the Katyn Forest Massacre* (Londres, 1971); Wladyslaw T. Bartoszewski, "Foreword", em Salomon W. Slowes, *The Road to Katyn: A Soldier's Story* (Oxford, 1992), p. vii-xxxii; e, mais recentemente, Gerd Kaiser, *Katyn: Das Staatsverbrechen – das Staatsgeheimnis* (Berlim, 2002), e Anna M. Cienciala *et al.*, *Katyn: A Crime without Punishment* (Londres, 2006).

139. Sword, "Poland", p. 698-9; Garlinski, *Poland*, p. 32-7; Norman Davies, *God's Playground: A History of Poland* (2 vols., Oxford, 1981), II, p. 447-53; Jan T. Gross, *Revolution from Abroad: The Soviet Conquest of Poland's Western Ukraine and Western Belorussia* (Princeton, N. J., 1988), esp. p. 35-45 (violência entre comunidades), p. 71-113 (plebiscitos), p. 144- -86 (prisões) e p. 187-224 (deportações).

140. Friedländer, *The Years of Extermination*, p. 43-8; ver também, em termos mais gerais, Norman Davies e Antony Polonsky (eds.), *Jews in Eastern Poland and the USSR, 1939- -1946* (Nova York, 1991), e Jan T. Gross, "A Tangled Web: Confronting Stereotypes Concerning Relations between Poles, Germans, Jews, and Communists", em István Déak *et al.* (eds.), *The Politics of Retribution in Europe: World War II and its Aftermath* (Princeton, N. J., 2000), p. 74-129, provavelmente, porém, subestimando a colaboração judaica com a administração soviética (p. 97-8): ver a detalhada pesquisa de Alexander B. Rossino, "Polish 'Neighbors' and German Invaders: Anti-Jewish Violence in the Bialystok District during the Opening Weeks of Operation Barbarossa", *Polin: Studies in Polish Jewry*, 16 (2003), p. 431-52; e Bogdan Musial, *"Konterrevolutionäre Elemente sind zu erschiessen": Die Brutalisierung des deutsch-sowjetischen Krieges im Sommer 1941* (Berlim, 2000), p. 57-73.

141. Mazower, *Hitler's Empire*, p. 96-101.

142. Para o antissemitismo nazista, ver Evans, *The Coming of the Third Reich*, p. 172-4; idem, *The Third Reich in Power*, p. 536-610.

143. Wladyslaw Bartoszewski, "Polen und Juden in der deutschen Besatzungszeit", em Klessmann (ed.), *September 1939*, p. 139-55, nas p. 139-41; Evans, *The Third Reich in Power*, p. 605-7; Peter Longerich, *Politik der Vernichtung: Eine Gesamtdarstellung der nationalsozialistischen Judenverfolgung* (Munique, 1998), p. 252; Friedländer, *The Years of Extermination*, p. 24-30.

144. Evans, *The Third Reich in Power*, p. 578-9; Sybil H. Milton, "The Expulsion of Polish Jews from Germany, October 1938 to July 1939: A Documentation", *Leo Baeck Institute Yearbook*, 29 (1984), p. 169-74.

145. Longerich, *Politik*, p. 249-50; também Werner Röhr, "Zum Zusammenhang von nazistischer Okkupationspolitik in Polen und dem Völkermord an den polnischen Juden", em idem *et al.* (eds.), *Faschismus und Rassismus: Kontroversen um Ideologie und Opfer* (Berlim, 1992), p. 300-16.

146. Rossino, *Hitler Strikes Poland*, p. 88-115; Halder, *Kriegstagebuch*, I, p. 67 (10 de setembro de 1939).

147. Walter Manoschek (ed.), *"Es gibt nur Eines für das Judentum: Vernichtung": Das Judenbild in deutschen Soldatenbriefen 1939-1941* (Hamburgo, 1997 [1995]).

148. Citado em Browning, *The Origins*, p. 114.

149. Otto Dietrich, *Auf den Strassen des Sieges Erlebnisse mit dem Führer in Polen: Ein Gemeinschaftsbuch* (Munique, 1939), citado em Richard Breitman, *The Architect of Genocide: Himmler and the Final Solution* (Londres, 1991), p. 73.

150. Fröhlich (ed.), *Die Tagebücher*, I/VII, p. 177-9 (2 de novembro de 1939).
151. David Welch, *Propaganda and the German Cinema 1933-1945* (Oxford, 1983), p. 292-3.
152. Böhler, *Auftakt*, p. 197-200, para um relato geral sucinto; ibid., p. 188-97, para os preconceitos e as ações antissemitas dos soldados comuns.
153. Kaplan, *Scroll*, p. 25 (4 de outubro de 1939), p. 28 (6 de outubro de 1939), p. 69 (16 de dezembro de 1939); Umbreit, *Deutsche Militärverwaltungen*, p. 205-11; ver o relato sucinto e um tanto inconclusivo sobre estupros em Böhler, *Auftakt*, p. 186-7, e exemplos de estupro de mulheres judias por soldados alemães em ibid., p. 197-200.
154. Klukowski, *Diary*, p. 30, 45-8.
155. Ibid., p. 78; ver também Gross, *Polish Society*, p. 92-109; exemplos adicionais em Kaplan, *Scroll*, p. 30 (12 de outubro de 1939); para a Igreja, Dawid Sierakowiak, *The Diary of Dawid Sierakowiak* (ed. Alan Adelson, Londres, 1996), p. 54; Anna Landau-Czajka, "The Jewish Question in Poland: Views Expressed in the Catholic Press between the Two World Wars", *Polin: Studies in Polish Jewry*, 11 (1998), p. 263-78; Brian Porter, "Making a Space for Antisemitism: The Catholic Hierarchy and the Jews in the Early Twentieth Century", *Polin: Studies in Polish Jewry*, 16 (2003), p. 415-29; e Klukowski, *Diary*, p. 40.
156. Ibid., p. 45.
157. Ibid., p. 38-42.
158. Ibid., p. 52-3.
159. Ibid., p. 62-3.
160. Ibid., p. 83.
161. Präg e Jacobmeyer (eds.), *Diensttagebuch*, p. 176-7; Omer Bartov, *Hitler's Army: Soldiers, Nazis, and War in the Third Reich* (Nova York, 1991), p. 64; Alexander Rossino, "Destructive Impulses: German Soldiers and the Conquest of Poland", *Holocaust and Genocide Studies*, 11 (1997), p. 351-65.
162. Gefr. H. K., 12 de agosto de 1940, citado em Manoschek (ed.), *"Es gibt nur Eines"*, p. 15.
163. O. Gefr. J. E., 30 de dezembro de 1939, citado em ibid., p. 12.
164. Emanuel Ringelblum, *Notes from the Warsaw Ghetto: The Journal of Emanuel Ringelblum* (Nova York, 1958 [1952]), p. 24, 27, 34.
165. Ibid., p. 47, também p. 33, 254.
166. Ibid., p. 68.
167. Ibid., p. 79.
168. Ibid., p. 84.
169. Mark Spoerer, *Zwangsarbeit unter dem Hakenkreuz: Ausländische Zivilarbeiter, Kriegsgefangere und Häftlinge im Deutschen Reich und im besetzten Europa 1939-1945* (Stuttgart, 2001), p. 45; Böhler, *Auftakt*, p. 177-8; Shmuel Krakowski, "The Fate of Polish Prisoners of War in the September 1939 Camps", *Yad Vashem Studies*, 12 (1977), p. 296--333.
170. Kaplan, *Scroll*, p. 29 (10 de outubro de 1939); exemplos adicionais em Emanuel Ringelblum, *Polish-Jewish Relations during the Second World War* (Jerusalém, 1974), p. 23-57 (também com detalhes sobre a participação polonesa).
171. Tatiana Berenstein et al. (eds.), *Faschismus – Getto – Massenmord: Dokumentation über Ausrottung und Widerstand der Juden in Polen während des Zweiten Weltkrieges* (Berlim, 1960), p. 219-21; Dieter Pohl, *Von der "Judenpolitik" zum Judenmord: Der Distrikt Lublin des Generalgouvernements 1939-1944* (Frankfurt am Main, 1993), p. 22-5.
172. Sierakowiak, *The Diary*, p. 37 (10 de setembro de 1939), p. 38 (13 de setembro de 1939), p. 39 (15 de setembro de 1939), p. 40 (17 de setembro de 1939), p. 41 (19 de setembro de

1939), p. 52 (14 de outubro de 1939), p. 56 (27 de outubro de 1939), p. 63 (16 de novembro de 1939), p. 66 (30 de novembro de 1939), p. 69-70 (12 de dezembro de 1939).
173. Ibid., p. 111 (9 de setembro de 1940).
174. Ver mais genericamente Madajczyk, *Die Okkupationspolitik*, p. 258-60, para a deportação de judeus no contexto do programa de reassentamento alemão.
175. Longerich, *Politik*, p. 251-61; Hans Safrian, *Die Eichmann-Männer* (Viena, 1993), p. 68-86; Christopher Browning, *The Path to Genocide: Essays on Launching the Final Solution* (Cambridge, 1992), p. 3-11; idem, *Nazi Policy, Jewish Workers, German Killers* (Cambridge, 2000), p. 1-15; idem, *The Origins*, p. 36-43; David Cesarani, *Eichmann: His Life and Crimes* (Londres, 2004), p. 78-81; Pohl, *Von der "Judenpolitik"*, p. 15-21, 26-31, 47-55; a ordem de Himmler para a deportação de todos os judeus dos territórios incorporados relatada em 31 de outubro de 1939 em Präg e Jacobmeyer (eds.), *Das Diensttagebuch*, p. 52; mais detalhes em Seev Goshen, "Eichmann und die Nisko-Aktion im Oktober 1939: Eine Fallstudie zur NS-Judenpolitik in der letzten Etappe vor der 'Endlösung'", *VfZ* 29 (1981), p. 74-96, e idem, "Nisko – Ein Ausnahmefall unter den Judenlagern der SS", *VfZ* 40 (1992), p. 95-106.
176. Safrian, *Die Eichmann-Männer*, p. 87-104.
177. Aly e Heim, *Architects*, p. 156-9; Longerich, *Politik*, p. 253-61.
178. Browning, *The Path to Genocide*, p. 28-30; idem, *The Origins*, p. 36-81, 89-110 (números na p. 109); Longerich, *Politik*, p. 266-9.
179. Shirer, *Berlin Diary*, p. 197-8.
180. Evans, *The Third Reich in Power*, p. 660-1.
181. Gustavo Corni, *Hitler's Ghettos: Voices from a Beleaguered Society 1939-1944* (Londres, 2002), p. 22-4; preocupações de Frank em Präg e Jacobmeyer (eds.), *Das Diensttagebuch*, p. 95, 146-7.
182. Sierakowiak, *The Diary*, p. 71 (15 de dezembro 1939).
183. Browning, *The Origins*, p. 111-8; também Berenstein et al. (eds.), *Faschismus*, p. 78-81, para a ordem de 10 de dezembro de 1939; também Lucjan Dobroszycki (ed.), *The Chronicle of the Lodz Ghetto 1941-1944* (New Haven, Conn., 1984), em especial a Introdução.
184. Friedländer, *The Years of Extermination*, p. 105-6.
185. Isaiah Trunk, *Judenrat: The Jewish Councils in Eastern Europe under Nazi Occupation* (Nova York, 1972), permanece insuperável como o relato abalizado sobre essas instituições. Para a origem, ver ibid., p. 1-55. A filósofa política Hannah Arendt, em seu brilhante e inflexível livro *Eichmann in Jerusalem* (Nova York, 1963), celebremente acusou esses organismos de cumplicidade com a política de assassinato em massa do Terceiro Reich. Entretanto, a margem de manobra aberta para eles e seus membros era mínima, conforme destaca Friedländer, *The Years of Extermination*, p. xxiii-xxiv; ver também Aharon Weiss, "Jewish Leadership in Occupied Poland: Postures and Attitudes", *Yad Vashem Studies*, 12 (1977), p. 335-65.
186. Browning, *The Origins*, p. 114-20; Corni, *Hitler's Ghettos*, p. 82-3; Aly e Heim, *Architects*, p. 186-214.
187. Corni, *Hitler's Ghettos*, p. 84-6; Isaiah Trunk, *Lodz Ghetto: A History* (Bloomington, Ind., 2006 [1962]), p. 32-103. Para uma defesa eloquente de Rumkowski, ver Gordon J. Horwitz, *Ghettostadt: Lodz and the Making of a Nazi City* (Londres, 2008), esp. p. 75-88 e p. 311-7.
188. Corni, *Hitler's Ghettos*, p. 24-31, 78-81; Präg e Jacobmeyer (eds.), *Das Diensttagebuch*, p. 91, 94.

189. Corni, *Hitler's Ghettos*, p. 27-9.
190. Friedländer, *The Years of Extermination*, p. 104-6.
191. Ringelblum, *Notes*, p. 86-7 (19 de novembro de 1940). Ringelblum sempre teve o cuidado de distinguir soldados regulares, como aqui, de homens da SS e da Gestapo. Ver ibid., p. 114-5, para um exemplo.
192. Berenstein *et al.* (eds.), *Faschismus*, p. 108-13; Browning, *The Origins*, p. 121-31.
193. Czerniakow, *The Warsaw Diary*, p. 237 (17 de maio de 1941).
194. Nachman Blumenthal, "A Martyr or Hero? Reflections on the Diary of Adam Czerniakow", *Yad Vashem Studies*, 7 (1968), p. 165-71; Joseph Kermish, "Introduction", em Czerniakow, *The Warsaw Diary*, p. 1-24, na p. 19; Czerniakow, *The Warsaw Diary*, p. 295 (1º de novembro de 1941); Trunk, *Judenrat*; minutas da reunião de 6-7 de junho de 1940 em Präg e Jacobmeyer (eds.), *Das Diensttagebuch*, p. 232, 239 (ponto 8).
195. Berenstein *et al.* (eds.), *Faschismus*, p. 138; Friedländer, *The Years of Extermination*, p. 105-7; Trunk, *Judenrat*, p. 165; ver também Yisrael Gutman, *The Jews of Warsaw, 1939-1943: Ghetto, Underground, Revolt* (Bloomington, Ind., 1982).
196. Corni, *Hitler's Ghettos*, p. 204-7, 215.
197. Ringelblum, *Notes*, p. 241.
198. Ibid., p. 181, 194.
199. Berenstein *et al.* (eds.), *Faschismus*, p. 152-3.
200. Charles G. Roland, *Courage under Siege: Starvation, Disease, and Death in the Warsaw Ghetto* (Nova York, 1992), p. 39, 99-101, 154-65.
201. Klukowski, *Diary*, p. 168 (3 de setembro de 1941).
202. Ringelblum, *Notes*, p. 268.
203. Ibid., p. 224 (19 de fevereiro de 1941); Corni, *Hitler's Ghettos*, p. 119-56; Trunk, *Judenrat*, p. 96-9.
204. Ibid., *passim*, esp. p. 100-55; e em especial Gunnar S. Paulsson, *Secret City: The Hidden Jews of Warsaw, 1940-1945* (Londres, 2003); e Yisrael Gutman e Shmuel Krakowski, *Unequal Victims: Poles and Jews during World War Two* (Nova York, 1986), p. 32-3.
205. Hosenfeld, "Ich versuche", p. 534 (nota de 27 de setembro de 1941).
206. Kaplan, *Scroll*, p. 221-2 (14 de fevereiro de 1941).
207. Szarota, *Warschau*, p. 46; Ringelblum, *Notes*, p. 181.
208. Maschmann, *Account Rendered*, p. 81-2.
209. Uff. H. Z., 30 de junho de 1941, citado em Manoschek (ed.), *"Es gibt nur Eines"*, p. 30.
210. Hosenfeld, "Ich versuche", p. 452 (nota de 3 de março de 1941).
211. Corni, *Hitler's Ghettos*, p. 139-56; Czerniakow, *The Warsaw Diary*, p. 363 (6 de junho de 1942), p. 373 (2 de julho de 1942); Ringelblum, *Polish-Jewish Relations*; Ringelblum, *Notes*.
212. Browning, *The Origins*, p. 175-8; ver também Wolf Gruner, *Die geschlossene Arbeitseinsatz deutscher Juden: Zur Zwangsarbeit als Element der Verfolgung, 1938-1943* (Berlim, 1997); e Dieter Maier, *Arbeitseinsatz und Deportation: Die Mitwirkung der Arbeitsverwaltung bei der nationalsozialistischen Judenverfolgung in den Jahren 1938-1945* (Berlim, 1994).
213. Friedländer, *The Years of Extermination*, p. 193-4; Hillel Levine, *In Search of Sugihara: The Elusive Japanese Diplomat Who Risked His Life to Rescue 10,000 Jews from the Holocaust* (Nova York, 1996).
214. Juliane Wetzel, "Auswanderung aus Deutschland", em Wolfgang Benz (ed.), *Die Juden in Deutschland 1933-1945: Leben unter nationalsozialistischer Herrschaft* (Munique, 1988), p. 413-98, esp. p. 472-98.

215. Volker Dahm, "Kulturelles und geistiges Leben", em Benz (ed.), *Die Juden*, p. 75-267, esp. p. 223-57 ("Kulturelles und geistiges Leben 1939-41").
216. Günter Plum, "Deutsche Juden oder Juden in Deutschland?", em Benz (ed.), *Die Juden*, p. 35-74, esp. p. 71-2.
217. Browning, *The Origins*, p. 169-75; Eric A. Johnson, *Nazi Terror: The Gestapo, Jews, and Ordinary Germans* (Nova York, 1999), p. 355-8, 382-95; casos de "contaminação racial" em Patricia Szobar, "Telling Sexual Stories in the Nazi Courts of Law: Race Defilement in Germany 1933-1945", *Journal of the History of Sexuality*, 11 (2002), p. 131-63. Para o racionamento, ver Marion Kaplan, "Jewish Daily Life in Wartime Germany", em David Bankier (ed.), *Probing the Depths of German Antisemitism: German Society and the Persecution of the Jews, 1933-1941* (Jerusalém, 2000), p. 395-412, nas p. 396-8.
218. Friedländer, *The Years of Extermination*, p. 93-4.
219. Ibid., p. 51-2.
220. Evans, *The Third Reich in Power*, p. 567-8, 601-2.
221. Victor Klemperer, *I Shall Bear Witness: The Diaries of Victor Klemperer 1933-41* (Londres, 1998 [1995]), p. 114, 266-9, 279, 292-336, citações na p. 324 (26 de maio de 1940), p. 325 (26 de maio de 1940), p. 336 (11 de agosto de 1940); idem, *To the Bitter End: The Diaries of Victor Klemperer 1942-45* (Londres, 1998 [1995]), p. 31 (24 de março de 1942).
222. Klemperer, *I Shall Bear Witness*, p. 337-99.
223. Evans, *The Third Reich in Power*, p. 524-7.
224. Michael Zimmermann, *Rassenutopie und Genozid: Die nationalsozialistische "Lösung der Zigeunerfrage"* (Hamburgo, 1996), p. 193-9.
225. Browning, *The Origins*, p. 178-84; Henry Friedlander, *The Origins of Nazi Genocide: From Euthanasia to the Final Solution* (Chapel Hill, N. C., 1995), p. 246-62; Sybil H. Milton, "'Gypsies' as Social Outsiders in Nazi Germany", em Robert Gellately e Nathan Stolzfus (eds.), *Social Outsiders in Nazi Germany* (Princeton, N. J., 2001), p. 212-32, esp. p. 223-5.
226. Guenter Lewy, *The Nazi Persecution of the Gypsies* (Nova York, 2000), p. 65-81; Zimmermann, *Rassenutopie*, p. 167-84, 200-7.
227. Volker Riess, *Die Anfänge der Vernichtung "lebensunwerten Lebens" in den Reichsgauen Danzig-Westpreussen und Wartheland 1939/40* (Frankfurt am Main, 1995), p. 21-4, 98.
228. Ibid., p. 355-8. Para os vagões de gás, ver Matthias Beer, "Die Entwicklung der Gaswagen beim Mord an den Juden", *VfZ* 35 (1987), p. 403-17.
229. Klukowski, *Diary*, p. 76 (18 de fevereiro de 1940).
230. Longerich, *Politik*, p. 236-7; Ernst Klee (ed.), *Dokumente zur "Euthanasie"* (Frankfurt am Main, 1985), p. 70-81; Michael Burleigh, *Death and Deliverance: "Euthanasia" in Germany, c. 1900-1945* (Cambridge, 1994), p. 130-3.
231. Longerich, *Politik*, p. 234-5, 648, nota 36, argumentando de modo persuasivo contra a alegação de Götz Aly de que as chacinas mantinham conexão causal com os planos de reassentar alemães étnicos na área (Aly, *"Final Solution"*, p. 70-6; idem, "Medicine against the Useless", em idem *et al., Cleansing the Fatherland: Nazi Medicine and Racial Hygiene* (Baltimore, Md., 1994), p. 22-98).
232. Riess, *Die Anfänge*, p. 359; também Ernst Klee, *"Euthanasie" im NS-Staat: Die "Vernichtung lebensunwerten Lebens"* (Frankfurt am Main, 1985 [1983]), p. 95-8, 112-5; e Burleigh, *Death*, p. 130.
233. Citado em Kurt Nowak, *"Euthanasie" und Sterilisierung im "Dritten Reich" – Die Konfrontation der evangelischen und katholischen Kirche mit dem "Gesetz zur Verhütung erbkranken Nachwuchses" und der "Euthanasie"-Aktion* (Göttingen, 1984 [1977]), p. 63-4.

234. Evans, *The Coming of the Third Reich*, p. 35-8, 143-5, 377-8; idem, *The Third Reich in Power*, p. 506-15.
235. Hans-Walter Schmuhl, "Die Patientenmorde", em Angelika Ebbinghaus e Klaus Dörner (eds.), *Vernichten und Heilen: Der Nürnberger Ärzteprozess und seine Folgen* (Berlim, 2001), p. 295-328, na p. 301; Klee (ed.), *Dokumente*, p. 35-64.
236. Citado em Burleigh, *Death*, p. 97; Klee, *"Euthanasie"*, p. 76-7; citação de Wagner em Eugen Kogon *et al.* (eds.), *Nationalsozialistische Massentötungen durch Giftgas: Eine Dokumentation* (Frankfurt am Main, 1983), p. 28-9; Hans-Walter Schmuhl, *Rassenhygiene, Nationalsozialismus, Euthanasie: Von der Verhütung zur Vernichtung "lebensunwerten Lebens", 1890-1945* (Göttingen, 1987), p. 149-50, 178-81.
237. Riess, *Die Anfänge*, p. 281-90; Karl Heinz Roth e Götz Aly, "Das 'Gesetz über die Sterbehilfe bei unheilbar Kranken': Protokolle der Diskussion über die Legalisierung der nationalsozialistischen Anstaltsmorde in den Jahren 1938-1941", em Karl Heinz Roth (ed.), *Erfassung zur Vernichtung: Von der Sozialhygiene zum "Gesetz über Sterbehilfe"* (Berlim, 1984), p. 101-79, nas p. 104-11; Friedlander, *The Origins*, p. 39-44; Burleigh, *Death*, p. 93-100; Klee, *"Euthanasie"*, p. 77-81; Longerich, *Politik*, p. 234-5. A cronologia desses acontecimentos foi exaustivamente recapitulada em Ulf Schmidt, "Reassessing the Beginning of the 'Euthanasia' Programme", *German History*, 17 (1999), p. 543-50, que também apresenta efetivamente os relatos padrão sobre o nome e a anamnese do bebê de Leipzig cujo estado de saúde deu a Hitler o pretexto para o lançamento da ação. Ver também Ulf Schmidt, *Karl Brandt: The Nazi Doctor: Medicine and Power in the Third Reich* (Londres, 2007), p. 117-23 (para o caso) e p. 123-46 (para o lançamento do programa).
238. Roth e Aly, "Das 'Gesetz'", p. 112-7; Burleigh, *Death*, p. 98-9; Friedlander, *The Origins*, p. 44-6.
239. Ibid., p. 67-8; Klee (ed.), *Dokumente*, p. 85-91; Christian Ganssmüller, *Die Erbgesundheitspolitik des Dritten Reiches: Planung, Durchführung und Durchsetzung* (Colônia, 1987), p. 158-70.
240. Klee, *"Euthanasie"*, p. 80-1.
241. Burleigh, *Death*, p. 99-101; Klee, *"Euthanasie"*, p. 82-95; Klee (ed.), *Dokumente*, p. 238--45, 295-307; Ganssmüller, *Die Erbgesundheitspolitik*, p. 150-5. Para Binding e Hoche, ver Evans, *The Coming of the Third Reich*, p. 145.
242. Götz Aly, "Der Mord an behinderten Hamburger Kindern zwischen 1939 und 1945", em Angelika Ebbinghaus *et al.* (eds.), *Heilen und Vernichten im Mustergau Hamburg: Bevölkerungs- und Gesundheitspolitik im Dritten Reich* (Hamburgo, 1984), p. 147-55; Burleigh, *Death*, p. 101-11; Schmuhl, "Die Patientenmorde", p. 302; idem, *Rassenhygiene*, p. 182-9.
243. Citado em Friedlander, *The Origins*, p. 50.
244. Aly, "Der Mord", p. 151; Schmuhl, *Rassenhygiene*, p. 188-9.
245. Citado em Aly, "Der Mord", p. 148; ver também Burleigh, *Death*, p. 100; Schmuhl, "Die Patientenmorde", p. 305-6, e Gerhard Baader, "Heilen und Vernichten: Die Mentalität der NS-Ärzte", em Ebbinghaus e Dörner (eds.), *Vernichten und Heilen*, p. 275-94.
246. Friedlander, *The Origins*, p. 68-9; Ganssmüller, *Die Erbgesundheitspolitik*, p. 155-7.
247. Bom panorama geral básico em Armin Trus, *"... vom Leid erlösen": Zur Geschichte der nationalsozialistischen "Euthanasie"-Verbrechen: Texte und Materialien für Unterricht und Studium* (Frankfurt am Main, 1995), p. 91-7; mais detalhes em Schmuhl, *Rassenhygiene*, p. 190-5.
248. Friedlander, *The Origins*, p. 65-6; Burleigh, *Death*, p. 113-4.

249. Friedlander, *The Origins*, p. 86-7; Schmuhl, *Rassenhygiene*, p. 195-7; Widmann, citado em Klee (ed.), *Dokumente*, p. 69.
250. Riess, *Die Anfänge*, p. 355-8.
251. Friedlander, *The Origins*, p. 86-94.
252. Ibid., p. 73-84; Klee, *"Euthanasie"*, p. 115-23; Klee (ed.), *Dokumente*, p. 92-104; Burleigh, *Death*, p. 128-9.
253. Schmuhl, *Rassenhygiene*, p. 202-3, 215-7.
254. Friedlander, *The Origins*, p. 83-5; Klee, *"Euthanasie"*, p. 174-90; Klee (ed.), *Dokumente*, p. 105-16, 184-90; Burleigh, *Death*, p. 135-46.
255. Citado em Klee (ed.), *Dokumente*, 125 (*box*); ver também, sobre o procedimento, Friedlander, *The Origins*, p. 93-110.
256. Klee, *"Euthanasie"*, p. 149-52; Klee (ed.), *Dokumente*, p. 149-59; Burleigh, *Death*, p. 146--9; Schmuhl, *Rassenhygiene*, p. 203-8.
257. Friedlander, *The Origins*, p. 85.
258. Wirth, citado em Klee (ed.), *Dokumente*, p. 124-5; também, em termos mais gerais, ibid., p. 119-42; Friedlander, *The Origins*, p. 102-6; e Burleigh, *Death*, p. 149-57.
259. Friedlander, *The Origins*, p. 109-10. Ver também Johannes Tuchel (ed.), *"Kein Recht auf Leben": Beiträge und Dokumente zur Entrechtung und Vernichtung "lebensunwerten Lebens" im Nationalsozialismus* (Berlim, 1984), e Roland Müller (ed.), *Krankenmord im Nationalsozialismus: Grafeneck und die "Euthanasie" in Südwestdeutschland* (Stuttgart, 2001), uma coleção de documentos de conferência.
260. Burleigh, *Death*, p. 169-73.
261. Tudo citado em Klee, *"Euthanasie"*, p. 310; ver também Schmuhl, *Rassenhygiene*, p. 207-11.
262. Klee (ed.), *Dokumente*, p. 209; Friedlander, *The Origins*, p. 116-21; Lothar Gruchmann, "Ein unbequemer Amtsrichter im Dritten Reich: Aus den Personalakten des Dr. Lothar Kreyssig", *VfZ* 32 (1984), p. 462-88.
263. Klee, *"Euthanasie"*, p. 255-8; ver, de modo mais geral, Nowak, *"Euthanasie" und Sterilisierung*.
264. Shirer, *Berlin Diary*, p. 398-401, 447-51.
265. Klee (ed.), *Dokumente*, p. 151-62 (republicando o memorando na íntegra); Klee, *"Euthanasie"*, p. 285.
266. Citado em Klee (ed.), *Dokumente*, p. 213-4.
267. Friedlander, *The Origins*, p. 113-4; Burleigh, *Death*, p. 166-9; Ganssmüller, *Die Erbgesundheitspolitik*, p. 170-2; Schmuhl, *Rassenhygiene*, p. 312-46.
268. Ulrich von Hassell, *The von Hassell Diaries: The Story of the Forces against Hitler inside Germany 1938-1944* (Boulder, Colo., 1994 [1946]), p. 150, 159, 165.
269. Klee (ed.), *Dokumente*, p. 143.
270. Klee, *"Euthanasie"*, p. 278-85; Burleigh, *Death*, p. 167-8.
271. Klee, *"Euthanasie"*, p. 234-53.
272. Beth A. Griech-Polelle, *Bishop von Galen: German Catholicism and National Socialism* (New Haven, Conn., 2002), p. 77; Evans, *The Third Reich in Power*, p. 515-6.
273. Ibid., p. 239.
274. Klee (ed.), *Dokumente*, p. 167-8, 193.
275. Ibid., p. 170-3; Griech-Polelle, *Bishop von Galen*, p. 76-7.
276. Klee (ed.), *Dokumente*, p. 182-4; Burleigh, *Death*, p. 174-6; Griech-Polelle, *Bishop von Galen*, p. 76-8 (mas citando as palavras de Burleigh como se fossem de Faulhaber).
277. Klee (ed.), *Dokumente*, p. 183.

278. Ibid., p. 184. A ênfase desses vários documentos sobre a ilegitimidade do assassinato de inocentes refletiu o apoio de longa data da Igreja Católica e suas organizações leigas à pena de morte: ver Richard J. Evans, *Rituals of Retribution: Capital Punishment in Germany 1600-1987* (Oxford, 1996), p. 76-7, 332-3, 336-8, 432-3, 604-6, 654-5, 711-4, 797-9.
279. Klee (ed.), *Dokumente*, p. 193; visão geral em Schmuhl, *Rassenhygiene*, p. 346-54.
280. Klee (ed.), *Dokumente*, p. 82-3, 178-86.
281. Griech-Polelle, *Bishop von Galen*, p. 84-5, 186-96; Burleigh, *Death*, p. 176-8.
282. Trus, "...*vom Leid erlösen*", p. 147-8.
283. Griech-Polelle, *Bishop von Galen*, p. 86; Klee, "*Euthanasie*", p. 335-9.
284. Joachim Kuropka (ed.), *Meldungen aus Münster, 1924-1944: Geheime und vertrauliche Berichte von Polizei, Gestapo, NSDAP und ihren Gliederungen, staatlicher Verwaltung, Gerichtsbarkeit und Wehrmacht über die politische und gesellschaftliche Situation in Münster* (Münster, 1992).
285. Relato em Boberach (ed.), *Meldungen*, IX, p. 3.175-8, também republicado em Trus, "... *vom Leid erlösen*", p. 138-41. Ver também Griech-Polelle, *Bishop von Galen*, p. 86-93; Burleigh, *Death*, p. 209-19; Karl Ludwig Rost, *Sterilisation und Euthanasie im Film des "Dritten Reiches": Nationalsozialistische Propaganda in ihrer Beziehung zu rassenhygienischen Massnahmen des NS-Staates* (Berlim, 1984), p. 166-8; e Kurt Nowak, "Widerstand, Zustimmung, Hinnahme: Das Verhalten der Bevölkerung zur 'Euthanasie'", em Norbert Frei (ed.), *Medizin und Gesundheitspolitik in der NS-Zeit* (Munique, 1991), p. 235-51.
286. Lothar Gruchmann, "Euthanasie und Justiz im Dritten Reich", *VfZ* 20 (1972), p. 235-79, nas p. 278-9.
287. Ganssmüller, *Die Erbgesundheitspolitik*, p. 173; Gruchmann, "Euthanasie", p. 277.
288. Burleigh, *Death*, p. 176-80, exagera o caso contra a Igreja Católica; Friedlander, *The Origins*, p. 111-2, aceita mais ou menos como verdade e dá o crédito à opinião pública e não às igrejas; Griech-Polelle, *Bishop von Galen*, p. 92-3, resume os argumentos de forma sensata, pontuando que os sermões de Galen expressavam em termos religiosos o que a opinião pública sentia de forma mais geral.
289. Uma análise excelente em Longerich, *Politik*, p. 241-2.
290. Daí os argumentos em Omer Bartov, *The Eastern Front 1941-1945: German Troops and the Barbarization of Warfare* (Londres, 1985); e idem, *Hitler's Army*, datando esses processos a partir da invasão da União Soviética; ver a crítica em Rossino, *Hitler Strikes Poland*, p. 191, e o relato de muitas obras que assumem que a guerra alemã de extermínio racial no leste só começou em 1941 em Böhler, *Auftakt*, p. 9-16.
291. Tadeusz Piotrowski, *Poland's Holocaust: Ethnic Strife, Collaboration with Occupying Forces, and Genocide in the Second Republic, 1918-1947* (Jefferson, N. C., 1998); Böhler, *Auftakt*, p. 241-7.
292. Berndt e Strecker (eds.), *Polen*; Richard J. Evans (ed.), *Kneipengespräche im Kaiserreich: Die Stimmungsberichte der Hamburger Politischen Polizei 1892-1914* (Hamburgo, 1989), p. 361-83.
293. Hosenfeld, "*Ich versuche*", p. 292 (carta ao filho, 23 de novembro de 1939).
294. Johannes Hürter (ed.), *Ein deutscher General an der Ostfront: Die Briefe und Tagebücher des Gotthard Heinrici 1941/42* (Essen, 2001), p. 56 (carta à esposa, 22 de abril de 1941).
295. Ibid., p. 56 (carta à esposa, 25 de abril de 1941).
296. Ibid., p. 57 (carta à família, 30 de abril de 1941).
297. Ibid.
298. Rossino, *Hitler Strikes Poland*, p. 121-43.

299. Evans, *The Coming of the Third Reich*, p. 61.
300. Ver Rossino, *Hitler Strikes Poland*, argumentando contra Jürgen Förster, "Jewish Policies of the German Military, 1939-1942", em Asher Cohen *et al.* (eds.), *The Shoah and the War* (Nova York, 1992), p. 53-71, na p. 56, e Umbreit, *Deutsche Militärverwaltungen*, p. 137, 273.

Parte 2 – OS DESTINOS DA GUERRA

1. Roger Moorhouse, *Killing Hitler: The Third Reich and the Plots against the Führer* (Londres, 2006), p. 36-58, é o relato mais recente. Ver também Peter Hoffmann, *Hitler's Personal Security* (Londres, 1979), p. 105-11.
2. Moorhouse, *Killing Hitler*, p. 50-3; Heinz Höhne, *The Order of the Death's Head: The Story of Hitler's SS* (Londres, 1972 [1966]), p. 264-6.
3. Moorhouse, *Killing Hitler*, p. 43-50; Kershaw, *Hitler*, II, p. 271-5.
4. Boberach (ed.), *Meldungen*, III, p. 449: Bericht zur innenpolitischen Lage Nr. 15, 13 de novembro de 1939.
5. Shirer, *Berlin Diary*, p. 194-5 (9 de novembro de 1939).
6. Alan Bullock, *Hitler: A Study in Tyranny* (Londres, 1952), p. 522-3, afirmou que a Gestapo foi responsável, assim como Peter Padfield, *Himmler: Reichsführer-SS* (Londres, 1990), p. 283. Ver, porém, Anton Hoch, "Das Attentat auf Hitler im Münchener Bürgerbräukeller 1939", *VfZ* 17 (1969), p. 383-413, e em especial Lothar Gruchmann (ed.), *Autobiographie eines Attentäters: Johann Georg Elser: Aussage zum Sprengstoffanschlag im Bürgerbräukeller, München, am 8. November 1939* (Stuttgart, 1970).
7. Moorhouse, *Killing Hitler*, p. 58.
8. Hans-Adolf Jacobsen (ed.), *Dokumente zur Vorgeschichte des Westfeldzuges 1939-1940* (Göttingen, 1956), p. 5-7. Para a cautela prévia dos generais, ver Evans, *The Third Reich in Power*, p. 633, 642, 668-70.
9. Tribunal Militar Internacional, Nuremberg: ND 789-PS, p. 572-80: ver Evans, *The Third Reich in Power*, p. 892.
10. Fedor von Bock, *Generalfeldmarschall Fedor von Bock: Zwischen Pflicht und Verweigerung: Das Kriegstagebuch* (ed. Klaus Gerbet, Munique, 1995), p. 78-9 (23 de novembro de 1939).
11. Para o confronto de 1938, ver Evans, *The Third Reich in Power*, p. 668-71; para os argumentos de 1939-40 e a retomada do complô, ver Kershaw, *Hitler*, II, p. 262-71, e Johannes Hürter, *Hitlers Heerführer: Die deutschen Oberbefehlshaber im Krieg gegen die Sowjetunion 1941/42* (Munique, 2007), p. 163-71.
12. Tooze, *The Wages of Destruction*, p. 331-43. Um relato exaustivo do programa de construção de aviões é fornecido por Lutz Budrass, *Flugzeugindustrie und Luftrüstung in Deutschland* (Düsseldorf, 1998). A situação dos suprimentos foi uma preocupação constante nos diários de Halder durante esses meses (Halder, *Kriegstagebuch*, I, *passim*).
13. Rolf-Dieter Müller, "The Mobilization of the German Economy for Hitler's War Aims", *GSWW* V/I, p. 407-786, nas p. 407-11; Tooze, *The Wages of Destruction*, p. 343-8.
14. Müller, "The Mobilization", p. 453-85.
15. Evans, *The Third Reich in Power*, p. 364-5; para Todt, ver ibid., p. 322-5.
16. Weinberg, *A World at Arms*, p. 100-3; Catherine Merridale, *Ivan's War: The Red Army 1939-1945* (Londres, 2005), p. 67-70. Para a política alemã, ver Gerd R. Ueberschär, *Hitler und Finnland 1938-1941* (Wiesbaden, 1978).
17. Merridale, *Ivan's War*, p. 44-7, 57-60, 67-71.

18. Weinberg, *A World at Arms*, p. 105-7; John Erickson, *The Soviet High Command* (Londres, 1962), p. 541-52; Tomas Ries, *Cold Will: The Defence of Finland* (Londres, 1988); Geoffrey Roberts, *Stalin's Wars: From World War to Cold War, 1939-1953* (Londres, 2006), p. 46--55; Chris Bellamy, *Absolute War: Soviet Russia in the Second World War: A Modern History* (Londres, 2007), p. 69-98.
19. Thomas K. Derry, "Norway", em Stuart J. Woolf (ed.), *European Fascism* (Londres, 1968), p. 217-30, nas p. 217-24.
20. Derry, "Norway", p. 224-6; Weinberg, *A World at Arms*, p. 114-5; Oddvar K. Hoidal, *Quisling: A Study in Treason* (Oslo, 1989); Carl-Axel Gemzell, *Raeder, Hitler und Skandinavien* (Lund, 1965). Para a visita de Quisling a Berlim em dezembro de 1939 e o papel-chave de Raeder no planejamento pré-guerra, ver Hans-Martin Ottmer, *"Weserübung": Der deutsche Angriff auf Dänemark und Norwegen im April 1940* (Munique, 1994), p. 3-17, 24-6.
21. Bernd Stegemann, "Operation Weserübung", em *GSWW* II, p. 206-19, nas p. 211-2; Ottmer, *"Weserübung"*, p. 67-79; Hubatsch (ed.), *Hitlers Weisungen*, p. 47-50.
22. Stegemann, "Operation Weserübung", p. 207-11; Ottmer, *"Weserübung"*, p. 79-131.
23. Vidkun Quisling, *Quisling ruft Norwegen! Reden und Aufsäztze* (Munique, 1942), p. 96-7, 102, 105, 137.
24. Stegemann, "Operation Weserübung", p. 212-5.
25. Weinberg, *A World at Arms*, p. 119-21; Shirer, *Berlin Diary*, p. 254 (4 de maio de 1940).
26. Meier-Welcker, *Aufzeichnungen*, p. 54 (21 de março de 1940).
27. Roy Jenkins, *Churchill* (Londres, 2001), p. 573-84.
28. Peter Clarke, *Hope and Glory: Britain 1900-1990* (Londres, 1996), p. 192-6.
29. Jacobsen (ed.), *Dokumente*, p. 64-5, 155-6; Hans-Adolf Jacobsen, *Fall Gelb: Der Kampf um den deutschen Operationsplan zur Westoffensive 1940* (Wiesbaden, 1957); Karl-Heinz Frieser, *Blitzkrieg-Legende: Der Westfeldzug 1940* (Munique, 1996 [1995]), p. 15-70 para a natureza improvisada e de curto prazo do plano, p. 71-116 para os argumentos a respeito na hierarquia militar.
30. Shirer, *Berlin Diary*, p. 275-6 (20 de maio de 1940); Hans Umbreit, "The Battle for Hegemony in Western Europe", em *GSWW* II, p. 227-326, nas p. 270-80; Julian Jackson, *The Fall of France: The Nazi Invasion of 1940* (Oxford, 2003), p. 9-39; Ernest R. May, *Strange Victory: Hitler's Conquest of France* (Nova York, 2000).
31. Shirer, *Berlin Diary*, p. 276-9 (20 de maio de 1940).
32. Weinberg, *A World at Arms*, p. 122-6.
33. Umbreit, "The Battle", p. 37; Frieser, *Blitzkrieg-Legende*, p. 428.
34. Jackson, *The Fall of France*, p. 37-9; Frieser, *Blitzkrieg-Legende*, p. 135.
35. Bock, *Zwischen Pflicht und Verweigerung*, p. 101 (24 de fevereiro de 1940).
36. Jackson, *The Fall of France*, p. 42-7; Umbreit, "The Battle", p. 278-304; narrativa vívida em Tooze, *The Wages of Destruction*, p. 374-9; detalhes sobre o uso de anfetamina em Werner Pieper (ed.), *Nazis on Speed: Drogen im 3. Reich* (Loherbach, 2002), p. 325-30; melhor relato crítico recente em Frieser, *Blitzkrieg-Legende*, p. 173-361.
37. Jackson, *The Fall of France*, p. 9-12 (citação na p. 10).
38. Ibid., p. 58-62.
39. Ibid., p. 85-94, oferece um relato judicioso desses acontecimentos muito contestados; ver também Kershaw, *Hitler*, II, p. 295-6.
40. Bock, *Zwischen Pflicht und Verweigerung*, p. 135 (26 de maio de 1940), p. 140 (30 de maio de 1940); Hans-Adolf Jacobsen, *Dünkirchen: Ein Beitrag zur Geschichte des Westfeldzuges 1940* (Neckargemünd, 1958), p. 70-122, 203, e idem (ed.), *Dokumente zum Westfeldzug*

1940 (Göttingen, 1960), p. 114-46, ambos atribuindo a responsabilidade a Rundstedt; Frieser, Blitzkrieg-Legende, p. 363-93, enfatiza o papel de Hitler.
41. Bock, Zwischen Pflicht und Verweigerung, p. 143 (2 de junho de 1940).
42. Jackson, The Fall of France, p. 94-100.
43. Ibid., p. 101-6 (citação na p. 105).
44. Ibid., p. 107-73; Frieser, Blitzkrieg-Legende, p. 399-409; May, Strange Victory, p. 448--9, argumentando em favor da animação do moral militar francês nos estágios iniciais da invasão.
45. Irène Némirovsky, Suite Française (Londres, 2007 [2004]), p. 50.
46. Ibid., p. 42.
47. Jackson, The Fall of France, p. 174-82; Hanna Diamond, Fleeing Hitler: France 1940 (Oxford, 2007).
48. Meier-Welcker, Aufzeichnungen, p. 74 (12 de junho de 1940).
49. Shirer, Berlin Diary, p. 328-32 (21 de junho de 1940).
50. Jackson, The Fall of France, p. 232; o melhor levantamento geral é do mesmo autor, France: The Dark Years 1940-1944 (Oxford, 2001).
51. Frieser, Blitzkrieg-Legende, p. 409-35.
52. Albert Speer, Inside the Third Reich: Memoirs (Londres, 1971 [1970]), p. 170-2 (também citado em Lynn Nicholas, The Rape of Europa: The Fate of Europe's Treasures in the Third Reich and the Second World War (Nova York, 1994), p. 118).
53. Shirer, Berlin Diary, p. 260-3 (10-11 de maio de 1940).
54. Lore Walb, Ich, die Alte – ich, die Junge: Konfrontation mit meinen Tagebüchern 1933-1945 (Berlim, 1997), p. 179 (21 de maio de 1940).
55. Boberach (ed.), Meldungen, IV, p. 1.163 (23 de maio de 1940).
56. Ibid., p. 1.189 (30 de maio de 1940), p. 1.261 (17 de junho de 1940).
57. Ibid., p. 1.274-5 (20 de junho de 1940).
58. Hosenfeld, "Ich versuche", p. 294 (carta à esposa, 25 de novembro de 1939).
59. Ibid., p. 356 (11 de junho de 1940, carta ao filho).
60. Luise Solmitz, Tagebuch (Staatsarchiv der Freien- und Hansestadt Hamburg, p. 622--1, 111.511-3: Familie Solmitz; transcrições em Forschungsstelle für Zeitgeschichte, Hamburgo), XI, p. 551, 560, 563, 565-6 (12 de junho de 1940, 17 de junho de 1940, 21 de junho de 1940).
61. Gerhard L. Weinberg, "Hitler and England, 1933-1945: Pretense and Reality", German Studies Review, 8 (1988), p. 299-309, argumenta que Hitler jamais esteve interessado em um acordo com a Grã-Bretanha; ver também Weinberg, A World at Arms, p. 89-95.
62. Frances Donaldson, Edward VIII (Londres, 1974), p. 191-206, 327-34, 358-77; Michael Bloch, Operation Willi: The Plot to Kidnap the Duke of Windsor, July 1940 (Londres, 1984); Walter Schellenberg, The Memoirs of Hitler's Spymaster (Londres, 2006 [1956]).
63. Weinberg, A World at Arms, p. 118.
64. Charles S. Thomas, The German Navy in the Nazi Era (Londres, 1990), p. 191.
65. Shirer, Berlin Diary, p. 355, 358 (19-20 de julho de 1940).
66. Walb, Ich, die Alte, p. 185 (17 de junho de 1940).
67. Domarus (ed.), Hitler, III, p. 2.062 (19 de julho de 1940), Kershaw, Hitler, II, p. 301--8. Para a ideia de que uma paz em separado teria salvo o império britânico, ver John Charmley, Churchill: The End of Glory: A Political Biography (Londres, 1993), p. 422-32.
68. Karl Klee, Das Unternehmen "Seelöwe": Die geplante deutsche Landung in England 1940 (Göttingen, 1958); idem, Dokumente zum Unternehmen "Seelöwe": Die geplante deutsche

Landung in England 1940 (Göttingen, 1959), ambos argumentando que o problema foi causado pela falta de planejamento antecipado.
69. Walter Schellenberg, *Invasion 1940: The Nazi Invasion Plan for Britain* (Londres, 2000), esp. p. 1-114 ("Gestapo Handbook").
70. Richard J. Overy, *The Battle* (Londres, 2000), p. 60-3.
71. Ibid., esp. p. 161-2.
72. Ibid., p. 53-4, 80.
73. Tooze, *The Wages of Destruction*, p. 249-50, 400-1.
74. Shirer, *Berlin Diary*, p. 377 (17 de agosto de 1940).
75. Ulrich Steinhilfer e Peter Osborne, *Spitfire on My Tail: A View from the Other Side* (Bromley, 1989), p. 279 (19 de agosto de 1940).
76. Ibid., p. 289 (31 de agosto). A expressão original era *Horridoh!*
77. Domarus (ed.), *Hitler*, III, p. 2086 (4 de setembro de 1940).
78. Ibid., p. 2072 (1º de agosto de 1940, Diretiva nº 17); para a visão contrária, ver Kershaw, *Hitler*, II, p. 309; boa discussão em Horst Boog, "The Strategic Air War in Europe and Air Defence of the Reich", em *GSWW* VII, p. 9-458, nas p. 357-67.
79. Overy, *The Battle*, p. 90-6; Klaus A. Maier, "The Battle of Britain", em *GSWW* II, p. 374--407.
80. Overy, *The Battle*, p. 90-6; Alfred Price, *Blitz on Britain* (Shepperton, 1977); Tooze, *The Wages of Destruction*, p. 447-8.
81. Steinhilfer e Osborne, *Spitfire*, p. 295 (17 de setembro de 1940).
82. Ibid., p. 319 (carta ao pai, 19 de outubro de 1940).
83. Halder, *Kriegstagebuch*, II, p. 128 (7 de outubro de 1940).
84. Ibid., p. 99 (14 de setembro de 1940).
85. Walb, *Ich, die Alte*, p. 197 (10 de setembro de 1940).
86. F. Harry Hinsley, *British Intelligence in the Second World War* (5 vols., Londres, 1979-90), I, p. 316-8, 523-48.
87. Walb, *Ich, die Alte*, p. 200 (3 de outubro de 1940).
88. Meier-Welcker, *Aufzeichnungen*, p. 101 (31 de dezembro de 1940).
89. Overy, *The Battle*, p. 97-135.
90. Citado em Paul Preston, *Franco: A Biography* (Londres, 1993), p. 397-8.
91. Kershaw, *Hitler*, II, p. 329-30; Paul Preston, "Franco and Hitler: The Myth of Hendaye 1940", *Contemporary European History*, 1 (1992), p. 1-16; idem, *Franco*, p. 399.
92. Richard Bosworth, *Mussolini's Italy: Life under the Dictatorship 1915-1945* (Londres, 2005), p. 415-20.
93. Denis Mack Smith, *Mussolini* (Londres, 1983 [1981]), p. 269-91; Umbreit, "The Battle", p. 304-13.
94. Kershaw, *Hitler*, II, p. 331.
95. Detlef Vogel, "German Intervention in the Balkans", em *GSWW* III, p. 451-5; Gerhard Schreiber, "Germany, Italy and South-east Europe: From Political and Economic Hegemony to Military Aggression", ibid., p. 305-448 (estatísticas na p. 448); Smith, *Mussolini*, p. 298-302; Martin Clark, *Modern Italy 1871-1982* (Harlow, 1984), p. 285-8.
96. Dear (ed.), *The Oxford Companion to World War II*, p. 148-9; Smith, *Mussolini*, p. 308.
97. Clark, *Modern Italy*, p. 286
98. Smith, *Mussolini*, p. 310-1; Dear (ed.), *The Oxford Companion to World War II*, p. 245-7.
99. Bernd Stegemann, "The Italo-German Conduct of War in the Mediterranean and North Africa", em *GSWW* III, p. 643-754, nas p. 673-80.

100. Halder, *Kriegstagebuch*, II, p. 377 (23 de abril de 1941), III, p. 48 (6 de julho de 1941).
101. Dear (ed.), *The Oxford Companion to World War II*, p. 748-9, 992-4; Weinberg, *A World at Arms*, p. 211-5, 222-5, 361-3; Stegemann, "The Italo-German Conduct of War", p. 680-754; Reinhard Stumpf, "The War in the Mediterranean Area 1942-1943: Operations in North Africa and the Central Mediterranean", em *GSWW* VI, p. 631-840, nas p. 631-54 e 661-748.
102. Martin Gilbert, *The Holocaust: The Jewish Tragedy* (Londres, 1987 [1986]), p. 578; idem, *The Routledge Atlas of the Holocaust* (Londres, 2002 [1982]), mapas p. 59, 188; Robert Satloff, *Among the Righteous: Lost Stories from the Holocaust's Long Reach into Arab Lands* (Nova York, 2006).
103. Andreas Hillgruber (ed.), *Staatsmänner und Diplomaten bei Hitler: Vertrauliche Aufzeichnungen über Unterredungen mit Vertretern des Auslandes* (2 vols., Frankfurt am Main, 1967-70), I, p. 664-6.
104. Jeffrey Herf, *The Jewish Enemy: Nazi Propaganda during World War II and the Holocaust* (Londres, 2006), p. 76.
105. Tooze, *The Wages of Destruction*, p. 381-2.
106. Dear (ed.), *The Oxford Companion to World War II*, p. 744-5; Schreiber, "Germany", p. 305-448; Weinberg, *A World at Arms*, p. 195-6; Jürgen Förster, "Germany's Acquisition of Allies in South-east Europe", em *GSWW* IV, p. 386-428, na p. 386; Friedländer, *The Years of Extermination*, p. 166-9; Randolph L. Braham (ed.), *The Tragedy of Romanian Jewry* (Nova York, 1994); Mihail Sebastian, *"Voller Entsetzen, aber nicht verzweifelt": Tagebücher 1935-44* (ed. Edward Kanterian, Berlim, 2005). Para o fascismo e o antissemitismo romenos, ver Leon Volovici, *Nationalist Ideology and Antisemitism: The Case of Romanian Intellectuals in the 1930s* (Oxford, 1991) (esp. Stephen Fischer-Galati, "The Legacy of Anti-Semitism", p. 1-28); Stanley G. Payne, *A History of Fascism 1914-45* (Londres, 1995), p. 134-8, 391-7; narrativa sólida dos acontecimentos em Keith Hitchins, *Rumania 1866-1947* (Oxford, 1994), p. 376-471 (esp. p. 451-71). De longe o melhor relato sobre Antonescu hoje é o de Dennis Deletant, *Hitler's Forgotten Ally: Ion Antonescu and His Regime, Romania 1940-44* (Londres, 2006): para uma narrativa detalhada dos eventos recontados acima, ver ibid., p. 8-68. O incidente do matadouro é recontado em Robert St. John, *Foreign Correspondent* (Londres, 1960), p. 180.
107. Dear (ed.), *The Oxford Companion to World War II*, p. 1.011-2.
108. Kershaw, *Hitler*, II, p. 360-3; Vogel, "German Intervention", p. 451-85.
109. Ibid., p. 497-526; Mark Mazower, *Inside Hitler's Greece: The Experience of Occupation 1941-44* (Londres, 1993), p. 1-8, 15-8; Peter Calvocoressi e Guy Wint, *Total War: Causes and Courses of the Second World War* (Harmondsworth, 1974 [1972]), p. 154-60 (um pouco ultrapassado, mas ainda valioso); Weinberg, *A World at Arms*, p. 218-22.
110. Dear (ed.), *The Oxford Companion to World War II*, p. 213-5; Vogel, "German Intervention", p. 527-55.
111. Dear (ed.), *The Oxford Companion to World War II*, p. 213-5.
112. Pöppel, *Heaven and Hell*, p. 67.
113. Citado em Mazower, *Inside Hitler's Greece*, p. 23-4.
114. Ibid., p. 23-32; Rainer Eckert, *Vom "Fall Marita" zur "Wirtschaftlichen Sonderaktion": Die deutsche Besatzungspolitik in Griechenland vom 6. April 1941 bis zur Kriegswende im Februar/März 1943* (Frankfurt am Main, 1992), p. 85-142.
115. Mazower, *Inside Hitler's Greece*, p. 32-52.
116. Ibid., p. 85-96, 235-8; idem, *Salonica: City of Ghosts: Christians, Muslims and Jews 1430--1950* (Londres, 2004), p. 421-2.

117. Payne, *A History of Fascism*, p. 404-11; Ladislaus Hory e Martin Broszat, *Der kroatische Ustascha-Staat 1941-1945* (Stuttgart, 1965 [1964]), p. 13-38; Jozo Tomasevich, *War and Revolution in Yugoslavia, 1941-1945: Occupation and Collaboration* (Stanford, Calif., 2001), p. 47-174; Gert Fricke, *Kroatien 1941-1944: Der "Unabhängige Staat" in der Sicht des Deutschen Bevollmächtigten Generals in Agram, Blaise v Hortenau* (Freiburg, 1972), p. 10, 25-67.
118. Hory e Broszat, *Der kroatische Ustascha-Staat*, p. 39-57.
119. Misha Glenny, *The Balkans 1804-1999: Nationalism, War and the Great Powers* (Londres, 1999), p. 498-502: Hory e Broszat, *Der kroatische Ustascha-Staat*, p. 75-106; Payne, *A History of Fascism*, p. 408-10; Friedländer, *The Years of Extermination*, p. 228-30; detalhes e fotografias horripilantes em Edmond Paris, *Genocide in Satellite Croatia 1941-1945: A Record of Racial and Religious Persecution and Massacres* (Chicago, 1961), esp. p. 88-126 e 162-205.
120. Citado em ibid., p. 109-10; ver também ibid., p. 127-61, para os campos de concentração.
121. Milan Ristović, "Yugoslav Jews Fleeing the Holocaust, 1941-1945", em John K. Roth e Elisabeth Maxwell (eds.), *Remembering for the Future: The Holocaust in an Age of Genocide* (Londres, 3 vols., 2001), I, p. 512-26; Glenny, *The Balkans*, p. 300-2; Payne, *A History of Fascism*, p. 409-10; Hory e Broszat, *Der kroatische Ustascha-Staat*, p. 75-92; Tomasevich, *War and Revolution*, p. 380-415 para o reinado de terror da Ustasha, e p. 511-79 para o papel da Igreja Católica. Uma análise cuidadosa do número de mortos nas campanhas genocidas da Ustasha pode ser encontrada em Marko Hoare, *Genocide and Resistance in Hitler's Bosnia: The Partisans and the Chetniks, 1941-1943* (Londres, 2006), p. 19-28.
122. Evans, *The Coming of the Third Reich*, p. 316.
123. Kershaw, *Hitler*, II, p. 305.
124. Hitler, *Kriegstagebuch*, II, p. 214 (5 de dezembro de 1940); Kershaw, *Hitler*, II, p. 307-8; Bernd Stegemann, "Hitlers Kriegszeiele im ersten Kriegsjahr 1939/40: Ein Beitrag zur Quellenkritik", *Militärgeschichtliche Mitteilungen*, 27 (1980), p. 93-105. Para o antissemitismo stalinista, ver Herf, *The Jewish Enemy*, p. 93. Para um relato detalhado sobre a decisão de invadir, ver Jürgen Förster, "Hitler's Decision in Favour of War against the Soviet Union", em *GSWW* IV, p. 13-51. Para discussões de políticas e opções no verão de 1940, ver Andreas Hillgruber, *Hitlers Strategie: Politik und Kriegführung 1940-41* (Frankfurt am Main, 1965), p. 144-277.
125. Roberts, *Stalin's Wars*, p. 30-46.
126. Tooze, *The Wages of Destruction*, p. 421-5.
127. Halder, *Kriegstagebuch*, II, p. 49 (31 de julho de 1940).
128. Bock, *Zwischen Pflicht und Verweigerung*, p. 173 (1º de fevereiro de 1941); repetido em 14 de junho de 1941 (ibid., p. 193).
129. Kershaw, *Hitler*, II, p. 331-7; Weinberg, *A World at Arms*, p. 198-205.
130. David M. Glantz, *Barbarossa: Hitler's Invasion of Russia 1941* (Stroud, 2001), p. 13-8.
131. Evan Mawdsley, *Thunder in the East: The Nazi-Soviet War 1941-1945* (Londres, 2005), p. 19-20; Tooze, *The Wages of Destruction*, p. 429-36.
132. Anthony F. Upton, *Finland 1939-40* (Londres, 1974); David Kirby, *Finland in the Twentieth Century* (Londres, 1979).
133. Förster, "Germany's Acquisition", p. 398-408; ver também Mark Axworthy *et al.*, *Third Axis, Fourth Ally: Romanian Armed Forces in the European War, 1941-1945* (Londres, 1995); e Hillgruber, *Hitler, König Carol und Marschall Antonescu*, p. 126-34; mais genericamente, idem, *Hitlers Strategie*, p. 484-501.

134. Dear (ed.), *The Oxford Companion to World War II*, p. 431-3; Förster, "Germany's Acquisition", p. 409-24.
135. Ibid., p. 421-8; Weinberg, *A World at Arms*, p. 274-8.
136. Citado em Marshall Lee Miller, *Bulgaria during the Second World War* (Stanford, Calif., 1975), p. 1.
137. Hans-Jürgen Hoppe, *Bulgarien – Hitlers eigenwilliger Verbündeter* (Stuttgart, 1979); Miller, *Bulgaria*, p. 93-106; Richard Crampton, *Bulgaria* (Oxford, 2007), p. 248-65.
138. Citado em Miller, *Bulgaria*, p. 76.
139. Klukowski, *Diary*, p. 158 (14 de junho de 1941).
140. Tooze, *The Wages of Destruction*, p. 321; Heinrich Schwendemann, *Die wirtschaftliche Zusammenarbeit zwischen dem Deutschen Reich und der Sowjetunion von 1939 bis 1941: Alternative zu Hitlers Ostprogramm?* (Berlim, 1993), p. 373.
141. Weinberg, *A World at Arms*, p. 201-5; Roberts, *Stalin's Wars*, p. 61-70.
142. Citado em Robert Service, *Stalin: A Biography* (Londres, 2004), p. 407.
143. Ibid., p. 406-9; Gabriel Gorodetsky, *Grand Delusion: Stalin and the German Invasion of Russia* (Londres, 1999); Roberts, *Stalin's Wars*, p. 70-81; Mawdsley, *Thunder in the East*, p. 32-41.
144. Glantz, *Barbarossa*, p. 28-32; para a inteligência soviética, ver David M. Glantz, *Stumbling Colossus: The Red Army on the Eve of War* (Lawrence, Kans., 1998), p. 233-57.
145. Simon Sebag-Montefiore, *Stalin: The Court of the Red Tsar* (Londres, 2003), p. 317.
146. Kershaw, *Hitler*, II, p. 369-73, 378.
147. Citado em Rainer F. Schmidt, "Der Hess-Flug und das Kabinett Churchill: Hitlers Stellvertreten im Kalkül der britischen Kriegsdiplomatie Mai-Juni 1941", *VfZ* 42 (1994), p. 1-38, nas p. 14-6.
148. Kershaw, *Hitler*, II, p. 369-81, organiza com eficiência as numerosas e muitas vezes extremamente bizarras teorias de conspiração que giraram em torno do voo de Hess na época e mais tarde. Nem a afirmação de que Hitler teria sancionado, que dirá ordenado, essa escapada leviana, tampouco a ideia de que Hess ou Hitler houvesse sido encorajado a montar tal missão por um "grupo de paz" influente no governo britânico e no serviço secreto – para falar de duas das teorias menos fantasiosas – têm qualquer base na realidade.
149. Gerhard Engel, *Heeresadjutant bei Hitler 1938-1943* (ed. Hildegard von Kotze, Stuttgart, -1974), p. 103-4.
150. Fröhlich (ed.), *Die Tagebücher*, I/IX, p. 309 (13 de maio de 1941).
151. Citado em *Kershaw*, Hitler, II, p. 939, nota 210.
152. Boberach (ed.), *Meldungen*, VII, p. 2302 e 2313 (15 e 19 de maio de 1941).
153. Martin Broszat *et al.* (eds.), *Bayern in der NS-Zeit* (6 vols., Munique, 1977-83), I, p. 148 ("Aus Monatsbericht des Landrats, 31.5.1941").
154. Bock, *Zwischen Pflicht und Verweigerung*, p. 185 (10-12 de maio de 1941).
155. Klemperer, *I Shall Bear Witness*, p. 368 (21 de maio de 1941).
156. Walb, *Ich, die Alte*, p. 219 (15 de maio de 1941).
157. Kershaw, *Hitler*, II, p. 166-7.
158. Citado em Marie Vassiltchikov, *The Berlin Diaries of Marie "Missie" Vassiltchikov 1940--1945* (Londres, 1987 [1985]), p. 51-2; Hassell, *The von Hassell Diaries*, p. 196, 204, e Gerhardt B. Thamm, *Boy Soldier: A German Teenager at the Nazi Twilight* (Jefferson, N. C., 2000), p. 34.
159. Hugh R. Trevor-Roper, "The Mind of Adolf Hitler", em Adolf Hitler, *Hitler's Table Talk 1941-1944* (Oxford, 1988 [1953]), p. vii-xxxv, nas p. xii-xiii.

160. Hitler, *Hitler's Table Talk*, p. 51 (10 de outubro de 1941).
161. Ibid., p. 38 (23 de setembro de 1941).
162. Ibid., p. 16 (27 de julho de 1941).
163. Ibid., p. 24 (8-9 e 9-10 de agosto de 1941). Para o conceito de Hitler e Himmler sobre a Ucrânia como um feudo imperial, equivalente à Índia britânica, ver Wendy Lower, *Nazi Empire-Building and the Holocaust in Ukraine* (Chapel Hill, N. C., 2005), p. 98-128.
164. Hitler, *Hitler's Table Talk*, p. 68-9 (17 de outubro de 1941).
165. Ibid., p. 61 (2 e 2-3 de novembro de 1941).
166. Ibid., p. 447 (27 de abril de 1942).
167. Ibid., p. 578 (18 de julho de 1942).
168. Ibid., p. 77 (17-18 de outubro de 1941).
169. Ibid., p. 69 (17 de outubro de 1941 e 22 de julho de 1942).
170. Ibid., p. 62 (9 de agosto de 1942).
171. Longerich, *Politik*, p. 298; citação em Madajczyk, *Die Okkupationspolitik*, p. 92.
172. Alex J. Kay, "Germany's Staatssekretäre, Mass Starvation and the Meeting of 2 May 1941", *Journal of Contemporary History*, 41 (2006), p. 685-700; Tooze, *The Wages of Destruction*, p. 475-80.
173. Madajczyk et al. (eds.), *Vom Generalplan Ost*; Mechthild Rössler e Sabine Schleiermacher, *Der "Generalplan Ost": Hauptlinien der nationalsozialistischen Planungs- und Vernichtungspolitik* (Berlim, 1993); Thomas Podranski, *Deutsche Siedlungspolitik im Osten: Die verschiedenen Varianten des Generalplan Ost der SS* (Berlim, 2001).
174. Evans, *The Third Reich in Power*, p. 419-28.
175. Tooze, *The Wages of Destruction*, p. 463-76.
176. Hitler, *Hitler's Table Talk*, p. 8 (11-12 de julho de 1941).
177. Ibid., p. 587 (22 de julho de 1942).
178. Ibid., p. 624 (9 de agosto de 1942).
179. Halder, *Kriegstagebuch*, II, p. 317-20 (17 de março de 1941).
180. Ibid., p. 336-7 (30 de março de 1941).
181. Ibid.
182. Citado em Longerich, *Politik*, p. 300-1; ver também Hans-Adolf Jacobsen, "The *Kommissarbefehl* and Mass Executions of Soviet Russian Prisoners of War", em Helmut Krausnick et al., *Anatomy of the SS State* (Londres, 1968 [1965]), p. 505-35 (tradução integral da ordem de 6 de junho nas p. 532-4).
183. Ver também Jürgen Förster, "Operation Barbarossa as a War of Conquest and Annihilation", em *GSWW* IV, p. 481-521.
184. Jacobsen, "The *Kommissarbefehl*", p. 505-35, na p. 517; Kershaw, *Hitler*, II, p. 353--60; Bodo Scheurig, *Henning von Tresckow: Ein Preusse gegen Hitler* (Frankfurt am Main, 1987), p. 113-4; Christian Gerlach, "Hitlergegner bei der Heeresgruppe Mitte und die 'Verbrecherischen Befehle'", em Gerd R. Ueberschär (ed.), *NS-Verbrechen und der militärische Widerstand gegen Hitler* (Darmstadt, 2000), p. 62-76; Johannes Hürter, "Auf dem Weg zur Militäropposition: Tresckow, Gersdorff, der Vernichtungskrieg und der Judenmord: Neue Dokumente über das Verhältnis der Heeresgruppe Mitte zur Einsatzgruppe B im Jahr 1941", *VfZ* 52 (2004), p. 527-62; as ideias de Bock podem ser encontradas em Bock, *Zwischen Pflicht und Verweigerung*, p. 190 (4 de junho de 1941).
185. Citado em Förster, "Operation Barbarossa", p. 485.
186. Citado em ibid., p. 514.
187. Citado em ibid., p. 520.

188. Friedländer, *The Years of Extermination*, p. 210-1; ver também Ortwin Buchbender, *Das tönende Erz: Deutsche Propaganda gegen die Rote Armee im Zweiten Weltkrieg* (Stuttgart, 1978), e para a atitude dos comandantes seniores quanto às "ordens criminosas", Hürter, *Hitlers Heerführer*, p. 247-65.
189. Longerich, *Politik*, p. 302-10, lidando de forma convincente com as peculiaridades da controvérsia entre Christopher Browning, *Ordinary Men: Reserve Police Battalion 101 and the Final Solution in Poland* (Londres, 1998 [1992]), e Daniel Jonah Goldhagen, *Hitler's Willing Executioners: Ordinary Germans and the Holocaust* (Londres, 1996), embora os temas gerais levantados por Goldhagen continuem, corretamente, a ser debatidos. Para os antecedentes, ver Helmut Fangmann *et al.*, *"Parteisoldaten": Die Hamburger Polizei im "3. Reich"* (Hamburgo, 1987); para a doutrinação, ver Jürgen Matthäus, "Ausbildungsziel Judenmord? Zum Stellenwert der 'weltanschaulichen Erziehung' von SS und Polizei im Rahmen der 'Endlösung'", *Zeitschrift für Geschichtswissenschaft*, 47 (1999), p. 677-99; e idem *et al.* (eds.), *Ausbildungsziel Judenmord? 'Weltanschauliche Erziehung' von SS, Polizei und Waffen-SS im Rahmen der "Endlösung"* (Frankfurt am Main, 2003).
190. Citado em Longerich, *Politik*, p. 315.
191. Ibid., p. 310-20, oferece uma cuidadosa consideração sobre as evidências, concluindo que as declarações nos julgamentos pós-guerra de réus como o líder da força-tarefa, Ohlendorf, de que fora dada uma ordem para matar todos os judeus indiscriminadamente, carecem de credibilidade devido à intenção escusatória. De fato, depois de ser condenado à morte, Ohlendorf mudou sua versão e disse que jamais houve tal ordem. Ver em particular Ralf Ogorreck, *Die Einsatzgruppen und die "Genesis der Endlösung"* (Berlim, 1996). Para a visão contrária, ver Breitman, *The Architect of Genocide*, p. 145-206. Para os judeus na máquina soviética, ver Friedländer, *The Years of Extermination*, p. 247-51; mais detalhes em Mordechai Altschuler, *Soviet Jewry on the Eve of the Holocaust: A Social and Demographic Profile* (Jerusalém, 1998).
192. Glantz, *Barbarossa*, p. 35.
193. Resumos sucintos em Weinberg, *A World at Arms*, p. 264-6; Glantz, *Barbarossa*, p. 35; e Kershaw, *Hitler*, II, p. 393-9. John Erickson, *Stalin's War with Germany*, I: *The Road to Stalingrad* (Londres, 1975), permanece o relato clássico, mas foi inevitavelmente suplantado por pesquisas mais recentes e em especial pela documentação soviética liberada desde 1990. Pode-se dizer o mesmo do relato ainda mais detalhado em *GSWW* IV, no qual os trechos que tratam da União Soviética estão particularmente defasados. A narrativa mais recente é Bellamy, *Absolute War*. Ver também a discussão sobre a conduta dos generais seniores da campanha em Hürter, *Hitlers Heerführer*, p. 279-302.
194. Hürter (ed.), *Ein deutscher General*, p. 68 (carta à esposa, 11 de julho de 1941).
195. Karl Reddemann (ed.), *Zwischen Front und Heimat: Der Briefwechsel des münsterischen Ehepaares Agnes und Albert Neuhaus 1940-1944* (Münster, 1996), p. 223 (para Agnes Neuhaus, 25 de junho de 1941).
196. Konrad Elmshäuser e Jan Lokers (eds.), *"Man muss hier nur hart sein": Kriegsbriefe und Bilder einer Familie (1934-1945)* (Bremen, 1999), p. 92 (Kalendereintrag Hans-Albert Giese, 22 de junho de 1941).
197. Hürter (ed.), *Ein deutscher General*, p. 63 (carta à família, 24 de junho de 1941).
198. Citado em Merridale, *Ivan's War*, p. 96-7 (também para os detalhes anteriores desse parágrafo); Mawdsley, *Thunder in the East*, p. 59-69; Glantz, *Barbarossa*, p. 37-40. Para a situação do Exército Vermelho em 1941, ver Glantz, *Stumbling Colossus*.
199. Merridale, *Ivan's War*, p. 86-7.
200. Ibid., p. 99.

201. Ibid., p. 99-100, 116, 122-3 (tradução ligeiramente corrigida).
202. Hürter, *Hitlers Heerführer*, p. 393-404.
203. Reddemann (ed.), *Zwischen Front und Heimat*, p. 225 (para Agnes Neuhaus, 27 de junho de 1941).
204. Rudolf Stützel, *Feldpost: Briefe und Aufzeichnungen eines 17jährigen 1940-1945* (Hamburgo, 2005), p. 41; em termos mais gerais, Hannes Heer (ed.), *"Stets zu erschiessen sind Frauen, die in der Roten Armee dienen": Geständnisse deutscher Kriegsgefangener über ihren Einsatz an der Ostfront* (Hamburgo, 1995), p. 7, and Hürter, *Hitlers Heerführer*, p. 359-76.
205. Klukowski, *Diary*, p. 173 (4 de outubro de 1941).
206. Ibid., p. 173 (5 de outubro de 1941).
207. Merridale, *Ivan's War*, p. 123-5; Christian Streit, *Keine Kameraden: Die Wehrmacht und die sowjetischen Kriegsgefangenen 1941-1945* (Stuttgart, 1978).
208. Citado em ibid., p. 131; ver também Hürter, *Hitlers Heerführer*, p. 377-93.
209. Hosenfeld, *"Ich versuche"*, p. 557 (carta à esposa, 3 de dezembro de 1941).
210. Streit, *Keine Kameraden*, p. 9.
211. Halder, *Kriegstagebuch*, III, p. 289 (14 de novembro de 1941); ver de modo mais geral Vyacheslav M. Molotov et al., *Soviet Government Statements on Nazi Atrocities* (Londres, 1945), p. 183-8.
212. Streit, *Keine Kameraden*, p. 201-88.
213. Andreas Hilger, *Deutsche Kriegsgefangene in der Sowjetunion, 1941-1956: Kriegs--gefangenenpolitik, Lageralltag und Erinnerung* (Essen, 2000), desbancando estudos anteriores como Kurt W. Böhme, *Die deutschen Kriegsgefangenen in sowjetischer Hand: Eine Bilanz* (Munique, 1966). Para as estatísticas, ver Hilger, *Deutsche Kriegsgefangene*, p. 137, 370, 389, 425; para a reeducação política, que foi um grande fracasso, p. 220-54.
214. Christian Streit, "The Fate of the Soviet Prisoners of War", em Michael Berenbaum (ed.), *A Mosaic of Victims: Non-Jews Persecuted and Murdered by the Nazis* (Londres, 1990), p. 142-9; Alexander Dallin, *German Rule in Russia 1941-1945: A Study of Occupation Policies* (Londres, 1957), p. 409-27; Mawdsley, *Thunder in the East*, p. 102-5.
215. Bock, *Zwischen Pflicht und Verweigerung*, p. 298 (20 de outubro de 1941); ver também ibid., p. 312-3 (9 de novembro de 1941), protestando que, "de acordo com o costume e a lei militar, o Exército é responsável pela vida e pela segurança de seus prisioneiros de guerra, sejam de que tipo forem".
216. Hürter, *Hitlers Heerführer*, p. 377-93.
217. Mawdsley, *Thunder in the East*, p. 102-5.
218. Service, *Stalin*, p. 410-24; Merridale, *Ivan's War*, p. 83; Sebag-Montefiore, *Stalin*, p. 330--3, também registrando diferentes versões da declaração de Stálin por vários memorialistas, todas igualmente vulgares; a versão citada aqui é atestada tanto por Molotov como por Chadaev. Sobre o despreparo de Stálin, ver Roberts, *Stalin's Wars*, p. 61-70. O ceticismo de Roberts sobre a perda do sangue-frio de Stálin cai por terra na cronologia, pois falha em perceber que isso aconteceu no fim de junho, não imediatamente após a invasão (p. 89-95).
219. Hoffmann, *Hitler's Personal Security*, p. 216-63; Kershaw, *Hitler*, II, p. 395-7; Fröhlich (ed.), *Die Tagebücher* II/I, p. 35 (9 de julho de 1941).
220. Halder, *Kriegstagebuch*, III, p. 38 (3 de julho de 1941).
221. Kershaw, *Hitler*, II, p. 405-7; Friedländer, *The Years of Extermination*, p. 199-200.
222. Citado em Kershaw, *Hitler*, II, p. 405.
223. Ibid., p. 399 e 944, nota 40; Hitler, *Hitler's Table Talk*, 17 de setembro de 1941; Föhlich (ed.), *Die Tagebücher* II/I, p. 29-39 (9 de julho de 1941).

224. Walb, *Ich, die Alte*, p. 225 (30 de junho de 1941).
225. Broszat et al. (eds.), *Bayern*, I, p. 149 ("Aus Monatsbericht der Gendarmerie-Station Heiligenstadt, 25.6.1941" e "Aus Monatsbericht der Gendarmerie-Station Waischenfeld, 26.6.1941").
226. Solmitz, *Tagebücher*, p. 662 (23 de junho de 1941).
227. Jochen Klepper, *Überwindung: Tagebücher und Aufzeichnungen aus dem Kriege* (Stuttgart, 1958), p. 50 (22 de junho de 1941).
228. Maschmann, *Account Rendered*, p. 91.
229. Broszat et al. (eds.), *Bayern*, I, p. 149-50 ("Aus Monatsbericht der Gendarmerie-Station Ebermannstadt, 27.6.1941").
230. Ibid., I, p. 152 ("Aus Monatsbericht des Gendarmerie-Kreisführers, 29.8.1941").
231. Merridale, *Ivan's War*, p. 84-7; Sebag-Montefiore, *Stalin*, p. 332-4.
232. Merridale, *Ivan's War*, p. 115-7.
233. Ibid., p. 114-6, também para as citações; Roberts, *Stalin's Wars*, p. 95-103; reservas soviéticas discutidas em Glantz, *Barbarossa*, p. 15.
234. Bock, *Zwischen Pflicht und Verweigerung*, p. 210 (6 de julho de 1941).
235. Halder, *Kriegstagebuch*, III, p. 53 (8 de julho de 1941).
236. Rolf-Dieter Müller, "The Failure of the Economic 'Blitzkrieg Strategy'", em *GSWW* IV, p. 1.081-8, esp. p. 1, 141-72; detalhes vívidos em Anatoly Kuznetsov, *Babi Yar: A Document in the Form of a Novel* (Londres, 1970 [1966]), p. 149-52.
237. Hürter (ed.), *Ein deutscher General*, p. 63 (diário, 23 de junho de 1941).
238. Ibid., p. 64 (Heinrici para a família, 4 de julho de 1941).
239. Meier-Welcker, *Aufzeichnungen*, p. 124 (31 de julho de 1941), p. 129 (24 de agosto de 1941).
240. Citado em Theo J. Schulte, *The German Army and Nazi Policies in Occupied Russia* (Oxford, 1989), p. 109.
241. Birgit Beck, *Wehrmacht und sexuelle Gewalt: Sexualverbrechen vor deutschen Militärgerichten 1939-1945* (Paderborn, 2004), p. 105-16 (para os bordéis militares), p. 326-8 (para os julgamentos por estupro).
242. Nicholas, *The Rape of Europa*, p. 185-201; ver Molotov et al., *Soviet Government Statements*, p. 198-209. Para uma análise das menções de furto e pilhagem nas cartas de soldados, ver também Martin Humburg (ed.), *Das Gesicht des Krieges: Feldpostbriefe von Wehrmachtssoldaten aus der Sowjetunion 1941-1944* (Opladen, 1998), p. 164-70. Para o tratamento de civis em geral, ver Hürter, *Hitlers Heerführer*, p. 465-508.
243. Elmshäuser e Lokers (eds.), *"Man muss hier nur hart sein"*, p. 93 (Hans-Albert Giese para Frieda Giese, 12 de julho de 1941), e p. 102 (Hans-Albert Giese para Frieda Giese, 17 de julho de 1941).
244. Hürter, *Hitlers Heerführer*, p. 442-9.
245. Ibid., p. 97 (23 de outubro de 1941).
246. Klaus Latzel, "Tourismus und Gewalt Kriegswahrnehmungen in Feldpostbriefen", em Hannes Heer e Klaus Naumann (eds.), *Vernichtungskrieg: Verbrechen der Wehrmacht 1941-1944* (Hamburgo, 1995), p. 449-51. Ver também Dieter Reifarth e Viktoria Schmidt--Linsenhoff, "Die Kamera der Täter", em ibid., p. 475-503, e Bernd Hüppauf, "Der entleerte Blick hinter der Kamera", em ibid., p. 504-50.
247. Alois Scheuer, *Briefe aus Russland: Feldpostbriefe des Gefreiten Alois Scheuer 1941-1942* (St Ingbert, 2000), p. 31 (15 de agosto de 1941).
248. Reddemann (ed.), *Zwischen Front und Heimat*, p. 286 (para Agnes, 16 de agosto de 1941).

249. Ibid., p. 431 (para Agnes, 28 de fevereiro de 1942).
250. Ibid., p. 500.
251. Ver as ordens de Hitler para o combate aos guerrilheiros em Hubatsch (ed.), *Hitlers Weisungen*, p. 201-9.
252. Hürter (ed.), *Ein deutscher General*, p. 62 (diário, 23 de junho de 1941).
253. Ibid., p. 65 (carta à esposa, 6 de julho de 1941); mais genericamente sobre o tratamento dos guerrilheiros, ver idem, *Hitlers Heerführer*, p. 404-41.
254. Hürter (ed.), *Ein deutscher General*, p. 107 (7 de novembro de 1941).
255. Schulte, *The German Army*, p. 86-149.
256. Glantz, *Barbarossa*, p. 57-74.
257. Karel C. Berkhoff, *Harvest of Despair: Life and Death in Ukraine under Nazi Rule* (Cambridge, Mass., 2004), p. 15-7; Gross, *Revolution from Abroad*, p. 229.
258. Bock, *Zwischen Pflicht und Verweigerung*, p. 218-9 (15 de julho de 1941), p. 229 (24 de julho de 1941).
259. Horst Slesina, *Soldaten gegen Tod und Teufel: Unser Kampf in der Sowjetunion: Eine soldatische Deutung* (Düsseldorf, 1942), p. 164.
260. Scheuer, *Briefe aus Russland*, p. 30 (7 de agosto de 1941).
261. Hürter (ed.), *Ein deutscher General*, p. 69 (carta à esposa, 20 de julho de 1941). Ver também a vívida descrição de um contra-ataque do Exército Vermelho em Stützel, *Feldpost*, p. 54-6.
262. Rüdiger Overmans, *Deutsche militärische Verluste im Zweiten Weltkrieg* (Munique, 1999), p. 277-9; Hürter (ed.), *Ein deutscher General*, p. 177, nota 138.
263. Ibid., p. 70 (carta à esposa, 22 de julho de 1941).
264. Ibid., p. 72 (carta à esposa, 3 de agosto de 1941), p. 76 (carta à esposa, 23 de agosto de 1941).
265. Glantz, *Barbarossa*, p. 21-2, 75-84.
266. Halder, *Kriegstagebuch*, III, p. 117 (25 de julho de 1941).
267. Ibid., III, p. 143 (2 de agosto de 1941).
268. Ibid., III, p. 170 (11 de agosto de 1941).
269. Ibid., III, p. 183 (17 de agosto de 1941) e p. 178 (15 de agosto de 1941).
270. Bock, *Zwischen Pflicht und Verweigerung*, p. 234 (29 de julho de 1941), p. 236 (31 de julho de 1941), p. 242 (7 de agosto de 1941).
271. Kleo Pleyer, *Volk im Feld* (Hamburgo, 1943), p. 177.
272. Meier-Welcker, *Aufzeichnungen*, p. 168 (29 de julho de 1942).
273. Glantz, *Barbarossa*, p. 21-2; Bock, *Zwischen Pflicht und Verweigerung*, p. 234-5.
274. Glantz, *Barbarossa*, p. 99-114 (citação na p. 114); Weinberg, *A World at Arms*, p. 268-78.
275. Bock, *Zwischen Pflicht und Verweigerung*, p. 255 (22 de agosto de 1941).
276. Ibid., p. 258 (25 de agosto de 1941).
277. Halder, *Kriegstagebuch*, III, p. 192 (22 de agosto de 1941).
278. Relato detalhado em Glantz, *Barbarossa*, p. 117-58; para a "obstinação" de Guderian, ver Bock, *Zwischen Pflicht und Verweigerung*, p. 269-70 (5 de setembro de 1941).
279. Ibid., p. 277 (15 de setembro de 1941).
280. Fröhlich (ed.), *Die Tagebücher* II/I, p. 471-6 (23 de setembro de 1941).
281. Bock, *Zwischen Pflicht und Verweigerung*, p. 272 (7 de setembro de 1941); ver também Hürter (ed.), *Ein deutscher General*, p. 85-91 (Heinrici foi transferido do *front* de Kiev para o Grupo de Exércitos do Centro em 17 de setembro de 1941).
282. Kershaw, *Hitler*, II, p. 430-8; Glantz, *Barbarossa*, p. 84-96 (a contraofensiva de Smolensk).
283. Humburg, *Das Gesicht*, p. 170-1; boa discussão crítica em Hürter, *Hitlers Heerführer*, p. 302-10; em termos mais gerais, ver Jehuda L. Wallach, *The Dogma of the Battle of*

Annihilation: The Theories of Clausewitz and Schieffen and their Impact on the German Conduct of Two World Wars (Westport, Conn., 1980), p. 265-81.
284. Sebag-Montefiore, Stalin, p. 351-4.
285. Ibid.
286. Bock, Zwischen Pflicht und Verweigerung, p. 295 (15 de outubro de 1941), p. 297 (19 de outubro de 1941).
287. Meier-Welcker, Aufzeichnungen, p. 130-1 (1º de setembro de 1941), p. 136-8 (7 de novembro de 1941); também Bock, Zwischen Pflicht und Verweigerung, p. 307 (31 de outubro de 1941).
288. Hürter (ed.), Ein deutscher General, p. 94 (carta à esposa, 16 de outubro de 1941).
289. Sebag-Montefiore, Stalin, p. 356; Weinberg, A World at Arms, p. 278-82; Mawdsley, Thunder in the East, p. 195-217.
290. Bock, Zwischen Pflicht und Verweigerung, p. 301 (25 de outubro de 1941).
291. Ibid., p. 317 (14 de novembro de 1941).
292. Meier-Welcker, Aufzeichnungen, p. 156 (27 de janeiro de 1942), p. 158 (3 de março de 1942).
293. Hürter (ed.), Ein deutscher General, p. 108 (relato à família, 19 de novembro de 1941).
294. Christoph Rass, "Das Sozialprofil von Kampfverbänden des deutschen Heeres 1939 bis 1945", em Militärgeschichtliches Forschungsant (ed.), Das Deutsche Reich und der Zweite Weltkrieg [daqui em diante DRZW] (10 vols., Stuttgart/Munique, 1979-2008), IX/I (Munique, 2004), p. 641-741, na p. 700.
295. Hürter (ed.), Ein deutscher General, p. 116 (4 de dezembro de 1941), p. 124 (11 de dezembro de 1941).
296. Bock, Zwischen Pflicht und Verweigerung, p. 342 (7 de dezembro de 1941).
297. Hürter, Hitlers Heerführer, p. 310-24.
298. Scheuer, Briefe aus Russland, p. 51 (carta à esposa, 30 de novembro de 1941).
299. Ibid., p. 56 (carta à esposa, 25 de dezembro de 1941).
300. Kershaw, Hitler, II, p. 450-7.
301. Meier-Welcker, Aufzeichnungen, p. 145-6 (26 de dezembro de 1941).
302. Ibid.
303. Hürter (ed.), Ein deutscher General, p. 131 (carta à esposa, 22 de dezembro de 1941); para a frequência de temas como mau tempo, sujeira, fome e doença na correspondência dos soldados, ver Humburg, Das Gesicht, p. 129-70.
304. Bock, Zwischen Pflicht und Verweigerung, p. 353-7 (16-22 de dezembro de 1941); Hürter, Hitlers Heerführer, p. 310-28 (hoje suplantando todos os relatos prévios sobre as relações de Hitler com os generais seniores na crise de dezembro de 1941 e de janeiro de 1942).
305. Kershaw, Hitler, II, p. 451-5.
306. Reddemann (ed.), Zwischen Front und Heimat, p. 375 (para Agnes, 21 de dezembro de 1941).
307. Hürter, Hitlers Heerführer, p. 325-6.
308. Weinberg, A World at Arms, argumenta repetida e convincentemente, com muitos exemplos, que Hitler sempre esteve disposto a cogitar a ideia de uma retirada tática. Porém, uma vez que havia tomado sua decisão, ficou inclinado a tentar executá-la do modo mais firme e intransigente possível.
309. Hürter (ed.), Ein deutscher General, p. 135 (carta à esposa, 24 de dezembro de 1941).
310. Ibid., p. 138 (carta à esposa, 11 de janeiro de 1942).
311. Halder, Kriegstagebuch, III, p. 373 (3 de janeiro de 1942).

312. Hürter, *Hitlers Heerführer*, p. 341-2.
313. Ibid., p. 328-32.
314. Ibid., p. 332.
315. Ibid., p. 333-7.
316. Hürter (ed.), *Ein deutscher General*, p. 140-59 (21 de janeiro a 25 de abril de 1942).
317. Narrativa sucinta em Earl Ziemke, "Moscow, Battle for", em Dear (ed.), *The Oxford Companion to World War II*, p. 593-5; mais detalhes em Earl F. Ziemke, *Moscow to Stalingrad* (Washington, D. C., 1968).
318. Glantz, *Barbarossa*, p. 161-204; Overmans, *Deutsche militärische Verluste*, p. 239, 266.
319. Ibid., p. 238-9. Os números fornecidos em Glantz, *Barbarossa*, p. 161, mais que o dobro desse, parecem exagerados.
320. Weinberg, *A World at Arms*, p. 264.

Parte 3 – "A SOLUÇÃO FINAL"

1. Ernst Klee et al. (eds.), *"Those Were the Days": The Holocaust as Seen by the Perpetrators and Bystanders* (Londres, 1991 [1988]), p. 28-33.
2. Ibid., p. 28-31.
3. Friedländer, *The Years of Extermination*, p. 207, e, em maiores detalhes, Alfred Streim, "Zur Eröffnung des allgemeinen Judenvernichtungsbefehls gegenüber den Einsatzgruppen", em Eberhard Jäckel e Jürgen Rohwer (eds.), *Der Mord an den Juden im Zweiten Weltkrieg: Entschlussbildung und Verwirklichung* (Stuttgart, 1985), p. 108-19, e Peter Klein (ed.), *Die Einsatzgruppen in der besetzten Sowjetunion 1941/42: Die Tätigkeits- und Lageberichte des Chefs des Sicherheitspolizei und des SD* (Berlim, 1997).
4. Citado em Longerich, *Politik*, p. 324-5, 333-4; Klee et al. (eds.), *"Those Were the Days"*, p. 24-7.
5. Björn Felder, *Lettland im Zweiten Weltkrieg: Zwischen sowjetischen und deutschen Besatzern 1940-1946* (Paderborn, 2008).
6. Longerich, *Politik*, p. 325-6, 333-4.
7. Friedländer, *The Years of Extermination*, p. 219-25; Konrad Kwiet, "Rehearsing for Murder: The Beginning of the Final Solution in Lithuania in June 1941", *Holocaust and Genocide Studies*, 12 (1998), p. 3-26; Jürgen Matthäus, "Jenseits der Grenze: Die ersten Massenerschiessungen von Juden in Litauen (Juni-August 1941)", *Zeitschrift für Geschichtswissenschaft*, 44 (1996), p. 97-117; em termos mais gerais, Wolfgang Benz e Marion Neiss (eds.), *Judenmord in Litauen: Studien und Dokumente* (Berlim, 1999).
8. Reddemann (ed.), *Zwischen Front und Heimat*, p. 222 (carta à irmã, 25 de junho de 1941).
9. Citado em Bernd Boll e Hans Safrian, "Auf dem Weg nach Stalingrad: Die 6. Armee 1941/42", em Heer e Naumann (eds.), *Vernichtungskrieg*, p. 260-96, na p. 271; também citado na íntegra em Longerich, *Politik*, p. 324-5.
10. O diário de um judeu que escapou porque os vizinhos cristãos garantiram aos soldados esbravejantes que não havia judeus na casa foi republicado em Aryeh Klonicki e Malwina Klonicki, *The Diary of Adam's Father: The Diary of Aryeh Klonicki (Klonymus) and His Wife Malvina* (Jerusalém, 1973).
11. Citado em Longerich, *Politik*, p. 333, 352-7, 392; relato dos deslocamentos e das atividades de chacina da Força-Tarefa A em ibid., p. 390-4, e Krausnick, *Hitlers Einsatzgruppen*, p. 151-6.

12. Browning, *The Origins*, p. 255-7.
13. Longerich, *Politik*, p. 334-7; o progresso da Força-Tarefa B está documentado em Krausnick, *Hitlers Einsatzgruppen*, p. 156-62.
14. Ben-Cion Pinchuk, *Shtetl Jews under Soviet Rule: Eastern Poland on the Eve of the Holocaust* (Oxford, 1990), p. 117-200.
15. Pleyer, *Volk im Feld*, p. 169, 184.
16. Longerich, *Politik*, p. 352-6.
17. Citado em ibid., p. 358. Ver também Andrej Angrick e Dieter Pohl, *Einsatzgruppen C and D in the Invasion of the Soviet Union, 1941-1942* (Londres, 1999); Klein (ed.), *Die Einsatzgruppen*. Versão em inglês dos relatórios em Yitzhak Arad *et al.* (eds.), *The Einsatzgruppen Reports: Selections from the Dispatches of the Nazi Death Squads' Campaign against the Jews, July 1941-January 1943* (Nova York, 1989) (traduções nem sempre confiáveis); e Ogorreck, *Die Einsatzgruppen*.
18. Para esse evento, ver Evans, *The Third Reich in Power*, p. 621-3.
19. Longerich, *Politik*, p. 337-8.
20. Musial, *"Konterrevolutionäre Elemente"*, p. 262-9.
21. Ibid., p. 200-48; ver também Manoschek (ed.), *"Es gibt nur Eines"*, p. 31 (Gefr. F. B., 3 de julho de 1941), e p. 51 (Lt. K., 13 de fevereiro de 1942).
22. Klee *et al.* (eds.), *"Those Were the Days"*, p. 88-91.
23. Ibid., p. 91 (5 de julho de 1941).
24. Ibid., p. 91 (5 de julho de 1941); Musial, *"Konterrevolutionäre Elemente"*, p. 175-99, também para o envolvimento de soldados alemães nos *pogroms* e massacres em Lemberg e outros locais e para os acontecimentos em Boryslaw; ver também Manoschek (ed.), *"Es gibt nur Eines"*, p. 33 (carta de 6 de julho de 1941).
25. Berkhoff, *Harvest of Despair*, p. 205-31; Longerich, *Politik*, p. 337-43.
26. Ibid., p. 343.
27. Para os deslocamentos da Força-Tarefa C, ver Krausnick, *Hitlers Einsatzgruppen*, p. 162-9.
28. Klee *et al.* (eds.), *"Those Were the Days"*, p. 96 (12 de julho de 1941).
29. Ibid., p. 97 (12 de julho de 1941).
30. Ibid., p. 101 (22 de julho de 1941), p. 105 (2 de agosto de 1941); ver em Longerich, *Politik*, p. 338-9.
31. Klee *et al.* (eds.), *"Those Were the Days"*, p. 297-9; Friedländer, *The Years of Extermination*, p. 246-7.
32. Citado em Latzel, "Tourismus und Gewalt", p. 449-51. Há hoje uma literatura considerável sobre o valor, ou a falta de, das cartas enviadas do campo como fonte histórica. Ver, por exemplo, Humburg, *Das Gesicht*, p. 257-68.
33. Citado em Hürter, *Hitlers Heerführer*, p. 443.
34. Hürter (ed.), *Ein deutscher General*, p. 67 (11 de julho de 1941).
35. Longerich, *Politik*, p. 362.
36. Citado em Kershaw, *Hitler*, II, p. 405; Browning, *The Origins*, p. 274, 310; Friedländer, *The Years of Extermination*, p. 200; Longerich, *Politik*, p. 362-6.
37. Fritz Baade *et al.* (eds.), *"Unsere Ehre heisst Treue": Kriegstagebuch des Kommandostabes Reichsführer-SS, Tätigkeitsberichte der 1. und 2. 33-Infanterie-Brigade, der 1. SS-Kav. Brigade und von Sonderkommandos der SS* (Viena, 1965), p. 212.
38. Ibid., p. 96.
39. Ibid., p. 220 (Bericht "Pripjet-Aktion").
40. Citado em Klee *et al.* (eds.), *"Those Were the Days"*, p. 66-7.

41. Ibid., p. 67; Berkhoff, *Harvest of Despair*, p. 65-9.
42. Peter Longerich, *Der ungeschriebene Befehl: Hitler und der Weg zur "Endlösung"* (Munique, 2001), p. 106-7.
43. Klee *et al.* (eds.), *"Those Were the Days"*, p. 75-86.
44. Relato sucinto em Friedländer, *The Years of Extermination*, p. 282; mais detalhes em Dieter Pohl, "Hans Krüger and the Murder of the Jews in the Stanislawów Region (Galicia)", *Yad Vashem Studies*, 26 (1998), p. 257-64; idem, *Nationalsozialistische Judenverfolgung in Ostgalizien 1941-1944: Organisation und Durchführung eines staatlichen Massenverbrechens* (Munique, 1996), esp. p. 144-7; Thomas Sandkühler, *"Endlösung" in Galizien: Der Juden mord in Ostpolen und die Rettungsinitiativen von Berthold Beitz, 1941-1944* (Bonn, 1996), esp. p. 150; e Browning, *The Origins*, p. 348-50.
45. Bernd Boll, "Zloczów, Juli 1941: Die Wehrmacht und der Beginn des Holocaust in Galizien", *Zeitschrift für Geschichtswissenschaft*, 50 (2002), p. 899-917.
46. Friedländer, *The Years of Extermination*, p. 215-9, documentos em Klee *et al.* (eds.), *"Those Were the Days"*, p. 137-54.
47. Citado em ibid., p. 151; Groscurth, *Tagebücher*, p. 534-42.
48. Deletant, *Hitler's Forgotten Ally*, p. 127-30; mais genericamente, Andrej Angrick, "The Escalation of German-Rumanian Anti-Jewish Policy after the Attack on the Soviet Union", *Yad Vashem Studies*, 26 (1998), p. 203-38.
49. Deletant, *Hitler's Forgotten Ally*, p. 102-28 (citação na p. 116), opondo-se de modo convincente ao relato menos hostil (embora valioso sob muitos aspectos) de Larry Watts, *Romanian Cassandra: Ion Antonescu and the Struggle for Reform, 1916-1941* (Boulder, Colo., 1993).
50. Kurt Erichson (ed.), *Abschied ist immer: Briefe an den Bruder im Zweiten Weltkrieg* (Frankfurt am Main, 1994), p. 25 (carta ao irmão, 17 de julho de 1941).
51. Ver Jean Ancel, *Transnistria* (3 vols., Bucareste, 1998).
52. Deletant, *Hitler's Forgotten Ally*, p. 197.
53. Ibid., p. 171-3, com detalhes e números precisos, baseados em documentos romenos e alemães (outros relatos parecem envolver um elemento de contagem dupla); em termos mais gerais, ver Alexander Dallin, *Odessa, 1941-1944: A Case Study of Soviet Territory under Foreign Rule* (Iaşi, 1998 [1957]) esp. p. 74-5.
54. Deletant, *Hitler's Forgotten Ally*, p. 173-9.
55. Ibid., p. 179-87; Paul A. Shapiro, "The Jews of Chisinau (Kishinev): Romanian Reoccupation, Ghettoization, Deportation", em Randolph L. Braham (ed.), *The Destruction of Romanian and Ukrainian Jews during the Antonescu Era* (Nova York, 1997), p. 135-94; Dennis Deletant, "Ghetto Experience in Golta, Transnistria, 1942-1944", *Holocaust and Genocide Studies*, 18 (2004), p. 1-26; e Dalia Ofer, "Life in the Ghettos of Transnistria", *Yad Vashem Studies*, 25 (1996), p. 229-74.
56. Jean Ancel, "The Romanian Way of Solving the 'Jewish Problem' in Bessarabia and Bukovina: June-July 1941", *Yad Vashem Studies*, 19 (1988), p. 187-232; idem, "The 'Christian' Regimes of Romania and the Jews, 1940-1942", *Holocaust and Genocide Studies*, 7 (1993), p. 14-29; Braham (ed.), *The Destruction of Romanian and Ukrainian Jews*; o relato mais completo e mais preciso, enfatizando de modo convincente o caráter racista desses assassinatos em massa, é hoje o de Deletant, *Hitler's Forgotten Ally*, p. 130-49 (citação na p. 141).
57. Friedländer, *The Years of Extermination*, p. 225, citando o *Final Report of the International Commission on the Holocaust in Romania*, presented to Romanian President Ion Iliescu, 11

November 2004, da Comissão Internacional sobre o Holocausto na Romênia; Deletant, *Hitler's Forgotten Ally*, p. 166-71.
58. Andrej Angrick, *Besatzungspolitik und Massenmord: Die Einsatzgruppe D in der südlichen Sowjetunion 1941-1943* (Hamburgo, 2003), p. 174; Radu Ioanid, *The Holocaust in Romania: The Destruction of Jews and Gypsies under the Antonescu Regime, 1940-1944* (Chicago, 2000), p. 62-4.
59. Citado em Longerich, *Politik*, p. 388.
60. Ibid., p. 388-9; Breitman, *The Architect of Genocide*, p. 213-4.
61. Para um itinerário detalhado, ver Krausnick, *Hitlers Einsatzgruppen*, p. 169-78; detalhes em Longerich, *Politik*, p. 386-90; e Angrick, *Besatzungspolitik und Massenmord*.
62. Krausnick, *Hitlers Einsatzgruppen*, p. 118; Dear (ed.), *The Oxford Companion to World War II*, p. 1011-6; Browning, *The Origins*, p. 334-5.
63. Walter Manoschek, "Die Vernichtung der Juden in Serbien", em Ulrich Herbert (ed.), *Nationalsozialistische Vernichtungspolitik 1939-1945: Neue Forschungen und Kontroversen* (Frankfurt am Main, 1998), p. 209-34, nas p. 209-12.
64. Citado em Paul Hehn, *The German Struggle against Yugoslav Guerillas in World War II: German Counter-Insurgency in Yugoslavia 1941-1943* (Nova York, 1979), p. 28-9; Manoschek, "Die Vernichtung", p. 214-5, 220.
65. Citado em ibid., p. 216-7.
66. Citado em Manoschek (ed.), *"Es gibt nur Eines"*, p. 39 (Lt. P. G., 29 de julho de 1941).
67. Citado em Manoschek, "Die Vernichtung", p. 216.
68. Fröhlich (ed.), *Die Tagebücher*, II/I, p. 478 (24 de setembro de 1941).
69. Citado em Browning, *The Origins*, p. 338.
70. Longerich, *Politik*, p. 458-9; citação em Manoschek, "Die Vernichtung", p. 222.
71. Citado em ibid., p. 227; para os ciganos, ver ibid., p. 233, e em especial Karola Fings *et al.*, *"... einziges Land, in dem Judenfrage und Zigeunerfrage gelöst": Die Verfolgung der Roma im faschistisch besetzten Jugoslawien 1941-1945* (Colônia, n. d.).
72. Citado em Glenny, *The Balkans*, p. 503.
73. Browning, *The Origins*, p. 341.
74. Citado em Walter Manoschek, "'Gehst mit Juden erschiessen?' Die Vernichtung der Juden in Serbien", em Heer e Naumann (eds.), *Vernichtungskrieg*, p. 39-56, na p. 46.
75. Walter Manoschek, *"Serbien ist judenfrei": Militärische Besatzungspolitik und Judenvernichtung in Serbien 1941/42* (Munique, 1993), p. 155-8.
76. Manfred Messerschmidt, "Partisanenkrieg auf dem Balkan, Ziele, Methoden, 'Rechtfertigung'", em Loukia Droulia e Hagen Fleischer (eds.), *Von Lidice bis Kalavryta: Widerstand und Besatzungsterror: Studien zur Repressalienpraxis im Zweiten Weltkrieg* (Berlim, 1999), p. 65-91; Walter Manoschek, "Krajevo – Kragujevac – Kalavryta: Die Massaker der 717. Infanteriedivision bzw. 117. Jägerdivision am Balnak", em ibid., p. 93-104; idem, "Partisanenkrieg und Genozid: Die Wehrmacht in Serbien 1941", em idem (ed.), *Die Wehrmacht im Rassenkrieg: Der Vernichtungskrieg hinter der Front* (Viena, 1996), p. 142-67.
77. Longerich, *Politik*, p. 405-10; Hannes Heer, "Killing Fields: Die Wehrmacht und der Holocaust", em idem e Naumann (eds.), *Vernichtungskrieg*, p. 57-77.
78. Longerich, *Politik*, p. 418.
79. Browning, *The Origins*, p. 309-11.
80. Longerich, *Der ungeschriebene Befehl*, p. 107-11.
81. Werner Jochmann (ed.), *Monologe im Führerhauptquartier 1941-44: Die Aufzeichnungen Heinrich Heims* (Hamburgo, 1980), p. 106-8; ver também Longerich, *Der ungeschriebene Befehl*, p. 114-5.

82. Browning, *The Origins*, p. 312; Longerich, *Der ungeschriebene Befehl*, p. 112.
83. Ibid., p. 112.
84. Weinberg, *A World at Arms*, p. 153-61; Saul Friedländer, *Prelude to Downfall: Hitler and the United States, 1939-1941* (Londres, 1967); David Reynolds, *From Munich to Pearl Harbor: Roosevelt's America and the Origins of the Second World War* (Chicago, 2001); idem, *The Creation of the Anglo-American Alliance, 1937-1941: A Study in Competitive Co-operation* (Londres, 1981).
85. Friedländer, *The Years of Extermination*, p. 201; Tooze, *The Wages of Destruction*, p. 406-7.
86. Weinberg, *A World at Arms*, p. 243-5.
87. Ibid., p. 245-63.
88. Domarus (ed.), *Hitler*, IV, p. 1731. Para detalhes sobre a ausência de influência judaica na política americana da época, ver Herf, *The Jewish Enemy*, p. 79-82.
89. Ibid., p. 84-5.
90. Ibid., p. 98-104.
91. Fröhlich (ed.), *Die Tagebücher*, II/I, p. 32-5 (9 de julho de 1941; a primeira anotação ditada).
92. Herf, *The Jewish Enemy*, p. 105.
93. Ibid., p. 106-7, 281-3 (ajustei ligeiramente os números de Herf, visto que algumas manchetes que ele cita não fazem menção aos judeus).
94. Ibid., p. 28-31.
95. A. N., 23 de junho de 1941, citado em Manoschek (ed.), *"Es gibt nur Eines"*, p. 28.
96. Herf, *The Jewish Enemy*, p. 282.
97. Ibid., ilustração, entre p. 166 e 167.
98. Citado em ibid., p. 113.
99. Friedländer, *The Years of Extermination*, p. 202-7; Wolfgang Benz, "Judenvernichtung aus Notwehr? Die Legenden um Theodore N. Kaufman", *VfZ* 29 (1981), p. 615-30; mais genericamente, Philipp Gassert, *Amerika im Dritten Reich: Ideologie, Propaganda und Volksmeinung 1933-1941* (Stuttgart, 1997), esp. cap. 7, e Bianka Pietrow-Ennker, "Die Sowjetunion in der Propaganda des Dritten Reiches: Das Beispiel der Wochenschau", *Militärgeschichtliche Mitteilungen*, 46 (1989), p. 79-120.
100. Citado em Herf, *The Jewish Enemy*, p. 108; para *O Reich*, ver ibid., p. 20-1.
101. Longerich, *Politik*, p. 421-3 e 696, notas 3, 5, 8; uma boa discussão em Friedländer, *The Years of Extermination*, p. 78-9, nota 160.
102. Kershaw, *Hitler*, II, p. 410-2.
103. Fröhlich (ed.), *Die Tagebücher*, II/I, p. 269 (19 de agosto de 1941); ver também Longerich, *Der ungeschriebene Befehl*, p. 113-4.
104. Ver em particular Gerhard Botz, *Wohnungspolitik und Judendeportation in Wien 1938 bis 1945: Zur Funktion des Antisemitismus als Ersatz nationalsozialistischer Sozialpolitik* (Viena, 1975), p. 57-65.
105. Friedländer, *The Years of Extermination*, p. 238-9.
106. Longerich e Pohl, *Ermordung*, p. 157; ver também idem, *Der ungeschriebene Befehl*, p. 114, e mais genericamente, *Politik*, p. 421-34 (entre outras coisas, enfatizando a intensificação da propaganda antissemita nessa época).
107. Longerich, *Der ungeschriebene Befehl*, p. 115. O argumento de Friedländer, *The Years of Extermination*, p. 264, de que Stálin não teria ficado impressionado é irrelevante; o que interessava era impressionar a população alemã em casa.
108. Fröhlich (ed.), *Die Tagebücher*, II/I, p. 480-1 (24 de setembro de 1941); ver também Longerich, *Der ungeschriebene Befehl*, p. 116-7.

109. Fröhlich (ed.), *Die Tagebücher*, II/I, p. 481 (24 de setembro de 1941).
110. Longerich, *Der ungeschriebene Befehl*, p. 115-7.
111. Klemperer, *I Shall Bear Witness*, p. 374-98 (23 de junho-1º de julho de 1941).
112. Klemperer, *To the Bitter End*, p. 37 (12 de abril de 1942).
113. Ibid., p. 33 (31 de março de 1942), p. 37 (18 de abril de 1942), p. 41-2 (23 e 26 de abril de 1942).
114. Ibid., p. 65 (6 de junho de 1942).
115. Friedländer, *The Years of Extermination*, p. 228.
116. Klemperer, *I Shall Bear Witness*, p. 414-5 (18, 19 e 20 de setembro de 1941), também p. 424 (9 de novembro de 1941).
117. Ibid., p. 422 (31 de outubro de 1941).
118. Klemperer, *To the Bitter End*, p. 11 (6 de fevereiro de 1942).
119. Ibid., p. 62-3 (2 de junho de 1942).
120. Friedländer, *The Years of Extermination*, p. 289.
121. Ibid., p. 368.
122. Klemperer, *To the Bitter End*, p. 50-3 (18-19 de maio de 1942).
123. Longerich, *Politik*, p. 446-8.
124. Longerich, *Der ungeschriebene Befehl*, p. 121.
125. Friedländer, *The Years of Extermination*, p. 255-6.
126. Wolf Gruner, *Judenverfolgung in Berlin 1933-1945: Eine Chronologie der Behördenmassnahmen in der Reichshauptstadt* (Berlim, 1996), p. 84.
127. Friedländer, *The Years of Extermination*, p. 266-7, fornece números ligeiramente diferentes; ver também Longerich, *Der ungeschriebene Befehl*, p. 117-8. Para a mecânica da deportação e numerosas histórias individuais de deportados, ver o extraordinário estudo de Hans Georg Adler, *Der verwaltete Mensch: Studien zur Deportation der Juden aus Deutschland* (Tübingen, 1974).
128. Fröhlich (ed.), *Die Tagebücher*, II/II, p. 340-1 (22 de novembro de 1941).
129. Ver Stadtarchiv München (ed.), *"...verzogen, unbekannt wohin": Die erste Deportation von Münchner Juden im November 1941* (Zurique, 2000); Dina Porat, "The Legend of the Struggle of Jews from the Third Reich in the Ninth Fort Near Kovno, 1941-1942", *Tel Aviver Jahrbuch für deutsche Geschichte*, 20 (1991), p. 363-92.
130. Klemperer, *To the Bitter End*, p. 6 (1º de janeiro de 1942).
131. Ibid., p. 13 (15 de fevereiro de 1942).
132. Ibid., p. 17 (21 de fevereiro-6 de março de 1942).
133. Ibid., p. 25-7 (9-16 de março de 1942).
134. Ibid., p. 54-6 (23 de maio de 1942).
135. Ibid., p. 81 (24 de junho de 1942) (itálicos no original).
136. Ibid., p. 58 (27 de maio de 1942).
137. Solmitz, *Tagebuch*, p. 652, 655, 679 (22 de maio de 1941, 3 de junho de 1941, 13 de setembro de 1941).
138. Ver a discussão geral em Friedländer, *The Years of Extermination*, p. 263-7.
139. Citado em Longerich, *Der ungeschriebene Befehl*, p. 119.
140. Citado em ibid., p. 118.
141. Hillgruber (ed.), *Staatsmänner und Diplomaten*, I, p. 664.
142. Fröhlich (ed.), *Die Tagebücher* II/II, p. 222 (2 de novembro de 1941).
143. Avraham Tory, *Surviving the Holocaust: The Kovno Ghetto Diary* (Cambridge, 1990).
144. Ibid., p. 43-60; e Corni, *Hitler's Ghettos*, p. 35.

145. Ibid., p. 31-7.
146. Conforme o persuasivo argumento de Pohl, *Von der "Judenpolitik" zum Judenmord*, p. 179; para um estudo do debate infindável sobre a data exata de uma suposta ordem, ver Christopher R. Browning, "The Decision-Making Process", em Dan Stone (ed.), *The Historiography of the Holocaust* (Londres, 2004), p. 173-96.
147. Citado em Longerich, *Der ungeschriebene Befehl*, p. 23-4.
148. Christian Gerlach, *Kalkulierte Morde: Die deutsche Wirtschafts- und Vernichtungspolitik in Weissrussland 1941 bis 1944* (Hamburgo, 1999), esp. p. 683-743, e 1131-6; para os doentes mentais e deficientes, ver ibid., p. 1.067-74.
149. Herf, *The Jewish Enemy*, p. 124-7. O discurso foi subsequentemente publicado como um panfleto, *O Coração de Ferro*.
150. Citado em Longerich, *Der ungeschriebene Befehl*, p. 139; ver também Jürgen Hagemann, *Die Presselenkung im Dritten Reich* (Bonn, 1970), p. 125, 146, nota 67.
151. Dieter Pohl, "Schauplatz Ukraine: Der Massenmord an den Juden im Militär verwaltungsgebiet und im Reichskommissariat 1941-1945", em Norbert Frei *et al.* (eds.), *Ausbeutung, Vernichtung, Öffentlichkeit: Neue Studien zur nationalsozialistischen Lagerpolitik* (Munique, 2000), p. 135-73. Ver também Martin Dean, *Collaboration in the Holocaust: Crimes of the Local Police in Belorussia and the Ukraine, 1941-44* (Nova York, 2000); e Shmuel Spector, *The Holocaust of Volhynian Jews: 1941-1944* (Jerusalém, 1990).
152. Rudolf Höss, *Commandant of Auschwitz: The Autobiography of Rudolf Höss* (Londres, 1959 [1951]), p. 165.
153. Klee *et al.* (eds.), *"Those Were the Days"*, p. 68.
154. Longerich, *Der ungeschriebene Befehl*, p. 122-3.
155. Citado em Klee *et al.* (eds.), *"Those Were the Days"*, p. 69.
156. Yitzhak Arad, *Belzec, Sobibor, Treblinka: The Operation Reinhard Death Camps* (Bloomington, Ind., 1999 [1987]), p. 10-1; Longerich, *Der ungeschriebene Befehl*, p. 123; idem, *Politik*, p. 441-2; mais detalhes em Beer, "Die Entwicklung der Gaswagen"; chacinas de pacientes mentais enumeradas em Longerich, *Politik*, p. 403-4.
157. Peter Witte *et al.* (eds.), *Der Dienstkalender Heinrich Himmlers 1941/42* (Hamburgo, 1999), p. 233-4 (13 de outubro de 1941 e nota 35). Também foram traçados planos para a construção de centros de matança em Riga e Mogilev, embora nunca tenham sido realmente construídos.
158. Longerich, *Der ungeschriebene Befehl*, p. 122-3.
159. Friedländer, *The Years of Extermination*, p. 314-8; Grojanowski conseguiu escapar e contou sua história a Ringelblum em Varsóvia, onde chegou em janeiro de 1942. Ver também Gilbert, *The Holocaust*, p. 502.
160. Longerich, *Der ungeschriebene Befehl*, p. 123; idem, *Politik*, p. 443.
161. Citado em Klee *et al.* (eds.), *"Those Were the Days"*, p. 72-4.
162. Manoschek, "Die Vernichtung", p. 228-34; também Menachem Schelach, "Sajmiste – an Extermination Camp in Serbia", *Holocaust and Genocide Studies*, 2 (1987), p. 243-60; mais detalhes em Glenny, *The Balkans*, p. 504-6, e Browning, *The Origins*, p. 344-6, 421-3.
163. Mark Roseman, *The Wannsee Conference and the Final Solution: A Reconsideration* (Nova York, 2002), p. 81; Friedländer, *The Years of Extermination*, p. 728-31, nota 193.
164. Christian Gerlach, "Die Wannsee-Konferenz, das Schicksal der deutschen Juden und Hitlers politische Grundsatzentscheidung, alle Juden Europas zu ermorden", *Werkstatt Geschichte*, 18 (1997), p. 7-44; Roseman, *The Wannsee Conference*, p. 86.
165. Ibid., p. 86.

166. Fröhlich (ed.), *Die Tagebücher*, II/II, p. 498-9 (13 de dezembro de 1941); ver também Longerich, *Der ungeschriebene Befehl*, p. 138.
167. Citado em ibid., p. 139.
168. Ibid., p. 140-2.
169. Präg e Jacobmeyer (eds.), *Das Diensttagebuch*, p. 457 (16 de dezembro de 1941).
170. Ibid., p. 458.
171. Longerich, *Der ungeschriebene Befehl*, p. 133; idem, *Politik*, p. 461-5; Richard J. Evans, *Telling Lies About Hitler: The Holocaust, History and the David Irving Trial* (Londres, 2002), p. 84-8.
172. Longerich, *Der ungeschriebene Befehl*, p. 122-37.
173. Witte et al. (eds.), *Der Dienstkalender*, p. 294.
174. Citado em Longerich, *Der ungeschriebene Befehl*, p. 169-70.
175. Longerich, *Politik*, p. 447-8, sublinha a existência em outubro de 1941 da *intenção*, mas não de um *plano* para exterminar os judeus da Europa; mais genericamente, sobre os assassinatos em massa em Wartheland e distrito de Lublin, ver ibid., p. 450-8.
176. Roseman, *The Wannsee Conference*, p. 157-62, republicando as minutas originais do encontro, geralmente conhecidas como "The Wannsee Protocol". Eberhard Jäckel, "On the Purpose of the Wannsee Conference", em James S. Pacy e Alan P. Wertheimer (eds.), *Perspectives on the Holocaust: Essays in Honor of Raul Hilberg* (Boulder, Colo., 1995), p. 39-49, argumentam que o objetivo da reunião foi convencer os participantes de que Hitler em pessoa havia encarregado Heydrich de levar a cabo o genocídio, uma hipótese para a qual não há evidência convincente.
177. Roseman, *The Wannsee Conference*, p. 163-4.
178. Roseman, *The Wannsee Conference*, p. 165-72. Para detalhes das discussões e decisões sobre pessoas de "raça mista", ver Beate Meyer, *"Jüdische Mischlinge": Rassenpolitik und Verfolgungserfahrung 1933-1945* (Hamburgo, 1999), p. 99-101; e Peter Longerich e Dieter Pohl (eds.), *Die Ermordung der europäischen Juden: Eine umfassende Dokumentation des Holocaust 1941-1945* (Munique, 1989), p. 167-9.
179. Tooze, *The Wages of Destruction*, p. 476.
180. Roseman, *The Wannsee Conference*, p. 136-40.
181. Longerich, *Politik*, p. 476-82; Tooze, *The Wages of Destruction*, p. 531-3.
182. Julgamento de Eichmann, 26 de junho de 1961, 24 de julho de 1961, citado em Roseman, *The Wannsee Conference*, p. 144. Para a ideia de que a referência aos planos de construção de estradas era metafórica, simbolizando trabalho escravo de todos os tipos, ver Friedländer, *The Years of Extermination*, p. 342.
183. Roseman, *The Wannsee Conference*, p. 136-40.
184. Ibid., p. 144-5, 148.
185. Ibid., p. 149-50.
186. Longerich, *Der ungeschriebene Befehl*, p. 143-8.
187. Domarus (ed.), *Hitler*, IV, p. 1.828-9 (30 de janeiro de 1942).
188. Jochmann (ed.), *Adolf Hitler*, p. 227-9.
189. Longerich, *Der ungeschriebene Befehl*, p. 138-42.
190. Fröhlich (ed.), *Die Tagebücher*, II/III, p. 320-1 (15 de fevereiro de 1942).
191. Ibid. II/III, p. 561 (27 de março de 1942).
192. Ibid.
193. Domarus (ed.), *Hitler*, IV, p. 1.869.
194. Fröhlich (ed.), *Die Tagebücher*, II/IV, p. 184 (27 de abril 1942). Para a chamada "Nota Schlegelberger", um memorando não datado relatando a repetida insistência de Hitler a

Lammers de que o problema judaico só seria resolvido depois da guerra, ver Evans, *Telling Lies*, p. 89-94. Se, conforme sugere a localização do documento no arquivo, o memorando data da primavera de 1942, então refere-se ou ao problema específico das pessoas de "raça mestiça" e "semijudeus", ou expressa a crença de Hitler de que a conclusão da "Solução Final" só poderia ocorrer após o fim da guerra, um acontecimento que àquela altura ainda era esperado para o mesmo ano.

195. Citado em Herf, *The Jewish Enemy*, p. 155.
196. Fröhlich (ed.), *Die Tagebücher*, II/IV, p. 350 (24 de maio de 1942).
197. Ibid., p. 355.
198. Ibid., p. 406 (30 de maio de 1942).
199. Roseman, *The Wannsee Conference*, p. 152-5.
200. Citado em Berenstein et al. (eds.), *Faschismus*, p. 296; também em Evans, *Telling Lies*, p. 96.
201. Wolf Gruner, *Widerstand in der Rosenstrasse: Die Fabrik-Aktion und die Verfolgung der Mischehen 1943* (Frankfurt am Main, 2005); idem, "Die Fabrik-Aktion und die Ereignisse in der Berliner Rosenstrasse: Fakten und Fiktionen um den 27. Februar 1943", *Jahrbuch für Antisemitismusforschung*, 11 (2002), p. 137-77. Para a lenda em sua versão clássica, ver Nathan Stoltzfus, *Resistance of the Heart: Intermarriage and the Rosenstrasse Protest in Nazi Germany* (Nova York, 1996), p. 209-58 (baseando-se pesadamente em entrevistas de história oral).
202. Jochen Klepper, *Unter dem Schatten deiner Flügel: Aus den Tagebüchern der Jahre 1932-1942* (Stuttgart, 1955), p. 798 (3 de setembro de 1939); idem, *Briefwechsel 1925-1942* (ed. Ernst G. Riemschneider, Stuttgart, 1973), p. 227-30 (troca de cartas com Frick).
203. Citado em Klepper, *Unter dem Schatten*, p. 1.130 (8 de dezembro de 1942).
204. Ibid., p. 1.130-1 (8 de dezembro de 1942).
205. Ibid., p. 1.133 (10 de dezembro de 1942).
206. Christian Goeschel, "Suicide in Weimar and Nazi Germany" (dissertação de Ph.D., Universidade de Cambridge, 2006), p. 135-59.
207. Longerich, *Der ungeschriebene Befehl*, p. 151-2.
208. Ibid., p. 149-6, 170-3. Para uma lista das deportações, ver idem, *Politik*, p. 483-93.
209. Höhne, *The Order of the Death's Head*, p. 455-6; Detlev Brandes, *Die Tschechen unter deutschem Protektorat, I: Besatzungspolitik, Kollaboration und Widerstand im Protektorat Böhmen und Mähren bis Heydrichs Tod, 1939-1942* (Munique, 1969); Miroslav Kárny, "'Heydrichiaden': Widerstand und Terror im Protektorat Böhmen und Mähren", em Droulia e Fleischer (eds.), *Von Lidice bis Kalavryta*, p. 51-63.
210. Charles Whiting, *Heydrich: Henchman of Death* (Londres, 1999), p. 141-7.
211. Höhne, *The Order of the Death's Head*, p. 455-7; Kershaw, *Hitler*, II, p. 518-9; ainda útil para os detalhes: Charles Wighton, *Heydrich: Hitler's Most Evil Henchman* (Londres, 1962), p. 270-6; relato recente apoiado no testemunho dos cirurgiões em Mario R. Dederichs *Heydrich: Das Gesicht des Bösen* (Munique, 2005), p. 185-212.
212. Citado em Günther Deschner, "Reinhard Heydrich: Security Technocrat", em Ronald Smelser e Rainer Zitelmann (eds.), *The Nazi Elite* (Londres, 1993 [1989]), p. 85-97, na p. 87; idem, *Reinhard Heydrich – Statthalter der totalen Macht* (Munique, 1978).
213. Hitler, *Hitler's Table Talk*, 4 de junho de 1942.
214. Höhne, *The Order of the Death's Head*, p. 149-50; Fest, *The Face of the Third Reich*, p. 152--70.
215. Conforme relatado mais tarde por sua viúva; ver ibid., p. 161.
216. Felix Kersten, *The Kersten Memoirs 1940-1945* (Londres, 1956), p. 90-9.

217. Carl J. Burckhardt, *Meine Danziger Mission 1937-1939* (Munique, 1960), p. 55.
218. Ibid., p. 57.
219. Hitler, *Hitler's Table Talk*, 4 de junho de 1942.
220. Ibid., 4 de julho de 1942.
221. Jürgen Tampke, *Czech-German Relations and the Politics of Central Europe from Bohemia to the EU* (Londres, 2003), p. 67-9; René Kupper, "Karl Hermann Frank als Deutscher Staatsminister für Böhmen und Mähren", em Monika Glettler *et al.* (eds.), *Geteilt, Besetzt, Beherrscht: Die Tschechoslowakei 1938-1945: Reichsgau Sudetenland, Protektorat Böhmen und Mähren, Slowakei* (Essen, 2004), p. 31-52.
222. Tooze, *The Wages of Destruction*, p. 538-45. A importância da questão da comida foi destacada pela primeira vez em Christian Gerlach's *Krieg, Ernährung, Völkermord: Forschungen zur deutschen Vernichtungspolitik im Zweiten Weltkrieg* (Hamburgo, 1998).
223. Berenstein *et al.* (eds.), *Faschismus*, p. 303.
224. Longerich, *Der ungeschriebene Befehl*, p. 168.
225. Domarus (ed.), *Hitler*, IV, p. 1.920 (30 de setembro de 1942); nessa ocasião Hitler usou a palavra *Ausrottung* em vez da usual *Vernichtung*.
226. Citado em Friedländer, *The Years of Extermination*, p. 403.
227. Citado em Herf, *The Jewish Enemy*, p. 169.
228. Domarus (ed.), *Hitler* IV, p. 1.937 (8 de novembro de 1942).
229. Helmut Heiber, *Goebbels-Reden* (2 vols., Düsseldorf, 1971-72). A versão citada em Jeremy Noakes (ed.), *Nazism 1919-1945*, IV: *The German Home Front in World War II: A Documentary Reader* (Exeter, 1998), p. 490-1, do serviço de monitoramento de rádio da BBC, registra gritos da plateia de "Fora com os judeus" depois de cada frase.
230. Domarus (ed.), *Hitler*, IV, p. 1.991 (24 de fevereiro de 1943) e p. 2.001 (21 de março de 1943).
231. Frohlich (ed.), *Die Tagebücher* II/VIII, p. 287-90 (13 de maio de 1943); ver também Norman Cohn, *Warrant for Genocide: The Myth of the Jewish World-Conspiracy and the Protocols of the Elders of Zion* (Londres, 1967).
232. Citado em Noakes (ed.), *Nazism*, IV, p. 497.
233. Herf, *The Jewish Enemy*, p. 281-7.
234. Essa é a tese de Herf, ibid. Ver também ibid., p. 183-230, para um levantamento da propaganda antissemita em 1943.
235. Citado em Longerich, *Der ungeschriebene Befehl*, p. 181-2.
236. Arad, *Belzec*, p. 14-6.
237. Ibid., p. 16-22.
238. Gilbert, *The Holocaust*, p. 817; Arad, *Belzec*, p. 23-9, 68-74.
239. Klukowski, *Diary*, p. 191 (8 de abril de 1942); a referência à eletricidade com certeza baseou-se em informações falsas.
240. Ibid., p. 192 (12-13 de abril de 1942).
241. Ibid., p. 195-6 (8 de maio de 1942).
242. Ibid., p. 197 (9 de maio de 1942).
243. Gitta Sereny, *Into that Darkness: An Examination of Conscience* (Londres, 1977 [1974]), p. 111-2.
244. Ibid., p. 21-55.
245. Arad, *Belzec*, p. 126-7.
246. Ibid., p. 30-7, 75-80.
247. Ibid., p. 30-6, 49-53, 75-80, 128-30, 171-3.

248. Michael MacQueen, "The Conversion of Looted Jewish Assets to Run the German War Machine", *Holocaust and Genocide Studies*, 18 (2004), p. 27-45; Bertrand Perz e Thomas Sandkühler, "Auschwitz und die 'Aktion Reinhard' 1942-1945: Judenmord und Raubpraxis in neuer Sicht", *Zeitgeschichte*, 26 (2000), p. 283-316.
249. Friedländer, *The Years of Extermination*, p. 498-9.
250. Berenstein *et al*. (eds.), *Faschismus*, p. 412-21.
251. Arad, *Belzec*, p. 165-9, 171, 306-41, 373-5.
252. Ibid., p. 37-43.
253. Ibid., p. 81-94; Sereny, *Into that Darkness*, p. 200-7.
254. Ibid., p. 200-7, 358; Arad, *Belzec*, p. 89-99.
255. Ibid., p. 196-7.
256. Ibid., p. 101.
257. Ibid., p. 270-98; Sereny, *Into that Darkness*, p. 236-49.
258. Sereny, *Into that Darkness*, p. 248-9.
259. Arad, *Belzec*, p. 365-9.
260. Ibid., p. 170-8, 372-6; Sereny, *Into that Darkness*, p. 249-50.
261. Arad, *Belzec*, p. 379-80.
262. Peter Witte e Stephen Tyas, "A New Document on the Deportation and Murder of Jews during 'Einsatz Reinhard' 1942", *Holocaust and Genocide Studies*, 15 (2001), p. 468-86.
263. Gerald Fleming, *Hitler and the Final Solution* (Oxford, 1986 [1982]), p. 135-9. De acordo com Eichmann em seu interrogatório posterior, quando o relatório resumido foi devolvido a seu gabinete, trazia um bilhete de Himmler: "O Líder tomou nota, destrua, H. H.".
264. Arad, *Belzec*, p. 379.
265. Sybille Steinbacher, *Auschwitz: A History* (Londres, 2005 [2004]), p. 5-27; Höss, *Commandant of Auschwitz*, p. 116-9; Nilli Keren, "The Family Camp", em Yisrael Gutman e Michael Berenbaum (eds.), *Anatomy of the Auschwitz Death Camp* (Bloomington, Ind., 1994), p. 428-40. Para uma vívida memória escrita por um desses prisioneiros, ver Wieslaw Kielar, *Anus Mundi: Five Years in Auschwitz* (Londres, 1982 [1972]).
266. Höss, *Commandant of Auschwitz*, p. 231.
267. Ibid., p. 134-9; Steinbacher, *Auschwitz*, p. 89-91.
268. Tomasz Kranz, "Das KL Lublin zwischen Planung und Realisierung", em Herbert *et al*. (eds.), *Die nationalsozialistischen Konzentrationslager*, I, p. 363-89.
269. Longerich, *Der ungeschriebene Befehl*, p. 124-5; Steinbacher, *Auschwitz*, p. 77.
270. Longerich, *Politik*, p. 444 (e p. 704, nota 114, para a discutida data desses experimentos).
271. Friedländer, *The Years of Extermination*, p. 236, 717, nota 147; Höss, *Commandant of Auschwitz*, p. 164.
272. Longerich, *Der ungeschriebene Befehl*, p. 124; Steinbacher, *Auschwitz*, p. 87-9.
273. Höss, *Commandant of Auschwitz*, p. 169.
274. Ibid., p. 169
275. Ibid., p. 166-7.
276. Longerich, *Der ungeschriebene Befehl*, p. 124-5; Jamie McCarthy *et al*., "The Ruins of the Gas Chambers: A Forensic Investigation of Crematoriums at Auschwitz I and Auschwitz-Birkenau", *Holocaust and Genocide Studies*, 18 (2004), p. 68-103. Michael Thad Allen, "Not Just a 'Dating Game': Origins of the Holocaust at Auschwitz in the Light of Witness Testimon'", *German History*, 25 (2007), p. 162-91, argumenta persuasivamente que o Crematório II foi projetado desde o início como uma câmara de gás, conforme diretrizes de Himmler em Berlim, criticando os argumentos de que os crematórios só foram convertidos

em câmaras de gás num momento posterior: ver Robert Jan Van Pelt, "A Site in Search of a Mission", em Gutman e Berenbaum (eds.), Anatomy, p. 93-156; e Sybille Steinbacher, "Musterstadt" Auschwitz: Germanisierungspolitik und Judenmord in Ostoberschlesien (Munique, 2000), p. 78.
277. Steinbacher, Auschwitz, p. 96-105.
278. Ibid., p. 119-21.
279. Ibid., p. 105-7; Höss, Commandant of Auschwitz, p. 211, 235.
280. Steinbacher, Auschwitz, p. 107.
281. Miroslav Kárny et al. (eds.), Theresienstadt in der "Endlösung der Judenfrage" (Praga, 1992).
282. Steinbacher, Auschwitz, p. 108-9; Friedländer, The Years of Extermination, p. 354.
283. Ibid., p. 620; Steinbacher, Auschwitz, p. 108.
284. Ibid., p. 40-4; idem, "Musterstadt" Auschwitz, p. 247.
285. Steinbacher, Auschwitz, p. 132-5.
286. Höss, Commandant of Auschwitz, p. 173.
287. Ibid., p. 172.
288. Ibid., p. 145.
289. Ibid., p. 172.
290. Ibid., p. 174.
291. Ibid., p. 175-6.
292. Czerniakow, The Warsaw Diary, p. 300 (19 de novembro de 1941), p. 341 (8-10 de abril de 1942), p. 355 (18 de maio de 1942), p. 366 (14 de junho de 1942), p. 376-7 (8 de julho de 1942).
293. Ibid., p. 384-5 (21-23 de julho de 1942); Kermish, "Introduction", em ibid., p. 23-4. O diário de Czerniakow foi preservado por mãos desconhecidas e veio à luz em 1959. Há um relato sobre o clima da reunião crucial de 22 de julho de 1942 em Marcel Reich-Ranicki, The Author of Himself: The Life of Marcel Reich-Ranicki (Londres, 2001 [1999]), p. 164-6. Ver também Wolfgang Scheffler, "The Forgotten Part of the 'Final Solution': The Liquidation of the Ghettos", Simon Wiesenthal Centre Annual, 2 (1985), p. 31-51.
294. Hosenfeld, "Ich versuche", p. 628 (carta à esposa, 23 de julho de 1942). A posição de Hosenfeld na administração militar parece ter protegido suas cartas das atenções do censor, embora uma expressão de crítica incondicial desse tipo ainda assim fosse potencialmente muito perigosa.
295. Ibid., p. 630 (diário, 25 de julho de 1942).
296. Ibid., p. 642 (carta ao filho, 18 de agosto de 1942).
297. Klukowski, Diary, p. 208 (4 de agosto de 1942).
298. Kaplan, Scroll, "Introduction" e p. 271 (16 de junho de 1942), p. 279-80 (25-26 de junho de 1942); Gilbert, The Holocaust, p. 462; Corni, Hitler's Ghettos, p. 279. Ver também Jerzy Lewinski, "The Death of Adam Czerniakow and Janusz Korcak's Last Journey", Polin: Studies in Polish Jewry, 7 (1992), p. 224-53.
299. Gutman, The Jews of Warsaw, p. 270-2.
300. Ringelblum, Notes, p. 310-1, também citado em Corni, Hitler's Ghettos, p. 279.
301. Ibid., p. 293-315, 320-1; Hosenfeld, "Ich versuche", p. 631 (diário, 25 de julho de 1942).
302. Yisrael Gutman, Resistance: The Warsaw Ghetto Uprising (Boston, Mass., 1994); Shmuel Krakowski, The War of the Doomed: Jewish Armed Resistance in Poland, 1942-1944 (Nova York, 1984); Reuben Ainsztein, Revolte gegen die Vernichtung: Der Aufstand im Warschauer Ghetto (Berlim, 1993).
303. Jürgen Stroop, The Stroop Report: The Jewish Quarter of Warsaw Is No More! (Londres, 1980 [1960]), p. 9.

304. Corni, *Hitler's Ghettos*, p. 315-21.
305. Hosenfeld, *"Ich versuche"*, p. 719 (diário, 16 de junho de 1943).
306. Reich-Ranicki, *The Author of Himself*, p. 176-92.
307. Joseph Kermish, "Introduction", em Ringelblum, *Polish-Jewish Relations*, p. vii-xxxi, na p. xxiii-xvi, e Ringelblum, *Notes*, p. ix-xxvii.
308. Weiss, "Jewish Leadership".
309. Friedländer, *The Years of Extermination*, p. 557.
310. Sierakowiak, *The Diary*, p. 77-90 (6 de abril-15 de maio de 1941), p. 91-2 (16 de maio de 1941), p. 133 (28 de setembro de 1941), p. 137-43 (4-23 de outubro de 1941).
311. Corni, *Hitler's Ghettos*, p. 280-1; Friedländer, *The Years of Extermination*, p. 314-5, 387--9; Avraham Barkai, "Between East and West: Jews from Germany in the Lodz Ghetto", em Michael R. Marrus (ed.), *The Nazi Holocaust: Historical Articles on the Destruction of European Jews* (Westport, Conn., 1989), p. 378-439.
312. Dobroszycki (ed.), *The Chronicle of the Lodz Ghetto*, p. 163-5.
313. Sierakowiak, *The Diary*, p. 173 (25 de maio de 1942), p. 238 (11 de dezembro de 1942), p. 267-8 (14-15 de abril de 1942); Corni, *Hitler's Ghettos*, p. 282-3.
314. Friedländer, *The Years of Extermination*, p. 531.
315. Ibid., p. 529-30; Alan Adelson e Robert Lapides (eds.), *Lódź Ghetto: Inside a Community under Siege* (Nova York, 1989), p. 328-31; Bernhard Chiari, *Alltag hinter der Front: Besatzung, Kollaboration und Widerstand in Weissrussland 1941-1944* (Düsseldorf, 1998).
316. Corni, *Hitler's Ghettos*, p. 309-10.
317. Yitzhak Arad, *Ghetto in Flames: The Struggle and Destruction of the Jews in Vilna in the Holocaust* (Jerusalém, 1980).
318. Philip Friedman, *Roads to Extinction: Essays on the Holocaust* (Nova York, 1980), p. 294--321.
319. Corni, *Hitler's Ghettos*, p. 283-4.
320. Antony Polonsky, "Beyond Condemnation, Apologetics and Apologies: On the Complexity of Polish Behaviour Towards the Jews during the Second World War", em Roger Bullen, Hartmut Pogge Von Strandmann e Antony Polonsky (eds.), *Ideas into Politics: Aspects of European History 1880 to 1950* (Londres, 1984), p. 123-43, na p. 194.
321. Hosenfeld, *"Ich versuche"*, p. 657-8 (diário, 1º de setembro de 1942).
322. Wolfram Wette, "'Rassenfeind': Antisemitismus und Antislawismus in der Wehrmachtspropaganda", em Manoschek (ed.), *Die Wehrmacht im Rassenkrieg*, p. 55-73.
323. Manoschek, *"Es gibt nur eines"*, p. 65 (E. E., 18 de dezembro de 1942).
324. Ibid., p. 57 (D. S., 17 de maio de 1942).
325. Hans Safrian, "Komplizen des Genozids: Zum Anteil der Heeresgruppe Süd an der Verfolgung und Ermordung der Juden in der Ukraine 1941", em Manoschek (ed.), *Die Wehrmacht im Rassenkrieg*, p. 90-115; Andrej Angrick, "Zur Rolle der Militärverwaltung bei der Ermordung der sowjetischen Juden", em Babette Quinkert (ed.), *"Wir sind die Herren dieses Landes": Ursachen, Verlauf und Folgen des deutschen Überfalls auf die Sowjetunion* (Hamburgo, 2002), p. 104-23.
326. Hürter, *Hitlers Heerführer*, p. 509-99, explora a mistura de motivos utilitários e ideológicos que levaram os altos comandantes do Exército da frente oriental a tolerar, encorajar ou conceder apoio logístico ao assassinato em massa da população judaica da região.
327. Hosenfeld, *"Ich versuche"*, p. 719 (diário, 16 de junho de 1943).

Parte 4 – A NOVA ORDEM

1. Richard Overy, "Rationalization and the 'Production Miracle' in Germany during the Second World War", em idem, *War and Economy in the Third Reich* (Oxford, 1994), p. 343- -75 (citações nas p. 353-4).
2. Speer, *Inside the Third Reich*, p. 271-9; Tooze, *The Wages of Destruction*, p. 508-9.
3. Relato corrigido de Speer em Gitta Sereny, *Albert Speer: His Battle with Truth* (Londres, 1995), p. 274-83; Max Müller, "Der Tod des Reichsministers Dr Fritz Todt", *Geschichte in Wissenschaft und Unterricht* 18 (1967), p. 602-5; discussão em Kershaw, *Hitler*, II, p. 502-3.
4. Karl-Heinz Ludwig, *Technik und Ingenieure im Dritten Reich* (Düsseldorf, 1974), p. 403- -72, e Müller, "The Mobilization", p. 453-85.
5. Speer, *Inside the Third Reich*, p. 261-5, 275-7, 291; Sereny, *Albert Speer*, p. 291-2.
6. Müller, "The Mobilization", p. 773-86.
7. Evans, *The Third Reich in Power*, p. 183-6; Alan S. Milward, *The German Economy at War* (Londres, 1985), p. 72-99.
8. Ver Evans, *The Third Reich in Power*, p. 183-6.
9. Speer, *Inside the Third Reich*, p. 262-3.
10. Citado em Tooze, *The Wages of Destruction*, p. 506-7.
11. Halder, *Kriegstagebuch*, III, p. 309 (24 de novembro de 1941).
12. Budrass, *Flugzeugindustrie*, p. 724. Um fator contributivo podem ter sido as intrigas de gabinete contra sua posição.
13. Tooze, *The Wages of Destruction*, p. 123-4, 508.
14. Ibid., p. 587-9; Overy, "Rationalization", p. 356, 343-9.
15. Walter Naasner, *Neue Machtzentren in der deutschen Kriegswirtschaft 1942-1945* (Boppard, 1994), p. 471-2.
16. Speer, *Inside the Third Reich*, p. 280.
17. Ibid., p. 282-5.
18. Paul B. Jaskot, *The Architecture of Oppression: The SS, Forced Labor, and the Nazi Monumental Building Economy* (Londres, 2000), p. 80-113.
19. Speer, *Inside the Third Reich*, p. 287-300 (citação nas p. 295-6); Milward, *The German Economy at War*, p. 54-71 (para os feitos de Todt).
20. Overy, *War and Economy*, p. 356-70.
21. Tooze, *The Wages of Destruction*, p. 568-74.
22. Ibid., p. 578-84.
23. Overy, *War and Economy*, p. 356-67.
24. Weinberg, *A World at Arms*, p. 538.
25. Mark Harrison (ed.), *The Economics of World War II: Six Great Powers in International Comparison* (Cambridge, 1998), p. 26.
26. Edward R. Zilbert, *Albert Speer and the Nazi Ministry of Arms: Economic Institutions and Industrial Production in the German War Economy* (Londres, 1981), esp. p. 184-257; Budrass, *Flugzeugindustrie*, p. 738-9, 891.
27. Tooze, *The Wages of Destruction*, p. 587-9; Mark Harrison, *Accounting for War: Soviet Production, Employment and the Defence Burden, 1940-1945* (Cambridge, 1996); e John Barber e Mark Harrison, *The Soviet Home Front, 1941-1945: A Social and Economic History of the USSR in World War II* (Londres, 1991).
28. Tooze, *The Wages of Destruction*, p. 407; Müller, "The Mobilization", p. 723; Boog, "The Strategic Air War", p. 118.

29. Rolf-Dieter Müller, "Albert Speer and Armaments Policy in Total War", *GSWW* V/II, p. 293-832, na p. 805.
30. Harrison (ed.), *The Economics of World War II*, p. 20-1.
31. Tooze, *The Wages of Destruction*, p. 383-5; Alan S. Milward, *The New Order and the French Economy* (Oxford, 1984), p. 81.
32. Muitos exemplos adicionais em Götz Aly, *Hitler's Beneficiaries: Plunder, Racial War, and the Nazi Welfare State* (Nova York, 2007 [2005]); também Elmshäuser e Lokers (eds.), "Man muss hier nur hart sein", p. 55, 62, 63, 68 etc.
33. Jeremy Noakes e Geoffrey Pridham (eds.), *Nazism 1919-1945*, III: *Foreign Policy, War and Racial Extermination: A Documentary Reader* (Exeter, 1988), p. 295; Alan S. Milward, *War, Economy and Society 1939-1945* (Londres, 1987 [1977]), p. 137.
34. Tooze, *The Wages of Destruction*, p. 386-8; Overy et al. (eds.), *Die "Neuordnung" Europas*.
35. Milward, *War, Economy and Society*, p. 139-41.
36. Milward, *The New Order and the French Economy*, p. 111.
37. Harrison (ed.), *The Economics of World War II*, p. 22.
38. Milward, *War, Economy and Society*, p. 138-45.
39. Tooze, *The Wages of Destruction*, p. 389-91; Noakes e Pridham (eds.), *Nazism*, III, p. 297-8.
40. Harald Wixforth, *Die Expansion der Dresdner Bank in Europa* (Munique, 2006), p. 871--902.
41. Noakes e Pridham (eds.), *Nazism*, III, p. 274-80, na p. 280.
42. Alan Milward, *The Fascist Economy in Norway* (Oxford, 1972), p. 1, 3; idem, *War, Economy and Society*, p. 153-7; Ludolf Herbst, *Der totale Krieg und die Ordnung der Wirtschaft: Die Kriegswirtschaft im Spannungsfeld von Politik, Ideologie und Propaganda 1939-1945* (Stuttgart, 1982), p. 127-44.
43. Noakes e Pridham (eds.), *Nazism*, III, p. 283-4.
44. Ibid., p. 286.
45. Milward, *The New Order and the French Economy*, p. 23-8.
46. Tooze, *The Wages of Destruction*, p. 391-3.
47. Milward, *The New Order and the French Economy*, p. 147-80.
48. Noakes e Pridham (eds.), *Nazism*, III, p. 290.
49. Ibid., p. 292.
50. Ibid., p. 292.
51. Tooze, *The Wages of Destruction*, p. 409-10; Milward, *The New Order and the French Economy*, p. 293-4.
52. Tooze, *The Wages of Destruction*, p. 411-2.
53. Ibid., p. 418-9; Noakes e Pridham (eds.), *Nazism*, III, p. 298.
54. Tooze, *The Wages of Destruction*, p. 412-8.
55. Noakes e Pridham (eds.), *Nazism*, III, p. 304-9.
56. Franz Neumann, *Behemoth: The Structure and Practice of National Socialism 1933-1944* (Nova York, 1944 [1942]), p. 293.
57. Harold James, *The Deutsche Bank and the Nazi Economic War against the Jews: The Expropriation of Jewish-Owned Property* (Cambridge, 2001), p. 213-4.
58. Walter Naasner, *SS-Wirtschaft und SS-Verwaltung* (Düsseldorf, 1998), p. 164-7; Michael Thad Allen, *The Business of Genocide: The SS, Slave Labor, and the Concentration Camps* (Chapel Hill, N. C., 2002), p. 58-71, 107-12.
59. Naasner, *Neue Machtzentren*, p. 197-44; Georg Enno, *Die wirtschaftlichen Unternehmungen der SS* (Stuttgart, 1963), p. 70-1, 145.

60. Jan Erik Schulte, *Zwangsarbeit und Vernichtung: Das Wirtschaftsimperium der SS: Oswald Pohl und das SS-Wirtschafts-Verwaltungshauptamt 1933-1945* (Paderborn, 2001), p. 440-1.
61. Berenice A. Carroll, *Design for Total War: Arms and Economics in the Third Reich* (Haia, 1968), p. 233.
62. Paul Erker, *Industrie-Eliten in der NS-Zeit: Anpassungsbereitschaft und Eigeninteresse von Unternehmen in derRüstungs- und Kriegswirtschaft 1936-1945* (Passau, 1993), p. 73-5.
63. Johannes Bähr, *Die Dresdner Bank in der Wirtschaft des Dritten Reichs* (Munique, 2006), p. 477-570.
64. Peter Hayes, *From Cooperation to Complicity: Degussa in the Third Reich* (Cambridge, 2004), p. 190-1.
65. Ver Jonathan Steinberg, *The Deutsche Bank and its Gold Transactions during the Second World War* (Munique, 1999).
66. Erna Spiewack, entrevista para a televisão em 1998, citado em Hayes, *From Cooperation to Complicity*, p. 193.
67. Overy, "Rationalization", p. 368.
68. Tooze, *The Wages of Destruction*, p. 567-9.
69. Peter W. Becker, "Fritz Sauckel: Plenipotentiary for the Mobilisation of Labour", em Smelser e Zitelmann (eds.), *The Nazi Elite*, p. 194-201.
70. Ibid.; também Herbert, *Hitler's Foreign Workers*, p. 161-3; Edward L. Homze, *Foreign Labor in Nazi Germany* (Princeton, N. J., 1967), p. 111-53; Hans Pfahlmann, *Fremdarbeiter und Kriegsgefangene in der deutschen Kriegswirtschaft 1939-1945* (Darmstadt, 1968), p. 16--22.
71. Ver, em termos gerais, Ela Hornung *et al.*, "Zwangsarbeit in der Landwirtschaft", *DRZW* IX/II, p. 577-666.
72. Herbert, *Hitler's Foreign Workers*, p. 84-9; Christa Tholander, *Fremdarbeiter 1939 bis 1945: Ausländische Arbeitskräfte in der Zeppelin-Stadt Friedrichshafen* (Essen, 2001), p. 34-104.
73. Spoerer, *Zwangsarbeit*, p. 35-88, fornece um detalhado relatório do recrutamento país por país; ver também Pfahlmann, *Fremdarbeiter*, p. 82-103 e p. 176-92 para prisioneiros de guerra.
74. Herbert, *Hitler's Foreign Workers*, p. 95-111; ver também o estudo recente de Oliver Rathkolb, "Zwangsarbeit in der Industrie", *DRZW* IX/II, p. 667-728.
75. Herbert, *Hitler's Foreign Workers*, p. 137-49.
76. Ibid., p. 157.
77. Ibid, p. 193-4; também Pfahlmann, *Fremdarbeiter*, p. 44-65.
78. Overmans, *Deutsche militärische Verluste*, p. 238-9.
79. Tooze, *The Wages of Destruction*, p. 513-4.
80. Herbert, *Hitler's Foreign Workers*, p. 273-8; Homze, *Foreign Labor*, p. 177-203; Richard Vinen, *The Unfree French: Life under the Occupation* (Londres, 2006), p. 183-214 (para prisioneiros de guerra), e p. 247-312 (para trabalho); Pfahlmann, *Fremdarbeiter*, p. 31-44.
81. Citado em Herbert, *Hitler's Foreign Workers*, p. 279.
82. Ibid., p. 278-82, 297-8.
83. Tooze, *The Wages of Destruction*, p. 519.
84. Bernard Bellon, *Mercedes in Peace and War: German Automobile Workers, 1903-1945* (Nova York, 1990), p. 250-1.
85. Citado em Herbert, *Hitler's Foreign Workers*, p. 209-11; ver também ibid., p. 211-7, e Bellon, *Mercedes*, p. 251; mais genericamente, ver Spoerer, *Zwangsarbeit*, p. 116-44; Pfahlmann, *Fremdarbeiter*, p. 193-217; Marcus Meyer, "...uns 100 Zivilausländer umgehend

zu beschaffen": Zwangsarbeit bei den Bremer Stadtwerken 1939-1945 (Bremen, 2002); Mark Spoerer, "Die soziale Differenzierung der ausländischen Zivilarbeiter, Kriegsgefangenen und Häftlinge im Deutschen Reich", *DRZW* IX/II, p. 485-576, nas p. 515-32.

86. Herbert, *Hitler's Foreign Workers*, p. 217-22; Andreas Heusler, *Ausländereinsatz: Zwangsarbeit für die Münchner Kriegswirtschaft 1939-1945* (Munique, 1996), p. 212-22; Spoerer, *Zwangsarbeit*, p. 199-200; Eginhard Scharf, *"Man machte mit uns, was man wollte": Ausländische Zwangsarbeiter in Ludwigshafen am Rhein 1939-1945* (Hamburgo, 2004), p. 56-73; e Valentina Maria Stefanski, *Zwangsarbeit in Leverkusen: Polnische Jugendliche im I. G. Farbenwerk* (Osnabrück, 2000), p. 333-49; Katharina Hoffmann, *Zwangsarbeit und ihre gesellschaftliche Akzeptanz in Oldenburg 1939-1945* (Oldenburg, 2001), p. 96-161, 216--24; em termos gerais, Spoerer, "Die soziale Differenzierung", p. 562-5.
87. Herbert, *Hitler's Foreign Workers*, p. 268-9; Spoerer, *Zwangsarbeit*, p. 200-5; Scharf, *"Man machte"*, p. 237-42.
88. Behnken (ed.), *Deutschland-Berichte*, VII, p. 100-3 (fevereiro de 1940).
89. Evans, *The Third Reich in Power*, p. 686-7.
90. Jill Stephenson, *Hitler's Home Front: Württemberg under the Nazis* (Londres, 2006), p. 281-5.
91. Herbert, *Hitler's Foreign Workers*, p. 116-36. Heusler, *Ausländereinsatz*, p. 387-417, fornece um relato detalhado dos contatos sociais e sexuais com a população alemã em Munique. Para a punição de trabalhadores estrangeiros, ver também Scharf, *"Man machte"*, p. 246-50.
92. Herbert, *Hitler's Foreign Workers*, p. 69-94.
93. Para prisioneiros de guerra soviéticos na fábrica da Volkswagen, ver Hans Mommsen e Manfred Grieger, *Das Volkswagenwerk und seine Arbeiter im Dritten Reich* (Düsseldorf, 1996), p. 544-65.
94. Citado em Herbert, *Hitler's Foreign Workers*, p. 149.
95. Ibid., p. 149-67; Spoerer, *Zwangsarbeit*, p. 200-5.
96. Citado em Herbert, *Hitler's Foreign Workers*, p. 171.
97. Tholander, *Fremdarbeiter*, p. 312-37, 365-9.
98. Herbert, *Hitler's Foreign Workers*, p. 176-80; Heusler, *Ausländereinsatz*, p. 172-222; Mommsen e Grieger, *Das Volkswagenwerk*, p. 566-98.
99. Citado em Herbert, *Hitler's Foreign Workers*, p. 192.
100. Ibid., p. 182-92; Spoerer, *Zwangsarbeit*, p. 33, 90-115.
101. Solmitz, *Tagebuch* (7 de março de 1943).
102. Ibid., p. 840 (4 de agosto de 1943).
103. Rolf Keller, "'Die kamen in Scharen hier an, die Gefangenen': Sowjetische Kriegsgefangene, Wehrmachtsoldaten und deutsche Bevölkerung in Norddeutschland 1941/42'', em Detlef Garbe (ed.), *Rassismus in Deutschland* (Bremen, 1994), p. 35-53; Hoffmann, *Zwangsarbeit*, p. 315.
104. Solmitz, *Tagebuch*, p. 858 (2 de setembro de 1943) e p. 883 (29 de dezembro de 1943, Nachtrag).
105. Richard J. Overy, "Guns or Butter? Living Standards, Finance, and Labour in Germany, 1939-1942", em idem, *War and Economy in the Third Reich*, p. 259-314, nas p. 303-4; Tilla Siegel, *Leistung und Lohn in der nationalsozialistischen "Ordnung der Arbeit"* (Opladen, 1989), p. 161-73; e Leila J. Rupp, *Mobilizing Women for War: German and American Propaganda 1939-1945* (Princeton, N. J., 1978), p. 185-6.
106. Overy, "Guns or Butter?", p. 307-11.
107. Matthew Stibbe, *Women in the Third Reich* (Londres, 2003), p. 91-6; Tim Mason, *Social Policy in the Third Reich: The Working Class and the "National Community"* (Oxford, 1995), p. 19-40; Overy, "Guns or Butter?", p. 309-10.

108. Citado em Rupp, *Mobilizing Women*, p. 115.
109. Evans, *The Third Reich in Power*, p. 517-20.
110. Citado em Rupp, *Mobilizing Women*, p. 122; para os detalhes acima, ibid., p. 115-6; também Dörte Winkler, "Frauenarbeit versus Frauenideologie: Probleme der weiblichen Erwerbstätigkeit in Deutschland, 1930-1945", *Archiv für Sozialgeschichte*, 17 (1977), p. 99-126, e do mesmo autor *Frauenarbeit im "Dritten Reich"* (Hamburgo, 1977); também Annemarie Tröger, "Die Frau im wesensgemässen Einsatz", em Frauengruppe Faschismusforschung (ed.), *Mutterkreuz und Arbeitsbuch: Zur Geschichte der Frauen in der Weimarer Republik und im Nationalsozialismus* (Frankfurt am Main, 1981), p. 246-72.
111. Esse é o argumento geral de Rupp, *Mobilizing Women*.
112. Ibid., p. 185, e Winkler, "Frauenarbeit", p. 126.
113. Stibbe, *Women*, p. 94-5.
114. Citado em Herbert, *Hitler's Foreign Workers*, p. 189.
115. Ibid., p. 187-9.
116. Citado em ibid., p. 307.
117. Stefanski, *Zwangsarbeit*, p. 339.
118. Ibid., p. 268-9; Stibbe, *Women*, p. 101-2; Klaus-Georg Siegfried, *Das Leben der Zwangsarbeiter im Volkswagenwerk 1939-1945* (Frankfurt am Main, 1988), p. 235-55; Spoerer, *Zwangsarbeit*, p. 205-9.
119. Peter Hayes, *Industry and Ideology: IG Farben in the Nazi Era* (Cambridge, 1987), p. 349-56. Para a borracha sintética, ver Evans, *The Third Reich in Power*, p. 362-3, 375.
120. Hayes, *Industry and Ideology*, p. 358-67; Bernd C. Wagner, *IG-Auschwitz: Zwangsarbeit und Vernichtung von Häftlingen des Lagers Monowitz 1941-1945* (Munique, 2000), p. 37-90.
121. Martin Broszat, "The Concentration Camps 1933-1945", em Helmut Krausnick et al., *Anatomy of the SS State* (Londres, 1968), p. 460-71; números corrigidos em Nikolaus Wachsmann, *Hitler's Prisons: Legal Terror in Nazi Germany* (Londres, 2004), p. 395; Hermann Kaienburg, "KZ-Haft und Wirtschaftsinteresse: Das Wirtschaftsverwaltungshauptamt der SS als Leitungszentrale der Konzentrationslager und der SS-Wirtschaft", em idem (ed.), *Konzentrationslager und deutsche Wirtschaft 1939-1945* (Opladen, 1996), p. 29-60.
122. Citado em Broszat, "The Concentration Camps", p. 497.
123. Ibid., p. 498, e, mais genericamente, p. 473-98.
124. Ibid., p. 503-4; Jan Erik Schulte, "Das SS-Wirtschafts-Verwaltungshauptamt und die Expansion des KZ-Systems", em Wolfgang Benz e Barbara Distel (eds.), *Der Ort des Terrors: Geschichte der nationalsozialistischen Konzentrationslager* (6 vols., Munique, 2005--2007), I, p. 141-55; Hermann Kaienburg, "Zwangsarbeit: KZ und Wirtschaft im Zweiten Weltkrieg", em ibid., p. 179-94.
125. "Auschwitz", em ibid., V, p. 79-173.
126. Schulte, *Zwangsarbeit*, p. 441-5.
127. Jan Erik Schulte, "Zwangsarbeit für die SS: Juden in der Ostindustrie GmbH", em Frei et al. (eds.), *Ausbeutung*, p. 43-74.
128. Manfred Grieger, "Unternehmen und KZ-Arbeit: Das Beispiel der Volkswagenwerk GmbH", em Kaienburg (ed.), *Konzentrationslager*, p. 77-94; Mommsen e Grieger, *Das Volkswagenwerk*, p. 516-43, 566-98, 740-99; Christian Jansen e Arno Weckbecker, "Zwangsarbeit für das Volkswagenwerk: Häftlingsalltag auf dem Laagberg bei Wolfsburg", em Frei et al. (eds.), *Ausbeutung*, p. 75-108.
129. Ludwig Eiber, "Das KZ-Aussenlager Blohm und Voss im Hamburger Hafen", em Kaienburg (ed.), *Konzentrationslager*, p. 227-38.

130. Neil Gregor, *Daimler-Benz in the Third Reich* (Londres, 1998), p. 194-6; Birgit Weitz, "Der Einsatz von KZ-Häftlingen und jüdischen Zwangsarbeitern bei der Daimler-Benz AG (1941-1945): Ein Überblick", em Kaienburg (ed.), *Konzentrationslager*, p. 169--95, esp. p. 190. Há muitos estudos locais, inclusive, por exemplo, Annette Wienecke, *"Besondere Vorkommnisse nicht bekannt": Zwangsarbeit in unterirdischen Rüstungsbetrieben: Wie ein Heidedorf kriegswichtig wurde* (Bonn, 1996); e Wilhelm J. Waibel, *Schatten am Hohentwiel: Zwangsarbeiter und Kriegsgefangene in Singen* (Konstanz, 1997 [1995]), com entrevistas de ex-trabalhadores.
131. Broszat, "The Concentration Camps", p. 501-2.
132. Citado em ibid., p. 502.
133. Ibid., p. 497-9. Ver também Lutz Budrass e Manfred Grieger, "Die Moral der Effizienz: Die Beschäftigung von KZ-Häftlingen am Beispiel des Volkswagenwerks und der Henschel Flugzeug-Werke", *Jahrbuch für Wirtschaftsgeschichte* (1993), p. 89-136.
134. Wagner, *IG-Auschwitz*, p. 204, 291; Rainer Fröbe, "Der Arbeitseinsatz von KZ-Häftlingen und die Perspektive der Industrie, 1943-1945", em Ulrich Herbert (ed.), *Europa und der "Reichseinsatz": Ausländische Zivilarbeiter, Kriegsgefangene und KZ-Häftlinge in Deutschland 1938-1945* (Essen, 1991), p. 351-83; Jaskot, *The Architecture of Oppression*, p. 37-8.
135. Spoerer, *Zwangsarbeit*, p. 183-90.
136. Tooze, *The Wages of Destruction*, p. 445-6; Hayes, *Industry and Ideology*, p. 361-5.
137. Hayes, *From Cooperation to Complicity*, p. 26-71; Heusler, *Ausländereinsatz*, p. 421; Spoerer, *Zwangsarbeit*, p. 186.
138. Ibid., p. 221-2.
139. Observação feita pela primeira vez por Carroll, *Design for Total War*, p. 245-7.
140. Para um relato sobre a policracia pré-Speer, ver Müller, "The Mobilization", p. 448-56, 630-8; também enfatizada por Herbst, *Der totale Krieg*, p. 111-7; para a continuidade da competição interinstitucional na era Speer, ver Carroll, *Design for Total War*, p. 245-7; para a rivalidade entre Speer e o Ministério de Economia do Reich, ver Herbst, *Der totale Krieg*, p. 267-75.
141. Aly, *Hitler's Beneficiaries*, p. 75-179, 324-5; também Michael Wildt, "Alys Volksstaat: Hybris und Simplizität einer Wissenschaft", *Sozial.Geschichte*, 20 (2005), p. 91-7, com referências adicionais. Para uma avaliação positiva da contribuição da mão de obra estrangeira, ver Pfahlmann, *Fremdarbeiter*, p. 226-35.
142. Harrison (ed.), *The Economics of World War II*, p. 10-1.
143. Naasner, *Neue Machtzentren*, p. 469-73. Para a ideia da "crise de gerenciamento" da Alemanha em tempos de guerra, ver Rolf-Dieter Müller, *Der Manager der Kriegswirtschaft: Hans Kehrl: Ein Unternehmer in der Politik des "Dritten Reiches"* (Essen, 1999), esp. p. 101-3.
144. Speer, *Inside the Third Reich*, p. 446; para Sauckel nesse período, ver Homze, *Foreign Labor*, p. 233-9.
145. Milward, *The Fascist Economy in Norway*, p. 279.
146. Hans Umbreit, "Auf dem Weg zur Kontinentalherrschaft", *DRZW* V/I, p. 3-345.
147. Ibid., p. 3-165 ("Stadien der territorialen 'Neuordnung' in Europa" e "Die vorgezogene 'Neuordnung'"). Para um bom relato geral, ver Mazower, *Hitler's Empire*.
148. Para um estudo detalhado e sensível das muitas diferentes e com frequência criativas maneiras com que as pessoas de uma região, o Vale do Loire na França, lidaram com a ocupação alemã, ver Robert Gildea, *Marianne in Chains: In Search of the German Occupation 1940-1945* (Londres, 2002).

149. Citado em Vinen, *The Unfree French*, p. 53.
150. O melhor relato recente é Jackson, *France*; ver também Vinen, *The Unfree French*; Ian Ousby, *Occupation: The Ordeal of France 1940-1944* (Londres, 1997); e o estudo clássico pioneiro de Robert O. Paxton, *Vichy France: Old Guard and New Order, 1940-1944* (Londres, 1972).
151. Michael R. Marrus e Robert O. Paxton, *Vichy France and the Jews* (Nova York, 1981), p. 23--72; Paula Hyman, *From Dreyfus to Vichy: The Remaking of French Jewry, 1906-1939* (Nova York, 1979) e Pierre Birnbaum, *Anti-semitism in France: A Political History from Léon Blum to the Present* (Oxford, 1992 [1988]).
152. Marrus e Paxton, *Vichy France*, p. 177-314.
153. Friedländer, *The Years of Extermination*, p. 109-16; Longerich, *Politik*, p. 435. Para os campos, ver Regina M. Delacor, "From Potential Friends to Potential Enemies: The Internment of 'Hostile Foreigners' in France at the Beginning of the Second World War", *Journal of Contemporary History*, 35 (2000), p. 361-8; mais genericamente, sobre a zona ocupada, Philippe Burrin, *France under the Germans: Collaboration and Compromise* (Nova York, 1996).
154. David Carroll, *French Literary Fascism: Nationalism, Anti-Semitism, and the Ideology of Culture* (Princeton, N. J., 1995).
155. Anne Grynberg, *Les Camps de la honte: Les internes juifs des camps français, 1939-1944* (Paris, 1991); Marrus e Paxton, *Vichy France*, p. 121-76; Renée Poznanski, *Jews in France during World War II* (Hanover, 2001 [1994]), p. 42-55.
156. Friedländer, *The Years of Extermination*, p. 169-78.
157. Longerich, *Politik*, p. 435.
158. Ahrlich Meyer, *Täter im Verhör: Die Endlösung der Judenfrage in Frankreich 1940-1944* (Darmstadt, 2005), e Barbara Lambauer, "Opportunistischer Antisemitismus: Der deutsche Botschafter Otto Abetz und die Judenverfolgung in Frankreich", *VfZ* 53 (2005), p. 241-73.
159. Friedländer, *The Years of Extermination*, p. 157-78; para o passado de Dannecker e seu antissemitismo inveterado, ver Claudia Steur, *Theodor Dannecker: Ein Funktionär der "Endlösung"* (Essen, 1997), p. 14-91; para as leis raciais e sua aplicação na França, ver Susan Zuccotti, *The Holocaust, the French, and the Jews* (Nova York, 1993), p. 51-64 (também p. 65--80 para os campos). Mais genericamente, ver também o relato em Jackson, *France*, p. 354-84.
160. Longerich, *Politik*, p. 434-40.
161. Gerald Schwab, *The Day the Holocaust Began: The Odyssey of Herschel Grynszpan* (Nova York, 1990).
162. Jacques Adler, *The Jews of Paris and the Final Solution: Communal Responses and Internal Conflicts, 1940-1944* (Nova York, 1987).
163. Marrus e Paxton, *Vichy France*, p. 281-340; ver também Carmen Callil, *Bad Faith: A Forgotten History of Family and Fatherland* (Londres, 2007).
164. Friedländer, *The Years of Extermination*, p. 377.
165. Poznanski, *Jews in France*, p. 237-50.
166. Ibid., p. 303-55; Marrus e Paxton, *Vichy France*, p. 250-5; Zuccotti, *The Holocaust*, p. 103--17; Asher Cohen, *Persécutions et sauvetages: Juifs et Français sous l'Occupation et sous Vichy* (Paris, 1993), p. 269-7.
167. Richard I. Cohen, *The Burden of Conscience: French Jewish Leadership during the Holocaust* (Bloomington, Ind., 1987); Cohen, *Persécutions*, p. 125-90.
168. Michèle Cointet, *L'Église sous Vichy, 1940-1945: La répentance en question* (Paris, 1998).

169. Jackson, *France*, p. 221-4.
170. Witte *et al.* (eds.), *Der Dienstkalender*, p. 637.
171. Longerich, *Der ungeschriebene Befehl*, p. 178-9.
172. Cohen, *Persécutions*, p. 191-240, analisa a mudança de opinião na França; ver também Jackson, *France*, p. 233-5.
173. Cohen, *Persécutions*, p. 496.
174. Jackson, *France*, p. 213-35, 389-426.
175. Martin Conway, *Collaboration in Belgium: Léon Degrelle and the Rexist Movement 1940- -1944* (Londres, 1993), p. 22-7, 286-9.
176. Werner Warmbrunn, *The Dutch under German Occupation, 1940-1945* (Londres, 1963), p. 24-5, 32-4, 261-5; Gerhard Hirschfeld, *Nazi Rule and Dutch Collaboration: The Netherlands under German Occupation, 1940-1945* (Oxford, 1988 [1984]), p. 5-6. Konrad Kwiet, *Reichskommissariat Niederlande: Versuch und Scheitern nationalsozialistischer Neuordnung* (Stuttgart, 1968), argumenta que a colaboração com o aparato burguês foi menos bem-sucedida.
177. Bob Moore, *Victims and Survivors: The Nazi Persecution of the Jews in the Netherlands, 1940-1945* (Londres, 1997), p. 19-90.
178. Moore, *Victims and Survivors*, p. 146-89; Anne Frank, *The Diary of a Young Girl* (Nova York, 1995).
179. Moore, *Victims and Survivors*, p. 91-115, 195-206; Louis de Jong, "The Netherlands and Auschwitz", *Yad Vashem Studies*, 7 (1968), p. 39-55; Gerhard Hirschfeld, "Niederlande", em Wolfgang Benz (ed.), *Dimension des Völkermords: Die Zahl der jüdischen Opfer des Nationalsozialismus* (Munique, 1991), p. 137-63.
180. Moore, *Victims and Survivors*, p. 102-4.
181. Ibid., p. 125-6.
182. Dan Michman (ed.), *Belgium and the Holocaust: Jews, Belgians, Germans* (Jerusalém, 1998).
183. Moore, *Victims and Survivors*, p. 2, 255; Maxime Steinberg, *La Persécution des Juifs en Belgique (1940-1945)* (Bruxelas, 2004), p. 77-108 (para medidas econômicas) e p. 157-91 (para o papel da polícia).
184. William B. Cohen e Jörgen Svensson, "Finland and the Holocaust", *Holocaust and Genocide Studies*, 9 (1995), p. 70-92; Longerich, *Politik*, p. 520.
185. Ibid., p. 531-2.
186. Paul A. Levine, *From Indifference to Activism: Swedish Diplomacy and the Holocaust, 1938- -1944* (Uppsala, 1998); Friedländer, *The Years of Extermination*, p. 449, 454.
187. Jozef Lewandowski, "Early Swedish Information about the Nazis' Mass Murder of the Jews", *Polin: Studies in Polish Jewry*, 13 (2000), p. 113-27; Steven Kublik, *The Stones Cry Out: Sweden's Response to the Persecution of the Jews, 1933-1945* (Nova York, 1988).
188. Ulrich Herbert, *Best: Biographische Studien über Radikalismus, Weltanschauung und Vernunft, 1903-1989* (Bonn, 1996), p. 323-41.
189. Longerich, *Politik*, p. 555-8; Herbert, *Best*, p. 360-73; Leni Yahil, *The Rescue of Danish Jewry: Test of a Democracy* (Filadélfia, Pa., 1969), p. 233-84; e Levine, *From Indifference to Activism*, p. 229-45. Ver também a controvérsia entre Gunnar S. Paulsson, "The Bridge over the Øresund: The Historiography on the Expulsion of the Jews from Nazioccupied Denmark", em David Cesarani (ed.), *Holocaust: Critical Concepts in Historical Studies* (Londres, 2004), V, p. 99-127, e Hans Kirchhoff, "Denmark: A Light in the Darkness of the Holocaust? A Reply to Gunnar S. Paulsson", ibid., p. 128-39.
190. Citado em Longerich, *Politik*, p. 558.

191. Hassell, *The von Hassell Diaries*, p. 352.
192. Longerich, *Politik*, p. 558-60.
193. Mark Mazower, *Salonica: City of Ghosts: Christians, Muslims and Jews 1430-1950* (Londres, 2004), p. 421-42; Longerich, *Politik*, p. 526-7, 546-7, 561-2.
194. Götz Aly, "Die Deportation der Juden von Rhodos nach Auschwitz", *Mittelweg*, 36 (2003), p. 79-88.
195. Deletant, *Hitler's Forgotten Ally*, p. 205-25.
196. Hillgruber (ed.), *Staatsmänner und Diplomaten*, II, p. 494; sobre a intervenção do Vaticano na Romênia, ver Theodore Lavi, "The Vatican's Endeavors on Behalf of Romanian Jewry during the Second World War", *Yad Vashem Studies*, 5 (1963), p. 405-18.
197. Tzvetan Todorov, *The Fragility of Goodness: Why Bulgaria's Jews Survived the Holocaust* (Londres, 1999); mais genericamente, Friedländer, *The Years of Extermination*, p. 452, 485 (citando Ribbentrop); Deletant, *Hitler's Forgotten Ally*, p. 198-204; Crampton, *Bulgaria*, p. 264-6; Stephane Groueff, *Crown of Thorns: The Reign of King Boris III of Bulgaria, 1918--1943* (Lanham, Md., 1987), p. 316-31; e Frederick B. Chary, *The Bulgarian Jews and the Final Solution, 1940-1944* (Pittsburgh, Pa., 1972).
198. Hillgruber (ed.), *Staatsmänner und Diplomaten*, II, p. 256.
199. Longerich, *Politik*, p. 491-2, 563-5.
200. Livia Rothkirchen, "The Situation of the Jews in Slovakia between 1939 and 1945", *Jahrbuch für Antisemitismusforschung*, 7 (1998), p. 46-70; Friedländer, *The Years of Extermination*, p. 372-4, 485-6 (citação nas p. 373-4).
201. Ibid., p. 669; Rothkirchen, "The Situation of the Jews"; John F. Morley, *Vatican Diplomacy and the Jews during the Holocaust, 1939-1945* (Nova York, 1980).
202. Marrus e Paxton, *Vichy France*, p. 215-80.
203. Ahlrich Meyer, *Die deutsche Besatzung in Frankreich 1940-1944: Widerstandbekämpfung und Judenverfolgung* (Darmstadt, 2000), p. 149-68.
204. Bob Moore "Comparing Resistance and Resistance Movements", em idem (ed.), *Resistance in Western Europe* (Oxford, 2000), p. 249-62.
205. Para a Grécia, ver Mazower, *Inside Hitler's Greece*, esp. p. 265-354.
206. Klukowski, *Diary*, p. 197 (17 de maio de 1942).
207. Ibid., p. 229-31 (7-14 de dezembro de 1942).
208. Ibid., p. 235-7 (1-16 de janeiro de 1943), p. 282 (29 de setembro de 1943), p. 286 (19 de outubro de 1943).
209. Ibid., p. 155-6 (12 de junho de 1941), p. 159 (21 de junho de 1941); Gross, *Polish Society*, p. 213-91.
210. Klukowski, *Diary*, p. 244-5 (22-25 de fevereiro de 1943).
211. Ibid., p. 299 (5 de fevereiro de 1944), p. 305 (2 de março de 1944).
212. Borodziej, *Terror und Politik*, p. 162-209.
213. Citado em Hans Umbreit, "Das unbewältigte Problem: Der Partisanenkrieg im Rücken der Ostfront", em Jürgen Förster (ed.), *Stalingrad: Ereignis: Wirkung und Symbol* (Munique, 1992), p. 130-49, nas p. 142-3.
214. Peter Klein, "Zwischen den Fronten: Die Zivilbevölkerung Weissrusslands und der Krieg der Wehrmacht gegen die Partisanen", em Quinkert (ed.), *"Wir sind die Herren dieses Landes"*, p. 82-103.
215. Friedländer, *The Years of Extermination*, p. 250.
216. Klukowski, *Diary*, p. 223-6 (4-20 de novembro de 1942).
217. Ibid., p. 227 (26 de novembro de 1942).

218. Dina Porat, "The Vilna Proclamation of January 1, 1942, in Historical Perspective", *Yad Vashem Studies*, 25 (1996), p. 99-136.
219. Nechama Tec, *Ich wollte retten: Die unglaubliche Geschichte der Bielski-Partisanen 1942- -1944* (Berlim, 2002).
220. Sven Erichson (ed.), *Abschied ist immer: Briefe an den Bruder im Zweiten Weltkrieg* (Frankfurt am Main, 1994), p. 78; mais genericamente, Weinberg, *A World at Arms*, p. 408-17.
221. David M. Glantz e Jonathan M. House, *When Titans Clashed: How the Red Army Stopped Hitler* (Lawrence, Kans., 1995), p. 98-107.
222. Bock, *Zwischen Pflicht und Verweigerung*, p. 445 (15 de junho de 1942).
223. Elmshäuser e Lokers (eds.), *"Man muss hier nur hart sein"*, p. 181 (carta a Frieda, 20 de julho de 1942).
224. Weinberg, *A World at Arms*, p. 296-8, 412; Mawdsley, *Thunder in the East*, p. 118-48; Glantz e House, *When Titans Clashed*, p. 105-19; Bock, *Zwischen Pflicht und Verweigerung*, p. 470 (13-15 de julho de 1942).
225. Kershaw, *Hitler*, II, p. 526-8.
226. Halder, *Kriegstagebuch*, III, p. 489 (23 de julho de 1942).
227. Speer, *Inside the Third Reich*, p. 332.
228. Bellamy, *Absolute War*, p. 351-408; David Glantz, *The Siege of Leningrad 1941-1944: 900 Days of Terror* (Londres, 2004); Harrison E. Salisbury, *The 900 Days: The Siege of Leningrad* (Londres, 1969).
229. Citado em Kershaw, *Hitler*, II, p. 531-2.
230. Meier-Welcker, *Aufzeichnungen*, p. 159 (9 de abril de 1942).
231. Erichson, *Abschied*, p. 27 (carta ao irmão, 28 de julho de 1942).
232. Ibid., p. 77 (carta de 18 de agosto de 1942).
233. Halder, *Kriegstagebuch*, III, p. 513 (30 de agosto de 1942).
234. Ibid., p. 517 (4 de setembro de 1942), p. 528 (24 de setembro de 1942).
235. Weinberg, *A World at Arms*, p. 408-17, 420-8; Kershaw, *Hitler*, II, p. 531-4; Bernd Wegner, "Vom Lebensraum zum Todesraum: Deutschlands Kriegführung zwischen Moskau und Stalingrad", em Förster (ed.), *Stalingrad*, p. 17-38; Bernd Wegner, "The War against the Soviet Union, 1942-1943", *GSWW* VI, p. 843-1.203, nas p. 843-1.058.
236. Heinrich von Einsiedel, *The Shadow of Stalingrad: Being the Diary of a Temptation* (Londres, 1953), p. 7-8 (24 de agosto de 1942).
237. Ibid., p. 8-9.
238. Ibid.; Antony Beevor, *Stalingrad* (Londres, 1998), p. 92-5.
239. Ibid., p. 102-31.
240. Halder, *Kriegstagebuch*, III, p. 514 (31 de agosto de 1942).
241. Reddemann (ed.), *Zwischen Front und Heimat*, p. 631 (para Agnes, 3 de outubro de 1942).
242. Kershaw, *Hitler*, II, p. 536-8.
243. Beevor, *Stalingrad*, p. 127-33, 166-77.
244. Ibid., p. 291-310.
245. Jens Ebert (ed.), *Feldpostbriefe aus Stalingrad: November 1942 bis Januar 1943* (Munique, 2006 [2000]). Ver também Katrin A. Kilian, "Kriegsstimmungen: Emotionen einfacher Soldaten in Feldpostbriefen", *DRZW* IX/II, p. 251-88, para o declínio do moral e da esperança no fim da guerra, conforme expressos nas cartas dos soldados.
246. Beevor, *Stalingrad*, p. 189-235.
247. Ibid., p. 236-65; ver também Mawdsley, *Thunder in the East*, p. 159-73, e Bellamy, *Absolute War*, p. 497-53.

248. Beevor, *Stalingrad*, p. 266-90.
249. Speer, *Inside the Third Reich*, p. 343.
250. Ebert (ed.), *Feldpostbriefe*, p. 81.
251. Beevor, *Stalingrad*, p. 333-6.
252. Ebert (ed.), *Feldpostbriefe*, p. 170.
253. Beevor, *Stalingrad*, p. 311-30.
254. Ebert (ed.), *Feldpostbriefe*, p. 216; mais genericamente, ibid., p. 186-222.
255. Ibid., p. 163.
256. Ibid., p. 49.
257. Ibid., p. 27, 29; a legenda da ilustração na p. 307, afirmando que os soldados não estavam trajados de modo adequado para o inverno, é desmentida pelas numerosas menções em contrário nas cartas (p. 43, 159, 176, 205).
258. Ibid., p. 16, 38, 180, 236, 262.
259. Anatoly Golovchansky *et al.* (eds.), *"Ich will raus aus diesem Wahnsinn": Deutsche Briefe von der Ostfront 1941-1945* (Wuppertal, 1991), p. 164 (31 de dezembro de 1942).
260. Groscurth, *Tagebücher*, p. 532.
261. Ebert (ed.), *Feldpostbriefe*, p. 242.
262. Golovchansky *et al.* (eds.), *"Ich will raus"*, p. 205 (10 de janeiro de 1943).
263. Ibid., p. 202 (10 de janeiro de 1943).
264. Ibid., p. 223 (15 de janeiro de 1943).
265. Ebert (ed.), *Feldpostbriefe*, p. 304, 316; de modo semelhante nas p. 270, 274, 281, 296, 305.
266. Rolf Dieter Müller, "'Was wir an Hunger ausstehen müssen, könnt Ihr Euch gar nicht denken': Eine Armee verhungert", em Wolfram Wette e Gerd R. Ueberschär (eds.), *Stalingrad: Mythos und Wirklichkeit einer Schlacht* (Frankfurt am Main, 1992), p. 131-45; Beevor, *Stalingrad*, p. 335-8.
267. Ebert (ed.), *Feldpostbriefe*, p. 209; de modo semelhante nas p. 124, 143, 161, 186.
268. Ibid., p. 306.
269. Ibid., p. 318, 322-4.
270. Boberach (ed.), *Meldungen*, XII, p. 4.698 (18 de janeiro de 1943).
271. Beevor, *Stalingrad*, p. 352-73.
272. Citado em Ebert (ed.), *Feldpostbriefe*, p. 341-2.
273. Citado em ibid., p. 343.
274. Ibid., p. 342-4.
275. Beevor, *Stalingrad*, p. 374-431; Kershaw, *Hitler*, II, p. 543-57; Groscurth, *Tagebücher*, p. 95; para um relato detalhado, ver Wegner, "The War against the Soviet Union", *GSWW* VI, p. 1058-72.
276. Karl-Heinz Frieser, *Krieg hinter Stacheldraht: Die deutschen Kriegsgefangenen in der Sowjetunion und das Nationalkomitee "Freies Deutschland"* (Mainz, 1981), p. 55, 144-82, 188-9, 193-5; Kershaw, *Hitler*, II, p. 550-1.
277. Walb, *Ich, die Alte*, p. 260 (3 de fevereiro de 1943).
278. Wolfram Wette, "Das Massensterben als 'Heldenepos': Stalingrad in der NS--Propaganda", em Wette e Ueberschär (eds.), *Stalingrad*, p. 43-60; Heinz Boberach, "Stimmungsumschwung in der deutschen Bevölkerung", em ibid., p. 61-6; Bernhard R. Kroener, "'Nun Volk, steh auf...!' Stalingrad und der "totale" Krieg 1942-1943", em Förster (ed.), *Stalingrad*, p. 151-70; Marlis Steinert, "Stalingrad und die deutsche Gesellschaft", em ibid., p. 171-88.
279. Boberach (ed.), *Meldungen*, XII, p. 4.750-1 (4 de fevereiro de 1943) (itálicos no original).

280. Ibid.
281. Broszat et al. (eds.), *Bayern* I, p. 633 (Bericht der SD-Hauptaussenstelle Würzburg, 1º de fevereiro de 1943).
282. Ibid. (Bericht der SD-Aussenstelle Friedberg, 8 de fevereiro de 1943).
283. Ibid., p. 164-5 (Monatsbericht des Landrats, 2 de fevereiro de 1943).
284. Hassell, *The von Hassell Diaries*, p. 284.
285. Broszat et al. (eds.), *Bayern*, I, p. 633 (Bericht der SD-Hauptaussenstelle Würzburg, 1º de fevereiro de 1943).
286. Klemperer, *To the Bitter End*, p. 189-92 (5 e 14 de fevereiro de 1943).
287. Broszat et al. (eds.), *Bayern* I, p. 170 (Monatsbericht der Gendarmerie-Station Muggendorf, 19 de março de 1943).
288. Ibid., p. 170 (Monatsbericht der Gendarmerie-Station Waischenfeld, 19 de março de 1943).
289. Boberach (ed.), *Meldungen*, XIII, p. 5.146 (19 de abril de 1943).
290. Citado em Noakes (ed.), *Nazism*, IV, p. 548.
291. Boberach (ed.), *Meldungen*, XIV, p. 5.445 (8 de julho de 1943) (itálicos no original).
292. Ibid., p. 5.446 (itálicos no original); também Hassell, *The von Hassell Diaries*, p. 294 (março de 1943).
293. Ibid., p. 5.447 (itálicos no original).
294. Willi A. Boelcke (ed.), *"Wollt Ihr den totalen Krieg?" Die geheimen Goebbels-Konferenzen 1939-1943* (Munique, 1969 [1967]), p. 414.
295. Essa versão do discurso, que difere do texto publicado, foi monitorada ao vivo pela BBC e retirada de Noakes (ed.), *Nazism*, IV, p. 490-4. Ver também Iring Fetscher, *Joseph Goebbels im Berliner Sportpalast 1943: "Wollt Ihr den totalen Krieg?"* (Hamburgo, 1998) (discurso reproduzido em ibid., p. 63-98); e Günter Moltmann, "Goebbels" Speech on Total War, February 18, 1943, em Hajo Holborn (ed.), *Republic to Reich: The Making of the Nazi Revolution: Ten Essays* (Nova York, 1973 [1972]), p. 298-342.
296. Boberach (ed.), *Meldungen*, XII, p. 4833 (22 de fevereiro de 1943); Moltmann, "Goebbels" Speech', p. 337 (para a "hipnose de massa").
297. Ibid., p. 309-16.
298. Kershaw, *Hitler*, II, p. 561-77.
299. Noakes (ed.), *Nazism*, IV, p. 238-40; Boberach (ed.), *Meldungen*, XIII, p. 5136-40 (1º de abril de 1943).
300. Boberach (ed.), *Meldungen*, XII, p. 4826-30 (18 de fevereiro de 1943).
301. Tooze, *The Wages of Destruction*, p. 353-6.
302. Noakes (ed.), *Nazism*, IV, p. 510-8.
303. Ibid.
304. Overy, "Guns or Butter?", p. 284-6; Josef Wulf, *Presse und Funk im Dritten Reich: Eine Dokumentation* (Gütersloh, 1964), p. 374.
305. Boberach (ed.), *Meldungen*, IX, p. 3504-5 (23 de março de 1942).
306. Ibid.
307. Noakes (ed.), *Nazism*, IV, p. 521, 548.
308. Herbst, *Der totale Krieg*, p. 171-241.
309. Overy, "Guns or Butter?", p. 259-64 (p. 263 para a citação), criticando Alan S. Milward, "Hitlers Konzept des Blitzkrieges", em Andreas Hillgruber (ed.), *Probleme des Zweiten Weltkrieges* (Colônia, 1967), p. 19-40, e Burton H. Klein, *Germany's Economic Preparations for War* (Cambridge, Mass., 1959); ver também Evans, *The Third Reich in Power*, p. 322--36, 349-50, 477-92.

310. Carroll, *Design for Total War*, p. 190.
311. Overy, "Guns or Butter?", p. 264-71.
312. Ibid., p. 272; Tooze, *The Wages of Destruction*, p. 353-6; Aly, *Hitler's Beneficiaries*, p. 295--300; Philipp Kratz, "Sparen für das kleine Glück", em Götz Aly (ed.), *Volkes Stimme: Skepsis und Führervertrauen im Nationalsozialismus* (Frankfurt am Main, 2006), p. 59-79; Angelika Ebbinghaus, "Fakten oder Fiktionen: Wie ist Götz Aly zu seinen weitreichenden Schlussfolgerungen gekommen?", *Sozial.Geschichte*, 20 (2005), p. 29-45, na p. 32; ver também Christoph Buchheim, "Die vielen Rechenfehler in der Abrechnung Götz Alys mit den Deutschen unter dem NS-Regime", *Sozial.Geschichte*, 20 (2005), p. 67-76.
313. Mathilde Wolff-Mönckeberg, *On the Other Side: To My Children from Germany 1940-1945* (Londres, 1982 [1979]), p. 96.
314. Boberach (ed.), *Meldungen*, XVI, p. 6.260-5 (citação na p. 6.262).
315. Overy, "Guns or Butter?", p. 272-84.
316. Ibid., p. 285-91.
317. Hassell, *The von Hassell Diaries*, p. 173.
318. Pöppel, *Heaven and Hell*, p. 101.
319. Boberach (ed.), *Meldungen*, XII, p. 4.831 (22 de fevereiro de 1943) (itálicos no original).
320. Broszat et al. (eds.), *Bayern*, I, p. 169 (Landrat Ebermannstadt, Monatsbericht, 2 de março de 1943).
321. Ibid., p. 635 (Bericht der SD-Hauptaussenstelle Würzburg, 22 de fevereiro de 1943).

Parte 5 – "O COMEÇO DO FIM"

1. "Aufsatz des Schülers Günter R. von der Dreikönigschule in Dresden, verfasst am 9. November 1934", nº 120, em Joachim S. Hohmann e Hermann Langer (eds.), *"Stolz, ein Deutscher zu sein..."*: *Nationales Selbstverständnis in Schulaufsätzen 1914-1945* (Frankfurt am Main, 1995), p. 227-8.
2. Ralf Blank, "Kriegsalltag und Luftkrieg an der 'Heimatfront'", *DRZW* IX/I, p. 357-468, nas p. 358 e p. 403-6.
3. Ursula Büttner, "'Gomorrha' und die Folgen: Der Bombenkrieg", em Forschungsstelle für Zeitgeschichte in Hamburg (ed.), *Hamburg im "Dritten Reich"* (Göttingen, 2005), p. 613--32, nas p. 613-6; Horst Boog, "The Anglo-American Strategic Air War over Europe and German Air Defence", em *GSWW* VI, p. 469-628, nas p. 478-91.
4. Shirer, *Berlin Diary*, p. 441-2 (9 de novembro de 1940).
5. Boog, "The Strategic Air War", p. 379-406.
6. Richard Overy, *Why the Allies Won* (Londres, 1995), p. 101-4 (também para as citações); Boog, "The Anglo-American Strategic Air War", p. 492-521.
7. Weinberg, *A World at Arms*, p. 572-7; Overy, *Why the Allies Won*, p. 104-12; Calvocoressi e Wint, *Total War*, p. 489-94; Jörg Friedrich, *Der Brand: Deutschland im Bombenkrieg 1940--1945* (Munique, 2002), p. 63-85. Para uma discussão da doutrina do bombardeio estratégico, suas origens e evolução, consultar Boog, "The Anglo-American Strategic Air War", p. 469-77.
8. Ibid., p. 565-6, 622-3.
9. Boog, "The Strategic Air War", p. 367-8.
10. Boog, "The Anglo-American Strategic Air War", p. 622-3.
11. Weinberg, *A World at Arms*, p. 577; Overy, *Why the Allies Won*, p. 109-10; Calvocoressi e Wint, *Total War*, p. 494; Friedrich, *Der Brand*, p. 86-7, 179-90; Boog, "The Anglo-

-American Strategic Air War", p. 558-66. O Lancaster ainda era chamado de Manchester nessa época.
12. Boberach (ed.), *Meldungen*, X, p. 3.597-9 (9 de abril de 1942).
13. Solmitz, *Tagebuch*, p. 765 (8 de setembro de 1942).
14. Ibid., p. 733 (26 de abril de 1942, 29 de abril de 1942).
15. Overy, *Why the Allies Won*, p. 117-9; Weinberg, *A World at Arms*, p. 578-9; Calvocoressi e Wint, *Total War*, p. 494; Boog, "The Anglo-American Strategic Air War", p. 566-621.
16. Citado em Overy, *Why the Allies Won*, p. 117; Boog, "The Strategic Air War", p. 9-15; consultar também a clássica história oficial escrita por Charles Webster e Noble Frankland, *The Strategic Air Offensive against Germany 1939-1945* (4 vols., Londres, 1961), IV, p. 273--83.
17. Overy, *Why the Allies Won*, p. 114-22; Blank, "Kriegsalltag", p. 366-8; Boog, "The Strategic Air War", p. 22-9.
18. Fröhlich (ed.), *Die Tagebücher*, VII, p. 491 (7 de março de 1943).
19. Blank, "Kriegsalltag", p. 369-70.
20. Tooze, *The Wages of Destruction*, p. 596-600.
21. Speer, *Inside the Third Reich*, p. 389-93, citando seus diários administrativos.
22. Martin Middlebrook, *The Battle of Hamburg: Allied Bomber Forces against a German City in 1943* (Londres, 1980), p. 93-251; Boog, "The Strategic Air War", p. 43-51.
23. Citado em Middlebrook, *The Battle of Hamburg*, p. 264-5; ibid., p. 252-81, para detalhes a respeito da tempestade de fogo.
24. Ibid., p. 266-7.
25. Ibid., p. 282-327; Büttner, "'Gomorrha'", p. 616-8; Friedrich, *Der Brand*, p. 455; consultar também Christian Hanke et al., *Hamburg im Bombenkrieg 1940-1945: Das Schicksal einer Stadt* (Hamburgo, 2001); e Renate Hauschild-Thiessen (ed.), *Die Hamburger Katastrophe vom Sommer 1943 in Augenzeugenberichten* (Hamburgo, 1991).
26. Wolff-Mönckeberg, *On the Other Side*, p. 79.
27. Ibid., p. 79; Büttner, "'Gomorrha'", p. 620-2.
28. Solmitz, *Tagebuch*, p. 840, 851 (4 de agosto de 1943, 19 de agosto de 1943).
29. Breloer (ed.), *Geheime Welten*, p. 41.
30. Ibid., p. 42.
31. Ibid., p. 43.
32. Solmitz, *Tagebuch*, p. 930 (21 de junho de 1944), p. 943 (8 de agosto de 1944).
33. Ibid., p. 943 (8 de agosto de 1944).
34. Wolff-Mönckeberg, *On the Other Side*, p. 86.
35. Boberach (ed.), *Meldungen*, XV, p. 5.583 (9 de agosto de 1943) (em itálico no original).
36. Ibid., XV, p. 5.562, 5.575 (2 e 5 de agosto de 1943).
37. Joachim Szodrzynski, "Die 'Heimatfront' zwischen Stalingrad und Kriegsende", em Forschungsstelle für Zeitgeschichte in Hamburg (ed.), *Hamburg*, p. 633-86; para outras localidades, consultar por exemplo Wilfried Beer, *Kriegsalltag an der Heimatfront: Alliierter Luftkrieg und deutsche Gegenmassnahmen zur Abwehr und Schadenbegrenzung, dargestellt für den Raum Münster*, (Bremen, 1990); Gerd R. Ueberschär, *Freiburg im Luftkrieg 1939-1945* (Freiburg, 1990); Gerhard E. Sollbach (ed.), *Dortmund: Bombenkrieg und Nachkriegsalltag 1939-1945* (Hagen, 1996); Birgit Horn, *Die Nacht, als der Feuertod vom Himmel stürzte – Leipzig, 4. Dezember 1943* (Gudensberg-Gleichen, 2003).
38. Erichson, *Abschied*, p. 160-1 (carta para o irmão, 12 de agosto de 1943).
39. Boberach (ed.), *Meldungen*, XIV, p. 5.356 (17 de junho de 1943).

40. Meike Wöhlert, *Der politische Witz in der NS-Zeit am Beispiel ausgesuchten SD-Berichte und Gestapo-Akten* (Frankfurt am Main, 1997), p. 50; Boberach (ed.), *Meldungen*, XIV, p. 5.619-20 (16 de agosto de 1943).
41. Boberach (ed.), *Meldungen*, XIV, p. 5.357.
42. Ibid.
43. Eva Gehrken, *Nationalsozialistische Erziehung in den Lagern der Erweiterten Kinderlandverschickung 1940 bis 1945* (Braunschweig, 1997), p. 16.
44. Gerhard Kock, "Die Erweiterte Kinderlandverschickung und der Konflikt mit den Kirchen", em Martin Rüther (ed.), *"Zu Hause könnten sie es nicht schöner haben!": Kinderverlandverschickung aus Köln und Umgebung 1941-1945* (Colônia, 2000), p. 209-42.
45. Gerhard Kock, "Nur zum Schutz aufs Land gebracht? Die Kinderlandverschickung und ihre erziehungspolitischen Ziele", em ibid., p. 17-52; também Gehrken, *Nationalsozialistische Erziehung*, p. 16, 149, demonstrando que os campos eram, na verdade, uma instituição do Partido, contrariando os argumentos de Gerhard Dabel (ed.), *KLV: Die erweiterte Kinder--Land-Verschickung* (Freiburg, 1981).
46. Katja Klee, "'Nie wieder Aufnahme von Kindern' – Anspruch und Wirklichkeit der KLV in den Aufnahmegauen", em Rüther (ed.), *"Zu Hause"*, p. 161-94; Stephenson, *Hitler's Home Front*, p. 295-311.
47. Friedrich, *Der Brand*, p. 455-67; consultar também Olaf Gröhler, *Bombenkrieg gegen Deutschland* (Berlim, 1990).
48. Boberach (ed.), *Meldungen*, XV, p. 6.033.
49. Ibid., p. 6.025-8 (citação na p. 6.028).
50. Ibid., p. 6.029-30.
51. Ibid., p. 6.030.
52. Ibid., p. 6.031.
53. Ibid., p. 6.032.
54. Fröhlich (ed.), *Die Tagebücher*, II/XIV, p. 409 (12 de dezembro de 1944); ibid., p. 417-21, para a citação acima; também Karl Christian Führer, "Anspruch und Realität: Das Scheitern der nationalsozialistischen Wohnungsbaupolitik 1933-1945", *VfZ* 45 (1997), p. 225-56.
55. Herwart Vorländer, *Die NSV: Darstellung und Dokumentation einer nationalsozialistischen Organisation* (Boppard, 1988), p. 127-75; também Armin Nolzen, "'Sozialismus der Tat'? Die Nationalsozialistische Volkswohlfahrt (NSV) und der alliierte Luftkrieg gegen das deutsche Reich", em Dietmar Süss (ed.), *Deutschland im Luftkrieg: Geschichte und Erinnerung* (Munique, 2007), p. 57-70.
56. Para uma visão mais geral, consultar Nicole Krämer, "'Kämpfende Mütter' und 'gefallene Heldinnen' – Frauen im Luftschutz", em Süss (ed.), *Deutschland im Luftkrieg*, p. 85-98.
57. Blank, "Kriegsalltag", p. 391-4; Noakes (ed.), *Nazism*, IV, p. 562-5.
58. Blank, "Kriegsalltag", p. 394-402, 421-5. Um vasto complexo de túneis e quartos também foi construído na montanha no refúgio de Hitler na Bavária, no Obersalzberg, nas últimas fases da guerra.
59. Hassell, *The von Hassell Diaries*, p. 157.
60. Blank, "Kriegsalltag", p. 407-16; Fröhlich (ed.), *Die Tagebücher*, II/XI, p. 42 (3 de janeiro de 1944).
61. Citado em Blank, "Kriegsalltag", p. 407-8.
62. Citado em ibid., p. 410-1; consultar também Friedrich, *Der Brand*, p. 371-406.
63. Ibid., p. 406-34, e Bernhard Gotto, "Kommunale Krisenbewältigung", em Süss (ed.), *Deutschland im Luftkrieg*, p. 41-56.

64. Citado em Friedrich, *Der Brand*, p. 446.
65. Hans Wrobel (ed.), *Strafjustiz im totalen Krieg: Aus den Akten des Sondergerichts Bremen 1940 bis 1945* (Bremen, 1991), I, p. 168-71.
66. Ibid., p. 190-2.
67. Ralph Angermund, *Deutsche Richterschaft 1919-1945* (Frankfurt am Main, 1990), p. 209--15.
68. Speer, *Inside the Third Reich*, p. 396-8; Blank, "Kriegsalltag", p. 372.
69. Speer, *Inside the Third Reich*, p. 395.
70. Blank, "Kriegsalltag", p. 374-6.
71. Overy, *Why the Allies Won*, p. 120-2; Boog, "The Strategic Air War", p. 54-76.
72. Overy, *Why the Allies Won*, p. 122-5; Boog, "The Strategic Air War", p. 76-88, para uma discussão da crise na campanha de bombardeios em 1943; ibid., p. 159-256 para os diferentes destinos das defesas aéreas alemãs.
73. Overy, *Why the Allies Won*, p. 125-3, 211.
74. Blank, "Kriegsalltag", p. 459-60, faz uma avaliação rápida das estimativas bastante diferentes.
75. Anthony C. Grayling, *Among the Dead Cities: Was the Allied Bombing of Civilians in WWII a Necessity or a Crime?* (Londres, 2006), apresenta com eficácia os argumentos morais contra a campanha de bombardeios. Consultar também Lothar Kettenacker (ed.), *Ein Volk von Opfern? Die neue Debatte um den Bombenkrieg 1940-1945* (Berlim, 2003).
76. Overy, *Why the Allies Won*, p. 128-33.
77. Pöppel, *Heaven and Hell*, p. 233.
78. Dietmar Süss, "Nationalsozialistische Deutungen des Luftkrieges", em idem (ed.), *Deutschland im Luftkrieg*, p. 99-110.
79. Ibid., p. 379-80.
80. Ibid., p. 435-6.
81. Boberach (ed.), *Meldungen*, XV, p. 5.575 (5 de agosto de 1943); também XV, p. 5.885 (15 de outubro de 1943).
82. Blank, "Kriegsalltag", p. 448-50. Consultar também Friedrich, *Der Brand*, p. 481-90, e Barbara Grimm, "Lynchmorde an alliierten Fliegern im Zweiten Weltkrieg", em Süss (ed.), *Deutschland im Luftkrieg*, p. 71-84.
83. Ibid., XVI, p. 6.302-3 (7 de fevereiro de 1944) (em itálico no original).
84. Dear (ed.), *The Oxford Companion to World War II*, p. 748-9, 992-4; Weinberg, *A World at Arms*, p. 211-5, 222-5, 361-3; Stumpf, "The War in the Mediterranean Area", p. 631-840.
85. Kershaw, *Hitler*, II, p. 585.
86. Tooze, *The Wages of Destruction*, p. 401-2.
87. Basil H. Liddell Hart (ed.), *The Rommel Papers* (Londres, 1953), p. 507-24.
88. Walb, *Ich, die Alte*, p. 249, 253 (14 e 29 de novembro de 1942).
89. Crampton, *Bulgaria*, p. 374-81; Miller, *Bulgaria*, p. 135-48, pesquisa cuidadosamente as inúmeras teorias a respeito da morte de Bóris e conclui que ninguém tinha um interesse óbvio em causá-la. Edward P. Thompson, *Beyond the Frontier: The Politics of a Failed Mission: Bulgaria 1944* (Woodbridge, 1997), relata a morte de Frank, irmão mais velho do autor, na guerra dos guerrilheiros.
90. Denis Mack Smith, *Modern Italy: A Political History* (Londres, 1997 [1959]), p. 404-12; Kershaw, *Hitler*, II, p. 593.
91. Weinberg, *A World at Arms*, p. 593-6.
92. Smith, *Modern Italy*, p. 412-4; idem, *Mussolini* (Londres, 1987 [1981]), p. 341-6.

93. Christopher Duggan, *The Force of Destiny: A History of Italy since 1796* (Londres, 2007), p. 520-6; Boberach (ed.), *Meldungen*, XV, p. 5.755 (13 de setembro de 1943); Kershaw, *Hitler*, II, p. 593-8.
94. Boberach (ed.), *Meldungen*, XVI, p. 6.304 (7 de fevereiro de 1944) (em itálico no original).
95. Bosworth, *Mussolini's Italy*, p. 503-5; Herbert, *Hitler's Foreign Workers*, p. 282-7; Boberach (ed.), *Meldungen*, XIV, p. 5.724-5 (9 de setembro de 1943), e XV, p. 5.766 (13 de setembro de 1943) (em itálico no original).
96. Luigi Cajani, "Die italienischen Militär-Internierten im nationalsozialistischen Deutschland", em Herbert (ed.), *Europa und der "Reichseinsatz"*, p. 295-316, na p. 308; também Brunello Mantelli, "Von der Wanderarbeit zur Deportation: Die italienischen Arbeiter in Deutschland 1938-1945", em ibid., p. 51-89; Ralf Lang, *Italienische "Fremdarbeiter" im nationalsozialistischen Deutschland 1937-1945* (Frankfurt am Main, 1996), p. 83-110; Spoerer, *Zwangsarbeit*, p. 228.
97. Nicholas, *The Rape of Europa*, p. 229-72 (citado nas p. 266-7).
98. Boberach (ed.), *Meldungen*, XIV, p. 5.540-1 (29 de julho de 1943).
99. Smith, *Mussolini*, p. 348-67.
100. Ibid.; Boberach (ed.), *Meldungen*, XV, p. 5.755 (13 de setembro de 1943).
101. Friedländer, *The Years of Extermination*, p. 559-77; Longerich, *Politik*, p. 553-4, 560; Robert Katz, *The Battle for Rome: The Germans, the Allies, the Partisans, and the Pope, September 1943-June 1944* (Nova York, 2003), p. 61-85; idem, *Black Sabbath: A Journey through a Crime against Humanity* (Londres, 1969), p. 3-104.
102. Consultar Evans, *Telling Lies*, p. 103-8; e Steur, *Theodor Dannecker*, p. 113-28.
103. Meir Michaelis, *Mussolini and the Jews: German-Italian Relations and the Jewish Question in Italy, 1922-1945* (Oxford, 1978); Susan Zuccotti, *The Italians and the Holocaust: Persecution, Rescue and Survival* (Londres, 1987); Katz, *Black Sabbath*, p. 105-292; Lilliana Picciotto Fargion, "Italien", em Wolfgang Benz (ed.), *Dimension des Völkermords: Die Zahl der jüdischen Opfer des Nationalsozialismus* (Munique, 1991), p. 199-228; Jonathan Steinberg, *All or Nothing: The Axis and the Holocaust 1941-1943* (Londres, 1991); Susan Zuccotti, *Under His Very Windows: The Vatican and the Holocaust in Italy* (Londres, 2001).
104. Longerich, *Politik*, p. 561-2.
105. Ibid., p. 561.
106. Bosworth, *Mussolini's Italy*, p. 498-530 (estatísticas na p. 522).
107. Primo Levi, *If This Is a Man* (Londres, 1957 [1948]).
108. Frank Snowden, "Latina Province 1944-1950", *Journal of Contemporary History*, 43/3 (2008), p. 509-26; Paul Weindling, *Epidemics and Genocide in Eastern Europe, 1890-1945* (Oxford, 2000), p. 2-3, 76-9, 376-8; Michael H. Kater, *Doctors under Hitler* (Chapel Hill, N. C., 1989).
109. Snowden, "Latina Province".
110. Weinberg, *A World at Arms*, p. 367-9.
111. Ibid., p. 64-73; Tooze, *The Wages of Destruction*, p. 338-9, 397-9; Kershaw, *Hitler*, II, p. 585; para um relato mais detalhado, consultar Werner Rahn, "The War at Sea in the Atlantic and in the Arctic Ocean", *GSWW* VI, p. 301-468.
112. Klaus von Trotha, "'Ran, Angreifen, Versenken!' Aus dem Tagebuch eines U-Boots Kapitäns", em Georg von Hase (ed.), *Die Kriegsmarine im Kampf um den Atlantik: Erlebnisberichte von Mitkämpfern* (Leipzig, 1942), p. 40-69.
113. Meier-Welcker, *Aufzeichnungen*, p. 98-103 (31 de dezembro de 1940).
114. Michael Salewski, *Die deutsche Seekriegsleitung 1935-1945* (Frankfurt am Main, 1970), I, p. 175-207.

115. Weinberg, *A World at Arms*, p. 367-82.
116. Ibid., p. 235-7, 358, 382.
117. Ibid., p. 382-9.
118. Bernd Wegner, "Von Stalingrad nach Kursk", em *DRZW* VII, p. 3-82, nas p. 3-8.
119. Helmut Blume, *Zum Kaukasus 1941-1942: Aus Tagebuch und Briefen eines jungen Artilleristen* (Tübingen, 1993), p. 140 (carta aos pais, 2 de novembro de 1942).
120. Ibid., p. 141 (carta aos pais, 14 de novembro de 1942).
121. Wegner, "The War against the Soviet Union", p. 1022-59, 1173-92.
122. Kershaw, *Hitler* II, p. 529-33; Wegner, "The War against the Soviet Union".
123. Reddemann (ed.), *Zwischen Front und Heimat*, p. 761 (para Agnes, 16 de fevereiro de 1943).
124. Ibid., Introdução. Sua viúva nunca se casou outra vez.
125. Wegner, "Von Stalingrad", p. 62.
126. Ibid., p. 63-9.
127. Ibid., p. 69-79; Karl-Heinz Frieser, "Die Schlacht im Kursker Bogen", em *DRZW* VIII, p. 83-210, na p. 83-5.
128. Ibid., p. 83-102.
129. Citado em ibid., p. 102; detalhes em ibid., p. 102-3.
130. Ibid., p. 104-6.
131. Ibid., p. 106-12.
132. Ibid., p. 112-9.
133. Ibid., p. 119-39. O relato meticuloso e radicalmente revisionista de Frieser supera todas as narrativas anteriores a respeito da batalha.
134. Ibid., p. 140-72.
135. Ibid., p. 173-207.
136. Citado em ibid., p. 200.
137. Ibid., p. 190-208 (citação na p. 208).
138. Karl-Heinz Frieser e Klaus Schönherr, "Der Rückschlag des Pendels: Das Zurückweichen der Ostfront von Sommer 1943 bis Sommer 1944", em *DRZW* VIII, p. 277-490, na p. 277.
139. Karl-Heinz Frieser, "Zusammenfassung", em *DRZW* VIII, p. 1.211-24.
140. Bernd Wegner, "Die Aporie des Krieges", em *DRZW* VII, p. 211-76, nas p. 256-69.
141. Ibid., p. 259-60.
142. Frieser e Schönherr, "Der Rückschlag", p. 324-5.
143. Sven Oliver Müller, "Nationalismus in der deutschen Kriegsgesellschaft 1939 bis 1945", em *DRZW* IX/II, p. 9-92, nas p. 70-92.
144. Hürter (ed.), *Ein deutscher General*, p. 12-42.
145. Bock, *Zwischen Pflicht und Verweigerung*, Introdução, e p. 125-7.
146. Reinhard Stumpf, *Die Wehrmacht-Elite: Rang- und Herkunftsstruktur der deutschen Generale und Admirale 1933-1945* (Boppard, 1982), p. 298-302.
147. Citado em Gerd R. Ueberschär e Winfried Vogel, *Dienen und Verdienen: Hitlers Geschenke an seine Eliten* (Frankfurt am Main, 2000 [1999]), p. 147-8; para os detalhes referidos, consultar ibid., p. 146-82.
148. Rass, "Das Sozialprofil", p. 712-8.
149. Ibid., p. 647.
150. Ibid., p. 651-7.
151. Ibid., p. 658-80.
152. Ibid., p. 682-3.
153. Ibid., p. 690.

154. Horst F. Richardson, *Sieg Heil! War Letters of Tank Gunner Karl Fuchs, 1937-1941* (Hamden, Conn., 1987), p. 124 (4 de agosto de 1941); para uma visão mais geral, Jürgen Förster, "Geistige Kriegführung in Deutschland 1919 bis 1945", em *DRZW* IX/I, p. 469--640, esp. p. 469-559.
155. Ibid., p. 560-640.
156. Manoschek (ed.), *"Es gibt nur Eines"*, p. 52 (O'Gefr. A. G., 1º de março de 1942).
157. Ibid., p. 69 (Uffz. A. N., 29 de maio de 1943).
158. Ibid., p. 74 (Uffz. O. D., 16 de agosto de 1944).
159. Hosenfeld, *"Ich versuche"*, p. 780-2 (diário, 28 de dezembro de 1943).
160. Hürter (ed.), *Ein deutscher General*, p. 142.
161. Rass, "Das Sozialprofil", p. 723-5, 733-5.
162. Consultar o clássico estudo de Edward A. Shils e Morris Janowitz, "Cohesion and Disintegration in the Wehrmacht in World War II", *Public Opinion Quarterly*, 12 (1948), p. 280-315.
163. Thomas Kühne, "Gruppenkohäsion und Kameradschaftsmythos in der Wehrmacht", em Rolf-Dieter Müller e Hans-Erich Volkmann (eds.), *Die Wehrmacht: Mythos und Realität* (Munique, 1999), p. 534-59; idem, "Zwischen Männerbund und Volksgemeinschaft: Hitlers Soldaten und der Mythos der Kameradschaft", *Archiv für Sozialgeschichte*, 38 (1998), p. 165-89; para uma visão mais geral, idem, *Kameradschaft: Die Soldaten des nationalsozialistischen Krieges und das 20. Jahrhundert* (Göttingen, 2006).
164. Manfred Messerschmidt e Fritz Wüllner, *Die Wehrmachtjustiz im Dienste des Nationalsozialismus: Zerstörung einer Legende* (Baden-Baden, 1987), p. 50.
165. Ibid., p. 63-89.
166. Ibid., p. 69.
167. Ibid., p. 102.
168. Ibid., p. 102-3.
169. Ibid., p. 115; também p. 91, 132-68. Maria Fritsche, *Österreichische Deserteure und Selbstverstümmler in der Deutschen Wehrmacht* (Viena, 2004).
170. Bernd Wegner, *Hitlers politische Soldaten: Die Waffen-SS 1933-1945: Studein zu Leitbild, Struktur und Funktion einer nationalsozialistischen Elite* (Paderborn, 1982), p. 210, 305, 316-7; Höhne, *The Order of the Death's Head*, p. 401-24.
171. Citado em ibid., p. 425.
172. "Die Rede Himmlers vor den Gauleitern am 3. August 1944", *VfZ* 1 (1953), p. 357-94.
173. Höhne, *The Order of the Death's Head*, p. 432-5.
174. Ibid., p. 435; Overmans, *Deutsche Militärische Verluste*, p. 257.
175. Citado em Höhne, *The Order of the Death's Head*, p. 401-2.
176. Ibid., p. 436-7.
177. Ibid., p. 438-40.
178. Speer, *Inside the Third Reich*, p. 341.
179. Ibid., p. 409.
180. Boberach (ed.), *Meldungen*, XIII, p. 4.981-2 (22 de março de 1943); Kershaw, *Hitler*, II, p. 555-6.
181. Speer, *Inside the Third Reich*, p. 407-18.
182. Fritz Redlich, *Hitler: Diagnosis of a Destructive Prophet* (Nova York, 1998), p. 223-54.
183. Kershaw, *Hitler*, II, p. 564-6, 611-5.
184. Fröhlich (ed.), *Die Tagebücher* (25 de julho de 1943).
185. Ludwig Metzger para Hans Fritsche, 12 de setembro de 1944, em Wulf, *Presse und Funk*, p. 359-60.

186. Speer, *Inside the Third Reich*, p. 271.
187. Kershaw, *Hitler*, II, p. 571-2.
188. Hassell, *The von Hassell Diaries*, p. 247.
189. Fröhlich (ed.), *Die Tagebücher* II/VII, p. 447-51 (2 de março de 1943).
190. Noakes (ed.), *Nazism*, IV, p. 27-46; Dieter Rebentisch, *Führerstaat und Verwaltung im Zweiten Weltkrieg* (Stuttgart, 1989).
191. Kershaw, *Hitler*, II, p. 599.
192. Lammers para Bormann, 1º de janeiro de 1945, citado em Noakes (ed.), *Nazism*, IV, p. 35-7.
193. Ibid., p. 24-53.
194. Ibid., p. 54-91 (citação na p. 90).
195. Ibid., p. 91-120.
196. Bärbel Wirrer (ed.), *Ich glaube an den Führer: Eine Dokumentation zur Mentalitätsgeschichte in nationalsozialistischen Deutschland 1942-1945* (Bielefeld, 2003), p. 243 (Inge para Alfred, 7 de agosto de 1944).
197. Citado em Hans Engelhard (ed.), *Im Namen des deutschen Volkes: Justiz und National sozialismus* (Colônia, 1989), p. 287.
198. Citado em Lothar Gruchmann, *Justiz im Dritten Reich 1933-1940: Anpassung und Unterwerfung in der Ära Gürtner* (Munique, 1988), p. 921.
199. Wrobel (ed.), *Strafjustiz im totalen Krieg*, p. 46.
200. Ibid., p. 46-9; Engelhard (ed.), *Im Namen*, p. 149-50; Noakes (ed.), *Nazism*, IV, p. 121-35.
201. Evans, *Rituals*, p. 689-737.
202. Hitler, *Hitler's Table Talk*, p. 303 (8 de fevereiro de 1942).
203. Engelhard (ed.), *Im Namen*, p. 294.
204. Citado em ibid., p. 293.
205. Evans, *Rituals*, p. 696-700; Martin Hirsch et al. (eds.), *Recht, Verwaltung und Justiz im Nationalsozialismus* (Colônia, 1984), p. 507-19; Engelhard (ed.), *Im Namen*, p. 267.
206. Hitler, *Hitler's Table Talk*, p. 637-45.
207. Hans Boberach (ed.), *Richterbriefe: Dokumente zur Beeinflussung der deutschen Rechtsprechung 1942-1944* (Boppard, 1975); Martin Broszat, "Zur Perversion der Strafjustiz im Dritten Reich", *VfZ* 6 (1958), p. 390-443.
208. Boberach (ed.), *Richterbriefe*, p. 55-8.
209. Engelhard (ed.), *Im Namen*, p. 269; Patrick Wagner, "Das Gesetz über die Behandlung Gemeinschaftsfremder: Die Kriminalpolizei und die 'Vernichtung des Verbrechertums'", em Götz Aly (ed.), *Feinderklärung und Prävention: Kriminalbiologie: Zigeunerforschung und Asozialenpolitik* (Berlim, 1988), p. 75-100.
210. Para a boa vontade do Judiciário para dar continuidade a tais medidas, consultar Angermund, *Deutsche Richterschaft*.
211. Wachsmann, *Hitler's Prisons*, p. 284-306.
212. Ibid., p. 237-41.
213. Noakes (ed.), *Nazism*, IV, p. 135-6.
214. Wachsmann, *Hitler's Prisons*, p. 227-62, 392-7.
215. Citado em Noakes (ed.), *Nazism*, IV, p. 168-9. Para uma visão mais geral, consultar Georg Wagner-Kyora, "'Menschenführung' in Rüstungsunternehmen der nationalsozialistischen Kriegswirtschaft", em *DRZW* IX/II, p. 383-476.
216. Höss, *Commandant of Auschwitz*, p. 90-1.
217. Karin Orth, "Gab es eine Lagergesellschaft? 'Kriminelle' und politische Häftlinge im Konzentrationslager", em Frei et al. (eds.), *Ausbeutung*, p. 109-33; Hermann Kaienburg,

"Deutsche politische Häftlinge im Konzentrationslager Neuengamme und ihre Stellung im Hauptlager", em Detlef Garbe (ed.), *Häftlinge in KZ Neuengamme: Verfolgungserfahrungen, Häftlingssolidarität und nationale Bindung* (Hamburgo, 1999), p. 26-80; Lutz Niethammer (ed.), *Der "gesäuberte" Antifaschismus: Die SED und die roten Kapos von Buchenwald* (Berlim, 1994); Benedikt Kautsky, *Teufel und Verdammte: Erfahrungen und Erkenntnisse aus sieben Jahren in deutschen Konzentrationslagern* (Viena, 1961), p. 159-63, citado em Noakes (ed.), *Nazism*, IV, p. 162-4.
218. Ibid., p. 170-1; Wachsmann, *Hitler's Prisons*, p. 394-5; Garbe (ed.), *Häftlinge*, p. 203.
219. Kautsky, *Teufel*, citado em Noakes (ed.), *Nazism*, IV, p. 167-8; consultar também Herbert Obenaus, "Der Kampf um das tägliche Brot", em Ulrich Herbert *et al.* (eds.), *Die nationalsozialistischen Konzentrationslager: Entwicklung und Struktur* (2 vols., Göttingen, 1998), II, p. 841-73; e Florian Freund, "Häftlingskategorien und Sterblichkeit in einem Aussenlager des KZ Mauthausen", em ibid., p. 874-86. Consultar também o admirável estudo feito por Stanislav Zamecnik, *Das war Dachau* (Frankfurt am Main, 2007 [2002]), esp. p. 226-322.
220. Citado em Noakes e Pridham (eds.), *Nazism*, III, p. 618.
221. Steinbacher, *Auschwitz*, p. 59; Karin Orth, "Die Kommandanten der nationalsozialistischen Konzentrationslager", em Herbert *et al.* (eds.), *Die nationalsozialistischen Konzentrationslager*, II, p. 755-86.
222. Burleigh, *Death*, p. 220; Schmuhl, *Rassenhygiene*, p. 217-9.
223. Para as cartas e relatos de Mennecke, consultar Peter Chroust (ed.), *Friedrich Mennecke: Innenansichten eines medizinischen Täters im Nationalsozialismus: Eine Edition seiner Briefe 1935-1947* (Hamburgo, 1988); carta citada em ibid., I, p. 242-4; ver também Trus, *"...vom Leid erlösen"*, p. 118-9.
224. Schmuhl, *Rassenhygiene*, p. 217-9; Burleigh, *Death*, p. 220-9.
225. Klee, *"Euthanasie"*, p. 418.
226. Citado em Ganssmüller, *Die Erbgesundheitspolitik*, p. 174-5; consultar também Fridlof Kudlien, *Arzte im Nationalsozialismus* (Colônia, 1985), p. 210.
227. Burleigh, *Death*, p. 239-45; Klee (ed.), *Dokumente*, p. 286-97; idem, *"Euthanasie"*, p. 429--39.
228. Burleigh, *Death*, p. 238-48; Schmuhl, *Rassenhygiene*, p. 220-36.
229. Klee, *"Euthanasie"*, p. 439-56.
230. Schmuhl, *Rassenhygiene*, p. 237-9; Burleigh, *Death*, p. 255-7.
231. Trus, *"...vom Leid erlösen"*, p. 116, 129-30.
232. Burleigh, *Death*, p. 230-1.
233. Klee (ed.), *Dokumente*, p. 302-3; idem, *"Euthanasie"*, p. 417-21.
234. Klee (ed.), *Dokumente*, p. 303.
235. Citado em Schmuhl, *Rassenhygiene*, p. 346.
236. Klee, *"Euthanasie"*, p. 421-5.
237. Ganssmüller, *Die Erbgesundheitspolitik*, p. 175.
238. Klee (ed.), *Dokumente*, p. 300-1.
239. Ibid., p. 301-2.
240. Evans, *The Third Reich in Power*, p. 524-7.
241. Lewy, *The Nazi Persecution*, p. 65-106.
242. Ibid., p. 107-32 (citação na p. 130). Permanece incerta a quantidade de mortos em todos esses casos, e as estimativas disponíveis variam muito.
243. Deletant, *Hitler's Forgotten Ally*, p. 187-96.

244. Lewy, *The Nazi Persecution*, p. 135.
245. Höss, *Commandant of Auschwitz*, p. 138-42.
246. Lewy, *The Nazi Persecution*, p. 167-228. Consultar também Michael Zimmermann, "Die nationalsozialistische Zigeunerverfolgung, das System der Konzentrationslager und das Zigeunerlager in Auschwitz-Birkenau", em Herbert *et al.* (eds.), *Die nationalsozialistischen Konzentrationslager*, II, p. 887-910.
247. Citado em Noakes (ed.), *Nazism*, IV, p. 392.
248. Burkhard Jellonek, *Homosexuelle unter dem Hakenkreuz: Die Verfolgung Homosexueller im Dritten Reich* (Paderborn, 1990), p. 117.
249. Ibid., p. 257, 269-73, 282-7; Geoffrey Giles, "The Denial of Homosexuality: Same-Sex Incidents in Himmler's SS and Police", em Dagmar Herzog (ed.), *Sexuality and German Fascism* (Nova York, 2005), p. 256-90, nas p. 265-9.
250. Ibid., p. 269-90.
251. Jellonek, *Homosexuelle*, p. 329.
252. Geoffrey Giles, "The Institutionalization of Homosexual Panic in the Third Reich", em Robert Gellately e Nathan Stoltzfus (eds.), *Social Outsiders in Nazi Germany* (Princeton, N. J., 2001), p. 233-55.
253. Noakes (ed.), *Nazism*, IV, p. 395.
254. Höss, *Commandant of Auschwitz*, p. 103-4.
255. Zamecnik, *Das war Dachau*, p. 230.
256. Till Bastian, *Homosexuelle im Dritten Reich: Geschichte einer Verfolgung* (Munique, 2000), p. 79-84.
257. Consultar Evans, *The Third Reich in Power*, p. 529-35, também para a condição dos homossexuais na Alemanha nazista antes de 1939. Para as Testemunhas de Jeová, consultar ibid., p. 254-5.
258. Detlev J. K. Peukert, "Arbeitslager und Jugend-KZ: Die Behandlung "Gemeinschaftsfremder" im Dritten Reich", em idem e Jürgen Reulecke (eds.), *Die Reihen fast geschlossen: Beiträge zur Geschichte des Alltags unterm Nationalsozialismus* (Wuppertal, 1981), p. 413-34, na p. 416.
259. Citado em Norbert Frei, *Der Führerstaat: Nationalsozialistische Herrschaft 1933 bis 1945* (Munique, 1987), p. 202-8.
260. Peukert, "Arbeitslager", p. 416.

Parte 6 – MORAL ALEMÃ

1. Citado em Vandana Joshi, *Gender and Power in the Third Reich: Female Denouncers and the Gestapo, 1933-45* (Londres, 2003), p. 60.
2. Ibid., p. 59-61.
3. Rita Wolters, *Verrat für die Volksgemeinschaft: Denunziantinnen im Dritten Reich* (Pfaffenweiler, 1996), p. 59-61.
4. Joshi, *Gender*, p. 168-97.
5. Ibid., p. 152; de modo mais geral, consultar Birthe Kundrus, *Kriegerfrauen: Familienpolitik und Geschlechterverhältnisse im Ersten und Zweiten Weltkrieg* (Hamburgo, 1995).
6. Noakes (ed.), *Nazism*, IV, p. 374.
7. Ibid.; consultar também Michelle Mouton, *From Nurturing the Nation to Purifying the Volk: Weimar and Nazi Family Policy, 1918-1945* (Nova York, 2007), p. 224-32.

8. Noakes (ed.), *Nazism*, IV, p. 368-9.
9. Ibid., p. 373.
10. Ibid., p. 375-84.
11. Dagmar Herzog, "Hubris and Hypocrisy, Incitement and Disavowal: Sexuality and German Fascism", in eadem (ed.), *Sexuality and German Fascism*, p. 1-21, nas p. 18-9.
12. Citado em Stibbe, *Women*, p. 155.
13. Noakes, *Nazism*, IV, p. 385-90.
14. Boberach (ed.), *Meldungen*, XVI, p. 6.487 (em itálico no original); Mouton, *From Nurturing the Nation*, p. 186, 193-4.
15. Boberach (ed.), *Meldungen*, XVI, p. 6.487.
16. Ibid.; também Stibbe, *Women*, p. 159.
17. Wirrer (ed.), *Ich glaube an den Führer*, p. 324 (Inge para Fred, 17 de abril de 1945).
18. Gerwin Udke (ed.), *"Schreib so oft Du kannst": Feldspostbriefe des Lehrers Gerhard Udke, 1940-1944* (Berlim, 2002), p. 73 (Gerhard para Dorothea Udke, 3 de abril de 1942).
19. Benedikt Burkard e Friederike Valet (eds.), *"Abends wenn wir essen, fehlt uns immer einer": Kinder schreiben and die Väter, 1939-1945* (Heidelberg, 2000), p. 240 (1º de novembro de 1943).
20. John S. Conway, *The Nazi Persecution of the Churches 1933-1945* (Londres, 1968), p. 232--53; Evans, *The Third Reich in Power*, p. 220-60.
21. Ibid., p. 253, 220-60.
22. Hitler, *Hitler's Table Talk*, p. 555-6 (4 de julho de 1942).
23. Ibid., p. 322 (20-21 de fevereiro de 1942).
24. Ibid., p. 323 (20-21 de fevereiro de 1942).
25. Ibid., p. 59 (14 de outubro de 1941).
26. Ibid., p. 51 (10 de outubro de 1941).
27. Ibid., p. 75-6 (19 de outubro de 1941).
28. Ibid., p. 145 (13 de dezembro de 1941).
29. Ibid., p. 6-7 (11-12 julho de 1941).
30. Broszat et al. (eds.), *Bayern*, I, p. 423 (Aus Visitationsberichten Dekanat Hof (Oberfranken), 1941).
31. Conway, *The Nazi Persecution*, p. 259-60, 383-6.
32. Ian Kershaw, *Popular Opinion and Political Dissent in the Third Reich: Bavaria 1933-1945* (Oxford, 1983), p. 331-40.
33. Broszat et al. (eds.), *Bayern*, I, p. 148 (Aus Monatsbericht des Landrats, 31 de março de 1941).
34. Kershaw, *Popular Opinion*, p. 331-57.
35. Broszat et al. (eds.), *Bayern*, I, p. 424 (Aus Visitationsberichten Dekanat Hof (Oberfranken), 1942).
36. Ibid.
37. Friedländer, *The Years of Extermination*, p. 302-3.
38. Griech-Polelle, *Bishop von Galen*, p. 195.
39. Friedländer, *The Years of Extermination*, p. 303.
40. Citado em Michael Phayer, *The Catholic Church and the Holocaust, 1930-1965* (Bloomington, Ind., 2000), p. 75.
41. Friedländer, *The Years of Extermination*, p. 559-74.
42. Em relação a esse ponto de vista, consultar John Cornwell, *Hitler's Pope: The Secret History of Pius XII* (Londres, 1999).

43. Zuccotti, *Under His Very Windows*; Robert S. Wistrich, "The Vatican Documents and the Holocaust: A Personal Report", *Polin: Studies in Polish Jewry*, 15 (2002), p. 413-43.
44. Friedländer, *The Years of Extermination*, p. 56.
45. Ibid., p. 300.
46. Heinrich Hermelink (ed.), *Kirche im Kampf: Dokumente des Widerstands und des Aufbaus in der evangelischen Kirchen Deutschlands von 1933 bis 1945* (Tübingen, 1950), p. 654-8, 700-2; Theophil Wurm, *Aus meinem Leben* (Stuttgart, 1953), p. 88-177; ele se aposentou em 1949, aos 80 anos de idade, e morreu em 1953.
47. Klemperer, *To the Bitter End*, p. 14 (15 de fevereiro de 1942).
48. Ibid., p. 5 (13 de janeiro de 1942).
49. Ibid., p. 27 (16 de março de 1942).
50. Ibid., p. 148 (17 de outubro de 1942).
51. Ibid., p. 127 (29 de agosto de 1942).
52. Ibid., p. 361 (26 de novembro de 1944).
53. Otto Dov Kulka e Eberhard Jäckel (eds.), *Die Juden in den Geheimen NS-Stimmungsberichten 1933-1945* (Düsseldorf, 2004), p. 489 (NSDAP Meinberg, março de 1942).
54. Peter Longerich, *"Davon haben wir nichts gewusst!" Die Deutschen und die Judenverfolgung 1933-1945* (Munique, 2006), p. 253-4.
55. Friedländer, *The Years of Extermination*, p. 294.
56. Klemperer, *I Shall Bear Witness*, p. 423 (1º de novembro de 1941).
57. Klemperer, *To the Bitter End*, p. 46 (8 de maio de 1942), p. 50 (15 de maio de 1942).
58. Friedländer, *The Years of Extermination*, p. 289.
59. Klemperer, *To the Bitter End*, p. 179 (8 de janeiro de 1943).
60. Ibid., p. 282 (7 de fevereiro de 1944).
61. Ibid., p. 204 (16 de abril de 1943).
62. Klemperer, *I Shall Bear Witness*, p. 404 (21 de julho de 1941).
63. Friedländer, *The Years of Extermination*, p. 251-5; David Bankier, *The Germans and the Final Solution: Public Opinion under Nazism* (Oxford, 1992), p. 124-30. Consultar também Frank Bajohr e Dieter Pohl, *Der Holocaust als offenes Geheimnis: Die Deutschen, die NS--Führung und die Alliierten* (Munique, 2006); Ian Kershaw, *Hitler, the Germans and the Final Solution* (Londres, 2008); e Bernward Dörner, *Die Deutschen und der Holocaust: Was niemand wissen wollte, aber jeder wissen konnte* (Berlim, 2007).
64. Longerich, *"Davon"*, p. 175-81.
65. Kulka e Jäckel (eds.), *Die Juden*, p. 476-7 (SD-Aussenstelle Minden, 6 e 12 de dezembro de 1941).
66. Ibid., p. 478 (SD-Hauptaussenstelle Bielefeld, 16 de dezembro de 1941).
67. Ibid., p. 503 (SD-Aussenstelle Detmold, 31 de julho de 1942), e p. 476-7 (SD-Aussenstelle Minden, 6 de dezembro de 1941).
68. Solmitz, *Tagebuch*, p. 691 (7 de novembro de 1941).
69. Ibid., p. 699 (5 de dezembro de 1941).
70. Ibid., p. 747-9 (14 de julho de 1942, 22 de julho de 1942).
71. Ibid., p. 768-9, 776, 780, 782, 788, 796 (25 de setembro de 1942, 26 de setembro de 1942, 9 de novembro de 1942, 24 de novembro de 1942, 21 de dezembro de 1942, 26 de janeiro de 1943).
72. David M. Crowe, *Oskar Schindler: The Untold Account of His Life, Wartime Activities, and the True Story Behind The List* (Cambridge, Mass., 2004). O relato foi filmado por Steven Spielberg com o título *A lista de Schindler*.

73. Hosenfeld, *"Ich versuche"*, p. 710 (carta à esposa, 31 de março de 1943), p. 739 (carta à esposa, 29 de julho de 1943).
74. Ibid., p. 108-11.
75. Wladyslaw Szpilman, *The Pianist: The Extraordinary True Story of One Man's Survival in Warsaw, 1939-1945* (Londres, 2002). O livro se tornou a base para o filme de Roman Polanski, *O pianista*.
76. Debórah Dwork e Robert Jan van Pelt, *Holocaust: A History* (Londres, 2002), p. 337-55.
77. Walter Laqueur, *The Terrible Secret: Suppression of the Truth about Hitler's "Final Solution"* (Londres, 1980).
78. Saul Friedländer, *Kurt Gerstein oder die Zwiespältigkeit des Guten* (Gütersloh, 1968).
79. Friedländer, *The Years of Extermination*, p. 454-6.
80. David Engel, "The Western Allies and the Holocaust: Jan Karski's Mission to the West, 1942-1944", *Holocaust and Genocide Studies*, 5 (1990), p. 363-446.
81. Bernard Wasserstein, *Britain and the Jews of Europe, 1939-1945* (Londres, 1979); trechos em Herf, *The Jewish Enemy*, p. 174-5.
82. William D. Rubinstein, *The Myth of Rescue: Why the Democracies Could Not Have Saved More Jews from the Nazis* (Londres, 1997), apresenta argumentos, de um modo um tanto descomedido, contra a alegação de que os aliados poderiam ter resgatado os judeus remanescentes da Europa.
83. Longerich, *"Davon"*, p. 201-62, 325.
84. Boelcke (ed.), *"Wollt Ihr den totalen Krieg?"*, p. 410-1 (14-16 de dezembro de 1942).
85. Conforme argumentado em Goldhagen, *Hitler's Willing Executioners*.
86. Behnken (ed.), *Deutschland-Berichte*, VII, p. 157 (7 de março de 1940).
87. Kershaw, *Hitler, the Germans and the Final Solution*, p. 119-234.
88. Longerich, *"Davon"*, p. 290-1, 326-7.
89. Kulka e Jäckel (eds.), *Die Juden*, p. 525 (Parteikanzlei Munique, 12 de junho de 1943).
90. Ibid., p. 527 (SD-Berichte zu Inlandsfragen, 8 de julho de 1943); consultar também ibid., p. 531 (SD-Aussenstelle Schweinfurt, 6 de setembro de 1943).
91. Ibid., p. 528 (SD-Aussenstelle Würzburg, 3 de agosto de 1943).
92. Citado em Noakes (ed.), *Nazism*, IV, p. 652.
93. Citado em Wulf, *Presse und Funk*, p. 37 e p. 546.
94. David Welch, *The Third Reich: Politics and Propaganda* (Londres, 2002 [1993]), p. 159.
95. Fröhlich (ed.), *Die Tagebücher*, II/III, p. 377 (26 de fevereiro de 1942).
96. Evans, *The Third Reich in Power*, p. 207-18.
97. Birthe Kundrus, "Totale Unterhaltung? Die kulturelle Kriegführung 1939 bis 1945 in Film, Rundfunk und Theater", em *DRZW* IX/I, p. 93-157; Peter Longerich, "Nationalsozialistische Propaganda", em Karl Dietrich Bracher et al. (eds.), *Deutschland 1933-1945: Neue Studien zur nationalsozialistischen Herrschaft* (Düsseldorf, 1993), p. 291-314; Kaspar Maase, *Grenzenloses Vergnügen: Der Aufstieg der Massenkultur 1850--1970* (Frankfurt am Main, 1997), p. 206-34; David Welch, "Nazi Propaganda and the *Volksgemeinschaft*: Constructing a People's Community", *Journal of Contemporary History*, 39 (2004), p. 213-38.
98. Relatado em Jay W. Baird, *The Mythical World of Nazi War Propaganda, 1939-1945* (Minneapolis, Minn., 1974), p. 30.
99. Ibid.
100. Herf, *The Jewish Enemy*, p. 13, 22-6; Baird, *The Mythical World*, p. 28-31; Aristotle A. Kallis, *Nazi Propaganda and the Second World War* (Londres, 2005), p. 47-9, 59-62.

101. Ibid., p. 40-62.
102. Herf, *The Jewish Enemy*, p. 59-60.
103. Oron J. Hale, *The Captive Press in the Third Reich* (Princeton, N. J., 1964), p. 151, 234, 276-8, 287; William L. Combs, *The Voice of the SS: A History of the SS Journal "Das Schwarze Korps"* (Nova York, 1986); Doris Kohlmann-Viand, *NS-Pressepolitik im Zweiten Weltkrieg* (Munique, 1991), p. 53-63; Richard Grunberger, *A Social History of the Third Reich* (Londres, 1974 [1971]), p. 504-5.
104. Shirer, *Berlin Diary*, p. 189-90.
105. Jan-Pieter Barbian, *Literaturpolitik im "Dritten Reich": Institutionen, Kompetenzen, Betätigungsfelder* (Munique, 1995 [1993]), p. 238-44, 344-5, 373; Joseph Wulf, *Literatur und Dichtung im Dritten Reich: Eine Dokumentation* (Gütersloh, 1963), p. 222-3; Grunberger, *A Social History*, p. 453-6.
106. Ralf Schnell, *Literarische innere Emigration 1933-1945* (Stuttgart, 1976); Evans, *The Third Reich in Power*, p. 149-63.
107. Kundrus, "Totale Unterhaltung?", p. 114-9.
108. Shelley Baranowski, *Strength Through Joy: Consumerism and Mass Tourism in the Third Reich* (Cambridge, 2004), p. 199-230; Kristin Semmens, *Seeing Hitler's Germany: Tourism in the Third Reich* (Londres, 2005), p. 154-86.
109. Boberach (ed.), *Meldungen*, IX, p. 3371 (26 de fevereiro de 1942).
110. Telegrama do dia 27 de novembro de 1939, citado em Friederike Euler, "Theater zwischen Anpassung und Widerstand: Die Münchner Kammerspiele im Dritten Reich", em Broszat *et al.*, (eds.), *Bayern*, II, p. 91-173, na p. 159.
111. Ibid., p. 160-72.
112. Kundrus, "Totale Unterhaltung?", p. 119-21. Consultar também Boguslaw Drewniak, *Das Theater im NS-Staat: Szenarium deutscher Zeitgeschichte 1933-1945* (Düsseldorf, 1983). A respeito de filmes e cinejornais na década de 1930, consultar Evans, *The Third Reich in Power*, p. 125-33.
113. Wolf Donner, *Propaganda und Film im "Dritten Reich"* (Berlim, 1993); Boguslaw Drewniak, *Der deutsche Film 1938-1945: Ein Gesamtüberblick* (Düsseldorf, 1987); Hilmar Hoffmann, *The Triumph of Propaganda: Film and National Socialism 1933-1945* (Oxford, 1996 [1988]); Eric Rentschler, *The Ministry of Illusion: Nazi Cinema and its Afterlife* (Cambridge, Mass., 1996); Harro Segeberg (ed.), *Mediale Mobilmachung*, I; *Das Dritte Reich und der Film* (Munique, 2004); Gerhard Stahr, *Volksgemeinschaft vor der Leinwand? Der nationalsozialistische Film und sein Publikum* (Berlim, 2001).
114. Kundrus, "Totale Unterhaltung?", p. 101; Welch, *Propaganda and the German Cinema* p. 217-8.
115. Kundrus, "Totale Unterhaltung?", p. 105-7; entretanto, consultar os relatos mais otimistas em Gerd Albrecht (ed.), *Film im Dritten Reich: Eine Dokumentation* (Karlsruhe, 1979), p. 225-32.
116. Welch, *Propaganda and the German Cinema*, p. 249.
117. Kundrus, "Totale Unterhaltung?", p. 102-4; Welch, *Propaganda and the German Cinema*, p. 186-200; Kallis, *Nazi Propaganda*, p. 188-94.
118. Welch, *Propaganda and the German Cinema*, p. 238-80.
119. Boberach (ed.), *Meldungen*, VII, p. 2293-5 (12 de maio de 1941).
120. Welch, *Propaganda and the German Cinema*, p. 284-92.
121. Ibid., p. 292-301; Friedländer, *The Years of Extermination*, p. 19-24, 98-102, ambos excelentes estudos gerais introdutórios. Reações públicas estão documentadas em Kulka e

Jäckel (eds.), *Die Juden*, p. 434-40. Para a recepção, consultar David Culbert, "The Impact of Anti-Semitic Film Propaganda on German Audiences: *Jew Süss* and *The Wandering Jew* (1940)", em Richard A. Etlin (ed.), *Art, Culture, and Media under the Third Reich* (Chicago, Ill., 2002), p. 139-57, nas p. 139-47, e Karl-Heinz Reuband, "'Jud Süss' und 'Der ewige Jude' als Prototypen antisemitischer Filmpropaganda im Dritten Reich: Entstehungsbedingungen, Zuschauerstrukturen und Wirkungspotential", em Michel Andel et al. (eds.), *Propaganda, (Selbst-) Zensur, Sensation: Grenzen von Presse- und Wissenschaftsfreiheit in Deutschland und Tschechien seit 1871* (Essen, 2005), p. 89-148.

122. Shirer, *Berlin Diary*, p. 190. O filme a que ele se referia era *Mares da China* (*China Seas*), lançado nos Estados Unidos em 1934; foi dublado em alemão, como todos os filmes em língua estrangeira, e lhe foi dado um novo título.

123. Mary-Elizabeth O'Brien, "The Celluloid War: Packaging War for Sale in Nazi Home-Front Films", em Etlin (ed.), *Art*, p. 158-80.

124. Gerd Albrecht, *Nationalsozialistische Filmpolitik: Eine Soziologische Untersuchung über die Spielfilme des Dritten Reiches* (Stuttgart, 1969), p. 110.

125. Kundrus, "Totale Unterhaltung?", p. 107; de modo mais geral, consultar Kallis, *Nazi Propaganda*, p. 194-217.

126. Boberach (ed.), *Meldungen*, XIII, p. 4892 (4 de março de 1943); Welch, *Propaganda and the German Cinema*, p. 201-3, 222-4; Baird, *The Mythical World*, p. 217-27.

127. Welch, *Propaganda and the German Cinema*, p. 225-37; Kundrus, "Totale Unterhaltung?", p. 107-8; Kallis, *Nazi Propaganda*, p. 153-84, para um panorama geral; ibid., p. 198-202, para Kolberg; Fröhlich (ed.), *Die Tagebücher* II/XV, p. 542 (9 de março de 1945), para a citação de Goebbels.

128. Para o rádio na década de 1930, consultar Evans, *The Third Reich in Power*, p. 133-7.

129. Boberach (ed.), *Meldungen*, IX, p. 3199 (22 de janeiro de 1942); Uta C. Schmidt, "Radioaneignung", em Inge Marssolek e Adelheid von Saldern (eds.), *Zuhören und Gehörtwerden* (2 vols., Tübingen, 1998), I: *Radio im Nationalsozialismus: Zwischen Lenkung und Ablenkung*, p. 243-360, nas p. 351-3; Michael Kater, *Different Drummers: Jazz in the Culture of Nazi Germany* (Nova York, 1992), p. 111-25.

130. Wilhelm Schepping, "Zeitgeschichte im Spiegel eines Liedes", em Günter Noll e Marianne Bröcker (eds.), *Musikalische Volkskunde aktuell* (Bonn, 1984), p. 435-64; Maase, *Grenzenloses Vergnügen*, p. 218-21.

131. Wulf, *Presse und Funk*, p. 358-61.

132. Boberach (ed.), *Meldungen*, IX, p. 3.166 (15 de janeiro de 1942).

133. Johnson, *Nazi Terror*, p. 322-8.

134. Schmidt, "Radioaneignung", p. 354, nota 435.

135. Evans, *Rituals*, p. 694-5.

136. Shirer, *Berlin Diary*, p. 206-7.

137. Horst J. P. Bergmeier e Rainer E. Lotz, *Hitler's Airwaves: The Inside Story of Nazi Radio Broadcasting and Propaganda Swing* (Londres, 1997), esp. p. 99-110, 136-77, 332-3.

138. Kater, *Different Drummers*, p. 102-10, 190-4; para o *jazz* e a Juventude do *Swing* no fim da década de 1930, consultar Evans, *The Third Reich in Power*, p. 204-7.

139. Para a música clássica na década de 1930, consultar ibid., p. 186-203.

140. Frederic Spotts, *Hitler and the Power of Aesthetics* (Londres, 2002), p. 232-3; Erik Levi, *Music in the Third Reich* (Londres, 1994), p. 209-12.

141. Hitler, *Hitler's Table Talk*, p. 242 (24-25 de janeiro de 1942, também para os comentários gerais feitos por Hitler a respeito de seu constante amor pela música de Wagner).

142. Spotts, *Hitler*, p. 233-4, 259-63; Léhar, nascido em 1870, se encontrou com Hitler em 1936; ele morreu em 1948.
143. Levi, *Music in the Third Reich*, p. 195.
144. Ibid., p. 195-219.
145. Hitler, *Hitler's Table Talk*, p. 449 (30 de abril de 1942).
146. Fröhlich (ed.), *Die Tagebücher*, II/XI, p. 82 (13 de janeiro de 1944).
147. Richard J. Evans, *Rereading German History: From Unification to Reunification 1800-1966* (Londres, 1997), p. 187-93; Sam H. Shirakawa, *The Devil's Music Master: The Controversial Life and Career of Wilhelm Furtwängler* (Nova York, 1992), p. 290-3. As tentativas de Shirakawa e Fred K. Prieberg, *Trial of Strength: Wilhelm Furtwängler and the Third Reich* (Londres, 1991 [1986]) de retratar o regente como um herói da resistência a Hitler não são convincentes.
148. Citado em Walter Klingler, *Nationalsozialistische Rundfunkpolitik 1942-1945: Organisation, Programm und die Hörer* (Mannheim, 1983), p. 137.
149. Boberach (ed.), *Meldungen*, XV, p. 5.808 (27 de setembro de 1943).
150. Ibid., p. 5.807.
151. Ibid.
152. Ibid.
153. Ibid., p. 5.809.
154. Michael H. Kater, *Composers of the Nazi Era: Eight Portraits* (Nova York, 2000), p. 248-59.
155. Citado em Spotts, *Hitler*, p. 303. Consultar também Evans, *The Third Reich in Power*, p. 187-90.
156. Fred K. Prieberg, *Musik im NS-Staat* (Frankfurt am Main, 1989 [1982]), p. 222-3.
157. Johann Peter Vogel, *Hans Pfitzner: Leben, Werke, Dokumente* (Berlim, 1999), p. 156-67, 182; Prieberg, *Musik*, p. 224-5.
158. Ibid., p. 318-24.
159. Ibid., p. 324-8.
160. Letras do livreto que acompanham a obra de Anne Sofie von Otter *et al.*, *Terezín/Theresienstadt* (DGG, 2007). Sou grato a Chris Clark pela tradução.
161. Ibid.
162. Para as artes visuais na década de 1930, consultar Evans, *The Third Reich in Power*, p. 164-80.
163. Peter Adam, *The Arts of the Third Reich* (Londres, 1992), p. 157.
164. Ibid., p. 158.
165. Ibid., p. 158-64; Gregory Maertz, *The Invisible Museum: The Secret Postwar History of Nazi Art* (New Haven, Conn., 2008).
166. Adam, *The Arts of the Third Reich*, p. 162, 169.
167. Ibid.
168. Evans, *The Third Reich in Power*, p. 167-8.
169. Adam, *The Arts of the Third Reich*, p. 202.
170. Ibid., p. 201.
171. Jonathan Petropoulos, *The Faustian Bargain: The Art World in Nazi Germany* (Londres, 2000), p. 218-38.
172. Evans, *The Third Reich in Power*, p. 400-9.
173. Nicholas, *The Rape of Europa*, p. 35-7, 44.
174. Ibid., p. 41-4; Petropoulos, *The Faustian Bargain*, p. 63-110.
175. Consultar acima, p. 375-82.

176. Nicholas, *The Rape of Europa*, p. 57-80; Housden, *Hans Frank*, p. 81-2.
177. Ibid., p. 84-6.
178. Nicholas, *The Rape of Europa*, p. 185-201.
179. Ibid., p. 83-114.
180. Ibid., p. 115-33. Para o envolvimento de importantes comerciantes de arte, como Karl Haberstock, consultar Petropoulos, *The Faustian Bargain*, p. 63-110.
181. Spotts, *Hitler*, p. 217-9.
182. Ibid., p. 219-20.
183. Citado em Michael Grüttner, *Studenten im Dritten Reich* (Paderborn, 1995), p. 370.
184. Ibid., p. 371-3.
185. Ibid.; para a educação na década de 1930, consultar Evans, *The Third Reich in Power*, p. 261--90.
186. Reiner Lehberger, *Englischunterricht im Nationalsozialismus* (Tübingen, 1986), p. 196-208.
187. Bettina Goldberg, *Schulgeschichte als Gesellschaftsgeschichte: Die höheren Schulen im Berliner Vorort Hermsdorf (1893-1945)* (Berlim, 1994), p. 285-305; Willi Feiten, *Der nationalsozialistische Lehrerbund: Entwicklung und Organisation: Ein Beitrag zum Aufbau und zur Organisationsstruktur des nationalsozialistischen Herrschaftssystems* (Weinheim, 1981).
188. Hans-Dieter Arntz, *Ordensburg Vogelsang 1934-1945: Erziehung zur politischen Führung im Dritten Reich* (Eulskirchen, 1986), p. 193-228.
189. Harald Schäfer, *Napola: Die letzten vier Jahre der Nationalpolitischen Erziehungsanstalt Oranienstein bei Dietz and der Lahn 1941-1945: Eine Erlebnisdokumentation* (Frankfurt am Main, 1997), p. 94-5.
190. Grüttner, *Studenten*, p. 361-70, 487-8.
191. Ibid., p. 374-80.
192. Boberach (ed.), *Meldungen*, XI, p. 4281 (5 de outubro de 1942). Em itálico no original.
193. Grüttner, *Studenten*, p. 383-5.
194. Ibid., p. 287-331, 387-414.
195. Ibid., p. 415-22; dos inúmeros estudos sobre universidades específicas, muitos têm relativamente pouco a dizer a respeito dos anos de guerra; uma exceção é a obra de Mike Bruhn e Heike Böttner, *Die Jenaer Studenten unter nationalsozialistischer Herrschaft 1933--1945* (Erfurt, 2001), p. 85-166.
196. Grüttner, *Studenten*, p. 422-6, 457-71.
197. Christoph Cornelissen, *Gerhard Ritter: Geschichtswissenschaft und Politik im 20. Jahrhundert* (Düsseldorf, 2001), p. 292-369.
198. Michael Burleigh, *Germany Turns Eastward: A Study of Ostforschung in the Third Reich* (Cambridge, 1988), p. 155-249; Götz Aly, *Macht – Geist – Wahn: Kontinuitäten deutschen Denkens* (Berlim, 1997); Ingo Haar, *Historiker im Nationalsozialismus: Deutsche Geschichtswissenschaft und der "Volkstumskampf" im Osten* (Göttingen, 2002); Winfried Schulze e Otto Oexle (eds.), *Deutsche Historiker im Nationalsozialismus* (Frankfurt am Main, 1999); de modo mais geral, Michael Fahlbusch, *Wissenschaft im Dienst nationalsozialistischer Politik? Die "Volksdeutschen Forschungsgemeinschaften" von 1931--1945* (Baden-Baden, 1999); e Aly e Heim, *Architects*.
199. Citado em Burleigh, *Germany*, p. 165.
200. Michael Grüttner, "Wissenschaftspolitik im Nationalsozialismus", em Doris Kaufmann (ed.), *Geschichte der Kaiser-Wilhelm-Gesellschaft im Nationalsozialismus: Bestandsaufnahme und Perspektiven der Forschung* (2 vols., Göttingen, 2000), II, p. 557-85.

201. Susanne Heim (ed.), *Autarkie und Ostexpansion: Pflanzenzucht und Agrarforschung im Nationalsozialismus* (Göttingen, 2002).
202. Susanne Heim, *Kalorien Kautschuk Karrieren: Pflanzenzüchtung und landwirtschaftliche Forschung in Kaiser-Wilhelm-Instituten 1933-1945* (Göttingen, 2003), p. 249; Grüttner, "Wissenschaftspolitik", p. 583.
203. Geoffrey Cocks, *Psychotherapy in the Third Reich: The Göring Institute* (New Brunswick, N. J., 1997 [1985]), p. 251-350.
204. Hans-Walter Schmuhl (ed.), *Rassenforschung an Kaiser-Wilhelm-Instituten vor und nach 1933* (Göttingen, 2003).
205. Heather Pringle, *The Master Plan: Himmler's Scholars and the Holocaust* (Nova York, 2006); Michael H. Kater, *Das Ahnenerbe der SS 1935-1945: Ein Beitrag zur Kulturpolitik des Dritten Reiches* (4ª ed., Munique, 2006); Heinrich Harrer, *Seven Years in Tibet* (Londres, 1953). Posteriormente, o livro foi transformado em um filme de Hollywood estrelado por Brad Pitt. Harrer morreu finalmente em 2006.
206. Robert N. Proctor, *Racial Hygiene: Medicine under the Nazis* (Cambridge, Mass., 1988), p. 217-22; Evans, *The Third Reich in Power*, p. 444-6.
207. Zamecnik, *Das war Dachau*, p. 262-75; Karl Heinz Roth, "Tödliche Höhen: Die Unterdruckkammer-Experimente im Konzentrationslager Dachau und ihre Bedeutung für die luftfahrtmedizinische Forschung des 'Dritten Reichs'", em Ebbinghaus e Dörner (eds.), *Vernichten und Heilen*, p. 110-51.
208. Karl Heinz Roth, "Strukturen, Paradigmen und Mentalitäten in der luftfahrtmedizinischen Forschung des 'Dritten Reichs': Der Weg ins Konzentrationslager Dachau", 1999. *Zeitschrift für Sozialgeschichte des 20. und 21. Jahrhunderts*, 15 (2000), p. 49-77.
209. Zamecnik, *Das war Dachau*, p. 275-84.
210. Ibid., p. 292-5.
211. Ibid., p. 285-92; Angelika Ebbinghaus e Karl Heinz Roth, "Kriegswunden: Die kriegschirurgischen Experimente in den Konzentrationslagern und ihre Hintergründe", em Ebbinghaus e Dörner (eds.), *Vernichten und Heilen*, p. 177-218; Angelika Ebbinghaus, "Zwei Welten: Die Opfer und die Täter der kriegschirurgischen Experimente", em ibid., p. 219-40; Loretta Walz, "Gespräche mit Stanislawa Bafia, Wladyslawa Marczewska und Maria Plater über die medizinischen Versuche in Ravensbrück", em ibid., p. 241-72.
212. Schmidt, *Karl Brandt*, p. 263-4, também oferece números ligeiramente diferentes.
213. Thomas Werther, "Menschenversuche in der Fleckfieberforschung", em Ebbinghaus e Dörner (eds.), *Vernichten und Heilen*, p. 152-73.
214. Schmidt, *Karl Brandt*, p. 257-62.
215. Ibid., p. 265-76.
216. Ibid., p. 276-9.
217. Ibid., p. 284-96.
218. Ernst Klee, *Auschwitz, die NS-Medizin und ihre Opfer* (Frankfurt am Main, 1997), p. 456--66; Robert Jay Lifton, *The Nazi Doctors: Medical Killing and the Psychology of Genocide* (Londres, 1986), p. 337-42.
219. Benoît Massin, "Mengele, die Zwillingsforschung und die 'Auschwitz-Dahlem Connection'", em Carola Sachse (ed.), *Die Verbindung nach Auschwitz: Biowissenschaften und Menschenversuche and Kaiser-Wilhelm-Instituten: Dokumentation eines Symposiums* (Göttingen, 2003), p. 201-54.
220. Lifton, *The Nazi Doctors*, p. 347-60; Paul J. Weindling, *Health, Race and German Politics between National Unification and Nazism 1870-1945* (Cambridge, 1989), p. 55-63.

221. Lifton, *The Nazi Doctors*, p. 342-8.
222. Ibid., p. 360-83.
223. Klee, *Auschwitz*, p. 167-72, 436-45.
224. Jürgen Pfeiffer, "Neuropathologische Forschung an 'Euthanasie'-Opfern in zwei Kaiser--Wilhelm-Instituten", em Kaufmann (ed.), *Geschichte der Kaiser-Wilhelm-Gesellschaft*, I, p. 151-73.
225. Citado em Evans, *Rituals*, p. 714-5.
226. Proctor, *Racial Hygiene*, p. 219-22; consultar também Rolf Winau, "Medizinische Experimente in den Konzentrationslagern", em Benz e Distel (eds.), *Der Ort des Terrors*, I, p. 165-78.
227. Speer sempre negou publicamente que tenha estado presente, mas em uma carta para Hélène Jeanty, viúva de um líder da resistência belga, em 23 de dezembro de 1971, ele escreveu: "Não há dúvida – eu estava presente quando Himmler anunciou em 6 de outubro de 1943 que todos os judeus seriam mortos". Entretanto, logo isso também provou ser uma falsidade; Himmler não disse que eles seriam mortos; disse que eles já estavam sendo mortos, como Speer sabia muito bem (Kate Connolly, "Letter proves Speer knew of Holocaust plan", *Guardian*, 13 de março de 2007).
228. Citado em Longerich, *Der ungeschriebene Befehl*, p. 189.
229. Hans-Heinrich Wilhelm, "Hitlers Ansprache vor Generalen und Offizieren am 26. Mai 1944", *Militärgeschichtliche Mitteilungen*, 20 (1976), p. 123-70 (citação na p. 156).
230. Longerich, *Der ungeschriebene Befehl*, p. 188-91.
231. Citado em Noakes e Pridham (eds.), *Nazism*, III, p. 617-8.
232. Randolph L. Braham, *The Politics of Genocide: The Holocaust in Hungary* (2 vols., Nova York, 1981), I, p. 391; Christian Gerlach e Götz Aly, *Das letzte Kapitel: Realpolitik, Ideologie und der Mord an den ungarischen Juden 1941/1945* (Munique, 2002).
233. Randolph L. Braham, "The Role of the Jewish Council in Hungary: A Tentative Assessment", *Yad Vashem Studies*, 10 (1974), p. 69-109; Robert Rozett, "Jewish and Hungarian Armed Resistance in Hungary", *Yad Vashem Studies*, 19 (1988), p. 269-88; Rudolf Vrba, "Die missachtete Warnung: Betrachtungen über den Auschwitz-Bericht von 1944", *VfZ* 44 (1996), p. 1-24; e Yehuda Bauer, "Anmerkungen zum 'Auschwitz-Bericht' von Rudolf Vrba", *VfZ* 45 (1997), p. 297-307; Steur, *Theodor Dannecker*, p. 129-50.
234. Herf, *The Jewish Enemy*, p. 242.
235. Hillgruber (ed.), *Staatsmänner und Diplomaten*, II, p. 463-4.
236. Citado em Phayer, *The Catholic Church*, p. 106.
237. Braham, *The Politics*, II, p. 607, 664-84, 762-74.
238. Weinberg, *A World at Arms*, p. 667-75; Frieser e Schönherr, "Der Rückschlag", p. 447-50.
239. Weinberg, *A World at Arms*, p. 703-6; Karl-Heinz Frieser e Klaus Schönherr, "Der Zusammenbruch im Osten: Die Rückzugskämpfe seit Sommer 1944", em *DRZW* VIII, p. 493-960.
240. Merridale, *Ivan's War*, p. 96; Weinberg, *A World at Arms*, p. 705-8.
241. Citado em Norman Davies, *Rising '44: "The Battle for Warsaw"* (Londres, 2003), p. 299--300.
242. Citado em Kershaw, *Hitler*, II, p. 725.
243. Weinberg, *A World at Arms*, p. 709-12.
244. Hosenfeld, *"Ich versuche"*, p. 824 (carta para a família, 8 de agosto de 1944).
245. Ibid., p. 856 (carta à família, 5 de outubro de 1944).
246. Ibid., p. 100-1, 834 (carta à família, 23 de agosto de 1944).

247. Weinberg, *A World at Arms*, p. 676-93, e Overy, *Why the Allies Won*, p. 134-79, para uma visão geral; um relato mais detalhado em Detlef Vogel, "German and Allied Conduct of the War in the West", em *GSWW* VII, p. 459-702.
248. Kershaw, *Hitler*, II, p. 637-51.
249. Resumo em Gerd R. Ueberschär, *Für ein anderes Deutschland: Der deutsche Widerstand gegen den NS-Staat 1933-1945* (Frankfurt am Main, 2006), p. 78-90, 116. Entre muitas contribuições, consultar Horst Duhnke, *Die KPD von 1933-1945* (Colônia, 1972); Detlev Peukert, *Die KPD im Widerstand: Verfolgund und Untergrundarbeit an Rhein und Ruhr 1933- -1945* (Wuppertal, 1980); e idem, "Der deutsche Arbeiterwiderstand 1933-1945", em Klaus-Jürgen Müller (ed.), *Der deutsche Widerstand 1933-1945* (Paderborn, 1986), p. 157- -81.
250. Karin Hartewig, "Wolf unter Wölfen? Die prekäre Macht der kommunistischen Kapos im Konzentrationslager Buchenwald", em Herbert *et al.* (eds.), *Die nationalsozialistischen Konzentrationslager*, II, p. 939-58; Niethammer (ed.), *Der "gesäuberte" Antifaschismus*.
251. Ueberschär, *Für ein anderes Deutschland*, p. 133-40; Shareen Blair Brysac, *Resisting Hitler: Mildred Harnack and the Red Orchestra: The Life and Death of an American Woman in Nazi Germany* (Nova York, 2000); Almut Brunckhorst, *Die Berliner Widerstandsorganisation um Arvid Harnack und Harro Schluze-Boysen ("Rote Kapelle"): Kundschafter im Auftrag Moskaus oder integraler Bestandteil des deutschen Widerstandes gegen den Nationalsozialismus? Ein Testfall für die deutsche Historiographie* (Hamburgo, 1998); Hans Coppi *et al.* (eds.), *Die Rote Kapelle im Widerstand gegen den Nationalsozialismus* (Berlim, 1994); Stefan Roloff, "Die Entstehung der Roten Kapelle und die Verzerrung ihrer Geschichte im Kalten Krieg", em Karl Heinz Roth e Angelika Ebbinghaus (eds.), *Rote Kapellen – Kreisauer Kreise – Schwarze Kapellen: Neue Sichtweisen auf den Widerstand gegen die NS-Diktatur 1938-1945* (Hamburgo, 2004), p. 186-205.
252. A história da Liga é contada em um brilhante e emocionante livro de Mark Roseman, *The Past in Hiding* (Londres, 2000).
253. Ueberschär, *Für ein anderes Deutschland*, p. 126-32; entre uma vasta literatura, consultar especialmente Karl Heinz Jahnke, *Weisse Rose contra Hakenkreuz: Der Widerstand der Geschwister Scholl und ihrer Freunde* (Frankfurt am Main, 1969); idem, *Weisse Rose contra Hakenkreuz: Studenten im Widerstand 1942/43: Einblicke in viereinhalb Jahrzente Forschung* (Rostock, 2003); documentos traduzidos em Noakes (ed.), *Nazism*, IV, p. 457-9.
254. Breloer (ed.), *Geheime Welten*, p. 103.
255. Ibid., p. 113-5 (24 de agosto e 10 de setembro de 1944).
256. Evans, *The Third Reich in Power*, p. 668-71.
257. Hassell, *The von Hassell Diaries*, p. 151-2.
258. Ueberschär, *Für ein anderes Deutschland*, p. 32-60, 66-77; Joachim C. Fest, *Plotting Hitler's Death: The German Resistance to Hitler 1933-1945* (Londres, 1996), é uma leitura agradável a respeito da evolução da conspiração militar-aristocrática. Peter Hoffmann, *The History of the German Resistance 1933-1945* (Montreal, 1996 [1969]), é o relato mais completo e detalhado; Winfried Heinemann, "Der militärische Widerstand und der Krieg", em *DRZW* IX/I, p. 743-892, é a pesquisa mais recente.
259. Versão em inglês de trechos do manifesto de 9 de agosto de 1943 em Noakes (ed.), *Nazism*, IV, p. 614-6.
260. Hassell, *The von Hassell Diaries*, p. 283; Ueberschär, *Für ein anderes Deutschland*, p. 161-3.
261. Klemens von Klemperer, *German Resistance against Hitler: The Search for Allies Abroad 1938-1945* (Oxford, 1992); Hoffmann, *The History*, p. 205-50.

262. Para os objetivos políticos e planos dos membros da resistência, consultar Hoffmann, *The History*, p. 175-202. Para documentos a respeito da resistência, consultar Hans-Adolf Jacobsen (ed.), *"Spiegelbild einer Verschwörung": Die Opposition gegen Hitler und der Staatsstreich vom 20. Juli 1940 in der SD-Berichterstattung: Geheime Dokumente aus dem ehemaligen Reichssicherheitshauptamt* (2 vols., Stuttgart, 1984).
263. Hans Mommsen, "Social Views and Constitutional Plans of the Resistance", em Hermann Graml et al., *The German Resistance to Hitler* (Londres, 1970 [1966]), p. 55-147.
264. Beate Ruhm von Oppen (ed.), *Helmuth James von Moltke: Letters to Freya, 1939-1945* (Londres, 1991); de modo mais geral, sobre a crítica dos membros da resistência a respeito da condução da guerra no leste, consultar Heinemann, "Der militärische Widerstand", p. 777-89.
265. Hassel, *The von Hassell Diaries*, p. 218.
266. Wolfgang Gerlach, *And the Witnesses Were Silent: The Confessing Church and the Persecution of the Jews* (Lincoln, Nebr., 2000 [1987]), p. 210-4; Hans Mommsen, "Die Moralische Wiederherstellung der Nation: Der Widerstand gegen Hitler war von einer antisemitischen Grundhaltung getragen", *Süddeutsche Zeitung*, 21 de julho de 1999, p. 15.
267. Ulrich Heinemann, "'Kein Platz für Polen und Juden': Der Widerstandskämpfer Fritz--Dietlof Graf von der Schulenburg und die Politik der Verwaltung in Schlesien 1939/40", em Klessmann (ed.), *September 1939*, p. 38-54; Heinemann, "Der militärische Widerstand", p. 751-76.
268. Evans, *The Third Reich in Power*, p. 576-7.
269. Citado em Noakes (ed.), *Nazism*, IV, p. 633 (também para os pontos de vista de Popitz e de outros).
270. Ueberschär, *Für ein anderes Deutschland*, p. 165-71; detalhes a respeito desta e de outras tentativas de assassinar Hitler são encontrados em Hoffmann, *The History*, p. 251-60.
271. Fest, *Plotting Hitler's Death*, p. 202-4, 212-5, 225-30.
272. Ibid., p. 202-26; Peter Hoffmann, *Claus Schenk Graf von Stauffenberg und seine Brüder* (Stuttgart, 1992), p. 15-268.
273. Fabian von Schlabrendorff, *Revolt against Hitler: The Personal Account of Fabian von Schlabrendorff* (Londres, 1948), p. 131.
274. Ueberschär, *Für ein anderes Deutschland*, p. 200-6; Fest, *Plotting Hitler's Death*, p. 237-60; Hoffmann, *The History*, p. 373-411; Heinemann, "Der militärische Widerstand", p. 803-38.
275. Fest, *Plotting Hitler's Death*, p. 255-79; Hoffmann, *Claus Schenk*, p. 383-443.
276. Fest, *Plotting Hitler's Death*, p. 280-7; consultar também a emocionante narrativa em Kershaw, *Hitler*, II, p. 655-84.
277. Heinemann, "Der militärische Widerstand", p. 838-40; Hoffmann, *The History*, p. 412-506.
278. Fest, *Plotting Hitler's Death*, p. 292-309; Kershaw, *Hitler*, II, p. 688-90; Speer, *Inside the Third Reich*, p. 511-28.
279. Citado em Fest, *Plotting Hitler's Death*, p. 290.
280. Kershaw, *Hitler*, II, p. 691; Fest, *Plotting Hitler's Death*, p. 291-307.
281. Ibid., p. 297-317; Kershaw, *Hitler*, II, p. 692-3 (e p. 1.006 nota 43, discutindo as evidências contra e a favor de Hitler ter assistido ao filme); Speer, *Inside the Third Reich*, p. 531.
282. Schlabrendorff, *Revolt*, p. 164.
283. Hürter (ed.), *Ein deutscher General*, p. 16, 48.
284. Para um relato detalhado dos contatos dos conspiradores no exterior, ver Klemperer, *German Resistance against Hitler*.
285. Heinemann, "Der militärische Widerstand", p. 840-3.
286. Citado em Noakes (ed.), *Nazism*, IV, p. 634.

Parte 7 – A QUEDA

1. Breloer (ed.), *Geheime Welten*, p. 76-8 (20-22 de julho de 1944).
2. Ibid., p. 80 (10 de agosto de 1944).
3. Citado em Manoschek (ed.), *"Es gibt nur Eines"*, p. 73 (Uffz. E, 7 de agosto de 1944).
4. Wirrer (ed.), *Ich glaube an den Führer*, p. 235 (Alfred para Inge, 20 de julho de 1944).
5. Ibid.
6. Pöppel, *Heaven and Hell*, p. 221, 237. Ver também a cuidadosa análise das reações em Ian Kershaw, *The "Hitler Myth": Image and Reality in the Third Reich* (Oxford, 1989 [1987], p. 215-20.
7. Boberach (ed.), *Meldungen*, XVII, p. 6684-6 e p. 6700-1; Broszat *et al.* (eds.), *Bayern*, I, p. 185-6 (Ebermannstadt, 25 e 27 de julho de 1944).
8. Herber (ed.), *Goebbels-Reden*, II, p. 394.
9. Ueberschär, *Für ein anderes Deutschland*, p. 224-8.
10. Broszat *et al.* (eds.), *Bayern*, I, p. 667.
11. Ibid., p. 664.
12. Ibid., p. 668.
13. Boberach (ed.), *Meldungen*, XVII, p. 6651 (22 de julho de 1944).
14. Ibid., XVII, p. 6.652.
15. Ibid., XVII, p. 6.693 (7 de agosto de 1944).
16. Ibid., XVII, p. 6.653.
17. Ibid., XVII, p. 6.698.
18. Citado em Kershaw, *The "Hitler Myth"*, p. 220.
19. Citado em ibid., p. 1.008-9, nota 91.
20. Weinberg, *A World at Arms*, p. 713-6; Kershaw, *Hitler*, II, p. 717-24.
21. Kershaw, *Hitler*, II, p. 734.
22. Tim Cole, *Holocaust City: The Making of a Jewish Ghetto* (Londres, 2003); Randolph L. Braham, *Eichmann and the Destruction of Hungarian Jewry* (Nova York, 1961); Kershaw, *Hitler*, II, p. 735-6; Longerich, *Politik*, p. 565-70.
23. Ibid., p. 563-4.
24. Hassell, *The von Hassell Diaries*, p. 351.
25. Speer, *Inside the Third Reich*, p. 532-4; Ralf Georg Reuth, *Goebbels: Eine Biographie* (Munique, 1995 [1990]), p. 561-6; Tooze, *The Wages of Destruction*, p. 637-8.
26. Kershaw, *Hitler*, II, p. 712-3.
27. Ibid., p. 731-42.
28. Ibid., p. 747, 757; Weinberg, *A World at Arms*, p. 757-71. Para um relato detalhado da guerra terrestre no oeste, ver John Zimmermann, "Die deutsche militärische Kriegsführung im Westen 1944/45", em *DRZW* X/I, p. 277-489. Para a Batalha das Ardenas, consultar Vogel, "German and Allied Conduct of the War in the West", p. 863-97.
29. Kershaw, *Hitler*, II, p. 768-9.
30. Boog, "The Strategic Air War", p. 369-73; Fröhlich (ed.), *Die Tagebücher*, II/VIII, p. 527-9 (25 de junho de 1943).
31. Boog, "The Strategic Air War", p. 375.
32. Fröhlich (ed.), *Die Tagebücher*, II/VII, p. 578 (18 de março de 1943).
33. Boog, "The Strategic Air War", p. 381.
34. Ibid., p. 417.
35. Ibid., p. 406-20.

36. Speer, *Inside the Third Reich*, p. 481; Heinz Dieter Hölsken, *Die V-Waffen Entstehung – Propaganda – Kriegseinsatz* (Stuttgart, 1984), p. 178-202; Weinberg, *A World at Arms*, p. 561-2; Boog, "The Strategic Air War", p. 413-5.
37. Michael J. Neufeld, *The Rocket and the Reich: Peenemünde and the Coming of the Ballistic Missile Era* (Nova York, 1995), p. 13, 22-3, 108-37; consultar também Rainer Eisfeld, *Mondsüchtig: Wernher von Braun und die Geburt der Raumfahrt aus dem Geist der Barbarei* (Hamburgo, 2000).
38. Speer, *Inside the Third Reich*, p. 494.
39. Ibid., p. 495.
40. Ibid., p. 497.
41. Ibid., p. 497.
42. Speer, *Inside the Third Reich*, p. 503-5; Neufeld, *The Rocket and the Reich*, p. 197-201.
43. Neufeld, *The Rocket and the Reich*, p. 197-238; Florian Freund, "Die Entscheidung zum Einsatz von KZ-Häftlingen in der Raketenrüstung", em Kaienburg (ed.), *Konzentrationslager*, p. 61-74.
44. Citado em Neufeld, *The Rocket and the Reich*, p. 209-10.
45. Ibid., p. 197-209; Sereny, *Albert Speer*, p. 402-5.
46. Neufeld, *The Rocket and the Reich*, p. 210.
47. Ibid.
48. Sereny, *Albert Speer*, p. 403. Sereny não menciona a carta para Kammler.
49. Speer, *Inside the Third Reich*, p. 500-1.
50. Citado em Neufeld, *The Rocket and the Reich*, p. 211-2.
51. Ibid., p. 210-2.
52. Ibid., p. 264, 405; consultar também Jens Christian Wagner, "Noch einmal: Arbeit und Vernichtung: Häftlingseinsatz im KL Mittelbau-Dora 1943-1945", em Frei et al. (eds.), *Ausbeutung*, p. 11-42.
53. Neufeld, *The Rocket and the Reich*, p. 226-30.
54. Ibid., p. 238-64 (citação na p. 264). Weinberg, *A World at Arms*, p. 562-3, dá o total de 15 mil mortes; ver também Allen, *The Business of Genocide*, p. 208-32.
55. Evans, *The Third Reich in Power*, p. 306-9; Alan D. Beyerchen, *Scientists under Hitler: Politics and the Physics Community in the Third Reich* (Londres, 1977), p. 168-98; Klaus Hentschel (ed.), *Physics and National Socialism: An Anthology of Primary Sources* (Basileia, 1996), p. 281-4, 290-2.
56. Beyerchen, *Scientists*, p. 168-98.
57. Hentschel (ed.), *Physics*, p. lxvii.
58. Mark Walker, *German National Socialism and the Quest for Nuclear Power 1939-1949* (Cambridge, 1989); Speer, *Inside the Third Reich*, p. 315-7; Weinberg, *A World at Arms*, p. 568--71. A alegação posterior de Heisenberg de que havia deliberadamente retardado o progresso da pesquisa a fim de garantir que Hitler não tivesse uma bomba atômica antes de a guerra terminar é totalmente implausível; mesmo se tivesse trabalhado tão rápido quanto possível, ainda é extremamente improvável que tivesse conseguido construir uma bomba que funcionasse a tempo. Consultar, entre uma vasta literatura, Thomas Powers, *Heisenberg's War: The Secret History of the German Bomb* (Boston, 1993); Jeremy Bernstein (ed.), *Hitler's Uranium Club: The Secret Recordings at Farm Hall* (Nova York, 2001), p. xxiv-xxv, xxvii-xxviii.
59. Speer, *Inside the Third Reich*, p. 317-8.
60. Rainer Karlsch, *Hitlers Bombe: Die geheime Geschichte der deutschen Kernwaffenversuche* (Stuttgart, 2005), p. 171-81, 215-9.

61. Speer, *Inside the Third Reich*, p. 316-20; para Lenard, consultar Evans, *The Third Reich in Power*, p. 306-9.
62. Speer, *Inside the Third Reich*, p. 553-4.
63. Schmidt, *Karl Brandt*, p. 284-96; também Florian Schmaltz, *Kampfstoff-Forschung im Nationalsozialismus: Zur Kooperation von Kaiser-Wilhelm-Instituten, Militär und Industrie* (Göttingen, 2005), p. 143-77, 608-10; e idem, "Neurosciences and Research on Chemical Weapons of Mass Destruction in Nazi Germany", *Journal of the History of the Neurosciences*, 15 (2006), p. 186-209; Weinberg, *A World at Arms*, p. 558-9.
64. Speer, *Inside the Third Reich*, p. 491.
65. Neufeld, *The Rocket and the Reich*, p. 233-8.
66. Ludwig, *Technik*, p. 451-63; Hentschel (ed.), *Physics*, p. 303, 327.
67. Speer, *Inside the Third Reich*, p. 488-91; Tooze, *The Wages of Destruction*, p. 620-1.
68. Weinberg, *A World at Arms*, p. 771-3.
69. Ibid., p. 537-8 (mas um relato diferente e mais detalhado é oferecido na p. 563). Ver também Fritz Hahn, *Waffen und Geheimwaffen des deutschen Heeres 1939-1945* (2 vols., Coblença, 1986-87), I, p. 191-4.
70. Weinberg, *A World at Arms*, p. 563-4.
71. Speer, *Inside the Third Reich*, p. 620.
72. Ibid.
73. Citado em Boog, "The Strategic Air War", p. 413, 423, números nas p. 453-4.
74. Boberach (ed.), *Meldungen*, XV, p. 6187 (27 de dezembro de 1943).
75. Wirrer (ed.), *Ich glaube an den Führer*, p. 256 (Inge para Alfred, 3 de setembro de 1944).
76. Citado em Wulf, *Presse und Funk*, p. 360.
77. Walb, *Ich, die Alte*, p. 301 (4 de março de 1945).
78. Boberach (ed.), *Meldungen*, XVII, p. 6.736 (28 de março de 1945). O texto impresso traz as palavras "einen ganz gewöhnlichen Umstand", "uma circunstância completamente normal", mas isso só faz sentido se pensarmos que é um erro de datilografia ou de impressão de "einen ganz ungewöhnlichen Umstand", "uma circunstância completamente anormal".
79. Boberach (ed.), *Meldungen*, XV, p. 6.187 (27 de dezembro de 1943).
80. Breloer (ed.), *Geheime Welten*, p. 87-8 (18 de abril de 1945).
81. Hans-Jochen Gamm, *Der Flüsterwitz im Dritten Reich: Mündliche Dokumente zur Lage der Deutschen während des Nationalsozialismus* (Munique, 1990 [1963]), p. 180. A piada se baseia em um trocadilho intraduzível – *ausheben* em alemão significa tanto "cavar" quanto "recrutar", dependendo do contexto.
82. Klaus Mammach, *Der Volkssturm: Bestandteil des totalen Kriegseinsatzes der deutschen Bevölkerung 1944/45* (Berlim, 1981), p. 150; Franz Seidler, *"Deutscher Volkssturm": Der letzte Aufgebot 1944/45* (Munique, 1989), p. 374.
83. Roland Müller, *Stuttgart zur Zeit des Nationalsozialismus* (Stuttgart, 1988), p. 519.
84. Alphons Kappeler, *Ein Fall von "Pseudologia phantastica" in der deutschen Literatur: Fritz Reck-Malleczewen: Mit Totalbibliographie* (Göppingen, 1975), p. 7-11. A história amplamente divulgada de que ele foi baleado pela Gestapo não tem fundamentos reais; para sua vida pregressa, real e imaginária, consultar Evans, *The Third Reich in Power*, p. 154-5, 251, 414-7, 419, 499, 587.
85. Boberach (ed.), *Meldungen*, XVII, p. 6.721 (28 de outubro de 1944).
86. Schäfer, *Napola*, p. 95-6.
87. Breloer (ed.), *Geheime Welten*, p. 226-7 (22 de fevereiro de 1945).
88. Ibid., p. 229.

89. Maschmann, *Account Rendered*, p. 176.
90. Breloer (ed.), *Geheime Welten*, p. 154 (27 de janeiro de 1945).
91. Para essa peça de teatro, consultar Evans, *The Coming of the Third Reich*, p. 417-8.
92. Wirrer (ed.), *Ich glaube an den Führer*, p. 293 (Albert para Inge, 30 de janeiro de 1945).
93. Ibid., p. 295-6 (Inge para Alfred, 3-4 de fevereiro de 1945).
94. Ibid., p. 313 (Alfred para Inge, 9 de março de 1945).
95. Ibid., p. 321 (Inge para Alfred, 10 de abril de 1945).
96. Ibid., p. 317.
97. Nicolaus von Below, *Als Hitlers Adjutant 1937-1945* (Frankfurt am Main, 1980), p. 398.
98. Citado em Herf, *The Jewish Enemy*, p. 255-6.
99. Weinberg, *A World at Arms*, p. 798-802.
100. Jörg Echternkamp (ed.), *Kriegsschauplatz Deutschland 1945: Leben in Angst – Hoffnung auf Frieden: Feldpost aus der Heimat und von der Front* (Paderborn, 2006), p. 20-1.
101. Overmans, *Deutsche Militärische Verluste*, p. 238-9.
102. Para um relato detalhado, consultar Holst Boog, "Die strategische Bomberoffensive der Alliierten gegen Deutschland und die Reichluftverteidigung in der Schlussphase des Krieges", em *DRZW* X/I, p. 771-884.
103. Andreas Kunz, *Wehrmacht und Niederlage: Die bewaffnete Macht in der Endphase der nationalsozialistischen Herrschaft 1944 bis 1945* (Munique, 2005); p. 207-15; idem, "Die Wehrmacht 1944/45: Eine Armee im Untergang", em *DRZW* X/II, p. 3-54.
104. Kershaw, *Hitler*, II, p. 781.
105. Citado em Patrick Wright, *Iron Curtain: From Stage to Cold War* (Londres, 2007), p. 352. A primeira vez em que Churchill usou esse termo foi logo depois disso.
106. Hubatsch (ed.), *Hitlers Weisungen*, p. 310-1.
107. Baird, *The Mythical World*, p. 246-55.
108. Noakes (ed.), *Nazism*, IV, p. 652.
109. Ibid., p. 653.
110. Ibid., p. 651.
111. Walb, *Ich, die Alte*, p. 316 (26 de março de 1945).
112. Noakes (ed.), *Nazism*, IV, p. 654.
113. Ibid., p. 655-6.
114. Ibid., p. 658.
115. Hubatsch (ed.), *Hitlers Weisungen*, p. 311.
116. Gerhard Paul, "'Diese Erschiessungen haben mich innerlich gar nicht mehr berührt': Die Kriegsendphasenverbrechen der Gestapo 1944/45", em idem e Klaus-Michael Mallmann (eds.), *Die Gestapo im Zweiten Weltkrieg: "Heimatfront" und besetztes Europa* (Darmstadt, 2000), p. 543-68.
117. Wachsmann, *Hitler's Prisons*, p. 327.
118. Ibid.
119. Ibid., p. 334-7.
120. Hitler, *Hitler's Table Talk*, p. 29.
121. Para Natzweiler, consultar Wolfgang Kirstin, *Das Konzentrationslager als Institution totalen Terrors: Das Beispiel des KL Natzweiler* (Pfaffenweiler, 1992), p. 13-6.
122. Citado em Fest, *Plotting Hitler's Death*, p. 312.
123. Moorhouse, *Killing Hitler*, p. 58; Hoffmann, *The History*, p. 258.
124. Ueberschär, *Für ein anderes Deutschland*, p. 238-9.

125. Hannes Heer, *Ernst Thälmann in Selbstzeugnissen und Bilddokumenten* (Reinbek, 1975), p. 127-30.
126. Fest, *Plotting Hitler's Death*, p. 304; Ueberschär, *Für ein anderes Deutschland*, p. 238; Willi Dressen, "Konzentrationslager als Tötungs- und Hinrichtungsstätten für Oppositionelle, Behinderte, Kriegsgefangene", em Benz e Distel (eds.), *Der Ort des Terrors*, I, p. 230-41.
127. Echternkamp (ed.), *Kriegsschauplatz*, p. 34-5.
128. Höss, *Commandant of Auschwitz*, p. 190-2.
129. Steinbacher, *Auschwitz*, p. 123-8.
130. Ernst Kaiser e Michael Knorn, "Wir lebten und schliefen zwischen den Toten": *Rüstungsproduktion, Zwangsarbeit und Vernichtung in den Frankfurter Adlerwerken* (Frankfurt am Main, 1994), p. 214-27.
131. Daniel Blatman, "The Death Marches, January-May 1945: Who Was Responsible for What?", *Yad Vashem Studies*, 28 (2000), p. 155-201.
132. Goldhagen, *Hitler's Willing Executioners*, p. 327-71, oferece um detalhado relato visual, comprometido pela retórica antialemã e pela suposição de que as marchas envolviam somente prisioneiros judeus.
133. Wilhelm Lange, *Cap Arcona: Dokumentation* (Eutin, 1992); Detlef Garbe, "Institutionen des Terrors und der Widerstand der Wenigen", em Forschungsstelle für Zeitgeschichte in Hamburg (ed.), *Hamburg*, p. 519-72, nas p. 549-55; David Stafford, *Endgame 1945: Victory, Retribution, Liberation* (Londres, 2007), p. 291-306.
134. Neuman, *The Rocket and the Reich*, p. 264.
135. Daniel Blatman, "Rückzug, Evakuierung und Todesmärsche 1944-1945", em Benz e Distel (eds.), *Der Ort des Terrors*, I, p. 296-312, nas p. 306-8; para a marcha da morte, em 1945, dos trabalhadores russos aprisionados pela Gestapo em Oldenburg, consultar Hoffmann, *Zwangsarbeit*, p. 288-92.
136. Harry Stein, "Funktionswandel des Konzentrationslagers Buchenwald im Spiegel der Lagerstatistiken", em Herbert et al. (eds.), *Die Nationsozialistische Konzentrationslager*, I, p. 167-92; Michael Fabréguet, "Entwicklung und Veränderung der Funktionen des Konzentrationslager Mauthausen 1938-1945", em ibid., p. 193-214; também Blatman, *Rückzug*; e Robert H. Abzug, *Inside the Vicious Heart: Americans and the Liberation of Nazi Concentration Camps* (Nova York, 1985), p. 21-30.
137. Eberhard Kolb, *Bergen-Belsen 1943-1945: Vom "Aufenthaltslager" zum Konzentrationslager 1943-1945* (Göttingen, 2001), p. 21-4, 38-41.
138. Ibid., também Joanne Reilly, *Belsen: The Liberation of a Concentration Camp* (Londres, 1998), e Ben Shephard, *After Daybreak: The Liberation of Belsen, 1945* (Londres, 2005).
139. Daniel Blatman, "Die Todesmärsche – Entscheidungsträger, Mörder und Opfer", em Herbert et al. (eds.), *Die nationalsozialistischen Konzentrationslager*, II, p. 1063-92.
140. Blank, "Kriegsalltag", p. 451-7; detalhes completos em Boog, "Die Strategische Bomber offensive".
141. Citado em Blank, "Kriegsalltag", p. 455.
142. Evans, *Telling Lies*, p. 193-231; relatos confiáveis em Rudolf Förster, "Dresden", em Marlene P. Hiller et al. (eds.), *Städte im 2. Weltkrieg: Ein internationaler Vergleich* (Essen, 1991), p. 299-315; Götz Bergander, *Dresden im Luftkrieg: Vorgeschichte, Zerstörung, Folgen* (Würzburg, 1998); e Frederick Taylor, *Dresden: Tuesday 13 February 1945* (Londres, 2004).
143. Klemperer, *To the Bitter End*, p. 387-9 (13 de fevereiro de 1945).
144. Ibid., p. 389-92 (22-24 de fevereiro de 1945).
145. Ibid., p. 393 (22-24 de fevereiro de 1945).

146. Ibid., p. 396-405 (15-27 de fevereiro de 1945).
147. Solmitz, *Tagebuch*, p. 998 (7 de março de 1945).
148. Noakes (ed.), *Nazism*, IV, p. 515.
149. Solmitz, *Tagebuch*, p. 983 (2 de fevereiro de 1945), p. 995 (27 de fevereiro de 1945), p. 1.010 (9 de abril de 1945).
150. Solmitz, *Tagebuch*, p. 765 (8 de setembro de 1942).
151. Ibid., p. 888 (8 de janeiro de 1944), p. 928 (10 de junho de 1944), p. 943 (8 de agosto de 1944).
152. Ibid., p. 944 (3 de setembro de 1944), p. 958 (27 de outubro de 1944).
153. Herbert, *Hitler's Foreign Workers*, p. 359-64.
154. Ibid., p. 329 (citação) e p. 326-45.
155. Ibid., p. 326-8.
156. Ibid., p. 366-9; Fritz Theilen, *Edelweisspiraten* (Frankfurt am Main, 1984); Bernd-A. Rusinek, *Gesellschaft in der Katastrophe: Terror, Illegalität, Widerstand – Köln 1944/45* (Essen, 1989).
157. Herbert, *Hitler's Foreign Workers*, p. 369-71.
158. Frieser, "Die Schlacht", p. 200-8.
159. Citado em Merridale, *Ivan's War*, p. 260.
160. Ibid., p. 261.
161. Ibid., p. 261-2.
162. Nicholas, *The Rape of Europa*, p. 361-7.
163. Merridale, *Ivan's War*, p. 277-82.
164. Ibid., p. 267-9.
165. Atina Grossmann, "A Question of Silence: The Rape of German Women by Occupation Soldiers", *October*, 72 (1995), p. 43-63, na p. 51.
166. Merridale, *Ivan's War*, p. 270.
167. Ibid., p. 267-8.
168. (Anon.), *A Woman in Berlin: Diary 20 April 1945 to 22 June 1945* (Oxford, 2006 [1955]), p. 173. A autora era a jornalista Masta Hillers (Grossmann, "A Question of Silence", p. 54).
169. Ibid.
170. Citado em Antony Beevor, *Berlin: The Downfall 1945* (Londres, 2002), p. 52.
171. Ibid., p. 46-55, 88; Heinrich Schwendemann, "'Deutsche Menschen vor der Vernichtung durch den Bolschewismus zu retten': Das Programm der Regierung Dönitz und der Beginn einer Legendenbildung", em Bernd-A. Rusinek (ed.), *Kriegsende 1945: Verbrechen, Katastrophen, Befreiungen in nationaler und internationaler Perspektive* (Göttingen, 2004), p. 9-33.
172. Walb, *Ich, die Alte*, p. 313 (26 de março de 1945).
173. Kershaw, *The "Hitler Myth"*, p. 200-25.
174. Boberach (ed.), *Meldungen*, XVII, p. 6.732-3.
175. Ibid., XVII, p. 6.733-4.
176. Klemperer, *To the Bitter End*, p. 443 (22 de abril de 1945).
177. Ibid., p. 444 (22 de abril de 1945).
178. Ibid., p. 453 (4 de maio de 1945).
179. Ibid., p. 453 (5 de maio de 1945).
180. Ibid., p. 419-27 (26 de março-15 de abril de 1945), citação na p. 419.
181. Walb, *Ich, die Alte*, p. 333 (23 de abril de 1945).
182. Speer, *Inside the Third Reich*, p. 575-7.

183. Citado em Noakes (ed.), *Nazism*, IV, p. 659-60; consultar também Kershaw, *Hitler*, II, p. 784-6.
184. Speer, *Inside the Third Reich*, p. 541-601; Kershaw, *Hitler*, II, p. 784.
185. Speer, *Inside the Third Reich*, p. 604.
186. Ibid., p. 610-8; Noakes (ed.), *Nazism*, IV, p. 659-61. Para uma discussão crítica das ações de Speer na fase final do Terceiro Reich, consultar Rolf-Dieter Müller, "Der Zusammenbruch des Wirtschaftslebens und die Anfänge des Wideraufbaus", em *DRZW* X/II, p. 55-378, nas p. 74-106.
187. Kershaw, *Hitler*, II, p. 768-75, 782.
188. Redlich, *Hitler*, p. 207-9, 223-54.
189. Speer, *Inside the Third Reich*, p. 629.
190. Ibid.
191. Ibid., p. 631; Redlich, *Hitler*, p. 227.
192. Um interessante relato sobre a rotina de Hitler em Kershaw, *Hitler*, II, p. 775-7.
193. Ibid., p. 780-1.
194. Ibid., p. 785-91.
195. Maschmann, *Account Rendered*, p. 146.
196. Ibid., p. 157.
197. Ibid., p. 163.
198. Ibid., p. 149.
199. Speer, *Inside the Third Reich*, p. 619.
200. Noakes (ed.), *Nazism*, IV, p. 666.
201. Ibid.
202. Kershaw, *Hitler*, II, p. 803-5.
203. Sereny, *Albert Speer*, p. 530-3; Speer, *Inside the Third Reich*, p. 635-47.
204. Duggan, *The Force of Destiny*, p. 529-32.
205. Kershaw, *Hitler*, II, p. 807-19.
206. Hürter (ed.), *Ein deutscher General*, p. 16.
207. Kershaw, *Hitler*, II, p. 802-19.
208. Ibid., p. 820-31, e p. 1037-8, nota 156. Ver também o clássico relato de Hugh R. Trevor--Roper, *The Last Days of Hitler* (Londres, 1962 [1947]), que ainda vale muito a pena ler; uma detalhada seleção das evidências em Anton Joachimsthaler, *Hitlers End: Legenden und Dokumente* (Augsburg, 1999 [1994]).
209. Domarus (ed.), *Hitler*, IV, p. 2.236; Werner Maser (ed.), *Hitlers Briefe und Notizen: Sein Weltbild in handschriftlichen Dokumenten* (Düsseldorf, 1973), p. 326-66.
210. Kershaw, *Hitler*, p. 824.
211. Citado em Christian Goeschel, "Suicide at the End of the Third Reich", *Journal of Contemporary History*, 41 (2006), p. 153-73, na p. 167.
212. Reuth, *Goebbels*, p. 613-4; Trevor-Roper, *The Last Days*, p. 241-7.
213. Kershaw, *Hitler*, II, p. 831-3, 1039, nota 15. Os esqueletos de ambos foram descobertos durante um trabalho de construção em 1972 e identificados por sua arcada dentária.
214. Richard Overy, *Interrogations: The Nazi Elite in Allied Hands, 1945* (Londres, 2001), p. 145-6, 205.
215. Ibid., p. 165-8.
216. Höhne, *The Order of the Death's Head*, p. 534-6.
217. Neufeld, *The Rocket and the Reich*, p. 265.

218. Steur, *Theodor Dannecker*, p. 156-60, destaca que ela dificilmente teria feito isso se seu marido não tivesse se matado. Rumores de que ele teria sobrevivido foram, portanto, infundados.
219. Burleigh, *Death*, p. 273, 351-84.
220. Goeschel, "Suicide"; também idem, "Suicide in Weimar and Nazi Germany", p. 196-200; Richard Bessel, *Nazism and War* (Londres, 2004), p. 154.
221. Höss, *Commandant of Auschwitz*, p. 193-4.
222. Maschmann, *Account Rendered*, p. 163.
223. Ibid., p. 164.
224. Sereny, *Albert Speer*, p. 543-4.
225. Boberach (ed.), *Meldungen*, XVII, p. 6737.
226. Goeschel, "Suicide in Weimar and Nazi Germany", p. 209-13.
227. Citado em Bessel, *Nazism and War*, p. 155.
228. Damian van Melis, *Entnazifizierung in Mecklenburg-Vorpommern: Herrschaft und Verwaltung 1945-1948* (Munique, 1999), p. 23-4; Bessel, *Nazism and War*, p. 155; Naimark, *Fires of Hatred*, p. 117.
229. Breloer (ed.), *Geheime Welten*, p. 235.
230. Wirrer (ed.), *Ich glaube an den Führer*, p. 324 (Inge para Alfred, 4 de agosto de 1945). Breloer (ed.), *Geheime Welten*, p. 238 (22 de abril de 1945) e p. 240 (3 de junho de 1945).
231. Breloer (ed.), *Geheime Welten*, p. 44 (5 de maio de 1945).
232. Kershaw, *Hitler*, II, p. 831-3.
233. Breloer (ed.), *Geheime Welten*, p. 123-4 (1º de maio de 1945).
234. Walb, *Ich, die Alte*, p. 338, 344-5 (2 e 8 de maio de 1945).
235. Breloer (ed.), *Geheime Welten*, p. 141.
236. Ibid., p. 163-5 (29 de abril de 1945).
237. Solmitz, *Tagebuch*, p. 1.022 (30 de abril de 1945), p. 1.031 (5 de maio de 1945), p. 1.037 (8 de maio de 1945).
238. Kershaw, *Hitler*, II, p. 822-3, 835-6; para um relato detalhado da rendição das forças alemãs em várias partes da Europa, ver Klaus-Jürgen Müller e Gerd Ueberschär, *Kriegsende 1945: Die Zerstörung des deutschen Reiches* (Frankfurt am Main, 1994); consultar também Jörg Hillmann e John Zimmermann, *Kriegsende 1945 in Deutschland* (Munique, 2002) e Marlis Steinert, *Capitulation: A Story of the Dönitz Regime* (Londres, 1969).
239. Perry Biddiscombe, *Werwolf! The History of the National Socialist Guerilla Movement 1944-1946* (Cardiff, 1996), p. 38-9.
240. Klaus Tenfelde, "Proletarische Provinz: Radikalisierung und Widerstand in Penzberg/Oberbayern 1900 bis 1945", em Broszat *et al.* (eds.), *Bayern*, IV, p. 1-382.
241. Robert G. Moeller, *War Stories: The Search for a Usable Past in the Federal Republic of Germany* (Berkeley, Calif., 2001), p. 3, 6, 24, 43; Norbert Frei, *Adenauer's Germany and the Nazi Past: The Politics of Amnesty and Integration* (Nova York, 2002 [1997]), p. 303-12.
242. Ver Telford Taylor, *The Anatomy of the Nuremberg Trials* (Londres, 1993) e Overy, *Interrogations*.
243. Sereny, *Albert Speer*, p. 702-21; Matthias Schmidt, *Albert Speer: Das Ende eines Mythos: Speers wahre Rolle im Dritten Reich* (Bern, 1982); também Albert Speer, *Spandau: The Secret Diaries* (Londres, 1976 [1975]).
244. Höss, *Commandant of Auschwitz*, p. 195-201.
245. Steinbacher, *Auschwitz*, p. 137-9.
246. Ibid., p. 139-45.

247. Höhne, *The Order of the Death's Head*, p. 535-6.
248. Klee *et al.* (eds.), *"Those Were the Days"*, p. 297-9.
249. Burleigh, *Death*, p. 269-80; Schmidt, *Karl Brandt*, p. 351-84.
250. Kater, *Doctors under Hitler*, p. 2-3; Steven P. Remy, *The Heidelberg Myth: The Nazification and Denazification of a German University* (Cambridge, Mass., 2002), p. 198-203.
251. Horace W. Stunkard, "Erich Martini (1880-1960)", *Journal of Parasitology*, 47 (1961), p. 909-10.
252. Lifton, *The Nazi Doctors*, p. 380-3.
253. Klee, *Auschwitz*, p. 488-91.
254. Sereny, *Into that Darkness*, p. 13, 16, 261-77, 301-7, 321-2, 339-66.
255. Cesarani, *Eichmann*, p. 200-323.
256. Steinbacher, *Auschwitz*, p. 145-52.
257. Konrad H. Jarausch, *After Hitler: Recivilizing Germans, 1945-1995* (Nova York, 2006), p. 54. O número para os "incriminados" não inclui a Zona Britânica. Consultar também Clemens Vollnhals, *Entnazifizierung: Politische Säuberung und Rehabilitierung in den vier Besatzungszonen 1945-1949* (Munique, 1991); Lutz Niethammer, *Die Mitläuferfabrik: Die Entnazifizierung am Beispiel Bayerns* (Berlim, 1992).
258. Jarausch, *After Hitler*, p. 271-81. Para Best, consultar Herbert, *Best*, p. 403-76, e, de modo mais geral, Norbert Frei (ed.), *Karrieren im Zwielicht: Hitlers Eliten nach 1945* (Frankfurt am Main, 2001). Para os problemas de adaptação social imediatamente depois da guerra, consultar Jörg Echternkamp, "Im Schlagschatten des Krieges: Von den Folgen militärischer Herrschaft in der frühen Nachkriegszeit", em *DRZW* X/II, p. 657-97.
259. Hürter (ed.), *Ein deutscher General*, p. 16.
260. Bock, *Zwischen Pflicht und Verweigerung*, p. 11-25.
261. Hosenfeld, *"Ich versuche"*, p. 111-46.
262. Breloer (ed.), *Geheime Welten*, p. 44.
263. Ibid., p. 45.
264. Ibid., p. 273.
265. Maschmann, *Account Rendered*, p. 168-223 (citação na p. 190).
266. Steven Bach, *Leni – The Life and Work of Leni Riefenstahl* (Nova York, 2007), p. 252-92; Welch, *Propaganda and the German Cinema*, p. 125-34, 263, 307; Emil Jannings, *Theater, Film – Das Leben und Ich* (Munique, 1989 [1951]).
267. Kater, *Composers*, p. 3-30, 211-63.
268. Shirakawa, *The Devil's Music Master*, p. 364.
269. Ibid. Para uma visão mais geral, consultar Toby Thacker, *Music after Hitler, 1945-1955* (Londres, 2007), p. 39-74.
270. Petropoulos, *The Faustian Bargain*, p. 239-53.
271. Neufeld, *The Rocket and the Reich*, p. 267-75.
272. Remy, *The Heidelberg Myth*, p. 54, 204-5.
273. Klukowski, *Diary*, p. x-xi, xv-xx.
274. Martin Chalmers, "Introduction", em Victor Klemperer, *The Lesser Evil: The Diaries of Victor Klemperer 1945-59* (Londres, 2003 [1999]), p. vii-xvii.
275. Klemperer, *The Lesser Evil*, p. 359 (8 de julho de 1951).
276. Ibid., p. 621-4.
277. Citado em Evans, *The Coming of the Third Reich*, p. 312-3; informação encontrada no Staatsarchiv der Freien- und Hansestadt Hamburg.

278. Eric A. Johnson e Karl-Heinz Reuband, *What We Knew: Terror, Mass Murder, and Everyday Life in Nazi Germany: An Oral History* (Nova York, 2005), p. 337-44.
279. Bill Niven, *Facing the Nazi Past: United Germany and the Legacy of the Third Reich* (Londres, 2002), p. 233-41; Peter Reichel, *Politik mit der Erinnerung: Gedächtnisorte im Streit um die nationalsozialistische Vergangenheit* (Frankfurt am Main, 1999 [1995]).
280. Bullock, *Hitler*, p. 808.

Bibliografia

Abzug, Robert H., *Inside the Vicious Heart: Americans and the Liberation of Nazi Concentration Camps* (Nova York, 1985).
Adam, Peter, *The Arts of the Third Reich* (Londres, 1992).
Adelson, Alan & Lapides, Robert (eds.), *Łódź Ghetto: Inside a Community under Siege* (Nova York, 1989).
Adler, Hans Georg, *Der verwaltete Mensch: Studien zur Deportation der Juden aus Deutschland* (Tübingen, 1974).
Adler, Jacques, *The Jews of Paris and the Final Solution: Communal Responses and Internal Conflicts, 1940-1944* (Nova York, 1987).
Ainsztein, Reuben, *Revolte gegen die Vernichtung: Der Aufstand im Warschauer Ghetto* (Berlim, 1993).
Albrecht, Gerd (ed.), *Nationalsozialistische Filmpolitik: Ein Soziologische Untersuchung über die Spielfilme des dritten Reiches* (Stuttgart, 1969).
——, *Film im Dritten Reich: Eine Dokumentation* (Karlsruhe, 1979).
Alcuin (pseud.), *I Saw Poland Suffer, by a Polish Doctor Who Held an Official Position in Warsaw under German Occupation* (Londres, 1941).
Aldor, Francis, *Germany's "Death Space": The Polish Tragedy* (Londres, 1940).
Allen, Michael Thad, *The Business of Genocide: The SS, Slave Labor, and the Concentration Camps* (Chapel Hill, N.C., 2002).
——, "Not Just a 'Dating Game': Origins of the Holocaust at Auschwitz in the Light of Witness Testimony", *German History*, 25 (2007), p. 162-91.
Altschuler, Mordechai, *Soviet Jewry on the Eve of the Holocaust: A Social and Demographic Profile* (Jerusalém, 1998).
Aly, Götz, "Der Mord an behinderten Hamburger Kindern zwischen 1939 und 1945", in Angelika Ebbinghaus *et al.* (eds.), *Heilen und Vernichten im Mustergau Hamburg: Bevölkerungs- und Gesundheitspolitik im Dritten Reich* (Hamburgo, 1984), p. 147-55.
——, "Medicine against the Useless", in idem *et al.*, *Cleansing the Fatherland*, p. 22-98.

——, "The Posen Diaries of the Anatomist Hermann Voss", in idem et al., *Cleansing the Fatherland*.
——, *Macht-Geist-Wahn: Kontinuitäten deutschen Denkens* (Berlim, 1997).
——, *"Final Solution": Nazi Population Policy and the Murder of the European Jews* (Londres, 1999 [1995]).
——, "Die Deportation der Juden von Rhodos nach Auschwitz", *Mittelweg*, 36 (2003), p. 79-88.
——, *Hitler's Beneficiaries: Plunder, Racial War, and the Nazi Welfare State* (Nova York, 2007 [2005]).
—— & Heim, Susanne, *Architects of Annihilation: Auschwitz and the Logic of Destruction* (Princeton, N.J., 2002).
—— et al., *Cleansing the Fatherland: Nazi Medicine and Racial Hygiene* (Baltimore, Md., 1994).
Ancel, Jean, "The Romanian Way of Solving the 'Jewish Problem' in Bessarabia and Bukovina: June-July 1941", *Yad Vashem Studies*, 9 (1988), p. 187-232.
——, "The 'Christian' regimes of Romania and the Jews, 1940-1942", *Holocaust and Genocide Studies*, 7 (1993), p. 14-29.
——, *Transnistria* (3 vols., Bucareste, 1998).
Angermund, Ralph, *Deutsche Richterschaft 1919-1945* (Frankfurt am Main, 1990).
Angrick, Andrej, "The Escalation of German-Rumanian Anti-Jewish Policy after the Attack on the Soviet Union", *Yad Vashem Studies*, 26 (1998), p. 203-38.
——, "Zur Rolle der Militärverwaltung bei der Ermordung der sowjetischen Juden", in Quinkert (ed.), *"Wir sind die Herren dieses Landes"*, p. 104-23.
——, *Besatzungspolitik und Massenmord: Die Einsatzgruppe D in der südlichen Sowjetunion 1941-1943* (Hamburgo, 2003).
—— & Pohl, Dieter, *Einsatzgruppen C and D in the Invasion of the Soviet Union, 1941-1942* (Londres, 1999).
(Anon.), *The German New Order in Poland* (Londres, 1942).
——, *A Woman in Berlin: Diary 20 April 1945 to 22 June 1945* (Oxford, 2006 [1955]).
Arad, Yitzhak, *Ghetto in Flames: The Struggle and Destruction of the Jews in Vilna in the Holocaust* (Jerusalém, 1980).
——, *Belzec, Sobibor, Treblinka: The Operation Reinhard Death Camps* (Bloomington, Ind., 1999 [1987]).
—— et al. (eds.), *The Einsatzgruppen Reports: Selections from the Dispatches of the Nazi Death Squads' Campaign against the Jews, July 1941-January 1943* (Nova York, 1989).
Arendt, Hannah, *Eichmann in Jerusalem* (Nova York, 1963).
Arntz, Hans-Dieter, *Ordensburg Vogelsang 1934-1945: Erziehung zur politischen Führung im Dritten Reich* (Eulskirchen, 1986).
August, Jochen (ed.), *"Sonderaktion Krakau" Die Verhaftung der Krakauer Wissenschaftler am 6. November 1939* (Hamburgo, 1997).

Auswärtiges Amt (ed.), *Die polnischen Greueltaten an den Volksdeutschen in Polen* (Berlim, 1940).
Avni, Haim, *Spain, the Jews, and Franco* (Filadélfia, 1982).
Axworthy, Mark et al., *Third Axis, Fourth Ally: Romanian Armed Forces in the European War, 1941-1945* (Londres, 1995).
Baade, Fritz et al. (eds.), *"Unsere Ehre heisst Treue": Kriegstagebuch des Kommandostabes Reichsführer-SS, Tätigkeitsberichte der 1. und 2. 33-Infanterie-Brigade, der 1. SS-Kav. Brigade und von Sonderkommandos der SS* (Viena, 1965).
Baader, Gerhard, "Heilen und Vernichten: Die Mentalität der NS-Ärzte", in Ebbinghaus & Dörner (eds.), *Vernichten und Heilen*, p. 275-94.
Bach, Dieter & Lesiuk, Wieslaw, *Ich sah in das Gesicht eines Menschen: Deutsch-polnische Begegnungen vor und nach 1945* (Wuppertal, 1995).
Bach, Steven, *Leni: The Life and Work of Leni Riefenstahl* (Nova York, 2007).
Bähr, Johannes, *Die Dresdner Bank in der Wirtschaft des Dritten Reichs* (Munique, 2006).
Baird, Jay W., *The Mythical World of Nazi War Propaganda, 1939-1945* (Mineápolis, Minn., 1974).
Bajohr, Frank & Pohl, Dieter, *Der Holocaust als offenes Geheinnis: Die Deutschen, die NS--Führung und die Alliierten* (Munique, 2006).
Banach, Jens, *Heydrichs Elite: Das Führerkorps der Sicherheitspolizei und des SD, 1936-1945* (Paderborn, 1998).
Bankier, David, *The Germans and the Final Solution: Public Opinion under Nazism* (Oxford, 1992).
Baranowski, Shelley, *Strength through Joy: Consumerism and Mass Tourism in the Third Reich* (Cambridge, 2004).
Barber, John & Harrison, Mark, *The Soviet Home Front, 1941-1945: A Social and Economic History of the USSR in World War II* (Londres, 1991).
Barbian, Jan-Pieter, *Literaturpolitik im "Dritten Reich": Institutionen, Kompetenzen, Betätigungsfelder* (Munique, 1995 [1993]).
Barkai, Avraham, "Between East and West: Jews from Germany in the Lodz Ghetto", in Marrus (ed.), *The Nazi Holocaust*, p. 378-439.
Bartoszewski, Wladyslaw T., "Polen und Juden in der deutschen Besatzungszeit", in Klessmann (ed.), *September 1939*, p. 139-55.
——, "Foreword", in Salomon W. Slowes, *The Road to Katyn: A Soldier's Story* (Oxford, 1992), p. vii-xxxii.
Bartov, Omer, *The Eastern Front 1941-1945: German Troops and the Barbarization of Warfare* (Londres, 1985).
——, *Hitler's Army: Soldiers, Nazis, and War in the Third Reich* (Nova York, 1991).
Bar-Zohar, Michael, *Beyond Hitler's Grasp: The Heroic Rescue of Bulgaria's Jews* (Holbrook, Mass., 1998).

Bastian, Till, *Homosexuelle im Dritten Reich: Geschichte einer Verfolgung* (Munique, 2000).
Bauer, Yehuda, "Anmerkungen zum 'Auschwitz-Bericht' von Rudolf Vrba", *VfZ* 45 (1997), p. 297-307.
Baumgart, Winfried, "Zur Ansprache Hitlers vor den Führern der Wehrmacht am 22. August 1939", *VfZ* 16 (1968), p. 120-49.
—— & Boehm, Hermann, "Zur Ansprache Hitlers vor den Führern der Wehrmacht am 22. August 1939", *VfZ* 19 (1971), p. 294-304.
Beck, Birgit, *Wehrmacht und sexuelle Gewalt: Sexualverbrechen vor deutschen Militärgerichten 1939-1945* (Paderborn, 2004).
Becker, Peter W., "Fritz Sauckel: Plenipotentiary for the Mobilisation of Labour", in Smelser & Zitelman (eds.), *The Nazi Elite*, p. 194-201.
Beer, Matthias, "Die Entwicklung der Gaswagen beim Mord an den Juden", *VfZ* 35 (1987), p. 403-17.
Beer, Wilfried, *Kriegsalltag an der Heimatfront: Alliierter Luftkrieg und deutsche Gegenmassnahmen zur Abwehr und Schadenbegrenzung, dargestellt für den Raum Münster* (Bremen, 1990).
Beevor, Antony, *Stalingrad* (Londres, 1998).
——, *Berlin: The Downfall 1945* (Londres, 2002).
Behnken, Klaus (ed.), *Deutschland-Berichte der Sozialdemokratischen Partei Deutschlands (Sopade) 1934-1940* (7 vols., Frankfurt am Main, 1980).
Bellamy, Chris, *Absolute War: Soviet Russia in the Second World War: A Modern History* (Londres, 2007).
Bellon, Bernard, *Mercedes in Peace and War: German Automobile Workers, 1903-1945* (Nova York, 1990).
Below, Nicolaus von, *Als Hitlers Adjutant 1937-1945* (Frankfurt am Main, 1980).
Benz, Wolfgang, "Judenvernichtung aus Notwehr? Die Legenden um Theodore N. Kaufman", *VfZ* 29 (1981), p. 615-30.
—— (ed.), *Die Juden in Deutschland 1933-1945: Leben unter nationalsozialistischer Herrschaft* (Munique, 1988).
—— (ed.), *Dimension des Völkermords: Die Zahl der jüdischen Opfer des Nationalsozialismus* (Munique, 1991).
—— & Distel, Barbara (eds.), *Der Ort des Terrors: Geschichte der nationalsozialistischen Konzentrationslager* (6 vols., Munique, 2005-7).
—— & Neiss, Marion (eds.), *Judenmord in Litauen: Studien und Dokumente* (Berlim, 1999).
Berenstein, Tatiana *et al.* (eds.), *Faschismus – Getto – Massenmord: Dokumentation über Ausrottung und Widerstand der Juden in Polen während des Zweiten Weltkrieges* (Berlim, 1960).
Bergander, Götz, *Dresden im Luftkrieg: Vorgeschichte, Zerstörung, Folgen* (Würzburg, 1998).
Bergmeier, Horst J. P. & Lotz, Rainer E., *Hitler's Airwaves: The Inside Story of Nazi Radio Broadcasting and Propaganda Swing* (Londres, 1997).

Berkhoff, Karel C., *Harvest of Despair: Life and Death in Ukraine under Nazi Rule* (Cambridge, Mass., 2004).

Berndt, Günter & Strecker, Reinhard (eds.), *Polen – ein Schauermärchen oder Gehirnwäsche für Generationen: Geschichtsschreibung und Schulbücher: Beiträge zum Polenbild der Deutschen* (Reinbek, 1971).

Bernstein, Jeremy (ed.), *Hitler's Uranium Club: The Secret Recordings at Farm Hall* (Nova York, 2001).

Bessel, Richard, *Nazism and War* (Londres, 2004).

Beyerchen, Alan D., *Scientists under Hitler: Politics and the Physics Community in the Third Reich* (Londres, 1977).

Biddiscombe, Perry, *Werwolf! The History of the National Socialist Guerilla Movement 1944--1946* (Cardiff, 1996).

Birnbaum, Pierre, *Anti-semitism in France: A Political History from Léon Blum to the Present* (Oxford, 1992 [1988]).

Blank, Ralf, "Kriegsalltag und Luftkrieg an der 'Heimatfront'", *DRZW* IX/I, p. 357-468.

Blatman, Daniel, "Die Todesmärsche – Entscheidungsträger, Mörder und Opfer", in Herbert et al. (eds.), *Die nationalsozialistischen Konzentrationslager*, II, p. 1.063-92.

——, "The Death Marches, January-May 1945: Who Was Responsible for What?", *Yad Vashem Studies*, 28 (2000), p. 155-201.

——, "Rückzug, Evakuierung und Todesmärsche 1944-1945", in Benz and Distel (eds.), *Der Ort des Terrors*, I, p. 296-312.

Bloch, Michael, *Operation Willi: The Plot to Kidnap the Duke of Windsor, July 1940* (Londres, 1984).

Blume, Helmut, *Zum Kaukasus 1941-1942: Aus Tagebuch und Briefen eines jungen Artilleristen* (Tübingen, 1993).

Blumenthal, Nachman, "A Martyr or Hero? Reflections on the Diary of Adam Czerniakow", *Yad Vashem Studies*, 7 (1968), p. 165-71.

Boberach, Heinz (ed.), *Richterbriefe: Dokumente zur Beeinflussung der deutschen Rechtsprechung 1942-1944* (Boppard, 1975).

——(ed.), *Meldungen aus dem Reich: Die geheimen Lageberichte des Sicherheitsdienstes der SS 1938-1945* (17 vols., Herrsching, 1984).

——, "Stimmungsumschwung in der deutschen Bevölkerung", in Wette & Ueberschär (eds.), *Stalingrad*, p. 61-6.

Bock, Fedor von, *Generalfeldmarschall Fedor von Bock: Zwischen Pflicht und Verweigerung: Das Kriegstagebuch* (ed. Klaus Gerbet, Munique, 1995).

Boelcke, Willi A. (ed.), *"Wollt Ihr den totalen Krieg?" Die geheimen Goebbels-Konferenzen 1939-1943* (Munique, 1969 [1967]), p. 414.

Böhler, Jochen, *Auftakt zum Vernichtungskrieg: Die Wehrmacht in Polen 1939* (Frankfurt am Main, 2006).

Böhme, Kurt W., *Die deutschen Kriegsgefangenen in sowjetischer Hand: Eine Bilanz* (Munique, 1966).
Boll, Bernd, "Zloczów, Juli 1941: Die Wehrmacht und der Beginn des Holocaust in Galizien", *Zeitschrift für Geschichtswissenschaft* 50 (2002), p. 899-917.
—— & Safrian, Hans, "Auf dem Weg nach Stalingrad: Die 6. Armee 1941/42", in Heer & Naumann (eds.), *Vernichtungskrieg*, p. 260-96.
Boog, Horst, "The Anglo-American Strategic Air War over Europe and German Air Defence", in *GSWW* VI, p. 469-628.
——, "The Strategic Air War in Europe and Air Defence of the Reich", in *GSWW* VII, p. 9-458.
——, "Die strategische Bomberoffensive der Alliierten gegen Deutschland und die Reichsluftverteidigung in der Schlussphase des Krieges", in *DRZW* X/I, p. 777-884.
Borodziej, Wlodzimierz, *Terror und Politik: Die deutsche Polizei und die polnische Widerstandsbewegung im Generalgouvernement 1939-1944* (Mainz, 1999).
Bosworth, Richard, *Mussolini's Italy: Life under the Dictatorship 1915-1945* (Londres, 2005).
Botz, Gerhard, *Wohnungspolitik und Judendeportation in Wien 1938 bis 1945: Zur Funktion des Antisemitismus als Ersatz nationalsozialistischer Sozialpolitik* (Viena, 1975).
Braham, Randolph L., *Eichmann and the Destruction of Hungarian Jewry* (Nova York, 1961).
——, "The Role of the Jewish Council in Hungary: A Tentative Assessment", *Yad Vashem Studies*, 10 (1974), p. 69-109.
——, *The Politics of Genocide: The Holocaust in Hungary* (2 vols., Nova York, 1981).
—— (ed.), *The Tragedy of Romanian Jewry* (Nova York, 1994).
—— (ed.), *The Destruction of Romanian and Ukrainian Jews during the Antonescu Era* (Nova York, 1997).
Brandes, Detlev, *Die Tschechen unter deutschem Protektorat*, I: *Besatzungspolitik, Kollaboration und Widerstand im Protektorat Böhmen und Mähren bis Heydrichs Tod, 1939-1942* (Munique, 1969).
Breitman, Richard, *The Architect of Genocide: Himmler and the Final Solution* (Londres, 1991).
Breloer, Heinrich (ed.), *Geheime Welten: Deutsche Tagebücher zus den Jahren 1939 bis 1947* (Colônia, 1999 [1984]).
Broszat, Martin, "Zur Perversion der Strafjustiz im Dritten Reich", *VfZ* 6 (1958), p. 390--443.
——, *Nationalsozialistische Polenpolitik* (Frankfurt am Main, 1965).
——, "The Concentration Camps 1933-1945", in Helmut Krausnick *et al.*, *Anatomy of the SS State* (Londres, 1968), p. 397-504.
—— et al. (eds.), *Bayern in der NS-Zeit* (6 vols., Munique, 1977-83).
Browning, Christopher R., *The Path to Genocide: Essays on Launching the Final Solution* (Cambridge, 1992).

——, *Ordinary Men: Reserve Police Battalion 101 and the Final Solution in Poland* (Londres, 1998 [1992]).
——, *Nazi Policy, Jewish Workers, German Killers* (Cambridge, 2000).
——, "The Decision-Making Process", in Dan Stone (ed.), *The Historiography of the Holocaust* (Londres, 2004), p. 173-96.
——, *The Origins of the Final Solution: The Evolution of Nazi Jewish Policy, September 1939-March 1942* (Lincoln, Nebr., 2004).
Bruhn, Mike & Böttner, Heike, *Die Jenaer Studenten unter nationalsozialistischer Herrschaft 1933-1945* (Erfurt, 2001).
Brunckhorst, Almut, *Die Berliner Widerstandsorganisation um Arvid Harnack und Harro Schluze--Boysen ("Rote Kapelle"): Kundschafter im Auftrag Moskaus oder integraler Bestandteil des deutschen Widerstandes gegen den Nationalsozialismus? Ein Testfall für die deutsche Historiographie* (Hamburgo, 1998).
Brysac, Shareen Blair, *Resisting Hitler: Mildred Harnack and the Red Orchestra: The Life and Death of an American Woman in Nazi Germany* (Nova York, 2000).
Buchbender, Ortwin, *Das tönende Erz: Deutsche Propaganda gegen die Rote Armee im Zweiten Weltkrieg* (Stuttgart, 1978).
Buchheim, Christoph, "Die vielen Rechenfehler in der Abrechnung Götz Alys mit den Deutschen unter dem NS-Regime", *Sozial Geschichte*, 20 (2005), p. 67-76.
Budrass, Lutz, *Flugzeugindustrie und Luftrüstung in Deutschland* (Düsseldorf, 1998).
—— & Grieger, Manfred, "Die Moral der Effizienz: Die Beschäftigung von KZ-Häftlingen am Beispiel des Volkswagenwerks und der Henschel Flugzeug-Werke", *Jahrbuch für Wirtschaftsgeschichte* (1993), p. 89-136.
Bullock, Alan, *Hitler: A Study in Tyranny* (Londres, 1952).
Burckhardt, Carl J., *Meine Danziger Mission 1937-1939* (Munique, 1960).
Burkhard, Benedikt & Valet, Friederike (eds.), *"Abends wein wir essen, fehlt uns immer einer": Kinder schreiben and die Väter, 1939-1945* (Heidelberg, 2000).
Burleigh, Michael, *Germany Turns Eastwards: A Study of Ostforschung in the Third Reich* (Cambridge, 1988).
——, *Death and Deliverance: "Euthanasia" in Germany, c.1900-1945* (Cambridge, 1994).
——, *Sacred Causes: Religion and Politics from the European Dictators to Al Qaeda* (Londres, 2006), p. 214-83.
Burrin, Philippe, *France under the Germans: Collaboration and Compromise* (Nova York, 1996).
Büttner, Ursula, "'Gomorrha' und die Folgen: Der Bombenkrieg", in Forschungsstelle für Zeitgeschichte in Hamburg (ed.), *Hamburg*, p. 613-32.
Cajani, Luigi, "Die italienischen Militär-Internierten im nationalsozialistischen Deutschland", in Herbert (ed.), *Europa und der "Reichseinsatz"*, p. 295-316.
Callil, Carmen, *Bad Faith: A Forgotten History of Family and Fatherland* (Londres, 2007).

Calvocoressi, Peter & Wint, Guy, *Total War: Causes and Courses of the Second World War* (Harmondsworth, 1974 [1972]).

Carroll, Berenice A., *Design for Total War: Arms and Economics in the Third Reich* (Haia, 1968).

Carroll, David, *French Literary Fascism: Nationalism, Anti-Semitism, and the Ideology of Culture* (Princeton, N.J., 1995).

Cesarani, David, *Eichmann: His Life and Crimes* (Londres, 2004).

—— (ed.), *Holocaust: Critical Concepts in Historical Studies* (6 vols., Londres, 2004).

Chalmers, Martin, "Introduction", in Klemperer, *The Lesser Evil*, p. vii-xvi.

Charmley, John, *Churchill: The End of Glory: A Political Biography* (Londres, 1993).

Chary, Frederick B., *The Bulgarian Jews and the Final Solution, 1940-1944* (Pittsburgh, Pa., 1972).

Chiari, Bernhard, *Alltag hinter der Front: Besatzung, Kollaboration und Widerstand in Weissrussland 1941-1944* (Düsseldorf, 1998).

Chroust, Peter (ed.), *Friedrich Mennecke: Innenansichten eines medizinischen Täters im Nationalsozialismus: Eine Edition seiner Briefe 1935-1947* (Hamburgo, 1988).

Cienciala, Anna M. et al., *Katyn: A Crime without Punishment* (Londres, 2006).

Clark, Martin, *Modern Italy 1871-1982* (Harlow, 1984).

Clarke, Peter, *Hope and Glory: Britain 1900-1990* (Londres, 1996).

Cocks, Geoffrey, *Psychotherapy in the Third Reich: The Göring Institute* (New Brunswick, N.J., 1997 [1985]).

Cohen, Asher, *Persécutions et sauvetages: Juifs et Français sous l'Occupation et sous Vichy* (Paris, 1993).

—— et al. (eds.), *The Shoah and the War* (Nova York, 1992).

Cohen, Richard I., *The Burden of Conscience: French Jewish Leadership during the Holocaust* (Bloomington, Ind., 1987).

Cohen, William B. & Svensson, Jörgen, "Finland and the Holocaust", *Holocaust and Genocide Studies*, 9 (1995), p. 70-92.

Cohn, Norman, *Warrant for Genocide: The Myth of the Jewish World-Conspiracy and the Protocols of the Elders of Zion* (Londres, 1967).

Cointet, Michèle, *L'Église sous Vichy, 1940-1945: La répentance en question* (Paris, 1998).

Cole, Tim, *Holocaust City: The Making of a Jewish Ghetto* (Londres, 2003).

Combs, William L., *The Voice of the SS: A History of the SS Journal "Das Schwarze Korps"* (Nova York, 1986).

Connolly, Kate, "Letter Proves Speer Knew of Holocaust Plan", *Guardian*, 13.3.2007.

Conway, John S., *The Nazi Persecution of the Churches 1933-1945* (Londres, 1968).

Conway, Martin, *Collaboration in Belgium: Léon Degrelle and the Rexist Movement 1940--1944* (Londres, 1993).

Coppi, Hans et al. (eds.), *Die Rote Kapelle im Widerstand gegen den Nationalsozialismus* (Berlim, 1994).

Cornelissen, Christoph, *Gerhard Ritter: Geschichtswissenschaft und Politik im 20. Jahrhundert* (Düsseldorf, 2001).
Corni, Gustavo, *Hitler's Ghettos: Voices from a Beleaguered Society 1939-1944* (Londres, 2002).
Cornwell, John, *Hitler's Pope: The Secret History of Pius XII* (Londres, 1999).
Crampton, Richard, *Bulgaria* (Oxford, 2007).
Crowe, David M., *Oskar Schindler: The Untold Account of His Life, Wartime Activities, and the True Story behind the List* (Cambridge, Mass., 2004).
Culbert, David, "The Impact of Anti-Semitic Film Propaganda on German Audiences: *Jew Süss* and *The Wandering Jew* (1940)", in Etlin (ed.), *Art*, p. 139-57.
Cyprian, Tadeusz & Sawicki, Jerzy, *Nazi Rule in Poland 1939-1945* (Varsóvia, 1961).
Czerniakow, Adam, *The Warsaw Diary of Adam Czerniakow: Prelude to Doom* (Nova York, 1979 [1968]).
Dabel, Gerhard (ed.), *KLV: Die erweiterte Kinder-Land-Verschickung* (Freiburg, 1981).
Dahm, Volker, "Kulturelles und geistiges Leben", in Benz (ed.), *Die Juden*, p. 75-267.
Dallin, Alexander, *German Rule in Russia 1941-1945: A Study of Occupation Policies* (Londres, 1957).
——, *Odessa, 1941-1944: A Case Study of Soviet Territory under Foreign Rule* (Iași, 1998 [1957]).
Datner, Szymon, "Crimes Committed by the Wehrmacht during the September Campaign and the Period of Military Government (1 Sept. 1939-25 Oct. 1939)", *Polish Western Affairs*, 3 (1962), p. 294-328.
——, *Crimes Committed by the Wehrmacht during the September Campaign and the Period of Military Government* (Posen, 1962).
Davies, Norman, *God's Playground: A History of Poland* (2 vols., Oxford, 1981).
——, *Rising '44: The Battle for Warsaw* (Londres, 2003).
—— & Polonsky, Antony (eds.), *Jews in Eastern Poland and the USSR, 1939-1946* (Nova York, 1991).
Dean, Martin, *Collaboration in the Holocaust: Crimes of the Local Police in Belorussia and the Ukraine, 1941-44* (Nova York, 2000).
Dear, Ian C. B. (ed.), *The Oxford Companion to World War II* (Oxford, 2005 [1995]).
——, "Animals", in idem (ed.), *The Oxford Companion to World War II*, p. 28-9.
Decker, Natalija, "Die Auswirkungen der faschistischen Okkupation auf das Gesundheitswesen Polens und den Gesundheitszustand des polnischen Volkes", in Thom and Caregorodcev (eds.), *Medizin unterm Hakenkreuz*, p. 401-16.
Dederichs, Mario R., *Heydrich: Das Gesicht des Bösen* (Munique, 2005).
Delacor, Regina M., "From Potential Friends to Potential Enemies: The Internment of 'Hostile Foreigners' in France at the Beginning of the Second World War", *Journal of Contemporary History*, 35 (2000), p. 361-8.

Deletant, Dennis, "Ghetto Experience in Golta, Transnistria, 1942-1944", *Holocaust and Genocide Studies*, 18 (2004), p. 1-26.

——, *Hitler's Forgotten Ally: Ion Antonescu and His Regime, Romania 1940-44* (Londres, 2006).

Derry, Thomas K., "Norway", in Stuart J. Woolf (ed.), *European Fascism* (Londres, 1968), p. 217-30.

Deschner, Günther, *Reinhard Heydrich – Statthalter der totalen Macht* (Munique, 1978).

——, "Reinhard Heydrich: Security Technocrat", in Smelser & Zitelmann (eds.), *The Nazi Elite*, p. 85-97.

Diamond, Hanna, *Fleeing Hitler: France 1940* (Oxford, 2007).

Dietrich, Otto, *Auf den Strassen des Sieges: Erlebnisse mit dem Führer in Polen: Ein Gemeinschaftsbuch* (Munique, 1939).

Dlugoborski, Wlodimierz, "Die deutsche Besatzungspolitik und die Veränderungen der sozialen Struktur Polens 1939-1945", in idem (ed.), *Zweiter Weltkrieg und sozialer Wandel: Achsenmächte und besetzte Länder* (Göttingen, 1981), p. 303-63.

——, "Deutsche und sowjetische Herrschaftssysteme in Ostmittel europa im Vergleich", in Gerhard Otto & Johannes Houwink ten Cate (eds.), *Das organisierte Chaos: "Ämterdarwinismus" und "Gesinnungsethik": Determinanten nationalsozialistischer Besatzungsherrschaft* (Berlim, 1999), p. 93-121.

—— & Madajczyk, Czeslaw, "Ausbeutungssysteme in den besetzten Gebieten Polens und der UdSSR", in Friedrich Forstmeier & Hans-Erich Volkmann (eds.), *Kriegswirtschaft und Rüstung 1939-1945* (Düsseldorf, 1977), p. 375-416.

Dobroszycki, Lucjan (ed.), *The Chronicle of the Łódź Ghetto 1941-1944* (New Haven, Conn., 1984).

Domarus, Max (ed.), *Hitler: Speeches and Proclamations 1932-1945: The Chronicle of a Dictatorship* (4 vols., Londres, 1990-[1962-63]).

Donaldson, Frances, *Edward VIII* (Londres, 1974).

Donner, Wolf, *Propaganda und Film im "Dritten Reich"* (Berlim, 1995).

Dörner, Bernward, *Die Deutschen und der Holocaust: Was niemand wissen wollte, aber jeder wissen konnte* (Berlim, 2007).

Dressen, Willi, "Konzentrationslager als Tötungs- und Hinrichtungsstätten für Oppositionelle, Behinderte, Kriegsgefangene", in Benz & Distel (eds.), *Der Ort des Terrors*, I, p. 230-41.

Drewniak, Boguslaw, "Die deutsche Verwaltung und die rechtliche Stellung der Polen in den besetzten polnischen Gebieten 1939-1945", *Deutsch-Polnisches Jahrbuch* (1979-80), p. 151-70.

——, *Das Theater im NS-Staat: Szenarium deutscher Zeitgeschichte 1933-1945* (Düsseldorf, 1983).

——, *Der deutsche Film 1938-1945: Ein Gesamtüberblick* (Düsseldorf, 1987).

Droulia, Loukia & Fleischer, Hagen (eds.), *Von Lidice bis Kalavryta: Widerstand und Besatzungsterror: Studien zur Repressalienpraxis im Zweiten Weltkrieg* (Berlim, 1999).

Duhnke, Horst, *Die KPD von 1933-1945* (Colônia, 1972).

Duggan, Christopher, *The Force of Destiny: A History of Italy since 1796* (Londres, 2007).

Dwork, Debórah & Van Pelt, Robert Jan, *Holocaust: A History* (Londres, 2002).

Ebbinghaus, Angelika, "Zwei Welten: Die Opfer und die Täter der kriegschirurgischen Experimente", in Ebbinghaus & Dörner (eds.), *Vernichten und Heilen*, p. 219-40.

——, "Fakten oder Fiktionen: Wie ist Götz Aly zu seinen weitreichenden Schlussfolgerungen gekommen?", *Sozial.Geschichte*, 20 (2005), p. 29-45.

—— & Dörner, Klaus (eds.), *Vernichten und Heilen: Der Nürnberger Ärzteprozess und seine Folgen* (Berlim, 2001).

—— & Roth, Karl Heinz, "Kriegswunden: Die kriegschirurgischen Experimente in den Konzentrationslagern und ihre Hintergründe", in Ebbinghaus & Dörner (eds.), *Vernichten und Heilen*, p. 177-218.

Ebert, Jens (ed.), *Feldpostbriefe aus Stalingrad: November 1942 bis Januar 1943* (Munique, 2006 [2000]).

Echternkamp, Jörg (ed.), *Kriegsschauplatz Deutschland 1945: Leben in Angst – Hoffnung auf Frieden: Feldpost aus der Heimat und von der Front* (Paderborn, 2006).

Eckert, Rainer, *Vom "Fall Marita" zur "Wirtschaftlichen Sonderaktion": Die deutsche Besatzungspolitik in Griechenland vom 6. April 1941 bis zur Kriegswende im Februar/ März 1943* (Frankfurt am Main, 1992).

Eiber, Ludwig, "Das KZ-Aussenlager Blohm und Voss im Hamburger Hafen", in Kaienburg (ed.), *Konzentrationslager*, p. 227-38.

Einsiedel, Heinrich von, *The Shadow of Stalingrad: Being the Diary of a Temptation* (Londres, 1953).

Eisfeld, Rainer, *Mondsüchtig: Wernher von Braun und die Geburt der Raumfahrt aus den Geist der Barbarei* (Hamburgo, 2000).

Eitel, Gerhard, "Genozid auch an Polen? Kein Thema für einen 'Historikerstreit'", *Zeitgeschichte*, 18 (1990), p. 22-39.

Elmshäuser, Konrad & Lokers, Jan (eds.), *"Man muss hier nur hart sein": Kriegsbriefe und Bilder einer Familie (1934-1945)* (Bremen, 1999).

Engel, David, "The Western Allies and the Holocaust: Jan Karski's Mission to the West, 1942--1944", *Holocaust and Genocide Studies*, 5 (1990), p. 363-446.

Engel, Gerhard, *Heeresadjutant bei Hitler 1938-1943* (ed. Hildegard von Kotze, Stuttgart, 1974).

Engelhard, Hans (ed.), *Im Namen des deutschen Volkes: Justiz und Nationalsozialismus* (Colônia, 1989).

Enno, Georg, *Die wirtschaftlichen Unternehmungen der SS* (Stuttgart, 1963).

Erichson, Kurt (ed.), *Abschied ist immer: Briefe an den Bruder im Zweiten Weltkrieg* (Frankfurt am Main, 1994).

Erickson, John, *The Soviet High Command* (Londres, 1962).
——, *Stalin's War with Germany*, I: *The Road to Stalingrad* (Londres, 1975).
Erker, Paul, *Industrie-Eliten in der NS-Zeit: Anpassungsbereitschaft und Eigeninteresse von Unternehmen in der Rüstungs- und Kriegswirtschaft 1936-1945* (Passau, 1993).
Esch, Michael G., "'Ohne Rücksicht auf historisch Gewordenes': Raumplanung und Raumordnung im besetzten Polen 1939-1944", in Götz Aly *et al.* (eds.), *Modelle für ein deutsches Europa: Ökonomie und Herrschaft im Grosswirtschaftsraum* (Berlim, 1992).
——, *"Gesunde Verhältnisse": Die deutsche und polnische Bevölkerungspolitik in Ostmitteleuropa 1939-1950* (Marburg, 1998).
Etlin, Richard A. (ed.), *Art, Culture, and Media under the Third Reich* (Chicago, Ill., 2002).
Euler, Friederike, "Theater zwischen Anpassung und Widerstand: Die Münchner Kammerspiele im Dritten Reich", in Broszat *et al.* (eds.), *Bayern*, II, p. 91-173.
Evans, Jon, *The Nazi New Order in Poland* (Londres, 1941).
Evans, Richard J. (ed.), *Kneipengespräche im Kaiserreich: Die Stimmungsberichte der Hamburger Politischen Polizei 1892-1914* (Hamburgo, 1989).
——, *Rituals of Retribution: Capital Punishment in Germany 1600-1987* (Oxford, 1996).
——, *Rereading German History: From Unification to Reunification 1800-1996* (Londres, 1997).
——, *Telling Lies About Hitler: The Holocaust, History and the David Irving Trial* (Londres, 2002).
——, *The Coming of the Third Reich* (Londres, 2003). [Trad. bras.: A chegada do Terceiro Reich (São Paulo, Planeta do Brasil, 2010).]
——, *The Third Reich in Power 1933-1939* (Londres, 2005). [Trad. bras.: O Terceiro Reich no poder (São Paulo, Planeta do Brasil, 2011).]
Fabruéget, Michel, "Entwicklung und Veränderung der Funktionen des Konzentrationslager Mauthausen 1938-1945", in Herbert *et al.* (eds.), *Die nationalsozialistischen Konzentrationslager*, I, p. 193-214.
Fahlbusch, Michael, *Wissenschaft im Dienst nationalsozialistischer Politik? Die "Volksdeutschen Forschungsgemeinschaften" von 1931-1945* (Wiesbaden, 1999).
Fangemann, Helmut, *et al.*, *"Parteisoldaten": Die Hamburger Polizei im "3. Reich"* (Baden-Baden, 1987).
Fargion, Lilliana Picciotto, "Italien", in Benz (ed.), *Dimension des Völkermords*, p. 199-228.
Feiten, Willi, *Der nationalsozialistische Lehrerbund: Entwicklung und Organisation: Ein Beitrag zum Aufbau und zur Organisationsstruktur des nationalsozialistischen Herrschaftssystems* (Weinheim, 1981).
Felder, Björn, *Lettland im Zweiten Weltkrieg: Zwischen sowjetischen und deutschen Besatzern 1940-1946* (Paderborn, 2008).
Fest, Joachim C., *The Face of the Third Reich* (Londres, 1979 [1963]).
——, *Plotting Hitler's Death: The German Resistance to Hitler 1933-1945* (Londres, 1996).

Fetscher, Iring, *Joseph Goebbels im Berliner Sportpalast 1943: "Wollt Ihr den totalen Krieg?"* (Hamburgo, 1998).

Fings, Karola, et al., *"... einziges Land, in dem Judenfrage und Zigeunerfrage gelöst": Die Verfolgung der Roma im faschistisch besetzten Jugoslawien 1941-1945* (Colônia, n.d.).

Fleming, Gerald, *Hitler and the Final Solution* (Oxford, 1986 [1982]).

Forschungsstelle für Zeitgeschichte in Hamburg (ed.), *Hamburg im "Dritten Reich"* (Göttingen, 2005).

Förster, Jürgen, "Hitlers Decision in Favour of War against the Soviet Union", in *GSWW* IV, p. 13-51.

——, "Germany's Acquisition of Allies in South-east Europe", in *GSWW* IV, p. 386-428.

——, "Operation Barbarossa as a War of Conquest and Annihilation", in *GSWW* IV, p. 481-521.

——, "Jewish Policies of the German Military, 1939-1942", in Cohen et al. (eds.), *The Shoah and the War*, p. 53-71.

—— (ed.), *Stalingrad: Ereignis: Wirkung und Symbol* (Munique, 1992).

——, "Geistige Kriegführung in Deutschland 1919 bis 1945", in *DRZW* IX/I, p. 469-640.

Förster, Rudolf, "Dresden", in Marlene P. Hiller et al. (eds.), *Städte im 2. Weltkrieg: Ein internationaler Vergleich* (Essen, 1991), p. 299-315.

Frank, Anne, *The Diary of a Young Girl* (Nova York, 1995).

Frei, Norbert, *Der Führerstaat: Nationalsozialistische Herrschaft 1933 bis 1945* (Munique, 1987).

—— (ed.), *Karrieren im Zwielicht: Hitlers Eliten nach 1945* (Frankfurt am Main, 2001).

——, *Adenauer's Germany and the Nazi Past: The Politics of Amnesty and Integration* (Nova York, 2002 [1997]).

—— et al. (eds.), *Ausbeutung, Vernichtung, Öffentlichkeit: Neue Studien zur nationalsozialistischen Lagerpolitik* (Munique, 2000).

Freund, Florian, "Die Entscheidung zum Einsatz von KZ-Häftlingen in der Raketenrüstung", in Kaienburg (ed.), *Konzentrationslager*, p. 61-76.

——, "Häftlingskategorien und Sterblichkeit in einem Aussenlager des KZ Mauthausen", in Herbert et al. (eds.), *Die nationalsozialistischen Konzentrationslager*, II, p. 874-86.

Fricke, Gert, *Kroatien 1941-1944: Der "Unabhängige Staat" in der Sicht des Deutschen Bevollmächtigten Generals in Agram, Blaise v Hortenau* (Freiburg, 1972).

Friedlander, Henry, *The Origins of Nazi Genocide: From Euthanasia to the Final Solution* (Chapel Hill, N.C., 1995).

Friedländer, Saul, *Prelude to Downfall: Hitler and the United States, 1939-1941* (Londres, 1967).

——, *Kurt Gerstein oder die Zwiespältigkeit des Guten* (Gütersloh, 1968).

——, *The Years of Extermination: The Third Reich and the Jews 1939-1945* (Nova York, 2007).

Friedman, Philip, *Roads to Extinction: Essays on the Holocaust* (Nova York, 1980).

Friedrich, Jörg, *Der Brand: Deutschland im Bombenkrieg 1940-1945* (Munique, 2002).
Frieser, Karl-Heinz, *Krieg hinter Stacheldraht: Die deutschen Kriegsgefangenen in der Sowjetunion und das Nationalkomitee "Freies Deutschland"* (Mainz, 1981).
——, *Blitzkrieg-Legende: Der Westfeldzug 1940* (Munique, 1996 [1995]).
——, "Die Schlacht im Kursker Bogen", in *DRZW* VIII, p. 83-210.
——, "Der Zusammenbruch im Osten: Die Rückzugskämpfe seit Sommer 1944", in *DRZW* VIII, p. 493-960.
——, "Zusammenfassung", in *DRZW* VIII, p. 1211-24.
—— & Schönherr, Klaus, "Der Rückschlag des Pendels: Das Zurückweichen der Ostfront von Sommer 1943 bis Sommer 1944", in *DRZW* VIII, p. 277-490.
Fritsche, Maria, *Österreichische Deserteure und Selbstverstümmler in der Deutschen Wehrmacht* (Viena, 2004).
Fröbe, Rainer, "Der Arbeitseinsatz von KZ-Häftlingen und die Perspektive der Industrie, 1943-1945", in Herbert (ed.), *Europa und der "Reichseinsatz"*, p. 351-83.
Fröhlich, Elke (ed.), *Die Tagebücher von Joseph Goebbels*, I: *Aufzeichnungen 1923-1941* (9 vols.); II: *Diktate 1941-1945* (15 vols.) (Munique, 1993-2000).
Führer, Karl Christian, "Anspruch und Realität: Das Scheitern der national sozialistischen Wohnungsbaupolitik 1933-1945", *VfZ* 45 (1997), p. 247-56.
Gamm, Hans-Jochen, *Der Flüsterwitz im Dritten Reich: Mündliche Dokumente zur Lage der Deutschen während des Nationalsozialismus* (Munique, 1990 [1963]).
Ganssmüller, Christian, *Die Erbgesundheitspolitik des Dritten Reiches: Planung, Durchführung und Durchsetzung* (Colônia, 1987).
Garbe, Detlef (ed.), *Häftlinge im KZ Neuengamme: Verfolgung serfahrungen, Häftlingssolidarität und nationale Bindung* (Hamburgo, 1999).
——, "Institutionen des Terrors und der Widerstand der Wenigen", in Forschungsstelle für Zeitgeschichte in Hamburg (ed.), *Hamburg*, p. 573-618.
Garlinski, Józef, *Poland in the Second World War* (Londres, 1985).
Gassert, Philipp, *Amerika im Dritten Reich: Ideologie, Propaganda und Volksmeinung 1933--1941* (Stuttgart, 1997).
Gehrken, Eva, *Nationalsozialistische Erziehung in den Lagern der Erweiterten Kinderlandverschickung 1940 bis 1945* (Braunschweig, 1997), p. 9, 16.
Gemzell, Carl-Axel, *Raeder, Hitler und Skandinavien* (Lund, 1965).
Gerlach, Christian, "Die Wannsee-Konferenz, das Schicksal der deutschen Juden und Hitlers politische Grundsatzentscheidung, alle Juden Europas zu ermorden", *Werkstatt Geschichte*, 18 (1997), p. 7-44.
——, *Krieg, Ernährung, Völkermord: Forschungen zur deutschen Vernichtungspolitik im Zweiten Weltkrieg* (Hamburgo, 1998).
——, *Kalkulierte Morde: Die deutsche Wirtschafts- und Vernichtungspolitik in Weissrussland 1941 bis 1944* (Hamburgo, 1999).

——, "Hitlergegner bei der Heeresgruppe Mitte und die 'Verbrecherischen Befehle'", in Gerd R. Ueberschär (ed.), *NS-Verbrechen und der militärische Widerstand gegen Hitler* (Darmstadt, 2000), p. 62-76.

—— & Aly, Götz, *Das letzte Kapitel: Realpolitik, Ideologie und der Mord an den ungarischen Juden 1941/1945* (Munique, 2002).

Gerlach, Wolfgang, *And the Witnesses Were Silent: The Confessing Church and the Persecution of the Jews* (Lincoln, Nebr., 2000 [1987]).

Gilbert, Martin, *The Holocaust: The Jewish Tragedy* (Londres, 1987 [1986]).

——, *The Routledge Atlas of the Holocaust* (Londres, 2002 [1982]).

Gildea, Robert, *Marianne in Chains: In Search of the German Occupation 1940-1945* (Londres, 2002).

Giles, Geoffrey, "The Institutionalization of Homosexual Panic in the Third Reich", in Robert Gellately & Nathan Stoltzfus (eds.), *Social Outsiders in Nazi Germany* (Princeton, N.J., 2001), p. 233-54.

——, "The Denial of Homosexuality: Same-Sex Incidents in Himmler's SS and Police", in Herzog (ed.), *Sexuality and German Fascism*, p. 256-90.

Glantz, David M., *Stumbling Colossus: The Red Army on the Eve of World War* (Lawrence, Kans., 1998).

——, *Barbarossa: Hitler's Invasion of Russia 1941* (Stroud, 2001).

——, *The Siege of Leningrad 1941-1944: 900 Days of Terror* (Londres, 2004).

—— & House, Jonathan M., *When Titans Clashed: How the Red Army Stopped Hitler* (Lawrence, Kans., 1995).

Glenny, Misha, *The Balkans 1804-1999: Nationalism, War and the Great Powers* (Londres, 1999).

Godden, Gertrude M., *Murder of a Nation: German Destruction of Polish Culture* (Londres, 1943).

Goeschel, Christian, "Suicide at the End of the Third Reich", *Journal of Contemporary History*, 41 (2006), p. 153-73.

——, "Suicide in Weimar and Nazi Germany" (Ph.D. dissertation, University of Cambridge, 2006).

Goldberg, Bettina, *Schulgeschichte als Gesellschaftsgeschichte: Die höheren Schulen im Berliner Vorort Hermsdorf (1893-1945)* (Berlim, 1994).

Goldhagen, Daniel Jonah, *Hitler's Willing Executioners: Ordinary Germans and the Holocaust* (Londres, 1996).

Golovchansky, Anatoly et al. (eds.), *"Ich will raus aus diesem Wahnsinn": Deutsche Briefe von der Ostfront 1941-1945* (Wuppertal, 1991).

Gorodetsky, Gabriel, *Grand Delusion: Stalin and the German Invasion of Russia* (Londres, 1999).

Goshen, Seev, "Eichmann und die Nisko-Aktion im Oktober 1939: Eine Fallstudie zur NS--Judenpolitik in der letzten Etappe vor der "Endlösung" ", *VfZ* 29 (1981), p. 74-96.

——, "Nisko – Ein Ausnahmefall unter den Judenlagern der SS", *VfZ* 40 (1992), p. 95-106.
Gotto, Bernhard, "Kommunale Krisenbewältigung", in Süss (ed.), *Deutschland im Luftkrieg*, p. 41-56.
Grayling, Anthony C., *Among the Dead Cities: Was the Allied Bombing of Civilians in WWII a Necessity or a Crime?* (Londres, 2006).
Gregor, Neil, *Daimler-Benz in the Third Reich* (Londres, 1998).
Griech-Polelle, Beth A., *Bishop von Galen: German Catholicism and National Socialism* (New Haven, Conn., 2002).
Grieger, Manfred, "Unternehmen und KZ-Arbeit: Das Beispiel der Volkswagenwerk GmbH", in Kaienburg (ed.), *Konzentrationslager*, p. 77-94.
Grimm, Barbara, "Lynchmorde an alliierten Fliegern im Zweiten Weltkrieg", in Süss (ed.), *Deutschland im Luftkrieg*, p. 71-84.
Gröhler, Olaf, *Bombenkrieg gegen Deutschland* (Berlim, 1990).
Groscurth, Helmut, *Tagebücher eines Abwehroffiziers 1938-1940* (ed. Helmut Krausnick & Harold C. Deutsch, Stuttgart, 1970).
Gross, Jan T., *Polish Society under German Occupation: The Generalgouvernement 1939-1944* (Princeton, N.J., 1979).
——, *Revolution from Abroad: The Soviet Conquest of Poland's Western Ukraine and Western Belorussia* (Princeton, N.J., 1988).
——, "A Tangled Web: Confronting Stereotypes Concerning Relations between Poles, Germans, Jews, and Communists", in István Déak et al. (eds.), *The Politics of Retribution in Europe: World War II and its Aftermath* (Princeton, N.J., 2000), p. 74-129.
Grossmann, Atina, "A Question of Silence: The Rape of German Women by Occupation Soldiers", *October*, 72 (1995), p. 43-63.
Groueff, Stephane, *Crown of Thorns: The Reign of King Boris III of Bulgaria, 1918-1943* (Lanham, Md., 1987).
Gruchmann, Lothar (ed.), *Autobiographie eines Attentäters: Johann Georg Elser: Aussage zum Sprengstoffanschlag im Bürgerbräukeller, München, am 8. November 1939* (Stuttgart, 1970).
——, "Euthanasie und Justiz im Dritten Reich", *VfZ* 20 (1972), p. 235-79.
——, "Ein unbequemer Amtsrichter im Dritten Reich: Aus den Personalakten des Dr Lothar Kreyssig", *VfZ* 32 (1984), p. 463-88.
——, *Justiz im Dritten Reich 1933-1940: Anpassung und Unterwerfung in der Ära Gürtner* (Munique, 1988).
Grunberger, Richard, *A Social History of the Third Reich* (Londres, 1974 [1971]).
Gruner, Wolf, *Judenverfolgung in Berlin 1933-1945: Eine Chronologie der Behördenmassnahmen in der Reichshauptstadt* (Berlim, 1996).
——, *Die geschlossene Arbeitseinsatz deutscher Juden: Zur Zwangsarbeit als Element der Verfolgung, 1938-1943* (Berlim, 1997).

——, "Die Fabrik-Aktion und die Ereignisse in der Berliner Rosenstrasse: Fakten und Fiktionen um den 27. Februar 1943", *Jahrbuch für Antisemitismusforschung*, 11 (2002), p. 137-77.

——, *Widerstand in der Rosenstrasse: Die Fabrik-Aktion und die Verfolgung der Mischehen 1943* (Frankfurt am Main, 2005).

Grüttner, Michael, *Studenten im Dritten Reich* (Paderborn, 1995).

——, "Wissenschaftspolitik im Nationalsozialismus", in Kaufmann (ed.), *Geschichte der Kaiser-Wilhelm-Gesellschaft*, II, p. 557-85.

Grynberg, Anne, *Les Camps de la honte: Les internes juifs des camps français, 1939-1944* (Paris, 1991).

Gumkowski, Janusz & Leszczynski, Kazimierz, *Poland under Nazi Occupation* (Varsóvia, 1961).

Gutman, Yisrael, *The Jews of Warsaw, 1939-1945: Ghetto, Underground, Revolt* (Bloomington, Ind., 1982).

——, *Resistance: The Warsaw Ghetto Uprising* (Boston, Mass., 1994).

—— & Berenbaum, Michael (eds.), *Anatomy of the Auschwitz Death Camp* (Bloomington, Ind., 1994).

—— & Krakowski, Shmuel, *Unequal Victims: Poles and Jews during World War Two* (Nova York, 1986).

Haar, Ingo, *Historiker im Nationalsozialismus: Deutsche Geschichtswissenschaft und der "Volkstumskampf" im Osten* (Göttingen, 2002).

Hagemann, Jürgen, *Die Presselenkung in Dritten Reich* (Bonn, 1970).

Hahn, Fritz, *Waffen und Geheimwaffen des deutschen Heeres, 1933-1945* (2 vols., Koblenz, 1986-87).

Halder, Franz, *Kriegstagebuch* (ed. Hans-Adolf Jacobsen, 3 vols., Stuttgart, 1962-64).

Hale, Oron J., *The Captive Press in the Third Reich* (Princeton, N.J., 1964).

Hamann, Matthias, "Erwünscht und unerwünscht: Die rassenpsychologische Selektion der Ausländer", in Götz Aly et al. (eds.), *Herrenmensch und Arbeitsvölker: Ausländische Arbeiter und Deutsche 1939-1945* (Berlim, 1986), p. 143-80.

Hanke, Christian, et al., *Hamburg im Bombenkrieg 1940-1945: Das Schicksal einer Stadt* (Hamburgo, 2001).

Hansen, Georg, " "Damit wurde der Warthegau zum Exerzierplatz des praktischen Nationalsozialismus": Eine Fallstudie zur Politik der Einverleibung", in Klessmann (ed.), *September 1939*, p. 55-72.

—— (ed.), *Schulpolitik als Volkstumspolitik: Quellen zur Schulpolitik der Besatzer in Polen 1939-1945* (Münster, 1994).

——, *Ethnische Schulpolitik im besetzten Polen: Der Mustergau Wartheland* (Münster, 1995).

Harrer, Heinrich, *Seven Years in Tibet* (Londres, 1953).

Harrison, Mark, *Accounting for War: Soviet Production, Employment and the Defence Burden, 1940-1945* (Cambridge, 1996).

—— (ed.), *The Economics of World War II: Six Great Powers in International Comparison* (Cambridge, 1998).

Harten, Hans-Christian, *De-Kulturation und Germanisierung: Die nationalsozialistische Rassen- und Erziehungspolitik in Polen 1939-1945* (Frankfurt am Main, 1996).

Hartenstein, Michael, *Neue Dorflandschaften: Nationalsozialistische Siedlungsplanung in den "eingegliederten Ostgebieten": 1939 und 1944* (Berlim, 1998).

Hartewig, Karin, "Wolf unter Wölfen? Die prekäre Macht der kommunistischen Kapos im Konzentrationslager Buchenwald", in Herbert et al. (eds.), *Die nationalsozialistischen Konzentrationslager*, II, p. 939-58.

Harvey, Elizabeth, *Women and the Nazi East: Agents and Witnesses of Germanization* (Londres, 2003).

Hassell, Ulrich von, *The von Hassell Diaries: The Story of the Forces against Hitler inside Germany 1938-1944* (Boulder, Colo., 1994 [1946]).

Hauschild-Thiessen, Renate (ed.), *Die Hamburger Katastrophe vom Sommer 1943 in Augenzeugenberichten* (Hamburgo, 1991).

Hayes, Peter, *Industry and Ideology: IG Farben in the Nazi Era* (Cambridge, 1987).

——, *From Cooperation to Complicity: Degussa in the Third Reich* (Cambridge, 2004).

Heer, Hannes, *Ernst Thälmann in Selbstzeugnissen und Bilddokumenten* (Reinbek, 1975).

——, "Killing Fields: Die Wehrmacht und der Holocaust", in idem & Naumann (eds.), *Vernichtungskrieg*, p. 57-77.

—— (ed.), *"Stets zu erschiessen sind Frauen, die in der Roten Armee dienen": Geständnisse deutscher Kriegsgefangener über ihren Einsatz an der Ostfront* (Hamburgo, 1995).

—— & Naumann, Klaus (eds.), *Vernichtungskrieg: Verbrechen der Wehrmacht 1941-1944* (Hamburgo, 1995).

Hehn, Paul, *The German Struggle against Yugoslav Guerillas in World War II: German Counter--Insurgency in Yugoslavia 1941-1943* (Nova York, 1979).

Heiber, Helmut (ed.), *Goebbels-Reden* (2 vols., Düsseldorf, 1971-72).

Heim, Susanne (ed.), *Autarkie und Ostexpansion: Pflanzenzucht und Agrarforschung im Nationalsozialismus* (Göttingen, 2002).

——, *Kalorien, Kautschuk, Karrieren: Pflanzenzüchtung und landwirtschaftliche Forschung in Kaiser-Wilhelm-Instituten 1933-1945* (Göttingen, 2003).

Heinemann, Isabel, *"Rasse, Siedlung, deutsches Blut": Das Rasse- und Siedlungshauptamt der SS und die rassenpolitische Neuordnung Europas* (Göttingen, 2003).

Heinemann, Ulrich, "Kein Platz für Polen und Juden": Der Widerstandskämpfer Fritz-Dietlof Graf von der Schulenburg und die Politik der Verwaltung in Schlesien 1939/40", in Klessmann (ed.), *September 1939*, p. 38-54.

Heinemann, Winfried, "Der militärische Widerstand und der Krieg", in *DRZW* IX/1, p. 743-892.

Henry, Clarissa & Hillel, Marc, *Children of the SS* (Londres, 1976 [1975]).

Hentschel, Klaus (ed.), *Physics and National Socialism: An Anthology of Primary Sources* (Basileia, 1996).

Herbert, Ulrich (ed.), *Europa und der "Reichseinsatz": Ausländische Zivilarbeiter, Kriegsgefangene und KZ-Häftlinge in Deutschland 1938-1945* (Essen, 1991).

——, *Best: Biographische Studien über Radikalismus, Weltanschauung und Vernunft, 1903--1989* (Bonn, 1996).

——, *Hitler's Foreign Workers: Enforced Foreign Labor in Germany under the Third Reich* (Cambridge, 1997 [1985]).

—— et al. (eds.), *Die nationalsozialistischen Konzentrationslager: Entwicklung und Struktur* (2 vols., Göttingen, 1998).

Herbst, Ludolf, *Der totale Krieg und die Ordnung der Wirtschaft: Die Kriegswirtschaft im Spannungfeld von Politik, Ideologie und Propaganda 1939-1945* (Stuttgart, 1982).

Herf, Jeffrey, *The Jewish Enemy: Nazi Propaganda during World War II and the Holocaust* (Londres, 2006).

Hermand, Jost, *Als Pimpf in Polen: Erweiterte Kinderlandverschickung 1940-1945* (Frankfurt am Main, 1993).

Hermelink, Heinrich (ed.), *Kirche im Kampf: Dokumente des Widerstands und des Aufbaus in der evangelischen Kirche Deutschlands von 1933 bis 1945* (Tübingen, 1950).

Herzog, Dagmar, "Hubris and Hypocrisy, Incitement and Disavowal: Sexuality and German Fascism", in idem (ed.), *Sexuality and German Fascism*, p. 1-21.

—— (ed.), *Sexuality and German Fascism* (Nova York, 2005).

Heusler, Andreas, *Ausländereinsatz: Zwangsarbeit für dieMünchner Kriegswirtschaft 1939--1945* (Munique, 1996).

Hilger, Andreas, *Deutsche Kriegsgefangene in der Sowjetunion, 1941-1956: Kriegsgefangenenpolitik, Lageralltag und Erinnerung* (Essen, 2000).

Hillgruber, Andreas, *Hitlers Strategie: Politik und Kriegführung 1940-41* (Frankfurt am Main, 1965).

—— (ed.), *Staatsmänner und Diplomaten bei Hitler: Vertrauliche Aufzeichnungen über Unterredungen mit Vertretern des Auslandes* (2 vols., Frankfurt am Main, 1967-70).

Hillmann, Jörg & Zimmermann, John, *Kriegsende 1945 in Deutschland* (Munique, 2002).

Hinsley, F. Harry, *British Intelligence in the Second World War* (5 vols., Londres, 1979-90).

Hirsch, Martin, et al. (eds.), *Recht, Verwaltung und Justiz im Nationalsozialismus* (Colônia, 1984).

Hirschfeld, Gerhard, *Nazi Rule and Dutch Collaboration: The Netherlands under German Occupation, 1940-1945* (Oxford, 1988 [1984]).

——, "Niederlande", in Benz (ed.), *Dimension des Völkermords*, p. 137-63.

Hitchins, Keith, *Rumania 1866-1947* (Oxford, 1994).

Hitler, Adolf, *Hitler's Table Talk 1941-1944* (Oxford, 1988 [1953]).

Hoare, Marko, *Genocide and Resistance in Hitler's Bosnia: The Partisans and the Chetniks, 1941-1943* (Londres, 2006).

Hoch, Anton, "Das Attentat auf Hitler im Münchener Bürgerbräukeller 1939", *VfZ* 17 (1969), p. 383-413.

Hoffmann, Hilmar, *The Triumph of Propaganda: Film and National Socialism 1933-1945* (Oxford, 1996 [1988]).

Hoffmann, Katharina, *Zwangsarbeit und ihre gesellschaftliche Akzeptanz in Oldenburg 1939--1945* (Oldenburg, 2001).

Hoffmann, Peter, *Hitler's Personal Security* (Londres, 1979).

——, *Claus Schenk Graf von Stauffenberg und seine Brüder* (Stuttgart, 1992).

——, *The History of the German Resistance 1933-1945* (Montreal, 1996 [1969]).

Hohmann, Joachim S. & Langer, Hermann (eds.), *"Stolz, ein Deutscher zu sein..." Nationales Selbstverständnis in Schulaufsätzen 1914-1945* (Frankfurt am Main, 1995), p. 227-8.

Höhne, Heinz, *The Order of the Death's Head: The Story of Hitler's SS* (Londres, 1972 [1966]).

Hoidal, Oddvar K., *Quisling: A Study in Treason* (Oslo, 1989).

Hölsken, Heinz Dieter, *Die V-Waffen: Entstehung – Propaganda – Kriegseinsatz* (Stuttgart, 1984).

Homze, Edward L., *Foreign Labor in Nazi Germany* (Princeton, N.J., 1967).

Hoppe, Hans-Jürgen, *Bulgarien – Hitlers eigenwilliger Verbündeter* (Stuttgart, 1979).

Horn, Birgit, *Die Nacht, als der Feuertod vom Himmel stürzte – Leipzig, 4. Dezember 1943* (Gudensberg-Gleichen, 2003).

Hornung, Ella, *et al.*, "Zwangsarbeit in der Landwirtschaft", *DRZW* IX/II, p. 577-666.

Horwitz, Gordon J., *Ghettostadt: Lodz and the Making of a Nazi City* (Londres, 2008).

Hory, Ladislaus & Broszat, Martin, *Der kroatische Ustascha-Staat 1941-1945* (Stuttgart, 1965 [1964]), p. 15-38.

Hosenfeld, Wilm, *"Ich versuche jeden zu retten": Das Leben eines deutschen Offiziers in Briefen und Tagebüchern* (ed. Thomas Vogel, Munique, 2004).

Höss, Rudolf, *Commandant of Auschwitz: The Autobiography of Rudolf Höss* (Londres, 1959 [1951]).

Housden, Martyn, *Hans Frank: Lebensraum and the Holocaust* (Londres, 2003).

Hubatsch, Walther (ed.), *Hitlers Weisungen für die Kriegführung 1939-1945: Dokumente des Oberkommandos der Wehrmacht* (Frankfurt am Main, 1962).

Humburg, Martin (ed.), *Das Gesicht des Krieges: Feldpostbriefe von Wehrmachtssoldaten aus der Sowjetunion 1941-1944* (Opladen, 1998).

Hüppauf, Bernd, "Der entleerte Blick hinter der Kamera", in Heer & Naumann (eds.), *Vernichtungskrieg*, p. 504-50.

Hürter, Johannes (ed.), *Ein deutscher General an der Ostfront: Die Briefe und Tagebücher des Gotthard Heinrici 1941/42* (Essen, 2001).

——, "Auf dem Weg zur Militäropposition: Tresckow, Gersdorff, der Vernichtungskrieg und der Judenmord: Neue Dokumente über das Verhältnis der Heeresgruppe Mitte zur Einsatzgruppe B im Jahr 1941", *VfZ* 52 (2004), p. 527-62.

——, *Hitlers Heerführer: Die deutschen Oberbefehlshaber im Krieg gegen die Sowjetunion 1941/42* (Munique, 2007).

Hyman, Paula, *From Dreyfus to Vichy: The Remaking of French Jewry, 1906-1939* (Nova York, 1979).

Ioanid, Radu, *The Holocaust in Romania: The Destruction of Jews and Gypsies under the Antonescu Regime, 1940-1944* (Chicago, Ill., 2000).

IR 309 marchiert an den Feind: Erlebnisberichte aus dem Polenfeldzuge 1939 (ed. Oberst Dr. Hoffmann, Berlim, 1940).

Jäckel, Eberhard, "On the Purpose of the Wannsee Conference", in James S. Pacy & Alan P. Wertheimer (eds.), *Perspectives on the Holocaust: Essays in Honor of Raul Hilberg* (Boulder, Colo., 1995), p. 39-49.

Jackson, Julian, *France: The Dark Years 1940-1944* (Oxford, 2001).

——, *The Fall of France: The Nazi Invasion of 1940* (Oxford, 2003).

Jacobmeyer, Wolfgang, *Heimat und Exil: Die Anfänge der polnischen Untergrundbewegung im Zweiten Weltkrieg (September 1939 bis Mitte 1941)* (Hamburgo, 1973).

——, "Der Überfall auf Polen und der neue Charakter des Krieges", in Klessmann (ed.), *September 1939*, p. 16-37.

Jacobsen, Hans-Adolf (ed.), *Dokumente zur Vorgeschichte des Westfeldzuges 1939-1940* (Göttingen, 1956).

——, *Fall Gelb: Der Kampf um den deutschen Operationsplan zur Westoffensive 1940* (Wiesbaden, 1957).

——, *Dünkirchen: Ein Beitrag zur Geschichte des Westfeldzuges 1940* (Neckargemünd, 1958).

—— (ed.), *Dokumente zum Westfeldzug 1940* (Göttingen, 1960).

——, "The *Kommissarbefehl* and Mass Executions of Soviet Russian Prisoners of War", in Helmut Krausnick et al., *Anatomy of the SS State* (Londres, 1968 [1965]), p. 505-34.

—— (ed.), *Misstrauische Nachbarn: Deutsche Ostpolitik 1919/1970* (Düsseldorf, 1970).

—— (ed.), *"Spiegelbild einer Verschwörung": Die Opposition gegen Hitler und der Staatsstreich vom 20. Juli 1940 in der SD-Berichterstattung: Geheime Dokumente aus dem ehemaligen Reichssicherheitshauptamt* (2 vols., Stuttgart, 1984).

Jahnke, Karl Heinz, *Weisse Rose contra Hakenkreuz: Der Widerstand der Geschwister Scholl und ihre Freunde* (Frankfurt am Main, 1969).

——, *Weisse Rose contra Hakenkreuz: Studenten im Widerstand 1942/43: Einblicke in viereinhalb Jahrzehnte Forschung* (Rostock, 2003).

James, Harold, *The Deutsche Bank and the Nazi Economic War against the Jews: The Expropriation of Jewish-Owned Property* (Cambridge, 2001).

Jannings, Emil, *Theater, Film— Das Leben und ich* (Munique, 1989 [1951]).

Jansen, Christian & Weckbecker, Arno, "Eine Miliz im "Weltanschauungskrieg": Der "Volksdeutsche Selbstschutz in Polen 1939/40"", in Wolfgang Michalka (ed.), *Der Zweite Weltkrieg: Analysen – Grundzüge – Forschungsbilanz* (Munique, 1989), p. 482-500.

——, *Der "Volksdeutsche Selbstschutz" in Polen 1939/40* (Munique, 1992).

——, "Zwangsarbeit für das Volkswagenwerk: Häftlingsalltag auf dem Laagberg bei Wolfsburg", in Frei et al. (eds.), *Ausbeutung*, p. 75-108.

Jarausch, Konrad H., *After Hitler: Recivilizing Germans, 1945-1995* (Nova York, 2006).

Jaskot, Paul B., *The Architecture of Oppression: The SS, Forced Labor, and the Nazi Monumental Building Economy* (Londres, 2000).

Jastrzebski, Wlodzimierz, *Der Bromberger Blutsonntag: Legende und Wirklichkeit* (Pozna, 1990).

Jellonek, Burkhard, *Homosexuelle unter dem Hakenkreuz: Die Verfolgung Homosexueller im Dritten Reich* (Paderborn, 1990).

Jenkins, Roy, *Churchill* (Londres, 2001).

Joachimsthaler, Anton, *Hitlers End: Legenden und Dokumente* (Augsburg, 1999 [1994]).

Jochmann, Werner (ed.), *Adolf Hitler: Monologe im Führerhauptquartier 1941-1944: Die Aufzeichnungen Heinrich Heims* (Hamburgo, 1980).

Johnson, Eric A., *Nazi Terror: The Gestapo, Jews, and Ordinary Germans* (Nova York, 1999).

—— & Reuband, Karl-Heinz, *What We Knew: Terror, Mass Murder, and Everyday Life in Nazi Germany: An Oral History* (Nova York, 2005).

Jong, Louis de, "The Netherlands and Auschwitz", *Yad Vashem Studies*, 7 (1968), p. 39-55.

Joshi, Vandana, *Gender and Power in the Third Reich: Female Denouncers and the Gestapo, 1933-45* (Londres, 2003).

Kaczmarek, Ryszard, "Die deutsche wirtschaftliche Penetration in Polen (Oberschlesien)", in Overy et al. (eds.), *Die "Neuordnung"*, p. 257-72.

Kaienburg, Hermann (ed.), *Konzentrationslager und deutsche Wirtschaft 1939-1945* (Opladen, 1996).

——, "KZ-Haft und Wirtschaftsinteresse: Das Wirtschaftsverwaltungshauptamt der SS als Leitungszentrale der Konzentrationslager und der SS-Wirtschaft", in idem (ed.), *Konzentrationslager*, p. 29-60.

——, "Deutsche politische Häftlinge im Konzentrationslager Neuengamme und ihre Stellung im Hauptlager", in Garbe (ed.), *Häftlinge*, p. 12-80.

——, "Zwangsarbeit: KZ und Wirtschaft im Zweiten Weltkrieg", in Benz & Distel (eds.), *Der Ort des Terrors*, I, p. 179-94.

Kaiser, Ernst & Knorn, Michael, *"Wir lebten und schliefen zwischen den Toten": Rüstungsproduktion, Zwangsarbeit und Vernichtung in den Frankfurter Adlerwerken* (Frankfurt am Main, 1994).

Kaiser, Gerd, *Katyn: Das Staatsverbrechen – das Staatsgeheimnis* (Berlim, 2002).

Kallis, Aristotle A., *Nazi Propaganda and the Second World War* (Londres, 2005).

Kaplan, Chaim A., *Scroll of Agony: The Warsaw Diary of Chaim A. Kaplan* (Londres, 1966).
Kaplan, Marion, "Jewish Daily Life in Wartime Germany", in David Bankier (ed.), *Probing the Depths of German Antisemitism: German Society and the Persecution of the Jews, 1933-1941* (Jerusalém, 2000), p. 395-412.
Kappeler, Alphons, *Ein Fall von "Pseudologia phantastica" in der deutschen Literatur: Fritz Reck--Malleczewen: Mit Totalbibliographie* (Göppingen, 1975).
Karlsch, Rainer, *Hitlers Bombe: Die geheime Geschichte der deutschen Kernwaffenversuche* (Stuttgart, 2005).
Kárny, Miroslav, "'Heydrichiaden': Widerstand und Terror im Protektorat Böhmen und Mähren", in Droulia & Fleischer (eds.), *Von Lidice bis Kalavryta*, p. 51-63.
—— et al. (eds.), *Theresienstadt in der "Endlösung der Judenfrage"* (Praga, 1992).
Kater, Michael H., *Doctors under Hitler* (Chapel Hill, N.C., 1989).
——, *Different Drummers: Jazz in the Culture of Nazi Germany* (Nova York, 1992).
——, *Composers of the Nazi Era: Eight Portraits* (Nova York, 2000).
——, *Das Ahnenerbe der SS 1935-1945: Ein Beitrag zur Kulturpolitik des Dritten Reiches* (Munique, 4ª ed., 2006).
Katz, Robert, *Black Sabbath: A Journey through a Crime against Humanity* (Londres, 1969).
——, *The Battle for Rome: The Germans, the Allies, the Partisans, and the Pope, September 1943-June 1944* (Nova York, 2003).
Kaufmann, Doris (ed.), *Geschichte der Kaiser-Wilhelm-Gesellschaft im Nationalsozialismus: Bestandsaufnahme und Perspektiven der Forschung* (2 vols., Göttingen, 2000).
Kautsky, Benedikt, *Teufel und Verdammte: Erfahrungen und Erkenntnisse aus sieben Jahren in deutschen Konzentrationslagern* (Viena, 1961).
Kay, Alex J., "Germany's Staatssekretäre, Mass Starvation and the Meeting of 2 May 1941", *Journal of Contemporary History*, 41 (2006), p. 685-700.
Keller, Rolf, "'Die kamen in Scharen hier an, die Gefangenen': Sowjetische Kriegsgefangene, Wehrmachtsoldaten und deutsche Bevölkerung in Norddeutschland 1941/42", in Detlef Garbe (ed.), *Rassismus in Deutschland* (Bremen, 1994), p. 35-53.
Keren, Nilli, "The Family Camp", in Gutman & Berenbaum (eds.), *Anatomy*, p. 428-40.
Kermish, Joseph, "Introduction", in Ringelblum, *Polish-Jewish Relations*, p. vii-xxxix.
——, "Introduction", in Czerniakow, *The Warsaw Diary*, p. 1-24.
Kershaw, Ian, *Popular Opinion and Political Dissent in the Third Reich: Bavaria 1933-1945* (Oxford, 1983).
——, *The "Hitler Myth": Image and Reality in the Third Reich* (Oxford, 1989 [1987]).
——, *Hitler*, II: *1936-1945: Nemesis* (Londres, 2000).
——, *Hitler, the Germans and the Final Solution* (Londres, 2008).
Kersten, Felix, *The Kersten Memoirs 1940-1945* (Londres, 1956).
Kettenacker, Lothar (ed.), *Ein Volk von Opfern? Die neue Debatte um den Bombenkrieg 1940--45* (Berlim, 2003).

Kielar, Wieslaw, *Anus Mundi: Five Years in Auschwitz* (Londres, 1982 [1972]).
Killian, Katrin A., "Kriegsstimmungen: Emotionen einfacher Soldaten in Feldpostbriefen", in *DRZW* IX/II, p. 251-88.
Kirby, David, *Finland in the Twentieth Century* (Londres, 1979).
Kirchhoff, Hans, "Denmark: A Light in the Darkness of the Holocaust? A Reply to Gunnar S. Paulsson", in Cesarani (ed.), *Holocaust*, V, p. 128-39.
Kirstin, Wolfgang, *Das Konzentrationslager als Institution totalen Terrors: Das Beispiel des KL Natzweiler* (Pfaffenweiler, 1992).
Klee, Ernst (ed.), *Dokumente zur "Euthanasie"* (Frankfurt am Main, 1985).
——, *"Euthanasie" im NS-Staat: Die "Vernichtung lebensunwerten Lebens"* (Frankfurt am Main, 1985 [1983]).
——, *Auschwitz, die NS-Medizin und ihre Opfer* (Frankfurt am Main, 1997).
—— et al. (eds.), *"Those Were the Days": The Holocaust as Seen by the Perpetrators and Bystanders* (Londres, 1991 [1988]).
Klee, Karl, *Das Unternehmen "Seelöwe": Die geplante deutsche Landung in England 1940* (Göttingen, 1958).
——, *Dokumente zum Unternehmen "Seelöwe": Die geplante deutsche Landung in England 1940* (Göttingen, 1959).
Klee, Katja, "'Nie wieder Aufnahme von Kindern': Anspruch und Wirklichkeit der KLV in den Aufnahmegauen", in Rüther (ed.), *"Zu Hause"*, p. 161-94.
Klein, Burton H., *Germany's Economic Preparations for War* (Cambridge, Mass., 1959).
Klein, Peter (ed.), *Die Einsatzgruppen in der besetzten Sowjetunion 1941/42: Die Tätigkeitsund Lageberichte des Chefs der Sicherheitspolizei und des SD* (Berlim, 1997).
——, "Zwischen den Fronten: Die Zivilbevölkerung Weissrusslands und der Krieg der Wehrmacht gegen die Partisanen", in Quinkert (ed.), *"Wir sind die Herren dieses Landes"*, p. 82-103.
Klemperer, Klemens von, *German Resistance against Hitler: The Search for Allies Abroad 1938-1945* (Oxford, 1992).
Klemperer, Victor, *I Shall Bear Witness: The Diaries of Victor Klemperer 1933-41* (Londres, 1998 [1995]).
——, *To the Bitter End: The Diaries of Victor Klemperer 1942-45* (Londres, 1998 [1995]).
——, *The Lesser Evil: The Diaries of Victor Klemperer 1945-59* (Londres, 2003 [1999]).
Klepper, Jochen, *Unter dem Schatten deiner Flügel: Aus den Tagebüchern der Jahre 1932-1942* (Stuttgart, 1955).
——, *Uberwindung: Tagebücher und Aufzeichnungen aus dem Kriege* (Stuttgart, 1958).
——, *Briefwechsel 1925-1942* (ed. Ernst G. Riemschneider, Stuttgart, 1973).
Klessmann, Christoph, "Der Generalgouverneur Hans Frank", *VfZ* 19 (1971), p. 245-66.
——, *Die Selbstbehauptung einer Nation: Nationalsozialistische Kulturpolitik und polnische Widerstandsbewegung im Generalgouvernement 1939-1945* (Düsseldorf, 1971).

——, "Die Zerstörung des Schulwesens als Bestandteil deutscher Okkupationspolitik im Osten am Beispiel Polens", in Manfred Heinemann (ed.), *Erziehung und Schulung im Dritten Reich*, I: *Kindergarten, Schule, Jugend, Berufserziehung* (Stuttgart, 1980), p. 176-92.

——, "Die kulturelle Selbstbehauptung der polnischen Nation", in idem (ed.), *September 1939*, p. 117-38.

—— (ed.), *September 1939: Krieg, Besatzung, Widerstand in Polen: Acht Beiträge* (Göttingen, 1989).

—— & Dlugoborski, Wazlaw, "Nationalsozialistische Bildungspolitik und polnische Hochschulen 1939-1945", *Geschichte und Gesellschaft*, 23 (1997), p. 535-59.

Klingler, Walter, *Nationalsozialistische Rundfunkpolitik 1942-1945: Organisation, Programm und die Hörer* (Mannheim, 1983).

Klonicki, Aryeh & Malwina, *The Diary of Adam's Father: The Diary of Aryeh Klonicki (Klonymus) and His Wife Malvina* (Jerusalém, 1973).

Klukowski, Zygmunt, *Diary from the Years of Occupation 1939-44* (Urbana, Ill., 1993 [1958]).

Kock, Gerhard, "Die Erweiterte Kinderlandverschickung und der Konflikt mit den Kirchen", in Rüther (ed.), *"Zu Hause"*, p. 209-42.

——, "Nur zum Schutz aufs Land gebracht? Die Kinderlandverschickung und ihre erziehungspolitischen Ziele", in Rüther (ed.), *"Zu Hause"*, p. 17-52.

Koehl, Robert L., *RKFDV: German Resettlement and Population Policy 1939-1945: A History of the Reich Commission for the Strengthening of Germandom* (Cambridge, Mass., 1957).

Kogon, Eugen, et al. (eds.), *Nationalsozialistische Massentötungen durch Giftgas: Eine Dokumentation* (Frankfurt am Main, 1983).

Kohlmann-Viand, Doris, *NS-Pressepolitik im Zweiten Weltkrieg* (Munique, 1991).

Kolb, Eberhard, *Bergen-Belsen 1943-1945: Vom "Aufenthaltslager" zum Konzentrationslager 1943-1945* (Göttingen, 2001).

Krakowski, Shmuel, "The Fate of Polish Prisoners of War in the September 1939 Camps", *Yad Vashem Studies* 12 (1977), p. 296-333.

——, *The War of the Doomed: Jewish Armed Resistance in Poland, 1942-1944* (Nova York, 1984).

Krämer, Nicole, "'Kämpfende Mütter' und 'gefallene Heldinnen': Frauen im Luftschutz", in Süss (ed.), *Deutschland im Luftkrieg*, p. 85-98.

Kranz, Tomasz, "Das KL Lublin zwischen Planung und Realisierung", in Herbert et al. (eds.), *Die nationalsozialistischen Konzentrationslager*, I, p. 363-89.

Kratz, Philipp, "Sparen für das kleine Glück", in Götz Aly (ed.), *Volkes Stimme: Skepsis und Führervertrauen im Nationalsozialismus* (Frankfurt am Main, 2006), p. 59-79.

Krausnick, Helmut, "Hitler und die Morde in Polen: Ein Beitrag zum Konflikt zwischen Heer und SS um die Verwaltung der besetzten Gebiete (Dokumentation)", *VfZ* 11 (1963), p. 196-209.

—, *Hitlers Einsatzgruppen: Die Truppen des Weltanschauungskrieges 1938-1942* (Frankfurt am Main, 1985 [1981]).

Kroener, Bernhard R., "The Manpower Resources of the Third Reich in the Area of Conflict between Wehrmacht, Bureaucracy and War Economy, 1939-1942", in *GSWW* V/I, p. 799-1154.

—, "'Nun Volk, steh auf...!' Stalingrad und der 'totale' Krieg 1942-1943", in Förster (ed.), *Stalingrad*, p. 151-70.

Kublik, Steven, *The Stones Cry Out: Sweden's Response to the Persecution of the Jews, 1933--1945* (Nova York, 1988).

Kudlien, Fridlof, *Ärzte im Nationalsozialismus* (Colônia, 1985).

Kühne, Thomas, "Zwischen Männerbund und Volksgemeinschaft: Hitlers Soldaten und der Mythos der Kameradschaft", *Archiv für Sozial geschichte*, 38 (1998), p. 165-89.

—, "Gruppenkohäsion und Kameradschaftsmythos in der Wehrmacht", in Rolf--Dieter Müller & Hans-Erich Volkmann (eds.), *Die Wehrmacht: Mythos und Realität* (Munique, 1999), p. 534-59.

—, *Kameradschaft: Die Soldaten des nationalsozialistischen Krieges und das 20. Jahrhundert* (Göttingen, 2006).

Kulka, Otto Dov & Jäckel, Eberhard (eds.), *Die Juden in den Geheimen NS-Stimmungsberichten 1933-1945* (Düsseldorf, 2004).

Kundrus, Birthe, *Kriegerfrauen: Familienpolitik und Geschlecht erverhältnisse im Ersten und Zweiten Weltkrieg* (Hamburgo, 1995).

—, "Totale Unterhaltung? Die kulturelle Kriegführung 1939 bis 1945 in Film, Rundfunk und Theater", in *DRZW* IX/I, p. 93-157.

Kunz, Andreas, *Wehrmacht und Niederlage: Die bewaffnete Macht in der Endphase der nationalsozialistischen Herrschaft 1944 bis 1945* (Munique, 2005).

—, "Die Wehrmacht 1944/45: Eine Armee im Untergang", in *DRZW* X/II, p. 3-54.

Kupper, René, "Karl Hermann Frank als Deutscher Staatsminister für Böhmen und Mähren", in Monika Glettler *et al.* (eds.), *Geteilt, Besetzt, Beherrscht: Die Tschechoslowakei 1938-1945: Reichsgau Sudetenland, Protektorat Böhmen und Mähren, Slowakei* (Essen, 2004), p. 31-52.

Kuropka, Joachim (ed.), *Meldungen aus Münster, 1924-1944: Geheime und vertrauliche Berichte von Polizei, Gestapo, NSDAP und ihren Gliederungen, staatlicher Verwaltung, Gerichtsbarkeit und Wehrmacht über die politische und gesellschaftliche Situation in Münster* (Münster, 1992).

Kuznetsov, Anatoly, *Babi Yar: A Document in the Form of a Novel* (Londres, 1970 [1966]).

Kwiet, Konrad, *Reichskommissariat Niederlande: Versuch und Scheitern nationalsozialistischer Neuordnung* (Stuttgart, 1968).

—, "Rehearsing for Murder: The Beginning of the Final Solution in Lithuania in June 1941", *Holocaust and Genocide Studies*, 12 (1998), p. 3-26.

Lambauer, Barbara, "Opportunistischer Antisemitismus: Der deutsche Botschafter Otto Abetz und die Judenverfolgung in Frankreich", *VfZ* 53 (2005), p. 241-73.

Landau-Czajka, Anna, "The Jewish Question in Poland: Views Expressed in the Catholic Press between the Two World Wars", *Polin: Studies in Polish Jewry*, 11 (1998), p. 263--78.

Lang, Ralf, *Italienische "Fremdarbeiter" im nationalsozialistischen Deutschland 1937-1945* (Frankfurt am Main, 1996).

Lange, Wilhelm, *Cap Arcona: Dokumentation* (Eutin, 1992).

Laqueur, Walter, *The Terrible Secret: Suppression of the Truth about Hitler's "Final Solution"* (Londres, 1980).

Latawski, Paul, "Polish Campaign", in Dear (ed.), *The Oxford Companion to World War II*, p. 705-8.

Latzel, Klaus, "Tourismus und Gewalt: Kriegswahrnehmungen in Feldpostbriefen", in Heer & Naumann (eds.), *Vernichtungskrieg*, p. 447-59.

Lavi, Theodore, "The Vatican's Endeavors on Behalf of Romanian Jewry during the Second World War", *Yad Vashem Studies*, 5 (1963), p. 405-18.

Lehberger, Reiner, *Englischunterricht im Nationalsozialismus* (Tübingen, 1986).

Levi, Erik, *Music in the Third Reich* (Londres, 1994).

Levi, Primo, *If This Is a Man* (Londres, 1957 [1948]).

Levine, Hillel, *In Search of Sugihara: The Elusive Japanese Diplomat Who Risked His Life to Rescue 10,000 Jews from the Holocaust* (Nova York, 1996).

Levine, Paul A., *From Indifference to Activism: Swedish Diplomacy and the Holocaust* (Upsala, 1996).

Lewandowski, Jozef, "Early Swedish Information about the Nazis' Mass Murder of the Jews", *Polin: Studies in Polish Jewry*, 13 (2000), p. 113-27.

Lewinski, Jerzy, "The Death of Adam Czerniakow and Janusz Korcak's Last Journey", *Polin: Studies in Polish Jewry*, 7 (1992), p. 224-53.

Lewy, Guenter, *The Nazi Persecution of the Gypsies* (Nova York, 2000).

Liddell Hart, Basil H. (ed.), *The Rommel Papers* (Londres, 1953).

Lifton, Robert Jay, *The Nazi Doctors: Medical Killing and the Psychology of Genocide* (Londres, 1986).

Longerich, Peter, "Nationalsozialistische Propaganda", in Karl Dietrich Bracher *et al.* (eds.), *Deutschland 1933-1945: Neue Studien zur national sozialistischen Herrschaft* (Düsseldorf, 1993), p. 291-314.

——, *Politik der Vernichtung: Eine Gesamtdarstellung der nationals ozialistischen Judenverfolgung* (Munique, 1998).

——, *Der ungeschriebene Befehl: Hitler und der Weg zur "Endlösung"* (Munique, 2001).

——, *"Davon haben wir nichts gewusst!" Die Deutschen und die Judenverfolgung 1933-1945* (Munique, 2006).

—— & Pohl, Dieter (eds.), *Die Ermordung der europäischen Juden: Eine umfassende Dokumentation des Holocaust 1941-1945* (Munique, 1989), p. 167-9.

Lower, Wendy, *Nazi Empire-Building and the Holocaust in Ukraine* (Chapel Hill, N.C., 2005).

Luczak, Czeslaw, "Landwirtschaft und Ernährung in Polen während der deutschen Besatzungszeit 1939-1945", in Bernd Martin & Alan S. Milward (eds.), *Agriculture and Food Supply in the Second World War* (Ostfildern, 1985), p. 117-27.

Ludwig, Karl-Heinz, *Technik und Ingenieure im Dritten Reich* (Düsseldorf, 1974).

Maase, Kaspar, *Grenzenloses Vergnügen: Der Aufstieg der Massenkultur 1850-1970* (Frankfurt am Main, 1997).

McCarthy, Jamie et al., "The Ruins of the Gas Chambers: A Forensic Investigation of Crematoriums at Auschwitz I and Auschwitz-Birkenau", *Holocaust and Genocide Studies*, 18 (2004), p. 68-103.

MacQueen, Michael, "The Conversion of Looted Jewish Assets to Run the German War Machine", *Holocaust and Genocide Studies*, 18 (2004), p. 27-45.

Madajczyk, Czeslaw, *Die Okkupationspolitik Nazideutschlands in Polen 1939-1945* (Colônia, 1988 [1970]).

—— et al. (eds.), *Vom Generalplan Ost zum Generalsiedlungsplan: Dokumente* (Munique, 1994).

Maertz, Gregory, *The Invisible Museum: The Secret Postwar History of Nazi Art* (New Haven, Conn., 2008).

Maier, Dieter, *Arbeitseinsatz und Deportation: Die Mitwirkung der Arbeitsverwaltung bei der nationalsozialistischen Judenverfolgung in den Jahren 1938-1945* (Berlim, 1994).

Maier, Klaus A., "The Battle of Britain", in *GSWW* II, p. 374-407.

Mammach, Klaus, *Der Volkssturm: Bestandteil des totalen Kriegseinsatzes der deutschen Bevölkerung 1944/45* (Berlim, 1981).

Manoschek, Walter, *"Serbien ist judenfrei": Militärische Besatzungs politik und Judenvernichtung in Serbien 1941/42* (Munique, 1993).

——, "'Gehst mit Juden erschiessen?' Die Vernichtung der Juden in Serbien", in Heer & Naumann (eds.), *Vernichtungskrieg*, p. 39-56.

—— (ed.), *Die Wehrmacht im Rassenkrieg: Der Vernichtungskrieg hinter der Front* (Viena, 1996).

——, "Partisanenkrieg und Genozid: Die Wehrmacht in Serbien 1941", in idem (ed.), *Die Wehrmacht im Rassenkrieg*, p. 142-67.

—— (ed.), *"Es gibt nur Eines für das Judentum: Vernichtung": Das Judenbild in deutschen Soldatenbriefen 1939-1941* (Hamburgo, 1997 [1995]).

——, "Die Vernichtung der Juden in Serbien", in Ulrich Herbert (ed.), *Nationalsozialistische Vernichtungspolitik 1939-1945: Neue Forschungen und Kontroversen* (Frankfurt am Main, 1998), p. 209-34.

———, "Krajevo – Kragujevac – Kalavryta: Die Massaker der 717. Infanteriedivision bzw. 117. Jägerdivision am Balnak", in Droulia & Fleischer (eds.), *Von Lidice bis Kalavryta*, p. 93-104.

Mantelli, Brunello, "Von der Wanderarbeit zur Deportation: Die italienischen Arbeiter in Deutschland 1938-1945", in Herbert (ed.), *Europa und der "Reichseinsatz"*, p. 51-89.

Marrus, Michael R. (ed.), *The Nazi Holocaust: Historical Articles on the Destruction of European Jews* (5 vols., Westport, Conn., 1989).

——— & Paxton, Robert O., *Vichy France and the Jews* (Nova York, 1981).

Maschmann, Melita, *Account Rendered: A Dossier on my Former Self* (Londres, 1964).

Maser, Werner (ed.), *Hitlers Briefe und Notizen: Sein Weltbild in handschriftlichen Dokumenten* (Düsseldorf, 1973).

Mason, Tim, *Social Policy in the Third Reich: The Working Class and the "National Community"* (Oxford, 1995).

Massin, Benoît, "Mengele, die Zwillingsforschung und die 'Auschwitz-Dahlem Connection'", in Carola Sachse (ed.), *Die Verbindung nach Auschwitz: Biowissenschaften und Menschenversuche an Kaiser-Wilhelm-Instituten: Dokumentation eines Symposiums* (Göttingen, 2003), p. 201-54.

Matthäus, Jürgen, "Jenseits der Grenze: Die ersten Massenerschiessungen von Juden in Litauen (Juni-August 1941)", *Zeitschrift für Geschichtswissenschaft*, 44 (1996), p. 97--117.

———, "Ausbildungsziel Judenmord? Zum Stellenwert der 'weltanschaulichen Erziehung' von SS und Polizei im Rahmen der 'Endlösung'", *Zeitschrift für Geschichtswissenschaft*, 47 (1999), p. 677-99.

——— et al. (eds.), *Ausbildungsziel Judenmord? "Weltanschauliche Erziehung" von SS, Polizei und Waffen-SS im Rahmen der "Endlösung"* (Frankfurt am Main, 2003).

Mawdsley, Evan, *Thunder in the East: The Nazi-Soviet War 1941-1945* (Londres, 2005).

May, Ernest R., *Strange Victory: Hitler's Conquest of France* (Nova York, 2000).

Mazower, Mark, *Inside Hitler's Greece: The Experience of Occupation 1941-44* (Londres, 1993).

———, *Salonica: City of Ghosts: Christians, Muslims and Jews 1430-1950* (Londres, 2004).

———, *Hitler's Empire: Nazi Rule in Occupied Europe* (Londres, 2008).

Meier-Welcker, Hans, *Aufzeichnungen eines Generalstabsoffiziers 1939-1942* (Freiburg im Breisgau, 1982).

Melis, Damian van, *Entnazifizierung in Mecklenburg-Vorpommern: Herrschaft und Verwaltung 1945-1948* (Munique, 1999).

Merridale, Catherine, *Ivan's War: The Red Army 1939-1945* (Londres, 2005).

Messerschmidt, Manfred, "Partisanenkrieg auf dem Balkan, Ziele, Methoden, 'Rechtfertigung'", in Droulia & Fleischer (eds.), *Von Lidice bis Kalavryta*, p. 65-91.

——— & Wüllner, Fritz, *Die Wehrmachtjustiz im Dienste des Nationalsozialismus: Zerstörung einer Legende* (Baden-Baden, 1987).

Meyer, Ahlrich, *Die deutsche Besatzung in Frankreich 1940-1944: Widerstandbekämpfung und Judenverfolgung* (Darmstadt, 2000).

——, *Täter im Verhör: Die Endlösung der Judenfrage in Frankreich 1940-1944* (Darmstadt, 2005).

Meyer, Beate, *"Jüdische Mischlinge": Rassenpolitik und Verfolgungserfahrung 1933-1945* (Hamburgo, 1999).

Meyer, Marcus, *"... uns 100 Zivilausländer umgehend zu beschaffen": Zwangsarbeit bei den Bremer Stadtwerken 1939-1945* (Bremen, 2002).

Michaelis, Meir, *Mussolini and the Jews: German-Italian Relations and the Jewish Question in Italy, 1922-1945* (Oxford, 1978).

Michalka, Wolfgang (ed.), *Das Dritte Reich* (2 vols., Munique, 1985).

Michman, Dan (ed.), *Belgium and the Holocaust: Jews, Belgians, Germans* (Jerusalém, 1998).

Middlebrook, Martin, *The Battle of Hamburg: Allied Bomber Forces against a German City in 1943* (Londres, 1980).

Militärgeschichtliches Forschungsamt (ed.), *Das Deutsche Reich und der Zweite Weltkrieg* (10 vols., Stuttgart/Munique, 1979-2008); edição inglesa: *Germany and the Second World War* (10 vols., Oxford, 1990- [1979-]).

Miller, Marshall Lee, *Bulgaria during the Second World War* (Stanford, Calif., 1975).

Milton, Sybil H., "The Expulsion of Polish Jews from Germany, October 1938 to July 1939: A Documentation", *Leo Baeck Institute Yearbook*, 29 (1984), p. 169-74.

——, "'Gypsies' as Social Outsiders in Nazi Germany", in Robert Gellately & Nathan Stolzfus (eds.), *Social Outsiders in Nazi Germany* (Princeton, N.J., 2001).

Milward, Alan S., "Hitlers Konzept des Blitzkrieges", in Andreas Hillgruber (ed.), *Probleme des Zweiten Weltkrieges* (Colônia, 1967), p. 19-40.

——, *The Fascist Economy in Norway* (Oxford, 1972).

——, *The New Order and the French Economy* (Oxford, 1984).

——, *The German Economy at War* (Londres, 1985).

——, *War, Economy and Society 1939-1945* (Londres, 1987 [1977]), p. 137.

Moeller, Robert G., *War Stories: The Search for a Usable Past in the Federal Republic of Germany* (Berkeley, Calif., 2001).

Molotov, Vyacheslav M. et al., *Soviet Government Statements on Nazi Atrocities* (Londres, 1945).

Moltmann, Günter, "Goebbels' Speech on Total War, February 18, 1943", in Hajo Holborn (ed.), *Republic to Reich: The Making of the Nazi Revolution: Ten Essays* (Nova York, 1973 [1972]), p. 298-342.

Mommsen, Hans, "Social Views and Constitutional Plans of the Resistance", in Hermann Graml et al., *The German Resistance to Hitler* (Londres, 1970 [1966]), p. 55-147.

——, "Die moralische Wiederherstellung der Nation: Der Widerstand gegen Hitler war von einer antisemitischen Grundhaltung getragen", *Süddeutsche Zeitung*, 21.7.1999, p. 15.

—— & Manfred Grieger, *Das Volkswagenwerk und seine Arbeiter im Dritten Reich* (Düsseldorf, 1996), p. 544-65.
Moore, Bob (ed.), *Victims and Survivors: The Nazi Persecution of the Jews in the Netherlands, 1940-1945* (Londres, 1997).
——, *Resistance in Western Europe* (Oxford, 2000).
Moorhouse, Roger, *Killing Hitler: The Third Reich and the Plots against the Führer* (Londres, 2006).
Morley, John F., *Vatican Diplomacy and the Jews during the Holocaust, 1939-1945* (Nova York, 1980).
Mouton, Michelle, *From Nurturing the Nation to Purifying the Volk: Weimar and Nazi Family Policy, 1918-1945* (Nova York, 2007).
Müller, Klaus-Jürgen & Ueberschär, Gerd, *Kriegsende 1945: Die Zerstörung des deutschen Reiches* (Frankfurt am Main, 1994).
Müller, Max, "Der Tod des Reichsministers Dr Fritz Todt", *Geschichte in Wissenschaft und Unterricht* 18 (1967), p. 602-5.
Müller, Roland (ed.), *Stuttgart zur Zeit des Nationalsozialismus* (Stuttgart, 1988).
——, *Krankenmord im Nationalsozialismus: Grafeneck und die "Euthanasie" in Südwestdeutschland* (Stuttgart, 2001).
Müller, Rolf-Dieter, "The Failure of the Economic 'Blitzkrieg Strategy'", in *GSWW* IV, p. 1061-8.
——, "The Mobilization of the German Economy for Hitler's War Aims", in *GSWW* V/I, p. 407-86.
——, "'Was wir an Hunger ausstehen müssen, könnt Ihr Euch gar nicht denken': Eine Armee verhungert", in Wette & Ueberschär (eds.), *Stalingrad*, p. 131-45.
——, "Albert Speer and Armaments Policy in Total War", in *GSWW* V/II, p. 293-832.
——, *Der Manager der Kriegswirtschaft: Hans Kehrl: Ein Unternehmer in der Politik des "Dritten Reiches"* (Essen, 1999).
——, "Der Zusammenbruch des Wirtschaftslebens und die Anfänge des Wiederaufbaus", in *DRZW* X/II, p. 55-378.
Müller, Sven Oliver, "Nationalismus in der deutschen Kriegsgesellschaft 1939 bis 1945", in *DRZW* IX/II, p. 9-92.
Musial, Bogdan, *"Konterrevolutionäre Elemente sind zu erschiessen": Die Brutalisierung des deutsch-sowjetischen Krieges im Sommer 1941* (Berlim, 2000).
Naasner, Walter, *Neue Machtzentren in der deutschen Kriegswirtschaft 1942-1945* (Boppard, 1994).
——, *SS-Wirtschaft und SS-Verwaltung* (Düsseldorf, 1998).
Naimark, Norman M., *Fires of Hatred: Ethnic Cleansing in Twentieth-Century Europe* (Londres, 2001).
Némirovsky, Irène, *Suite Française* (Londres, 2007 [2004]).
Neufeld, Michael J., *The Rocket and the Reich: Peenemünde and the Coming of the Ballistic Missile Era* (Nova York, 1995).

Neumann, Franz, *Behemoth: The Structure and Practice of National Socialism 1933-1944* (Nova York, 1944 [1942]).

Nicholas, Lynn, *The Rape of Europa: The Fate of Europe's Treasures in the Third Reich and the Second World War* (Nova York, 1994).

Niethammer, Lutz (ed.), *Die Mitläuferfabrik: Die Entnazifizierung am Beispiel Bayerns* (Berlim, 1992).

——, *Der "gesäuberte" Antifaschismus: Die SED und die rotten Kapos von Buchenwald* (Berlim, 1994).

Niven, Bill, *Facing the Nazi Past: United Germany and the Legacy of the Third Reich* (Londres, 2002).

Noakes, Jeremy (ed.), *Nazism 1919-1945, IV: The German Home Front in World War II: A Documentary Reader* (Exeter, 1998).

—— & Pridham, Geoffrey (eds.), *Nazism 1919-1945, III: Foreign Policy, War and Racial Extermination: A Documentary Reader* (Exeter, 1988).

Nolzen, Armin, "'Sozialismus der Tat'? Die Nationalsozialistische Volkswohlfahrt (NSV) und der alliierte Luftkrieg gegen das deutsche Reich", in Süss (ed.), *Deutschland im Luftkrieg*, p. 57-70.

Nowak, Kurt, *"Euthanasie" und Sterilisierung im "Dritten Reich"— Die Konfrontation der evangelischen und katholischen Kirche mit dem "Gesetz zur Verhütung erbkranken Nachwuchses" und der "Euthanasie"-Aktion* (Gottingen, 1984 [1977]).

——, "Widerstand, Zustimmung, Hinnahme: Das Verhalten der Bevölkerung zur 'Euthanasie'", in Norbert Frei (ed.), *Medizin und Gesundheitspolitik in der NS-Zeit* (Munique, 1991), p. 235-51.

Obenaus, Herbert, "Der Kampf um das tägliche Brot", in Herbert *et al.* (eds.), *Die nationalsozialistischen Konzentrationslager* II, p. 841-73.

O'Brien, Mary-Elizabeth, "The Celluloid War: Packaging War for Sale in Nazi Home-Front Films", in Etlin (ed.), *Art*, p. 158-80.

Ofer, Dalia, "Life in the Ghettos of Transnistria", *Yad Vashem Studies*, 25 (1996), p. 229-74.

Ogorreck, Ralf, *Die Einsatzgruppen und die "Genesis der Endlösung"* (Berlim, 1996).

Orth, Karin, "Die Kommandanten der nationalsozialistischen Konzentrationslager", in Herbert *et al.* (eds.), *Die nationalsozialistischen Konzentrationslager*, II, p. 755-86.

——, "Gab es eine Lagergesellschaft? 'Kriminelle' und politische Häftlinge im Konzentrationslager", in Frei *et al.* (eds.), *Ausbeutung*, p. 109-33.

Otter, Anne Sofie von *et al.*, *Terezín/Theresienstadt* (Deutsche Grammophon Gesellschaft, 2007).

Ottmer, Hans-Martin, *"Weserübung": Der deutsche Angriff auf Dänemark und Norwegen im April 1940* (Munique, 1994).

Ousby, Ian, *Occupation: The Ordeal of France 1940-1944* (Londres, 1997).

Overmans, Rüdiger, *Deutsche militärische Verluste im Zweiten Weltkriege* (Munique, 1999).

Overy, Richard J., "Guns or Butter? Living Standards, Finance, and Labour in Germany, 1939-1942", in idem, *War and Economy in the Third Reich*, p. 259-314.
——, "Rationalization and the 'Production Miracle' in Germany during the Second World War", in idem, *War and Economy in the Third Reich*, p. 343-56.
——, *War and Economy in the Third Reich* (Oxford, 1994).
——, *Why the Allies Won* (Londres, 1995).
——, *The Battle* (Londres, 2000).
——, *Interrogations: The Nazi Elite in Allied Hands, 1945* (Londres, 2001).
—— et al., *Die "Neuordnung" Europas: NS-Wirtschaftspolitik in den besetzten Gebieten* (Berlim, 1997).
Padfield, Peter, *Himmler: Reichsführer-SS* (Londres, 1990).
Paris, Edmond, *Genocide in Satellite Croatia 1941-1945: A Record of Racial and Religious Persecution and Massacres* (Chicago, Ill., 1961).
Pätzold, Kurt (ed.), *Verfolgung, Vertreibung, Vernichtung: Dokumente des faschistischen Antisemitismus 1933 bis 1942* (Frankfurt am Main, 1984).
Paul, Gerhard, "'Diese Erschiessungen haben mich innerlich gar nicht mehr berührt': Die Kriegsendphasenverbrechen der Gestapo 1944/45", in idem & Klaus-Michael Mallmann (eds.), *Die Gestapo im Zweiten Weltkrieg: "Heimatfront" und besetztes Europa* (Darmstadt, 2000), p. 543-68.
Paulsson, Gunnar S., *Secret City: The Hidden Jews of Warsaw, 1940-1945* (Londres, 2003).
——, "The Bridge over the Øresund: The Historiography on the Expulsion of the Jews from Nazi-occupied Denmark", in Cesarani (ed.), *Holocaust*, V, p. 99-127.
Paxton, Robert O., *Vichy France: Old Guard and New Order, 1940-1944* (Londres, 1972).
Payne, Stanley G., *A History of Fascism 1914-45* (Londres, 2001 [1995]).
Pelt, Robert Jan Van, "A Site in Search of a Mission", in Gutman & Berenbaum (eds.), *Anatomy*, p. 93-156.
Perz, Bertrand & Sandkühler, Thomas, "Auschwitz und die "Aktion Reinhard' 1942-1945: Judenmord und Raubpraxis in neuer Sicht", *Zeitgeschichte*, 26 (2000), p. 283-316.
Petropoulos, Jonathan, *The Faustian Bargain: The Art World in Nazi Germany* (Londres, 2000).
Peukert, Detlev J. K., *Die KPD im Widerstand: Verfolgung und Untergrundarbeit an Rhein und Ruhr 1933-1945* (Wuppertal, 1980).
——, "Arbeitslager und Jugend-KZ: Die Behandlung 'Gemeinschaftsfremder' im Dritten Reich", in idem & Jürgen Reulecke (eds.), *Die Reihen fast geschlossen: Beiträge zur Geschichte des Alltags unterm Nationalsozialismus* (Wuppertal, 1981), p. 413-34.
——, "Der deutsche Arbeiterwiderstand 1933-1945", in Klaus-Jürgen Müller (ed.), *Der deutsche Widerstand 1933-1945* (Paderborn, 1986), p. 157-81.
Pfahlmann, Hans, *Fremdarbeiter und Kriegsgefangene in der deutschen Kriegswirtschaft 1939--1945* (Darmstadt, 1968).

Pfeiffer, Jürgen, "Neuropathologische Forschung an 'Euthanasie'-Opfern in zwei Kaiser--Wilhelm-Instituten", in Kaufmann (ed.), *Geschichte der Kaiser-Wilhelm-Gesellschaft*, I, p. 151-73.

Phayer, Michael, *The Catholic Church and the Holocaust, 1930-1965* (Bloomington, Ind., 2000).

Pieper, Werner (ed.), *Nazis on Speed: Drogen im 3. Reich* (Loherbach, 2002).

Pietrow-Ennker, Bianka, "Die Sowjetunion in der Propaganda des Dritten Reiches: Das Beispiel der Wochenschau", *Militärgeschichtliche Mitteilungen*, 46 (1989), p. 79-120.

Pinchuk, Ben-Cion, *Shtetl Jews under Soviet Rule: Eastern Poland on the Eve of the Holocaust* (Oxford, 1990).

Piotrowski, Tadeusz, *Poland's Holocaust: Ethnic Strife, Collaboration with Occupying Forces, and Genocide in the Second Republic, 1918-1947* (Jefferson, N.C., 1998).

Pleyer, Kleo, *Volk im Feld* (Hamburgo, 1943).

Plum, Günter, "Deutsche Juden oder Juden in Deutschland?", in Benz (ed.), *Die Juden*, p. 35-74.

Podranski, Thomas, *Deutsche Siedlungspolitik im Osten: Die verschiedenen Varianten des Generalplan Ost der SS* (Berlim, 2001).

Pohl, Dieter, *Von der "Judenpolitik" zum Judenmord: Der Distrikt Lublin des Generalgouvernements 1939-1944* (Frankfurt am Main, 1993).

——, *Nationalsozialistische Judenverfolgung in Ostgalizien 1941-1944: Organisation und Durchführung eines staatlichen Massenverbrechens* (Munique, 1996).

——, "Hans Krüger and the Murder of the Jews in the Stanislawów Region (Galicia)", *Yad Vashem Studies*, 26 (1998), p. 259-64.

——, "Schauplatz Ukraine: Der Massenmord an den Juden im Militärverwaltungsgebiet und im Reichskommissariat 1941-1945", in Frei *et al.* (eds.), *Ausbeutung*, p. 135-73.

Poliakov, Leon & Wulf, Josef (eds.), *Das Dritte Reich und seine Diener* (Frankfurt am Main, 1959).

Polonsky, Antony, "Beyond Condemnation, Apologetics and Apologies: On the Complexity of Polish Behaviour Towards the Jews during the Second World War", in Roger Bullen, Hartmut Pogge von Strandmann & Antony Polonsky (eds.), *Ideas into Politics: Aspects of European History 1880 to 1950* (Londres, 1984).

——, "The German Occupation of Poland during the First and Second World Wars", in Roy A. Prete & A. Hamish Ion (eds.), *Armies of Occupation* (Waterloo, Ontário, 1984), p. 97-142.

Pöppel, Martin, *Heaven and Hell: The War Diary of a German Paratrooper* (Staplehurst, 1988).

Porat, Dina, "The Legend of the Struggle of Jews from the Third Reich in the Ninth Fort Near Kovno, 1941-1942", *Tel Aviver Jahrbuch für deutsche Geschichte*, 20 (1991), p. 363-92.

——, "The Vilna Proclamation of January 1, 1942, in Historical Perspective", *Yad Vashem Studies*, 25 (1996), p. 99-136.

Porter, Brian, "Making a Space for Antisemitism: The Catholic Hierarchy and the Jews in the Early Twentieth Century", *Polin: Studies in Polish Jewry*, 16 (2003), p. 415-29.
Powers, Thomas, *Heisenberg's War: The Secret History of the German Bomb* (Boston, 1993).
Poznanski, Renée, *Jews in France during World War II* (Hanover, 2001 [1994]).
Präg, Werner & Jacobmeyer, Wolfgang (eds.), *Das Diensttagebuch des deutschen Generalgouverneurs in Polen 1939-1945* (Stuttgart, 1975).
Preston, Paul, "Franco and Hitler: The Myth of Hendaye 1940", *Contemporary European History*, 1 (1992), p. 1-16.
——, *Franco: A Biography* (Londres, 1993).
Price, Alfred, *Blitz on Britain* (Shepperton, 1977).
Prieberg, Fred K., *Musik im NS-Staat* (Frankfurt am Main, 1989 [1982]).
——, *Trial of Strength: Wilhelm Furtwängler and the Third Reich* (Londres, 1991 [1986]).
Pringle, Heather, *The Master Plan: Himmler's Scholars and the Holocaust* (Nova York, 2006).
Proctor, Robert N., *Racial Hygiene: Medicine under the Nazis* (Cambridge, Mass., 1988).
Quinkert, Babette (ed.), *"Wir sind die Herren dieses Landes": Ursachen, Verlauf und Folgen des deutschen Überfalls auf die Sowjetunion* (Hamburgo, 2002).
Quisling, Vidkun, *Quisling ruft Norwegen! Reden und Aufsätze* (Munique, 1942).
Rahn, Werner, "The War at Sea in the Atlantic and in the Arctic Ocean", in *GSWW* VI, p. 301-468.
Rass, Christoph, "Das Sozialprofil von Kampfverbänden des deutschen Heeres 1939 bis 1945", in *DRZW* IX/I, p. 641-741.
Rathkolb, Oliver, "Zwangsarbeit in der Industrie", in *DRZW* IX/II, p. 667-728.
Rebentisch, Dieter, *Führerstaat und Verwaltung im Zweiten Weltkrieg* (Stuttgart, 1989).
Reddemann, Karl (ed.), *Zwischen Front und Heimat: Der Briefwechsel des münsterischen Ehepaares Agnes und Albert Neuhaus 1940-1944* (Münster, 1996).
Redlich, Fritz, *Hitler: Diagnosis of a Destructive Prophet* (Nova York, 1998).
Reichel, Peter, *Politik mit der Erinnerung: Gedächtnisorte im Streit um die nationalsozialistische Vergangenheit* (Frankfurt am Main, 1999 [1995]).
Reich-Ranicki, Marcel, *The Author of Himself: The Life of Marcel Reich-Ranicki* (Londres, 2001 [1999]).
Reifarth, Dieter & Schmidt-Linsenhoff, Viktoria, "Die Kamera der Täter", in Heer & Naumann (eds.), *Vernichtungskrieg*, p. 475-503.
Reilly, Joanne, *Belsen: The Liberation of a Concentration Camp* (Londres, 1998).
Remy, Steven P., *The Heidelberg Myth: The Nazification and Denazification of a German University* (Cambridge, Mass., 2002).
Rentschler, Eric, *The Ministry of Illusion: Nazi Cinema and its Afterlife* (Cambridge, Mass., 1996).
Reuband, Karl-Heinz, "'Jud Süss' und 'Der ewige Jude' als Prototypen antisemitischer Filmpropaganda im Dritten Reich: Entstehungsbedingungen, Zuschauerstrukturen

und Wirkungspotential", in Michel Andel et al. (eds.), *Propaganda, (Selbst) Zensur, Sensation: Grenzen von Presse- und Wissenschaftsfreiheit in Deutschland und Tschechien seit 1871* (Essen, 2005), p. 89-148.

Reuth, Ralf Georg, *Goebbels: Eine Biographie* (Munique, 1995 [1990]).

Reynolds, David, *The Creation of the Anglo-American Alliance, 1937-1941: A Study in Competitive Co-operation* (Londres, 1981).

——, *From Munich to Pearl Harbor: Roosevelt's America and the Origins of the Second World War* (Chicago, 2001).

Richardson, Horst F., *Sieg Heil! War Letters of Tank Gunner Karl Fuchs, 1937-1941* (Hamden, Conn., 1987).

Ries, Tomas, *Cold Will: The Defence of Finland* (Londres, 1988).

Riess, Volker, *Die Anfänge der Vernichtung "lebensunwerten Lebens" in den Reichsgauen Danzig-Westpreussen und Wartheland 1939/40* (Frankfurt am Main, 1995).

Ringelblum, Emanuel, *Notes from the Warsaw Ghetto: The Journal of Emanuel Ringelblum* (Nova York, 1958 [1952]).

——, *Polish-Jewish Relations during the Second World War* (Jerusalém, 1974), p. 23-57.

Ristović, Milan, "Yugoslav Jews Fleeing the Holocaust, 1941-1945", in John K. Roth & Elisabeth Maxwell (eds.), *Remembering for the Future: The Holocaust in an Age of Genocide* (3 vols., Londres, 2001), I, p. 512-26.

Roberts, Geoffrey, *Stalin's Wars: From World War to Cold War, 1939-1953* (Londres, 2006).

Rohde, Horst, "Hitler's First Blitzkrieg and Its Consequences for North-eastern Europe", in *GSWW* II, p. 67-150.

Röhm, Eberhard & Thierfelder, Jörg, *Juden, Christen, Deutsche 1933-1945* (3 vols., Stuttgart, 1990-98).

Röhr, Werner, "Zum Zusammenhang von nazistischer Okkupationspolitik in Polen und dem Völkermord an den polnischen Juden", in idem *et al.* (eds.), *Faschismus und Rassismus: Kontroversen um Ideologie und Opfer* (Berlim, 1992), p. 300-16.

——, "Zur Wirtschaftspolitik der deutschen Okkupanten in Polen 1939-1945", in Dietrich Eichholtz (ed.), *Krieg und Wirtschaft: Studien zur deutschen Wirtschaftsgeschichte 1939-1945* (Berlim, 1999).

Roland, Charles G., *Courage under Siege: Starvation, Disease, and Death in the Warsaw Ghetto* (Nova York, 1992).

Roloff, Stefan, "Die Entstehung der Roten Kapelle und die Verzerrung ihrer Geschichte im Kalten Krieg", in Karl Heinz Roth & Angelika Ebbinghaus (eds.), *Rote Kapellen – Kreisauer Kreise – Schwarze Kapellen: Neue Sichtweisen auf den Widerstand gegen die NS-Diktatur 1938-1945* (Hamburgo, 2004), p. 186-205.

Roseman, Mark, *The Past in Hiding* (Londres, 2000).

——, *The Wannsee Conference and the Final Solution: A Reconsideration* (Nova York, 2002).

Rossino, Alexander B., "Nisko – Ein Ausnahmefall unter den Judenlagern der SS", *VfZ* 40 (1992), p. 95-106.

——, "Destructive Impulses: German Soldiers and the Conquest of Poland", *Holocaust and Genocide Studies*, 11 (1997), p. 351-65.

——, *Hitler Strikes Poland: Blitzkrieg, Ideology, and Atrocity* (Lawrence, Kans., 2003).

——, "Polish 'Neighbors' and German Invaders: Anti-Jewish Violence in the Bialystok District during the Opening Weeks of Operation Barbarossa", *Polin: Studies in Polish Jewry*, 16 (2003), p. 431-52.

Rössler, Mechthild & Schleiermacher, Sabine, *Der "Generalplan Ost": Hauptlinien der nationalsozialistischen Planungs- und Vernichtungspolitik* (Berlim, 1993).

Rost, Karl Ludwig, *Sterilisation und Euthanasie im Film des "Dritten Reiches": Nationalsozialistische Propaganda in ihrer Beziehung zu rassenhygienischen Massnahmen des NS-Staates* (Berlim, 1984).

Roth, Karl Heinz, "Strukturen, Paradigmen und Mentalitäten in der luftfahrtmedizinischen Forschung des 'Dritten Reichs': Der Weg ins Konzentrationslager Dachau", 1999. *Zeitschrift für Sozialgeschichte des 20. und 21. Jahrhunderts*, 15 (2000), p. 49-77.

——, "Tödliche Höhen: Die Unterdruckkammer-Experimente im Konzentrationslager Dachau und ihre Bedeutung für die luftfahrtmedizinische Forschung des 'Dritten Reichs'", in Ebbinghaus & Dörner (eds.), *Vernichten und Heilen*, p. 110-51.

—— & Götz Aly, "Das 'Gesetz über die Sterbehilfe bei unheilbar Kranken': Protokolle der Diskussion über die Legalisierung der nationalsozialistischen Anstaltsmorde in den Jahren 1938-1941", in Karl Heinz Roth (ed.), *Erfassung zur Vernichtung: Von der Sozialhygiene zum "Gesetz über Sterbehilfe"* (Berlim, 1984), p. 101-79.

Rothkirchen, Livia, "The Situation of the Jews in Slovakia between 1939 and 1945", *Jahrbuch für Antisemitismusforschung*, 7 (1998), p. 46-70.

Rozett, Robert, "Jewish and Hungarian Armed Resistance in Hungary", *Yad Vashem Studies*, 19 (1988), p. 269-88.

Rubinstein, William D., *The Myth of Rescue: Why the Democracies Could not Have Saved More Jews from the Nazis* (Londres, 1997).

Ruhm von Oppen, Beate (ed.), *Helmuth James von Moltke: Letters to Freya, 1939-1945* (Londres, 1991).

Rupp, Leila J., *Mobilizing Women for War: German and American Propaganda 1939-1945* (Princeton, N.J., 1978).

Rusinek, Bernd-A., *Gesellschaft in der Katastrophe: Terror, Illegalität, Widerstand – Köln 1944/45* (Essen, 1989).

Rüther, Martin (ed.), *"Zu Hause könnten sie es nicht schöner haben!" Kinderlandverschickung aus Köln und Umgebung 1941-1945* (Colônia, 2000).

Rutherford, Philip T., *Prelude to the Final Solution: The Nazi Program for Deporting Ethnic Poles, 1939-1941* (Lawrence, Kans., 2007).

Safrian, Hans, *Die Eichmann-Männer* (Viena, 1993).

——, "Komplizen des Genozids: Zum Anteil der Heeresgruppe Süd an der Verfolgung und Ermordung der Juden in der Ukraine 1941", in Manoschek (ed.), *Die Wehrmacht im Rassenkrieg*, p. 90-115.

Salewski, Michael, *Die deutsche Seekriegsleitung 1935-1945* (Frankfurt am Main, 1970).

Salisbury, Harrison E., *The 900 Days: The Siege of Leningrad* (Londres, 1969).

Sandkühler, Thomas, *"Endlösung" in Galizien: Der Judenmord in Ostpolen und die Rettungsinitiativen von Berthold Beitz, 1941-1944* (Bonn, 1996).

Satloff, Robert, *Among the Righteous: Lost Stories from the Holocaust's Long Reach into Arab Lands* (Nova York, 2006).

Schäfer, Harald, *Napola: Die letzten vier Jahre der Nationalpolitischen Erziehungsanstalt Oranienstein bei Dietz an der Lahn 1941-945: Eine Erlebnis-Dokumentation* (Frankfurt am Main, 1997).

Scharf, Eginhard, *"Man machte mit uns, was man wollte": Ausländische Zwangsarbeiter in Ludwigshafen am Rhein 1939-1945* (Hamburgo, 2004).

Scheffler, Wolfgang, "The Forgotten Part of the 'Final Solution': The Liquidation of the Ghettos", *Simon Wiesenthal Centre Annual*, 2 (1985), p. 31-51.

Schelach, Menachem, "Sajmiste – An Extermination Camp in Serbia", *Holocaust and Genocide Studies*, 2 (1987), p. 243-60.

Schellenberg, Walter, *Invasion 1940: The Nazi Invasion Plan for Britain* (Londres, 2000).

——, *The Memoirs of Hitler's Spymaster* (Londres, 2006 [1956]).

Schenk, Dieter, *Hitlers Mann in Danzig: Gauleiter Forster und die NS-Verbrechen in Danzig- -Westpreussen* (Bonn, 2000).

Schepping, Wilhelm, "Zeitgeschichte im Spiegel eines Liedes", in Günter Noll & Marianne Bröcker (eds.), *Musikalische Volkskunde aktuell* (Bonn, 1984), p. 435-64.

Scheuer, Alois (ed.), *Briefe aus Russland: Feldpostbriefe des Gefreiten Alois Scheuer 1941-1942* (St Ingbert, 2000).

Scheurig, Bodo, *Henning von Tresckow: Ein Preusse gegen Hitler* (Frankfurt am Main, 1987).

Schlabrendorff, Fabian von, *Revolt against Hitler: The Personal Account of Fabian von Schlabrendorff* (Londres, 1948).

Schmaltz, Florian, *Kampfstoff-Forschung im Nationalsozialismus: Zur Kooperation von Kaiser- -Wilhelm-Instituten, Militär und Industrie* (Göttingen, 2005).

——, "Neurosciences and Research on Chemical Weapons of Mass Destruction in Nazi Germany", *Journal of the History of Neurosciences*, 15 (2006), p. 186-209.

Schmidt, Matthias, *Albert Speer: Das Ende eines Mythos: Speers wahre Rolle im Dritten Reich* (Berna, 1982).

Schmidt, Rainer F., "Der Hess-Flug und das Kabinett Churchill", *VfZ* 42 (1994), p. 1-38.

Schmidt, Ulf, "Reassessing the Beginning of the 'Euthanasia' Programme", *German History*, 17 (1999), p. 543-50.

——, *Karl Brandt: The Nazi Doctor: Medicine and Power in the Third Reich* (Londres, 2007).

Schmidt, Uta C., "Radioaneignung", in Inge Marssolek & Adelheid von Saldern (eds.), *Zuhören und Gehörtwerden* (2 vols., Tübingen, 1998), I: *Radio im Nationalsozialismus: Zwischen Lenkung und Ablenkung*, p. 243-360.

Schmuhl, Hans-Walter, *Rassenhygiene, Nationalsozialismus, Euthanasie: Von der Verhütung zur Vernichtung "lebensunwerten Lebens", 1890-1945* (Göttingen, 1987).

——, "Die Patientenmorde", in Ebbinghaus & Dörner (eds.), *Vernichten und Heilen*, p. 295--328.

—— (ed.), *Rassenforschung an Kaiser-Wilhelm-Instituten vor und nach 1933* (Göttingen, 2003).

Schnell, Ralf, *Literarische innere Emigration 1933-1945* (Stuttgart, 1976).

Schreiber, Gerhard, "Germany, Italy, and South-east Europe: From Political and Economic Hegemony to Military Aggression", in *GSWW* III, p. 305-448.

Schubert, Günter, *Das Unternehmen "Bromberger Blutsonntag": Tod einer Legende* (Colônia, 1989).

Schulte, Jan-Erik, "Zwangsarbeit für die SS: Juden in der Ostindustrie GmbH", in Frei *et al*. (eds.), *Ausbeutung*, p. 43-74.

——, *Zwangsarbeit und Vernichtung: Das Wirtschaftsimperium der SS: Oswald Pohl und das SS-Wirtschafts-Verwaltungshauptamt 1933-1945* (Paderborn, 2001).

——, "Das SS-Wirtschafts-Verwaltungshauptamt und die Expansion des KZ-Systems", in Benz and Distel (eds.), *Der Ort des Terrors*, I, p. 141-55.

Schulte, Theo J., *The German Army and Nazi Policies in Occupied Russia* (Oxford, 1989).

Schulze, Winfried & Oexle, Otto (eds.), *Deutsche Historiker im Nationalsozialismus* (Frankfurt am Main, 1999).

Schwab, Gerald, *The Day the Holocaust Began: The Odyssey of Herschel Grynszpan* (Nova York, 1990).

Schwarz, Erika, *Tagesordnung: Judenmord: Die Wannsee-Konferenz am 20. Januar 1942* (Berlim, 1992).

Schwendemann, Heinrich, *Die wirtschaftliche Zusammenarbeit zwischen dem Deutschen Reich und der Sowjetunion von 1939 bis 1941: Alternative zu Hitlers Ostprogramm?* (Berlim, 1993).

——, "'Deutsche Menschen vor der Vernichtung durch den Bolschewismus zu retten': Das Programm der Regierung Dönitz und der Beginn einer Legendenbildung", in Bernd--A. Rusinek (ed.), *Kriegsende 1945: Verbrechen, Katastrophen, Befreiungen in nationaler und internationaler Perspektive* (Göttingen, 2004), p. 9-33.

Sebag-Montefiori, Simon, *Stalin: The Court of the Red Tsar* (Londres, 2003).

Sebastian, Mihail, *"Voller Entsetzen, aber nicht verzweifelt": Tagebücher 1935-44* (ed. Edward Kanterian, Berlim, 2005).

Segeberg, Harro (ed.), *Mediale Mobilmachung*, I: *Das Dritte Reich und der Film* (Munique, 2004).

Seidler, Franz, *"Deutscher Volkssturm": Der letzte Aufgebot 1944/45* (Munique, 1989).

Semmens, Kristin, *Seeing Hitler's Germany: Tourism in the Third Reich* (Londres, 2005).

Seraphim, Hans-Günter (ed.), *Das Politische Tagebuch Alfred Rosenbergs aus den Jahren 1934/35 und 1939/40* (Munique, 1964).

Sereny, Gitta, *Into that Darkness: An Examination of Conscience* (Londres, 1977 [1974]).

——, *Albert Speer: His Battle with Truth* (Londres, 1995).

Service, Robert, *Stalin: A Biography* (Londres, 2004).

Shapiro, Paul A., "The Jews of Chisinau (Kishinev): Romanian Reoccupation, Ghettoization, Deportation", in Braham (ed.), *The Destruction of Romanian and Ukrainian Jews*, p. 135-94.

Shephard, Ben, *After Daybreak: The Liberation of Belsen, 1945* (Londres, 2005).

Shils, Edward A. & Janowitz, Morris, "Cohesion and Disintegration in the Wehrmacht in World War II", *Public Opinion Quarterly*, 12 (1948), p. 280-315.

Shirakawa, Sam H., *The Devil's Music Master: The Controversial Life and Career of Wilhelm Furtwängler* (Nova York, 1992).

Shirer, William L., *Berlin Diary* (Londres, 1970 [1941]).

Siegel, Tilla, *Leistung und Lohn in der nationalsozialistischen "Ordnung der Arbeit"* (Opladen, 1989).

Siegfried, Klaus-Georg, *Das Leben der Zwangsarbeiter im Volkswagenwerk 1939-1945* (Frankfurt am Main, 1988).

Sierakowiak, Dawid, *The Diary of Dawid Sierakowiak* (ed. Alan Adelson, Londres, 1996).

Slesina, Horst, *Soldaten gegen Tod und Teufel: Unser Kampf in der Sowjetunion: Eine soldatische Deutung* (Düsseldorf, 1942).

Smelser, Ronald M. & Zitelmann, Rainer (eds.), *The Nazi Elite* (Basingstoke, 1993 [1989]).

Smith, Denis Mack, *Mussolini* (Londres, 1987 [1981]).

——, *Modern Italy: A Political History* (Londres, 1997 [1959]).

Snowden, Frank, "Latina Province 1944-1950", *Journal of Contemporary History*, 43/3 (2008), p. 509-76.

Sollbach, Gerhard E. (ed.), *Dortmund: Bombenkrieg und Nachkriegsalltag 1939-1945* (Hagen, 1996).

Solmitz, Luise, *Tagebuch* (Staatsarchiv der Freien- und Hansestadt Hamburg, 622-1, 111511-13: Familie Solmitz; transcrições em Forschungsstelle für Zeitgeschichte, Hamburgo).

Spector, Shmuel, *The Holocaust of Volhynian Jews: 1941-1944* (Jerusalém, 1990).

Speer, Albert, *Inside the Third Reich: Memoirs* (Londres, 1975 [1970]).

——, *Spandau: The Secret Diaries* (Londres, 1976 [1975]).

Spoerer, Mark, *Zwangsarbeit unter dem Hakenkreuz: Ausländische Zivilarbeiter, Kriegsgefangene und Häftlinge im Deutschen Reich und im besetzten Europa 1939-1945* (Stuttgart, 2001).

——, "Die soziale Differenzierung der ausländischen Zivilarbeiter, Kriegsgefangenen und Häftlinge im Deutschen Reich", in *DRZW* IX/II, p. 485-576.

Spotts, Frederic, *Hitler and the Power of Aesthetics* (Londres, 2002).

Stadtarchiv München (ed.), *"...verzogen, unbekannt wohin": Die erste Deportation von Münchner Juden im November 1941* (Zurique, 2000).

Stafford, David, *Endgame 1945: Victory, Retribution, Liberation* (Londres, 2007).

Stahr, Gerhard, *Volksgemeinschaft vor der Leinwand? Der nationalsozialistische Film und sein Publikum* (Berlim, 2001).

Stefanski, Valentina Maria, *Zwangsarbeit in Leverkusen: Polnische Jugendliche im I. G. Farbenwerk* (Osnabrück, 2000).

Stegemann, Bernd, "Hitlers Kriegszeiele im ersten Kriegsjahr 1939/40: Ein Beitrag zur Quellenkritik", *Militärgeschichtliche Mitteilungen*, 27 (1980), p. 93-105.

——, "The Italo-German Conduct of War in the Mediterranean and North Africa", in *GSWW* III, p. 643-754.

——, "Operation Weserübung", in *GSWW* II, p. 206-19.

Stein, Henry, "Funktionswandel des Konzentrationslagers Buchenwald im Spiegel der Lagerstatistiken", in Herbert et al. (eds.), *Die nationalsozialistischen Konzentrationslager*, I, p. 167-92.

Steinbacher, Sybille, *"Musterstadt" Auschwitz: Germanisierungspolitik und Judenmord in Ostoberschlesien* (Munique, 2000).

——, *Auschwitz: A History* (Londres, 2005 [2004]).

Steinberg, Jonathan, *All or Nothing: The Axis and the Holocaust 1941-1943* (Londres, 1991).

——, *The Deutsche Bank and Its Gold Transactions during the Second World War* (Munique, 1999).

Steinberg, Maxime, *La Persécution des Juifs en Belgique (1940-1945)* (Bruxelas, 2004).

Steinert, Marlis, *Capitulation 1945: A Story of the Dönitz Regime* (Londres, 1969).

——, "Stalingrad und die deutsche Gesellschaft", in Förster (ed.), *Stalingrad*, p. 171-88.

Steinhilfer, Ulrich & Osborne, Peter, *Spitfire on My Tail: A View from the Other Side* (Bromley, 1989).

Stephenson, Jill, *Hitler's Home Front: Württemberg under the Nazis* (Londres, 2006).

Steur, Claudia, *Theodor Dannecker: Ein Funktionär der "Endlösung"* (Essen, 1997).

Stibbe, Matthew, *Women in the Third Reich* (Londres, 2003).

St John, Robert, *Foreign Correspondent* (Londres, 1960), p. 180.

Stoltzfus, Nathan, *Resistance of the Heart: Intermarriage and the Rosenstrasse Protest in Nazi Germany* (Nova York, 1996).

Streim, Alfred, "Zur Eröffnung des allgemeinen Judenvernichtungsbefehls gegenüber den Einsatzgruppen", in Eberhard Jäckel & Jürgen Rohwer (eds.), *Der Mord an den Juden im Zweiten Weltkrieg: Entschlussbildung und Verwirklichung* (Stuttgart, 1985).

Streit, Christian, *Keine Kameraden: Die Wehrmacht und die sowjetischen Kriegsgefangenen 1941-1945* (Stuttgart, 1978).

——, "The Fate of the Soviet Prisoners of War", in Michael Berenbaum (ed.), *A Mosaic of Victims: Non-Jews Persecuted and Murdered by the Nazis* (Londres, 1990), p. 142-9.

Stroop, Jürgen, *The Stroop Report: The Jewish Quarter of Warsaw Is No More!* (Londres, 1980 [1960]).

Stumpf, Reinhard, *Die Wehrmacht-Elite: Rang- und Herkunftsstruktur der deutschen Generale und Admirale 1933-1945* (Boppard, 1982).

——, "The War in the Mediterranean Area 1942-1943: Operations in North Africa and the Central Mediterranean", in *GSWW* VI, p. 631-840.

Stunkard, Horace W., "Erich Martini (1880-1960)", *Journal of Parasitology*, 147 (1961), p. 909-10.

Stützel, Rudolf, *Feldpost: Briefe und Aufzeichnungen eines 17jährigen 1940-1945* (Hamburgo, 2005), p. 54-6.

Süss, Dietmar (ed.), *Deutschland im Luftkrieg: Geschichte und Erinnerung* (Munique, 2007).

——, "Nationalsozialistische Deutungen des Luftkrieges", in idem (ed.), *Deutschland im Luftkrieg*, p. 99-110.

Sword, Keith, "Poland", in Dear (ed.), *The Oxford Companion to World War II*, p. 695-705.

Szarota, Tomasz, "Poland and Poles in German Eyes during World War II", *Polish Western Affairs*, 19 (1978), p. 229-54.

——, *Warschau unter dem Hakenkreuz: Leben und Alltag im besetzten Warschau 1.10.1939 bis 31.7.1944* (Paderborn, 1985 [1973]).

Szobar, Patricia, "Telling Sexual Stories in the Nazi Courts of Law: Race Defilement in Germany 1933-1945", *Journal of the History of Sexuality*, 11 (2002), p. 131-63.

Szodrzynski, Joachim, "Die 'Heimatfront' zwischen Stalingrad und Kriegsende", in Forschungsstelle für Zeitgeschichite in Hamburg (ed.), *Hamburg*, p. 633-86.

Szpilman, Wladyslaw, *The Pianist: The Extraordinary True Story of One Man's Survival in Warsaw, 1939-1945* (Londres, 2002 [1999]).

Tampke, Jürgen, *Czech-German Relations and the Politics of Central Europe from Bohemia to the EU* (Londres, 2003).

Taylor, Frederick, *Dresden: Tuesday 13 February 1945* (Londres, 2004).

Taylor, Telford, *The Anatomy of the Nuremberg Trials* (Londres, 1993).

Tec, Nechama, *Ich wollte retten: Die unglaubliche Geschichte der Bielski-Partisanen 1942-1944* (Berlim, 2002).

Tenfelde, Klaus, "Proletarische Provinz: Radikalisierung und Widerstand in Penzberg/Oberbayern 1900 bis 1945", in Broszat *et al.* (eds.), *Bayern*, IV, p. 1-382.

Thacker, Toby, *Music after Hitler, 1945-1955* (Londres, 2007).

Thamm, Gerhardt B., *Boy Soldier: A German Teenager at the Nazi Twilight* (Jefferson, N.C., 2000).

Theilen, Fritz, *Edelweisspiraten* (Frankfurt am Main, 1984).

Tholander, Christa, *Fremdarbeiter 1939 bis 1945: Ausländische Arbeitskräfte in der Zeppelin-Stadt Friedrichshafen* (Essen, 2001).

Thom, Achim & Caregorodcev, Genadij (eds.), *Medizin unterm Hakenkreuz* (Berlim, 1989).

Thomas, Charles S., *The German Navy in the Nazi Era* (Londres, 1990).
Thompson, Edward P., *Beyond the Frontier: The Politics of a Failed Mission: Bulgaria 1944* (Woodbridge, 1997).
Todorov, Tzvetan, *The Fragility of Goodness: Why Bulgaria's Jews Survived the Holocaust* (Londres, 1999).
Tomasevich, Jozo, *War and Revolution in Yugoslavia, 1941-1945: Occupation and Collaboration* (Stanford, Calif., 2001).
Tooze, Adam, *The Wages of Destruction: The Making and Breaking of the Nazi Economy* (Londres, 2006).
Tory, Avraham, *Surviving the Holocaust: The Kovno Ghetto Diary* (Cambridge, 1990).
Trevor-Roper, Hugh R., *The Last Days of Hitler* (Londres, 1962 [1947]).
——, "The Mind of Adolf Hitler", in Hitler, *Hitler's Table Talk*, p. vii-xxxv.
Tröger, Annemarie, "Die Frau im wesensgemässen Einsatz", in Frauengruppe Faschismusforschung (ed.), *Mutterkreuz und Arbeitsbuch: Zur Geschichte der Frauen in der Weimarer Republik und im Nationalsozialismus* (Frankfurt am Main, 1981), p. 246-72.
Trotha, Klaus von, "'Ran, Angreifen, Versenken!' Aus dem Tagebuch eines U-Boots Kapitäns", in Georg von Hase (ed.), *Die Kriegsmarine im Kampf um den Atlantik: Erlebnisberichte von Mitkämpfern* (Leipzig, 1942), p. 40-69.
Trunk, Isaiah, *Judenrat: The Jewish Councils in Eastern Europe under Nazi Occupation* (Nova York, 1972).
——, *Lodz Ghetto: A History* (Bloomington, Ind., 2006 [1962]).
Trus, Armin, *"... vom Leid erlösen": Zur Geschichte der nationalsozialistischen "Euthanasie"- -Verbrechen: Texte und Materialien für Unterricht und Studium* (Frankfurt am Main, 1995).
Tuchel, Johannes (ed.), *"Kein Recht auf Leben": Beiträge und Dokumente zur Entrechtung und Vernichtung "lebensunwerten Lebens" im Nationalsozialismus* (Berlim, 1984).
Udke, Gerwin (ed.), *"Schreib so oft Du kannst": Feldpostbriefe des Lehrers Gerhard Udke, 1940-1944* (Berlim, 2002).
Ueberschär, Gerd R., *Hitler und Finnland 1938-1941* (Wiesbaden, 1978).
——, *Freiburg im Luftkrieg 1939-1945* (Freiburg, 1990).
——, *Für ein anderes Deutschland: Der deutsche Widerstand gegen den NS-Staat 1933-1945* (Frankfurt am Main, 2006).
—— & Vogel, Winfried, *Dienen und Verdienen: Hitlers Geschenke an seine Eliten* (Frankfurt am Main, 2000 [1999]).
Umbreit, Hans, *Deutsche Militärverwaltungen 1938/39: Die militärische Besetzung der Tschechoslowakei und Polens* (Stuttgart, 1977).
——, "Auf dem Weg zur Kontinentalherrschaft", in *DRZW* V/I, p. 3-345.
——, "The Battle for Hegemony in Western Europe", in *GSWW* II, p. 227-326.

——, "Das unbewältigte Problem: Der Partisanenkrieg im Rücken der Ostfront", in Förster (ed.), *Stalingrad*, p. 130-49.

Upton, Anthony F., *Finland 1939-40* (Londres, 1974).

Vassiltchikov, Marie, *The Berlin Diaries 1940-1945 of Marie "Missie" Vassiltchikov 1940-1945* (Londres, 1987 [1985]).

Vinen, Richard, *The Unfree French: Life under the Occupation* (Londres, 2006).

Vogel, Detlef, "German Intervention in the Balkans", in *GSWW* III, p. 451-555.

——, "German and Allied Conduct of the War in the West", in *GSWW* VII, p. 459-702.

Vogel, Johann Peter, *Hans Pfitzner: Leben, Werke, Dokumente* (Berlim, 1999).

Vollnhals, Clemens, *Entnazifizierung: Politische Säuberung und Rehabilitierung in den vier Besatzungszonen 1945-1949* (Munique, 1991).

Volovici, Leon, *Nationalist Ideology and Antisemitism: The Case of Romanian Intellectuals in the 1930s* (Oxford, 1991).

Vorländer, Herwart, *Die NSV: Darstellung und Dokumentation einer nationalsozialistischen Organisation* (Boppard, 1988).

Vrba, Rudolf, "Die missachtete Warnung: Betrachtungen über den Auschwitz-Bericht von 1944", *VfZ* 44 (1996), p. 1-24.

Wachsmann, Nikolaus, *Hitler's Prisons: Legal Terror in Nazi Germany* (Londres, 2004).

Wagner, Bernd C., *IG-Auschwitz: Zwangsarbeit und Vernichtung von Häftlingen des Lagers Monowitz 1941-1945* (Munique, 2000).

Wagner, Jens Christian, "Noch einmal: Arbeit und Vernichtung: Häftlingseinsatz im KL Mittelbau-Dora 1943-1945", in Frei et al. (eds.), *Ausbeutung*, p. 11-42.

Wagner, Patrick, "Das Gesetz über die Behandluung Gemeinschaftsfremder: Die Kriminalpolizei und die 'Vernichtung des Verbrechertums'", in Götz Aly (ed.), *Feinderklärung und Prävention: Kriminalbiologie: Zigeunerforschung und Asozialenpolitik* (Berlim, 1988), p. 75-100.

Wagner-Kyora, Georg, "'Menschenführung' in Rüstungsunternehmen der nationalsozialistischen Kriegswirtschaft", in *DRZW* IX/II, p. 383-476.

Waibel, Wilhelm J., *Schatten am Hohentwiel: Zwangsarbeiter und Kriegsgefangene in Singen* (Konstanz, 1997 [1995]).

Walb, Lore, *Ich, die Alte – ich, die Junge: Konfrontation mit meinen Tagebüchern 1933-1945* (Berlim, 1997).

Walker, Mark, *German National Socialism and the Quest for Nuclear Power 1939-1949* (Cambridge, 1989).

Wallach, Jehuda L., *The Dogma of the Battle of Annihilation: The Theories of Clausewitz and Schlieffen and their Impact on the German Conduct of Two World Wars* (Westport, Conn., 1986).

Walz, Loretta, "Gespräche mit Stanislawa Bafia, Wladyslawa Marczewska und Maria Plater über die medizinischen Versuche in Ravensbrück", in Ebbinghaus and Dörner (eds.), *Vernichten und Heilen*, p. 241-72.

Warmbrunn, Werner, *The Dutch under German Occupation, 1940-45* (Londres, 1963).

Wasserstein, Bernard, *Britain and the Jews of Europe, 1939-1945* (Londres, 1979).
Watts, Larry, *Romanian Cassandra: Ion Antonescu and the Struggle for Reform, 1916-1941* (Boulder, Colo., 1993).
Webster, Charles & Frankland, Noble, *The Strategic Air Offensive against Germany 1939--1945* (4 vols., Londres, 1961).
Wegner, Bernd, *Hitlers politische Soldaten: Die Waffen-SS 1933-1945: Studien zu Leitbild, Struktur und Funktion einer nationalsozialistischen Elite* (Paderborn, 1982).
——, "Vom Lebensraum zum Todesraum: Deutschlands Kriegführung zwischen Moskau und Stalingrad", in Förster (ed.), *Stalingrad*, p. 17-38.
——, "Die Aporie des Krieges", in *DRZW* VII, p. 211-76.
——, "Von Stalingrad nach Kursk", in *DRZW* VII, p. 3-82.
——, "The War against the Soviet Union, 1942-1943", in *GSWW* VI, p. 843-1230.
Weinberg, Gerhard L., "Hitler and England, 1933-1945: Pretense and Reality", *German Studies Review*, 8 (1988), p. 299-309.
——, *A World at Arms: A Global History of World War II* (Cambridge, 2005 [1994]).
Weindling, Paul, *Health, Race and German Politics between National Unification and Nazism 1870-1945* (Cambridge, 1989).
——, *Epidemics and Genocide in Eastern Europe, 1890-1945* (Oxford, 2000).
Weiss, Aharon, "Jewish Leadership in Occupied Poland: Postures and Attitudes", *Yad Vashem Studies*, 12 (1977), p. 335-65.
Weitz, Birgit, "Der Einsatz von KZ-Häftlingen und jüdischen Zwangsarbeitern bei der Daimler--Benz AG (1941-1945): Ein Überblick", in Kaienburg (ed.), *Konzentrationslager*, p. 169--95.
Welch, David, *Propaganda and the German Cinema 1933-1945* (Oxford, 1983).
——, *The Third Reich: Politics and Propaganda* (Londres, 2002 [1993]).
——, "Nazi Propaganda and the *Volksgemeinschaft*: Constructing a People's Community", *Journal of Contemporary History*, 39 (2004), p. 213-38.
Werther, Thomas, "Menschenversuche in der Fleckfieberforschung", in Ebbinghaus & Dörner (eds.), *Vernichten und Heilen*, p. 152-73.
Wette, Wolfram, "Das Massensterben als 'Heldenepos': Stalingrad in der NS-Propaganda", in Wette & Ueberschär (eds.), *Stalingrad*, p. 43-60.
——, "'Rassenfeind': Antisemitismus und Antislawismus in der Wehrmachtspropaganda", in Manoschek (ed.), *Die Wehrmacht im Rassenkrieg*, p. 55-73.
—— & Ueberschär, Gerd R. (eds.), *Stalingrad: Mythos und Wirklichkeit einer Schlacht* (Frankfurt am Main, 1992).
Wetzel, Juliane, "Auswanderung aus Deutschland", in Benz (ed.), *Die Juden*, p. 413-98.
Whiting, Charles, *Heydrich: Henchman of Death* (Londres, 1999).
Wienecke, Annette, *"Besondere Vorkommnisse nicht bekannt": Zwangsarbeit in unterirdischen Rüstungsbetrieben: Wie ein Heidedorf kriegswichtig wurde* (Bonn, 1996).

Wighton, Charles, *Heydrich: Hitler's Most Evil Henchman* (Londres, 1962).
Wildt, Michael, *Generation des Unbedingten: Das Führungskorps des Reichssicherheitshauptamtes* (Hamburgo, 2002).
——, "Alys Volksstaat: Hybris und Simplizität einer Wissenschaft", *Sozial.Geschichte*, 20 (2005), p. 91-7.
Wilhelm, Hans-Heinrich, "Hitlers Ansprache vor Generalen und Offizieren am 26. Mai 1944", *Militärgeschichtliche Mitteilungen*, 2 (1976), p. 123-70.
Winau, Rolf, "Medizinische Experimente in den Konzentrationslagern", in Benz & Distel (eds.), *Der Ort des Terrors*, I, p. 165-78.
Winkler, Dörte, *Frauenarbeit im "Dritten Reich"* (Hamburgo, 1977).
——, "Frauenarbeit versus Frauenideologie: Probleme der weiblichen Erwerbstätigkeit in Deutschland, 1930-1945", *Archiv für Sozialgeschichte*, 17 (1977), p. 99-126.
Wirrer, Bärbel (ed.), *Ich glaube an den Führer: Eine Dokumentation zur Mentalitätsgeschichte im nationalsozialistischen Deutschland 1942-1945* (Bielefeld, 2003).
Wistrich, Robert S., "The Vatican Documents and the Holocaust: A Personal Report", *Polin: Studies in Polish Jewry*, 15 (2002), p. 413-43.
Witte, Peter & Tyas, Stephen, "A New Document on the Deportation and Murder of Jews during 'Einsatz Reinhard' 1942", *Holocaust and Genocide Studies*, 15 (2001), p. 468--86.
Witte, Peter, et al. (eds.), *Der Dienstkalender Heinrich Himmlers 1941/42* (Hamburgo, 1999).
Wixforth, Harald, *Die Expansion der Dresdner Bank in Europa* (Munique, 2006).
Wöhlert, Meike, *Der politische Witz in der NS-Zeit am Beispiel ausgesuchten SD-Berichte und Gestapo-Akten* (Frankfurt am Main, 1997).
Wolff-Mönckeberg, Mathilde, *On the Other Side: To My Children from Germany 1940-1945* (Londres, 1982 [1979]).
Wolters, Rita, *Verrat für die Volksgemeinschaft: Denunziantinnen im Dritten Reich* (Pfaffenweiler, 1996).
Wright, Patrick, *Tank: The Progress of a Monstrous War Machine* (Londres, 2000).
——, *Iron Curtain: From Stage to Cold War* (Londres, 2007).
Wrobel, Hans (ed.), *Strafjustiz im totalen Krieg: Aus den Akten des Sondergerichts Bremen 1940 bis 1945* (Bremen, 1991).
Wulf, Joseph, *Literatur und Dichtung im Dritten Reich: Eine Dokumentation* (Gütersloh, 1963).
——, *Presse und Funk im Dritten Reich: Eine Dokumentation* (Gütersloh, 1964).
Wurm, Theophil, *Aus meinem Leben* (Stuttgart, 1953).
Yahil, Leni, *The Rescue of Danish Jewry: Test of a Democracy* (Philadelphia, Pa., 1969).
Zamecnik, Stanislav, *Das war Dachau* (Frankfurt am Main, 2007 [2002]).
Zawodny, Janusz K., *Death in the Forest: The Story of the Katyn Forest Massacre* (Londres, 1971).
Ziemke, Earl F., *Moscow to Stalingrad* (Washington, D. C., 1968).

——, "Moscow, Battle for", in Dear (ed.), *The Oxford Companion to World War II*, p. 593-5.

Zilbert, Edward R., *Albert Speer and the Nazi Ministry of Arms: Economic Institutions and Industrial Production in the German War Economy* (Londres, 1981).

Zimmermann, John, "Die deutsche militärische Kriegsführung im Western 1944/45", in *DRZW* X/I, p. 277-489.

Zimmermann, Michael, *Rassenutopie und Genozid: Die nationalsozialistische "Lösung der Zigeunerfrage"* (Hamburgo, 1996).

——, "Die nationalsozialistische Zigeunerverfolgung, das System der Konzentrationslager und das Zigeunerlager in Auschwitz-Birkenau", in Herbert *et al.* (eds.), *Die nationalsozialistischen Konzentrationslager*, II, p. 887-910.

Zuccotti, Susan, *The Italians and the Holocaust: Persecution, Rescue and Survival* (Londres, 1987).

——, *The Holocaust, the French, and the Jews* (Nova York, 1993).

——, *Under His Very Windows: The Vatican and the Holocaust in Italy* (New Haven, Conn., 2000).

Índice onomástico

Números em negrito indicam mapas

Aachen 525-6, 751, 845
Abetz, Otto 432-3, 679-80
Absberg 119
Adam, Luitpold 673
Adis Abeba 181
Adriático, mar 190, 545
África, norte da 178-9, 181, 183, 184, 382, 436-7, 499, 531, 534-6, 547, 570, 730, 871
Akmecetka 273-4
Albânia 179, 190, 537, 747
Ålborg 148-9
Alderney 422
Alemanha Ocidental (República Federal da Alemanha) 687, 853, 855-6, 859, 862, 872
Alemanha Oriental (República Democrática Alemã) 812, 856, 859, 867, 873
Alexander I, rei da Iugoslávia 191
Alexandria 180
Alsácia 82, 342, 645, 752
Alsácia-Lorena 96, 386, 428, 431, 608, 726
Alvensleben, Ludolf von 35
Alvensleben, Wichard von 789
Alzey 785, 817
Ambros, Otto 418, 765-6
Amersfoort, campo de trabalho 441
Amsterdã 440-1, 639, 679
Andersen, Lale 661, 672
Antonescu, Ion 184-5, 271-4, 450-1, 611, 747
Antuérpia 443, 751, 756, 770
Ardenas 152-4, 156
Ardenne, Manfred von 765
Argélia 170, 183, 437, 534
Argentina 639, 853, 855
Ártico, Oceano 548, 550-2
Ásia, sudeste da 284
Astrakhan, 196, 463
Atenas 186, 189, 449, 689
Attlee, Clement 151

Aubin, Hermann 688
Augsburg 202
Aumeier, Hans 423-4, 851
Auschwitz, campo de concentração 342-55, 365, 396, 417-9, 421-3, 425, 434-7, 441-7, 449-50, 453--5, 543-5, 611-3, 634-5, 642, 673, 677, 690, 694, 697-700, 702-3, 707-8, 749, 758, 790-2, 798, 810, 836, 850-1, 853, 856, 863
Austrália 50, 836
Áustria 29, 31, 37, 60, 141, 173, 185, 261, 278, 292, 308, 315, 332--4, 353, 431, 439-40, 443, 464, 492, 565, 609, 612, 639, 669, 676--7, 707, 726, 781, 844, 854, 860, 862, 869
Avela 302
Axmann, Arthur 827

Babi Yar 267
Bach-Zelewski, Erich von dem 266, 713
Backe, Herbert 207, 323, 844
Bad Aibling 744
Bad Nauheim 751-2
Bad Neuenahr 395
Baden 82
Bader, general Paul 277
Badoglio, Pietro 538-9
Baer, Richard 762, 856
Bahamas 169

Baku 463, 535, 553
Baldin, Viktor 812
Báltico, mar 23-4, 104, 214, 500, 711, 751, 795, 815
Bartók, Béla 667
Bary, László 707
Bauer, Fritz 855-6
Baum, Herbert 314, 717
Bautzen 788
Bavária 482-3, 516, 577, 629, 644, 661, 674, 678, 744, 828, 839, 844
Bayreuth 666-9
BBC 127, 203, 362, 662-4, 707, 742
Beck, Ludwig 723, 730, 733-4
Becker, August 299
Becker, Karl 144
Bedzin 74
Beethoven, Ludwig van 668
Beger, Bruno 690
Beiglböck, Wilhelm 694
Bielorrússia 33, 205, 207, 234, 281, 297, 353, 428, 458-9, 711, 815
Bélgica 142, 152-7, 159, 167, 237, 318, 345, 349, 353, 384-6, 389-90, 393, 419, 428, 435, 438-9, 443-4, 566-7, 638, 756, 762
Belgrado 186, 191, 302, 529, 662
Belgrado, campo de concentração 277-80
Below, Nicolaus von 371, 779

Belzec, campos de trabalho e extermínio 78, 300, 329, 331-4, 336, 339, 342, 344, 364, 640, 642, 758
Berchtesgaden 745, 828-9, 834
Bergen-Belsen, campo de concentração 441, 795, 797-9
Bergengruen, Werner 651
Berger, Gottlob 577
Berger, Oskar 337
Berghof 44, 181, 185, 203, 472, 583, 716
Berlim 28, 80, 86, 93-5, 108, 110, 138-9, 165, 174, 195, 201-2, 252, 289-90, 299-300, 302, 305, 310, 314, 316-8, 324, 333, 350, 370-2, 487, 497, 514-5, 519, 525, 639, 658-9, 675-6, 682-3, 717-8, 729--30, 732, 734, 737, 778, 783, 788, 800, 810-1, 814-5, 821-3, 827-8, 831, 836, 841
Berlim, Muro de 867
Berliner, Meir 339
Bernadotte, conde 795, 830
Bernburg 114, 119, 601
Bertram, cardeal Adolf 125-6, 607, 631
Bessarábia 184, 214, 272-3, 275
Best, Werner 36-8, 446-8, 858
Bialystok 214, 260, 306, 336, 364, 428, 609, 612
Bielaia Tserkow, 269

Bielefeld 121, 524
Birkenau (Brzezinka) 343, 350, 418, 454, 790 *ver também* Auschwitz, campo de concentração
Birmânia 285
Bischoffshausen, Lothar von 256--7
Bismarck, Otto von 56, 466, 805
Blankenburg, Werner 111
Blaskowitz, Johannes 47-8, 74, 211, 837
Bletchley Park 180, 187
Blobel, Paul 348
Blum, Léon 431, 789
Blumentritt, Günther 734
Bochum 503, 517, 520, 809
Bock, Fedor von 41, 156, 160, 195, 204, 211, 221-2, 228, 235, 237-48, 251, 462, 565-6, 859
Bodelschwingh, Friedrich von 121-5, 607
Bodganovka 273
Boêmia e Morávia (Protetorado do Reich) 31, 33, 80-1, 289, 296, 318--9, 334-5, 353, 362, 419, 428, 514, 530, 612
Böhm, Karl 667-8
Böhme, Franz 278-80, 301, 609
Böhme, Hans-Joachim 258-9
Bohr, Niels 763
Bolz, Eugen 737

Bonhoeffer, Dietrich 723-4, 729, 787-8
Borbet, Walter 375
Bordeaux 162-3
Bóris III, Rei da Bulgária 197, 451, 535
Bormann, Martin (filho) 838
Bormann, Martin 57, 106, 128, 201, 203, 205, 224, 324, 399, 410, 486, 584, 586-7, 593, 623, 628, 630, 648-9, 675, 739, 749-51, 770, 783, 824-5, 828-9, 831-2, 834, 844, 845, 849
Boryslaw 263
Bósnia e Herzegovina 191
Bouhler, Philipp 106-8, 111, 113, 129, 299, 601, 603, 836
Bousquet, René 435, 455
Brack, Viktor 110-1, 113, 120, 122, 128-9, 299-300, 601, 603, 852
Brackmann, Albert 688
Bradley, general Omar 797
Brandemburgo 113-4, 486
Brandt, Karl 105-7, 111, 113, 129, 696-8, 767, 823, 852
Brasil 94, 853-5
Bratislava 318, 453
Brauchitsch, Walther von 37, 46-8, 160, 194, 211, 248-9, 432-3, 679, 736, 859
Braun, Eva 829-31, 833
Braun, Wernher von 756-8, 761, 864
Braune, Paul Gerhard 121-2
Braütigam, Otto 394
Brecht, Bertolt 350
Breker, Arno 165, 675, 863
Bremen 100, 513, 523, 812
Breslau 607, 780, 844
Brest-Litovsk 609
Bromberg (Bydgoszcz) 28-9, 39, 45, 103, 786
Bruckner, Anton 666
Brunner, Alois 437, 449
Bruxelas 435, 438
Brzezany 263
Brzezinka *ver* Birkenau
Bucareste 184,
Buchenwald, campo de concentração 422, 440, 599-602, 612-3, 616, 693-4, 696-7, 718, 759, 788, 790, 796
Büchner, Franz 603
Bucovina 184, 272, 275
Budapeste 706-7, 747-8, 779
Buenos Aires 855
Bulgária 184, 186-7, 197-8, 285, 350, 451-2, 535, 746
Bullenhuser Damm, sub-campo 702,
Bullock, Alan 874
Bumke, Erwin 837
Bürckel, Josef 111

Burckhardt, Carl J. 321-2
Burckhardt, René 449
Burgdorf, Wilhelm 832-3
Burgenland 292, 609
Burmeister, Johann 507
Busch, Ernst 711, 716

Cairo 182
Calábria 538
Canadá 94, 178, 715, 780
Canaris, Wilhelm von 723, 728-9, 735, 787-8
Canterbury, arcebispo de 642
Carélia 144
Caribe, mar do 550
Carlyle, Thomas 827
Carol, rei da Romênia 184
Cáspio, mar 463, 468, 535, 553
Cáucaso 205, 234, 240, 375, 392, 463-4, 466, 469, 553-4, 690
Cazaquistão 69
Cefalônia, ilha de 539
Céline, Louis-Ferdinand 432
Celle, Alemanha 796, 836
Chamberlain, Austen 656
Chamberlain, Neville 151, 168
Charlotte L. 840
Chartres 163
Chechênia 463
Chelmno, campo de extermínio 18, 300-1, 339, 363, 365, 396, 609
Cherbourg 715

Chetniks 276, 278, 456-7
China 469, 749
Chios, ilha de 189
Chipre 187
Chisinau 274
Chopin, Frédéric 57
Chuikov, Vasili 469-70
Churchill, Winston 152, 157, 159, 161, 168-70, 177, 178, 187, 204, 284-5, 324, 326, 450, 499, 503, 531, 641-2, 656, 729, 740, 753, 822
Ciano, Galeazzo 207, 542
Ciepielów 49
Cocteau, Jean 675
Codreanu, Michael 438
Colônia 47, 503-4, 523, 529, 644, 784, 808-9
Como, lago de 829
Compiègne 164, 179, 434
Conradstein (Kocborowo) 102
Constança, lago 226
Constantinopla 206
Conti, Leonardo 106-7, 111, 113, 127, 837
Conze, Werner 687
Copenhague 148-9, 447-8
Corday, Charlotte 775
Corpo Africano 181-3
Córsega 455, 538
Coventry 177, 500, 753
Cracóvia 25, 34, 52, 57, 65, 74, 263, 314, 638, 671, 678, 851

Creta 187, 189-90
Crimeia 205-6, 239, 275, 462-4, 609, 690, 709
Cristiano X, rei da Dinamarca 446
Croácia 191-3, 275, 308, 350, 353, 428, 543, 578, 611
Cronin, A. J. 650
Cyców 81
Czerniaków, Adam 87, 92, 355-6

Dachau, campo de concentração 57, 111, 125, 342-3, 423, 546, 602, 616, 630, 691-5, 775, 788
Dalheim 806
Dalmácia 190, 193
Daluege, Kurt 852
Dannecker, Theodor 433, 543-4, 706, 836
Danzig 27, 32, 102, 321, 815
Danzig-Prússia Ocidental (Distrito do Reich) 33, 53-5
Darnand, Joseph 437-8, 455
Darquier, Louis 434
Darré, Richard Walther 50, 207, 323, 584
de Gaulle, Charles 438
Demjanjuk, Ivan 339
Derain, André 675
Diebner, Kurt 765
Diehl, Karoline 691, 693
Dietrich, Josef "Sepp" 577
Dietrich, Marlene 350, 662

Dietrich, Otto 74, 203, 286, 325, 648-9
Dinamarca 148-9, 152, 180, 253, 350, 389, 428, 437, 446-8, 501, 514, 577, 579, 844
Djakovo, campo de concentração 192
Dnepropetrovsk 371-2
Dohmen, Arnold 697
Dollfuss, Engelbert 261
Dölzschen 97, 866
Domagk, Gerhard 694
Domanovka 273-4
Donbas 233
Donets, bacia do rio 240, 555
Dongen, Kees van 675
Dongo 829
Dönitz, Karl 399, 548-9, 552, 769, 817, 828, 844, 849
Doorn 565
Doriot, Jacques 432
Dornberger, Walter 761
Dorsch, Xaver 219
Dortmund 503-4, 516, 524, 800, 809
Dounias, Minos 189
Dragass 35
Drancy 435, 437
Dresden 97, 290-1, 293, 496, 519- -20, 636, 676, 800-4, 812, 848, 866
Dreyfus, Alfred 431
Drieu La Rochelle, Pierre 432

ÍNDICE ONOMÁSTICO 1017

Dubossary 275
Duisburg 503, 809
Dunquerque 159-61
Düsseldorf 503, 513-4, 620-2, 809, 837
Dynów 74

Eber, Elk 674
Eberl, Irmfried 337-8
Ebermannstadt 204, 225-6, 482, 629
Edelstein, Jakob 350
Eden, Anthony 642
Eder, rio 504
Eduardo VIII, rei 168
Egito 181-2, 534
Egk, Werner 671, 862
Eichmann, Adolf 80-1, 296, 303, 310-1, 315, 317, 341, 345-6, 350, 354, 366, 368, 435, 437, 440, 447, 453, 706, 708, 748, 854-6
Eicke, Theodor 111, 419, 577-8
Eimann, Kurt 102, 104
Einsiedel, Heinrich von 466-8, 481
Eisenhower, Dwight D. 715, 797, 834
El Alamein 534
Elbeuf 163
Elbrus, monte 464
Eliáš, Alois 319
Elizabeth, tsarina da Rússia 827
Elser, Georg 139-41, 788

Emmendingen 116,
Endre, Lászlo 706-7
Engel, Gerhard 48
Erfurt 348, 851
Erika S. 722, 842
Eritreia 181
Erlangen 685
Escócia 202-3
Eslováquia 23, 197, 308, 318, 349, 352-3, 401, 428, 452-4, 748
Eslovênia 190
Espanha 169, 173, 178-9, 640, 855
Essen 404-5, 445, 503, 514, 524, 540, 805, 809
Estados Unidos da América 50, 94, 178, 195, 283-5, 287, 289-90, 295, 304, 368, 375-6, 382-3, 384, 387, 392, 411, 426, 450, 490, 527--8, 535, 550, 565, 636, 638, 640, 644, 667, 708, 749, 763, 765, 822, 864, 871
Estônia 58, 111, 208, 258, 610, 711
Etiópia 179
Evers, Hannelore 665

Faulhaber, cardeal Michael 125-6, 630-1
Fegelein, Hermann 830
Felber, Hans 74
Feuchtwanger, Lion 656
Filipinas 284
Filipovič, padre 193

Finlândia 144, 147, 194, 196, 245, 318, 350, 368, 444, 450, 712
Finn, Mishka 808
Fischer, Fritz 703
Fischer, Horst 856
Flandres 577, 579
Flensburg 41, 835, 844
Florstedt, Hermann 344
Foch, marechal Ferdinand 164
Ford, Henry 835
Fordon 786
Forster, Albert 33-4, 54-5, 852
Fossoli 545
França 16, 28, 32, 96, 100, 127, 135, 138, 141-2, 147, 152-3, 155, 161-5, 167, 168, 170-1, 173, 178--9, 181, 183, 191, 194, 196, 201, 237, 239, 253, 318, 342, 345, 349--50, 353, 384-7, 389-90, 391-3, 405, 415, 419, 428, 430-8, 455-6, 489, 497, 503, 537, 543, 548-9, 566, 572, 639, 677, 679, 687, 715, 730, 734, 743, 780, 868
Franco, Francisco 145, 169, 178-9, 197,
Francônia 399, 482, 628, 630, 792
Frank, Anne 441, 798
Frank, Hans 33-4, 43-4, 55, 57, 60, 65-7, 78, 81, 83, 86, 100, 204, 305-6, 307, 321, 671, 677-8, 836, 849
Frank, Karl Hermann 322, 586
Frankfurt 396, 639, 792, 856
Frederico, o Grande, rei da Prússia 827
Freisler, Roland 39, 120, 588, 592, 737-8
Freud, Sigmund 689
Frick, Wilhelm 122, 316-7, 586-7, 849
Fritzsche, Hans 772, 849
Fromm, Friedrich 374-5, 730-3, 735, 739, 757, 762-3
Funk, Walther 844, 849
Furtwängler, Wilhelm 668, 862-3

Gabčik, Jozef 320, 322
Gable, Clark 658
Galen, Clemens August von 125--30, 299, 601, 603, 607, 629, 631
Galen, Helene von 126
Galícia 44, 259, 263, 269
Galland, Adolf 524-5
Gamelin, Maurice 159
Gardelegen 796
Garsden (Gargzdai) 258
Gatow 827
Gaulle, Charles de 438
Gdynia (Gdingen) 24, 40, 103, 815
Gebhardt, Karl 694-5, 703
Gelsenkirchen 503, 809
Gêngis Khan 32, 209
Genshagen 423
George, Stefan 731

ÍNDICE ONOMÁSTICO 1019

Gerron, Kurt 350-1, 672
Gersdorff, Rudolf-Christoph von 729
Gerstein, Kurt 640-1
Gibraltar 169, 180
Giese, Hans-Albert 230, 462
Giessen 529
Glasgow 202
Gleiwitz 425
Glina 192
Globocnik, Odilo 312-3, 328, 338-40, 364, 545, 836
Glücks, Richard 309, 419, 424
Goebbels, Magda 828, 833
Goebbels, Paul Joseph 22, 28-9, 33, 75, 93, 121, 128, 139, 154, 198, 203-4, 224-5, 240, 244, 278, 286-90, 292, 295, 297-8, 304, 310-4, 317, 325-6, 391, 396, 434, 461, 468, 481, 484-6, 490, 493-4, 504, 510, 513, 517-8, 520, 522, 531-2, 539, 571, 581, 583-6, 617, 630, 634, 636, 642-6, 647-51, 653, 655-9, 660-5, 667-70, 673, 675, 686, 704-5, 717, 733, 735, 739, 744, 746, 749-50, 753-4, 755, 771, 775, 779, 782-3, 805, 825, 827-8, 831-2, 833, 843-4, 846, 849, 862
Goerdeler, Carl 723, 725-9, 736-8, 789
Göring, Hermann 37, 42, 44, 53, 66, 142, 160, 164, 196, 203, 207, 223-4, 265, 288, 307, 321, 324, 372-7, 386, 389-90, 395-6, 400-1, 406-7, 417, 473, 479, 486, 510, 518, 521, 524-5, 582, 584-5, 623, 628, 675-7, 679-80, 681, 739, 743, 749, 753-4, 822, 828-9, 834, 847, 849
Göring, Matthias 689
Gort, John, Lord 159
Gotha 407, 797
Göttingen 685, 865
Gottschalk, Joachim 317
Grã-Bretanha 27-8, 32, 135, 141-3, 152, 168-9, 171, 176-7, 178, 182, 184, 193, 194-5, 200, 201-3, 225, 283-6, 368, 375-6, 383, 384, 387, 392, 411-2, 429, 438, 488, 498, 527-8, 644, 663, 682, 753, 762-3, 771, 822, 870-1
Grã-Bretanha, Batalha da 16, 177
Graf, Willi 721
Grafeneck 114, 119-20, 122
Grandi, Dino 538
Grawitz, Ernst-Robert 694-5, 697, 836
Graz 671
Grécia 50, 180, 182-3, 184-7, 189-90, 198, 200, 277, 350, 353, 385, 428, 449, 456, 537, 543, 690, 747
Greifswald 866
Greiser, Arthur 33-4, 40, 53, 55-7, 82, 83, 103, 289, 305, 628, 671, 852

Gröber, Conrad 125
Grojanowski, Jakow 300
Groscotta 812
Groscurth, Helmuth 270, 476, 480
Gross-Rosen, campo de concentração 342, 419, 792, 853
Grozni 553
Grynszpan, Herschel 433-4
Guderian, Heinz 235-6, 240, 243, 247, 249, 251, 567, 716, 735, 783, 821-2, 859
Guernica 498, 716
Guertler, William 681-2
Guilhermina, rainha da Holanda 153, 439
Gumbinnen 564
Günsche, Otto 831-2, 834
Gürtner, Franz 107, 120-2, 128, 592
Gustav V, rei da Suécia 708
Gutzeit, Kurt 697

Haakon VII, rei da Noruega 150, 445
Haberstock, Karl 676
Hácha, Emil 322
Hadamar 114, 117, 119, 129, 604--6
Haeften, Hans-Bernd von 723
Haeften, Werner von 732-3
Häfner, August 270
Hahn, Otto 763, 864-5
Haia, 435
Halder, Franz 37, 46, 142-3, 153, 171, 176, 182, 194, 210, 220, 224, 227, 236, 239-41, 246, 250-2, 276, 375, 463, 465-6, 469, 567, 723, 736, 789
Halifax, Edward, lorde 151-2, 168
Halle 685, 866
Hamburgo 38, 100, 167, 206, 290, 294, 410, 423, 491, 497, 505-9, 511-7, 519, 523, 525, 529, 588, 637, 651, 664, 721-2, 742, 780, 793, 799, 804, 842-3, 848, 853, 867
Hamilton, duque de 202
Hamm 522
Hammerstein-Equord, Kurt von 730
Hanke, Karl 844
Hannur 156,
Hanover 100, 659
Hanssen, Kurt-Walter 786
Harlan, Veit 656, 659, 862
Harnack, Arvid 718-9
Harnack, Falk 721
Harnack-Fish, Mildred 719
Harrer, Heinrich 690
Harris, Arthur 499-503, 508, 526
Hartheim 114, 118-9, 122, 601-3, 605
Hasinger, Fritz 775
Hassell, Ulrich von 448, 482, 567, 723, 725-7, 737, 789
Haushofer, Albrecht 202

ÍNDICE ONOMÁSTICO 1021

Haushofer, Karl 201-2
Hausknecht, Rudolf 673
Havaí 284
Hedin, Sven 650
Heim, Heinrich 205
Heinrici, Gotthard 133-4, 215, 229, 231-2, 235, 243-5, 247, 249--50, 252, 264-5, 564-5, 573, 739, 821, 830-1, 858-9
Heisenberg, Werner 763-5, 864-5
Heissmeyer, Kurt 702
Helldorf, Wolf Heinrich, conde 728
Helmbrechts, sub-campo 792-3
Helmstedt 416, 840
Helsinque 444
Henlein, Konrad 837
Henriot, Philippe 455
Hess, Rudolf 164, 201-4, 735, 849
Hesse 52, 114, 573, 855
Heyde, Werner 111, 120
Heydrich, Reinhard 35-7, 47, 57, 65, 74, 80, 82, 83, 85, 99-100, 129, 139, 169, 207, 212-3, 257, 259-60, 269, 281-2, 288-90, 295-6, 300, 303, 307-8, 310, 318, 319-23, 408, 435, 587, 608, 665, 694-5, 758
Hildesheim 639
Hilfrich, Antonius, bispo de Limburg 127-8
Himalaia 690

Himmler, Heinrich 34-6, 51, 53-5, 58, 60, 65-6, 74, 80-2, 96, 99-100, 103-4, 110-1, 113, 129, 139, 207--9, 224, 259-60, 265-7, 275, 281-2, 289, 292, 296-7, 299-300, 305-6, 307, 311-2, 314-5, 321, 323-4, 326, 328, 335, 339-40, 342-5, 349--50, 352, 359-61, 364, 368, 377, 395, 400, 403, 406, 416-7, 419, 421, 427, 433, 435, 437-8, 443-5, 448, 458, 518, 532, 543, 546, 577--8, 583-4, 586-7, 593, 597-8, 600--2, 606, 608-9, 611, 614-5, 617, 623-4, 626, 657, 665, 670, 675, 678, 686-7, 689-97, 702, 704-6, 714, 722, 729, 735-6, 738-9, 749, 758, 761, 773, 785, 787-8, 790, 795, 797, 824, 828, 830, 835-6, 844, 845, 855
Hindenburg, Paul von 819, 844
Hippler, Fritz 657
Hirt, August 690
Hitler, Adolf 22, 26-9, 31-4, 36-7, 44, 46-8, 50-1, 54-5, 58-60, 63, 65--6, 71, 74-5, 80-2, 95-6, 101, 104--7, 110-1, 116, 120, 122, 128-30, 132, 134-5, 138-40, 141-4, 147-8, 152-3, 160, 162, 164-5, 168-71, 174-7, 178-86, 191, 193-200, 201--11, 213, 218, 222-6, 228, 239-42, 244, 246, 248-52, 265, 269, 271, 278, 280-2, 283-90, 292, 295-8,

304-7, 311-5, 318, 320-6, 342,
354, 361, 366, 368, 370-6, 377,
379, 389, 391, 399-403, 406-7,
409, 413, 415, 429, 431-2, 437-8,
440, 444, 446-8, 451-4, 457, 459-
-60, 461-6, 468-9, 472-3, 477-86,
489-91, 493, 497, 501-2, 505, 513-
-5, 517-20, 522, 525, 535-7, 539,
541-2, 544, 547-50, 553-6, 559-62,
563, 565-7, 571, 575, 576-7, 580-
-7, 591-3, 597, 614, 620, 623, 626-
-8, 630, 634-5, 640, 645, 647-9,
651, 655, 659, 665, 666-71, 673,
675-6, 678-80, 681, 694, 696, 698,
705-6, 708-9, 711, 714, 716, 719,
721-2, 723-4, 727-33, 734-40, 742-
-7, 749-58, 761, 764-9, 771, 773,
776, 777-9, 781, 782, 785, 787-8,
805, 808, 811-2, 818-44, 846, 849-
-50, 858, 863, 870, 872, 874

Hlinka, Andrej 453
Hoepner, Erich 211, 251
Hof 792-3
Hofer, Walter Andreas 679
Hoffmann, Heinrich 765
Hoffmann, Kurt-Rudolf 665
Höfle, Hermann 356
Hohensalza 40
Hohlenlynchen 703
Holanda 127, 142, 152-6, 237,
318, 345, 349, 351, 353, 389, 419,
439, 441, 443-4, 565, 577, 579,
679, 780
Horowitz, Vladimir 862
Hórthy, Miklós (filho) 747
Hórthy, Miklós 197, 451-2, 708,
747
Hosenfeld, Wilm 52-3, 90, 92,
133, 167, 220, 356, 360, 365, 368,
572-3, 639, 714-5, 859
Höss, Rudolf 299, 342-7, 349-50,
353-4, 355, 366, 417, 598, 600,
612-3, 615, 790-1, 837, 850-1
Hoth, Hermann 468, 471, 472, 558
Huber, Kurt 721
Hudal, bispo Alois 854
Hungria 73, 94, 184, 186, 197, 285,
318, 350, 392, 401, 429, 452, 459,
667, 706-9, 747, 779-80, 782, 789
Huntsville, Alabama 864
Husseini, Haj Amin al- 183, 295

Ialta 296
Iaşi (cidade romena) 272
Iasnaia Poliana 230
Índia 285, 490
Iraque 183, 689-90
Irlanda 308, 855
Isopescu, Modest 274
Israel 855
Itália 64-5, 178-82, 186, 189-91,
193, 197-8, 284, 350, 353, 392,
401, 429, 437, 449, 464, 471, 472,

480, 498, 503, 536-47, 555, 560, 570, 632-3, 723, 781, 808, 829, 844, 853-4

Iugoslávia 112, 185-6, 190-1, 198, 200, 275, 277, 280, 390, 456, 537, 573, 747, 846

Jacobs, Artur 720
Jäger, August 57
Jannings, Emil 350-1, 656, 862
Jantausch, Pavel 454
Japão 26, 94, 195, 243, 284-5, 303, 370, 383, 427
Jasenovac, campo de concentração 192-3
Jeckeln, Friedrich 267, 305, 852
Jelesić, Milorad 279
Jena 416, 659
Jerusalém 368, 855
Jeschonnek, Hans 525
Jochum, Eugen 667
Jodl, Alfred 751, 828, 844, 849
Johst, Hanns 778
Jong, Jan de, bispo de Utrecht 443
Jordan, Olaf 674
Joyce, William (*Lord* Haw-Haw) 664
Jukov, Georgi 222, 235, 242-3, 245-6, 252, 469-71, 472, 559, 709, 830, 844
Junghans, Franz 674

Kabasta, Osvald 667
Kalláy, Miklós 451-2, 789
Kaltenbrunner, Ernst 587, 615, 735, 787, 822, 824, 828, 849, 851, 855
Kamenetsk-Podolsk 267
Kammhuber, Josef 501
Kammler, Hans 758-60, 762, 836
Kaplan, Chaim 25, 75, 78, 90-1, 356-7,
Kappler, Herbert 543
Karajan, Herbert von 667-8
Karlshof 35
Karski, Jan 641-2
Kassel 518
Kattowitz 422
Kaufman, Theodore N. 287
Kaufmann, Karl 290, 510, 517, 519, 793, 795
Kehrl, Hans 379, 382
Keitel, Wilhelm 210, 265, 279, 486, 567, 586, 732, 828, 831, 849
Kelsterbach 605
Kempf, Werner 562
Kerrl, Hans 627
Kesselring, Albert 173, 540, 543, 844
Kharkov 240, 462, 555, 562, 678
Khrushchev, Nikita 470, 559
Kiel 527
Kiev 214, 228, 239-40, 267, 269, 678, 709, 811

Kirchner, Hadwig 867
Kirkpatrick, Ivone 202
Kishinev 272
Kitchener, Herbert 656
Klagenfurt 206
Klammer 35
Kleist, Ewald von 156-7, 248, 554, 567, 709
Klemperer, Eva 97-8, 292, 294, 801-3, 866-7
Klemperer, Victor 97-8, 204, 290-4, 482-3, 634-6, 801-3, 818, 866-7
Klepper, Hanni 316-7
Klepper, Jochen 226, 316-7
Klepper, Renate 316-7
Klooga 810
Kluge, Günther von 248, 251-2, 567, 716, 724, 730, 734, 736, 739
Klukowski, Tadeusz 865
Klukowski, Zygmunt 25-6, 39, 43, 52, 55, 57-8, 61, 67, 75-6, 79-80, 89, 103, 199, 218-9, 329, 331, 357, 457, 459, 865-6
Knappertsbusch, Hans 667
Knochen, Helmut 734
Koch, Erich 224, 852
Koch, Karl Otto 344, 600
Koch, Traute 507
Koegel, Max 344
Köhler, Annemarie 97, 204, 294, 866
Kolberg 659-60

Konev, Ivan 830
Königsberg 94, 678
Konitz (Chojnice) 35, 102
Koppenberg, Heinrich 374
Koretz, rabino Zwi 449
Korherr, Richard 342
Kos 449
Kosovo 190
Kosten (Kościan) 103
Kosygin, Andrej 233
Kovner, Abba 459
Kovno (Kaunas) 256, 292-3, 295-6
Kraljevo 280
Kramer, Josef 798-9
Krauch, Carl 417
Krebs, Hans 832, 834
Krefeld 96, 503, 663
Kreyssig, Lothar 120-1
Krone 786
Krüger Friedrich Wilhelm 65-6, 324, 836
Krüger, Hans 269, 300, 315
Kube, Wilhelm 224
Kubiš, Jan 320, 322
Küchler, Georg von 46, 48, 251
Kuhn, Richard 766
Kulm 35
Kun, padre 747
Kunz, Helmut 833
Küstrin 565
Kutno 24, 91
Kutuzov, Mikhail 242

ÍNDICE ONOMÁSTICO 1025

Lackmann, padre Heinrich 126
Lammers, Hans-Heinrich 65, 105-6, 125, 265, 311, 486, 586, 634, 645, 681-2
Landau, Felix 261-4, 852
Lang, Fritz 756
Lange, Herbert 103-4
Lauenburg 102, 794
Lauer, Anton 301
Laurahütte 422
Laval, Pierre 179, 403, 431, 434, 436-8
Leander, Zarah 661, 672
Leber, Julius 718, 726, 737, 740
Leeb, Wilhelm Ritter von 250-1, 566-7
Lehár, Franz 667, 670
Leipzig 106, 212, 723, 773
Lemberg (Lvov) 18, 261-3, 852
Lemgo 637
Lenard, Philipp 865
Leningrado (São Petersburgo) 144, 197, 214, 228, 239, 244, 462-5, 468, 529, 712
Leopoldo III, rei belga 154, 159, 438
Letônia 58, 208, 214, 258, 307, 385, 711
Leuschner, Wilhelm 736-7
Levi, Primo 545-6
Ley, Inge 835

Ley, Robert 313, 517, 584, 588, 766, 770, 835
Lezacky 323
Líbia 181-2, 689
Lídice 322
Liebehenschel, Arthur 851
Liebermann, Max 317
Liepus, Rudolf 673
Lille 163
Linden, Herbert 603, 606
Linge, Heinz 831, 834
Linz 114, 666, 676-7, 679-80, 824, 852, 854
List, Wilhelm 278, 553
Lituânia 73, 94, 214, 256, 258-9
Litvinov, Maxim 194
Lloyd George, David 159
Loborgrad, campo de concentração 192
Łódź (Litzmannstadt) 18, 23, 25, 59, 73-5, 83, 85-8, 92, 103, 292, 300-1, 315, 362-5, 609
Logenähs 637
Lohse, Hinrich 224
Londres 24, 90, 151, 153-4, 161, 174-6, 203, 287, 319, 438-9, 456--7, 498, 500, 512, 531, 641-2, 712, 740, 753-6, 761, 770-1, 850, 874
Lorena 60, 96, 342, 386, 428, 431, 608, 726
Louvain 154
Lübeck 174, 500-1, 753, 795

Lublin 34, 60, 81, 93, 96, 289, 299, 312, 314-5, 318, 328-9, 331, 333--4, 337, 340-1, 343-4, 640, 865-6
Luck 234
Ludendorff, General Erich 651, 819
Lüdenscheid 520
Ludwigsburg 856
Ludwigshafen 806
Lüneburg 818, 835
Lutero, Martinho 687
Luther, Martin (diplomata) 310
Luxemburgo 60, 82, 386, 428
Lvov (Lemberg) 18, 146, 261, 329, 334, 364, 640
Lynn, Vera 662
Lyon 287

Macedônia 187, 190-1, 451, 474
Maček, Vladko 191
Mach, Alexander 453
Madagascar 86, 96
Magdeburgo 434, 799
Maggiore, lago 543
Magnitogorsk 233
Mahler, Gustav 95
Maillol, Aristide 863
Majdanek, campos 328, 334, 340--1, 344, 420, 600, 758, 810-1
Malásia 284
Malkinia 336
Malmédy 752

Malta 180, 187, 710
Manchúria 26
Mann, Thomas 652
Mannerheim, Marshal Carl 145, 712
Manstein, Erich von 153, 157, 211, 231, 463, 472-3, 478, 480, 554-6, 558, 560, 562, 709, 859
Manston 174
Marat, Jean-Paul 775
Marburg 685
Marrocos 183, 534
Martini, Erich 546-7, 853
Marzabotto 545
Maschmann, Melita 29, 63-4, 91, 226, 777, 826-7, 837, 860-1
Maurras, Charles 432
Mauthausen, campo de concentração 323, 377, 423-4, 440, 595, 602, 696, 747, 796
May, Karl 651
Maykop 464
Mecklenburg 781
Mediterrâneo, mar 178-80, 183, 437, 534, 547, 559
Meier-Welcker, Hans 47, 151, 163, 177, 229, 237-8, 243-4, 246--7, 465, 550
Memel 258, 492
Mengele, Josef 698-703, 792, 853-4
Mennecke, Friedrich 601-2, 853
Merano 543

Mers-el-Kébir 170, 179
Mertz von Quirnheim, Albrecht 733
Mewe (Gniew) 102
Meyer, Konrad 208-9
Mezger, Edmund 617
Michel, Hans 475
Mierendorff, Carlo 730
Mihailović, Dragoljub 276
Milão 829
Milch, Erhard 377, 379-80, 382-3, 426, 757
Minden 637
Minsk 219, 228, 235, 292, 300, 364
Mitchell, Margaret 650
Mlawa 46
Mniszek 35
Model, Walter 556-8, 561-2, 709, 712, 716, 736, 785, 787, 821, 837
Mogilev 229, 300
Molière 95
Möllhausen, Eitel 543-4
Molotov, Vyacheslav 145, 194-5, 199, 222, 789
Molter, Alfred 743, 771-2, 778
Molter, Inge 588, 771-2, 840
Moltke, Helmuth von 724-5, 727--9, 737, 788
Monowitz 352, 417-8, 421, 425, 545-6
Montenegro 190

Montgomery, Bernard 534, 536, 752
Morávia *ver* Boêmia e Morávia
More, Sir Thomas 126
Morell, Theo 106, 582, 823, 828
Morgen, Konrad 600
Moscou 16, 68-9, 199, 214, 228, 235, 239-41, 242-6, 249-52, 287--8, 370, 419, 461, 463, 468-9, 475, 480, 490, 555, 597, 678, 711, 717, 812, 871
Moskvin, Nikolai 217, 228
Mosley, *Sir* Oswald 171
Mühlmann, Kajetan 676-7, 679
Mülheim 503
Müller, Heinrich 36, 282, 310, 410, 788, 863
Münch, Hans 851
Müngersdorf 95
Munique 50, 120, 138-40, 241, 271, 293, 324, 404, 516, 580, 583, 632-2, 693, 721, 763, 775, 785
Münster 126-8, 259, 520, 775
Mussolini, Benito 179-81, 197, 200, 203, 536-8, 541-2, 544, 546, 632, 734-5, 829
Mutschmann, Martin 520

Napoleão Bonaparte 226, 242, 249, 659, 679, 719, 773
Nápoles 540
Narvik 147, 149-51

Natzweiler, campo de concentração 342, 690, 697, 787
Naumann, Werner 844, 852
Nebe, Arthur 36, 266, 300, 728
Nedić, Milan 277-8
Negro, mar 94, 214, 463, 709
Némirovski, Irène 162
Nemmersdorf 645
Neuengamme, campo de concentração 422, 599, 602, 698, 702, 793, 795
Neufeld, Michael 762
Neuhaus, Albert 215, 218, 231-2, 249, 259, 469, 554
Neumann, Franz 394
Neurath, Konstantin von 318, 322, 849
Neustadt in Westpreussen (Wejherowo) 102
Nicodim, patriarca 272
Niemöller, Martin 789
Nienburg 779
Nisko 80-2, 96
Nola 540
Nordhausen 759
Nördlingen 852
Norte, mar do 171-2, 202, 497, 692, 864
Noruega 147-52, 171, 180, 253, 350, 353, 389, 393, 419, 428, 445--6, 548, 577, 579, 668, 715, 763
Norwich 501

Noske, Gustav 735-6
Nova York 287, 357, 640, 740
Nuremberg 104, 138, 203, 516, 526, 693, 760, 800, 837, 847, 849--51, 852, 861, 865

Oberg, Carl-Albrecht 434, 734
Oberhausen 806
Obluze 40
Odessa 273
Ohlendorf, Otto 36, 274-5, 835, 852
Ohnesorge, Wilhelm 765
Ohrdruf 520, 797
Olbrich, Friedrich 730, 732-3
Oldenburg 406, 591, 859
Omaha, praia 715
Oppenhoff, Franz 845
Oradour-sur-Glane 455-6
Oran 170
Oranienstein 683, 776
Ordjonikide 554
Orff, Carl 671-2, 862
Oriente Médio 182-4, 392, 534-5, 690, 871
Origo, Iris 540
Orscha 229
Ortner, Franz 41
Oslo 149, 668
Oster, Hans 723, 729, 735, 738, 787-8
Ostrava 80
Otter, Göran von 641

Paderborn 529
Palermo 536
Palestina 94, 183, 295
Palmié, Gisbert 673
Palmnicken 792
Papen, Franz von 756, 849
Paraguai 853
Paris 24, 157, 160-1, 163, 165, 167, 318, 351, 405, 433-5, 501, 666, 675, 718, 727, 734, 863
Pas-de-Calais 439
Patton, George 752, 797
Pau 163
Paulo, príncipe regente da Iugoslávia 185-6
Paulus, Friedrich 468-73, 478-81, 553-4, 859
Pavelić, Ante 191, 193
Pavlov, Dmitri 242
Pearl Harbor 284, 303, 370
Pedro II, rei da Iugoslávia 186, 276
Peenemünde 756-9, 762, 768, 864
Penzberg 845
Perón, Juan 855
Pérsia 535
Petacci, Clara 537, 829
Pétain, Philippe 162, 164, 167, 179, 430-2, 436-7
Peters, Gerhard 851-2
Petersen, Käthe 624
Pfannmüller, Hermann 109, 115, 604, 853

Pfitzner, Hans 667, 671
Pforzheim 800
Piaf, Edith 662
Piaski 329
Picasso, Pablo 675, 863
Picker, Henry 205
Pillau 815
Pintsch, Karl-Heinz 203
Pio XI, papa 124
Pio XII, papa 57, 124, 544, 607, 632-3, 708, 854
Pirna 97
Piskowitz 803
Pohl, Oswald 309, 335, 395, 421, 790, 852
Polônia 16-7, 22-3, 26, 28-9, 31--8, 41-2, 44, 46-7, 50-2, 54, 56, 58-60, 64, 67, 68-71, 73-5, 78--82, 95, 99-100, 102, 105, 107, 115, 127, 129, 131-5, 141, 144, 151, 153, 155, 167, 168, 183, 186, 196, 199, 205, 207-13, 219, 224, 229, 231-2, 261, 276, 279, 285, 297, 300, 305, 307, 315, 329, 333, 336, 342, 345, 349, 353, 355, 365, 381, 384-5, 387, 403, 405, 407, 428, 450, 452, 457, 492, 514, 564-5, 569, 573, 606, 608, 612, 635-6, 639, 641-2, 645, 651, 654, 656-7, 671-, 677--8, 730, 837, 849-50, 852, 866, 869-70

Poltava 498
Pomerânia 27, 107, 781, 814, 839--40
Poniatowa, campo de concentração 340
Ponza 541
Popitz, Johannes 723, 728-30, 735, 737-8, 750
Pöppel, Martin 493, 531, 743
Portsmouth 754
Portugal 169, 308, 765
Posen 33, 51-2, 61, 103-4, 113, 403, 600, 704
Posse, Hans 676-7, 679-80
Potocki, família 44
Potsdam 800
Prachtice 793
Praga 80, 94, 320, 322-3, 616, 671--2, 734, 836
Pretzsch 212
Probst, Christoph 721
Prochorovka 558-60
Prüfer, Kurt 348, 851
Prússia 31, 56-7, 486, 564, 678, 827
Prússia Ocidental 33, 35, 53, 55, 102, 107
Prússia Oriental 23, 33, 107, 223, 370, 463, 514, 609, 645, 678, 712, 776, 781, 792, 811, 814, 852
Pultusk 45

Quakernack, Walter 422
Quisling, Vidkun 147-50, 171, 191, 445

Radom 65, 100, 264, 337
Radomsko 86
Raeder, Erich 147, 169-71, 176-7, 548, 566, 849
Rascher, Sigmund 691-3, 703
Rastenburg 223, 370-1, 542, 716, 731-3, 750
Rath, Ernst vom 434
Rauca, Helmut 296
Rauff, Walter 183
Rauter, Hanns 439
Ravensbrück, campo de concentração 99, 322-3, 602, 665, 693-5, 703, 738, 788, 790
Rebatet, Lucien 432
Reck-Malleczewen, Friedrich 774-5
Reck-Malleczewen, Irmgard 774
Regensburg 793
Reich, Wilhelm 622
Reichenau 116
Reichenau, marechal de campo Walter von 211, 219, 248, 270-1
Reich-Ranicki, Marcel 356, 360-1
Reichwein, Adolf 718
Reinhardt, General Hans-Georg 249
Remagen 780

Remer, Otto Ernst 733, 735
Renânia 96, 100, 141, 165, 679, 785, 817
Reynaud, Paul 157, 159, 162
Rhodes 449-50
Rhodes, Cecil 656
Ribbentrop, Joachim von 164, 168-9, 179, 194-5, 447, 451-2, 544, 649, 679, 822, 824, 828, 844, 847, 849
Riedl, coronel 269-70
Riefenstahl, Leni 862
Riegner, Gerhart 640
Riesenburg (Probuty) 102
Riga 214, 258, 260, 292-3, 296, 305-6, 634, 852
Ringelblum, Emanuel 77, 86, 88--9, 92, 358, 361
Ritter, Gerhard 686-7
Ritter, Robert 99, 609, 613
Rjev 465
Rodenwaldt, Ernst 546-7, 853
Röhm, Ernst 788
Rokossovskii, marechal Konstantin 478-9, 781
Roma 311, 542-5, 627, 632, 820, 854
Romênia 24, 59, 94, 184-5, 197, 226, 272, 274, 350, 392, 429, 438, 450-2, 611, 707, 709, 746-7, 779, 782

Rommel, marechal de campo Erwin 181-2, 184, 534-5, 537, 715, 736-7, 871
Roosevelt, Franklin D. 178, 283-7, 324, 326, 450, 503, 531, 641, 708, 729, 740, 827
Rosenberg, Alfred 33, 52, 125, 224, 265, 298, 304, 307, 315, 335, 394, 409, 458, 543, 678-80, 828, 849
Rosenheim 744, 853
Rostock 500
Rostov-sobre-o-Don 240, 246, 248, 554
Roterdã 153, 529, 753
Rotmistrov, Pavel 558-9
Rouen 161
Royzicki, Stanislav 88
Rozan 46
Rubinstein, Artur 862
Rubinstein, Helena 675
Rügen 765
Ruhr 501, 503-4, 505, 512, 516-7, 525, 717, 780, 787
Rumkowski, Chaim 85, 87, 92, 361-3, 365
Rundstedt, Gerd von 153, 160, 231, 247-8, 264, 567, 715-6, 737, 859
Rüsselsheim 532
Rust, Bernhard 682, 836

Šabac 278-9
Sachsenhausen, campo de concentração 57, 140, 314, 342, 396, 422-3, 434, 455, 598, 615, 665, 697, 749, 788, 790
Sagan 532
Sajmiste 301, 611
Salat, Alfred 775
Salerno 538
Saliège, Jules-Gérard, arcebispo de Toulouse 436
Salò 542, 545
Salônica 185, 437, 449
Salzburgo 452, 671
São Petersburgo (Leningrado) 144, 197, 214, 228, 230, 239, 244, 462--5, 468, 529, 712
Sardenha 538
Sarre 82, 96
Sauckel, Fritz 399-400, 402-3, 404-5, 409-10, 415, 426-7, 849-50
Sauerbruch, Ferdinand, 122, 703
Saur, Karl-Otto 844
Saxônia 114, 514, 520, 532, 628, 717, 780
Schacht, Hjalmar 373, 735, 789, 849
Schädle, Franz 833
Schäfer, Ernst 690
Schaub, Julius 828
Schellenberg, Walter 139, 169, 171, 729

Scheuer, Alois 231, 246
Schieder, Theodor 687
Schiller, Friedrich 650
Schindler, Oskar 638
Schirach, Baldur von 125, 289, 483, 515, 669, 850, 861
Schivelbein 839-40
Schlabrendorff, Fabian von 724, 728-9, 736, 738, 789
Schlegelberger, Franz 591-2
Schleswig-Holstein 815, 844
Schmidt, Paul 755
Schmorell, Alexander 721
Schmundt, Rudolf 566
Schneidemühl 96
Schoenberg, Arnold 351
Scholl, Hans 721
Scholl, Sophie 721
Schönlanke 840
Schörner, Ferdinand 709, 711
Schreck, Josef 115
Schröder, Oskar 694
Schulenburg, Friedrich Werner von der 222
Schulenburg, Fritz-Dietlof von der 724, 726-8, 737
Schulte, Eduard 640
Schultz, Johannes 623
Schulz, Bruno 264
Schulz, Erwin 267-9
Schulze-Boysen, Harro 718-9
Schulze-Boysen, Libertas 719

Schuschnigg, Kurt von 278, 332, 743, 789
Schwarz van Berk, Hans 755
Schwedler, Karl ("Charlie") 664
Schweinfurt 505, 526
Schwerin von Krosigk, Lutz 844
Schwetz (Swiece) 102
Sebastopol 463-4
Seebruck 774
Selassié, Hailé 181
Sereny, Gitta 838, 850
Sérvia 191, 193, 213, 230, 275-80, 301-2, 310, 350, 419, 535, 609, 870
Seyss-Inquart, Arthur 439, 441, 443-4, 844, 849
Shakespeare, William 653
Shirer, William L. 24, 28, 82, 122, 140, 151, 154, 164-5, 170, 173, 650-1, 658, 663, 847
Sibéria 69-70, 234, 243, 782-3, 846
Sicília 536, 538, 547, 559
Siegen 842
Sierakowiak, Dawid 78-9, 83, 362-4
Silberhammer (Srebrzysk) 102
Silésia 33, 39, 342, 727, 780, 790, 814
Baixa Silésia, 724
Alta Silésia 27, 38, 53, 80, 393, 634, 782, 791
Sima, Horia 184-5, 855
Simeão II, rei da Bulgária 536
Siracusa 536,
Síria 183, 854
Six, Franz 36
Skorzeny, Otto 542, 735, 747, 855
Smolensk 68, 214, 221, 235, 712, 811
Sobibor, campo de concentração 330, 333, 335, 336-40, 342, 344, 364, 441, 443
Soest 520
Sofia 535-6
Soldau 103
Solmitz, Friedrich 294, 411, 637, 867
Solmitz, Gisela 294, 637, 805
Solmitz, Luise 167, 226, 294, 411, 501, 510, 512, 637-8, 804-5, 808, 843, 867, 868
Somalilândia 181
Sonnenstein 114, 119, 122, 601
Sorge, Richard 243
Speer, Albert 165, 370-83, 391, 398-400, 409, 417, 419-21, 426-7, 464, 472, 486, 504-5, 517, 524-5, 528, 580-2, 586, 668, 675, 688, 704, 733, 750, 756-8, 760-1, 764, 766-8, 770, 782, 807, 819-24, 827--9, 844, 850, 863
Sperrle, Hugo 173, 716
Sprenger, Jakob 837
Springer, Axel 664
Stabenow, Gerhard 365, 851
Stahlecker, Walther 257

Stálin, Josef 26, 71, 144-5, 147, 194-6, 199-200, 207, 209-10, 217, 222-3, 225, 227, 229, 232-3, 240, 242-3, 252, 258, 260, 285, 290, 326, 366, 382, 409, 456, 460, 461--4, 469-70, 478, 498, 503, 559, 561, 641, 651, 709, 711-4, 719, 747, 782, 810, 812, 819, 822, 824, 842, 863

Stalingrado 466, 467-72, 475, 478--83, 484, 489, 513, 529, 531, 553--5, 560-1, 569, 571, 574-5, 581, 661, 667, 711, 721, 727-8, 731, 830, 859, 871

Stangl, Franz 332-3, 335, 338-40, 365-6, 854-5

Stanislawów 269

Stara Gradiska, campo de concentração 192

Stark, Johannes 865

Stauffenberg, Claus von 730-3, 734, 738-40, 745, 789

Stein, Baron Karl vom 727

Steinhilfer, Ulrich 174, 176

Stepinac, arcebispo Alojzije 193

Stettin 82, 96, 116, 153, 445-6

Stohr, Albert, bispo de Mainz 128

Stralsund 102

Strauss, Alice 669-70

Strauss, Johann 356

Strauss, Richard 666-7, 669-70, 862

Streckenbach, Bruno 38, 74

Streicher, Julius 264, 849

Stroop, Jürgen 359-60, 364, 852

Stülpnagel, Karl-Heinrich von 211, 727, 734, 736-7

Stülpnagel, Otto von 434

Stumpfegger, Ludwig 833-4

Stuttgart 113, 404, 645, 721, 746, 774, 783

Stutthof, campo de concentração 342, 419-20, 792

Sudetos 30, 50, 492, 638, 726, 837, 840

Suécia 147, 150, 308, 445-7, 636, 641, 672, 722, 795, 855

Sugihara, Chiune 94

Suíça 139, 308, 449, 483, 640, 661, 668, 853

Swinemünde 800

Sylt 850

Szálasi, Ferenc 747-8

Szczebrzeszyn 25, 52, 57-8, 60-1, 79, 331, 866

Szpilman, Wladyslaw 639

Sztójay, Döme 706, 708

Tailândia 284

Tallinn 214, 810

Taranto 180

Tarnopol 259

Tchaikovski, Pyotr Ilyich 95, 230

Tchecoslováquia 23, 29, 31, 37, 50, 141-2, 151, 171, 179, 183, 353, 431, 723

ÍNDICE ONOMÁSTICO   1035

Tchekhov, Anton 653
Terboven, Josef 445
Terezin 350
terMeer, Fritz 418
Teterow 840
Thälmann, Ernst 788-9
Theresienstadt, campo de concentração 350-2, 437, 441, 447, 455, 637, 670, 672, 673, 749, 798
Thierack, Otto-Georg 434, 592-3, 595, 737, 785, 787, 837, 844
Thiess, Frank 651-2
Thomalla, Richard 336
Thomas, Georg 144, 196, 207-8, 374, 727, 736, 789
Tikhvin 246
Tilsit 258-9
Timoshenko, Semyon 235
Tirol do Sul 789
Tiso, Jozef 453-5
Tito, Josip Broz 276, 456-7
Tobruk 182, 188, 534-5
Todt, Fritz 144, 196, 370-4, 376, 377-8, 382-3, 389, 399, 426
Tolstói, Leo 230
Tongres 154
Topf, Ernst Wolfgang 851
Topf, Ludwig 851
Tóquio 243
Torgau 781
Torquay 754
Toulouse 433, 436

Trácia, 187, 198, 451
Transilvânia 184, 450, 707
Transnistria 272-4, 451, 611
Traunstein 774
Travniki, campo de concentração 340-1, 361
Treblinka, campo de concentração 336-7, 339-42, 344, 355-7, 360, 365, 600, 641, 854-5
Treptow an der Rege 102
Tresckow, Henning von 211, 724, 728, 730-1, 736, 738
Treskau (Owińska) 103
Trieste 340, 543, 545
Trípoli 182
Trondheim 149, 206
Trott zu Solz, Adam von 723, 725, 737-8
Truman, Harry S. 827
Tübingen 685
Tuka, Vojtech 318, 453-4,
Tunísia 183
Turíngia 394, 399, 520, 717, 759, 765, 797
Turner, Harald 302, 611
Turquia 50, 450, 746-7, 849

Ückermünde 102
Ucrânia 33, 195, 205, 207, 214, 224, 233-4, 239-40, 272-3, 299, 306, 372, 374, 415, 428, 463, 709, 712

Udbina 192
Udet, Ernst 375, 525
Ullmann, Viktor 351, 672
União Soviética 26, 34, 58-9, 68--71, 81, 131-2, 145, 147, 164, 171, 184-5, 194-6, 198-200, 201, 207, 209-10, 212-15, 217-26, 227-8, 231-45, 253, 257-8, 271, 275, 283--6, 290, 295-6, 304, 318, 336, 367--8, 376, 381-3, 384-5, 391, 401, 403-5, 415, 419, 426, 457, 461-3, 465, 468-73, 478-9, 481, 497-8, 528, 535-6, 550, 554-62, 569, 575, 606, 641, 644, 648, 678, 688, 709, 717, 719, 723, 728, 740, 749, 751, 763, 779-82, 809-14, 817, 822, 830-2, 834, 851, 857, 860, 864, 870-1
Untertürkheim 404
Usedom 756-7

Valerio, coronel 829
Varsóvia 23-6, 28, 32, 34, 39-40, 45, 57, 64, 67, 73, 75-8, 86-9, 92, 274, 315, 331, 336-7, 355-7, 359--61, 364, 365, 529, 637, 639, 641--2, 661, 712-4, 764, 852, 859-61
Vasilevskii, Aleksandr 469-71
Vaticano 94, 124, 126, 454, 544, 632-3, 854-5
Vendel, Karl Ingve 446
Veneza 544

Venlo 139
Verschuer, Otmar von 698-9, 854
Victor Emmanuel III, rei da Itália 538-9
Viena 32, 80-1, 95-6, 263, 289, 292, 328, 350, 579, 677, 680, 734, 743, 748, 780-1, 850, 862, 869
Vierny, Dina 863
Vilna (Vilnius) 260, 295, 358, 364, 459
Vinnitsa 463, 469
Vitória, rainha 656
Vitztbum, conde Heino 477
Vlaminck, Maurice 675
Voerde 416
Vogelsang 683
Voronej, 462
Voronov, Nikolai 479
Voss, Hermann (anatomista) 61
Voss, Hermann (diretor do museu Wiesbaden) 676

Wagner, Adolf 629-30
Wagner, Gerhard 105-6
Wagner, Horst 212
Wagner, Richard 667
Wagner, Walter 831
Wagner, Winifred 667
Wahlmann, Adolf 606
Walb, Lore 165, 170, 176-7, 204, 481, 535, 772, 785, 817, 819, 842
Walter, Bruno 862-3

Wanne-Eickel 521
Warthegau *ver* Wartheland
Wartheland 33, 53, 55-7, 59, 61, 63, 82, 83, 103, 289, 304-5, 363
Wawer 39
Weber, Ilse 672
Weichs, general Maximilian 462, 469, 471
Weill, Kurt 350
Weinrich, Karl 518
Weiss, Wilhelm 286
Weissensee 317
Weizsäcker, Ernst von 454, 544, 632, 723
Werner, Kurt 267
Wewelsburg 207, 678
Weygand, Maxime 159, 161-2
Widmann, Albert 113, 300, 606
Wieloncza 60
Wienken, Heinrich 125-6
Wiesbaden 676, 851
Wiesenthal, Simon 855
Willrich, Wolfgang 674
Wilm, Ernst 124
Wirth, Christian 113, 118, 328-9, 332-3, 335, 338-9
Wisliceny, Dieter 453
Witebsk 229
Witten 516
Witzleben, general Erwin von 737
Wöhler, Otto 561

Wolff-Metternich, conde Franz 679-80
Wolff-Mönckeberg, Mathilde 491, 510, 512
Wolfsburg 416, 423
Woyrsch, Udo von 74
Wren, *Sir* Christopher 874
Wuppertal 503, 513, 809
Wurm, Theophil, bispo de Württemberg 122, 129, 633-4, 645
Württemberg 114, 121, 737
Würzburg 111, 493, 644, 800

Xangai 94

Yorck von Wartenburg, Peter 724, 737, 740
York 501

Zakopane 44
Zamboni, Guelfo 449
Zamość 25-6, 60-1, 76, 329, 331, 423, 865
Zawada 60
Zeitzler, Kurt 466, 469, 554, 716
Zempelburg 35
Zervas, Napoleon 456
Zloczów 269
Zurique 640
Zweig, Stefan 670

Leia também os outros dois títulos da série

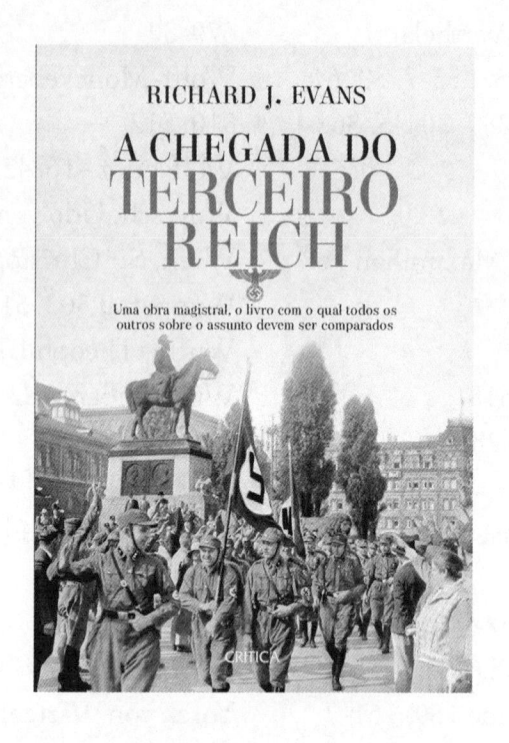

RICHARD J. EVANS
A CHEGADA DO TERCEIRO REICH

Uma obra magistral, o livro com o qual todos os outros sobre o assunto devem ser comparados

RICHARD J. EVANS
TERCEIRO REICH NO PODER

O relato mais completo e fascinante do regime nazista entre 1933 e 1939

Conheça também outros títulos do selo Crítica

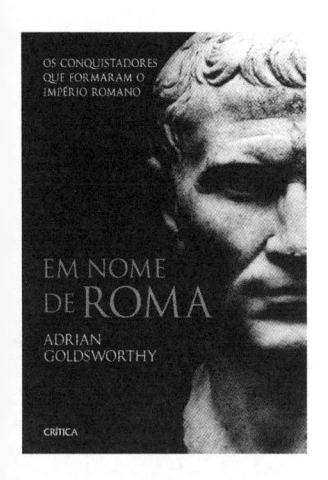

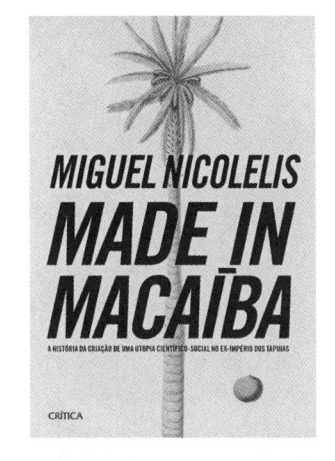

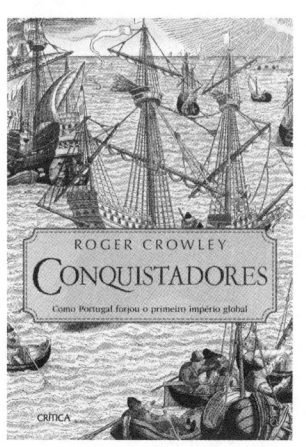

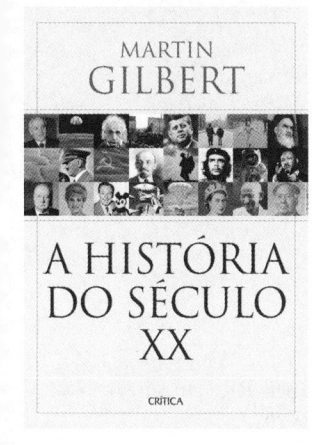

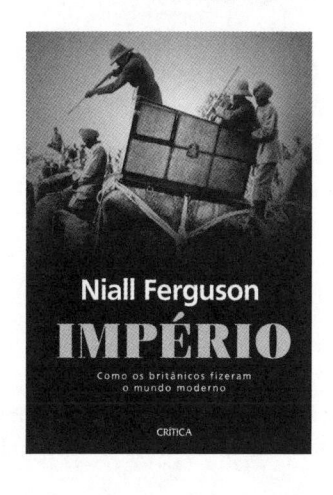

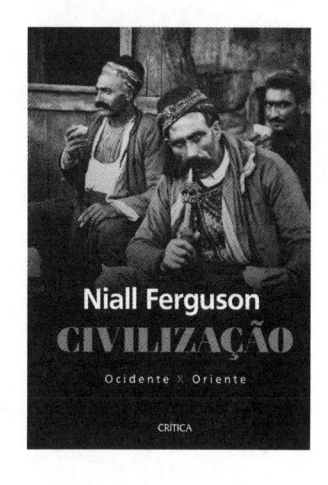

- **Em nome de Roma** — Adrian Goldsworthy
- **Made in Macaíba** — Miguel Nicolelis
- **Muito além do nosso eu** — Miguel Nicolelis
- **A invenção da natureza: A vida e as descobertas de Alexander von Humboldt** — Andrea Wulf
- **Conquistadores: Como Portugal forjou o primeiro império global** — Roger Crowley
- **Uma breve história do Brasil** — Mary Del Priore • Renato Venancio
- **A história do século XX** — Martin Gilbert
- **Império: Como os britânicos fizeram o mundo moderno** — Niall Ferguson
- **Civilização: Ocidente X Oriente** — Niall Ferguson

Este livro foi composto em Horley Old Style MT e impresso pela RR Donnelley
para a Editora Planeta do Brasil em novembro de 2017.